GW00391774

Wo immer die Welt brennt – Starreporter Tom Hagen ist an vorderster Front mit dabei, zu jedem Risiko bereit. Bis er in Afghanistan den Bogen überspannt. In einer einzigen mörderischen Nacht verliert er alles, Renommee, Geld, Zukunft. Drei Jahre später bietet sich in Israel die Gelegenheit zum Comeback. Doch was ein journalistischer Coup zu werden verspricht, entwickelt sich unversehens zu einer Hetzjagd durch die explosivste Region der Welt. Auf der Flucht vor Geheimagenten und Killern kämpft Hagen ums nackte Überleben – gegen eine Verschwörung, deren Anfänge ins koloniale Palästina zurückreichen, in eine von Mythen durchzogene Epoche, als die Saat für den Nahostkonflikt gelegt wurde … ›Breaking News‹ ist Thriller, Politdrama und Familiensaga – hart, rasant und berührend.

»Ein Actionfilm in Buchform, mit atemberaubenden Gefechtsszenen, präzise, schnell, kunstvoll geschrieben. Ein Knaller-Buch.« *Stern*

Frank Schätzing begibt sich mit ›Breaking News‹ einmal mehr auf neues Terrain: »Mein Kopf fühlt sich immer dort am wohlsten, wo ich noch nie war.« Schätzing lebt und arbeitet in Köln.
Im Fischer Taschenbuch Verlag sind erschienen: »Der Schwarm«, (Bd. 16453) und »Limit« (Bd. 18488).

Weitere Informationen, auch zu E-Book-Ausgaben, finden Sie bei www.fischerverlage.de

FRANK
SCHÄTZING

BREAKING
NEWS

Roman

FISCHER Taschenbuch

Breaking News ist ein Roman und damit ein Werk der Fiktion. Die meisten Charaktere sind frei erfunden, andere basieren auf realen Personen des öffentlichen Lebens. Aber auch diese spielen nur Rollen in einem fiktiven Szenario, in dem die reale Geschichte lediglich der Ausgangspunkt für künstlerische Spekulationen ist. Insbesondere gilt dies für Ariel Scharon, auch wenn viele Äußerungen dieser Kunstfigur Originalzitate des realen Ariel Scharon sind und Lebenssituationen dieser fiktiven Figur auf der Basis authentischer Quellen des realen Ariel Scharon nachgezeichnet werden. Dies gilt im besonderen Maße für die fiktiven Ereignisse auf den Seiten 880 bis 937. Die dort geschilderte Einflussnahme durch erfundene Charaktere auf die Romanfigur Ariel Scharon entspringt der freien Fantasie des Autors. Frei erfunden sind darüber hinaus sämtliche Mitglieder der Familie Kahn (Rachel, Schalom, Jehuda, Phoebe, Benjamin, Leah, Miriam, Uri und Yael), ebenso David Cantor, Mansour al-Sakakini und seine Familie, alle Mitglieder des Schin Bet, alle Mitglieder von Samael, Krister Björklund, Inga Dorn sowie viele Nebenfiguren.

Ausführliches Glossar mit
Begriffserklärung auf Seite 957
und zum Downloaden auf
breakingnewsroman.com

5. Auflage: Oktober 2019

Erschienen bei FISCHER Taschenbuch
Frankfurt am Main, September 2015

© S. Fischer Verlag GmbH, Frankfurt am Main
Lizenzausgabe mit freundlicher Genehmigung
des Kiepenheuer & Witsch Verlages, Köln
© 2014 by Verlag Kiepenheuer & Witsch, Köln
Druck und Bindung: CPI books GmbH, Leck
Printed in Germany
ISBN 978-3-596-03064-4

Für Helge und Regina

2008

Afghanistan, nördliche Provinzen

Unterwegs in einem Toyota Land Cruiser, sieben Uhr morgens, Sack überm Kopf, unter der Kinnlade zugebunden. Der offene Mund saugt Stoff an, da durch die Nase nicht genug Luft in die Lungen strömen will, doch tatsächlich ist es ein mentales Problem. Das Gewebe ist durchlässig, der Rest Gewöhnungssache.

Kann man sich daran gewöhnen? Seiner Sicht beraubt über Bergstraßen voller Schlaglöcher zu kacheln, während einem die Rückbank ins Kreuz drischt?

Hängt von den Umständen ab. Selbst in weniger zivilisierten Gegenden gibt es nicht viele Gründe, jemandem eine muffige schwarze Kapuze über den Kopf zu stülpen. Entweder wird man gleich darauf erschossen oder aufgehängt, womit sich die Frage nach der Gewöhnung erübrigt hat. Oder man wird verschleppt, hört den gelassenen Schritt des Folterers nahen, seine freundliche Stimme, bevor er einem die Hölle bereitet, solcherlei Unannehmlichkeiten.

Dritte Möglichkeit, man trägt das Ding freiwillig, weil der Fahrer nicht will, dass man sich später an die Route erinnert.

Hagen weiß, dass Björklund neben ihm weniger gut mit der Situation zurechtkommt. Sein Asthma macht ihm zu schaffen. Ihn selbst stört eigentlich nur, dass sich irgendwann mal jemand in seinen Sack erbrochen haben muss. Der Stoff ist sauber, also gewaschen, aber manche Gerüche setzen sich für alle Zeiten fest. Weniger die Moleküle selbst konservieren die Vergangenheit, als vielmehr die Umstände ihres Hineingelangens, etwa so, wie sich die Gedanken Verstorbener in einem Geisterhaus einnisten. Hagen mag sich nicht vorstellen, welches Schicksal der arme Teufel durchleiden musste, der die Kapuze vollgekotzt hat. Möchte glauben, dass er oder sie das Ding ebenso aus freien Stücken getragen hat wie sie beide in diesem Moment, und weiß es doch besser.

War es Marianne Degas, Max Keller oder Walid Bakhtari? Welchem der drei sind unter dem Stoff, der ihn vorübergehend erblinden lässt, Nerven und Magenwände entgleist?

Die Vorstellung beginnt von Hagen Besitz zu ergreifen, dass sie ihm genau einen der Säcke verpasst haben, unter denen sich die Entführten an den Szenarien ihres Sterbens abgearbeitet haben. Als seien nicht Hunderte solcher Säcke im Umlauf, Tausende. Wer stellt so was eigentlich her, denkt er. Gibt es einen Versandhandel für Geiselnehmer? – Aktionswochen, jetzt zugreifen! Kapuze, blickdicht, in S, M oder L, exzellente Qualität, ein Jahr Garantie, sofort lieferbar. Dazu Fußfesseln ›Dadullah‹ mit geräuscharmem Klickverschluss. Nie wieder Knotenmachen, wenn's schnell gehen muss, klick, und die Fessel sitzt. Bei Abnahme von zehn Sets gibt es den Folterkasten ›Fromme Taten‹ als Gratisgeschenk dazu, also zögern Sie nicht! Rufen Sie jetzt an, verschlüsselt unter –

Degas. Keller. Bakhtari.

Seit Husain ihm eröffnet hat, den Aufenthaltsort der drei Entwicklungshelfer zu kennen, die seit anderthalb Monaten vermisst werden, denkt Hagen an nichts anderes. Zwei Mitarbeiter einer deutschen Hilfsorganisation und ihr einheimischer Fahrer, auf dem Weg nach Qowngowrat im nördlichen Kunduz-Delta verschollen, wohin sie mit einer Wagenladung Medikamente und Infusionslösungen aufgebrochen waren. Nie angekommen. Zuletzt gesehen in der Gegend um Aqli Bur, einem Kaff, das zwischen Reisfeldern und Melonenplantagen in eine Hügelkette gekrümmt liegt, keine zehn Kilometer von Kunduz-Stadt entfernt. Das Übliche. Lehmbauten, Strohdächer, Ziegen, winkende Kinder.

Dort sind sie verschwunden.

Drei Tage später informiert die Organisation – Heal Afghanistan, ein Name, dem das Odium der Selbstüberschätzung anhaftet – das Auswärtige Amt und gibt eine Pressemeldung heraus. Der Faktengehalt geht gegen null. Es gibt kein Bekennervideo, keine Forderung. Im Krisenreaktionszentrum halten sie pfleglich die Hände still. Was sollen sie auch groß unternehmen? Es gilt ja nicht mal als sicher, ob überhaupt jemand die drei hopsgenommen hat. Vielleicht düngen sie längst afghanisches Ackerland. Oder liegen eingebuddelt im Sand der Wüste, von 50 Grad Mittagstemperatur hübsch mumifiziert, die Ötzis kommender Generationen. Will jemand losziehen, sie zu suchen?

Schon besser gelacht.

Weil man den Vorfall andererseits nicht völlig ignorieren kann, veröffentlicht die Presse zehn Zeilen Text, in denen Heal Afghanistan seine Verluste beklagt. Die Meldung erscheint im Nachrichtenfriedhof des Panorama-Teils, als Hagen gerade in seiner Hamburger Wohnung hockt und für sich, Krister Björklund und Inga Dorn den Flug nach

Kabul bucht. Von dort soll es weitergehen ins Feldlager Kunduz, Reportage über den Alltag der Bundeswehr.

Ein Job, auf den er nicht die geringste Lust verspürt.

Für Inga mag es ja ganz erhellend sein. Ihr erster Aufenthalt in einer Krisenregion. Aber er? Was zum Teufel soll er da? Wenn nämlich die dortige Informationspolitik der Doktrin des Verteidigungsministeriums folgt, kann er ebenso gut in Hamburg bleiben und seine Reportage googeln. Ihm als Repräsentanten des schandmäuligen Enthüllungsjournalismus, so viel ist sicher, werden sie den Presseoffizier gleich auf den Leib schweißen.

Er liest die Meldung. Liest sie noch einmal.

Dann ruft er Bilal Husain an.

Ob er Näheres über die Sache mit den Verschwundenen in Erfahrung bringen kann.

Bilal Husain ist Hagens Fixer, wie es im Journalistenjargon so schön heißt, sein pakistanischer Kontaktmann. Afghanistans Zukunft wird im Nachbarland verhandelt, und niemand ist so gut verdrahtet wie Husain. Als Berichterstatter für Zeitungen wie *The Statesman* und *Independent News Pakistan* hat er Zugriff auf nahezu jede Information, vor allem aber genießt er das Vertrauen der Taliban. Über ihn lancieren sie ihre berüchtigten Videos an die Medien, in denen zum Heiligen Krieg aufgerufen wird oder leichenblasse Ausländer vor von Parolen durchhängenden Fahnen hocken. Alle paar Tage trifft sich Husain mit dem Sprecher der für Kunduz zuständigen Gruppe und verschafft seinen Anliegen Geltung. Im Gegenzug fordert er, dass die Taliban ihn als Vermittler akzeptieren, wenn Verhandlungen mit ausländischen Krisenstäben anstehen. Inzwischen eilt ihm der Ruf voraus, einen gewissen Einfluss auf die Gotteskrieger zu haben, außerdem ist er notorisch klamm.

Husain freut sich, von Hagen zu hören. Was der Job macht, wie es der Familie geht. Eine Ouvertüre an Umständlichkeiten, orientalisch gedrechselt. Hagen ist es recht. Wenn sein pakistanischer Freund ihm eine Story liefert, die ihn aus dem Sommerloch katapultiert, kann er ihm den Koran in Endlosschleife vorlesen.

Endlich sagt Husain: »Klar, Tom. Ich hör mich mal um.«

»Gut. Danke, Bilal.«

»Und du bist sicher, dass sie im Kunduz-Delta verschwunden sind?«

»Zumindest wurden sie da zuletzt gesehen.«

»Verwunderlich.«

»Warum?«

Ständig entführen die Taliban Menschen.

»Aber nicht so hoch im Norden«, sagt Husain, als sie sich zwei Wochen später im pakistanischen Peschawar treffen und aus der Juwelierstraße auf den Chowk Yadgar treten.

»Seltener«, räumt Hagen ein.

Natürlich hat der Fixer recht. Die Netzwerke professioneller Entführer wie Haqqani verfilzen sich weiter im Osten zwischen Khowst und Jalalabad, wo sich Afghanistan einbeult und pakistanisches Grenzland hereinwuchert. Auch im Süden werden Ausländer verschleppt. Im Norden buddeln sie eher IEDs in den Sand und freuen sich wie die Kinder über jeden Soldaten, dem es die Beine wegreißt. Aber wer sagt, dass sie nicht auch da mit den Entführungen anfangen?

Husain schüttelt den Kopf. »Es passt nicht in ihre Strategie.«

»Hätte sich die geändert?«

»Sagen wir, sie schauen hin und lernen.«

»Von wem?«

»Ist das nicht offensichtlich?« Husain lächelt. »Von ihren Feinden natürlich.«

Die Sonne hat Peschawar seit den Morgenstunden gebacken. Jetzt, in der hereinbrechenden Dämmerung, steht die Hitze immer noch wie ein faulendes Gewässer in den Straßen und Plätzen der Altstadt. Jedes Sauerstoffatom scheint an eine Substanz gekoppelt, die beim Einatmen die Lebenserwartung herabsetzt. Der Smog der Zwei-Millionen-Metropole kann es mit Kuala Lumpur, Los Angeles und Peking locker aufnehmen.

»Das ISAF-Dezimierungsprogramm ist eine Sache«, sagt Husain. »Aber es bringt die Taliban auf Dauer nicht weiter.«

Hagen blickt sich um, während sie über den Platz schlendern. Der Chowk Yadgar macht einen heruntergekommenen Eindruck. Nur wenige Besucher schleichen um das berühmte Kuppelmonument herum, die Kameras halbherzig gezückt. Kaum ein Reiseveranstalter empfiehlt noch Trips in die Region, seit ein hochgiftiger Interessencocktail Anfang der Achtziger begonnen hat, den Tourismus nachhaltig zu zersetzen. Afghanische Mudschaheddin waren über die Grenze hierhergeflüchtet, um Kämpfer für ihre Sache zu rekrutieren und Strategien zu entwickeln, wie man der Roten Armee den Weg weisen könnte, in bestem Einvernehmen übrigens mit Onkel Sam. Der zeigte ihnen nicht nur, wie man sowjetische Jets vom Himmel holte, sondern förderte auch noch sehenden Auges die Verflechtung dschihadistischer Ideen zu einem Netzwerk, dessen Name nach dem 11. September 2001 die ganze Welt kennen sollte. Nirgendwo sonst hätte al-Qaida prächtiger gedeihen können als im intriganten Peschawar. Das Gästehaus eines gewissen Osama bin Laden avancierte zum Hotel Terror, Selbstmordattentäter wünschten einander dort gesegnete Himmelfahrt. Es wimmelte nur so von Agenten der CIA und des ISI in der Stadt, von Militärberatern, Journalisten, Dschihadisten, Gangsterbossen und Politikern, Letztere oft in Personalunion.

»Und was ist ihre neue Strategie?«

»Dir wird aufgefallen sein, dass sie versuchen, die Sympathien ihrer Landsleute zurückzugewinnen.«

Stimmt, denkt Hagen.

Dabei kommt es den Taliban zupass, dass sich die ANA, die Afghan National Army, als korrupter Haufen disqualifiziert und die Polizei keinen Deut besser dasteht. Wovon immer ISAF-Ausbilder träumen, wenn sie versuchen, aus Analphabeten, Arbeitslosen und Kriminellen ordnende Allianzen zu schmieden, es geht hoffnungslos schief. Ebenso gut könnten sie die Gefängnisse öffnen und jedem, der nach draußen läuft, eine Mütze, eine Dienstmarke und eine Knarre verehren.

Was nicht *ganz* stimmt. Es gibt durchaus afghanische Ordnungshüter, die willens sind, ihr Volk zu schützen.

Nur bitte, vor wem? Vor den Taliban? Vor der grassierenden Vetternwirtschaft, die sich wie ein Bandwurm durch alle politischen Institutionen zieht? Vor Hamid Karzai, dem Präsidenten, dessen Halbbruder von Kandahar aus die Drogenmafia regiert und sich von der CIA goldene Türklinken bezahlen lässt? Vor den eigenen Kollegen, die ihre Waffen, kaum dass sie sie erhalten haben, an jene verscherbeln, die sie damit bekämpfen sollen?

Die Antwort lautet: Ja.

Und noch was: Wenn du dich nicht kaufen lässt, braver Polizist, bist du morgen ein toter Polizist.

Kein Wunder, dass die meisten Afghanen jedem ISAF-Soldaten hundertmal mehr über den Weg trauen als den eigenen Sicherheitskräften, die ihre Gunst nach Höchstgebot verteilen, rund um die Uhr stoned sind und eines definitiv nicht tun:

Recht sprechen.

Aber die Taliban tun es.

Gezielt haben sie begonnen, das Vakuum staatlicher Gesetzlosigkeit zu füllen, Konflikte nach den Statuten des Paschtunwali zu schlichten, den Bedürfnissen von Menschen Rechnung zu tragen, die nichts anderes kennen, als im Matsch ihrer Felder zu schuften, ohne je weiter von zu Hause entfernt gewesen zu sein als zehn Kilometer. Menschen, die keinen Schimmer haben, was ein Wahlzettel ist, die Namen darauf nicht lesen und ihren eigenen nicht schreiben können, ganz zu schweigen davon, dass ihnen die Kandidaten nichts sagen und schon gar nicht dieser Hamid Karzai in einem Kabul, das auf dem Mond liegen könnte, so weit ist es von ihrem Leben entfernt. Deren berechtigte Frage lautet, wie Herr Karzai beispielsweise das Problem zu lösen gedenkt, das Abdullahs idiotischer Neffe der Gemeinschaft eingebrockt hat, indem er Ajmals Tochter länger anglotzte, als es feierlich war. Was durchaus ein Grund sein kann, Blut zu vergießen. Hätte Herr Karzai in der Sache nicht längst mal seinen Arsch herbewegen und mit allen Beteiligten sprechen müssen?

Nicht?

Wozu ihn dann wählen?

Man muss die Taliban nicht mögen. Aber sie lösen Probleme.

»Weil sie gut aufgepasst haben«, sagt Husain. »Weil sie die Strategien der ISAF sehr genau studieren.«

Dabei sind sie Zeuge geworden, wie die ISAF eine Charmeoffensive nach der anderen fuhr. Die Soldaten gingen in die Ortschaften, zogen sich die Sorgen der Einheimischen rein, studierten ihre Gebräuche, versuchten, wie Afghanen zu denken. Sie entwickelten sich zum lieben Onkel, der Geschenke mitbrachte, die Infrastruktur verbesserte, kleine Bündnisse schloss und den Gotteskriegern, die vorzugsweise aus Gewehrläufen predigten, langsam aber sicher die Sympathien abgrub.

»Also haben sie sich gesagt: Das können wir auch.«

Und die Strategie adaptiert.

Ganz schön schlau, denkt Hagen. Die Erfindung des Kuscheltaliban.

Na ja, vielleicht nicht ganz.

Aber für Leute, die mit Inbrunst Ehebrecherinnen steinigen, geben sie sich unerwartet flauschig. Und Blut ist dicker als Wasser, paschtunisches allemal. So hat sich die Stimmung langsam gedreht. Der Witz dabei ist, dass die ISAF anfangs nicht das Geringste von alledem mitbekam. Sie kannte es ja nicht anders, als dass die Menschen Angst vor den Taliban hatten. Erst als ihre Soldaten aus Dörfern beschossen wurden, in denen sie gestern noch Schulen gebaut hatten, ging den Befehlshabenden ein Licht auf, und sie fragten sich entgeistert, was da schieflief.

Hatte man sich nicht glänzend verstanden?

Man hatte. Und die meisten Afghanen mögen die ISAF-Soldaten ja auch, jedenfalls mehr als ihre eigene Regierung. Nur dass man hier überlebt, indem man Zweckbündnisse eingeht, und nicht, indem man jemanden mag.

»Inzwischen ist den Alliierten klar geworden, dass sie den Schacher um Sympathien verlieren werden. Das funktioniert nur in der Fläche, durch ständige Präsenz.«

»Und dafür sind sie zu wenige.«

»Tja«, lächelt Husain. »Die Geburtswehen der Erkenntnis.«

»Also geht die ISAF dazu über, den Schmusekurs der Mudschaheddin anderweitig zu hintertreiben, indem sie Jagd auf deren Führer macht und sie gezielt ausschaltet?«

Husain nickt. »So, wie es die Israelis mit der Hamas tun.«

Hagen betrachtet ihn. Was mag vorgehen im Kopf des Fixers? Zu fragen, auf wessen Seite er steht, wäre obsolet. Hier steht man auf der richtigen Seite, indem man sie wechselt.

Aber woran glaubt er?

Sie sind in die Marktstraße eingebogen, die zum Cunningham-Uhrturm führt, einem Relikt aus der Zeit, als die Briten noch von ihrem Weltreich träumten. Mit fortschreitender Abkühlung belebt sich das Viertel. Tuk-Tuks, die Scheiben unter Aufklebern verschwunden, schießen ihnen entgegen. Ins Knattern wartungsüberfälliger Zweitakter mischt sich das Hornissengebrumm der Mopeds, Fahrradfahrer trainieren den Überlebensslalom. Wer hupen kann, hupt: um Freunde zu grüßen, Fußgänger aufzuscheuchen, Verkehrsvergehen anderer zu kommentieren, eigene anzukündigen und schlicht, weil der Besitz einer Hupe impliziert, sie zu benutzen.

»Hunger?«

Husain stoppt vor einem der Stände. Gemüse, Früchte, Gewürze locken in flachen Schalen. Eine Duftwolke überlagert den Gestank der Abgase. Lebende Hühner drängen sich in gestapelten Käfigen. Der Fixer macht einen Scherz mit dem Händler auf Urdu, Mangos und Rupien wechseln den Besitzer. Der Händler schneidet die Früchte für sie auf, bevor sie weiterziehen.

»Das bereitet den Taliban Sorgen«, sagt Husain kauend. »Also was tun? Zurück zum Straßenterror? Sich weiter auf Marktplätzen in die Luft sprengen und hoffen, dass unter den Hunderten Zivilisten, die dabei draufgehen, auch ein paar ausländische Soldaten sind? Damit würden sie das Vertrauen der Bevölkerung nur wieder verspielen.«

»Ganz werden sie es nicht lassen«, meint Hagen, Saft in den Mundwinkeln.

»Nein, aber wie schon gesagt –«

»Es bringt sie nicht weiter.«

Und offene Kriegsführung ebenso wenig. *Diesen* Flächenkonflikt könnten die Taliban wiederum nicht gewinnen. Nicht gegen die High-tech-Maschinerie der ISAF. Wie also schwächst du einen Gegner, der deine Anführer mit Nachtsichtgeräten aus den Löchern treibt und abschießt wie Hasen? Indem du seine neue Strategie ebenso adaptierst wie seine vorherige, so wie du bislang noch jede seiner Strategien adaptiert hast.

Hinschauen und lernen.

Die Fläche opfern zugunsten eines gezielten *Targeting.*

»Und zwar *High Targeting*«, nickt Husain.

Weil die Taliban verstanden haben, dass dieser Krieg nur in den Medien zu gewinnen ist. Und die Medien sind es leid, den immer gleichen Blutfleck heranzuzoomen. So tragisch es sein mag, wenn Zivilisten zerfetzt werden und Gefreite in Särgen zurück nach Hause reisen, die Welt gewöhnt sich auch daran. Wer fragt noch nach der täglichen Autobombe im Irak? Das sind keine Meldungen mehr, das ist Hintergrundrauschen.

»Also setzt die Quetta Shura fortan auf Aktionen, die den Taliban eine 24-stündige Dauerpräsenz auf CNN gewährleisten. Das ist die neue Direktive.«

»Sieger nach Sendezeit.«

»Richtig.«

Quetta Shura. Was nach der US-Intervention vom Taliban-Regime geblieben war, hat sich unter Mullah Mohammad Omar ins pakistanische Quetta abgesetzt und dort neu formiert. Ein Krake, der unablässig neue Arme produziert, sich vom Nachbarland aus in eine afghanische Provinz nach der anderen schlängelt, um den Ungläubigen die Luft abzuschnüren und die alten Verhältnisse wiederherzustellen. Die Quetta Shura, das sind die Bosse. Sie geben den Kurs vor.

Hagen schnaubt geringschätzig. »Wenn sie es anfangen wie im April, werden sie mit ihrer Direktive nicht weit kommen.«

Da haben sie nämlich versucht, Karzai zu töten.

Und es vermasselt.

Aber was, wenn es gelingt? Den Präsidenten zu ermorden. Seine Gouverneure. Den Oberkommandierenden der ISAF! Das Kabul Hilton anzugreifen. Erlangen die Taliban erst mal die Hoheit über die Prime Time, haben sie im Prinzip gewonnen. Und die ISAF, dieser muskelbepackte Koloss in all seiner Ohnmacht, kann nach Hause wanken.

»Du weißt nicht zufällig, was sie gerade planen?«

Husain sieht ihn an. Hebt die Brauen.

»Ich frag ja nur.«

»Mann, Tom! Ich handele mit Informationen, nicht mit Menschenleben.«

Schön gesagt.

»Aber sie planen *irgendetwas*?«

»Ich weiß, dass sie alle Energie auf eine große Offensive richten. Mullah Omar selbst hat die Sache in die Hand genommen. Währenddessen wollen sie Ruhe halten. Nichts gefährden. Sich nicht in Nebenkriegsschauplätzen verlieren.«

»Vielleicht auch ein bisschen den Erschöpften spielen?«

»Auch das, ja.«

Hagen versteht. Plötzlich liegt alles offen vor ihm. »Und da, unpassend wie Herpes, sacken ein paar Bauernsöhne im Hinterland von Kunduz drei Entwicklungshelfer ein.«

»Das Ende der Erntezeit. Du hast es erfasst.«

Die Ernte endet.

Die Armut nicht.

Also kämpfen die Bauern jetzt für die ortsansässigen Taliban und verdienen sich ein paar Afghani dazu. Nichts Ideologisches. Es geht rein ums Überleben. Die ISAF kennt das. Immer nach der Ernte schießt die Zahl der Anschläge in die Höhe. Und die Bauernlümmel in Aqli Bur denken natürlich, drei Geiseln bringen gutes Geld, wenn sie sie an die Gotteskrieger verkaufen, und sperren sie fürs Erste in den Ziegenstall.

»Aber die Quetta Shura kauft gerade nicht.«

»Nein.«

Denn Geiselnahmen sind Spekulationsgeschäfte. Ebenso Angebot und Nachfrage unterworfen wie Südfrüchte, Rohstahl oder Wertpapiere. Manche Entführungen werden von ganz oben organisiert, oft aber stecken einfach nur verzweifelte Bauernfamilien dahinter oder schlicht Kriminelle. Sie verhökern die Geiseln an lokale Taliban, die verkaufen sie weiter, bis sie schließlich bei den professionellen Netzwerken landen. Entscheidend ist der Marktwert. Wie viele Millionen Dollar, inhaftierte Mudschaheddin, politische Zugeständnisse bekommt man für eine Geisel? Wie hoch ist der Druck der Medien auf ihre Regierung oder jeweilige Organisation, sie freizukaufen? Welchen Propagandaeffekt hat es, ihr vor laufender Kamera den Kopf abzuschneiden?

Heal Afghanistan kann keinen Marktwert geltend machen. Eine unbedeutende NGO mit Sitz in Aachen ohne medialen Einfluss, ohne Lobby, ohne Geld. Das Auswärtige Amt würde sie am liebsten vergessen. Hauptsache, nicht über sie reden. Und solange keine Forderung eingeht, muss man das ja auch nicht.

»Ein paar Tage haben die drei im Stall gehockt und den Bauern die Haare vom Kopf gefressen, bis sich ein Grüppchen Gotteskrieger erbarmte und sie übernahm. Untere Chargen, Provinzkrieger. Die Bauern waren froh, die Typen los zu sein, die neuen Besitzer bildeten sich ein, mit den Geiseln Ehre zu erlangen. Sie dachten, die Netzwerke würden sie mit Kusshand nehmen.«

»Falsch gedacht.«

»Ganz falsch. Erstens hatten sie minderwertige Ware eingekauft, zweitens hustet ihnen die Quetta Shura was, weil Geiselnahmen gerade nicht erwünscht sind.«

»Und wo stecken sie jetzt?«

»Sind etliche Male umgezogen. Seit letzter Woche hängen sie in einem Gehöft fest, irgendwo in den Bergen.«

»Hochgebirge?«

»Eher so was wie die afghanische Toskana.«

»Das könnte überall sein.«

»Mein Kontakt sprach von besiedeltem Gebiet. Auf dem Gelände eines Clanchefs, der mit den Taliban sympathisiert. Keine Ahnung, wo genau.«

Hagen streicht sich über den Schädel.

»Die Stimmung dort dürfte nicht gerade zum Besten sein.«

»Nein. Sie haben sich drei Ladenhüter eingefangen. Müssen sie füttern, am Leben halten. Noch hoffen sie, dass die Quetta Shura einlenkt und sie ihnen abkauft.«

Was erklärt, warum bislang keine Forderung eingegangen ist. Übernähme die Quetta Shura die Geiseln, wäre es an ihr, Forderungen zu stellen. Tut sie es nicht, muss die Gruppe, die sie jetzt am Bein hat, sich was anderes überlegen. Ob die oberste Führung ihr gestatten wird, die Sache im Alleingang durchzuziehen, ist fraglich, solange die Devise lautet, nicht am Schlaf der Welt zu rühren.

Drei Geiseln, nach denen kein Hahn kräht. Nicht in Deutschland, nicht am Hindukusch. Was für ein Schicksal.

Eine quietschgelbe Autorikscha hält wie besessen auf sie zu, hupt. Husain geht ohne Hast zur Seite, Hagen, in Gedanken, bringt sich mit einem Sprung in Sicherheit. Die Menge spült sie Richtung Karimpura Bazaar. Männer im Punjabidress eilen an ihnen vorbei, die Kappen leuchtend in der Dämmerung, Signale der Frömmigkeit an eine höhere Entscheidungsebene. Andere in Kaftans, selten ein Turban. Wenn, dann krönt er die verwitterten Züge eines Alten mit weißem Bart. Dazwischen Frauen im pluderigen Salwar Kamiz, bunte, halbtransparente

Stoffe, die Konturen erahnen lassen. Ein bisschen Ali-Baba-Romantik, konterkariert vom Lianengewirr der Stromkabel, die zwischen monströsen Verteilermasten bedenklich in die Straßen hineinbaumeln. Bedruckte Fahnen blähen sich von den geschnitzten Holzbalkonen alter Kaufmannshäuser, Stern und Sichel, Koranverse, schnauzbärtige Filmstars, angehimmelt von Schönheiten mit wallender Mähne und vorgereckten, notdürftig verhüllten Brüsten.

Ein Panorama der Widersprüche.

Dann biegt ein Fahrzeug in die Straße ein. Auf den ersten Blick erheiternd. Als ginge es um eine Wette, wer die meisten Männer auf der Ladefläche eines Pick-ups unterbringt. Dicht gedrängt sitzen sie da, fast übereinander, die Beine nach allen Seiten hinausbaumelnd. Tragen schwarze, weiße und gemusterte Turbane, gepflegte Bärte. Ein Gebilde starrend wie ein Igel, weil praktisch jeder eine Panzerfaust oder Kalaschnikow gen Himmel reckt.

»Teerik-i-Taliban«, sagt Husain, und seine Lippen kräuseln sich.

Pakistanische Taliban.

Alles andere als erheiternd. Peschawar ist ein Pulverfass, die logistische Hochburg der Gotteskrieger. Sozusagen ihr Todesstern. So was von antiamerikanisch, dass das Wort Verbündeter aus Pervez Musharrafs Mund wie blanker Hohn klingt. Was immer Pakistans Regierung mit den Stammesältesten der Grenzprovinzen abzusprechen pflegte, muss sie heute mit den Taliban verhandeln.

»Die würden Peschawar am liebsten übernehmen«, sagt Husain und spuckt aus. »Aber das können sie nicht. Noch nicht.«

Egal, sie haben die Stadt auch so im Griff. 100 Kilometer von hier windet sich der strategisch wichtige Chaiberpass nach Afghanistan, eine Arterie des Terrors und zugleich Hauptversorgungsroute der NATO. Führt über eine Grenze, die de facto keine ist, weil unkontrollierbar. In den zerklüfteten Gebirgen ringsherum herrschen die Taliban im Verbund mit al-Qaida, Haqqani und usbekischen Dschihadisten, Arabern, Tschetschenen und Extremisten sämtlicher Couleur. Wer den Krieg in Afghanistan für sich entscheiden will, muss ihn in Pakistan gewinnen.

Sobald die drei Entwicklungshelfer erst mal in dieses Grenzgebiet verschleppt werden, sind sie verloren. Niemand kann ihnen dort helfen. Noch mauert die Quetta Shura. Was aber, wenn sie ihre Meinung ändert und die Geiseln doch noch übernimmt? Kein ISAF-Soldat würde sie im Hochgebirge je finden, dort, wo die richtig schlimmen Mistkerle sitzen. Die Köpfeabschneider.

Hagen überlegt.

Was Husain ihm bis jetzt verraten hat, reicht für einen Artikel.

Nicht für eine Story.

Der Fixer steuert ein Café an. In einer Theke prangen Süßigkeiten aus Nüssen, Mandeln und Karamell, Töpfchen mit Shahi Tukra. Hagen liebt Shahi Tukra, hoher Suchtfaktor, doch er bleibt stehen und hält Husain am Ärmel zurück.

»Sag mal, Bilal –«

»Was?«

»Kannst du mich hinbringen?«

»Wovon redest du?«

»In dieses Gehöft. Zu den Geiseln.«

Husain runzelt die Brauen. Er sagt nicht »Hast du sie noch alle?« oder »Schlag dir das aus dem Kopf!«. Er schaut Hagen einfach nur in die Augen und wartet.

»Ich will ein Interview. Mit den Entführern. Sag deinem Kontaktmann, ich werde in Deutschland den nötigen Druck erzeugen, den sie brauchen, damit ihre Geiseln was wert sind. Ich bringe diese Typen in die Medien. Verhelfe ihnen zu Ehre. Dafür darf ich mit allen sprechen und Fotos machen.«

»Hilfst du damit auch den Geiseln?«, fragt Husain.

»Denen verschaffe ich Öffentlichkeit.« Hagen lächelt. »In Berlin scheinen sie beschlossen zu haben, die Sache auszusitzen. Davon werden sie sich verabschieden müssen.«

Husain hebt das Kinn, schaut nach rechts und links. Bläht die Nüstern, als erwittere er Unheil. Ein Stück weiter verschwindet der Pick-up mit den Taliban hinter dem Cunningham-Uhrturm und hinterlässt ein Gefühl allgegenwärtiger Bedrohung.

»Du weißt, worauf du dich einlässt?«

»Ja.«

»Du legst Feuer. Vielleicht zündelst du an der richtigen Stelle. Vielleicht an der falschen.«

»Bilal, verdammt! Die hocken da, ohne dass sie einer haben will! Was meinst du, werden die Taliban mit ihnen machen? Sie adoptieren? Wer wird sie vermissen, wenn keine Zeitung über sie schreibt, sich keiner öffentlich für sie einsetzt, die Bundesregierung nicht den Arsch hochkriegt. Schlimmer kann es doch gar nicht kommen!«

Husain schürzt die Lippen.

»Warum habe ich bloß das Gefühl, dass irgendwas in deiner Gleichung nicht stimmt?«

»Die Kohle stimmt auf jeden Fall.«

Der Blick des Fixers verliert an Glanz. Ein kaum spürbarer Anflug von Resignation, weil er weiß, wie sehr er auf das Geld angewiesen ist.

»Was nun? Ja oder nein?«

»Ich hör mich mal um.«

Seitdem: Funkstille.

Zehn Tage nach ihrem Treffen in Peschawar steht Hagen auf einer Anhöhe in der Provinz Kunduz und schaut hinab ins Tal. Kubische Bauten schachteln sich auf einer Fläche von rund drei Quadratkilometern ineinander, geduckt und von Lehmmauern gesäumt. Afghanische Ländlichkeit. So archaisch in ihrer Anmutung, dass man meint, mit der Zeitmaschine hierhergereist zu sein. Sträucher und Matten aus hohem Gras sprießen entlang schnurgerader Bewässerungsgräben. Im Süden ein Weiher, filigrane, Schatten spendende Bäumchen. Äste, die im backofenheißen Wind fiebrig zittern. Jenseits der Felder endet die Vegetation fast übergangslos. Ein paar lindfarbene Schlieren noch, als habe der Maler dieses Bildes den letzten Rest Grün, das er so üppig ans Dorf verschwendet hat, aus den Borsten seines Pinsels in die mondartige Ebene geschmiert. Dann nichts mehr. Nur Staub und Geröll bis zum Fuß der Berge, die so sandfarben und kahl sind wie das Flachland.

Warum sie hier sind?

Gotteskrieger-Alarm.

Hagen reibt Staub aus seinen Augenwinkeln, denkt: Würden all die Heerscharen radikaler Islamisten, eifernder Ultraorthodoxer und fanatischer Christen erhört und der so innig herbeigesehnte Erlöser kehrte zu ihnen zurück – sie würden ihn totschlagen.

Er wäre ihnen nicht radikal genug.

Immer wieder verblüffend. Gedanken, ausformuliert und schlüssig, als habe sie jemand programmiert. Sein Hirn, eine Festplatte. Irgendwo Finger, die über ein Keyboard huschen: *Würden all die Heerscharen* – speichern, versenden –

Jemand schickt E-Mails an seinen Cortex.

Er blinzelt. Legt den Kopf in den Nacken. Fällt in die blaue Wüste des Himmels. Tarnblau. Gottes Tarnung, wenn er denn existiert.

Was Hagen bezweifelt.

Nicht, dass ihm der Glaube an den Fronten der Verelendung abhandengekommen wäre. Mit derartig larmoyantem Quatsch brüsten sich andere. Wichtigtuer, die ihr Erlebnisdefizit auszugleichen suchen, indem sie jeden Kadaver im Straßengraben zum Anlass nehmen, gleich die Sinnfrage zu stellen. Hagen hasst sie. Hasst ihre taumelige Betroffenheit, mit der sie Ahnungslose in Hotelbars zulabern. Die Typen rücken seinen Berufsstand in ein schlechtes Licht. Würden sich das Wort *Krisenjournalist* am liebsten auf die Stirn tätowieren lassen. Erzählen dir, angesichts Tausender Toter, die das Aufbäumen des Meeres in Südostasien, der blutige Wahnsinn afrikanischer Bürgerkriege, die Gefräßigkeit eines Virus hinterlassen haben, nicht mehr an Gott glauben zu können.

Als wäre der Chef verhandelbar.

Hagen sieht das anders. Wer aufrichtig an einen Schöpfer glaubt, muss aushalten können, dass er auch für den Mist verantwortlich ist. Kosovo. Somalia. Darfur. Tschad. Khao Lak. Irak. Afghanistan.

Den ganzen Mist.

Hagen hat nie an Gott geglaubt. Jedenfalls an keinen von denen, die im Angebot sind. Mit zehn, dem Katholizismus zwangsanvertraut und damit zur sakramentalen Sündenvergebung genötigt, hatte er es im Grunde schon hinter sich. Kroch in die drückende Schwüle des Beichtstuhls, ratlos, was er dem Schemen hinter dem Gitter erzählen sollte. Fragte sich schweißnass: Vergebung, wofür? War sich keiner Schuld bewusst. Das einzige echte Problem in der knappen Bilanz seiner kindlichen Verfehlungen würde entstehen, wenn er die Erwartungen des Schemens enttäuschte, indem er gar nichts sagte. Weil sich jener nämlich, sobald er der hölzernen Kiste mit ihren muffigen Vorhängen entstiegen wäre, in der er wie in einem Passbildautomaten hockte, umgehend wieder in das ganz und gar unschemenhafte, von allen gefürchtete Arschloch zurückverwandeln würde, das Ohrfeigen mit noch größerer Inbrunst austeilte als den Leib Christi.

Gottes Diener hatte Schwung im Handgelenk.

Also brachte Hagen seine Lippen ganz nah ans Gitter und wisperte hindurch, was ihm so in den Sinn kam. Eltern angelogen. Bei Rot über die Straße gelaufen. Reichte das? Er versuchte es mit Schweigen. Auch der Schemen schwieg, offenbar noch nicht zufrieden. Drei Sünden sollten es wohl sein, um die Fehlbarkeit eines Zehnjährigen hinreichend unter Beweis zu stellen, damit der Mann hinter dem Gitter was hatte, was er ihm vergeben konnte.

Na schön: Einem Jungen die Mütze vom Kopf gerissen und aufs Schuldach geworfen.

Das hatte er aus Tom Sawyer, was anderes fiel ihm nicht ein. Wenigstens klang es originell, auch wenn Sawyers Schule eingeschossig, jene hingegen, in die Hagen ging, ein fahler Klotz von sieben Stockwerken war, was die Glaubwürdigkeit der Geschichte unterhöhlte. Doch die Nachfrage blieb aus. Vielleicht freute sich der Priester sogar. Mal was anderes, da er sich den Quatsch von den angelogenen Eltern schon im Dutzend hatte anhören müssen. Das Urteil erging, und Hagen – zu zwei Vaterunser und einem Ave Maria verdonnert – räumte seinen Platz für den nächsten Schüler, damit der sich was aus den Fingern saugen konnte.

Sagte sich, na ja.

Wenn Gott Wert auf so was legt.

Und dachte im selben Moment, dass Gott nicht den geringsten Wert darauf legte, weil es ihn gar nicht gab. Nicht geben konnte. Der prügelnde Priester hatte ihn erfunden. Warum? Um Macht zu erlangen. Eindeutig ging es darum. Macht. Und wie jeder, der nach Macht strebte, war auch dieser Priester bestechlich. Korrumpierbar durch Kinderlügen.

Zum Totlachen.

Nie im Leben würde Gott einen solchen Schwachkopf in seinem Namen schalten und walten lassen, der sich mit einer Sündenpreisliste in eine Kiste setzte, um Halbwüchsigen ein schlechtes Gewissen zu machen.

Aber der Priester saß dadrin und tat genau das.

Und Gott war eine Erfindung.

Der Kampf um Macht, so viel war klar, wurde zugunsten desjenigen entschieden, der die beste Geschichte auf Lager hatte. Also beschloss Hagen, dass er derjenige sein würde.

Er würde Geschichtenerzähler werden.

Großartige Geschichten liefern.

Er würde die Wahrheit erzählen.

Sein Nacken knirscht, als er den Kopf weiter zurück biegt. Der Himmel saugt ihn ein. Schweiß überzieht seinen kahl rasierten Schädel. Er fährt mit der Rechten darüber hinweg, wischt die Finger an der Hose ab. Sofort kommt neue Flüssigkeit nach.

Schicht um Schicht verdampft er in der Mittagssonne.

Neben ihm bläst der Presseoffizier Luft durch die Backen.

»Scheißhitze.«

Hagen lächelt.

Du Clown, denkt er. Ich wette, du hast letzten Monat noch in Potsdam gesessen und einen Schreibtischsessel vollgefurzt. Dort im Einsatzkommando biegen sich die Schultern unter Gold und Silber, nur dass keiner von denen je sein Leben verteidigen musste. Nie unter Beschuss lag. Sich nie fragen musste, ob sein nächster Schritt sein letzter sein wird, weil er auf eine verdammte Personenmine latscht. Ein Horror, der das Feldlager Kunduz schockgefrostet hat: Minen und *Improvised Explosive Devices*. Wer will schon als Torso in einem Rollstuhl landen oder als Überrest seiner selbst aus einem Spähpanzer gezogen werden, den eine IED gerade in einen Haufen qualmendes Blech verwandelt hat? Dann lieber eine Kugel. Ehrenhaft sterben, mit der Waffe in der Hand.

Soldatenromantik?

Nicht im Mindesten. Mag sein, dass sie hier Bruce Willis auf ihren Laptops gucken – »Was denn sonst, Mann, wir sind im Krieg, natürlich gucken wir Kriegsfilme!« –, aber im Grunde will jeder nur nach Hause. Kann er nicht. Also beginnt er darüber nachzudenken, was wäre, wenn.

Wenn schon sterben, dann am liebsten –

Die Wahrheit ist, dass die meisten auf irgendwas treten oder über irgendwas fahren, das explodiert.

So wie vor zwei Tagen. District Chardara. Sprengfalle.

Wie vor drei Wochen.

Als Folge solcher Tragödien weiß jeder Gefreite am Hindukusch mehr vom Alltag des Tötens und Getötetwerdens und hat seinen eigenen Angstschweiß öfter gerochen als der komplette Generalstab im gemütlichen Deutschland, der seinerseits zu wissen meint, wie die Stationierten fühlen, welche Ausrüstung sie brauchen, was gut für sie ist und wie sie das aufsässige Kind Taliban zu schaukeln haben.

Der ihnen erzählt, das hier sei kein Krieg.

Es *ist* Krieg, denkt Hagen, und wenn ihr tausendmal behauptet, es wäre keiner. Und an Krieg gewöhnt man sich nie! An nichts, was er mit sich bringt.

Man hat nur einfach keine Wahl.

»Tal Gozar«, sagt er zu dem Presseoffizier. »Haben Sie noch mal darüber nachgedacht?«

»Tut mir leid, Tom.«

»Ich kenne das Risiko.«

»Trotzdem.« Der Mann schüttelt den Kopf. »Ich kann das nicht verantworten.« Er atmet schwer. Ist blass, wirkt ausgedörrt. Besonders gut geht es ihm nicht.

»Sie trinken zu wenig«, sagt Hagen und versucht, Besorgnis mitschwingen zu lassen.

»Eigentlich nicht, ich –«

»Doch. Ich war öfter in solchen Gegenden als Sie. Die meisten brauchen Wochen, um sich zu akklimatisieren. Also trinken Sie. Gehen Sie in den Schatten. Folgen Sie meinem Rat, vertrauen Sie mir.« Er grinst. »Sagen Sie einfach, Tom Hagen hat in allem mehr Erfahrung als ich. Den kann ich gehen lassen, wohin er will.«

Der Offizier grinst schwach zurück.

»Jetzt sagen Sie's schon.« Inga neben ihm lacht. »Sagen Sie, Tom hat mehr Erfahrung als ich. Ein Teufelskerl, dieser Hagen! Er hat den Durchblick und ich hab Kreislaufprobleme.«

Fehler.

Die Stimmung schlägt um. Wahrscheinlich denkt der Mann, dass Hagen sich ihm gegenüber zackige Sprüche erlauben kann, nicht aber ein Gör mit der Welterfahrung eines frisch geschlüpften Kükens. Volontärin? Lachhaft. Dem Kerl an die Seite gestellt, damit er im Feldlager keinen Soldatinnen an den Drillich geht, das denkt der Mann, und dass Kunduz kein Kindergarten ist.

»Hier geht es nicht um journalistische Erfahrung«, sagt er verschnupft.

Sie schauen eine Weile hinab ins Dorf.

»Wo ist eigentlich das Problem?«, insistiert Inga. »Wenn der Norden so sicher ist, wie Sie sagen, kann uns doch gar nichts passieren, oder? Es sei denn, Sie sagen was Falsches. Dann hat die Öffentlichkeit ein Recht –«

»Inga.« Hagen zeigt auf das Pumpgebäude des Wasserwerks, das wie ein Bauklötzchen aus der Anhöhe sticht. Björklund lichtet dort die Soldaten der Schutzkompanie ab, die den Hügel nach Südwesten sichern, ihre schweren G36K am Schulterriemen. Die Mündungen der Gewehre zeigen zu Boden.

»Frag Krister doch mal, ob er was braucht.«

Die Volontärin verdreht die Augen. »Der braucht nichts.«

»Frag ihn trotzdem.«

Sie zuckt die Achseln, zockelt ab. Schwingt provozierend die Hüften, allemal lohnender anzuschauen als die Tristesse der Tiefebene ringsum. Wohl darum scheint der Presseoffizier zu denken, der Verlag habe sie Hagen als Groupie spendiert, aber das stimmt nur bedingt. Inga ist talentiert. Dass sie außerdem weiß, wie man ein gut proportioniertes Becken zum Einsatz bringt – und sei es nur, um einen staubigen Platz zu überqueren –, wird ihrer Karriere kaum hinderlich sein.

Im Camp haben ihr bislang noch alle auf den Hintern geschaut. Und dabei vielleicht eine Kopfdrehung lang vergessen, wozu der

Feind in der Lage ist. Für Sekunden die hypothekenbelasteten Reihenhäuser ausgeblendet, in denen ihre früh mütterlich gewordenen Frauen Erinnerungsfotos betrachten, das Kinderzimmer renovieren und sich den Tag seiner Rückkehr vorstellen. Ablenkung gefunden von der Freundin, die sich bei jedem Telefonat ferner anhört, nicht die erste wäre, die per SMS Schluss macht. Der Satellit, der sie alle miteinander verbindet, ist eine Schnittstelle der Einsamkeit und Inga ein Flashback aus einer Zeit, die Jungs ihres Alters nur noch aus Filmen kennen: 1954, Korea, Truppenbetreuung. Der Hüftschwung der Monroe. Der Arsch der Welt, wie er in den besten Momenten aussehen kann.

Heute guckt keiner.

Der Trupp hat sich verteilt, die Atmosphäre ist aufgeladen. So viele Male sind sie schon hier gewesen. Wann immer sie mit ihren Geländewagen reingerumpelt kamen, zogen sie einen Kometenschweif von Kindern hinter sich her. Haben das Wasserwerk wieder instand gesetzt, den Bau einer Mädchenschule in Angriff genommen. Waren gut gelitten. Freundliche Worte, Tee mit dem Malik.

Nie ein Problem.

Jetzt ist nichts so, wie sie es erwartet haben.

Gespenstische Stille liegt über der Ansiedlung. Ein paar Ziegen geraten ins Blickfeld, blöken verschreckt. Ein Junge treibt sie dem dunklen Schlund eines Stalls entgegen, augenscheinlich das letzte menschliche Wesen im Dorf. Die Art, wie er läuft, seine Blicke umherirren, lässt darauf schließen, dass er sich am liebsten in Luft auflösen würde.

Kein einziges Mal hebt er die Augen zur Anhöhe.

Er hat Angst.

Wovor? Die Kinder in diesen Dörfern haben keine Angst vor ISAF-Patrouillen.

»Schwarzer Rauch!«, ruft einer der Soldaten.

Das Vokabular des Widerstands. Hagen weiß, dass der Patrouillenführer gleich die Zelte abbrechen wird. Sieht ihn aus dem Schatten des Dingos treten, wo er während der vergangenen Minuten mit dem Kraftfahrtfeldwebel die Lage erörtert hat, startet einen letzten Versuch, den Presseoffizier umzustimmen.

Der Mann schüttelt müde den Kopf.

»Ich soll vom Alltag unserer Soldaten hier erzählen«, beharrt Hagen. »Dafür muss ich was zu erzählen *haben*.«

»Haben Sie doch.«

»Machen Sie Witze? Seit einer Woche werden wir Zeuge, wie das 13. Kontingent seine Panzer entstaubt, heimwehkranke Rekruten zur

Poststelle rennen, Feldjäger versuchen, aus einem Haufen afghanischer Analphabeten Polizisten zu machen ...«

»Das *ist* der Alltag unserer Soldaten.«

»Nicht zu vergessen die aufwühlenden Impressionen aus dem Betreuungszelt. Wie viele Dosen Bier darf ein Gefreiter am Tag gleich noch ausnuckeln? Zwei?«

»Das ist nicht fair, Tom.«

»Eben. Es ist nicht fair.« Hagen seufzt. »Dieser Einsatz ist saugefährlich, *das* ist euer Alltag! *Darüber* will ich berichten. Nicht, wie ihr im Camp Wasserschutzübungen durchführt für den Fall, dass im Stabszimmer die Kaffeemaschine durchbrennt.«

»Es gibt bestimmt andere Wege, Ihre Auflage zu erhöhen.«

»Das war auch nicht fair.«

»Keiner bezweifelt, dass Sie ein Held sind, Tom.«

»Darum geht es nicht. Die Soldaten hier haben *verdient*, dass wir davon berichten.«

»Nein. Bleiben wir ruhig mal bei Ihnen. Ich verstehe Sie ja. Im Ernst! Sie sind durch die Mohnfelder von Helmand gekrochen, während die Taliban versucht haben, Ihnen den Arsch wegzuschießen. Ihr Fotograf steckt Schwarzenegger in die Tasche. Und die Kleine da ist ganz gewiss die Hoffnungsträgerin Ihrer Zunft. Alles begriffen.« Er sieht Hagen in die Augen, macht keinen Hehl aus seiner Abneigung. »Aber wir halten es nun mal anders in der Bundeswehr. Wenn die Royal Marines kein Problem damit haben, Reporter in die Green Zone zu schleppen, ist das deren Sache. Mir wurde eingeschärft, Sie und Ihr Team zu schützen.«

»Es wäre unsere freie Entscheidung, wenn wir mitkämen.«

»Falsch. Solange Sie im Rahmen unserer Einsätze berichten, ist es *meine* Entscheidung. Der Ausflug nach Tal Gozar kann im Desaster enden. Wir wissen, dass der Malik dort einer ganzen Rotte Mudscheheddin Gastrecht gewährt. Die Einsatzleitung rechnet mit bewaffneten Auseinandersetzungen. Viel zu riskant, Sie einzubetten.«

»Es war abgesprochen, dass wir bei regulären Patrouillenfahrten dabei sind.«

»Bei regulären, ja.«

»Ich bitte doch nur darum –«

»Eigentlich dürften Sie hier schon gar nicht dabei sein.«

Hagen kämpft seinen Zorn herunter. Er weiß, dass er seine Gefühle im Zaum halten muss. Also schweigt er, während der Patrouillenführer zu ihnen tritt. In seiner sandfarbenen, dunkel gesprenkelten Montur mit der schweren Schutzweste sieht er aus wie eine Actionfigur aus einem Spielzeugladen. Nur das Sonnenhütchen mit der Schlabberkrempe, das sie hier alle tragen, will nicht recht dazu passen. Damit sieht er aus wie ein Tourist.

»Und?«, fragt der Offizier.

»Keine Chance.« Der Mann lässt einen Arm kreisen. »Selbst wenn wir pro Himmelsrichtung je einen Wolf postieren. Wir können die Zufahrten nicht einsehen.«

»Dafür haben Sie doch die Dingos.«

»Für die Hauptzufahrt, ja. Aber dann gibt's immer noch ein Dutzend weitere Möglichkeiten, reinzukommen. Jede Menge Engpässe. Ich könnte keinen Dingo auch nur in die Nähe bringen, ohne den Leuten zwangsläufig durch die Küche zu fahren. Und wir sitzen hier oben auf dem Präsentierteller. Keine Gebäude, keine Dächer, auf denen ich Scharfschützen postieren kann. Außerdem –«

Er weist mit einem Kopfnicken ins Dorf.

Die Rauchfahne ist nun weithin zu sehen, ein mahnender Finger. Warnt die Gotteskrieger, dass eine Patrouille in der Gegend ist. Was bedeutet, dass auch *sie* in der Gegend sind. Nach zu vielen schmerzlichen Lektionen wissen die Soldaten die Zeichen zu deuten. Etwa, wenn Ansiedlungen plötzlich wie verödet daliegen, weil keiner mehr aus dem Haus geht oder sich über Nacht zu seinen Verwandten verkrümelt hat. Dann haben die Mudschaheddin unter Garantie einen Hinterhalt vorbereitet oder eine IED gelegt oder beides.

Auch der Junge ist verschwunden, mitsamt seinen Ziegen.

»25 Kilometer bis Lummerland«, sagt der Patrouillenführer fröhlich. »Packen wir's.«

Lummerland. Die kleine Heimat.

Bier trinken, Bundesliga auf Großleinwand gucken, Billard spielen, kickern. Was offiziell unter ›Betreuungseinrichtung‹ firmiert, ist der Hotspot im Camp Kunduz, ein Zwitter aus Basar und Gartenkneipe, den sie den Soldaten spendiert haben, um den Kopf frei zu kriegen, wenn Terror und Langeweile wechselweise an den Nerven zerren.

Und genervt sind sie hier alle.

Der Presseoffizier schaut finster drein, während sie zum Geländewagen gehen und sich ins Innere schwingen. Er ist sauer, bräuchte dringend jemanden, an dem er sich abreagieren kann, hat aber nur die Umstände. Hagen weiß, dass der Zorn des Mannes nicht wirklich ihm gilt oder Inga. Er muss diesen vermaledeiten Besuch vorbereiten, das geht ihm an die Nieren. Eine Visite, von der kommende Woche zu le-

sen sein wird, sie sei völlig überraschend erfolgt. Der oberste Dienst-
herr der Bundeswehr wird sozusagen aus dem afghanischen Himmel
fallen, »unerwartet wie Vogelscheiße«, um es mit Kristers Worten auszudrücken.

Hagen sieht Inga in den anderen Wolf steigen. Lachen klingt auf,
tüncht die Anspannung. Soldaten, die sich freuen. Über die weibli-
che Begleitung und mehr noch über den Umstand, endlich von hier
abhauen zu können. Als Letzter kommt Krister Björklund angelaufen
und quetscht sich neben Hagen auf die Rückbank.

»Und was ist die Alternative?«, will der Presseoffizier wissen.

»Vielleicht die Mädchenschule in Aliabad?« Der Patrouillenführer wartet die Antwort nicht ab, spricht in sein Funkgerät. »An alle,
geänderte Route. Wir fahren über die LOC Pluto zurück. *Firm, fair,
friendly*, wenn's durch Ortschaften geht, klar, Herrschaften? Der August war trocken, wir wollen die Leute nicht in Staubschwaden ersticken. Also runterschalten. Vollregelung Feuerverbot, wie gehabt.«

Geänderte Route. Die Taliban sollen nicht wissen, wo die Ungläubigen entlangfahren.

Sie wissen es trotzdem.

Kies knirscht unter den Reifen. Der Wolf rumpelt den Weg von der
Anhöhe hinab in die Ebene, eine Staubfahne hinter sich herziehend. Die
anderen Fahrzeuge folgen dichtauf.

»Das geht nicht«, nörgelt der Presseoffizier. »Wir haben schon die
Jungenschule in Baghlan als ersten Besuchspunkt.«

»Die Mädchenschule ist besser.«

»Warum?«, fragt Hagen.

Der Kompaniechef wendet den Kopf nach hinten und lässt ein Lächeln spielen. Seine Sonnenbrille ist mit feinem Staub überpudert.

»Herzenssache.«

»Ach was.«

»Doch, ehrlich. Die Soldaten haben für den Wiederaufbau gespen-
det. Von ihrem Sold, den paar Kröten. Anders wäre es gar nicht gegangen. Ich sage Ihnen, die *lieben* diese Schule!«

»Er will aber nicht noch eine Schule«, murrt der Offizier. »Er will ein
Wasserwerk. *Er* liebt Wasserwerke!«

»Das hier zeigen wir ihm jedenfalls nicht.«

Natürlich weiß der Presseoffizier, dass der Patrouillenführer recht
hat, auch wenn er als ranghöherer Dienstgrad für den Moment erheblich mehr Theater machen könnte. Er ist Hauptmann, der andere Oberleutnant. Aber vielleicht hat der Schreibtischkrieger, jetzt wo ihm bei

45 Grad im Schatten die Puste ausgeht, doch einiges mehr von Afghanistan begriffen als die aufgeblasenen Säcke im Einsatzkommando. Außerdem ist der Presseverantwortliche nicht das Problem. Nur ein Typ, der noch mal befördert werden will. Um das Problem zu verstehen, muss man wissen, dass in die Luft gesprengte oder sonst wie getötete deutsche Soldaten nach dem Willen des amtierenden Verteidigungsministers Franz Josef Jung keine Gefallenen sind, sondern »einsatzbedingt ums Leben kamen«. Schließlich war der »Gefallene« auf dem besten Weg auszusterben. Nie wieder sollte er durch deutsche Befindlichkeiten geistern, weshalb das Ganze hier auch nicht Krieg heißen darf. Im Krieg gibt es »Gefallene«, *das* ist das Problem. Im Frieden nippelt man einsatzbedingt ab.

Macht es nicht besser, klingt aber besser.

So sind die Hindukusch-Befohlenen im blinden Fleck gelandet, da man zu Hause am liebsten überhaupt keine Geschichten über Soldaten hören möchte, ob tot, halb tot oder lebendig. Nirgendwo sonst wird einer Armee, die im Ausland den Kopf hinhält, so wenig Rückendeckung zuteil wie in Deutschland, wo einer, wenn er bloß in Uniform zu McDonald's geht, schon angestarrt wird, als sei er zu blöde, seinen Burger aus dem Papier zu wickeln – sofern er nicht gleich in den Verdacht latenter Mordlust gerät.

Hagen schließt die Augen. Schreibt:

Wir schicken unsere Söhne und Töchter in einen Krieg, für dessen Führung wir sie verachten.

Könnte als Einstieg funktionieren. Weiter?

Sofern man von Führung reden kann. Noch mehr als fürs Kämpfen verachten wir sie dafür, dass sie versuchen, ihre Haut zu retten. Auftrag erfüllt, Auftrag verfehlt. Für beides, Soldat, straft dich der friedliebende deutsche Zivilist mit Verachtung.

Zu polemisch? Vielleicht.

Vietnam-Veteranen sahen sich nach ihrer Rückkehr alleinegelassen. Das ist in Deutschland anders. Als Soldat der Bundeswehr bist du schon vor dem Einsatz allein. Keiner bekundet öffentlich, stolz auf dich zu sein. Keiner will wirklich wissen, wie dein beschissener Alltag dort aussieht, wo sie dich hinmandatiert haben, fast 5000 Kilometer von zu Hause entfernt. Stolz auf die Armee? Nicht im Land der politisch Korrekten, von dessen Boden nie wieder bla bla bla, und so weiter und so fort –

Öffnet die Augen wieder, sieht krüppelige Bäume an sich vorbeiziehen, fahles Buschwerk, verbrannte Felder, ein Panzerwrack. Björklund schießt Fotos. Die Hauptstraßen sind gesäumt mit den rostenden Hinterlassenschaften der Sowjets. Stumme Zeugen dafür, dass in diesem Land kein Krieg und kein Frieden zu gewinnen ist.

Beschissen kann er nicht schreiben.

Zermürbend?

Das mit den Extremisten, die den Erlöser totschlagen, muss er sich auch noch auf den Rekorder sprechen. Schnell, bevor die Hitze sein Hirn so sehr durchgegart hat, dass er es wieder vergisst.

Die Kolonne fährt schneller. Solange keine Menschen am Straßenrand ihre Esel vor sich hertreiben oder sie eine Ortschaft durchqueren müssen, können sie aufdrehen. In diesem Land zwischen Moderne und Mittelalter hocken sie also, die uniformierten Brunnenbauer und Herolde der Demokratie, aufgerieben zwischen Nichtstun und Todesangst, und drehen langsam, aber sicher durch. Und genau darum wuseln Presseoffiziere wie Australian Shepherds um jeden Reporter herum, der anreist, um aus den Camps zu berichten, sorgen für seine Sicherheit, sein Wohlergehen und dafür, dass bloß keinem Gefreiten die Contenance abhandenkommt, wenn er gefragt wird, was er im Innersten empfindet. Und dass keiner der Pressetypen dabei ist, wenn eine simple Patrouillenfahrt zum Horrortrip wird.

Zu spät, denkt Hagen.

Ich war dabei. Unten in Helmand, in der Gegend um Musa Qaleh. Im klaustrophobischen ›Garten‹ der Taliban, inmitten des wuchernden Opiumdschungels. Hab das Gesicht in den Matsch gedrückt, wann immer der Schrei »RPG!« aufklang und die Granaten ranzischten. Hab gehofft, dass es nicht mich trifft, so wie jeder. Und gesehen, wie die Hoffnung starb. Was also wollt ihr vor mir verheimlichen? Dass sich die Verhältnisse hier oben dem Süden angleichen, mit jedem Tag mehr? Wer soll euch noch glauben, der Norden sei sicher, besiedelt von freundlich winkenden Afghanen, die es nicht abwarten können, dass ihnen wackere Bundeswehr-Pioniere Brunnen graben, Schulen bauen und mit den Stammesältesten Tee trinken, umlagert von frohgemut schnatternden Halbwüchsigen. Klar, so war's mal. Während Briten und Dänen bis an die Zähne bewaffnet im Sperrfeuer der Mudschaheddin lagen, luden deutsche Feldwebel beherzt eine neue Mine im Kugelschreiber durch und schenkten ihn einem strahlenden Kind. Im Norden freute man sich über jeden Taliban, den sie da unten erledigten, aber das ist vorbei.

Lange vorbei.

Und als er gerade denkt, so kommen wir nicht weiter, wir vergeuden hier nur unsere Zeit, piepst sein Handy.

Er zieht es aus der Schutzweste.

Eine SMS. Bilal Husain.

Hagen wischt sich das Geschmier aus Schweiß und Wüstenstaub aus den Augen, lädt den Text aufs Display. Liest, worauf er seit zehn Tagen hofft:

Du bekommst Dein Interview. Alles Weitere mündlich. Bilal

»Nur ihr beide, du und Krister«, schärft Husain ihm am Telefon ein. »Keine Videokamera, keine Satellitenantenne, kein Laptop, keine Handys, klar? Sonst behalten sie euch gleich da.«

»Was ist mit Kristers kleiner Handkamera?«

»Auch die nicht. Fotoapparat und Diktafon, Schluss. Sie haben selbst ein Video produziert, das sie euch mitgeben werden. Eigens für euch gedreht! Ihr könnt stolz sein.«

Hagen weiß schon, warum die Kidnapper ihn nicht mit einer BGAM-Antenne anrücken sehen möchten. Er könnte den Satelliten dazu benutzen, ihren Standort zu bestimmen.

»Wo wechseln wir die Autos?«

»Langsam. Erst mal werdet ihr abgeholt. Der Mann heißt Afeef. Er fährt einen dunkelblauen Subaru. Fungiert als Dolmetscher und Fahrer. Eine Vertrauensperson aller Parteien. Er kennt den Weg.«

»Soweit möglich, würde ich ihn auch gerne kennen.«

»Ihr nehmt die A7 nach Kunduz-Stadt, vorbei an Mor Sheykh und Naqel. Kurz vor dem Zentrum geht es links nach Kholm, da biegt ihr ab und folgt der Straße über den Fluss, aus dem Delta heraus und –«

Mitten hinein in die Wüste.

Ins Niemandsland.

Afghanistan ist anders, als man es aus den Abendnachrichten kennt. Die zeigen es als riesiges Geröllfeld, umstanden von fernen, verwaschenen Bergen, mit einem Himmel über allem wie ein flirrender Bildschirm. Die Blaupause jeglicher Tristesse. Das Ruinenfeld namens Kabul im Zentrum scheint einzig dem Zweck zu dienen, dem Westen das Scheitern seiner Bemühungen vor Augen zu führen.

Doch manchmal ist Afghanistan grün.

Im Frühjahr verschwinden ganze Gebiete unter blühenden Wiesen. Imposante Gebirge durchziehen das Land, spektakulär zerklüftet. Mehr als sieben Kilometer ragt der Nowshak empor, Traum und Albtraum eines jeden Alpinisten, über sechs Kilometer messen Kuh-e Tuluksa und Kuh-e Bandaka. Es gibt Täler, die man nicht anders beschreiben kann als lieblich. Fruchtbare Deltas, von Bauern über Jahrhunderte in Mosaike verwandelt. Selbst jetzt, an der Schwelle zum Herbst, nachdem die Sonne den Boden geröstet hat, sind diese Regionen alles andere als trist.

Und es gibt die Wüsten.

Karg. Unwirtlich.

Kein Ort, an dem man stranden möchte.

Afeef ist ein freundlicher kleiner Paschtune, der einen heißen Stil fährt und sich unaufhörlich über irgendetwas amüsiert. Mit der Penetranz einer knackenden Platte kommentiert er die Art, wie Krister Björklund seinen Pakol trägt, seine afghanische Kappe.

»Wie ein Vogelnest! Wie ein Vogelnest!«

»Weil die Dinger nun mal aussehen wie Vogelnester«, brummt Björklund gleichmütig.

»Eher wie Käsekuchen«, grinst Hagen.

»Käsekuchen?« Afeef lacht. »Ihr nennt sie Käsekuchen?«

Sie haben wirklich eine Menge Spaß, indem sie sich übereinander lustig machen. Auch dass seine Passagiere im Salwar Kamiz so afghanisch aussehen wie Wikinger, stimmt Afeef fröhlich. Stimmt ja auch. Die blonden Vollbärte, die sie sich vor der Abreise haben wachsen lassen, machen nicht gerade Paschtunen aus ihnen. Allenfalls würden sie als welche durchgehen, wenn sie sich Tücher um den Kopf und vors Gesicht binden, doch der Salwar Kamiz dient nicht der Verkleidung, sondern als Zeichen des Respekts vor hiesigen Bräuchen. Gesten sind wichtig in diesem Land, sogar Bärte fördern die Vertrauensbildung.

Alles kann wichtig sein.

Nachdem sie gestartet sind, hat Afeef Hagen und Björklund eine knappe Stunde durch die Farmkulturen des Deltas gefahren, vorbei an abgeernteten Feldern und Plantagen. Sie haben die Abzweigung nach Kholm genommen und die Brücke überquert. Wieder Gehöfte. Dann der abrupte Wechsel zu Bergland, dessen kahl gebrannte Massive auf dem Mars liegen könnten, bleich, abweisend, fremdartig. Entlang verfallener Karawansereien sind sie der Straße nach Westen gefolgt, haben eine Hochebene überquert, die wie ein riesiger, geronnener Wellenberg daliegt, zernarbt von sowjetischen Bombentrichtern.

Und sich gefragt: Warum Westen?

Irgendwie passt es nicht.

Entführerbanden, seien es Taliban oder gewöhnliche Verbrecher, bevorzugen den Osten.

Eine ganze Weile ist es, als reisten sie in der Zeit zurück. Die Lehmhütten mit ihren rissigen Kuppeldächern scheinen einer versunkenen Epoche zu entstammen. Fast erwartet man mythische Tiere zu sehen, die sich im Schutz des kargen Dickichts heranpirschen.

Dann plötzlich Zweckbauten.

Ein Ort klafft auseinander. Beiderseits der Straße Werbetafeln, geparkte Lastwagen. Strommasten in endloser Reihung.

»Das ist Abdan.«

Abdan, aha. Nichts, was man gesehen haben muss.

»Dort fahrt ihr durch«, hat Husain gesagt. »Bis hinter die Tankstelle. Wenige Meter weiter geht rechts eine Straße ab.«

Straße? Eine Musterkollektion Schlaglöcher. Ein Albtraum.

»Die fahrt ihr geradeaus.«

Abdan diffundiert am Horizont. Wird zur flimmernden Fata Morgana, ist nicht mehr zu sehen.

Sie fahren weiter, immer weiter nach Westen.

Nach einer Weile steigt feiner Staub empor.

Gewaltige Dünen streben einer weiträumigen Senke zu, eine wogende See aus Sand, und der Weg, kaum noch als solcher zu bezeichnen, windet sich abwärts.

Es ist unendlich einsam hier.

Bis auf den Land Cruiser.

Drei Männer mit Kalaschnikows übernehmen sie von Afeef. Vermummte, deren einer gebrochen Englisch spricht. Sie werden gefilzt, dann händigt man ihnen die Säcke aus, damit sie sich die Dinger selbst über die Köpfe ziehen können. Der Englisch Sprechende entschuldigt sich für die Unannehmlichkeiten.

»Und genau hier hole ich euch wieder ab«, strahlt Afeef.

Falls ihr zurückkehrt.

Es klingt unausgesprochen mit.

»Natürlich kehrt ihr zurück«, hat Husain Hagen erklärt. »Ihr fallt unter paschtunisches Gastrecht, Melmastya. Das Afghanyat ist für eure Gastgeber bindend. Sie würden euch sogar mit ihrem Leben verteidigen, solange ihr auf ihrem Grund und Boden weilt. Immer vorausgesetzt, ihr haltet euch an die Regeln.«

»Und was genau sind die Regeln?«

»Tja.« Kurzes Schweigen. »Die sind wie das Wetter.«

»Na klasse.«

»Hör auf, Tom. Was soll ich sagen? Du kennst doch die Regeln.«

Jedenfalls kennt er genügend Leute, die sich nicht daran halten.

»Seid einfach auf alles vorbereitet. Ihr werdet die Gastfreundschaft eines Stammesführers genießen, der selbst kein Talib ist, aber mit den Taliban sympathisiert. Er gewährt den Gotteskriegern und ihren Geiseln Unterschlupf.«

»Was weißt du über den Kerl?«

»Nichts. Das heißt, er scheint ein Experte für Sprengstoff zu sein. Mein Kontakt hat sich mal dahingehend verplappert. Schätze, seine Leute beliefern die Taliban mit IEDs und Ähnlichem.«

»Okay.«

»Also lass dich überraschen. Entspann dich.«

»Keine Sorge.«

»Du hast es so gewollt.«

Hat er das?

Da sitzen sie nun.

Hagen atmet in seine Kapuze, versucht den säuerlichen Geruch zu ignorieren. Unterhaltung dringt vom Vordersitz herüber. Lachen, entspanntes Schwatzen, konterkariert vom gequälten Brüllen eines Getriebes, das jeder Prophezeiung zum Trotz, es nicht mehr lange zu machen, noch in zehn Jahren nicht auseinandergeflogen sein wird. In der Staubhölle Afghanistans fragt niemand nach kultiviert schnurrenden Sechszylindern. Hier müssen Autos die Robustheit von Kakerlaken besitzen.

Das Radio flutet die Kabine mit arabischem Pop.

Was eine interessante Information birgt.

Offenbar sind keine Taliban an Bord.

Denn die Gotteskrieger verbieten Musik, was sie eigenartigerweise nicht daran hindert, mit Begeisterung zu singen: melancholische, aus der Zeit gefallene Gesänge, verschlungene Rezitative von eigenartig besänftigender Wirkung ohne jede Instrumentalbegleitung. Wie immer in diesem erstaunlichen Land ist die Faktenlage nicht ganz eindeutig. Mullah Mohammad Omar, das geistliche Oberhaupt der Taliban, hat Musik als Mittel zur Vergnügung untersagt, fromme Gesänge hingegen sind erlaubt, was die Frage aufwirft, ob der Fromme im Zustand des Vergnügtseins noch fromm sein kann.

Egal. Arabischen Pop hat Omar ganz sicher nicht im Sinn gehabt.

Ob Jung solche Dinge weiß?

Franz Josef Jung, das Überraschungsei.

Natürlich wussten die Reporter, dass er kommen würde. Im Moment, als sie in Berlin zu der Auffassung gelangten, die jüngsten Debakel erforderten den ministerialen Gang nach Canossa – ein Ort, der zunehmend in Afghanistan verortet wird –, waren sie im Bilde. Und haben den Mund gehalten, schon weil man sie andernfalls ans Kreuz genagelt hätte. Nicht mal die exzellent vernetzten Taliban können schließlich einen Anschlag auf jemanden planen, den sie nicht erwarten.

Allerdings können sie ihn verüben, sobald er im Lande ist.

Entsprechend schwierig geriet die Beweisführung, was deutsches Geld und deutsche Soldaten am Hindukusch alles bewirken. Das meiste dessen, was einen Besuch gelohnt hätte, durften sie Jung nicht zeigen, des hohen Risikos wegen. Am Ende schafften sie es, ihn und seine Entourage in einem Tross rollender Panzerschränke so durch die Gegend zu schaukeln, dass er später erzählen konnte, die Nordprovinzen seien sicher und nur zwölf Prozent des deutschen Verantwortungsbereichs akut bedroht. Ein Gebiet, von dem die Verantwortlichen albträumten, der Minister werde ausgerechnet dort auf eine IED fahren, da keiner zu sagen vermochte, wo genau die beschissenen zwölf Prozent eigentlich lagen. Sie waren vom Rest in etwa so einfach zu separieren wie Kondensmilch von Kaffee nach mehrmaligem Umrühren.

Doch alles blieb ruhig.

Am Ende gab, was Jung erblickte, ihm die Kraft, vor 600 Soldaten der Patrouille zu gedenken, die vergangene Woche südlich von Kunduz-Stadt in eine Sprengfalle geraten war. Drei Männer verletzt, einer tot. Nicht einfach, der demoralisierenden Wirkung solcher Vorfälle Herr zu werden. Der Minister gab sein Bestes. Er sagte, die Opfer hätten die Freiheit verteidigt. Die Stimmung blieb gedrückt, aber wenigstens taxierte ihn während seiner Ansprache keiner, als wolle er ihn ins Jenseits befördern. Sich bei paschtunischen Stammesführern dafür zu entschuldigen, dass deutsche und afghanische Polizisten tags darauf an einem Checkpoint die Nerven verloren und das Feuer auf zwei Autos eröffnet hatten, gestaltete sich da schon schwieriger. Vier Kinder waren im Kugelhagel gestorben. Ein tragischer Unfall, ein Missverständnis, das Begriffe wie Ehrverletzung und Blutrache aufklingen ließ.

Und das war ein verdammtes Desaster!

Wenn sie hier irgendetwas überhaupt nicht brauchen konnten, dann diesen Blutrachemist.

Der Gouverneur von Kunduz fand beschwichtigende Worte. Die Bundeswehr träfe keine Schuld. Wie es denn um Entschädigung bestellt sei? Entschädigung helfe immer. Das sahen die Stammesführer ähn-

lich, und die Wogen glätteten sich. Jung war nicht mit leeren Händen gekommen, jedenfalls waren sie weniger leer als seine Worte. Außerdem muss man sagen, Soldaten lieben Truppenbesuche. Sie freuen sich grundsätzlich über jeden, der nachschauen kommt, ob es sie noch gibt.
Also auch über Politiker.
Gut, vielleicht hätten sie sich über Lady Gaga mehr gefreut.
Oder wenigstens über Verona Pooth.
Oder Xavier Naidoo!
Dieser Weg wird kein leichter sein –
Aber Jung war schon okay.
Inzwischen ist der Verteidigungsminister in der beruhigenden Gewissheit, den Erfordernissen nach besten Kräften Genüge getan zu haben, zurück nach Deutschland geflogen. Und Hagen, der die ganze traurige Farce pflichtschuldigst dokumentiert hat, befindet sich auf dem Weg zu seinem Interview.
In einem fremden Fahrzeug.
In fremder Hand.

Der Land Cruiser knallt in ein Schlagloch, schießt wieder heraus. Kämpft sich eine Anhöhe hinauf. Vorne quasseln sie unermüdlich weiter, junge, kraftvolle Stimmen, auf Paschtu. Hagen versteht kein Wort, aber die Typen scheinen guter Dinge zu sein.
Er wechselt ein paar Worte mit Björklund. Erstaunlich, wie wenig sie während der vergangenen Stunden miteinander gesprochen haben, andererseits, worüber sollen sie reden? Dass es im Wagen stickig ist? Dass die Kapuzen ihnen keine Möglichkeit lassen, sich auf die Unwägbarkeiten des Geländes einzustellen, sodass jede Bodenwelle die Wirkung einer Überraschungsattacke auf ihre Lendenwirbel entfaltet? Dass es riskant ist, worauf sie sich einlassen?
Natürlich ist es das. Was denn sonst? Was gibt es darüber zu reden?
Seine Gedanken wandern zu Inga.
Sie wollte unbedingt mit.
Was nicht ging. Wegen der Regeln. Gemeinhin ist Hagen wenig zimperlich, sein Team Risiken auszusetzen. In Krisengebiete fährt man nicht wegen der heißen Quellen. Zwar sind Inga die wirklich harten Sachen bislang erspart geblieben, andererseits, wer mitkommt, um aus Afghanistan zu berichten, dessen Schonzeit ist eigentlich abgelaufen.
In diesem Fall jedoch –
Oh, sie hat insistiert! Ihn genervt. Noch vergangene Nacht im Camp, während er sie vögelte, hat sie gestöhnt, er solle sie mitnehmen. Und na-

türlich versteht er sie, kann ihren Hunger nachfühlen. Als er den Cracks unter den Krisenreportern noch das Equipment hinterhertragen und an der Hotelbar ihre pompösen Bierrechnungen begleichen musste, war er genauso. Tom Hagen gab so lange keine Ruhe, bis sie ihn mitnahmen.

Überallhin.

Jetzt genießt er selbst den Ruf eines Cracks.

Aber die Taliban machen die Regeln.

Also hat er Inga erklärt, die Entführer wollten keine dritte Person. Schon gar keine Frau. Ohnehin hätte die Redaktion ihm untersagt, sie in die Sache mit reinzuziehen, was ja auch stimmt. Hauptsache, er ist aus dem Schneider, ohne dass sie ihm vorwerfen kann, er halte sie nicht für *tough* genug.

Wohin mögen sie fahren?

Irgendwohin.

Sie könnten in jeder Richtung unterwegs sein. Bis auf Norden vielleicht. Dafür ist das Gelände zu schnell und zu steil angestiegen. Der nördliche Rand ist flach, eine staubige Wüste, die sich bis an die Grenzen Tadschikistans und Usbekistans erstreckt. Der Westen kommt ebenso wenig infrage. Auch dann hätten sie jetzt Wüste unter den Rädern, doch es geht unverändert rauf und runter.

Süden? Richtung Kabul?

Er muss an Daniele Mastrogiacomo denken, den italienischen Journalisten, dessen Name vergangenes Jahr durch die Medien ging. Beileibe kein Anfänger. Reiste nach Helmand, um Mullah Dadullah zu interviewen, einen der grausamsten Kommandeure der Gotteskrieger. Alles abgesprochen und organisiert. Über Vertrauensleute, ähnlich wie jetzt.

Dann wurden sie gekidnappt.

Und lernten die Hölle kennen.

Zwei Wochen verbrachten Mastrogiacomo, sein Dolmetscher und sein Fahrer in der Gewalt der Taliban, nur um am Ende zu erfahren, dass der Mullah sie nach Strich und Faden verarscht hatte. Nach zähen Verhandlungen kam Mastrogiacomo schließlich frei. Der Fahrer wurde geköpft. Den Dolmetscher ließen sie zuerst laufen, überlegten es sich anders, fingen ihn wieder ein und köpften auch ihn.

(Denk an was anderes.)

Zum Beispiel, warum sie bislang in keine einzige Straßensperre geraten sind. Der Fahrer scheint die Checkpoints ziemlich genau zu kennen, jedenfalls gibt er sich alle erdenkliche Mühe, sie zu umfahren. Mal rumpeln sie über furchige Pisten, dann geht es querfeldein, abseits aller Wege. Selten kommt ihnen ein anderes Fahrzeug entgegen. Manchmal dringt von ferne das lange nachklingende Grollen schwerer Lkw-Motoren an Hagens Ohr, die meiste Zeit jedoch hustet und heult der Land Cruiser sein einsames Solo. Dafür sind Vögel zu hören. Beredtes Gezwitscher. Fast, als sprächen sie zu ihm und verrieten ihm den Weg.

»Durst?«

Einer der Paschtunen stupst ihn mit der Wasserflasche an. Hagen nimmt sie, schiebt sie unter den Sack, umschließt die Öffnung mit den Lippen, trinkt. Lauwarm wie Pisse. Reicht die Flasche an Björklund weiter.

»Ihr gut?«, will der Englisch Sprechende freundlich wissen.

»Wir ausgezeichnet«, sagt Björklund. »Wir Ritz Carlton, Mann!«

Der Paschtune lacht.

Seit sie losgefahren sind, legt er eine fast rührende Fürsorge an den Tag. Erkundigt sich fortgesetzt, ob sie Hunger, Durst haben, mal rausmüssen, sonst was brauchen. Als wären sie in einem rollenden Hotel unterwegs. Bei Hagen hat er seinen Spitznamen weg, er nennt ihn nur noch Ihrgut, gemäß seiner Standardfrage. Jedes Mal aufs Neue bedauert Ihrgut, dass sie die Kapuzen tragen müssen, es auf dem Rücksitz nicht bequemer haben, nicht die Vorzüge der Landschaft genießen können.

»Ihr nicht sehen. So schade! Nirgendwo auf der Welt schön wie hier. Wunderschön Afghanistan!«

Dann sagt er wieder etwas auf Paschtu, und die anderen grölen los.

»Wetten, die machen sich über uns lustig«, knurrt Björklund.

»Na und?« Hagen zuckt die Achseln. »Sei froh. Solange sie über uns lachen, werden sie uns nicht den Hals umdrehen.«

Nach einer Weile geht es in Serpentinen abwärts. Sie sind auf einer Straße. Einer ziemlich guten Straße sogar.

»Gleich da«, ruft Ihrgut aufmunternd.

Hagen hofft es von Herzen. Seine Arschbacken sind gefühllos, als habe jemand Betäubungsmittel hineingespritzt. Dafür scheint seine Wirbelsäule jede Sekunde auseinanderzubrechen. Eine Weile überqueren sie ebenes Gelände, dann geht es sanft wieder bergauf.

Rechtskurve.

Linkskurve.

Der Land Cruiser hält.

Schritte nähern sich. Begrüßungen werden durchs offene Fenster gewechselt. Jemand steckt den Kopf ins Wageninnere, wenigstens schließt

Hagen das aus dem Umstand, wie nah die Stimme plötzlich klingt. Er kann spüren, wie der andere ihn und Björklund mustert.

»*Allahu akbar!* – Gott ist groß!«

Immerhin. Wann hat das zuletzt jemand bei seinem Anblick gesagt?

Die Paschtunen helfen ihnen nach draußen. Auch blind weiß Hagen, dass sie in einer Ansiedlung sind. Nichts Großes, kein urbanes Grundrauschen. Ein Gehöft, ein Dorf, Wind, der durch Baumkronen streicht. Kinder, die heraneilen und sie schnatternd umstellen. Der stete Schluckauf eines Huhns.

Eine Hand umfasst seinen Oberarm, führt ihn. Die Kinder schwirren hinterdrein, werden mit harschen Worten zurückgetrieben.

»Vorsicht«, sagt Ihrguts Stimme.

Luftdruck und Akustik verändern sich, sie betreten ein Haus. Hagen tastet mit der Fußspitze umher, stößt auf Widerstand. Steigt eine Stufe empor, geht ein paar Schritte.

»Hier. Warten.«

Die Minuten quälen sich dahin.

Dann endlich der ersehnte Moment, da Finger die Schnur seiner Kapuze aufnesteln, den Stoff anheben, ihn von dem Ding befreien. Gott, ist er froh, den Geruch aus der Nase zu bekommen! Frische Luft strömt in seine Lungen, Licht fällt auf seine Netzhaut – und im selben Moment wird ihm klar, dass er den Muff zuletzt gar nicht mehr wahrgenommen hat.

Er war ihm vertraut geworden.

Kotzgeruch.

Das ist es, warum wir überleben, denkt er. Wie Folteropfer, die sich in ihre Peiniger verlieben. Andernfalls müssten wir wahnsinnig werden.

Er schaut sich um.

Der Raum ist groß und rechteckig, mit gelb verputzten Lehmwänden. Halbtransparente Stoffe bauschen sich vor dem einzigen Fenster, lassen Licht herein, ohne mehr von der Außenwelt abzubilden als Schemen. Den Boden drapieren kirschrote Teppiche, die Decke ist tapeziert, ein Kassettenmuster in Rubin und Gold, dessen ornamentale Pracht in eigenartigem Kontrast zur Kahlheit der Wände steht. Dicke Sitzkissen reihen sich aneinander. Zwei Vermummte halten Wache, nur ihre Augen sind zwischen den Stofffalten zu sehen. Sie wirken entspannt, haben ihre Kalaschnikows auf den Knien abgelegt. Mustern die Besucher voller Neugier.

Zwischen ihnen hocken die Geiseln.

Die Szenerie wirkt auf gespenstische Weise inszeniert. Als hätten Kulissenbauer eines dieser al-Qaida- und Haqqani-Videos nachgestellt. Erst verzögert bricht sich die Erkenntnis Bahn, dass alles real ist – wie es geschieht, wenn man das Ortsschild einer Stadt passiert, deren Namen man bislang nur aus den Verkehrsnachrichten kannte, um plötzlich festzustellen, dass es sie tatsächlich gibt. Zwei weitere Personen betreten den Raum, einer ein Klotz im Kaftan, möglicherweise der Stammesführer, von dem Husain gesprochen hat. Der andere hat Taliban auf der Stirn stehen: mager, im grauen Salwar, mit penibel gepflegtem Bart und sorgfältig gewickeltem schwarzem Turban. Ums Handgelenk trägt er eine braune Timex, wie sie bei der US-Navy üblich ist, ein fettes, teuer aussehendes Ding.

In seiner Schärpe steckt ein Messer.

»Al salāma 'alaikum«, sagt Hagen.

Der Talib lächelt.

»Wa-'alaikum al-salām wa-rahmutu allāhi wa-barakātuhu.«

Sie reichen einander die Hände, begrüßen sich auf afghanische Art, indem jeder zugleich mit der Linken den Unterarm des Gegenübers berührt.

»Amanullah«, stellt sich der Talib vor.

Oder auch nicht, denkt Hagen.

Das Händeschütteln dauert. Der Dicke behauptet, Muneer zu heißen. Zu Hagens Erstaunen schießt Björklund einen Satz aus der Hüfte, den er ihn nie zuvor hat sagen hören und von dem er kein Wort versteht, der jedoch gut anzukommen scheint. Muneer lässt eine melodiöse Antwort folgen. Hagen will seine Kappe fressen, wenn Björklund nicht spätestens jetzt auf dem Schlauch steht, und genauso ist es, aber immerhin, er hat Eindruck geschunden.

Auch die Geiseln werden begrüßt. Eingefallene, blasse Gesichter. Hagen studiert sie, während sie ihre Namen nennen, ihm versichern, sie seien wohlauf und einigermaßen anständig behandelt worden. Jedes Wort codiert das Gegenteil. Nur Walid Bakhtari, der einheimische Dolmetscher, ist landesüblich gekleidet. Max Keller trägt Designerjeans, Goldschmuck und ein T-Shirt mit James-Dean-Aufdruck, und Hagen würde ihn am liebsten packen und durchschütteln.

Verdammte dumme Kids, denkt er. Wollt die Welt verändern und schafft es nicht mal, euer Äußeres anzupassen. Angeödet vom Wohlstand, dessen aufdringlichste Repräsentanten ihr seid, müsst ihr unbedingt etwas ›Sinnvolles‹ tun. Also reist ihr mit runden Augen in Krisengebiete und findet jeden Schlamassel pittoresk, *weil die Menschen ja so*

freundlich sind und alles mit dir teilen, obwohl sie selbst nichts haben!
Dieser Scheiß! Jeder echte Entwicklungshelfer kriegt Pickel bei eurem Anblick. Das Sinnvollste, was ihr hättet tun können, wäre gewesen, zu Hause zu bleiben und weiterhin das Geld eurer Eltern auszugeben.

Sein Blick wandert zu Marianne Degas. Ihr kleines, verstörtes Gesicht hebt sich ihm aus den Falten eines Überwurfs entgegen, den ihr nur die Entführer verpasst haben können. Ihre Idee war es ganz sicher nicht, das Ding zu tragen.

Sei froh. Andere hätten dich unter einer Burka verschwinden lassen.

Er schickt ein aufmunterndes Lächeln in die Runde.

»Alles wird gut.« Die abgedroschenste aller Lügen, aber von bewährter Wirkung.

Wie zur Bestätigung fährt Muneer Keller durchs Haar, eine väterlich wirkende Geste. Sagt etwas auf Paschtu, das freundlich und beruhigend klingt, bittet die Besucher mit Gesten, Platz zu nehmen. Sie machen es sich auf den Polstern bequem, direkt gegenüber den Geiseln wie in Erwartung einer Vorstellung. Ein Junge erscheint mit einem Tablett, stellt Teller vor sie hin, Bonbons, Gebäck und bunt gefärbte Zuckerwürfel, füllt Gläser mit dampfendem gelbem Tee. Als er Muneer und den Talib bedient, senkt er respektvoll den Blick.

Amanullah beachtet ihn nicht. Seine Augen ruhen auf Hagen.

Augen, grün wie Smaragd.

Eine außergewöhnliche Klarheit liegt darin, als habe der Mann zu einer Übereinkunft mit sich gefunden, die ihn gegen jegliches Wenn und Aber immunisiert. Anders kann das Glaubensgebäude der Taliban nicht bestehen. Jeder leiseste Zweifel würde seine Fundamente erodieren und es in sich zusammenstürzen lassen.

Wie alt mag er sein? Ende zwanzig?

Immer wieder muss Hagen sich klarmachen, wie jung die meisten dieser Gotteskrieger sind. Ihre Bärte, sonnengegerbten Gesichter, ihre ganze martialische Aufmachung, all das lässt sie älter erscheinen, doch selbst die Anführer sind selten über dreißig. Er fragt sich, wer hier gleich übersetzen wird. Hofft, dass sie nicht auf die Englischkenntnisse von Ihrgut angewiesen sein werden. In diesem Fall wäre Zeichensprache vielleicht ergiebiger.

Im selben Moment sagt Amanullah:

»Wir sind geehrt, Tom Hagen, dass ihr euch unserer Sache annehmen wollt. Wir haben uns immer aufrichtig über das Interesse der Medien gefreut, wenn sie die Wahrheit über die Taliban erzählten, anstatt die Welt mit Lügen zu blenden.«

Sagt es in einwandfreiem Englisch.

»Ich werde also eure Fragen beantworten, unter der Voraussetzung, dass *jede* Unterhaltung in diesem Raum auf Englisch erfolgt. Und zwar zwischen *allen* Beteiligten.«

»Einverstanden«, nickt Hagen.

»Dann lasst uns reden, gemeinsam die Nacht in Muneers Haus verbringen und morgen als Freunde scheiden.« Amanullahs Zähne blitzen. Perfekte schneeweiße Zähne. »So Allah es will.«

Die Taliban sind schwer zu packen, hat Husain ihm erklärt. Mit vielen könnte man sich durchaus vorstellen, befreundet zu sein. Heiter und ausgeglichen. Lachen gerne. Ganz anders als die notorisch übellaunigen Typen von al-Qaida. Ihr Zusammenhalt ist ebenso unerschütterlich wie ihr Glaube, das macht sie stark, und sie sind stolz auf ihre Unkorrumpierbarkeit, aber das sollte dich keinesfalls zu der Idee verleiten, ihnen trauen zu können! Sie lieben es zu lügen. Unentwegt stellen sie dich auf die Probe. Sie mögen sich selbst nicht für grausam halten, aber sie sind es. Jemanden zu köpfen, weil es Allah gefällt, ändert nichts an der Tatsache, dass der Kopf ab ist. Und Allah ist *immer* ihre Rechtfertigung.

Vergiss das nie!

Bestimmt nicht, denkt Hagen.

»Auch wir sind geehrt«, sagt er, »das Privileg eurer Gastfreundschaft zu genießen.« Nickt Muneer zu, dessen sphinxhafte Miene nicht erkennen lässt, ob er ein einziges Wort versteht. »Und dankbar, an einer Lösung mitwirken zu können, die im Interesse aller Beteiligten liegt.«

Amanullah krault seinen Bart.

»Eine Lösung wäre in der Tat willkommen.« Legt freundschaftlich eine Hand auf Bakhtaris Schulter. »Max, Walid und Marianne sind nun schon länger unsere Gäste als vorgesehen.«

Gäste, denkt Hagen. Er nennt sie tatsächlich Gäste.

»Aber wir wollen später über sie reden. Zuvor müsst ihr einiges verstehen. Die Deutschen müssen begreifen, wie wir Mudscheddin denken.« Er zeigt auf das Diktafon neben Hagen. Macht eine einladende Geste. »Du kannst es mitlaufen lassen.«

Björklund schwenkt seine Kamera. »Ist es in Ordnung, wenn –«

Muneer hebt die Rechte, beugt sich zu dem Talib hinab. Sagt etwas auf Paschtu. Amanullah hört aufmerksam zu, nickt.

»Fotos später«, bescheidet er.

Interessant, denkt Hagen. Wer hat hier das Sagen? Nach den Statuten des Afghanyat müsste Muneer der Boss sein, denn auch Amanullah ist lediglich zu Gast auf seinem Grund und Boden, sofern Husains Information zutrifft. Andererseits haben die Taliban schon zu viele ihrer Gastgeber umgebracht, als dass der Fall so einfach läge. Wer also trifft in diesem Raum die Entscheidungen?

Falls er sich überhaupt im Raum befindet.

Und nicht ganz woanders, in Kandahar, Quetta oder Peschawar.

Er schaltet das Diktafon ein.

»Die Welt muss verstehen, dass die Taliban von heute nicht mehr die Taliban von damals sind«, sagt Amanullah, nun im Tonfall eines Dozenten. »Ebenso wenig, wie die Amerikaner von heute noch dieselben sind, die uns 2001 angriffen. Damals hatten sie einen konkreten Grund, auch wenn sie im Unrecht waren. Heute töten sie uns wahllos: Männer, Frauen und Kinder. Es reicht ihnen, uns versammelt zu finden. Sie sind so tief gesunken, dass selbst unsere Witwen wünschen, am Krieg gegen sie teilzunehmen und Amerika in den Staub zu werfen.«

Er macht eine Pause.

Sein Blick irrt ab, ruht auf dem Diktafon. Belehr uns ruhig weiter, denkt Hagen. Alles wird aufgenommen. Du bekommst deine Publicity.

»Doch die Taliban sind nicht länger schwach wie in der Vergangenheit. Inzwischen haben wir das Volk auf unserer Seite. Die Besatzer mögen sich brüsten, die Provinzen unseres Landes zu kontrollieren, faktisch kontrollieren sie vielleicht ein Viertel jeder Provinz. Die anderen drei Viertel kontrollieren wir. In manchen Regionen haben unsere Streitkräfte sogar die vollständige Kontrolle übernommen.«

»Ja, im Ländlichen«, hakt Hagen ein. »Plant ihr, auch die Städte unter eure Kontrolle zu bringen, Helmand, Kandahar, Jalalabad?«

Amanullah nickt, fährt mit den Fingern durch seinen Bart, scheint ihn unablässig zu kämmen. »Es ist inzwischen so, dass die Taliban im ganzen Land Konflikte schlichten, Recht sprechen, Entscheidungen treffen. Auch in den Zentren wächst unser Einfluss. An die Regierung können sich die Menschen nicht wenden –«

»Weil ihr sie nicht lasst.«

»Weil sie ihr nicht trauen. Wie könnten sie auch? Das System Karzai ist durch und durch korrupt.«

Womit du sogar recht hast.

»Aber selbst jene, die nicht der Regierung angehören, genießen kein Vertrauen bei den Menschen. Entweder, weil diese jeden hassen, der kein Talib ist, oder weil wir ihr Gebiet kontrollieren und verhindern, dass sie sich anderen zuwenden.«

Und so weiter, und so fort.

Kontrolle, vermerkt Hagen, ist Amanullahs Lieblingswort. Er monologisiert über die schmählichen Niederlagen, die Mullah Mohammad Omar den Juden und Christen beizubringen gedenkt, zählt im Einzelnen sämtliche Distrikte auf, in denen die Mudschaheddin das Sagen haben, prophezeit den USA, bald ohne Verbündeten dazustehen. Spricht von einer großen Frühjahrsoffensive im kommenden Jahr und dass sie sich nicht weiter wie Vieh werden abschlachten lassen.

»Die Quetta Shura hat uns wissen lassen, dass sie ihre Aktionen konzertieren wird. Heute schon brechen die Ungläubigen einmal am Tag in Wehklagen aus, im kommenden Jahr werden sie zwanzigmal am Tag Grund dazu haben.«

»Karzai hat den Taliban Angebote zur Versöhnung unterbreitet. Könnt ihr euch vorstellen, die Waffen niederzulegen und das Land mitzuregieren?«

Amanullah zieht eine verächtliche Miene.

»Der Präsident hat sich mit den Ungläubigen verbündet. Solange er sie unterstützt, kann er nicht Verbündeter der Taliban sein. Auch uns schicken die Amerikaner Nachrichten, laden uns zu Verhandlungen ein, sprechen von Versöhnung. Bei Allah!« Er hebt den Zeigefinger, beugt sich vor. »Es wäre nicht mannhaft von uns, auch nur eine dieser Nachrichten zu beantworten, während sie unsere Heimat besetzt halten, unsere Männer und Frauen eingekerkert sind in Guantánamo und Bagram, das Land in Flammen steht! Es war ein gravierender Fehler der Amerikaner, uns solche Nachrichten zu schicken. Erst wenn sie Afghanistan verlassen, sich öffentlich für ihre ruchlosen Verbrechen entschuldigen und den Afghanen Wiedergutmachung anbieten, werden wir ihnen *vielleicht* vergeben.«

Er redet noch eine Weile über den Dschihad, und Hagen registriert, dass sich seine Ausführungen in bemerkenswerter Übereinstimmung mit dem befinden, was Husain ihm über die veränderte Strategie der Gotteskrieger erzählt hat.

Und das erscheint ihm seltsam.

Denn eigentlich, Amanullah, solltest du ein kleines Licht sein in der Hierarchie deines Vereins. Jemand, der leichtfertig drei Geiseln gekauft hat und nun bass erstaunt ist, dass seine ranghöheren Kampfesbrüder ihn hängen lassen. Und wo wir schon mal dabei sind, für einen Provinzkrieger solltest du auch weniger gut Englisch sprechen.

Unterdessen leuchtet Amanullah den Heldenmut der Mudschaheddin weiterhin grell und von allen Seiten aus.

»Sag deinem Volk, Tom Hagen, was ich dir jetzt sage: Die Taliban hegen keinen Groll gegen andere Völker. Wir haben nichts gegen Deutsche, Engländer, nicht einmal etwas gegen die Amerikaner. Jemanden zu bekämpfen, weil er anderer Nationalität oder anderen Glaubens ist, liegt nicht in unserem Interesse. Als Gäste werdet ihr uns jederzeit willkommen sein, als Besatzer trefft ihr uns auf dem Schlachtfeld! Wir stehen am Beginn einer großen Konfrontation. Können wir sie verhindern? Ich weiß es nicht. Aber, im Namen Allahs, wir werden jeden Eindringling bekämpfen und jeden, der ihm zur Seite steht, sei er Afghane, Pakistaner, Europäer, bis Afghanistan wieder frei ist.«

»Genau so werde ich es schreiben –«, sagt Hagen.

Amanullah nickt befriedigt.

»– unter der Voraussetzung, dass wir jetzt über die Geiseln reden und was geschehen muss, damit sie freikommen.«

Er benutzt bewusst das Wort Geiseln. Verleiht seinem Tonfall Autorität, damit es nicht wie eine Bitte klingt.

»Andernfalls«, fügt er hinzu, »schreibe ich gar nichts.«

Amanullah und Muneer tauschen einen Blick, führen einen raschen, stummen Dialog. Wieder fragt sich Hagen, wie viel der Stammesführer von dem versteht, was sie hier besprechen.

Dann lächelt der Talib sein Zahnpastalächeln.

»Die Welt ist vertraut mit unseren Theorien, Tom Hagen. So wichtig ist es nun auch wieder nicht, was du schreibst.«

Hagen lächelt zurück.

»Darf ich fragen, wie alt du bist, Amanullah?«

»26.«

»Ich gratuliere dir zu der Verantwortung, die du in deinen jungen Jahren trägst. Ich selbst bin 44.« Er macht eine Pause, und Amanullah senkt unmerklich das Haupt. Natürlich ist dem Talib klar, worauf sein Gegenüber anspielt. Im Paschtunwali, dem Ehrenkodex der Paschtunen, zollt man dem Älteren Respekt. »Ich habe dieses Treffen vorgeschlagen, um euch ein Forum zu geben. Du weißt sehr gut, Amanullah, dass dieser Krieg in den Medien gewonnen wird. Ihr hättet dem Interview nicht zugestimmt, wenn ihr euch nicht einiges davon erhofft würdet, also erzähl mir nicht, es sei dir egal, was ich schreibe.«

Amanullah zieht ein Säckchen hervor, lässt gemächlich grünes Pulver auf seinen Handrücken rieseln und leckt es ab.

Halluzinogener Tabak.

»Wir haben auch Zigaretten«, sagt er freundlich. »Den Taliban ist das Rauchen verboten, aber ihr könnt welche haben.«

»Wir würden euch beleidigen, wenn wir rauchten.«

Komm mir bloß nicht mit deinen Tests.

Der Talib schweigt eine Weile. Bewegt das Pulver im Mund, als verrate ihm der Geschmack, wie er weiter vorzugehen habe.

»Du schreibst für eine bedeutende Zeitung?«

»So ist es.«

»Und es steht in deiner Macht, die Öffentlichkeit deines Landes zu beeinflussen.«

»Es steht vor allem in meiner Macht, die Entscheidungen meiner Regierung zu beeinflussen.«

»Inwiefern?«

Hagen lässt den Kopf zu Bakhtari, Keller und Degas rucken. »Wer interessiert sich für euer Faustpfand, Amanullah? Niemand. Eure Führer wollen sie nicht haben, und solange ihr keine Forderungen stellt, wird meine Regierung sie ignorieren. Heal Afghanistan ist eine unbedeutende Organisation, einer der Gefangenen zudem Afghane. Bei allem Mitgefühl, aber meine Landsleute beschäftigt eher das Schicksal von Deutschen, und solange keiner der drei irgendeine Titelseite ziert, geht das Interesse gegen null. In Berlin legt man Wert darauf, dass das so bleibt. Niemand dort will Horrorgeschichten über verschleppte Bundesbürger in den Medien sehen.«

Amanullah legt die Hände ineinander. Schweigt.

»Warum also habt ihr euch nicht längst zu der Entführung bekannt?«

»Sag du es mir.«

»Weil du dachtest, es sei Sache der Quetta Shura. Weil ihr nicht im Traum davon ausgegangen seid, auf den Geiseln hockenzubleiben. Aber eure Kommandeure wollen nicht an die Sache ran. Zu wenig Medienpower. Sollst du also weiter warten, bis sie es sich anders überlegen? Oder schlimmer noch, euch jeden Alleingang verbieten? Und was dann? Was willst du dann machen, Amanullah? Die drei hier adoptieren? Sie umbringen, ohne etwas von ihnen gehabt zu haben als Ärger?«

Er registriert aus dem Augenwinkel, wie Björklund nervös wird. Sieht die Anspannung in den Gesichtern der Gefangenen.

Keine Angst. Ich spiele nur deren Spiel. Die Burschen da wollen, dass wir etwas für sie tun. Und eben habe ich den guten Amanullah von der Schande befreit, sein Dilemma selbst eingestehen zu müssen.

Der Talib schürzt die Lippen.

»Die Entschlüsse Mullah Mohammad Omars, des Führers aller Gläubigen, möge Allah ihn schützen, und der Quetta Shura sind uns heilig. Aber noch wurde uns nichts verboten. Was, wenn wir über euch ein Video an eure Regierung lancieren?«

»In dem ihr euch zu der Entführung bekennt und Forderungen stellt?«

»Ja.«

»Angenommen, wir machen es so. Ihr nennt irgendeine Summe. Deutschland zahlt in aller Stille. Oder auch nicht. Vielleicht gelangt man ja in Berlin zu dem Schluss, sich nicht erpressen zu lassen.«

Amanullah lächelt dünn. »Ohne Publicity kein Druck.«

»So ist es.«

»Darum bist du aber doch hier, oder nicht? Um für Publicity zu sorgen.«

Hagen schaltet das Diktafon aus.

»Ich kann Marianne Degas, Max Keller und Walid Bakhtari über Nacht zur Topmeldung machen. Jeder Deutsche wird ihre Gesichter kennen. Ich werde ein Feuer des Mitleids entfachen und euch zugleich Gelegenheit geben, *euren* Standpunkt zu formulieren. Ihr bekommt mehr Publicity, als ihr euch träumen lasst. Der Marktwert eurer Geiseln wird in die Höhe schießen.«

Ihm gegenüber schnappt Keller hörbar nach Luft.

»Das wiederum wird eure verunglückte Geiselnahme in den Augen eurer Führer erheblich aufwerten. Du wirst Ehre erlangen, Amanullah. Muneer wird Ehre erlangen! Der öffentliche Druck wird meiner Regierung keine andere Möglichkeit lassen, als den Anliegen der Taliban so weit wie möglich entgegenzukommen. *Diese* Geschichte kann sie nicht hinter verschlossenen Türen aussitzen.«

Walid Bakhtari starrt ihn an. Seine Lippen formen stumme Worte. Du treibst uns den Netzwerken in die Arme, scheinen sie zu sagen.

Vertraut mir. Ich weiß, was ich tue.

»Wie hoch wird der Marktwert sein?« Amanullah beugt sich vor. »Wird deine Regierung ihre Soldaten aus Afghanistan abziehen, wenn wir es verlangen?«

»Du bist klüger als deine Frage, Amanullah.«

»Also was? Die Freilassung inhaftierter Brüder?«

»Sicher.«

»Geld? Wie viel?«

»Ein paar Millionen sollten drin sein. Aber darum geht es nicht. Ihr werdet die Abneigung der Deutschen gegen eine Mission schüren, die niemand wirklich will. Ihr könnt den Abzug nicht erzwingen. Aber forcieren!« Hagen macht eine Pause, lässt seine Worte wirken. »Und ist nicht genau das die Strategie der Quetta Shura?«

Amanullah durchforstet seinen Bart nach Weisheit. Seine Züge sind entspannt, beinahe sanft. Keine Bosheit liegt in seinen Augen. Er sieht nicht aus wie jemand, der andere umbringen will, und wahrscheinlich will er es auch gar nicht.

Und doch wirst du nicht zögern, mir die Kehle durchzuschneiden, denkt Hagen, wenn hier irgendetwas aus dem Ruder läuft.

So jung –

In tausend alternativen Universen bist du ein netter Kerl, der nicht im Traum auf die Idee käme, Menschen zu entführen. Eine Totalrasur, und du wärst ein klarer Fall für jede Modelagentur. Du könntest tanzen gehen. Medizin studieren. Pazifist sein. Stattdessen sitzt du hier und bist bereit, für deinen Glauben zu töten. Welche Verwirrung der Geschichte trägt Schuld daran, dass du geworden bist, wer du jetzt bist?

Wer könnte ich sein, unter veränderten Umständen?

»Wie lange wird es dauern, bis dein Artikel erscheint?«

Hagen tut, als müsse er nachdenken. Zerzaust seinen eigenen blassen Bart. Trinkt einen Schluck von dem süßen gelben Tee und lässt sich Zeit.

»Zehn Tage. Zwei Wochen.«

»Das muss schneller gehen!«

»Mein Zeitplan ist unverhandelbar.«

»Meiner auch.« Amanullah senkt die Stimme, sein Blick wird durchdringender. »Eine Woche, keinen Tag länger. Andernfalls stirbt eine Geisel.«

Marianne Degas schluchzt laut auf. Hagen erwidert Amanullahs Blick mit unbewegter Miene.

»Nein.«

Die Brauen des Talib ziehen sich zusammen. Hagen weiß, dass die Stimmung jetzt kippen kann, in jeder Sekunde, doch er darf Amanullah keine Respektlosigkeit durchgehen lassen. Alles Weitere hängt davon ab, dass er sich in diesem Raum Achtung verschafft.

»Falls jemand stirbt«, sagt er ruhig, »gibt es keinen Artikel.«

»Du wirst dich beeilen.« Der Talib starrt ihn an. »Du überbringst unsere Forderungen, setzt deine Regierung unter Druck, und das so schnell wie möglich. So lautet die Vereinbarung.«

»Vergiss es.«

Hagen macht Anstalten aufzustehen. Die Hände der Vermummten zucken zu den Waffen.

»Tom –«, sagt Björklund leise.

»Setz dich wieder hin!« Amanullah hebt die Rechte, seine Gesichtsmuskeln zucken vor Zorn. Hagen verharrt in gekrümmter Haltung, ohne der Aufforderung Folge zu leisten. Sie starren einander weiter an, fechten ein stummes Duell. Dann, unvermittelt, lächelt der Talib wieder.

»Bitte«, fügt er hinzu.

Hagen lässt sich zurück aufs Polster sinken.

»Damit wir uns nicht missverstehen, Amanullah, ich bin nicht euer Postbote. Wenn ich etwas gebe, will ich etwas dafür haben.«

»Du hast schon sehr viel bekommen.«

»So? Was denn?«

»Ein Gespräch.«

»Ich habe gar nichts bekommen. Erinnere dich, wer hier wen braucht.«

»Also was willst du?«

»Eine Geisel.«

Amanullah hebt die Brauen. »Jetzt gleich?« Seine Mundwinkel verziehen sich zu einem spöttischen Grinsen. »Aber natürlich. Sollen wir sie dir einpacken, oder nimmst du sie so?«

»Am liebsten sofort.«

»Und wen, wenn ich fragen darf?«

Sarkasmus, geschult am Westen. Inzwischen ist Hagen sicher, dass sein Gegenüber eine Zeit lang im Ausland zugebracht hat.

Er zeigt auf Marianne Degas.

»Sie.«

»Du weißt, dass das nicht geht.«

»In meinem Land würdet ihr damit Punkte machen. Es würde eurem Ansehen dienen.«

»Es würde auch deinem Ansehen dienen.«

»Durchaus«, räumt Hagen ein.

Muneer, der wie in Wachs gegossen dagesessen hat, erwacht überraschend zum Leben, umfasst den Arm des Talib, murmelt etwas. Sie unterhalten sich eine Weile gedämpft. Als Amanullah wieder aufschaut, wirkt er nachdenklicher.

»Du schreibst deinen Artikel. Wenn er bewirkt, was du uns in Aussicht stellst, lassen wir Marianne Degas vorzeitig frei.«

»Ich habe dein Wort?«

Amanullah nickt. »Falls du versagst, werden die drei hier sterben. Auch darauf hast du mein Wort.«

»Ich werde nicht versagen.«

Amanullah sieht ihn mit seinen Smaragdaugen an. Sein Lächeln verbreitert sich, gewinnt an Wärme und Herzlichkeit. Er steht auf, geht zu Keller, umarmt ihn und strahlt ihn an wie einen Bruder.

»Ihr werdet freikommen, Max.«

Der Entwicklungshelfer ist nach der Ankündigung, sterben zu müssen, derart verdattert, dass er die Umarmung beinahe erwidert, bevor ihm einfällt, wer ihn da an sich drückt. Seine Arme verharren gekrümmt im leeren Raum, doch Amanullah scheint wirklich glücklich über den Verlauf der Dinge zu sein. Er nimmt Bakhtaris Kopf in beide Hände und küsst ihn zweimal auf die Stirn.

»Ihr werdet eure Familien wiedersehen! Habe ich es euch nicht immer versprochen? Ihr werdet nach Hause zurückkehren!«

Muneer sagt etwas auf Paschtu zu den Wachen. Die Spannung im Raum löst sich. Plötzlich reden alle aufeinander ein, spürbar erleichtert über die Möglichkeit eines Auswegs aus der Situation, die sie sich eingebrockt haben. Hagens Blick wandert zu den Geiseln. Auch dort überwiegt die Erleichterung. Marianne Degas sieht verheult aus, doch sie bringt ein Lächeln zustande, neue Hoffnung im Blick.

Nur Walid Bakhtari schaut unverändert düster drein.

Sie lieben es, zu lügen.

Amanullah tritt zu Hagen, legt freundschaftlich den Arm um seine Schulter.

»Vergiss nicht«, sagt er leise, »dass wir dich und deinen Fotografen jederzeit hierbehalten könnten.«

»Du hast uns freies Geleit versprochen.«

»Was Menschen versprechen, ist eine Sache. Wenn wir dich morgen gehen lassen, ist es alleine Allahs Wille. Ich bin sicher, er hat dich zu uns geführt, weil er wünscht, dass du der Außenwelt von uns erzählst. Denk daran, wir alle sind in seiner Hand. Wie Brüder miteinander verbunden, Teil seines erhabenen Plans. Es mag dir so scheinen, als stünden wir auf unterschiedlichen Seiten, aber eines Tages wirst du feststellen, dass es immer nur die eine Seite gab.«

Hagen schaut ihn an.

»Und was, wenn es unsere ist?«

Der Talib schüttelt nachsichtig den Kopf. »Ihr könnt nicht gegen uns gewinnen, Tom.«

»Was macht dich da so sicher?«

»Ganz einfach. Ihr liebt das Leben.« Amanullah lächelt. »Wir lieben den Tod.«

Eine Übernachtung, drei Gebete und viereinhalb Autostunden später platzt es aus Björklund heraus:

»Dieser kleine Scheißer verarscht uns doch!«

»Natürlich tut er das.«

Afeefs blauer Subaru verschwindet in einer Staubwolke. Sie gehen auf das Haupttor des Feldlagers zu, während die Sonne einen taumelnden Tanz der Moleküle entfacht. Mit jeder Minute erhitzt sich die Luft mehr. Kaum zu glauben. Es ist nicht mal elf und schon heiß wie in einer beschissenen Mikrowelle.

Dieser Sommer sei der unerbittlichste seit Langem, sagen selbst die Einheimischen.

Was ist hier nicht unerbittlich, denkt Hagen.

Womöglich liegt es tatsächlich an der Hitze, am virulenten Wahnsinn. Ein paar Grad weniger, und den Bauernsöhnen in Aqli Bur wäre vielleicht nicht der Verstand durchgeschmort, und sie hätten Bakhtari, Degas und Keller ihrer Wege ziehen lassen.

Dann hätte ich jetzt keine Story, sondern müsste weiter tatenlos zusehen, wie die Bundeswehr in Afghanistan den Frieden erzwingt. So heißt es in Amtssprache, das ist der Auftrag: Friedenserzwingung. Exakt dieses Wort haben sie in Kapitel VII der Charta der Vereinten Nationen dafür gefunden.

Okay, ich muss trotzdem weiter zusehen. Brav über das berichten, was sie mir zeigen, und der Rest ist Spekulation. Das ist *mein* Auftrag.

*Öffentlichkeits*erzwingung.

Aber mit einem Knüller wie Heal Afghanistan in der Tasche kann es mir eigentlich egal sein.

Er denkt zurück an die letzten Stunden. Bei Sonnenaufgang haben ihre Wachen, Aufpasser, Gastgeber, wie auch immer, das Fadschr gebetet, so wie am Abend zuvor Maghrib und Ischa. Hingebungsvoll haben sie die Suren rezitiert, und wenn Hagen selbst auch niemanden kennt, für den er sich auf eine Holzbank oder einen Teppich knien würde, klingt die Spiritualität des Augenblicks doch in ihm nach.

Da war kein Hass.

»Ich sehe dich im Paradies«, hat Amanullah zum Abschied gesagt und ihm eine CD überreicht. »Inschallah, mein Freund.«

Und ihn an sich gedrückt.

Dann sind ihnen die bereits vertrauten Säcke über den Kopf gezogen worden, helfende Hände haben sie aus dem Haus geführt und in den Land Cruiser verfrachtet, wo Ihrgut, die rührige Seele, als Erstes die Wasserflasche nach hinten reichte. Weniger Kinder diesmal, nur der klagende Abschiedsruf eines Esels. Und wieder Gerumpel, zweieinhalb Stunden lang. Der Fahrer ist heute schneller unterwegs, die Gegend sei voller bewaffneter Banditen. Die Übergabe an anderer Stelle, parzelliertes Ackerland, Dörfer, die sich die Hänge hochstapeln. Afeef erklärt, sie seien weiter südlich im Distrikt Pol-e Chomri der Provinz Baglan, grinst und gibt ihnen ihre Handys zurück wie Weihnachtsgeschenke.

Hagen schaut dem kleiner werdenden Subaru hinterher.

»Nie im Leben lassen die das Mädchen vorzeitig frei«, knurrt Björklund.

Stimmt. Amanullah hat sie zum Narren gehalten. Der Kerl ist alles andere als ein Provinzler, der zu groß eingekauft hat und nun versucht, an der Quetta Shura vorbei ein Geschäftchen abzuschließen. In Wirklichkeit ist es nämlich so gelaufen: Die Führungsriege, aufgeschreckt durch Husains Vorstoß, hat getagt, um über eine Geiselnahme zu beraten, die eigentlich schon abgehakt war. Nur dass da plötzlich dieser Reporter auftaucht und ihnen einen mittleren Medienhype in Aussicht stellt. Das können sie natürlich nicht in den Wind schlagen, wo es doch genau darum gehen soll in ihrer *High-Target*-Strategie, also sagen sie sich, gut, schauen wir uns den Burschen mal an, und wenn er glaubwürdig ist, steigen wir vielleicht doch noch in die Sache ein.

Und sie schicken Amanullah.

Der dürfte inzwischen zurückgefunkt haben, was für überaus nützliche Idioten er bei Muneer angetroffen habe. Wenn also Marianne Degas' tränenfeuchte Augen demnächst von allen Titelseiten flehen –

»Haben die drei die längste Zeit Muneers Tee getrunken«, sagt Björklund. »Sie werden ins Hochgebirge verschleppt, und das war's.«

Die Posten erkennen sie, winken sie durch.

»Es sei denn, wir lassen die Sache auf sich beruhen.«

Hagen schweigt, verstrickt in Gedanken. Verspätet dringen Björklunds Worte zu ihm durch.

»Hab ich das gerade richtig verstanden?«

»Was?«

»Ich hörte so was wie, wir lassen die Sache auf sich beruhen.«

»Na ja.« Der Fotograf zögert. »Wir sind uns doch einig, dass das keine Stümper waren, oder?«

»Sieht so aus.«

»Ich meine, keiner von denen, die wir gestern getroffen haben, hat ein Problem mit der Quetta Shura. Das *war* die verdammte Quetta Shura!«

»Ganz deiner Meinung.«

»Wir hatten's aber anders erwartet. Du hast gesagt, die Quetta Shura hält den Ball flach. Sie wollen bis auf absehbare Zeit keine Geiselnahmen. Hast du gesagt!«

»Das hat Bilal gesagt.«

»Ist doch scheißegal, wer es gesagt hat, jedenfalls sind wir da rausgefahren, weil *genau das* die Information war. Du wolltest Verhandlungen mit einem Haufen Provinzdeppen in Gang setzen, die froh sein können, ihre Geiseln gegen ein paar Hunderttausend Euro und ein bisschen Publicity quitt zu werden. Jetzt haben die Häuptlinge beschlossen, einzusteigen. Wir helfen der Quetta Shura, Mann. Das war nicht vorgesehen. Wir unterstützen professionelle Geiselnehmer!«

»Worauf willst du eigentlich hinaus?«

»Gar nichts zu veröffentlichen. Wenn wir es nicht an die große Glocke hängen, lassen sie die drei vielleicht laufen.«

»Quatsch.«

»Was soll Amanullah mit wertlosen Geiseln?«

»Vergiss es. Wenn er keinen Profit aus ihnen schlagen kann, wird er sich ihrer entledigen, und zwar so.« Hagen zieht die Handkante über den Kehlkopf.

»Ist nicht gesagt.«

»Lies die Statistiken. Geiseln, die nichts einbringen, werden fast immer liquidiert.«

Stimmt das? Hagen beschließt, dass es stimmt.

»Verhandlungen garantieren ebenso wenig, dass sie freikommen«, insistiert Björklund.

»Doch, wenn der Deal stimmt.«

»Denk an Mastrogiacomo. Verdammt, die haben seine Leute geköpft!« Björklund hält zwei ihrer Enthauptung harrende Finger hoch. »Und da *wurde* verhandelt.«

Sie nähern sich Holzhausen, einem Trakt von rührender Volkstümlichkeit. Gezimmerte Verandabauten lassen Assoziationen an den Schwarzwald aufkommen, konterkariert von knallgrünen Duschcontainern, Raketenunterständen und Sandsackbarrieren. Luxusquartiere, verglichen mit den Baracken, in denen die Soldaten schlafen. In Holzhausen werden Politiker untergebracht, VIPs aller Couleur und Journalisten. Nur Inga logiert noch eine Spur komfortabler, im Stabsgebäude beim Regionalkommandeur. In einem richtigen, gemauerten Haus, wo sie nicht befürchten muss, unter der Dusche Gesellschaft zu bekommen.

Jetzt hängt sie auf Hagens Veranda rum. Wiegt sich in einem Südstaatenstuhl, iPod, Kopfhörer, Beine auf dem Geländer.

»Hey!«

Hat sie erspäht.

Springt auf, winkt wie verrückt.

Hagen stoppt und verstellt Björklund den Weg.

»Hör zu, die Nummer ist gelaufen, klar? Die Quetta Shura hängt mit drin, aber das kann uns gleich sein. Ich hatte ohnehin nicht vor, es zu Verhandlungen kommen zu lassen. Schon gar nicht nach Amanullahs Auftritt gestern Abend.«

»Was?« Björklund wirkt verdattert. »Das heißt, du bist meiner Meinung?«

»Nein. Der Artikel erscheint. In, sagen wir, einer Woche. So lange haben die Geiseln nichts zu befürchten.«

»Versteh ich nicht.«

»Und noch während er erscheint, werden sie schon rausgehauen.«

»Rausgehauen?«

Inga tritt zu ihnen, das Kinn in munterer Arroganz erhoben.

»Hey.«

»Hey.«

»Ich hab was für euch.«

Kein *Na, wieder da, geht's euch gut, wie war's?*. Nie kommentiert Inga das Offensichtliche. Augenscheinlich sind sie wohlbehalten zurück, und was sie nicht sieht, wird Hagen ihr erzählen. Ihm gefällt das. Spricht für eine gewisse Reife, auch wenn Björklund anderer Meinung ist und sie schlicht mangelnder Empathie verdächtigt.

»Während ihr beide fort wart, hab ich mich ein bisschen mit Heal Afghanistan beschäftigt. Überraschung.«

Sie dehnt den Augenblick, was wiederum kindisch ist. Hagen überlegt. Gibt es etwas über die Gruppe, das sie noch nicht wissen? Junge Leute mit elterlichem Geld im Rücken, aufgewachsen und wohnhaft in Aachen, wo sie an der Uni abhängen. Marianne Degas stammt aus Paris und ist der Liebe wegen nach Deutschland gekommen. Walid Bakhtari zählt nicht. Er gehört nicht wirklich zu Heal Afghanistan, sondern verdient sein Geld als Fahrer und Dolmetscher für alle möglichen Gruppen und Institutionen.

»Und?«, ermuntert sie Hagen. »Willst du's mir heute noch verraten?«

Sie spreizt die Finger. »Marianne Degas ist die Nichte von Philippe Degas.«

Philippe Degas –

Hagen durchforstet seinen Datenspeicher. Da regt sich was. Degas, Staatssekretär im Ruhestand.

Und zwar während der Amtszeit von –

Ach du Schande.

Klar, Degas! Hohes Tier im französischen Verteidigungsministerium. Ein Falke. Hat Michèle Alliot-Marie zugearbeitet, bis diese im Frühjahr 2007 das Ressort wechselte. Auch heute noch taucht Degas' Name mit schöner Regelmäßigkeit auf, wenn es um die Planung und Durchführung militärischer Operationen geht.

»Der Alte hat schon vor Wochen beim Auswärtigen Amt gecheckt, was Sache ist«, sagt Inga mit ihrer MTV-Stimme. »Gleich nachdem Marianne verschwunden war. Seitdem geht er ihnen dreimal täglich auf den Zeiger, aber was sollen sie ihm groß sagen? Sie wissen ja nichts, ganz im Gegensatz zu uns.« Sie baut eine erneute Spannungspause ein. »Dafür hat Le Monde gestern einen Bericht gebracht.«

»Wie bitte?« Hagen starrt sie an.

»Ja. Sie haben's recherchiert. Titelseite. Oh Mann, Degas ist vielleicht sauer! Spuckt Gift und Galle. Droht mit Klage. Wollte die Berichterstattung um jeden Preis vermeiden.«

Natürlich. Um etwaige Entführer nicht auf Ideen zu bringen.

Unfassbar.

Während er und Björklund auf Amanullahs Schoß saßen, um die kleine Luschentruppe Heal Afghanistan für die Medien aufzupäppeln, hat Le Monde es über Nacht getan. Und ihm damit das Heft der Berichterstattung aus der Hand genommen. Ziemlich genau jetzt dürfte die Story nach Deutschland rüberschwappen. Natürlich interessiert sich dort keiner sonderlich über den Verbleib einer Französin, wenn sie nicht gerade Carla Bruni heißt, aber der Vorstoß von Le Monde wird einen unliebsamen Nebeneffekt haben: Amanullah könnte zu dem Schluss gelangen, dass er Hagen nicht mehr braucht.

Wir haben eine französische Politikertochter eingesackt?

Allahu akbar!

Verhandeln wir doch gleich mit den Franzosen!

»Das ist nicht gut für das Mädchen.« Björklund schüttelt sorgenvoll den Kopf. »Gar nicht gut.«

»Och«, sagt Inga. »Wie man's nimmt. Bis jetzt war sie ein Niemand. Ein Niemand wird schon mal gern abgeknallt, wenn die Stimmung gereizt ist und keiner Bock auf den anderen hat. Jetzt ist sie ein Jemand.«

Sie schaut Hagen an, registriert seinen Ärger.

»Das war eine Nullmeldung, Tom. Nur ein aufgeblasener Luftballon mit Fotos dran.«

Er antwortet nicht, nagt an seiner Unterlippe.

»Hey, scheiß auf Le Monde! Worüber macht ihr euch Sorgen? Ihr habt ein Interview. Ein *Interview mit den Entführern*!« Inga hebt forschend eine Braue. »Habt ihr doch?«

»Ja«, knurrt Björklund. »Haben wir.«

»Wo ist dann das Problem?«

Hagen flucht innerlich. Er muss die Zügel wieder in die Hand bekommen. Das Ganze droht aus dem Ruder zu laufen. Marianne Degas hätte gar nichts Schlimmeres passieren können, als dass die Taliban erfahren, wer ihr Onkel ist.

Ihm selbst hätte nichts Schlimmeres passieren können.

»Tom? Huhu!«

Ob sie es bereits wissen? Nein. Die Gotteskrieger sind zwar bestens verdrahtet, aber ein paar Tage dürfte es schon dauern, bis die frohe Kunde zu ihnen vorgedrungen ist.

Mist, Mist, Mist!

Er muss den Zeitplan ändern.

»Hey, Tom! Rede mit mir. Wo ist das Problem?«

Ihnen bleibt keine Woche mehr. Allenfalls –

»Drei Tage?«

Der Brigadegeneral, der Hagen gegenübersitzt, hat Camp Kunduz erst kürzlich übernommen. Die anderthalb Monate, seit er sich Regionalkommandeur Nord nennen darf, sind als Crashkurs in Krisenbewältigung verflogen, aber noch scheinen die meisten Falten in seinem Jungengesicht von positiven Erfahrungen herzurühren. Lachfalten, die jetzt weiß über seine sonnenverbrannte Haut mäandern wie kleine, ausgetrocknete Flussbetten. Das Lachen ist dem General so gründlich vergangen, als müsse er es neu erlernen.

»Vielleicht vier. Vielleicht zwei.« Hagen enthauptet eine der Portionsflaschen. Ignoriert die Gläser, die in zivilisierter Anordnung um Apfelsaft, Cola und Mineralwasser geschart stehen. »Aber das sollte bei Ihren Überlegungen keine Rolle spielen.«

»Nett, dass Sie mir meinen Job erklären.«

»Tut mir leid. Den Druck besorgen die Umstände.«

Seit seiner Ankunft in Allahs Backofen hat er den Zeitungsausschnitt mit der Meldung über das Verschwinden der Entwicklungshelfer bei sich getragen. Jetzt liegt der Fetzen vor dem Kommandeur, der ihn betrachtet wie ein hässliches Insekt: augenscheinlich tot, aber vielleicht noch in der Lage zuzustechen.

»Sie haben sich also mit den Entführern dieser Leute getroffen, geplauscht, Tee getrunken, und jetzt erzählen Sie mir, die Kerle packen demnächst ihre Siebensachen und setzen sich mitsamt der Geiseln in Richtung pakistanische Grenze ab.«

»Richtig.«

»Sobald Ihr Artikel erschienen ist.«

»Sobald die Quetta Shura spitzkriegt, wer das Mädchen ist.«

»Ach ja. *Le Monde*. Marianne Degas.«

Hagen zuckt die Achseln. »Sie wissen doch, wie das läuft.«

»Was? Dass sie die Lottogewinne ins Hochgebirge verschleppen? Ja, weiß ich. Aber vielleicht sind sie ja schon längst dort. Vielleicht waren *Sie* ja auch im Hochgebirge.«

»Wir waren nicht im Hochgebirge.«

»Sie konnten nichts sehen. Sack überm Kopf.«

»Trotzdem.«

»Dieser Muneer ist nicht die Endstation?«

»Jetzt nicht mehr.«

Der General verengt seine Augen zu Schlitzen. Er mag aussehen wie ein vorzeitig ergrauter Jugendlicher, aber Hagen ist mit seiner Vita bestens vertraut. Studierter Pädagoge, makellose Karriere. Niemand, der viel Aufhebens um seine Person macht, dafür umso empfänglicher für die Seismik der Selbstüberschätzung.

»Und jetzt sollen wir die drei raushauen?«

»Ja.«

»Bleibt nur ein kleines Problem.«

»Welches?«

»Sie waren zwar da. Aber Sie wissen nicht, *wo*.«

Hagen genehmigt sich den Anflug eines Lächelns, greift in die Brusttasche und legt etwas Flaches, Schwarzes vor sein Gegenüber. Kostet den Moment aus, auch wenn sich die Dinge in eine eher unliebsame Richtung entwickelt haben.

»Was ist das? Ein Akku?«

»Für mein Aufnahmegerät, ja.«

»Und?«

»Wir hatten Order, alles zu Hause zu lassen, womit wir die Taliban hätten aufspüren können. Was sie uns gestatteten, waren Björklunds Kamera und mein Diktafon. In beides haben sie ihre Nasen gesteckt, bis sie am anderen Ende wieder rausguckten, uns auf links gedreht und für sauber befunden. Daran, dass ich zwei Ersatzakkus mithatte, fanden sie nichts auszusetzen.«

Der General nimmt das Ding mit spitzen Fingern auf. Allmählich dämmert ihm, worauf das Ganze hier hinausläuft.

»Es steht Sony drauf, stammt aber von der Firma AKG«, erläutert Hagen. »Sie bauen GPS-Tracker in allen Varianten. Als Schokoriegel, Feuerzeug, Nasenhaarrasierer. Ich arbeite bevorzugt mit einem GPS-Device, das aussieht wie der Akku eines digitalen Diktiergeräts.«

»Sie haben die Route aufgezeichnet?«

»Jeden Meter.«

Ein Mundwinkel des Generals zuckt nach oben.

»Muneers Leute haben uns westlich von Kunduz aufgegabelt, auf dem Weg nach Kholm«, fährt Hagen fort. »Verwirrtaktik. Nachdem die Fahrt zusehends holpriger wurde, war mir klar, dass der Westen und der Norden ausschieden. Tatsächlich sind wir unterhalb von Kunduz, Khanabad und Taloqan den ganzen Weg zurück nach Osten gefahren. Knapp 20 Kilometer hinter Taloqan verengt sich das Tal, dort liegt ein Dorf –«

»Takafamast.«

»Bingo. Östlich davon haben wir den Taloqan River überquert und uns in die Hügel geschlagen. Muneers Anwesen kuschelt sich in den Hang eines flachen Tals. Hab's mir vorhin auf Google Earth angesehen. Das Satellitenbild zeigt nur ein paar verwaschene Flecken, aber ich schätze, es hat die Ausmaße einer größeren Farm.«

»Deckt sich das mit Ihren Eindrücken vor Ort?«

»Männer, Frauen, Kinder, Vieh.«

Der General schweigt. Die Klimaanlage führt einen monotonen Dialog mit einer Fliege. Draußen brütet der Mittag über Kunduz.

»Wie hatten Sie sich das eigentlich gedacht?«

»Was?«

»Nun ja, Sie wollten Ihren Artikel schreiben. Dem Auswärtigen Amt das Video übergeben, das Sie von den Entführern bekommen haben. Die Bundesregierung wäre in Verhandlungen eingetreten, die Geiselnehmer hätten sich in die Berge abgesetzt, exakt die Entwicklung, die Sie auf einmal vermeiden möchten –«

»Nein.« Hagen schüttelt den Kopf. »Im Moment, als die Quetta Shura einstieg, mit Amanullahs Auftauchen, änderte sich alles. Gestern Abend habe ich entschieden, es gar nicht erst zu Verhandlungen kommen zu lassen.«

»*Sie* haben entschieden?«

Hagen überhört den Spott. »Mein Plan war, den Artikel irgendwann Mitte nächster Woche erscheinen zu lassen, was Ihren Leuten reichlich Gelegenheit gegeben hätte, in aller Ruhe die Geiselbefreiung vorzubereiten. Ich dachte, wir hätten mehr Zeit.«

»Sie dachten, Sie sind das Maß aller Dinge.«

»Jetzt ist *Le Monde* das Maß aller Dinge.«

»Und was, wenn die Bundesregierung uns was hustet? Wenn der Krisenstab auf Verhandlungen setzt?«

»Warum sollte er?«

»Warum?« Der General schnaubt. »Wer sagt Ihnen, dass Berlin einen Einsatz riskiert, bei dem deutsche Soldaten draufgehen könnten? Haben Sie mal darüber nachgedacht, dass es komplett anders laufen könnte, als Sie sich das vorstellen?«

»Hab ich.«

»Na, Hauptsache, Sie sahnen Ihre Geschichte ab.«

Die Bemerkung pfeift dicht an Hagens Ohr vorbei. Er versucht die Kluft zwischen ihnen abzuschätzen.

»Wenn der Einsatz nicht umgehend beschlossen wird, gebe ich die Koordinaten des Trackers an die französische Regierung weiter«, sagt er im Plauderton. »Degas ist ein Falke, sein Einfluss nicht zu unterschätzen. Wollen Sie Zeuge werden, wie morgen Abend eine französische Hercules in Kabul landet und hinten 50 Mann Gruppo Intervention Gendarmerie National rausfallen, die Muneers Compound knacken, während die Bundesregierung nichts unternimmt? Obwohl man doch *ganz genau wusste*, wo Marianne sich aufhält!«

»Hm. Verstehe.«

»Vielleicht macht sich ja auch das 2° REP der Fremdenlegion von Korsika auf den Weg hierher. Was glauben Sie, welches Szenario würde die Kanzlerin bevorzugen?«

»Die Franzosen sind hier nicht zuständig.«

»Das wird sie kaum abhalten.«

Der General fächert seine Finger auf. Legt die Spitzen aufeinander, als schließe er Gedankenkreisläufe.

»Was genau bezwecken Sie eigentlich, Hagen?«

»Was ich bezwecke?« Hagen starrt ihn an. »Ich will, dass die drei freikommen! Dieser ganze idiotische ISAF-Einsatz hat genug Menschen das Leben gekostet. Die Taliban fordern Wiedergutmachung, okay, schicken wir ihnen George W. Bushs Kopf auf einem Silbertablett, das könnte ihnen gefallen! Aber bis dahin werden sie weiterhin Soldaten in die Luft sprengen und Geiseln nehmen, also versuche ich, wenigstens die Geiseln zu retten.«

»Mehr wollen Sie nicht?«

»Was meinen Sie?«

»Keine – hm – Schlagzeile?«

»Alle Schlagzeilen der Welt, was denn sonst! Ich bin Reporter.« Er macht eine Kopfbewegung mit Blick auf die Brust seines Gegenübers. »Und Sie? Wie viel Orden passen da noch drauf?«

Der General trommelt auf die Tischplatte, greift zum Telefon. »Bereiten Sie eine Videokonferenz mit Potsdam vor«, schnarrt er in den Hörer. »In zehn Minuten, höchste Priorität. Sie sollen das Auswärtige Amt dazuschalten. Und trommeln Sie den Stab zusammen.« Steht auf, eilt zur Tür. Zu Hagen: »Sie kommen mit. Erzählen Sie denen, was Sie mir erzählt haben, aber lassen Sie die Erpressungsversuche.«

»Bleiben Sie cool. Ich kann auch anleiern, dass Muneers Koordinaten sofort nach Paris weitergeleitet werden.«

Sie marschieren den Gang entlang, Richtung Konferenzzentrum.

»Können Sie wenigstens auf die Veröffentlichung Ihres Artikels verzichten?«

»Wie war das gerade?«

»Vorerst.«

Hagen kann nicht anders, er muss lachen. »Glauben Sie, ich hab das alles auf mich genommen, um auf meine Story zu *verzichten*?«

»Wir brauchen Ruhe. *Le Monde* ist schlimm genug.«

»Wem erzählen Sie das?«

»Wenn Sie jetzt alles breittreten, werden Ihre Entführerfreunde noch schneller den Standort wechseln.«

»Ja, ich halte den Ball flach, und Berlin verfällt in Dornröschenschlaf.«

»Wir brauchen wenigstens eine Chance.«

»Hören Sie!« Er überholt den General, verstellt ihm den Weg. »Ich bin Ihr Verbündeter, also sagen Sie mir eines, bevor wir gleich das Einsatzführungskommando an der Backe haben: *Falls* Sie das Go kriegen, wie schnell können Sie sein?«

Die Blicke des Generals durchmessen den Gang, die Tristesse identischer Türen.

»Heute ist Montag. Gesetzt den Fall, wir werden überhaupt für zuständig erklärt, muss ich das mit den Amerikanern klären. Wir haben hier nicht das erforderliche Fluggerät. Wenn alles glattgeht, können wir Donnerstagmorgen angreifen.«

»Gut. Mittwoch erscheint mein Bericht.«

»Donnerstag.«

»Ich feilsche nicht.«

»Ich auch nicht. Wenn es nach mir ginge, würden wir sofort loslegen, aber es geht nicht nach mir. Kapiert? Donnerstag.«

»Okay. Dafür bin ich bei der Befreiung dabei.«

»Sie sind ein bisschen übergeschnappt, Hagen. Denken Sie, ich will Sie im Helikopter sitzen haben, wenn wir einen Compound mit Kidnappern und Geiseln klarmachen?«

»Das ist mir scheißegal. Ich habe Ihnen die Informationen geliefert. Ohne mich säßen die drei Kids immer noch im schwarzen Loch. Ich bin dabei.«

Der General rollt die Augen. Drängt ihn beiseite. Hagen läuft ihm hinterher. Ihr Weg führt in einen Raum mit Tischen, Wandkarten und riesigen Monitoren.

»Sie denken, mich interessiert nur die Schlagzeile, was?«

»Ihre Aktion war heldenhaft.« Der General sieht ihn an. »Aber Sie leiden an Selbstüberschätzung. Eines Tages wird Ihnen ein Fehler unterlaufen.«

»Ich habe keinen Fehler gemacht.«

»Oh ja, Sie sind der Abendstern Ihrer Branche.«

»Ich habe *noch nie* einen Fehler gemacht.«

»Ich sagte, eines Tages.«

»Irrelevant.«

»Keine Ahnung, ob Sie ein Mistkerl sind. Aber Sie benehmen sich wie einer.«

»Bilal?«

»Tom! Wo bist du?«

»Zurück im Camp, seit drei Stunden.«

»Du hättest dich längst mal melden können, du Arsch! Ich sitze hier und mache mir Sorgen. Wie ist es gelaufen?«

Hagen gibt ihm einen Abriss. Verschweigt, was sie über Marianne Degas herausgefunden haben, und dass sich gerade eine Maschinerie in Gang setzt, deren Lautlosigkeit das Tödlichste an ihr ist. Es gibt nichts Stilleres als eine geladene Waffe.

»Wann sprichst du wieder mit deinen Kontaktleuten?«

»Ich kann jederzeit anrufen.«

»Tu das. Erzähl ihnen, ich sei schwer beeindruckt und im Übrigen der felsenfesten Überzeugung, im Südwesten gewesen zu sein.«

»Und wo warst du tatsächlich?«

Eine Frage mit Stolperdraht. Nein, Husain ist einer von den Guten. Dennoch. »Keine Ahnung. *Mir* haben sie einen Sack über den Kopf gestülpt.« Hagen macht eine Pause. »Komm, gib's zu. Du weißt doch sicher schon längst, wo ich war.«

Kurzes Schweigen.

»Ja, weiß ich.«

Treffer.

»Wusstest du auch, dass dieser Amanullah dort aufkreuzen wird? Von wegen, die Quetta Shura kauft gerade nicht.«

»So lautet ihre Direktive.«

»Die sie offenbar nicht daran hindert, es trotzdem zu tun.«

»Wenn sie eine Ausnahme machen, dann, weil sie großes Vertrauen in dich setzen. Sie haben dich gegoogelt.«

Natürlich. Hagens Renommee als Krisenreporter zieht Fäden, auch im Netz.

»Bilal, mir ist schnuppe, wo wir waren. Jedenfalls scheint es den Geiseln bei Muneer gut zu gehen. Kannst du erreichen, dass sie fürs Erste dort bleiben?«

»Tom!« Husain stößt zischend die Luft aus. »Das liegt nun wirklich nicht in meiner Macht.«

»Komm schon! Du hast Einfluss auf die Brüder.«

»Hatte ich dir schon erzählt, dass sich mein Tagessatz erhöht hat?«

»Inschallah.«

»Okay, ich sehe, was ich tun kann. Aber wenn ich mich zu sehr reinhänge, ist das auch nicht gut.«

»Schon klar.«

»Du musst ihre Auffassung von Strategie verstehen, Tom. Ihr Europäer denkt alle wie Clausewitz. Ihr fühlt euch Strategien *verpflichtet.* Die Taliban entwickeln Strategien, um sie im geeigneten Moment zu *unterlaufen.* Ihre Stärke ist die Unberechenbarkeit.«

»Unberechenbar bin ich selber.«

Husain seufzt. »Ich hab dich gewarnt. Du wolltest zündeln. Man kann etwas beginnen, wenn man will, aber man kann es nicht beenden, wenn man will.«

Ein Mistkerl also.

Bin ich das?

Honi soit qui mal y pense. Am Ende dieser Geschichte werden drei erschöpfte, aber glückliche junge Menschen, eingehüllt in Decken und in Kameras winkend, die Gangway einer Transall herunterschreiten.

Jedem das Seine.

Björklund beschwert sich, klar, weil Hagen ihm nicht verraten hat, dass sie mit einem GPS-Tracker unterwegs sein würden. Hätte er tun sollen. Stimmt. Entschuldigt sich. Während der Fotograf noch schmollt, gleicht der BND sein kümmerliches Wissen über die vermissten NGOs mit Hagens Fakten ab, destilliert ein Krisenstab aus etlichen Litern Kaffee die Frage, wer den Befreiungseinsatz leiten soll, falls er denn genehmigt wird, GSG 9 oder KSK, Bundespolizei oder Bundeswehr, setzt man als Sofortmaßnahme vier Verbindungsbeamte des BKA in eine Sondermaschine nach Kabul, was der BND zum Anlass nimmt, ein halbes Dutzend eigener Leute mitzuschicken, sozusagen ein Blindflug durch eine vernebelte Kompetenzlage, solange man nur vor Ort ist, wenn die Aufgaben verteilt werden.

Und während im Camp ein Obergefreiter versucht, seinen in Depressionen abgleitenden Patrouillenführer mit Witzen aufzuheitern, ein Hauptfeldwebel angesichts geplanter Aufklärungsfahrten ins Indianerland – Soldatenjargon für Talibangebiet – böse Vorahnungen niederkämpft, ein Leutnant sich fragt, warum ihnen das Haupteinsatzkommando Kampfhubschrauber schickt, die dermaßen voller Fehler stecken, dass man sich wundern muss, sie nicht vom Himmel fallen zu sehen, derweil seine Anfrage nach einem viel dringender benötigten MedEvac-Rettungshelikopter die Ermahnung nach sich zieht, *nie wieder* anzudeuten, in Afghanistan sei jemand suboptimal ausgerüstet, ein Hauptmann zu der Erkenntnis gelangt, dass sie der Zivilbevölkerung so lange kein Gefühl von Sicherheit werden vermitteln können, wie ein faktenscheuer Minister seinen Soldaten Waffen vorenthält, die sie schon darum bräuchten, um wenigstens sich selbst anständig verteidigen zu können – während sich also ein Gewitter der Angst über Camp Kunduz zusammenbraut, fällt in Berlin die Entscheidung, *nicht* die GSG 9 zu beauftragen.

Warum nicht? Wo die doch für Auslandseinsätze zuständig ist, siehe Mogadischu.

Ja, schon, aber das KSK ist vor Ort, kennt Land und Leute, kann auf die erforderliche Logistik zurückgreifen, und außerdem ist Afghanistan, ähm, Kriegsgebiet.

Eine Einschätzung, die unwidersprochen bleibt.

In den Bergen reinigen junge Männer ihre Kalaschnikows mit einer Zärtlichkeit, die sie ihren Frauen vorenthalten, einen missbrauchten Gott auf den Lippen. Bauern hocken teilnahmslos in Mohnfeldern und sehen eine Sonne untergehen, die nicht ihr Freund ist. Kabuler Blogger zeichnen im schwindenden Licht das Phantombild eines modernen Afghanistans, wenige Kilometer weiter wird ein halbwüchsiges Mädchen gefoltert, weil sie es wagte, sich ihrem vergewaltigenden Mann durch Flucht zu entziehen. Eine afghanische Studentin twittert in die Welt:

»Ich liebe mein Land, für das, was es sein könnte, bitte lasst uns nicht allein!«, ein deutscher Gefreiter mailt seiner Mutter: »Die wollen uns umbringen und ich will nach Hause.« Alles, während die gerade eingetroffenen Typen vom BND, surfend auf einer Welle von Adrenalin, Hagen in die Zange nehmen.

Ihn behandeln wie einen Schwerverbrecher.

Ihm Repressalien in Aussicht stellen für den Fall, dass er ein Sterbenswörtchen über die bevorstehende Operation verliert.

Ihm die ewige Verdammnis prophezeien, sollte er auch nur Atem holen, um irgendwem den Standort der Geiseln zu verraten.

Ihm die Hölle heißmachen.

Und Hagen, das Zähneblecken gewohnt, erklärt ihnen, wohin sie sich ihre Drohungen stecken können, und dass seine Zeitung bislang noch jeden, der ihren Repräsentanten gedroht hat, ob schriftlich, auf Anrufbeantworter oder in offener Konfrontation, in die Knie gezwungen hat, *noch jeden*!

»Tut mir leid für den Mistkerl.«

Wie Legoland liegt Camp Kunduz im Mondschein. Von erwachsenen Männern aneinandergereihte Klötzchen voller Spielzeugsoldaten. Hagen sitzt auf der Veranda, nachdem sie ihn endlich haben gehen lassen, Laptop auf den Knien, hackt seinen Artikel hinein. Schaut auf. Da steht der General, zwei Dosen Bier in der Hand, reicht eine zu ihm herüber und pflanzt die Ellbogen aufs Geländer.

»Wissen Sie noch, was Tucholsky über uns gesagt hat?«

»Soldaten sind Mörder?«

Der General nickt. »Man hört es nicht mehr so oft. Erstaunlich in diesen Zeiten.«

Hagen lässt seine Dose zischen. »Ihr seid zu weit weg.«

»Ja, vielleicht. Trotzdem, es hängt uns nach wie vor in den Klamotten. So wie es Leuten Ihrer Profession in den Klamotten hängt, dass Sie für Schlagzeilen Ihre Seele verkaufen.«

»Die Menschen lieben Schlagzeilen.«

»Aber sie ziehen es vor, die Motive des Überbringers infrage zu stellen anstatt ihre eigenen. Tja. Wir erreichen nichts gegen Vorurteile, also können wir sie uns ebenso gut rahmen.«

Hagen lacht. »Mir ist das völlig wurscht.«

»Wirklich?«

»Meine erste Auslandsreportage war Gaza. Flüchtlingslager Dschabaliya, Ende der Achtziger. Ich war 23. Seitdem hält mich nichts mehr zu Hause, wenn irgendwo Krieg ist, die Erde bebt, Tsunamis übers Land rollen. Ich hab mich in jeder Scheiße gewälzt, glauben Sie im Ernst, ich wäre noch durch Vorurteile zu beeindrucken?«

»Darf ich fragen, warum?«

»Warum was?«

»Warum tun Sie sich das an?«

»Es ist mein Job.«

»Sie könnten über andere Dinge berichten. Schönere Dinge.«

Hagen lässt Bier seine Kehle hinunterlaufen. »Und Sie?«

»Warum ich hier bin?«

»Ja. Warum sitzen Sie nicht gemütlich in Potsdam? Warum wollen Sie zusehen, wie Soldaten ohne Beine aus einem gerösteten Spähpanzer gezogen werden?«

»Ich will es verhindern. Das ist *mein* Job.«

Insekten schicken kryptische Botschaften durch die Nacht, surrend und zirpend. Beredter als wir, denkt Hagen.

Sie trinken, ein seltsamer Akt der Einvernehmlichkeit.

»September '98. Kosovo, Gornje Obrinje. Sagt Ihnen das was?«

Der General überlegt. »Ein Massaker, glaube ich.«

»Serbische Milizen hatten den halben Delijaj-Klan abgeschlachtet. In den Wald getrieben, erschossen, verstümmelt. Da war eine Überlebende. Haus niedergebrannt, Familie tot. Geschwister, Kinder, alle massakriert, sie selbst mehrfach vergewaltigt. Nur ihr Vater lebte noch, oder, na ja, sagen wir, irgendetwas in ihm lebte noch. Als ich sie traf, hatte sie ihn ein beträchtliches Stück getragen, zu einem der wenigen Gebäude, die nicht den Flammen zum Opfer gefallen war. Dort begann sie, ein Bett für ihn herzurichten. Wissen Sie, was ich damals dachte?«

Der General schweigt.

»Ich dachte, warum bringt sie sich nicht um? Wofür will sie weiterleben? Für den Alten da?« Er hält inne. Sieht sich wieder in dem schummrigen Raum, riecht den Brandgestank, der von draußen hereinsickert, verkohlte Erde, verkohltes Fleisch. Hat ihn nie ganz aus der Nase bekommen. »Aber sie versuchte tatsächlich, so etwas wie Geborgenheit herzustellen in dem elenden Schuppen. Zündete Kerzen an, weiß der Teufel, wo sie noch Kerzen gefunden hatte, und redete davon, dass es weitergehen müsse. Verstehen Sie? Sie redete vom Weitermachen! Und ich dachte, genau. Das ist es! Wie grausam das Schicksal den Menschen auch mitspielt, immer ist jemand da, der weitermacht, angetrieben von homöopathischen Resten Hoffnung und Überlebenswillen. Um den Dreckschweinen zu zeigen, ihr kriegt uns nicht klein. Ihr könnt alles niederwalzen, aber dieses winzige bisschen Würde, das uns geblieben ist, das bekommt ihr nicht. Das bekommt ihr nie!« Er sieht den General an. »Darum gehe ich an diese Orte. Weil die Bilanz jedes Mal positiv ausfällt. Es sind keine Geschichten vom Tod, die dort auf mich warten, der Tod wird schnell langweilig. Es sind Geschichten vom Leben. Und ich bin gut darin, sie zu erzählen.«

Der General dreht seine Dose zwischen den Fingern.

»Und wie viel sind Sie bereit, dafür zu riskieren?«

»Alles.«

Ein Schweigen entsteht. Nicht unangenehm. Nur, als hätten sie ihren Vorrat an Gemeinsamkeiten aufgebraucht.

Schließlich sagt der General: »Man hat mich ermächtigt, die erforderlichen Schritte einzuleiten. Das Planungsteam der KSK ist in der Isolationsphase, das Air Force Special Operations Command mit an Bord. Eine Drohne hat Bilder von Muneers Compound geschossen, wir wissen also jetzt, wie es da aussieht. Wenn nichts Unvorhergesehenes passiert, holen wir die Geiseln Donnerstagmorgen vor Sonnenaufgang raus.« Er macht eine Pause. »Am Tag, an dem Ihr Artikel erscheint.«

»Gut. Sehr gut.«

»Ich fürchte, das andere wird Ihnen weniger gefallen.«

»Was?«

»Die Befreiungsaktion läuft ohne Sie.«

»Moment.« Hagen schüttelt den Kopf. »Wir hatten –«

»Tut mir leid.« Die Dose des Generals gibt ein hässliches Knacken von sich, als er sie zerdrückt. »Wenn wir da reingehen, sind Sie auf gar keinen Fall dabei.«

»Nicht dabei!«

Durchmisst den Raum mit langen, wütenden Schritten. Dampft, kocht! Vier Uhr morgens, wie kann es um vier Uhr morgens immer noch so elendig heiß sein? Scheißgegend! Dass man tagsüber wie ein Niedertemperaturbraten geschmort wird, okay, aber nachts wird es hier normalerweise kühl. Warum wird es in diesem Sommer niemals kühl?

»Ohne mich wüssten sie nichts! Rein gar nichts!«

»Ohne dich hätten sie ein Problem weniger, sieh's mal so.«

Inga, nackt und dunkel auf seinem Bett. Mondlicht schmilzt in der Kuhle ihres Rückens, schimmert auf ihren Pobacken, diffundiert im feinen Film aus Feuchtigkeit, der ihren Körper überzieht.

Hagen hält inne, wirft sich neben sie auf das Laken. Spürt die Zeit verrinnen, von der er glaubte, mehr zu haben. Dickperlig quillt sie aus seinen Poren, zieht ölige Bahnen über Schädel und Schläfen, strömt Schultern und Hüften hinab, sammelt sich, wo die Schenkel seine Eier verwahren, staut sich unter den Achseln, in der Arschritze. Strömt und strömt und versickert im Leinen.

Er schwimmt in Zeit und hat zu wenig davon.

»Was denken die eigentlich, wer sie sind?«, flüstert er. »Wir waren dort, sind heil zurückgekommen, was reden die da für einen Scheiß, es wäre zu riskant, uns mitzunehmen?«

»Du hast ihnen den Einsatz eingebrockt. Erwartest du, dass sie dich dafür lieben?«

»Sie sollen mich respektieren.«

»Finde dich damit ab. Du bist der Souffleur, nicht der Hauptdarsteller.«

»*Ich* habe die Geiseln aufgespürt.«

»Ja, und du wirst einen Hammerartikel schreiben, und alle werden euch unendlich dankbar sein. In der Redaktion werden sie dir Altäre schnitzen, die Geiseln werden euch um den Hals fallen, Mann, ihr habt das alles exklusiv! Was ist so verdammt wichtig daran, dabei zu sein?«

»Es ist *meine* Story. Und die Story findet nicht statt, wenn ich nicht dabei bin.«

Inga stützt sich auf. Betrachtet ihn.

»Falsch. Du hast Angst, *du* findest nicht statt, wenn du nicht dabei bist.«

»Es ist mein Recht!«

»Vor dem Recht kommen die Justiziare.«

Sie rollt sich auf den Rücken, und das Licht huldigt der unverschämten Straffheit ihrer Brüste, Bauchmuskeln und Schenkel, tanzt auf ihren Hüftknochen.

»Weißt du, was ich glaube, Tommyboy? Du erträgst es einfach nicht, wenn irgendwo eine Party ohne dich steigt. Und noch weniger, als eine Party zu verpassen, erträgst du es, dass sie dich nicht dabeihaben wollen.«

»Soso«, knurrt er.

Sie kichert. Robbt heran, vermengt ihren Schweiß mit seinem, gleitet auf ihn wie ein Reptil. Saugt an seinen Lippen. Der Kuss der Schlangenfrau. Er fühlt seinen Schwanz hart werden, in offener Missachtung seines Zorns. Sein Schwanz, ein Verräter.

»Ja«, flüstert Inga. »Lass uns endlich ficken.«

Setzt sich rittlings auf ihn.

Hagen grunzt. Er hasst es, sich so grunzen zu hören. Wie ein Schwein. Es wird noch heißer da unten.

»Verdammte Wichser«, murmelt er, ihre Hüften umfassend. »Arschlöcher.«

»Wenn's dir dermaßen wichtig ist, fahr doch hin.«

Unversehens ist er in ihr. In der pulsierenden Obhut ihrer Vagina, die wie entkoppelt ein Eigenleben zu führen scheint. Üblicherweise ist Hagen jetzt keines klaren Gedankens mehr fähig, außer, dass er die Rotzgöre da offenbar zu lieben beginnt, warum sonst macht er sich Sorgen, sie könne herausfinden, wen er noch alles vögelt, die knochige Redaktionsassistentin und diese Gesellschaftsreporterin, die ihrerseits was mit jedem hat, weshalb sie alle nur die Klatschspalte nennen? Er sollte sein Leben in Ordnung bringen und jetzt seinem Unterleib das Kommando überlassen, stattdessen hört er sich fragen:

»Was meinst du?«

»Na ja –«, Inga versetzt ihr Becken in kreisende Bewegung, »– du weißt, wann die Sache steigt –«, atmet heftiger, »– wo sie steigt –«

Stimmt! All das weiß er. Sie müssen nur da sein, wenn die Hubschrauber eintreffen.

Natürlich!

»Komm«, keucht er.

»Warte – nicht so schnell –«

»Komm mit.«

»Mhm?«

»Du hast recht! Wir werden da sein! Wir werden keine Sekunde der Vorstellung verpassen.«

»Wir?« Inga beugt sich zu ihm herab. Dicke, warme Tropfen lösen sich von ihrem Gesicht, zerplatzen auf seinem Brustkorb. »Das war ein Witz, Tom.«

»Nein. Das ist genial!«

»Du willst im Ernst dahin?«

»Wir! Du, Krister und ich.«

Sie starrt ihn an. Erschlafft. Lässt sich auf ihn niedersinken.

»Und du meinst, das kriegst du in der Redaktion durch?«

»Bis heute hab ich noch alles durchgekriegt.« Sein Zorn löst sich auf wie ein Rauchkringel. »Und weißt du was? Diesmal bist du dabei. Ich mache das klar. Versprochen.«

Schweigen, schweres Atmen. Dann:

»Ich weiß nicht –«

»Was heißt das?« Er glaubt sich verhört zu haben. »Letztes Mal bist du fast ausgetickt, weil du nicht mitdurftest. Und das war weitaus gefährlicher. Diesmal müssen wir uns nur eine vernünftige Deckung suchen.«

Sie antwortet nicht, und Hagen beschleicht ein schaler Verdacht. Aalt sich da eine Maulheldin auf ihm? Große Klappe, kleines Herz? *Ich will mit, ich will mit!* – Es klingt ihm noch in den Ohren. Warum? Weil sie ganz genau wusste, dass Hamburg sie nicht lassen würde? Im Schutz eines Verbots kann man locker behaupten, dagegen verstoßen zu wollen.

»Du *willst* doch mit?«, fragt er.

Ein Anflug von Enttäuschung muss wohl darin mitgeschwungen haben, denn Inga beißt ihn ins Ohr und sagt eine Spur zu schnell:

»Frag nicht so blöd.«

Auf der Hügelkuppe lauern reglos wie Leguane zwei Sniper, in stoischer Erwartung.

Tausendmal sind sie ihren Einsatzplan durchgegangen. Haben die Isolation gesucht, sich in die vor ihnen liegende Aufgabe hineinmeditiert, ihre Ausrüstung präpariert: Scharfschützengewehr, Granatpistole. Windmesser, Kompass, Funk, Stirnlampe mit Rotfilter, Wärmebild- und Nachtsichtbrille. Haben Umgebungskarten in ihre Uniformen eingenäht, amerikanisches Geld, eine Handvoll Goldklumpen und einen Zettel, beschrieben in afghanischen Dialekten: *Wer diesen Soldaten zur nächsten Botschaft bringt, erhält 1000 Dollar.* Für den Fall, dass sie aufgegriffen werden, was nicht vorgesehen ist.

Sniper sind Geister.

Vor zwei Nächten dann hat ein Helikopter die beiden auf unbewohntem Gebiet abgesetzt, in der Provinz Tachar. Sonderlich imposant sind die Höhenrücken hier noch nicht. Wie Ozeanwellen reihen sie sich beiderseits des Taloqan-Deltas hintereinander, ein geteiltes Meer aus Stein, das sich östlich des Städtchens Takafamast zum Nadelöhr verengt. Zwei Täler und zwei Höhenzüge mussten sie überwinden, ausschließlich im Dunkeln und ohne Spuren zu hinterlassen. Selbst ihre Scheiße haben sie mitgenommen – Hirten, deren Hunde Menschenkot ausbuddeln, könnten Alarm schlagen und die Mudschaheddin auf sie hetzen. Binnen einer Nacht haben sie sich so an ihr Ziel herangerobbt und auf dem Bergkamm darüber Stellung bezogen, um es für die Dauer der nächsten 24 Stunden zu observieren und jede Beobachtung verschlüsselt an die Einsatzführung in Kunduz zu funken: Wie viele Bewohner, alte und junge Männer, Frauen, Kinder, Hunde? Wer wohnt in welchem Gebäude? Wie viele Bewaffnete, welche Waffen? Wann ist Wachwechsel?

Vor allem aber:

Wo sind die Geiseln?

Knapp 80 Meter unter ihnen liegt Muneers Anwesen in der Bergflanke, der Compound, wie die Soldaten sagen. Bei Tag erdbraun und weiß, jetzt eine Ansammlung von Schatten, grün konturiert in den Nachtsichtbrillen der Beobachter. Das Haupthaus, doppelstöckig, begrenzt die Anlage nach Norden, zwei Nebengebäude schauen zur anderen Seite hin. Mehrere Ställe schichten sich den Hang hinauf, bevölkert von Ziegen, Kühen und Hühnern. Im Zentrum ein weiträumiger Platz mit einem Brunnen, das Ganze umschlossen von stadtmauerartigen Wällen aus Lehm. Typisch für eine Stammeskultur, die nur Gäste und Feinde kennt.

Im Tagesverlauf ist den Snipern in ihrem Adlernest aufgefallen, dass Schalen mit Essen in einen der Ställe gebracht wurden. Junge Männer mit Kalaschnikows haben sie hereingetragen, nicht eben die gängige Art, Vieh zu füttern. Ganz klar, dort fristen Max Keller, Marianne Degas und Walid Bakhtari ihr Gefangenendasein. Auch Frauen und Kinder haben sich gezeigt, Hirten ihre Tiere ins Tal getrieben, Bauern letzte Ernten eingeholt, Bewaffnete sich auf Patrouillengängen abgewechselt.

Dann das Abendgebet, die Dämmerung, die Nacht.

Jetzt liegt der Compound wie verlassen da.

Die Restlichtverstärker in den Brillen der Sniper zeigen zwei Wachen mit Gewehren. Bärtige in landesüblicher Kleidung. Schwer zu sagen, ob es Leute aus Muneers Klan sind oder Taliban. Taliban bevorzugen Turbane, die hier tragen den Pakol. Immer wieder erwandern ihre Blicke den Hang. Viel dürften sie kaum erkennen, da es ihnen im Gegensatz zu den Beobachtern am Vorzug von Nachtsichtbrillen mangelt, und schon gar nicht sehen sie die Sniper auf dem Bergkamm. Die sind wie Steine unter Steinen, perfekt getarnt.

Unsichtbar für die Wachen.

Unsichtbar für Hagen, Björklund und Inga.

Mit dem Unterschied, dass Hagen von dem Snipernest weiß.

Irgendwo über ihnen müssen sie sein, um die Einsatzleitung bis zum Moment des Zugriffs auf dem Laufenden zu halten.

Er drückt sich in den Fels, fixiert den schwarzen Kamm des Höhenrückens. Im Osten beginnt eine Ahnung von Licht die Sterne zu verschlucken, über ihnen erstrahlen sie als funkelnder Hofstaat eines Neonmondes, der die Ebene und den Compound in fahles Licht taucht.

Noch am selben Abend, nachdem er im Stabszimmer des Generals seine Bombe hat platzen lassen, haben die Deutschen eine Predator-Aufklärungsdrohne vom amerikanischen Air Force Special Operations Command erbeten. Zusammen mit weiteren Wünschen ist das Ersuchen auf den Schreibtisch des ISAF-Oberkommandierenden geflattert. Und der hat nicht lange gezögert, sondern den Wunschzettel abgearbeitet wie der Weihnachtsmann, weswegen jetzt gerade in beträchtlicher Höhe, unhörbar, ein schwer bewaffnetes Spectre Gunship zur Luftnahunterstützung kreist, falls in den nächsten Stunden irgendetwas dramatisch schiefgehen sollte. Für die Operation selbst stehen Chinooks bereit, fette Transporthubschrauber, die Bäuche voller Zugriffteams, zwei Apache-Kampfhubschrauber und ein Black-Hawk-Rettungshelikopter. Die Deutschen stellen die Soldaten, die Amerikaner die Hardware.

Alles, um drei junge Leute aus einem Bauernhof zu befreien.

Doch der Aufwand ist nötig. Die Attacke soll überraschend erfolgen, aus dem sprichwörtlichen heiteren Himmel heraus. Entweder es klappt auf Anhieb oder gar nicht.

Und gar nicht steht nicht zur Debatte.

Am Ende mussten sie Hagen die Bilder der Drohne zeigen, auch wenn die Jungs vom BND es vorgezogen hätten, ihn von allen Meetings fernzuhalten und ihm stattdessen hinter irgendeinem Duschcontainer die Fresse zu polieren. Dass hochdekorierte Militärs, die afghanische Regierung, nicht zuletzt die Kanzlerin im Affenzahn Entscheidungen treffen mussten, verübeln sie ihm gewaltig. In ihren Augen ist Hagen eine Schmeißfliege, die versucht, edleres Leben vor sich herzutreiben. Dummerweise können sie ihm nicht verbieten, seinen Artikel zu veröffentlichen – das heißt, sie könnten es schon, aber auf eine Weise, die vielleicht nicht ganz verfassungskonform wäre. Also mussten sie ihn als Berater akzeptieren und zähneknirschend zusehen, wie er die Aufnahmen anglotzte, um sie mit seinen *Eindrücken vor Ort* abzugleichen.

Und Hagen hat sehr genau hingesehen.

Dabei ist ihm etwas aufgefallen. Eine Verwerfung dicht unterhalb des Kamms, ein natürlicher Einschnitt, fast ein Hohlweg. Die Strategen vom Planungsstab hat das weniger beschäftigt, Muneers Leute und die Taliban werden ihre Kräfte im Compound konzentrieren. Weit interessanter schien ihnen, was womöglich ausschlaggebend war für die besondere Lage des Compound. Rund 50 Meter oberhalb der Anlage, erreichbar über einen mauergesäumten Weg, klafft eine Höhle im Hang. Nun sind Höhlen keine Seltenheit in afghanischen Gebirgen, sie dienen als Vorratsraum, Waffenlager, Versteck. Das Problem mit dieser ist, dass die Sniper sie von ihrer Warte aus nicht einsehen können. Im Camp haben sie darum Alternativen diskutiert, doch unterm Strich erwies sich der Bergkamm jedes Mal als die beste Lösung, also ist man dabei geblieben. Immerhin können die Jungs von hier sehen, wer den Weg benutzt, was er bei sich trägt, wann er kommt, wann er geht.

Dass auch die Verwerfung für die Sniper uneinsehbar ist, hat niemanden gestört.

Wer soll da oben schon rumkraxeln wollen?

Für Hagen ist es ein Lotteriegewinn.

Am Vorabend haben sie sich von einem nordafghanischen Fixer, den er für weniger anspruchsvolle Jobs einzusetzen pflegt, bis kurz hinter Takafamast fahren lassen, ins menschenleere Patchwork brauner, abgeernteter Felder. Alle drei im Schalwar Kameez, Inga mit Sonnenbrille, Tuch vors Gesicht geschlungen, die Haare unter ihren Pakol gestopft – der Vorteil afghanischer Männerkleidung ist, dass selbst ein Formenwunder wie sie darunter zum Kerl mutiert.

Zweimal werden sie gestoppt.

Checkpoints. Afghanische Polizei.

Hagen hält Pass und Presseausweis bereit, doch die erste Sperre passieren sie ungehindert. Die Beamten schauen kaum ins Innere, winken sie durch. Beim zweiten Mal lässt der Fixer Nervosität erkennen. Die Straße ist mit einer Barriere verstellt. Zwei Halbwüchsige lehnen an ihren Motorrädern, miteinander quatschend, und drehen ihnen interessiert die Köpfe zu, als sie näher kommen. Inzwischen dämmert es. Hagen weiß, dass die Checkpoints mitunter von lokalen Taliban übernommen werden, wenn die wackeren Gesetzeshüter sich bei Dunkelheit in den Schutz ihrer Dienststellen flüchten. Und Taliban fahren gerne Motorrad. Das ist überhaupt das Erste, was sie einem frisch rekrutierten Mudschaheddin schenken: so eine Maschine, mit der er sich fühlen kann wie die knatternde Geißel Gottes.

Dann sehen sie den Polizeijeep hinter einem Felsvorsprung parken. Uniformierte kommen von dort zu ihnen herüber, die Hände locker auf die Pistolengriffe gelegt. Einer steckt den Kopf ins Wageninnere, mustert sie der Reihe nach. Studiert umständlich Hagens Ausweis, zeigt auf Inga und Björklund im Fond.

Der Fahrer erklärt ihm etwas auf Paschtu.

Der Polizist gestikuliert.

»Was ist los?«

»Er wütend«, radebrecht der Fixer. »Sehr wütend.«

»Warum?«

71

»Weil so spät noch arbeiten. Sehr gefährlich. Wenig verdient.«

Hagen fixiert aus den Augenwinkeln die beiden Motorradfahrer. Kurze Bärte, Pakol. Sehen eigentlich nicht aus wie Taliban. Im selben Moment besteigen die zwei ihre Maschinen, winken den Beamten zu und brausen in Gegenrichtung davon.

»Er verdient zu wenig, sagt er?«

»Ja.«

Hagen nickt dem Uniformierten freundlich zu. »Dann frag ihn doch mal, ob wir ihm ein bisschen unter die Arme greifen können.«

Der Fixer übersetzt.

Der Mann lacht. Nickt.

Papier wechselt den Besitzer.

Und schon sind sie wieder unterwegs, Richtung Takafamast.

»Echt 'ne super Idee, mich als Typ zu verkleiden«, höhnt Inga vom Rücksitz. »Genialer Plan.«

»Wieso?«

»Wieso?«, äfft sie ihn nach. »Was, wenn er mein Gesicht hätte sehen wollen?«

»Wollte er nicht.« Björklund lässt einen frischen Akku in seine Handkamera schnappen. »Der wollte nur ein Gesicht sehen, nämlich das von George Washington.«

Amerikas einziger Präsident, dem alle Welt bedingungslose Sympathie entgegenbringt.

Keiner hält sie mehr an.

Nachdem sie die Felder von Takafamast hinter sich gelassen haben, dirigiert Hagen den Fixer über eine schmale Brücke ans andere Ufer des Taloqan River. Inzwischen ist es stockduster geworden. In der Ferne glimmen die Lichter des Orts. Viele sind es nicht, man sendet keine einladenden Signale, wo alle sich mit Mauern umgeben.

Sie parken und steigen aus. Hagen beugt sich zu dem Fahrer herab.

»Kannst du in Takafamast übernachten?«

»Vielleicht.« Der Fixer zuckt die Achseln. »Vielleicht Taloqan.«

»Ich ruf dich in den Morgenstunden an. Hier holst du uns wieder ab, hörst du?« Drückt ihm zur Sicherheit noch ein paar Scheine in die Hand. »Genau hier.«

Der Wagen wendet. Hagen schaut ihm hinterher. Rücklichter, die in der Dunkelheit zu Punkten werden, sich noch behaupten, als das Schnurren des Sechszylinders längst verklungen ist.

Endlich verlöschen.

»Nachtsichtbrillen raus.«

Über ihnen klumpen sich die Gebirgsausläufer in den Himmel, schwarz wie Scherenschnitte. Hagen drückt die Brille gegen den Stirnknochen, zieht die Riemen über den Hinterkopf, und sofort erstrahlt alles detailreich in geisterhaftem Grün.

»Keine Hektik«, erklärt er den anderen. »Im Grunde ist das einfaches Terrain hier. Moderate Steigung, Kinderkram. Trotzdem. Wir werden hübsch langsam da hochkriechen. Mit dem Bauch am Boden.«

Inga legt den Kopf in den Nacken.

»Und wohin willst du unsere Bäuche haben?«

»Der Gipfel markiert den Beginn des Kamms. Seht ihr? Da. Die Schneise rechts unterhalb, da schlagen wir uns in die Büsche. Der Grat beginnt, sobald wir um die Biegung rum sind.«

»Wie nah willst du ran?«, fragt Björklund.

»So nah es geht.«

»Und wenn sie uns sehen?«

»Unsinn, können sie nicht. Die Position der Sniper –«

»Ich meine die anderen.«

»Die schon gar nicht.« Hagen schnaubt. »Erinnere dich, nicht mal in Helmand hatten sie Nachtsichtgeräte. Sonst noch Fragen?«

Sie schütteln die Köpfe. Schauen sich um mit ihren Teleskopaugen, die Rucksäcke geschultert, Aliens in Paschtunenkleidung.

Machen sich an den Aufstieg.

Auf den ersten Metern geht es leicht, ein Spaziergang auf allen vieren. Wie Hagen gesagt hat.

Dann offenbart der Hang seine Tücken.

Schon nach wenigen Minuten müssen sie höllisch aufpassen. Zerkratzen sich Hände und Unterarme in scharfkantigem Geröll und stahlwolleartiger Vegetation. Stemmen sich in Furchen und Felsspalten, um nicht abzurutschen. Suchen Halt, wo es unvermittelt steil wird. Straucheln, treten Steinchen los, die vernehmlich zu Tal prasseln.

»Schscht!«

»Du bist gut!«

Von wegen Kinderkram. Über eine Stunde kostet es sie, nach oben zu gelangen, und Hagen muss sich eingestehen, dass er das Terrain falsch eingeschätzt hat. Egal, denkt er, da müssen wir jetzt durch. Und zwar so leise wie möglich, also drosselt er das Tempo ein weiteres Mal, und sie kommen noch langsamer voran.

Was soll's. Die Zeit ist auf ihrer Seite.

Als sie endlich die Biegung erreichen, wird der Untergrund ebener, vom Wind geschliffen. Nur ein paar Flechten und Moose krallen sich in den Fels. Sie umrunden den Hang, sehen den Grat vor sich liegen und ein beträchtliches Stück weiter, unten im Tal, die Umrisse des Compound.

Hagen fühlt sein Herz schneller schlagen. Stellt sich vor, was dort in wenigen Stunden los sein wird. Inga scheint ähnliche Fantasien zu entwickeln.

»Abgefahren«, flüstert sie.

Björklund bringt seine Kamera in Anschlag. Schießt erste Bilder. Ruhige Hand, lange Belichtung. Inga lässt das Display ihrer Handycam aufschnappen. Sie und Hagen sind für die bewegten Bilder zuständig, später wird auch er filmen. Jetzt bringt er sich in Positur, das Panorama der Berge und den Compound im Rücken. Gibt Inga das Zeichen, die Aufnahme zu starten, schiebt die Nachtsichtbrille hoch, damit sein Gesicht zu erkennen ist, flüstert ein paar Sätze:

»Wir sind hier – gleich wird hier –«

Und weiter.

Auch der Grat bietet längst nicht so viel Halt, wie es die Aufnahmen der Drohne vermuten ließen. Mal weist er die Breite eines Bergpfads auf, dann schnurrt die Fläche unvermittelt zusammen und wird zu allem Überfluss auch noch abschüssig. Im Schneckentempo kommen sie voran, selbst wenn sie wollten, könnten sie nicht schneller kriechen. Jeden Meter müssen sie sich erkämpfen, in ständiger Gefahr, abzurutschen.

Wenigstens sind sie leise.

Der schmale Grat, denkt Hagen.

Der schmale Grat, auf dem ich seit so vielen Jahren unterwegs bin. Und immer mit Rückendeckung.

Nur dieses Mal nicht.

»Auf keinen Fall!«

Der Chefredakteur. Rücksprache mit Hamburg, vorgestern.

Raus aus meinem Kopf, denkt Hagen, während er sich vorantastet, doch das Gespräch spult sich Wort für Wort in ihm ab, als wolle eine höhere Macht ihm eine letzte Gelegenheit geben, das hier abzubrechen.

»Komm schon, du kennst mich.«

»Eben weil ich dich kenne.«

»Du weißt, dass ich das professionell angehe.«

»Nein.«

»Oh Mann! Was ist los mit dir? Als ich mit Krister zu den Geiseln gefahren bin, hattest du auch keine Bedenken.«

»Das war rein journalistisch. Euer persönliches Risiko.«

»Ach nein. Und was ist das hier?«

»Eine militärische Operation, in der alle möglichen Parteien Karten haben. Und sie haben es dir untersagt.«

»Moment! Sie haben gesagt, dass sie uns nicht *mitnehmen* wollen.«

»Nicht *dabeihaben* wollen.«

»Wo ist der Unterschied?«

»Red ich chinesisch? Ihr sollt nicht *dort* sein.«

»Aber so läuft das nicht. Niemand kann uns verbieten –«

»Tom! Zum letzten Mal, wir werden uns nicht mit der Bundeswehr anlegen. Nicht mit dem BND, nicht mit dem Bundeskanzleramt, nicht mit den Amerikanern. Ihr bleibt da weg, ist das klar? Wenn die Nummer gelaufen ist, machst du ein schönes Exklusivinterview mit den Geiseln, und alle sind glücklich.«

»Puh.«

»Nix puh. Ich will jetzt auf der Stelle von dir hören, dass ihr da nicht hingeht.«

»Ach, Scheiße.«

»Andernfalls nehmt ihr die nächste Maschine zurück.«

»Okay.«

»Versprich es.«

»Okay, okay.«

»Sag, wir gehen da nicht hin: Ich, Tom Hagen, gehe da nicht hin.«

Hat er versprochen.

Aber was heißt versprochen, es wäre Wahnsinn gewesen, völlig idiotisch, sich an das Versprechen zu halten. Wer zum Teufel ist er denn? Irgendein Arsch, den man rumkommandieren kann? Nein, er ist Tom Hagen, einer der besten und erfahrensten Journalisten Deutschlands. Seine Reportagen sind pures Gold, also scheiß drauf. Wenn sie in Hamburg erst das Material zu sehen bekommen, werden sie sich schon wieder einkriegen.

Der Grat verbreitert sich.

Der Compound rückt näher.

Jetzt sind auch die Wachen zu erkennen. Eine hat sich am talwärts gelegenen Hauptzugang postiert, die andere in Höhe der Stallungen, wo sich der Pfad nach oben windet. Er gibt das Zeichen, anzuhalten. Sie schießen Fotos, filmen. Ein paar letzte, flüsternde Worte in Ingas Kamera.

Ab jetzt keinen Mucks mehr.

Und weiter.

Obwohl, eigentlich könnten sie auch hierbleiben. Fast drei Stunden haben sie für die Strecke gebraucht, jetzt ist es Mitternacht. Noch mal drei, vier oder fünf Stunden dürfte es dauern, bis die Operation anläuft, so genau weiß Hagen das auch nicht, nur, dass vor Sonnenaufgang alles über die Bühne gegangen sein muss. Von hier aus hätten sie die Szenerie gut im Blick, aber er ist noch nicht ganz zufrieden.

Für uns sind Logenplätze gebucht, denkt er.

Also vergeht eine weitere Stunde mühseliger Kraxelei, bis sie fast über dem Anwesen sind, zu Meistern gereift in der Kunst der lautlosen Fortbewegung. Irgendwo über ihnen brüten die Sniper. Der Grat schrumpft erneut auf Handtuchbreite, auch die Neigung hat bedenklich zugenommen, aber mit etwas Körperspannung lässt sich die Nacht hier schon rumbringen.

Die elend lange Phase des Nichtstuns.

Hagen blinzelt. Schaut auf die Uhr.

Halb fünf durch.

Sollte es nicht bald mal losgehen?

Es sei denn –

Nein, völlig unmöglich! Undenkbar, dass sie die Operation abgesagt oder verlegt haben. Heute erscheint sein Artikel, die Bedingungen sind ideal, warum hätten sie die Aktion verschieben sollen? Er versucht den Gedanken zu ignorieren, doch im Osten breitet sich der Morgen aus wie Leuchtgas, und nichts geschieht.

Von welcher Seite werden sie einfallen?

Ganz sicher kommen sie nicht durchs Tal reingeknattert, so viel steht fest. Damit würden sie eine Welle aus Lärm vor sich herschieben, die den Männern im Compound luxuriös viel Zeit ließe, ihre Kalaschnikows durchzuladen. Ergo nähern sie sich von jenseits des Kamms. Was aus verschiedenen Gründen Sinn ergibt. Solange sie im Tiefflug sind, wird das benachbarte Tal den Schall schlucken, und sie bleiben bis zur letzten Sekunde unsichtbar. Dann hochziehen, über die Kuppe hüpfen, gleich wieder runter, Zugriffteams auswerfen. Bei Befreiungsaktionen zählt das Momentum. Sobald man aufplatzt, wie es im Jargon so schön heißt, muss man die Bösen praktisch schon von den Geiseln separiert haben. Sprich, mittig rein, truppweise die Gebäude durchkämmen, Kämpfer entwaffnen oder liquidieren, während die Gefangenen bereits rausgeholt werden, deren Aufenthaltsort dank der Sniper genauestens bekannt ist.

Und nichts wie ab.

Es sind die ersten Sekunden, die über Gelingen und Scheitern der Aktion entscheiden. Sekunden, die Hagen kraft seines Willens herbeizuzwingen versucht, während der Gedanke, dass sie es abgeblasen haben, wie ein Betrunkener hinter seiner Stirn randaliert.

Als er schon ernsthaft zu zweifeln beginnt, entfährt Björklund ein unterdrücktes Husten.

Idiot!

Kann da oben jemand was mitbekommen haben?

Er spitzt die Ohren. Spitzt sie so sehr, dass ihm das ferne, mehr ahn- als hörbare Dröhnen nicht entgeht, das im Moment des Erklingens schon wieder verstummt, herangetragen von einer verräterischen Luftströmung.

Adrenalin flutet seinen Körper.

Er macht den anderen Zeichen, reckt den Daumen zum Himmel. Sieht, wie Björklund seine Kamera in Position bringt, Inga sich aufrichtet, die Handycam umklammert, sich vorbeugt.

Das Gleichgewicht verliert –

Ins Rutschen gerät –

Hält den Atem an.

Inga rudert wild mit den Armen. Einen trügerischen Moment lang scheint es, als werde sie sich fangen. Fuchtelnd kämpft sie um ihre Balance, verkrallt sich in Björklunds Ärmel –

Dann bröckelt der Saum des Grats unter ihr weg, und sie schlittert den flachen Hang hinab, den Fotografen mit sich reißend.

Geräuschvoll wie eine Lawine gehen die beiden zu Tal.

Vor den Augen der Sniper.

Vor den Augen der Wachen.

Und die fangen da unten an rumzuschreien wie am Spieß. Wecken den ganzen Compound auf mit ihrem Gebrüll. Feuern wie wild in den Hang, wo sie Inga und Björklund in der Dunkelheit vermuten, während Männer aus dem Hauptgebäude gestolpert kommen, ihre Kalaschnikows in Anschlag bringen, verwirrt, da sie nicht wissen, aus welcher Richtung der Angriff droht, falls es überhaupt einer ist. Zwei verschwinden im Nebengebäude und kommen mit etwas Langem wieder zum Vorschein, RPGs, sowjetischen Panzerfäusten, selbst auf diese Entfernung unverkennbar, gehen in Stellung.

Hagen glaubt schier verrückt zu werden.

Und weil er nichts anderes tun kann, hält er in einem Reflex mit der Kamera drauf. Schwenkt vom Compound auf den Hang unter ihm. Sieht im Geisterbahnlicht der Nachtsichtbrille, wie Björklund seinen Sturz abbremst, sich fängt, anders als Inga, die weiter auf dem Hosenboden talwärts rasselt, hüpfend und sich drehend.

Die Sniper!

Was ist mit den Snipern?

Werden sie die Aktion abbrechen? Können sie das zu diesem Zeitpunkt überhaupt noch? Wie lange wird es dauern, bis –

Über ihm brüllt der Himmel.

Ein Dröhnen lässt die Luft erzittern, als habe jemand den Regler an einem Mischpult von null auf maximale Leistung gepitcht. Hagen reißt die Handycam hoch. Rechts und links von ihm schießen die Hornissenleiber zweier Apaches über den Kamm, lassen sich fallen, nehmen den Compound in die Zange.

Fantastisch, ist sein erster Gedanke.

Nein. Du bist verrückt! Du kannst jetzt unmöglich filmen.

Wo ist Inga?

»Verdammte Scheiße!«

Ein Felsen hat sie gestoppt, nicht groß genug, um dahinter in Deckung zu gehen, aber wenigstens hat die nervige Rutschpartie ein Ende. Sie duckt sich, macht sich klein, sondiert die Lage. Ihr Körper kommt ihr vor wie der sprichwörtliche Porzellanladen nach dem Besuch des Elefanten. Nicht mal zehn Runden im Boxring haben sie so mitgenommen wie jetzt, und Inga kann einiges einstecken. Aber es ist ein Unterschied, von deinem Trainer verdroschen zu werden, dem du im Zweifel ein paar zurück verpassen kannst, oder von einem mit Steinen gespickten Hang.

Viel schlimmer jedoch ist die Scham. Das Gefühl, es versaut zu haben. Das brennt in ihr, versengt ihr Inneres.

Entfacht ihre Wut!

Jetzt bloß nicht schlappmachen!

Ihr Blick sucht nach Hagen im Moment, als die Hubschrauber ins Tal einfallen und die Luft zum Vibrieren bringen. Dort ist er, hoch über ihr. Wendet den Kopf, hält Ausschau.

»Ich bin okay!«, schreit sie.

Wedelt mit beiden Armen.

Jetzt hat er sie entdeckt, winkt zurück, und sie hebt ihre Handycam, die sie die ganze Zeit über nicht losgelassen hat, wie zum Gruß der Revolutionäre.

»Hey! Weiterfilmen! Ich bin in Ordnung!«

Ist sie das?

Wie man's nimmt. Tatsächlich sitzt sie ordentlich in der Scheiße, aber jetzt wird sie die Nummer durchziehen, ganz sicher wird sie das, und wenn es das Letzte ist, was sie tut. Die Sache hier verkorksen, das kann sie Tom nicht zumuten, das hat er nicht verdient. Fluchend lässt sie das Display aufschnappen, betet, dass die Kamera keinen Schaden genommen hat, als plötzlich eine neue Frequenz in ihren Ohren zu wummern beginnt.

Sturmböen fegen über sie hinweg.

»Was zum –«

Etwas Gewaltiges ist über dem Compound aufgetaucht, unbeleuchtet wie die beiden Apaches, lang, klobig, heuschreckenartig, senkt sich auf die Anlage herab.

Senkt?

Fällt ihr entgegen!

Ein Chinook.

Hagen erkennt, dass der zweirotorige Transporthubschrauber im Innenhof nicht wird landen können, schon weil der Brunnen im Weg ist und ein paar krüppelige Bäumchen, aber das muss er auch gar nicht. Heck und Bauch der Maschine speien Seile. Gestalten in Kampfmontur gleiten daran herunter, flink wie Affen, nehmen die anscheinend kopflos durcheinanderlaufenden Paschtunen unter Beschuss, hasten den Weg hinauf zu den Ställen. Die Hölle bricht los. Kalaschnikows und MGs knattern um die Wette. Der Chinook startet durch, gewinnt an Höhe, macht einem zweiten Transporter Platz, der seine Ladung Kämpfer in den Sand spuckt, ebenfalls abdreht.

Aus dem Dach des Nebengebäudes wächst ein Turbanträger, schultert seine RPG, legt auf den Chinook an.

Einer der Apaches dreht bei.

Feuert.

Der Mann wird wie ein Spielzeug herumgewirbelt, das halbe Haus fliegt auseinander. Hagen schlittert auf Ellbogen und Hintern abwärts, näher ran ans Geschehen, hält mit der Kamera drauf. Im Haupthaus blitzt kurz hintereinander grelles Licht auf – Blendgranaten. Für die Dauer einiger Sekunden produzieren die Restlichtverstärker seiner Brille ein alles überstrahlendes, in den Augen schmerzendes Weiß, dann kann er wieder sehen: Menschen, die nach draußen fliehen, Frauen und Kinder. Ein dicker Mann, könnte Muneer sein, feuert im Lauf, reißt die

Arme auseinander wie ein Gekreuzigter, überschlägt sich und bleibt regungslos liegen.

Jede Ordnung bricht zusammen.

In Panik streben die Flüchtenden zum Tor, rennen einander über den Haufen beim Versuch, nach draußen zu gelangen. Am Brunnen steigt Rauch auf. Hagens Blicke sind überall: die Soldaten auf ihrem Weg zu den Ställen, paschtunische Kämpfer vor sich hertreibend. Björklund, der in den Felsen hängt, in stoischer Ruhe fotografiert.

Inga weiter unten.

Sehr weit unten!

Keine zehn Meter über dem Höhleneingang, schätzt sie.

Ein Stück entfernt ist der Weg zu sehen, der vom Compound hoch zur Grotte führt. Sieht man von den Blessuren ab, könnte ihre Position kaum besser sein. So nah dran, und zugleich hoch genug, um den Überblick zu behalten. Ihre Nerven sind aufgepeitscht, ihre Angst ist fiebriger Euphorie gewichen. Wie viel besser sie Hagen in diesem Moment versteht! Das ist es, wovon er immer gesprochen hat, wenn man Teil des Ganzen wird, damit verwächst. So also fühlt sich das an.

Abgefahren!

Sie zoomt, gierig auf Bilder.

Holt die Ställe heran.

Erfasst eine Gruppe Bewaffneter, Paschtunen, manche barhäuptig, andere mit Turbanen, vielleicht Taliban, die den heranstürmenden Soldaten den Weg abzuschneiden versuchen.

Nicht gut, denkt sie.

Meine Schuld.

Ohne mich wäre der Überraschungseffekt aufseiten der Zugriffteams gewesen, und sie müssten sich jetzt nicht zu den Geiseln durchkämpfen, sondern wären längst dort. Hastig justiert sie das Objektiv, während zwei Afghanen plötzlich umfallen und ihre Kalaschnikows von sich werfen, als hätten sie keine Lust mehr, mitzuspielen. Inga weiß, dass sie tot sind. Die anderen spritzen auseinander, gehen in Deckung.

Wie besessen filmt sie weiter.

Hagen sieht das Unglück kommen.

Hinter einem niedrigen Wall seitlich des Haupthauses schnellt der zweite Panzerfaustschütze hoch wie ein Springteufel, richtet den Finger seiner RPG auf den Apache, der das Dach des Nebengebäudes pulverisiert hat und nun Hunderte Schuss Munition aus der Bordkanone spuckt, um die Afghanen weiter oberhalb daran zu hindern, zu den Ställen vorzudringen.

Drückt ab.

Trifft.

In einer dunkelroten Wolke fliegt der Heckrotor des Helikopters auseinander. Die Maschine sackt weg, die Geschossgarben wandern den Weg und den Hang hinauf, bahnen sich ihren Weg vorbei an Inga, sprengen den Fels auseinander, reißen faustgroße Brocken heraus, die wie Schrapnellsplitter umherschießen.

Sie zieht den Kopf ein, schlägt die Arme vors Gesicht.

Blackout.

Etwas hat sie am Kopf getroffen.

Die Handycam entgleitet ihr. Während sie noch danach fingert, streift ein weiteres Felsgeschoss ihre Schulter und reißt sie herum. Sie taumelt, versucht sich abzustützen –

Strauchelt –

Hagen sieht sie fallen.

Unten haben es drei Paschtunen in den Stall geschafft, zerren Degas, Keller und Bakhtari daraus hervor.

Er achtet nicht auf sie.

»Inga!«

Abwärts.

Panisch versucht sie sich festzuhalten, abzustützen, spreizt Arme und Beine, reißt sich die Handflächen blutig, doch diesmal bremst nichts ihren Sturz. Das Unterste kehrt sich zuoberst, als sie über die Felskante kippt, durch die bloße Luft fliegt, ein fast wohliges Gefühl der Schwerelosigkeit nach all den Knüffen und Stößen, die sie hat erdulden müssen, doch es währt nicht lange.

Der Aufprall ist umso härter.

Sie hört ihren Arm brechen, schreit laut auf.

Rollt auf den Rücken.

»Inga!«

Über den Feldern bringt der getroffene Helikopter eine veritable Bruchlandung zustande, doch Hagen hat keinen Blick dafür. Wie von Sinnen schlittert er den Hang hinunter, ohne Plan, ohne die geringste Vorstellung, wie er ihr helfen soll.

Ohne Waffen.

Du wirst erschossen werden.

Du *kannst* ihr nicht helfen.

»Tom!«

Da, Björklund. Hat aufgehört zu fotografieren, hangelt sich zu ihm hinüber.

»Wir müssen ihr helfen!«, schreit Hagen. »Wir müssen Inga helfen!«

»Ich komme!«

Der Schmerz raubt ihr beinahe die Besinnung.

Unter Stöhnen stützt sie sich auf den gesunden Arm, rappelt sich hoch. Kalter Schweiß bricht ihr aus. Von den Ställen sieht sie ein Menschenknäuel mit grotesken Bewegungen auf sie zukommen, ein Wirrwarr aus Gliedmaßen und Waffen.

Versucht, die Eindrücke zu ordnen.

Alles ist dunkler als zuvor, etwas tropft in ihre Augen. Sie wischt es weg. Blut klebt an ihren Fingern, schwarz wie Teer, dann wird ihr klar, dass sie die Nachtsichtbrille verloren hat.

Sie schaut hinter sich und erblickt einen klaffenden Spalt im Hang.

Dunkel und rätselhaft.

Die Höhle.

Großer Gott! Sie ist direkt vor den Höhleneingang gestürzt!

Der Boden erzittert vom an- und abschwellenden Dröhnen der Helikopter, die über dem Tal kreisen. Die verknäuelte Gruppe nähert sich, eingekesselt von Soldaten der Zugriffteams, die nun aus allen Richtungen heraneilen, ihre MGs im Anschlag, unkenntlich hinter Schutzbrillen und Tüchern, die sie vors Gesicht geschlagen haben. Weiter hinten hasten Schemen durcheinander, zerhacken Gewehrsalven den dämmernden Morgen, doch im unmittelbaren Umfeld der Höhle schießt niemand mehr.

Und jetzt erkennt sie auch, warum.

Es sind Paschtunen, die sich zur Höhle zurückziehen, an ihr vorbei, wobei sie Marianne Degas, Max Keller und Walid Bakhtari als lebende Schutzschilde benutzen, ihnen die Mündungen ihrer Kalaschnikows unters Kinn drücken. Niemand schenkt Inga Beachtung. Einer der Turbanträger stürzt plötzlich wie von einer Axt gefällt zu Boden, ohne dass ein Schuss zu hören gewesen wäre. Die Sniper? Noch könnten sie die Geiselnehmer im Blickfeld haben. Sie fängt den verzweifelten Blick des Mädchens auf, dann wird die Gruppe vom Dunkel der Grotte verschluckt.

Die Soldaten rücken nach, einer legt auf Inga an.

Klar! Sie trägt afghanische Kleidung.

Hastig hebt sie die Hände. Erzittert vor Schmerz, schafft es, den gebrochenen Arm ein Stück anzuheben, stolpert rückwärts. Jetzt steht sie im Höhleneingang, direkt unter dem Felssturz, und die Angst packt sie mit eisigen Klauen.

»Ich bin Deutsche«, flüstert sie.

Verdammte Idioten. Sehen die denn mein Gesicht nicht?

Mit dem unversehrten Arm reißt sie sich das Tuch vom Kopf. Ihr Haar quillt hervor, fällt ihr über die Schultern.

»Ich bin Deutsche! Hört ihr? Deutsche!«

Einer der Soldaten ruft ihr etwas zu, vielleicht spricht er auch nur in sein Funkgerät und gibt Kommandos. Der Trupp rückt geschlossen nach, der Anführer hebt beruhigend die Hand. Scheint verstanden zu haben. Ist fast schon da, als ihr mit einem Mal die Absurdität der Situation bewusst wird, in vollem Ausmaß.

Was tun die da in der Höhle? Dort sitzen sie in der Falle, also warum sind sie überhaupt reingegangen?

Weil sie dort *nicht* in der Falle sitzen.

Es *ist* eine Falle.

»Nein!«, schreit sie. »Nein! Nein!«

Der Berg erbebt.

Hagen überschlägt sich, prallt auf den Bauch.

Was ist *das*? Der komplette Hang scheint sich aufzubäumen im Versuch, ihn und Björklund abzuschütteln.

Ein Erdbeben?

Im gleichen Moment hört er die Detonation. Erst nur diffuses Grollen, das direkt aus den Eingeweiden der Erde zu kommen scheint, dann bahnen sich die Schallwellen ihren Weg ins Freie.

Mit ihnen schießt ein Ungeheuer aus der Höhle.

Eine Walze aus Feuer, Steinen und Staub breitet sich nach allen Seiten aus, rast fauchend über den Weg bis zu den Ställen, entzündet Lehm und Stroh, verbrennt Luft, Erdreich und Vegetation, greift mit glühenden Fingern über den Rand des Felssimses hinaus in den Himmel, türmt rußige Wolken übereinander, höher und höher, und fällt abrupt in sich zusammen.

Hagen erstarrt.

Über dem Tal manövrieren die Helikopter. Auch den Rettungshubschrauber kann er jetzt sehen, der tiefer geht, gefolgt von einem Chinook.

Überall lodern Feuer. Die Westflanke des Haupthauses steht lichterloh in Flammen, doch die meisten Menschen im Compound scheinen das Inferno überlebt zu haben. Durch die Rauchschwaden sieht er Schatten taumeln, in heilloser Verwirrung. Springt auf, wankt, krallt sich ins Gestrüpp. Reißt sich die Nachtsichtbrille von den Augen. Hört die Stimmen der Frauen und Kinder, der Soldaten, die gegen das Wummern der Rotoren anschreien.

Hört es und hört es doch nicht.

Alles entrückt in weite Ferne, als würde eine Glocke über ihn gestülpt.

Wird dumpf.

Erstirbt.

Keine Ahnung, wer der Kerl ist. Scheint ein Experte für Sprengstoff zu sein. Mein Kontakt hat sich mal dahingehend verplappert. Schätze, seine Leute beliefern die Taliban mit IEDs und Ähnlichem.

Bilal Husain, damals in Peschawar.

1929

Palästina, Kfar Malal

Ariks Augäpfel leuchten, als wollten sie den Kuhstall erhellen, und Rachel denkt, wenn sie gleich hier eindringen und uns abschlachten, dann, weil das Licht seiner Augen sie herbeigelockt hat.

Wegen Arik werden wir alle sterben.

Dumme Kuh!, schilt sie sich.

Bist du verrückt geworden, wie kannst du derartigen Unsinn denken? Ein Streifen Mondlicht fällt auf Ariks kleines Gesicht, das ist alles. Im Dach klaffen handbreite Spalten, es sickert hindurch. Reiß dich gefälligst zusammen, legst doch sonst so viel Wert auf deinen klaren Kopf, während Vera neben dir kurz davorsteht, durchzudrehen. Schau dir nur an, wie sie Arik umklammert hält, lieber Himmel. Als schütze nicht sie den Jungen, sondern der Junge sie, ein eineinhalbjähriges Kind. Oh, Vera! Als könne dein Junge dich vor dem Tod bewahren, indem du dich an ihn krallst wie an ein Stück Treibholz.

»Es wird schon nichts passieren«, flüstert sie. »Hörst du?«

Vera, die sonst so tapfer, so zäh ist. Rachel sollte sie an sich drücken, ihr übers Haar streichen, doch mehr als gutes Zureden ist gerade nicht drin. Ihre Arme sind schwer von eigenen Kindern, die Köpfe reglos an ihren Schultern. Jehuda und Benjamin haben das Ganze bis jetzt verschlafen, quittieren die Aufregung mit gleichmäßigen Atemzügen, obschon Rachels Herzschlag in ihren winzigen Ohren dröhnen und sie wach halten müsste, so laut kommt er ihr vor.

»Rachel?« Veras Stimme ist wie das Winseln des Windes, der ums Haus streicht. »Warum kommen sie nicht zurück?«

»Mach dir keine Sorgen.«

»Aber wenn sie angegriffen wurden. Was ist, wenn sie –«

»Die haben alles im Griff.«

Haben sie das?

Rachel ist sich da nicht so sicher, aber sie behält ihre Befürchtungen für sich.

»Ich hab solche Angst, Rachel –«

»Schsch!«, zischt eine Frau.

Veras Stimme verödet. Wieder herrscht Schweigen, wenn auch alles andere als Stille. Stattdessen ein Kosmos leiser Geräusche, Flappen von Ohren und Schwänzen, um das allgegenwärtige Heer der Fliegen auf Trab zu halten, Schmatzen, Schnaufen, das Drehen massiger Köpfe, Aufklatschen von Dung, Furzen, Scharren, Stampfen.

Die Tiere sind unruhig, kein Wunder, so voll war der Kuhstall noch nie. Menschen, Kinder und Kühe zusammengepfercht auf engstem Raum, bei über 20 Grad Nachttemperatur.

Der reinste Backofen.

Rachel lauscht in die stickige, heiße Luft hinein.

Schon erstaunlich, denkt sie, was Menschen im Bemühen, Laute zu vermeiden, an Lauten hervorbringen. Hüsteln zum Beispiel. Wie in der Oper, im Konzert. Die Herausforderung, Stille zu wahren, scheint in uns den unbändigen Drang wachzurufen, Schleim durch die Kehle nach oben zu befördern.

Dann, dass wir uns unentwegt kratzen.

Gluckernd unseren Speichel verschlucken.

Den Atem anhalten, ihn umso vernehmlicher entweichen lassen.

Eine Symphonie der Angst, und Angst haben sie hier weiß Gott. Höllische Angst, die Frauen und Kinder in diesem Stall, deren Männer und Söhne in diesen Minuten mit Gewehren im Anschlag die Dorflinien abgehen. Die Warnung war eindeutig: Arabische Banditen werden den Moschaw angreifen, sobald der Mond hoch am Himmel steht.

Sie legt den Kopf in den Nacken, schaut zu den Ritzen im Dach hinauf.

Und wie er am Himmel steht!

In ihrem Arm regt sich Benjamin, murrt. Sie verlagert sein Gewicht ein wenig zur Mitte hin, sieht den schwarzen Schatten eines Babys durchs Heu kriechen, geradewegs auf die Verschläge zu. Im Zwielicht erscheint ihr das krabbelnde Wesen wie etwas Nichtmenschliches, eine riesige, fette Ratte. Jemand stellt sich ihm in den Weg, geht in die Hocke, Dita vielleicht, Ariks Schwester.

Auch schon fast vier, schießt es Rachel durch den Kopf.

Wir müssen dringend das Dach flicken.

Falls wir noch dazu kommen.

Sie versucht, den Aufwand für die Reparatur abzuschätzen, als hätte sie keine dringlicheren Sorgen. Aber alles ist besser, als daran zu denken, was vor zwei Tagen in Hebron geschehen ist.

Nicht daran denken, bloß nicht daran –

Doch natürlich denkt sie jetzt nur umso mehr daran.

Begonnen hat alles mit einer Wand.

Im vergangenen Jahr.

Mit einer simplen spanischen Wand als Abtrennung zwischen den Männern und Frauen, die sich an der Jerusalemer Klagemauer zum Gebet drängten. Ein wackliges, mit Stoff bespanntes Holzkonstrukt, das augenblicklich den Zorn der Scheichs auf sich zog.

Das Ding müsse weg.

Und zwar sofort.

Das verstehen die frommen Juden nicht. Unter den Osmanen haben sie immer hier beten dürfen. Gut, das Osmanische Reich ist Geschichte, sicher, Araber sind keine Osmanen, aber doch wohl beide Muslime, oder? Warum plötzlich die Aufregung? Sie wollen doch nur Jahwe preisen, die Mauer gilt ihnen als Rest des Fundaments, das den herodianischen Tempel stützte, und Männer und Frauen ungetrennt voneinander beten zu lassen, wo kämen wir denn da hin?

Nur liegen die Dinge komplizierter.

Den Muslimen nämlich ist das Stück Mauer ebenso heilig. Hier, lehrt der Koran, habe Mohammed sein Pferd angebunden, bevor er zu seiner nächtlichen Himmelfahrt aufgebrochen sei, außerdem reklamieren sie das Aufsichtsrecht über den Tempelberg. Etwaige Besitzansprüche der Zionisten verbitten sie sich, nicht ein Atom der heiligen Stätten dürfe einem Gläubigen gehören, gleich welcher Konfession. Beten, gern. Juden an der Mauer, Muslime in der Moschee.

Aber NICHT besitzen.

Was das mit der spanischen Wand zu tun habe, wollen herbeigeeilte Rabbiner wissen.

Das sei keine Wand, das sei eine Baumaßnahme.

Wie? Seid ihr *meschugge*? Dieses windschiefe Gestell?

Ganz genau, das habt ihr aufgestellt, um den Ort nachhaltig zu verändern, der Mauer in den Stand einer Synagoge zu verhelfen, mit der Absicht, euch über kurz oder lang den kompletten Tempelberg unter den Nagel zu reißen.

Nebbich!

Diebe!

Wenn je eine spanische Wand Geschichte geschrieben hat, dann diese. Das Ding wird zum Politikum, zerrt an den ohnehin bloßliegenden Nerven, schürt die Angst der Muslime, von den Zionisten und britischen Mandatoren ihrer Besitztümer beraubt und aus dem Land gejagt zu werden. Ist nicht allgemein bekannt, warum die Juden hier beten? Sie verzehren sich nach der Ankunft ihres Messias. Zwei prachtvolle

Moscheen krönen den Tempelberg, al-Aqsa-Moschee und Felsendom, doch mit Ankunft des jüdischen Messias werden sie dem Dritten Tempel zu weichen haben. Sie treten unsere religiösen Gefühle mit Füßen, scheren sich einen Dreck um die Balfour-Deklaration –

»Mama?«

»Schschsch!«

Rachel wagt kaum zu atmen.

Selbst die Tiere sind wie erstarrt.

Jedes Gefühl ist ihr abhandengekommen, wie lange sie schon im Backofen dieser Augustnacht kauern, dem Odor von Heu und Kuhscheiße ausgesetzt. Stunden müssen vergangen sein, fast meint sie durch die Dachritzen Morgenlicht auszumachen, eine kaum merkliche Aufhellung der Nacht. Tröstlich, den Tagesanbruch zu erleben – wäre da nicht das Knirschen der Schritte vor dem Stall.

Leise, verstohlen.

»Sie kommen«, flüstert Vera.

Rachel schaut auf ihre beiden Kinder herab.

Irgendwann sind sie ihr zu schwer geworden, also hat sie Jehuda und Benjamin auf Stroh gebettet. Ihre Rechte umklammert den Griff der Heugabel, die am Pfosten neben ihr lehnt. Ganz unbewaffnet sind sie hier drin nicht, die Männer haben ihnen eine museumsreife Schrotflinte und eine Pistole dagelassen, zwei halbwüchsige Bengel sollen sie damit verteidigen. Ein Hoch auf die gute Absicht. Augenblicklich machen die beiden eher den Eindruck, als würden sie sich vor lauter Händezittern die eigenen Zehen wegschießen. Gut, dass ein paar Forken, Spitzhacken und Schaufeln das Verteidigungsarsenal bereichern. Mit einer Heugabel kannst du jemanden aufspießen, ihm mit der Schaufel den Schädel eindreschen.

Sofern er nicht schneller ist und *dir* den Schädel eindrischt.

Oder noch Schlimmeres tut.

Wie in Hebron.

Rachel erschaudert.

Sie selbst hat keinen Blick in die Häuser geworfen, doch die Schilderungen sind als grausiges Panorama auf ihrer Großhirnrinde verewigt. Wände, von denen es herabrinnt, als hätte ein irrsinniger Maler Hektoliter Farbe verspritzt. Die Dielen glitschig von dunklen Spiegeln, die Teppiche nass und verklebt, das Mobiliar überkrustet, wo der Gerinnungsprozess eingesetzt hat, Leichen und Sterbende unterschiedslos übereinandergehäuft. Ähnliches in den Straßen, Hauseingängen,

Durchfahrten, Geschäften. Wo immer Juden gewohnt, gearbeitet, gebetet haben, Seite an Seite mit ihren arabischen Nachbarn, das gleiche Bild, und man kann noch von Glück sagen, wenn einer einfach erschossen wurde. Die meisten hat der Mob gesteinigt, erschlagen, erdrosselt, erstochen, bei lebendigem Leibe verbrannt.

Kinder geköpft, Männer kastriert.

Frauen mit Dolchen geschändet.

Alte und Junge zu Tode gefoltert, dass ihr Anblick kaum zu ertragen ist. Ihnen Finger und Hände abgeschnitten, die Augen ausgestochen, die Zungen herausgerissen.

Hebron, die alte, heilige Stadt.

Versunken in einem Meer von Blut.

Rachel sieht all das vor ihrem geistigen Auge. Gedärme winden sich aus aufgeschlitzten Leibern, Knochen liegen bloß, auf den Gesichtern der Ermordeten eingefrorenes Staunen, wie es so weit kommen konnte, war nicht über Jahrhunderte aus Koexistenz Vertrauen und aus Vertrauen Freundschaft geworden?

Jetzt lebt kein Jude mehr in Hebron. 67 von ihnen sind ums Leben gekommen, die übrigen geflohen, am Morgen des 24. August 1929.

Zwei Tage her.

Und auch in Jerusalem hat der Mob gewütet, wie ein Virus greift die Raserei aufs Land über. Konvois Bewaffneter fallen in jüdische Dörfer und Gehöfte ein, blind vor Hass machen sich die Araber über die Bewohner her, alleine in Motza ist ihnen eine komplette Familie zum Opfer gefallen, Vater, Mutter, drei Kinder und Freunde, die das Pech hatten, sich dort aufzuhalten. Der schaurige Höhepunkt einer Welle von Unruhen, die ihren Anfang nahmen –

Ja, wann?

Vergangenes Jahr, sinniert Rachel im Zwielicht, keine zehn Monate nach unserer Ankunft. Mit dem lächerlichen Streit um diesen Paravent. Im Januar sind wir von Bord gegangen, im September wurde Feuer an die Lunte gelegt.

Ein Paravent!

Nun, Historiker lieben Anfänge.

Aber ein Paravent?

Hat es nicht viel eher angefangen –

Mit einer Frage: Was macht aus einem Juden einen Juden?

Gene?

Glaube?

Das Schicksal immerwährender Verfolgung?

Ein Buch, das man gemeinsam im Schrank stehen hat, der regelmäßige oder sporadische Besuch einer Synagoge?

Bar-Mizwa?

Jakobs Viertgeborener?

Ein Käppchen?

Gibt es überhaupt ein verbindendes, identitätsstiftendes Merkmal, das nicht nur im Hirn, sondern auch im Herzen siedelt?

1897, auf dem ersten Zionistenkongress kurz vor dem Fin de Siècle, erfolgt die Antwort: *Der Zionismus erstrebt die Schaffung einer öffentlich-rechtlich gesicherten Heimstätte in Palästina für diejenigen Juden, die sich nicht anderswo assimilieren können oder wollen.* Was man lustvoller hätte ausdrücken können, aber genau dort scheint sie zu liegen, die zusehends ins Mythische abgeglittene Identität.

In einem handfesten Nationalstaat.

Doch fürs Erste ist Palästina nichts, was die Parteien eint.

Palästina spaltet.

Manch europäischer Jude verspürt nämlich nicht die geringste Lust, am Kettenstrang der Geschichte in eine Wüste voll renitenter Araber gezerrt zu werden. Inzwischen hat man Rechte, betrachtet sich als gleichgestellt, durchwirkt Europas Bürgertum, wie man von ihm durchwirkt wird, heiratet ohne Rücksicht auf Konfession und Glaube, überhaupt, religiös?

Muss man nicht sein.

Das kompliziert die Sache. Gleichschaltung im Glauben eint über Lichtjahre und Abgründe hinweg, aber Zeit ist vergangen, wir befinden uns mitten in den GOOOOLDENEN Zwanzigern, man tanzt auf schillerndem Parkett, wie Seifenblasen eben schillern, Party auf Pump, egal, alle liegen sich in den Armen, auch, weil sie nicht mehr gerade stehen können, Tee mit Schuss und nachts die Sau rauslassen, sieben Tage die Woche, selbst wer solide lebt, wird von der trunkenen Stimmung hinweggetragen, deren verlässlichster Ausdruck ihr völliger Mangel an Spiritualität ist, allerdings auch ihr taumelnd machender Ausstoß an Kreativität, eine kulturelle Blitzblüte, ein Triumph der Atheisten.

Viele Juden in Europa, die schon vor der Party säkular waren, werden jetzt noch säkularer.

Zion?

Später.

Dabei sind sie sich im Kern einig, jene, die nach Palästina, und jene, die nicht nach Palästina wollen: dass das Projekt Judenstaat keine religiöse Haltung erfordert, ganz im Gegenteil. Es geht um eine Zuflucht für ein Volk, das über Jahrhunderte hinweg Repressalien ausgesetzt war. Um einen sicheren Ort, von dem die einen meinen, dass sie ihn bald dringend nötig haben werden, und die anderen nicht, und vor allem geht es um Identität.

Denn wenn Religion als identitätsstiftende Größe ausfällt –

Was hält die Juden auf der Welt dann noch zusammen?

Kann man überhaupt ein Volk sein ohne Staat?

Wohin man schaut, gerät Gott aus der Mode, Juden heiraten Christen heiraten Juden heiraten Christen, Bräuche, Traditionen werden aufgeweicht, weit und breit kein Grund und Boden, auf dem man stehen und sagen kann:

Das – ist – meine –

IDENTITÄT!

Mussten die zionistischen Vordenker nicht zwangsläufig zu dem Schluss gelangen, dass selbst die naiv utopische Vorstellung einer Welt, in der sich Christen, Juden und Muslime in den Armen liegen und jeder jeden glücklich werden lässt, mangels eigener Nationalstaatlichkeit über kurz oder lang zum Verschwinden des Judentums führen würde?

Nein, ein Judenstaat war ganz und gar kein religiöses Erfordernis.

Er war ein weltliches Projekt.

Heimat für das *Volk* der Juden. Rettungsversuch eines in Auflösung begriffenen Wir. Höchste Eisenbahn in den Augen derer, die heraufdämmern sahen, was in der Euphorie der Zwanziger runtergeredet wurde.

Dass die Party böse enden würde.

Denn eigentlich war es unübersehbar.

Warum machten dann nicht alle Gebrauch von dem Angebot?

Wie gesagt: Wüste, Araber, mieses Essen, kein Opernhaus.

Zweitens, kein Sinn für biblische Geschichte.

Drittens, Heimat ist da, wo man herkommt, und – Hand hoch – wer kam noch gleich aus Palästina?

Viertens, alles halb so wild.

Wir haben das im Griff.

Denn Antisemitismus ist vielgestaltig, meisterhaft in der Tarnung. Während der goldenen Jahre sitzt er im Publikum, beklatscht jüdische Musiker, Schauspieler, Maler und Schriftsteller, gibt den Jovialen.

Täuscht, wen und wo er kann. Legt mit der Waffe an, und der Verblendete sieht eine ausgestreckte Hand, und sie blenden weiß Gott nicht schlecht, die Lichter am Berliner Broadway. Mit strahlendem Lächeln fegt der schöne Gigolo durch den Ballsaal, kaum aus dem Tritt zu bringen durch die volkstümliche Marschiermusik, die sich leise, fast unmerklich in den Charleston hineinmischt –

Nur –

Nichts geschieht unmerklich.

Es geschieht, weil man in Narkose nichts merkt, und Deutschland, einig Vaterland, liegt gerade in

VOLLNARKOSE.

Doch Rachel und Schalom Kahn lassen sich nicht narkotisieren.

Weder sind sie gläubig noch mit prophetischen Gaben ausgestattet. Hinreichend, wenn auch nicht übermäßig gebildet. Bekennend jüdisch, aber nicht ideologisch. Sie betreiben ein Geschäft für Eisenwaren, das besser laufen könnte, weshalb Rachel den Damen der feinen Gesellschaft an den Wochenenden wunderschöne Ballkleider näht, die Nachbarn sind freundlich, Feinde hat man sich bislang keine gemacht, jedenfalls nicht dem Vernehmen nach.

Doch sie erkennen die Fratze, die sich in der Seifenblase spiegelt.

Also verlassen sie Berlin, während Zwillinge in Rachels Bauch heranreifen, und machen sich auf den Weg nach Palästina, bevor die Braunen das Grauen heraufbeschwören.

Was ihnen einiges erspart.

Und einiges einbrockt.

»Ich hasse diesen arabischen Auswurf«, zischt Vera.

»Halt endlich den Mund«, herrscht die Frau sie an.

Draußen hellt es jetzt merklich auf. Die Schritte vor dem Stalltor sind verklungen, was nicht unbedingt zu Rachels Beruhigung beiträgt. Wie mit dem Schnarchen, denkt sie. Schalom zum Beispiel, dessen Atemwege den Trompeten von Jericho in wenig nachstehen, doch wehe, er hört auf. Dann liegt sie da und wartet, dass es wieder losgeht, und das ist fast noch schlimmer.

Es ist noch nicht vorbei.

Wie zur Bestätigung hustet draußen jemand unterdrückt.

Stimmen, Geraschel.

Das Tor ist verriegelt, kräftige Schlösser mit Ketten, doch gegen Äxte, mit Wut geschwungen, bist du machtlos.

In Hebron haben sie damit die Türen eingeschlagen.

Rachel packt ihre Heugabel fester.

Bewegung kommt in den Kuhstall. Frauen ziehen ihre Kinder an sich, drängen sich zusammen, weg vom Tor. *Als würde das was nützen.* Aber Menschen sind eben auch nur Vieh, von Instinkten getrieben. Sie sieht einen der Halbwüchsigen die Schrotflinte heben, zitternd wie Espenlaub, der Lauf zittert mit, aber gut, Schrot ist nicht wählerisch. Wer es schafft, mit einer Schrotflinte danebenzuschießen, kann sich auch gleich einen Blindenhund zulegen.

Jemand macht sich an der Verriegelung zu schaffen.

Der Junge reißt das Gewehr an die Wange.

Rachel lauscht und –

»Nein! Nicht!«

Visionen haben sie während der Stunden gequält, die Leichen ihrer Männer, blutüberströmt, Gestalten in Burnussen darübergebeugt, die ihre Taschen durchwühlen, Schlüssel finden, Einzäunungen niederreißen, Feuer an Holzhütten legen, sich Richtung Stall begeben, bereit zu Vergewaltigung, Folter und Mord, doch jetzt, während das Tor entriegelt wird, erkennt sie die vertrauten Stimmen –

Sieht, dass der Junge schießen wird –

Lässt die Heugabel fallen –

Spurtet los, bahnt sich mit auskeilenden Ellbogen ihren Weg, fliegt zu dem Schützen –

Das Tor schwingt auf.

Schalom betritt den Stall.

Das Krachen der Ladung, als die Flinte losgeht, der Trommelwirbel auftreffenden Schrots.

Rachels Schrei.

Verehrter Lord Rothschild,

ich freue mich außerordentlich, Ihnen im Namen der Regierung Seiner Majestät die folgende Sympathieerklärung mit den jüdisch-zionistischen Bestrebungen übermitteln zu können, die dem Kabinett vorgelegt und gebilligt worden ist: Wohlwollend betrachtet Die Regierung Seiner Majestät die Errichtung einer nationalen Heimstätte für das jüdische Volk in Palästina und wird ihr Bestes tun, die Erreichung dieses Zieles zu erleichtern, wobei, wohlverstanden, nichts geschehen soll, was die bürgerlichen und religiösen Rechte der in Palästina bestehenden nicht jüdischen Gemeinschaften oder die Rechte und den

politischen Status der Juden in anderen Ländern infrage stellen könnte.
Ich wäre Ihnen dankbar, wenn Sie der Zionistischen Weltorganisation
diese Erklärung zur Kenntnis bringen würden.

Ihr ergebener Arthur Balfour
November 1917

Baron Rothschild, populärer Aktivist der Zionistischen Weltorganisation, dürfte den Brief des britischen Außenministers geküsst haben.
    God save the King?
    God save the Zionists!
London strebt das Mandat des Völkerbunds für Palästina an, da kommt der Zionismus wie gerufen. Den Juden am Jordan eine Heimstatt zu errichten, vergoldet den schnöden Machtanspruch. Es erfolgt der Zuschlag unter der Auflage, im Mandatsgebiet alle Voraussetzungen für besagte Heimstatt zu schaffen, ihrerseits sagen die Zionistenführer dem Empire jede Unterstützung zu.
    Ein Zug auf Kollisionskurs setzt sich in Bewegung.
    Seite an Seite mit Briten und Franzosen haben Arabiens Herrscher die kümmerlichen Überbleibsel des Osmanischen Reichs zerschlagen, für das Versprechen ihrer Unabhängigkeit. Offiziell steht die Zusage, während ihr Land unter den Kolonialisten längst schon mit dem Tortenheber rumgereicht wird. Arabern wie Juden das gleiche Territorium zu versprechen, erscheint den Briten als cleverer Schachzug. *Divide et impera.* Lass sie einander an die Gurgel gehen, dann sind sie umso leichter zu beherrschen. Entsprechend liest sich die Balfour-Deklaration. Sie verspricht alles und konkretisiert nichts, was Chaim Weizmann, den Präsidenten der Zionistischen Weltorganisation, nachdenklich stimmt.
    Wie werden die Araber reagieren, wenn ungehindert Juden ins Land strömen? Wie soll das funktionieren?
    Er nimmt die Sache in die Hand und trifft sich mit Faisal I., Emir von Mekka, König Syriens und des Irak. Kern der Gespräche: Jedem sein Staat. Ihr akzeptiert die Deklaration, explizit die jüdische Einwanderung, wir machen uns stark für eure Unabhängigkeit und lassen uns das Ganze von den Kolonialmächten schriftlich geben.
    Faisal-Weizmann-Abkommen. Händeschütteln.
    Faisal lässt protokollieren: *Juden und Araber stehen einander blutsmäßig sehr nahe, zwischen beiden Völkern gibt es keinen Konflikt der Charaktere. Grundsätzlich besteht zwischen uns absolutes Einvernehmen.*

Absolut!, sagen auch die Briten.

Verschludern und ignorieren das Abkommen und säen –

HASS.

Äußerst undamenhaft liegt Rachel über dem pickeligen Dreizehnjähri
gen, der den Schuss auf das Tor abgegeben hat.

Ohne zu treffen.

Weil sie ihm in den Arm gefallen ist.

Setzt sich auf, klopft sich das Stroh aus den Kleidern. Wie ein Schwein,
voller Matsch und Dung. Soll einer sagen, Frauen könnten nicht kämpfen. Mit solcher Wucht ist sie gegen den Jungen geprallt, dass sie gemeinsam in eine der Boxen geschleudert wurden, gottlob leerstehend,
nachdem sie das Kalb gestern verkauft haben, aber vielleicht wäre es
eine gute Idee gewesen, hinterher sauber zu machen.

Und plötzlich muss sie lachen.

Laut, gackernd.

Um sie herum löst sich die Anspannung, Frauen laufen zu ihren
Männern, Szenen, als habe man sich Monate nicht gesehen, dabei waren
es ganze acht Stunden. Schalom eilt herbei, zwischen Bestürzung und
Erleichterung, hilft ihr auf.

Sie schmiegt sich in ihn hinein.

»Der Junge«, sagt sie, weil sie weiß, dass ihr Mann dem Bengel am
liebsten eine überziehen würde, und genau das will sie nicht, was soll
man von einem Kerlchen erwarten, dessen Fantasie sich an Hebron
abarbeitet und der sich in diesen Sekunden davonschleicht wie ein geprügelter Hund.

Schalom hält ihn am Ärmel zurück.

Der Junge schluckt. Wagt nicht, zu ihm aufzuschauen.

»Du hast geschossen?«

Nickt.

Ein Moment der Stille.

Sehr zäh. *Sehr* still.

»Na, das üben wir noch mal.« Schalom lacht, zerwühlt sein Haar,
und endlich gestattet sich Rachel, loszuheulen.

Die Tränen habe ich mir verdient!

Schalom nimmt sie noch fester in den Arm.

»Du bist eine Heldin«, flüstert er. »Ihr seid alle Heldinnen.«

Und Rachel denkt, danke für die Blumen, aber hättest du uns flennen
gehört, würdest du sie nicht so reichhaltig verteilen.

»Was ist passiert?«, fragt sie.

»Nichts. Falscher Alarm.« Er zuckt die Achseln. »Weiß der Himmel, warum sie nicht angegriffen haben.«

(Und wenn du's weißt, allwissender Himmel, kannst du es gern für dich behalten. Rück lieber damit raus, was uns morgen Nacht erwartet. Und übernächste Nacht. Und in der Nacht darauf.)

Sie gehen nach draußen, ins frühe Sonnenlicht. Schalom reckt die Glieder. »Na, jetzt ist erst mal Ruhe.«

Ruhe?

Die haben wir am falschen Ort gesucht, mein Schatz.

In Palästina wird so schnell keine Ruhe einkehren.

Der Ruhe wegen, muss man sagen, sind sie hergekommen.

Unmittelbar nach ihrer Ankunft werden die Zwillinge geboren, und sie könnten unterschiedlicher nicht sein.

Da ist Jehuda, rund und zufrieden.

Kein Wunder.

Neun Monate lang hat er es sich bequem gemacht, den meisten Platz beansprucht, der Plazenta den Löwenanteil an Nährstoffen und Antikörpern entzogen. Ein gieriger kleiner Prinz. Bester Laune, soweit man das von einem Neugeborenen sagen kann, erweist er der neuen, zugigen Heimat seine Reverenz, jedenfalls kursiert unter den Stationsschwestern bald das Gerücht, schon das erste, lautstarke Atemholen des Jungen sei einem Jubilieren gleichgekommen, als wolle er Palästina, dieses so viel mehr gelobte als geliebte Land, seiner bejahenden Wesensart versichern.

Famoses Menschenmaterial!, wie es die ruhmreichen Führer der Zionisten ausdrücken würden.

Und nun Benjamin.

Der Nachzügler.

Müht sich nach Kräften, streckt schließlich auch sein glitschiges Köpfchen nach draußen, doch gegen die triumphale Ankunft des Bruders ist seine Geburt ein bloßes P. S. Während sich Jehudas Lungen mit den Stimmbändern zu einem nicht enden wollenden Vortrag über Hunger, Selbstbewusstsein und Körperkraft verbünden, wirkt Benjamin schon vom Leben erschöpft, bevor es überhaupt richtig begonnen hat.

Er ist zerfurchter, kleiner, stiller.

Als er endlich schreit, klingt es ganz anders.

Schwächer.

Dafür stinksauer.

Die Wut des zu kurz Gekommenen.

Der Moschaw Kfar Malal, in dem sie sich niedergelassen haben, liegt rund 30 Kilometer nordöstlich von Tel Aviv in der Scharon-Ebene. Großartiges, fruchtbares Ackerland. In den vergangenen Jahrzehnten haben Pioniere begonnen, die Sümpfe trockenzulegen, jetzt schießen hier die Moschawim und Kibbuzim nur so aus dem Boden, werden Zitrusfrüchte, Feigen, Oliven und Wein angebaut, sieht man zunehmend Herden, die nicht von Arabern in gebauschten Burnussen, sondern von sehnigen jüdischen Pionieren bewacht werden, und das Land verändert sich, wird europäischer.

Was für eine Entwicklung!

Aus dem Nichts.

Noch im Osmanischen Reich war dieses Palästina eine nebulöse Provinz, in der die Zeit sich dahinschleppte, segmentiert nur von den Gebetszeiten. Ein Land voller Mythen und Kamele, archaisch, unzivilisiert, meerseitig Sumpf, dahinter Wüste.

Alles andere als eine Verheißung.

Bis eine kollektive Erinnerung Christen, Juden und Muslime sturmwindartig herwirbelte.

Und plötzlich kamen sie alle.

Bibelromantiker, Pantheisten, Glücksritter, Exzentriker, Pioniere, Flüchtlinge, Geschäftstüchtige, selbst ernannte Verkünder. In Erwartung des Messias die einen, das Hohelied der Naturverbundenheit singend die anderen. Talmudverse murmelnde Ekstatiker Seite an Seite mit Sozialisten ohne Gott und gutem Geschmack, Erfinder, Gelehrte, Landwirte, Ärzte, Architekten, Künstler, Arbeiter, Bauern, Russen, Polen, Deutsche, Holländer, Perser, Marokkaner, Ägypter, mal mit Gefolge, mal nur mit dem, was sie am Leibe trugen, und selbst das sah aus, als hätten sie sich vier Wochen lang durchs wilde Kurdistan geschlagen. So verschieden voneinander, dass Babel im Vergleich dazu wie eine Hochburg der Verständigung anmutete, und doch geeint von einem schier atemberaubenden Vertrauen in die Ermöglichung des Unmöglichen.

Kamen und fluteten Palästina.

Bauten zwischen Pinien, Distelgewächsen und Zitronenplantagen ihr Heimatland im Kleinen nach, russische Zwiebeltürmchen, deutsche Dome, Schwarzwaldhütten, Oxfordkathedralen. Zogen immer neue Einwanderer nach sich, auch weil sich herumsprach, dass jeder, der einen ausgemachten Knall hatte, hier herzlich willkommen war.

Und Pioniere, muss man sagen, haben fast durchweg einen Knall.

Überall sonst würden sie auffallen.

Nicht in Palästina.

Eine ganze Region erschuf sich neu. Alles, was es anderswo schon gab, feierte in den Breiten der Verheißung seine zweite, glanzvolle Premiere. Wie der Leibhaftige knatterte das erste Automobil durch Galiläas Berge, ein Immigrant beglückte staunende Kinder mit selbstgemachtem Speiseeis, ein rumänischer Lehrer eröffnete Kindergärten, ein Dirigent aus der Ukraine gründete eine Operngesellschaft. Während ein niederländischer Christ den Galiläern Esperanto zur Verständigung nahelegte, übersetzte ein polnischer Jude *Alice in Wonderland* ins Hebräische, und ein muslimischer Palästinenser verschrieb sich der Gründung einer arabischen Universität auf galiläischem Boden. Jede Menge kleine Tolstois strömten ins Land, um von früh bis spät den Buckel krumm zu machen und der Natur im sengenden Wüstenwind ihr Bestes abzuringen, wahrer, marxistischer Zionismus. Die Christen verzogen sich fast alle nach Jerusalem, die Glücksritter und Intellektuellen träumten von einer schimmernden Perle am Mittelmeer und stampften Tel Aviv aus dem Boden, die Pioniere machten das Land urbar.

Somit sind die Kahns nun Pioniere.

Und hingebungsvolle Eltern.

Sie lieben ihre Kinder ohne Unterschied. Doch wie es so geht, wenn Vorzeichen den Weg säumen, bekommt fortan der eine alles, was der andere gern hätte, und Benjamin mit seinem alten, furchigen Geist, zweifellos der Klügere von beiden, bekommt Bücher.

Einen ganzen Stapel, als die Zwillinge sechs Jahre alt werden.

Jehuda bekommt einen Knüppel.

So wie Arik.

1934

Benjamin hätte auch gern einen Knüppel.

Aber niemand traut ihm zu, dass er damit umgehen kann.

Das ist sein Problem.

Denn der Moschaw muss verteidigt werden gegen Übergriffe arabischer Banditen, und Verteidigung ist allemal ehrenvoller, als in einem bedrohten Weiler *Die Abenteuer des Odysseus* zu lesen. Nichts gegen Homer, Dickens und Swift, nur, mit Intellektuellen haben sie's hier nicht so, sind eh schon zu viele im Land, eingebildetes Pack. Nicht mal im Dorf findet man Ruhe vor denen. Dieser Samuel Scheinermann etwa mit seiner hochnäsigen Vera Shneorov, hierhergeflohen aus Tiflis vor den Nachstellungen georgischer Bolschewiken, der ist nicht einfach Landwirt. *Nein,* der ist *studierter* Landwirt! Und sie dermaßen eingenommen von ihren paar Semestern Medizin, dass sie den kleinen Arik, als er im Alter von vier Jahren vom Esel fiel und sich an einem spitzen Stein den Kopf blutig schlug, sage und schreibe wie ein Opferlamm ins benachbarte Kfar Saba getragen hat, auf beiden Armen, nachts über die Felder, weil sie den hiesigen Medizinern nicht übern Weg traute, ist das zu glauben?

Intellektuelle?

Hör mir bloß auf mit Intellektuellen.

Den Intellektuellen Tel Aviv.

Den Christen Jerusalem.

Den wahren Zionisten –

DAS LAND!

Demzufolge, sagt Schalom eines Morgens mit Blick auf seinen kleinen Landbesitz, sei er ein wahrer Zionist, weil er seinen Berliner Eisenwarenladen gegen einen galiläischen Süßkartoffelacker vertauscht habe und vier Ziegen im Stall halte.

Demzufolge, kontert Rachel, sei er ein wahrer Heuchler, weil er so tue, als wären sie nicht tausendmal lieber ins verdammte Amerika ausgewandert, bloß dass das Geld nicht reichte.

Da muss er nicken.

Zumal der Moschaw Kfar Malal, in dem sie sich niedergelassen haben, nicht unbedingt ihre erste Wahl war. Eigentlich hatten sie über Jerusalem nachgedacht, noch lieber Tel Aviv, wo man den Bedürfnissen ausgewanderter Großstädter nach besten Kräften gerecht wird, aber dort hapert es an Jobs, und mal ehrlich, in keiner Stadt der Welt willst du mit zwei Babys im Bauch und ohne Arbeit stranden. Also sind sie der Empfehlung eines Bekannten ins ländliche Kfar Malal gefolgt, wo man die Fähigkeiten einer Schneiderin und eines Schlossers zu würdigen weiß, außerdem können sie hier ihren eigenen Hof bewirtschaften.

Ein Moschaw, immerhin. Besser als ein Kibbuz, der den bürgerlichen Kahns dann doch zu viele marxistische Dehnübungen abverlangt hätte: Kindererziehung Gemeinschaftssache, keinerlei Privatbesitz, der ganze Kokolores. Zwar gehören auch im Moschaw Maschinen und Fuhrpark dem Kollektiv, aber wenigstens führt man hier seinen persönlichen Haushalt, beackert eigenen Grund und Boden, entscheidet, was man anbaut, und kann sicher sein, dass einem nicht ständig mitteilungsbedürftige Bolschewiki in der Bude rumhängen und die Vorräte wegsaufen, wenn man unter sich sein will. Der Verkauf des Eisenwarenladens hat die Reise gedeckt und gerade gereicht, um das baufällige Häuschen samt Ackerfläche zu erwerben, aber hier haben sie wenigstens ihre Privatsphäre.

Und Rachel und Schalom sind gern unter sich.

So sehr allerdings, wie die Scheinermanns unter sich bleiben –

Das geht den meisten hier dann doch zu weit.

Letzten Endes, sagt die adipöse Kunstmalerin, die zusammen mit ihrer neunzigjährigen Mutter neben den Kahns wohnt, bei Tee und Gebäck zu Rachel, sei es nur dem hohen Grad an hiesiger Zivilisiertheit zu verdanken, dass man die hergelaufenen Schaschlikfresser nicht schnurstracks zum Teufel jage. Und Rachel quittiert ihre Empörung in gleicher Weise, wie sie es seit dem 15. Januar 1928, als sie hochschwanger palästinensischen Boden betrat, noch jedes Mal getan hat.

Hergelaufene, gibt sie zu bedenken, seien hier alle.

Unsinn, wird sie belehrt.

Nicht?

Nein, keineswegs, man müsse ja wohl einen Unterschied machen zwischen denen, die freien Herzens hergefunden hätten, und solchen, die nach Palästina *geflohen* seien. Womit keinesfalls die aufrichtige Bereitschaft der Flüchtlinge zur Herausbildung einer freien zionistischen Gesellschaft infrage gestellt werden solle. Indes anzunehmen, das Siedlungswesen sei lediglich Ausdruck eines grassierenden Fluchttriebs, ziehe alles in den Dreck, wofür die Juden seit Anbeginn der Zeit gekämpft hätten.

Rachel glaubt sich zu erinnern, die Zeit hätte schon vor den Juden ihren Anfang genommen.

Und eigentlich seien die Scheinermanns doch ganz nett.

Die Malerin schaut düster über den Rand ihrer Tasse.

Die fände sie nett? Im Ernst?

Doch, schon. Vera zum Beispiel habe sie ins Herz geschlossen. Und sei Samuel Scheinermann nicht ein bis ins Mark überzeugter Zionist, der zwar habe fliehen müssen, aber auch ganz sicher so gekommen wäre?

»Der doch nicht!«

Da hegt die Malerin keinerlei Zweifel. Eingebildeter Poale Zion Aktivist. Nein, der wäre hübsch in Georgien geblieben, wenn die Kommunisten ihn nicht so drangsaliert hätten. Und die Shneorov? Also, da solle Rachel sich mal keinen Illusionen hingeben, als ob deren Anwesenheit auch nur auf den kleinsten Funken Leidenschaft für das zionistische Unterfangen schließen lasse. Die sei hier, weil sie ihrem Gatten notgedrungen auch zum Nordpol gefolgt wäre, sie hasse die Zionisten. Bei der jedenfalls wundere es sie nicht, dass sie sich von der Gemeinschaft abschotte. Und ihr Mann sei ein Snob. Oder? Wie sonst ließe sich erklären, dass die ihr Grundstück einzäunten? Als Einzige im ganzen Moschaw! Das sei doch nicht normal. Und ob Rachel ihr das bitte erklären könne?

Rachel meint, die seien halt gern unter sich.

Pah, unter sich! Wann wäre der Sonnenstrahl der Freundschaft je durch eine geschlossene Pforte gefallen?

Rachel schweigt.

»Meine liebe Frau Kahn! Eine offene Tür ist der Schlüssel zu einem offenen Herzen, und sind wir etwa Kommunisten, weil wir so denken? Nein, wir sind eine Gemeinschaft anständiger Menschen. Jeder für sich und doch füreinander da. Noch Tee?«

Rachel nippt an dem heißen Gebräu und denkt an Vera Shneorov.

Ihre einzige Freundin.

In Weißrussland aufgewachsen, mit einem halben Dutzend Geschwistern, aber Not musste keines leiden. Die Familie war begütert und kultiviert, schickte sie auf gute Schulen, in die Oper, ins Theater. Vera lernte, sich auf gesellschaftlichem Parkett zu bewegen und ihr scharfes Mundwerk zur zielsicheren Klinge zu schleifen, was die heiratswilligen Junggesellen umso mehr für sie einnahm. Brillierte als Studentin der Medizin im georgischen Tiflis, traf Samuel, der sich dort für Agrarwissenschaften eingeschrieben hatte und Veras Intellekt mit Kenntnissen des Französischen, Deutschen, Lateinischen und Hebräischen, jüdischer Philosophie, Geigenspiel und Gesang entzückte.

Im Kaukasus gedieh der Antisemitismus, die Bolschewiken begannen das Land umzukrempeln. Als die Rote Armee 1921 Georgien überrannte, glaubte Vera immer noch an die Utopie eines Kommunismus, in dem die Menschen frei von Vorurteilen und Unterschiedsdenken Seite an Seite leben, während Samuel Zeuge wurde, wie Rotarmisten jüdische Studenten zusammentrieben, verschleppten und exekutierten.

Und er war einer der Köpfe von Poale Zion, der zionistischen Arbeiterbewegung. Es brauchte nicht viel Fantasie, um sich auszumalen, was sie mit *ihm* tun würden.

Die Oktoberrevolution hatte die Juden verraten, so viel stand fest. Er flehte Vera an, ihn zu heiraten und mit ihm nach Palästina zu fliehen, die Umworbene brach ihr Studium im achten Semester ab –

Da waren sie nun. Und Rachel weiß allzu gut, was Vera empfand, als sie in Haifa an Land gingen. Nichts anderes hat sie selbst empfunden.

In einem Wort: Entsetzen.

Das Gelobte Heilige Land.

Schmuddelige Sandberge, kärglich bewachsen und durchbrochen von Sümpfen, außerdem schien ein Moskitokongress zu tagen. Die arabischen Hafenarbeiter machten Vera Angst (später machten ihr alle Araber Angst), die Zionisten in den Dörfern entpuppten sich als Marxisten, Kommunismus und Zionismus ergaben zusammen ein dumpfes Bauernbiotop, in dem sie sich verdorren sah, und genauso kam es. Nach einigen Irrwegen landeten sie in Kfar Malal, ihre Mittel reichten mit knapper Not für einen unbebauten Hektar sonnenverbrannte Erde, und sie begriff, dass sie das Skalpell der Medizinerin gegen einen Pflug eingetauscht hatte.

»Für alle Zeiten«, sagte sie zu Rachel. »Ich weiß es einfach.«

Die Art Eingebung war Rachel vertraut, dennoch versuchte sie Vera damit aufzumuntern, auch im Nahen Osten gäbe es Universitäten.

»Du kannst deinen Abschluss immer noch nachholen.«

»Als was? Als Viehdoktor?«

Sagte es mit Lippen, deren verächtliches Kräuseln ihr natürlicher Ausdruck geworden war, da ihr nichts als Beschränktheit und zionistisches Pathos entgegenschlugen. Selbst die Kunstmalerin, auf die sie gewisse Hoffnungen gesetzt hatte, erwies sich bei näherer Betrachtung als ehemalige österreichische Postangestellte, deren Hobby nicht im Entferntesten ihren Fähigkeiten gleichkam.

Außerdem sprach Vera nur Russisch.

Nicht allein infolge solch widriger Umstände herrschte von Beginn an Feindschaft zwischen den Scheinermanns und dem Moschaw. Samuel war durch und durch Idealist, sein Zionistenbild das einer zwar arbeitsamen, gleichwohl kultivierten, um nicht zu sagen dem Weltdurchschnitt überlegenen Gesellschaft. Wie Vera verachtete er seine Nachbarn, außerdem ließ sein Gebaren darauf schließen, dass er die Menschheit im Ganzen verabscheute. Die Vision einer jüdischen Heimstatt von Landflüchtigen, Spinnern und Spießern umgesetzt zu sehen, deren Erscheinung und Intellekt in nichts dem Ideal entsprach, das die Propagandaplakate vom neuen Juden zeichneten, bereitete ihm körperliche Qual. Er vermochte nicht zu akzeptieren, dass die Menschen in den Gedankengebäuden ihrer Philosophen so deplatziert wirkten wie Affen im Frack. In Samuels Welt dienten Ideale dazu, das Mangelhafte im Menschen zu überstrahlen, das aber nun mal seine Natur war, also mochte er niemanden, und niemand mochte ihn.

Als Rachel und Schalom sich in Kfar Malal einrichteten, hielten sie die zugige Holzhütte der Scheinermanns zuerst für einen Stall. Samuel hatte sie eigenhändig gebaut, und so talentiert der Kerl in vielerlei Hinsicht war, erwies er sich in handwerklichen Dingen als ausgemachte Niete.

Ein windschiefer Zaun umlief das Grundstück.

Niemand in Kfar Malal pflegte sich einzuzäunen.

Sofort entwickelte Rachel Sympathien für die Leute, die dort wohnten, wer immer sie sein mochten. Die anderen Mitglieder des Moschaws erzählten ihnen, die Scheinermanns wären blasiert und verrückt. Statt anzupflanzen, was alle anpflanzten, experimentierten sie mit Orangen, Clementinen, Baumwolle und Avocados, obendrein weigerten sie sich, ihre Ernte wie jedermann an die Genossenschaft zu verkaufen, lieber verhökere Samuel sie am Straßenrand.

Mit denen sollten sie sich gar nicht erst einlassen.

»Interessant, was«, sagte Rachel zu Schalom, nachdem man sie im Büro des Moschaw hinreichend geimpft hatte.

»Tja. Die stellen sich halt außerhalb der Gemeinschaft.«

»Ganz genau. Ich glaube, ich will auch einen Zaun.«

Und sie ging schnurstracks zu den Geächteten, um sie kennenzulernen.

Vera: »Willkommen.«

Rachel: »Danke.«

»Schon gehört, wie sie unser feines Kfar Malal in Kfar Saba nennen?«

Nein, hat sie nicht, Rachel ist froh, dass ihr Hebräisch ausreicht, Kfar Malal zu übersetzen: das Dorf Moshe Leib Lilienblum.

»Lächerlich. Ich nenne es Kfar *Umlal*.« Spuckt die Worte vor Rachel in den Sand. »Dorf des Elends.«

»Hieß es nicht bis kürzlich noch Ein Chai: Quelle des Lebens?«

»Wohl eher *Ain* Chai.«

Kein Leben.

Woran sich ermessen ließ, in welch unsterblicher Liebe Vera zu ihrem neuen Wohnort entbrannt war.

Na gut, kein fließendes Wasser, kein Strom.

Schon schwierig.

Aber *kein* Leben –

Schalom tat sich anfangs ein bisschen schwer, er wollte nicht gleich alle gegen sich aufbringen, indem er sich mit den Querulanten befreundete. Sah man ja, wohin zu viel Nonkonformismus führte. Seit dem kleinen Landkrieg herrschten zwischen den Scheinermanns und dem Rest des Dorfs kriegsähnliche Zustände.

»Das war nämlich so«, klärte der Vorsteher des Moschaws sie auf. »Sie sehen unweit von hier Ramat Haschawim?«

Das Nachbardorf.

Dörfchen.

Noch elendere Hütten.

»Wir hatten im Rat beschlossen, denen Land abzugeben, jeder ein Stück. Die Scheinermanns liefen dagegen Sturm. Also zogen wir Drähte über die Grundstücke, um zu markieren, wo die neue Grenze verlaufen würde. Vera schnitt die Drähte bei Nacht und Nebel durch. Dann handelte sie hinter unserem Rücken mit den Neuen aus, dass sie ihr Land als Einzige behalten dürften, und die stimmten auch noch zu. So einen Alleingang hat hier noch keiner gewagt! Am Ende wurden wir alle unser Land los, nur die Scheinermanns nicht.«

»Stell dir das vor«, sagte Rachel zu Schalom.

Stell dir das vor wurde zu ihrer Standardfloskel.

»Na, was sind denn das für Individuen?«, wunderte sich Schalom.

»Es sind wenigstens welche.«

Schalom schüttelte den Kopf, doch mit der Zeit begriff auch er, dass sie mehr mit den Scheinermanns gemeinsam hatten als gedacht.

Kinder im selben Alter etwa.

Als nämlich Rachel in der wellblechgedeckten Entbindungsstation Kfar Sabas Jehuda und Benjamin zur Welt brachte, gebar Vera dort einen Jungen, der seinen Spitznamen noch vor dem ersten Schrei erhielt: Arik. Einer Tochter hatte sie schon das Leben geschenkt, Jehudit, genannt Dita. Dies und das innere Band, das sich zwischen den beiden Frauen spannte, trug rasch zur Vertiefung der Freundschaft bei. Rachel war keine Intellektuelle, nur eine Näherin, aber bitte, sie kam aus Berlin, sie hatte in Theatern und Varietés gesessen –

Und sie sprach Russisch!

Rachel Elisabeta Karpow. Tochter einer Deutschen und eines russischen Emigranten und Rotfront-Aktivisten, geboren in Sankt Petersburg, zweisprachig aufgewachsen.

Verglichen mit den anderen Dörflern mussten sie den kulturell verdurstenden Scheinermanns wie Sendboten des Himmels erschienen sein. Samuel war ein hervorragender Violinist. Schalom spielte ein weniger edles Instrument, das Bandoneon, allerdings ebenso virtuos, und wenn er auch nicht so gut sang wie Samuel, dann doch mit Inbrunst.

»Wie haltet ihr das bloß aus, von allen angefeindet zu werden?«, fragte Schalom eines Abends in die Runde.

»Man kann alles aushalten«, befand Samuel.

»Körperlich«, fügte Vera hinzu.

»Vielleicht hättet ihr denen in Ramat Haschawim doch ein winziges Stückchen von eurem Acker abgeben sollen.«

»Warum?«

»Um des lieben Friedens willen.«

»Man gibt kein Land ab.«

Punkt, Schluss. Sie saßen im Hause der Scheinermanns bei einer billigen Flasche Wein und getrockneten Feigen, die Kleinen waren auf dem Sofa eingeschlafen. Samuel schob eine Dattel in den Mund, beugte sich zu Arik und Dita hinab, die umschlungen hinter einem Kissen Zuflucht vor dem diesmal ganz besonders aggressiven Violinvortrag gesucht hatten, und wiederholte im Flüsterton:

»Man – gibt – kein – Land – ab.«

Die drei Naturgesetze im Scheinermann'schen Universum:
1. Siehe oben
2. Prinzipien sind dazu da, eingehalten zu werden, auch wenn es das Leben kosten könnte.
3. Die Solidarität in der Familie widersteht allen Stürmen.

Womöglich wäre es längst zu blutigen Übergriffen gekommen (schon weil die Kinder der anderen Familien regelmäßig Scheinermanns Obstbäume zu plündern versuchten), hätte der Moschaw nicht von Samuels akademischer Bildung profitiert. Zähneknirschend musste sich die Ratsversammlung eingestehen, dass der studierte Herr Agrarökonom mit Ideen aufwartete, auf die sie selbst nie gekommen wären.

Vor allem aber bewies er Mut.

Denn die Kooperativen, die der Jüdische Nationalfonds in der Scharon-Ebene gegründet hatte, schwebten in ständiger Gefahr. Nicht alle hiesigen Araber machten Ärger, mit einigen ließ sich sogar Handel treiben, insgesamt aber war das Klima vergiftet. Wenige Jahre bevor sich die Kahns angesiedelt hatten, war das Dorf von arabischen Banditen geplündert worden, nie konnte man sicher sein. Die Bedrohung schmiedete die Gemeinschaft zusammen, und wenn die Scheinermanns auch gegen die anderen standen, hätten sie doch ihr Leben riskiert, um Kfar Malal und seine Bewohner zu schützen.

Man duckt sich nicht weg, auch das lernte Arik.

Zum fünften Geburtstag hat Samuel ihm ein prachtvolles Exemplar von Dolch geschenkt, mitgebracht aus Georgien.

Jetzt, als er sechs wird, bekommt er eine Geige.

Und besagten Knüppel.

Womit wir wieder bei Benjamin wären.

Benjamin, der Arik beneidet, ebenso wie seinen Bruder Jehuda. Auch der läuft neuerdings mit so einem Dreschflegel herum. Einem langen, bösen Kumpel, der schwer in der Hand liegt und Benjamins ganze Sehnsucht auf sich vereint.

Weil er so gerne dazugehören möchte.

Benjamin hasst seine Bücher.

Hasst seine Schwäche.

Hasst sich selbst mehr als alles andere auf der Welt.

Und Rachel, die ihn leiden sieht, weiß sehr genau, wie es in ihrem Sohn aussieht, und sie versteht ihn nur zu gut.

Dieses Gefühl, nicht dazuzugehören.

Seit ihrer Ankunft im Nahen Osten zehrt es sie auf, kein Wunder, dass Vera und sie einander so nahe sind. Sie hat gelernt, mit dem Verlust ihres Zuhauses klarzukommen, jetzt erfährt sie, was es heißt, ein Land Heimat nennen zu müssen, das alles für sie ist, nur nicht Heimat. Nie sein wird. Man kann ihr Schwarzmalerei unterstellen, doch sie weiß es einfach – eine klare, unbestechliche Gewissheit, so wie Vera weiß, dass ihr Traum, noch einmal zu studieren, ein Traum bleiben wird. Rachel fühlt, dass sie in diesem Land, trocken und von Wüstenwinden durchzogen, als atme einen ein Ungeheuer an, sterben wird, ohne je in seiner Erde gewurzelt zu haben. Hätten sie Berlin denn je verlassen, wären die Vorzeichen nicht so düster gewesen? Was andere Diaspora nennen, war ihr Zuhause, *jetzt* lebt sie in der Diaspora – in dieser von zionistischen Vordenkern verordneten neuen Welt.

(Gut, vielleicht haben die Vordenker ja recht.)
(Ganz sicher haben sie recht.)

Doch sie kann keine Wärme aufbringen für das vom Legendenmuff durchzogene Palästina. Und auch Schalom, ihr eifriger Süßkartoffelzüchter, wirkt ratlos, obschon er den zionistischen Traum noch in Deutschland bereitwillig geträumt, dem Leben hier voller Erwartung entgegengeblickt hat, bereit, sich verzaubern zu lassen, vielleicht sogar ein bisschen religiös zu werden im Gelobten Land, doch seit er im Paradies ist, vermisst er es nur umso schmerzlicher.

Hier zu sein, stillt seine Sehnsucht nach Zion nicht.

Es nährt sie.

So leiden er und Samuel jeder auf seine Weise, während sich Rachel und Vera eingesperrt fühlen in Käfigen aus Sachzwängen und fiebrigen Ideologien. Aus Ländern geflohen, in denen sie lieber geblieben wären. An der Seite von Männern, deren einer am Mittelmaß verzweifelt, während der andere sich einzureden versucht, auf einem Süßkartoffelacker seine Erfüllung gefunden zu haben.

1935

Auch wenn sie in unmittelbarer Nachbarschaft wohnen und ihre Eltern eine dem Moschaw unverständliche Freundschaft pflegen – so richtig nehmen sie einander erst wahr, als die Schulzeit beginnt.

Beziehungsweise, da erst fällt Jehuda auf, dass er Arik eher selten wahrnimmt.

Weil der so oft alleine unterwegs ist.

Der Frühling verwandelt die Umgebung Kfar Malals in einen Traum. Die Scharon-Ebene ist parzelliert in Felder und Plantagen, Reihen um Reihen soldatisch ausgerichteter Bäumchen, reich an Zitrusfrüchten, Granatäpfeln, Feigen und Oliven. Feldwege vernähen die Äcker zu einem Flickwerk unterschiedlichster Tönungen und Texturen. Dazwischen unbebautes Land, wilde Wiesen, gesättigt von Geranien, Passionsblumen und Anemonen. Über wogendes Grün fliegt der Blick bis an den Rand kühler, verschwiegener Wäldchen, es riecht nach Disteln, Blütenstaub, nach dem Salz der fernen See, Dünger und Ziegenscheiße, die Luft schwingt vom Sirren und Brummen der Insekten, ein Land im Rausch, sich fortzupflanzen. Wochen später wird die Hitze den Boden ausgedörrt und alle Farben hinweggesengt haben, doch jetzt ist es der Garten Eden.

Oder könnte es sein.

Die vergangenen Jahre waren ruhig, gemessen an den Geschehnissen von 1929. Unter der Ägide des neuen Hochkommissars kehrten die ersten jüdischen Familien zurück nach Hebron. Bezogen ein Zuhause, das keines mehr war, eskortiert von Militärpolizei. Schauten sich um, und die Araber schauten weg, manche aus Wut, die meisten aus Scham, während andere den Zurückgekehrten halfen, ihre verwüsteten Häuser herzurichten. Wie eine Klammer lag die ordnende Kraft der Mandatsmacht jetzt um Hebron. In Jerusalem deuteten sie die Ruhe als Zeichen der Normalisierung. Die alten Verhältnisse wiederherzustellen, erzählte der Hochkommissar beschwingt seinen Abendgesellschaften, sei einzig eine Frage der Zeit, klappe ja, wie man sehe.

Damit lag er falsch.

Tatsächlich setzt sich die Gewalt fort, nur dass kein mordender Mob mehr durch die Städte zieht. Eher vereinzelt flackert sie auf, trifft hier ein Gehöft, dort eine Siedlung, schleicht sich in den Alltag ein, bis sie etwas von schlechtem Wetter hat.

Ärgerlich, aber vorübergehend.

Fest steht, ein Kapitel ist zu Ende gegangen.

Unwiederbringlich.

Nach Hebron sehen Juden und Araber einander mit anderen Augen. Stein des Anstoßes bleibt die Einwanderungspolitik der Briten, denen es nicht gelingen will, den Zustrom zu begrenzen. Tatsächlich kommen keineswegs nur glühende Zionisten, viele versuchen schlichtweg, dem Verderben zu entrinnen, das sich in Europa und auf dem Kaukasus zusammenbraut. In den Augen der Araber hingegen muss die ungezügelte Immigration zwangsläufig ihre Vertreibung zur Folge haben. Mit Macht beginnt sich die arabische Nationalbewegung gegen die zionistische zu stemmen. Extremisten beider Seiten erklären die friedliche Koexistenz für gescheitert, die Straßen Jaffas, Haifas, Nablus' und Jerusalems erbeben unter Protesten, friedlich zwar, doch in den Hinterzimmern brütet der Terror.

Kinder lässt man in solchen Zeiten nicht gern aus den Augen, ihr Schulweg, ihr ganzes Leben wird strengster Bewachung unterworfen.

Doch Kinder sind wie Wasser.

Als Jehuda und Benjamin sich im Wettlauf üben, hohes Gras gegen ihre Schenkel schlägt, die Häuser hinter Bäumen und Dickichten zurückbleiben, sind keine Erwachsenen mehr zu sehen. Nur das Paradies ihrer Kindheit, das keines ist und nie eines war.

Jehuda rennt eine Anhöhe hinauf. Dann merkt er, dass Benjamin zurückgefallen ist, bleibt stehen und dreht sich um.

Au backe.

Aber so was von zurückgefallen.

Sein Zwillingsbruder, doch in letzter Zeit fühlt sich Jehuda eher wie der Ältere von ihnen beiden.

Vielleicht, weil Benjamin so klein ist.

Und so schlecht bei Puste.

Andererseits viel schlauer. Tatsache. Wahnsinnig schnell von Kapee. Wenn ihnen einer was erklärt, hat Ben es schon begriffen, während Jehuda noch dumm in der Nase bohrt. Da ist er fast ein bisschen neidisch auf den Kleinen. Muss ihm gelegentlich klarmachen, dass Köpfchen nix wert ist, wenn man nicht auch andere Dinge kann.

Und Benjamin kann eine Menge nicht.

Klettern. Balgen.

Laufen.

Auch jetzt hechelt er hinterdrein, schweißnass und puterrot, und plötzlich, wie aus heiterem Himmel, vernimmt Jehuda die Stimme seines schlechten Gewissens, besser gesagt Rachels Stimme:

»Ben ist nicht so kräftig wie du, Jehuda. Gib ein bisschen auf ihn acht, hab ein Auge auf ihn.«

Das hat sie gesagt.

Und nicht, reib ihm unter die Nase, was für eine lahme Ente er ist.

Wie niederträchtig.

Pfui!

Wo du genau weißt, dass er nicht mithalten kann.

Ja, so ein schlechtes Kindergewissen – ganz was anderes als ein Erwachsenengewissen. Mehr, als ob einem ein Himmel aus Schuld auf den Kopf fällt. Man wird käferklein, schämt sich in Grund und Boden, Weltuntergang.

Man ist nur noch –

SCHULD.

Er hat was gutzumachen.

»Ich hab gefuscht«, ruft er.

Benjamin erklimmt den Hügel und plumpst keuchend ins Gras.

»Wie, du hast gefuscht?«

»Beim Laufen. Eigentlich hast du gewonnen.«

»So ein Quark.«

»Doch.«

»Wie kann man denn beim Laufen fuschen?«

»Na ja, ich –«

Typisch. Mal wieder nicht zu Ende gedacht. Benjamin ist einfach zu schlau, der durchschaut solchen Zinnober. Jehuda muss sich schnell was einfallen lassen, schaut umher – und erblickt Arik, wie er mit einem Ast auf die Köpfe roter Anemonen eindrischt, dass die Blütenblätter fliegen.

»Hey, Bu –«

Presst die Lippen aufeinander.

Bulle, wollte er sagen, so wie die meisten Kinder Scheinermanns Jungen nennen. Arik hat die Zwillinge noch nicht bemerkt, also kann Jehuda ihn ein bisschen studieren und über ihn nachdenken. Dicklich um die Hüften, fällt ihm auf. Nicht so toll, äußerlich. Daher der Spitzname. Eigentlich gemein, und wo er gerade in so herrlich reumütiger Stimmung ist, korrigiert er sich:

»Hey, Arik!«

Keine Antwort.

»Wie geht's denn immer so?«

Arik schaut her, wieder weg. Widmet sich weiterhin der Aufgabe, Anemonen die Köpfe abzuhauen.

Oh Mann, zähe Angelegenheit. Doch Jehuda ist beseelt von seiner Läuterung, mag nicht aufgeben.

»Was machst du da?«

»Nichts.«

»Danach sieht's aber nicht aus.«

Arik zuckt die Achseln. Steht unentschlossen im Blütenmeer und blinzelt in die Sonne.

»Sollen wir irgendwas spielen?«

»Was denn?«

»Jedenfalls nicht Wettlauf«, mault Benjamin im Gras.

»Wir können zum Bewässerungstank gehen. Schwimmen.«

Arik zögert.

Dann endlich kommt er, seinen Ast hinter sich herschleifend, zu ihnen rüber.

Er strahlt Einsamkeit aus. Ein Kind, das seinen Frust an Blumen auslässt. Wobei das Problem weniger ist, dass die anderen Kinder nicht mit ihm spielen würden. Sie hänseln ihn, lassen wenig Bereitschaft erkennen, ihn einzubeziehen, wenn irgendwo was steigt, Völkerball, über Baumstämme balancieren, und natürlich entgeht ihnen nicht, dass die Scheinermanns bei ihren Eltern so beliebt sind wie allergisches Jucken.

Andererseits, Kinder.

Gerade mal sechs.

Noch in einem Alter, in dem die unmittelbare Erfahrung reicht, Vorurteile zu zersetzen, außerdem ist Kfar Malal ja nicht unübersichtlich. Arik weiß, wo sie sich treffen. Würde er öfter hingehen, sie ließen den Bullen schon mitmachen.

Aber er traut sich nicht.

Lieber hockt er bei Regen, wenn es so richtig vom Himmel runterprasselt, allein im Stall, dividiert Strohhalme auseinander und hängt seinen Gedanken nach.

Außerdem nimmt sein Vater ihn hart ran. Auf dem Hof ackert er – na ja, wie ein Bulle halt. Verglichen mit ihm schwimmen Jehuda und Benjamin in Freizeit. Wird gepflügt, geharkt, gesät, gedüngt, gefüttert, geerntet, geschlachtet, der Wagen beladen, Arik muss ran. Samuel Scheinermanns Experimentierfreudigkeit beginnt sich auszuzahlen. Süßkartoffeln, Erdnüsse, Avocados, Orangen, all das, worüber sie im Moschaw anfangs gelacht haben, wirft jetzt Geld ab, außerdem ist er ständig auf Reisen und verdingt sich als Agrarwissenschaftler, selbst aus der Türkei kommen Aufträge rein. Die Zeiten des Hungerns sind vorüber. Inzwischen liegt sein Einkommen weit über dem Dorfdurchschnitt. Beliebter macht ihn das nicht, eine brodelnde Mischung aus Wut, Neid und Anerkennung schlägt ihm entgegen, obendrein noch die Gefahr durch arabische Banditen, also schiebt die Familie rund um die Uhr Wache.

Arik hat einfach keine Zeit zum Spielen.

»Ach, nur 'ne Stunde«, versucht Jehuda ihn zu überreden. »Vorm Abendessen.«

»Ja, wir wollen später noch zum Sandbombenbauen«, sagt Benjamin. »Komm doch einfach mit.«

Sandbombenbauen, großartige Sache! Einer bringt eine alte Zeitung mit, Seite rausreißen, nassen Sand drauf, zusammenknüllen, fertig ist die Bombe.

Und dann auf den Gegner pfeffern.

Aber volles Rohr.

Jedes Mal haben sie Riesenspaß (ihre Mütter, die das Zeug aus den Klamotten waschen müssen, weniger), selbst Benjamin macht mit. Ist zwar ein lausiger Werfer, und richtig basteln kann er die Bomben auch nicht. Meist fällt der Sand im Flug schon raus, klar, dass sie ihn dafür auslachen, aber wer zu laut lacht, kriegt es mit Jehuda zu tun.

Arik schaut zu den Bäumen, hinter denen der Moschaw beginnt, Sehnsucht im Blick.

»Ich würd ja gern.«

»Aber?«

»Muss meinem Vater helfen. Ärger zu Hause.«

»Was denn für Ärger?«

Arik druckst herum. Die Antwort sitzt ihm wie ein Frosch im Hals.

»Sag schon.«

»Meine Mutter kommt nicht aus ihrem Zimmer.«

»Und warum nicht?«

»Weil –« Arik schaut düster drein. »Sie hat ihre Brieftage.«

»Ihre WAS?«

Jehuda hat zwar schon gehört, dass seine Mutter ihre Tage hat, offenbar eine Umschreibung für Gereiztheit und Austeilen von Backpfeifen, aber was sind jetzt Brieftage?

»Na, sie schreibt eben Briefe.«

»An wen?«

»An ihre Eltern. In Tiflis. An meine Tante. Meine Onkel leben in

Europa, an die auch. Sie schreibt einen Riesenhaufen Briefe an alle, sie hat auch Freunde in Afghanistan. Die kriegen alle Post.« Stockt. »Mit uns redet sie dann nicht.«

Uns: Samuel, Arik, seine Schwester Dita.

Hochinteressant.

Sie ziehen ihm die Würmer aus der Nase, und Arik, motiviert von so viel unverhofftem Interesse, wird gesprächiger. Erzählt ihnen, wie fürchterlich allein sie sich auf dem Hof fühlen, weil der ganze Moschaw gegen sie ist. Wie Ausgestoßene kommen sie sich vor. Seinem Vater geht das mächtig an die Nieren, und seine Mutter, na, die leidet halt auf ihre Weise.

»Sie wollte nämlich mal Ärztin werden. Aber das geht jetzt nicht mehr. Wegen der harten Feldarbeit, sagt sie. Gestern hat sie geweint und meinen Vater angeschrien, sie hätte nie hierhergewollt. Er wäre schuld, dass wir so ein elendes Leben führen.«

»Elendes Leben?«, echot Jehuda. Schaut sich um. »Ich find unser Leben nicht elend.«

»Uns mag aber keiner.«

»Doch.« Benjamin überlegt. »Unsere Eltern mögen deine Eltern.«

»Ja, als Einzige.« Ariks Miene verdüstert sich noch mehr. »Wisst ihr, letztes Jahr haben sie in Tel Aviv jemanden erschossen, so einen Anführer der Arbeiter. In Kfar Malal sagen alle, die Resivio – Revi – Revisionisten hätte ihn umgebracht.«

Klar sagen sie das. Was sonst? Bis auf die Scheinermanns sind alle Moschawniks Mitglieder der Mapai, der Arbeitspartei, die von einem gewissen David Ben Gurion geführt wird. Im Hause Kahn wird viel über so was geredet, darum weiß Jehuda, dass Ben Gurion findet, Juden und Araber sollten sich vertragen und Seite an Seite in Palästina leben, sodass jeder sein eigenes Land hat. Anders die Revisionisten. Schrecklich kompliziertes Wort! Jedenfalls fordert die Weltunion der Zionistischen Revisionisten eine Besinnung auf die »ursprünglichen Ziele«, die offenbar darin bestehen, den Juden ganz Palästina zu geben und zwecks dessen so viele von ihnen wie möglich ins Land zu holen. Und als sie nun den Arbeiterführer vergangenen Sommer im Hafenviertel von Tel Aviv niederschossen, hieß es bei Mapai natürlich sofort, das waren die Revisionisten, worüber sich Ariks Vater derart mit der Dorfbevölkerung in die Wolle gekriegt hat (weil er behauptet, es seien Araber gewesen), dass sie ihn jetzt nicht nur als Rechten beschimpfen, sondern auch noch als Fanatiker.

»Aber ich halte zu meinem Vater.« Arik packt seinen Ast fester, schiebt das Kinn vor. »Wer durchhält, kann jeden Feind besiegen, und wenn er noch so überlegen ist.«

Das klingt eins zu eins nach Samuel Scheinermann.

Benjamin nickt. »Unsere Mutter ist auch manchmal traurig.«

»Ja, aber sie hat keine Brieftage«, sagt Jehuda und lacht blöde.

»Weswegen ist sie denn traurig?«, will Arik wissen.

»Wegen Berlin.«

»Berlin?«

»Unsere Eltern kommen aus Deutschland. Sie sagt, sie wäre viel lieber da geblieben, aber sie hätten weggemusst.«

»Mein Vater erzählt, in Deutschland bringen sie Juden um.«

»Deswegen sind sie ja weg.« Benjamin zuckt die Achseln. »Ich weiß auch nicht. Sie hat trotzdem Heimweh. Meist lacht sie, aber manchmal ist sie so – mutlos.«

»Ja, meine auch! Mutlos!«

Heimweh.

Mutlos.

Oh Mann. Auf so Wörter wäre Jehuda jetzt nicht gekommen. Es hilft alles nichts, Benjamin kann einfach besser quatschen als er.

Die Zeit fließt dahin. Es ist, als träfen sie Arik zum ersten Mal, dabei haben sie schon als Kleinkinder nebeneinander auf dem Sofa gelegen, wenn ihre Eltern Musik gemacht haben, oft mit virtuoser Unterstützung aus benachbarten Dörfern und Städtchen, wo Samuel Scheinermann mehr Freunde hat. Haben seiner dramatischen Rezitation russischer Dichter gelauscht, ohne ein einziges Wort zu kapieren. Sind quäkend unter Tischen und Stühlen durchgekrabbelt, eigentlich müssten sie alles voneinander wissen.

Doch da waren sie *Babys*. Das zählt nicht, und danach herrschte irgendwie Funkstille.

Erst jetzt lernen sie einander richtig kennen, und wie es aussieht, haben sie eine Menge Gemeinsamkeiten.

Mutlose Mütter zum Beispiel.

»Au weia!« Arik springt plötzlich auf. »Ich muss nach Hause. Ich muss die Hunde füttern.«

»Welche Hunde?«

Jehuda kann sich nicht entsinnen, auf dem Scheinermann'schen Hof je einen Hund gesehen zu haben.

»Mein Vater hat gestern zwei mitgebracht.«

Zur Abschreckung.

Gegen Araber und marxistisch-zionistische Dumpfbacken.

»Aber morgen spielen wir was!«
Arik lächelt.
Endlich lächelt er mal.

Geht nach Hause, den Stock hinter sich herziehend.
Schonzeit für die Anemonen.
Das Treffen mit den Kahn-Zwillingen hat ihm richtig gutgetan, doch, und wie unterschiedlich die sind! Schon erstaunlich. Der kleine, schmächtige Benjamin. Aber er hat eindeutig mehr Grütze im Kopf, das konnte man merken. Andererseits, mit Jehuda befreundet zu sein, scheint nicht minder erstrebenswert, der ist stark, lässt sich garantiert nichts gefallen, mit dem kann man Pferde stehlen.
Plötzlich wird Arik klar, dass er Freunde hat.
Im selben Moment trifft ihn der Stein.
Er prallt gegen seinen Oberarm und hinterlässt einen ziehenden Schmerz, gefolgt von mehrstimmigem Gelächter.
Zwei Jungs kommen aus den Büschen.
Arik kennt sie. Zwei, die ihn noch viel weniger leiden können als der ganze Rest. Machen unentwegt Stimmung gegen ihn.
»Bulle!«
Arik hält sich den Arm.
»Dicker, fetter Bulle!«
Tränen schießen ihm in die Augen, Tränen der Wut. Er hebt seinen Stock und geht drohend ein Stück auf sie zu.
Sie weichen ihm aus, lachen.
»Bulle, Bulle, dämlich wie 'ne Pulle! Wie 'ne leere Pulle!«
Rennen davon.
Arik geht nach Hause, wo ihn jetzt mit Sicherheit ein Donnerwetter erwartet, weil er schon längst hätte zurück sein sollen. In ihm siedet glühende Scham, doch etwas ist anders als sonst. Üblicherweise nimmt er die Demütigungen schweigend hin, nur, was würde Jehuda dazu sagen?
Und Benjamin?
Er hat jetzt Freunde.
Er muss sich nicht mehr alles gefallen lassen.

In dieser Nacht – Samuel arbeitet sich an Veras moralischer Wiederaufrichtung ab, sodass er das Zuspätkommen seines Sohnes gar nicht registriert – findet Arik keinen Schlaf.
Ihm ist klar, dass sich etwas Grundlegendes ändern muss.

Und zwar schnell.

Am Morgen weiß er auch, was.

Den ganzen Tag über kommt er geduldig seinen Pflichten nach, hilft seinen Eltern auf dem Feld, in der Scheune und im Stall, bis sich gegen Nachmittag die Gelegenheit zu einer Pause ergibt.

Geht dorthin, wo die anderen Kinder spielen.

Den Ast hat er weggeworfen.

In seiner Hand liegt der Knüppel, den er dieses Jahr zum Geburtstag bekommen hat. Die Kinder sind mit irgendeiner Art Nachlaufen beschäftigt. Wie passend. Seine übelsten Widersacher auf einem Haufen versammelt. Genau die Clique, die ihn mit Vorliebe schikaniert, und natürlich sind die Rädelsführer von gestern mit dabei.

Arik sagt kein Wort.

Marschiert schnurstracks auf einen der beiden zu, der ihn erst wahrnimmt, als er fast schon da ist, ein selten dämliches Gesicht aufsetzt, dann breit und herablassend grinst.

»Ach nee. Was willst du denn hie –«

Holt aus und lässt den Knüppel auf den rechten Oberarm des Jungen niedersausen, dass es knackt.

»Au! Du blöder –«

»Blöder was?« Noch mal. Und noch mal. »Bulle?«

Noch mal.

»Aaah! Aua!«

Anfangs versucht der andere, sich zu wehren, dann nur noch, sich zu schützen, Sekunden später liegt er wimmernd am Boden, während Arik sich unter den Blicken der wie paralysiert dastehenden Kinder seinen entsetzten Kumpel vorknöpft.

»Aber ich hab dir doch gar nichts –«

Hier reicht ein einziger Schlag.

Und die Tränen fließen.

»Wenn ihr noch einmal Bulle sagt«, ruft Arik ihnen beim Weggehen über die Schulter zu, »mach ich euch platt.«

Ein wildes Gefühl der Befriedigung durchloht ihn, und auch eine Spur schlechten Gewissens. Er weiß schon, das war unverhältnismäßig. So hart hätte er gar nicht zuschlagen müssen.

Aber es hat gewirkt.

Merkt es euch, denkt er. Wer mir was tut, kriegt es dreifach zurück.

Dreifach?

Zehnfach.

Bei aller Gemeinsamkeit finden Samuel Scheinermann und Schalom Kahn in politischen Dingen nicht zusammen.

Zum Beispiel, was Araber angeht –

»Man muss auch sie verstehen«, sagt Schalom eines Abends, als Samuel noch auf ein Glas vorbeischaut.

»Warum?«, knurrt der. »Wegen des Blödsinns, sie seien als Erste dagewesen?«

»Es ist ihr Land ebenso wie unseres.«

»Sie waren aber nicht als Erste da. Wir waren vorher da.«

»Wer?«, fragt Jehuda und schaut von seinem Vater zu Samuel. »Du?«

»Nicht ich. Wir.«

Das begreift Jehuda nicht. Immerzu hört er Wir, aber damit scheinen andere gemeint zu sein.

Vornehmlich solche, die schon tot sind.

Seit hundert Jahren.

Oder drei Millionen Jahren. Wer weiß das?

»In Palästina ist für alle Platz«, meint Schalom versöhnlich und knabbert an einem Blättchen Minze.

Rachel sagt: »Mir fehlt der Ku'damm.«

Jehuda schweigt.

Die Welt ist ihm ein Rätsel.

»Wisst ihr, was'n Kudamm ist?«, wirft er in die Runde, als Scheinermanns Junge tags drauf an der Haustür vorstellig wird, um die Zwillinge zur Schule abzuholen. Seit gestern beschäftigt ihn der Kudamm ungemein, aber er hat sich nicht getraut zu fragen.

Der Kudamm macht Rachel irgendwie traurig.

Arik zuckt die Schultern. »Keine Ahnung.«

»Wie kommst 'n darauf?«, fragt Benjamin.

»Mama sagt, er fehlt ihr.«

Benjamin überlegt und zeigt schließlich über den Hof zur Einfahrt. Durch das offene Tor kann man die Straße und dahinter leicht ansteigendes Wiesenland sehen.

»Wahrscheinlich da, wo die Viecher immer entlanggetrieben werden.«

»Da ist der Kudamm?«

»Keine Ahnung. Ja. Oder?«

»Warum fehlt er Mama dann, wenn er gleich da drüben ist?«

»Wovon redet ihr Blödmänner?«, will Arik wissen, der nicht das Geringste versteht. Im Hause Scheinermann wird Hebräisch und Russisch gesprochen, da ergeben Koinzidenzen zwischen Kurfürsten und Rind-viechern keinen Sinn. Jehuda und Benjamin, die außer Hebräisch auch Deutsch sprechen, sind ihm da voraus, Rachel hat ihre Kinder zwei-sprachig erzogen. Sie liebt es, zu Hause Deutsch zu sprechen, mehr noch als Russisch. (»Und doch hättest du allen Grund, die Sprache im hohen Bogen auszuspucken und nie wieder in den Mund zu nehmen«, findet Vera, die ihrerseits zu Hause Russisch spricht, als wären die Bol-schewiken freundlich mit ihr umgegangen, und Rachel erwidert: »Ich lasse mir von dem Drecksnazipack nicht meine Muttersprache vermie-sen!«, die gar nicht ihre Muttersprache ist, nur gefühlt, und dann gehen sie zum Einkaufen gemeinsam an Plakaten entlang, auf denen in fetten Lettern »Jude, sprich hebräisch!« steht.)

»Vielleicht traut sie sich ja nicht hin«, gibt Arik zu bedenken. »We-gen der ganzen Araber.«

»Was tun die denn?«, fragt Benjamin.

»Weißt du doch, was die tun. Die überfallen uns, nehmen uns alles weg und töten uns.«

Die differenzierte Weltsicht eines Siebenjährigen. Jehuda schaut sich um, als lägen sie schon hinter den Büschen.

»Komisch. Wir kaufen immer Granatapfelsaft bei denen.«

»Meine Mutter sagt, man kann keinem Araber trauen.«

»Es ist ihr Land ebenso wie unseres«, wiederholt Jehuda förmlich, so wie er es seinen Vater zu Samuel hat sagen hören.

»Dieses hier aber nicht.«

»Wieso nicht?«

»Das haben wir den Beduinen abgekauft.«

»Dein Vater?«

»Nicht mein Vater. Wir halt.« Schon wieder dieses rätselhafte Wir. »Und dann wollten sie es uns wieder wegnehmen. Obwohl es jetzt uns gehört hat. Nachts sind sie gekommen. Meine Mutter hat erzählt, wie sie mit mir im Stall gesessen hat.«

»In welchem Stall?«

»Drüben im großen Kuhstall.«

»Haha!«, lacht Benjamin, als er sich das vorstellt. »Hahaha!«

Vera Shneorov mit Arik in Kuhscheiße hockend.

»He, ihr wart auch dabei«, sagt Arik. »Alle waren da! Und weißt du, was die Araber wollten? Uns die Hände abhacken. Und die Köpfe. Die fressen Kinder, im Ernst.«

»Was?«, gruselt sich Benjamin. »Das ist ja ekelhaft.«

»Das ist Schwachsinn«, sagt Jehuda. »Unser Vater kennt jede Menge

Araber, in Tel Aviv gehen wir immer in so einen Stinkladen mit Pfeifen und Zigaretten, und dann unterhalten sie sich und lachen.«

»Trau ihnen bloß nicht«, sagt Arik düster.

Macht einen auf theatralisch, denn dass Araber Kinder fressen, hat ihm Vera Shneorov garantiert nicht erzählt. Aber dass sie seit jenen Nächten im Stall panische Angst vor jedem hat, der Arabisch spricht oder nur arabisch aussieht, ist unbestritten.

Sie ist geradezu traumatisiert.

Trichtert Arik das Misstrauen mit Löffeln ein.

Trau keinem Araber!

Niemals, unter keinen Umständen.

Wenig später lernt Arik, was sie damit meint.

1937

In einer schauerdurchzogenen Aprilnacht, kurz nach zwölf, erhebt sich Muhammed Izz ad-Din al-Qassam aus seinem Grab und bringt gewaltiges Unheil über Kfar Manin.

Seine Finger sind glühende Scheite, sein Atem versengt das Land.

Wladimir Manin hört ihn kommen.

Legt an.

Auf einen Toten.

Man muss sagen, Palästina ist mit Auferstehungen bestens vertraut. Postmortales Herumgeistern, Leute erschrecken und zum Himmel fahren gehört sozusagen zum guten Ton, doch wie al-Qassam seine Wiederkehr auf die Spitze treibt, gibt Anlass zur Sorge. Vor fünf Monaten beerdigt, verlässt der Imam sein Grab inzwischen öfter als der Hochkommissar von Jerusalem seine Residenz. Lief man neutestamentarischen Wiedergängern noch persönlich über den Weg und wechselte gar das ein oder andere Wort mit ihnen, manifestiert sich al-Qassam ausschließlich in Gestalt seiner Anhänger, die seinen Geist in diesen Tagen immer öfter heraufbeschwören, mit fatalen Folgen.

Al-Qassam ist ein Märtyrer.

Und von allen Untoten machen Märtyrer den meisten Ärger.

Ein rascher Blick auf diesen Mann: Syrischer Gelehrter und fanatischer Nationalist, schon früh auf Konfrontationskurs mit Ausländern, bei alledem tief religiös. Genau der richtige also, um Imperialisten das Leben schwer zu machen. Als Italien 1911 Libyen vereinnahmt, propagiert er den Dschihad gegen die Ungläubigen, leistet türkischen Soldaten im Weltkrieg seelischen Beistand und widmet sich nach dessen Ende mit Inbrunst dem Kampf gegen die Besatzer seiner Heimat, in diesem Fall *La Grande Nation*. Allerdings erweisen sich die Franzosen als geschickte Agitatoren, sie spalten den ohnehin heillos zerstrittenen Widerstand. Syrien versinkt im Chaos, Prinz Faisal greift nach der Krone, wird belagert, al-Qassam flieht über Beirut nach Haifa – und hier nun beginnt seine Mystifizierung, nämlich als Imam der Istiqlal-Moschee, Hätschelkind des Muslimischen Rates, Vertrauter des Muftis von Jerusalem, Prediger der von Gott gewollten arabischen Nation.

Was den Juden die Revisionisten, sind den Arabern die Istiqlalisten. Im Grundsatz haben beide das gleiche Ziel.

Verbreiten ultranationalistisches Pathos, beanspruchen alles Land zwischen Mittelmeer und Jordan für sich, betreiben die Unabhängigkeit vom Empire, nur dass die einen von Großisrael träumen und die anderen von Großarabien.

Was, Grundkurs Mengenlehre, nicht zusammengeht.

Während aber die Zionisten Gott auf ihrem Weg als eher hinderlich betrachten, entdecken die Araber ihn zur Durchsetzung ihrer Interessen neu. Siedler und Imperialisten bringen dich um dein Land? Um deinen Stolz, um deine Existenz?

Gott sieht dich.

Er sieht dich, und er sagt: Was immer dir an Unrecht widerfährt, mache ich dir doppelt wieder gut. Sei nur recht im Glauben. Kämpfe für mich, dann kämpfe ich für dich.

Ach ja, und die Sache mit dem Paradies, das geht natürlich klar.

Aber vorher:

Rebellion!

Und kaum einer bedient den religiösen arabischen Nationalismus besser als Muhammed Izz ad-Din al-Qassam.

Seine Brandreden locken Pilgerscharen herbei. Tausende lauschen verzückt, wie er das Empire mit Worten geißelt und den Zionisten, welche angetreten seien, die heiligen Stätten des Islam zu entweihen und den Arabern ihr Land zu rauben, die Hölle verspricht.

Nicht die im Jenseits, nein, nein, nein.

Die auf Erden!

Minen, Bomben, Überfälle, Hinterhalte.

Wir werden euch bekämpfen, lautet seine Botschaft, bis ihr schreiend das Weite sucht. Denkt an Hebron!

Die Begeisterung ist vorstellbar, doch al-Qassam ist nur ein Mensch. Als er ein weiteres Mal fliehen muss, hat sein Wirken zwar etliche junge Männer zu potenziellen Terroristen gemacht, ebenso schnell jedoch, seiner Bühne beraubt, schwindet sein Einfluss. Seine Pläne, einen Massenaufstand gegen die Briten zu entfesseln, scheitern am Wankelmut des Muftis. Gerade mal eine Handvoll Getreuer folgen ihm in die Berge, auch wenn Legendenschreiber ihm später Tausende andichten werden. Es wäre der geeignete Moment, ihn einfach zu vergessen, die Lage ist verworren genug. Kein Tag vergeht, ohne dass in Haifa jüdische Immigranten von Bord gehen. Waffenschmuggler rüsten die Revisionisten für ihren Zwei-Fronten-Krieg gegen Muslime und Engländer auf, sodass selbst gemäßigte Araber glauben müssen, die Zionisten planten ihre Vernichtung. Während Syrer, Saudis und Ägypter die Morgenröte der Autonomie erblicken, sehen sie in Palästina schwarz.

Hat das Empire nicht auch *ihnen* eine Nation versprochen?

Wie aber soll das gehen, wenn Juden zu Hunderttausenden das Land überrollen, Siedlungen aus dem Boden stampfen, Anschläge auf arabische Zivilisten verüben, und das Empire, *very sorry*, schaut zu?

Was wird aus *ihnen*?

Sie sind weiß Gott keine Hilfe, die Briten. An allen Ecken und Enden brennt es, Hitler schickt sich an, die Welt ins Chaos zu reißen, während sich Mussolini Äthiopien einverleibt, und was tut das Empire?

Her majesty, the prime minister –

Nichts.

Wie paralysiert.

Aber was sollen sie auch tun? Das palästinensische Abenteuer hat sich als Irrsinn erwiesen. Inzwischen verfluchen sie in London die ganze unselige Balfour-Deklaration, und der Hochkommissar auf seinem Jerusalemer Berg verflucht sie noch dreimal mehr.

WAS HABEN WIR?

Juden und Arabern eine Heimstätte versprochen?

Beiden?

Wir müssen nicht bei Trost gewesen sein.

So viel Mühsal, wofür? Damit sie jetzt auf uns spucken! Haben wir nicht versucht, es allen recht zu machen, die einen gegen die anderen verteidigt, uns an den krudesten Befindlichkeiten abgearbeitet? Was ist der Lohn? Sie beschießen uns, sprengen uns in die Luft, heute die Istiqlal, morgen die Revisionisten.

Wären wir bloß nie nach Palästina gegangen!

Undankbares Pack.

Man sieht, was die Briten am wenigstens gebrauchen können, ist ein jüdischer oder arabischer Märtyrer. Aber genau den bekommen sie, als Mandatstruppen den geschwächten, demoralisierten und kaum noch handlungsfähigen al-Qassam in einer Höhle bei Ya'bad aufstöbern und über den Haufen schießen. Dabei töten sie zwar den Mann – doch sie erschaffen einen Mythos. Sein Begräbnis mobilisiert die Massen, und die arabische Nationalbewegung bekommt endlich ihren lang ersehnten Helden.

So einen haben sie gesucht.

Der wird durchs Land getrieben.

Los, raus aus deinem Grab, arbeiten! Für Allah, für den Stolz aller Araber, für die nationale Einheit.

Al-Qassam! Al-Qassam! –

Hinlänglich in Selbstgeißelung geübt, verfluchen die Briten sich jetzt auch dafür, dass sie den Imam nicht einfach in seiner Höhle haben verschimmeln lassen.

Als Toter ist er jedenfalls fideler denn je. Wächst zu einer Größe heran, die er im Leben nie besaß. Jeder vergossene Tropfen seines Blutes, scheint es, lässt neue Widerstandsgrüppchen aus dem Boden sprießen. Glühende Idealisten Seite an Seite mit gewöhnlichen Kriminellen, denen das Plündern und Vergewaltigen so sehr am Herzen liegt, dass sie den Sturm begeistert mit entfachen. Hab und Gut der Zionisten werden niedergebrannt, die Nachschubrouten der Besatzer vermint, Hinterhalte gelegt. In den muslimischen Dörfern lagert der Nachlass des Osmanischen Reichs, Säbel, Gewehre, Mörser. Alles wird konfisziert. Kein Schießprügel ist zu rostig, dass man ihn nicht noch auf irgendwen abfeuern könnte, und spielt Allah ihnen in seiner Güte gar ein französisches Maschinengewehr in die Hand, müssen britische Piloten damit rechnen, unversehens vom Himmel geschossen zu werden.

All dem hat das Empire wenig entgegenzusetzen.

Der Rebellion den Kopf abzuschlagen, würde erfordern, ihr Hauptquartier zu kennen, doch es gibt keines. Die Kämpfer agieren in kleinen, mobilen Verbänden. Geschlafen wird in freier Natur, alle paar Stunden der Standort gewechselt, Maultiere schleppen die Utensilien des Widerstands von Dorf zu Dorf, wo man Unterschlupf und Verpflegung nötigenfalls erpresst. Mit der Zeit entwickelt die arabische Landbevölkerung mehr Angst vor ihren Befreiern als vor sämtlichen Zionisten zusammen, mit denen man eigentlich, wie ihnen plötzlich auffällt, in ganz guter Nachbarschaft gelebt hat. Die Fedajin hingegen plündern sie aus, erheben Schutzgeld und Rebellensteuer, richten willkürlich Kollaborateure hin, die meist gar keine sind, nur dass so eine Rebellion prachtvolle Chancen bietet, persönliche Streitigkeiten zu regeln. Al-Qassam jedenfalls würde sich im Grabe herumdrehen, etlichen der »Aufständischen« sind seine Visionen von Herzen egal, aber wann immer sie über Briten, Juden oder ihresgleichen herfallen, führen sie seinen Namen auf den Lippen.

So wie in jener Aprilnacht.

Als Wladimir Manin plötzlich erwacht, ein Brausen im Ohr, als kündige sich Armageddon an.

Glutphantome irrlichtern über Zimmerwände und Decke.

Er springt aus dem Bett, schaut aus dem Fenster. Erblickt einen Dom aus rotem Licht über Kfar Manin, der ganze Himmel scheint zu brennen. Ergreift sein Gewehr, schreit das Haus wach, stürmt im Nachtgewand nach draußen, Flüche und Verwünschungen ausstoßend.

Sieht al-Qassams umtriebigen Geist am Werk.

Gestalten, die mit Fackeln durcheinanderlaufen, eifrig seine Felder in Flammen setzen, seine Orangenbäume entzünden, den Stall abfackeln.

Wie Dämonen erschienen sie ihm, schwarz vor rot.

Doch Manin hat keine Angst. Nicht vor dem Teufel persönlich, und schon gar nicht vor dessen Abgesandten. Er ist der Patriarch, Oberhaupt der kleinen russischen Enklave unweit Kfar Malals, unumschränkter Herrscher. Mit 76 kein junger Mann mehr, doch ausreichend bei Kräften, um denen da den Weg zu weisen, gesegnet mit scharfen Augen und sicherer Hand, und keine Flamme schlägt in diesem Moment so hoch wie die seiner Wut.

Er legt an, feuert.

Eine der Gestalten bricht zusammen.

Manin lädt nach, nimmt den nächsten Angreifer ins Visier, krümmt den Finger, bereitet sich auf den Rückstoß vor –

Sein Kopf explodiert.

Plötzlich liegt er am Boden. Fühlt sich an den Beinen gepackt, über feuchtes, schmatzendes Erdreich geschleift. Hört die Stimmen seiner Söhne, Schwäger, Brüder, die nun ebenfalls ins Freie gelaufen kommen.

Jemand tritt ihm in die Seite.

Manin heult auf.

Ein entsetzliches Gefühl der Machtlosigkeit erfasst ihn. Er zappelt, schlägt um sich. Kann nichts dagegen tun, dass Hände ihn packen, hochzerren, ihm eine Schlinge um den Hals legen.

Sie wollen mich lynchen, denkt er.

Aber das geht nicht. Hier muss ein Irrtum vorliegen. Ich habe doch nicht den bolschewistischen Terror überstanden, Gefängnis, Folter und Verhör, die Strapazen der Flucht, den Neuanfang gewagt, damit ihr mich jetzt einfach so aufknüpft.

Das könnt ihr nicht tun!

Er wehrt sich. Sie schlagen ihm ins Gesicht. Werfen das Seil über den Ast des Orangenbäumchens, zu dem sie ihn geschleift haben, ziehen es straff. Der Strick schneidet tief in seinen faltigen Hals, zerquetscht seinen Kehlkopf, schnürt ihm die Luft ab.

Nein! Nein!

Nicht so.

Aufrecht steht er da, nur noch auf den Zehen. Sieht wie durch einen Nebel seine Häuser, Scheunen und Stallungen vor sich liegen, legal erworbenen Grund und Boden, weiß noch genau, wie er den Kauf mit dem arabischen Vorbesitzer begossen hat, von wegen Muslime trinken nur Tee, seinen Wodka jedenfalls mochte der Mann sehr, und jetzt fressen die Flammen alles auf, seine Zukunft und die seiner Familie.

Seine Familie!

Er muss sich irgendwie befreien. Er hat versprochen, sie zu beschützen, was immer auch passiert. Er kann sich doch jetzt nicht an einen Baum hängen lassen, so darf es nicht enden!

Wach auf, Wlad. Du träumst.

Ja, das ist es, du träumst.

Wach auf! WACH AUF!

Eine hochgewachsene Gestalt setzt sich von dem Inferno ab, kommt herübergerannt.

Sein ältester Sohn.

Schreit seinen Namen.

Die Peiniger lachen. Manins Füße baumeln im Nichts. Wie soll er ihnen bloß klarmachen, dass sie einen Fehler begehen, dass sie ihn nicht würden töten wollen, wenn er nur Gelegenheit bekäme, ihnen seine Geschichte zu erzählen, damit sie verstünden –

Alter Narr.

Verstehen? Die?

Also meinetwegen tötet mich, ihr Ungeheuer, aber lasst meine Familie leben. Sie haben euch nichts getan. Ihr könnt keine Menschen töten, die ihr nicht kennt, lasst euch erst ihre Geschichte –

Ein Schuss dröhnt in seinen Ohren. Die Finger, die ihn eben noch hielten, gleiten kraftlos an ihm ab, ein Körper schlägt dumpf vor ihn hin. Sein Gesichtsfeld färbt sich rot, in seinen Ohren beginnt es zu rauschen und zu pfeifen. Keine Bilder mehr, keine Gedanken, nur noch Schmerz.

Dann nicht mal mehr das.

Zäh ist er, dieser Wladimir, viele haben versucht, ihn zu brechen, doch als sein Sohn ein weiteres Mal feuert, hat sein Herz bereits ausgesetzt.

Und das ist gut so.

Auf diese Weise bekommt er nicht mehr mit, wie sein anderer Peiniger, bevor auch er getroffen zu Boden sinkt, die Fackel reckt, sie an Manins Nachtgewand hält und ihn selbst in eine Fackel verwandelt.

»Wasserpfeife oder Zigaretten?«

»Immer noch Zigaretten.«

»Du solltest endlich umsteigen«, sagt Tufik as-Azuri und schiebt drei Päckchen Simon-Arzt-Zigaretten über den Tresen. »Wasserpfeife hat einfach mehr Stil.«

»Ich bitte dich. Was soll Rachel sagen? Ich mit unterschlagenen Beinen, Wasserpfeife rauchend, Mokka trinkend.«

»Sie würde sagen, ein kultivierter Mann.«

Schalom Kahn lacht und bezahlt.

»Ich würde nur euer Selbstwertgefühl unterhöhlen, wenn ich das täte.«

»Du wärst sogar schön blöd«, grinst as-Azuri. »Wir würden sagen, wieder so ein mieser zionistischer Trick. Jetzt versucht ihr uns schon fertigzumachen, indem ihr uns imitiert.«

Kahn reißt eines der Päckchen auf und bietet as-Azuri eine an. Der wehrt mit erhobenen Händen ab.

»Auf keinen Fall!«

»Ja, ja«, pafft Schalom. »Das Erste, was du tust, wenn ich hier raus bin, ist, dir eine von denen anzustecken.«

Weil nämlich eure nationalistischen Führer die Gewohnheiten der Mandatoren nur allzu gern übernehmen. Sich westlich kleiden, Earl Grey klebrigem Pfefferminztee vorziehen, im Plausch mit den Vertretern der feinen britischen Gesellschaft einen Kokon des Einvernehmens um sich lagern, gesponnen aus dem Rauch kubanischer Zigarren.

»Ach, das ändert sich gerade«, lächelt as-Azuri.

»Wenn du meinst.«

»Du glaubst mir nicht?«

»Du glaubst es doch selbst nicht.«

»Sollte dir entgangen sein, dass die Vertreter des Obersten Arabischen Komitees auf dem Berg des bösen Rates neuerdings nach arabischem Mokka und Wasserpfeife verlangen?«

Der Berg des bösen Rates – südlich Jerusalems residiert der britische Statthalter auf einem Hügel, den selbst fromme Juden und Christen notorisch mit dem biblischen Berg des bösen Rates verwechseln, dabei liegt der ganz woanders.

Aber es passt so schön.

Wo thronen die Besatzer? Auf dem BÖSEN, BÖSEN Berg.

»Ein wichtiger Schritt auf dem Weg zur arabischen Nation«, nickt Schalom. »So schafft ihr es bestimmt.«

»Höre ich da Spott?«

»Das will ich doch meinen.«

Aufgeladen, wie die Stimmung ist, wäre ihr harmloser Dialog wo-anders längst in Handgreiflichkeiten umgeschlagen. Doch Juden und Araber pflegen mehr Freundschaften, als den Scharfmachern lieb ist. In den Kibbuzim mögen sie unter sich bleiben, in den arabischen Gemeinden die Zionisten zur Hölle wünschen – ökonomisch sind beide aneinandergekoppelt, kulturell miteinander verwoben und emotional verstrickt, ob es ihnen nun passt oder nicht.

Und Hass ist nur die dunkle Seite des Mondes.

Schalom Kahn kennt Tufik as-Azuri seit sieben Jahren, und er kann nichts Schlechteres über ihn sagen, als dass der Tabakhändler nicht immer seine Lieblingssorte auf Lager hat.

»Ein Volk ohne Selbstbewusstsein muss verdorren wie eine Blume in der Wüste«, sagt as-Azuri und dreht sich in seinem winzigen Laden um und um auf der Suche nach Streichhölzern. »Wo beginnt denn Selbstbewusstsein, Schalom? Doch mit der Besinnung auf die eigene Kultur, oder? Auf Tradition und Werte.«

»Die euer Mufti gerade bei den Nazis sucht.«

Und nicht nur da. Auch bei Mussolini ist er vorstellig geworden. Der von den Briten installierte Interessenvertreter aller palästinensischen Araber hat jahrelang ein doppeltes Spiel betrieben: Unruhen geschürt, dann wieder den Diplomaten gegeben, dem Hochkommissar seine kriecherische Aufwartung gemacht, sich dem Jischuw, der jüdischen Gemeinde, angedient, erneut gezündelt, wie es ihm gerade passte. Damit ist es vorbei. Der arabische Furor lässt ihm keine Wahl mehr, die Revolte wird ihn hinwegfegen, wenn er jetzt nicht Position bezieht, also gefällt er sich neuerdings in der Rolle des Revolutionärs und sucht Unterstützung für den arabischen Nationalismus im Ausland.

Und wen könnte einer, der Briten *und* Juden gleichermaßen loswerden will, in diesen Tagen wohl aufsuchen?

Die Welt ist ein Wettbüro.

Auf Hitler setzen die meisten.

Mussolini, schwer zu sagen. Kam recht eindrucksvoll aus dem Vorhang gestürmt, aber gegen Hitlers kalte Intelligenz nimmt er sich aus wie ein Operettenfaschist. Pompös sind beide, der Italiener lächerlich, der Deutsche grotesk, aber wer macht das Rennen?

Vielleicht doch eher Stalin?

Was schert es den Mufti, es geht ihm nicht darum, den Plänen des einen oder anderen Respekt zu erweisen. Nur um die Frage, wer im Heiligen Land demnächst am Ruder ist – anders gesagt, wen kann man sich zunutze machen, indem man ihm beizeiten nützt.

»Hitler empfängt viele Besucher.« As-Azuri streicht Schaloms Geld ein. »Irgendwann empfängt er auch einen von euch.«

»Nie im Leben!«

»Wollen wir wetten?«

»Juden verhandeln nicht mit Nazis.«

»*Welche* Juden, Schalom?« Der Araber macht eine Kopfbewegung hinaus auf die Straße. »Ihr seid mindestens so zerstritten wie wir. Einer von euch *wird* verhandeln.«

Und Schalom denkt, machen wir uns nichts vor.

Wo er recht hat, hat er recht.

Letztlich, was tun wir denn? Importieren europäische Kultur, etikettieren sie zu hebräischer um, möchten aber alles traditionell Jüdische am liebsten in der Diaspora belassen. Weil es uns peinlich ist. Das Frömmelnde, Larmoyante, im Opfermythos Verhaftete. Das alles wollen wir nicht mehr sein. Also auf nach Palästina, großartige Chance, Stunde null, hier kann er werden, der neue Jude, nur, wenn man sich so umschaut:

Wo ist er denn?

Wir sind uns so einig wie Hunde, die einander anbellen.

Unaufhaltsam wächst die Kluft zwischen Arbeiterbewegung und Revisionisten. David Ben Gurion hat klug taktiert, den versprengten Linken eine Heimat geschaffen, Mapai gegründet, die Arbeitspartei des Landes Israel. Überhaupt, sehr geschickt, diesen Begriff zu benutzen: Israel. Damit rührt er an die Herzen, und die Gewerkschaft einzubinden, sichert ihm die Unterstützung der jüdischen Untergrundarmee Hagana – doch trägt ihm das nur umso mehr den Hass der Revisionisten ein. Unversöhnlich stehen sich beide Lager gegenüber. Ein extremistisches Grüppchen gewinnt an Einfluss, im Volk Irgun gerufen. Ein Arm am Baum der Weltorganisation Zionistischer Revisionisten, deren Gründer, ein gewisser Jabotinsky, die gemäßigte Politik Ben Gurions rundheraus ablehnt. Während der das britische Mandat begrüßt und eine friedliche Koexistenz mit den Arabern anstrebt, sagt Irgun allen Kompromissbereiten den Kampf an!

Kein Staat für die Araber, *keine* Verlängerung des britischen Mandats, *ganz* Palästina den Zionisten.

Im Klartext: Anschläge.

Terror mischt sich mit Terror. Die Araber rufen landesweite Streiks aus und organisieren den bewaffneten Widerstand, Irgun-Aktivisten sprengen britische Polizeistationen in die Luft, zünden Bomben in Cafés, Restaurants und auf öffentlichen Plätzen, sabotieren Eisenbahnstrecken und Strommasten, treffen die Mandatsmacht, wo sie können, bedrohen, demoralisieren und verjagen arabische Zivilisten. Es gäbe keine Zukunft in der Diaspora, wettert Jabotinsky, denn –

»Alle Juden dort werden vernichtet werden. Die einzige sichere Zukunft ist das verheißene Land Israel. Wenn wir unser Volk retten wollen, müssen sie *jetzt* auswandern! Solange wir die Diaspora nicht liquidieren, wird sie uns liquidieren!«

PS: Wir brauchen den Platz, wir haben nur Palästina, ihr Araber hingegen habt den ganzen Nahen Osten.

Arabien, so weit das Auge reicht.

Also verzieht euch.

Geht zu euren Freunden nach Transjordanien, Syrien, Ägypten, Libyen, Saudi-Arabien.

»Von wegen«, sagt as-Azuri. »Die sind nicht unsere Freunde.«

»Warum betonen sie dann ständig ihre Solidarität mit euch?«

»Weil sie wollen, dass wir hierbleiben. Dafür bräuchten wir einen Staat. Andernfalls, da ihr Zionisten euch dermaßen breitmacht, müssten wir auswandern und ihnen zur Last fallen.«

Denn der Araber ist nicht des Arabers Freund.

Und der Jude nicht der des Juden.

Zionisten. Muskeljuden. Neue Juden. Nationalisten. Revisionisten. Säkulare. Ultraorthodoxe.

Wer zum Teufel sind wir?

Vielleicht, denkt Schalom, während er hinaus auf die belebte Geschäftsstraße Tel Avivs tritt, sollten wir das Problem anders angehen.

Nicht fragen, wer wir sind.

Sondern, wer wir sein *wollen*.

»Schalom!«

Sieht sich um.

Nicht einfach, wenn man eine gängige Begrüßungsfloskel zum Vornamen hat.

Ein Mann kommt über die Straße gelaufen. Eher gehoppelt, so wie er das rechte Bein nachzieht. Drängt sich zwischen Handkarren, Fahrrädern und Bussen hindurch, weicht schnaufenden Automobilen aus, umrundet singende Pioniere in blauen Hemden, feilschende Geschäftsleute, Kavaliere und teuer gekleidete Ladys, ein Grüppchen litauischer Orthodoxer, gestikulierend im Gespräch, schläfenbelockte Talmudschüler, kichernde arabische Mädchen, dahineilend und scheue Blicke werfend, ein aus der Zeit gefallenes Liebespaar.

Dave Carmichael.

Schalom stutzt. Was kann so dringend sein, dass der Engländer seine lädierten Knochen über die Dizengoff Street hetzt? Carmichaels Café liegt schräg gegenüber von as-Azuris Tabakkontor, eingezwängt zwischen den Praxisräumen eines Veterinärmediziners und einer Filiale der Anglo-Palestine-Bank. Beliebter Treffpunkt jüdischer und britischer Intellektueller, die hier ihr Frühstück einnehmen, internationale Zeitungen lesen und Mokka schlürfenden, Kufiya tragenden Arabern Gespräche über Lawrence von Arabien aufnötigen.

»Hast du gehört?«

»Was?«

Carmichaels Stimme versucht sich gegen den Lärm der belebten Straße durchzusetzen.

»Hast du von Kfar Manin gehört?«

»Nein, was denn?«

»Manin ist tot.« Kommt keuchend zu stehen, ein Geschirrtuch in der Rechten.

»Manin? Was? Wladimir Manin?«

»Diese verdammten Fanatiker! Haben sein Gehöft überfallen, die Felder niedergebrannt. Ihn an einen Baum gehängt und angezündet, ich würde sagen, es reicht.«

Schalom blickt auf den kleinen, drahtigen Mann hinab, dessen akkurat gestutzter Schnurr- und Unterlippenbart etwas von Zierbepflanzung hat. Carmichael war mal Offizier der Mandatstruppen, bis er während der Unruhen vor acht Jahren einen Säbelhieb ins Bein bekam.

Ende der Karriere.

Seitdem bevorzugt er es, Kaffee an Tische zu tragen.

»Ich sag dir was, alter Junge. Das ist ein Aufstand. Das sind keine Vorfälle mehr, die rotten sich gegen uns zusammen.«

Uns ist gut, denkt Schalom. Nie hassten sich Briten und Juden mehr, aber immerhin, mit Blick auf bewaffnete Araber reicht es noch zu verbindenden Pronomina.

Schaudert.

Kfar Manin.

So nahe.

»Neun Tote in Jaffa, vergangene Woche«, fährt Carmichael in lustvollem Entsetzen fort. »Und erst der Versorgungskonvoi. Nicht gehört? Keine drei Tage her, von Haifa durch die Berge zum Militärposten Safed. Landmine. Einer unserer Jungs, draufgebrettert. Nur noch sein linker Fuß, mehr war nicht übrig, sein linker Fuß mit dem Stiefel dran, danach haben sie den Konvoi unter Feuer genommen, aber wir haben es ihnen gegeben, Allmächtiger! Siebzehn Jahre alt! Nur noch sein Fuß, Mann, die erklären uns den Krieg!«

Haben sie doch schon längst, denkt Schalom.

Und wir ihnen. Und alle zusammen den Briten.

Hebron hat alles verändert, seitdem reißen die Anschläge nicht ab. Über 10 000 sollen es seitdem gewesen sein. Mehr als 2000 Tote, ein Drittel davon Juden, viele Engländer, überwiegend Araber. Nun, verdünnt auf sieben Jahre kann man sich 10 000 Anschläge alltagsverträglich reden, und bis jetzt haben sie Kfar Malal verschont.

Aber wie lange noch?

»Woher weißt du das von Manin?«

Carmichael zeigt mit flatterndem Geschirrtuch auf sein Café.

»Ein Haufen dieser Istiqlal-Lumpen kam eben vorbei. Beschimpften meine Gäste. Feierten seine Mörder als Märtyrer.«

»Also sind die Angreifer tot?«

»Wenn es einen gerechten Gott gibt, ja! Sollen ganz junge Kerls gewesen sein.«

Kerls? Halbe Kinder! Die einen in britischer Uniform, die anderen im Burnus. Und beide brüsten sich, Menschen getötet zu haben, recken mit verständnislosem Dummejungengrinsen ihre Gewehre, und die jüdische Siedlungspolizei ist auch nicht viel besser.

(Wie weit ist es mit uns gekommen, dass wir Sechsjährige mit Knüppeln herumlaufen lassen?)

(Sind wir denn alle wahnsinnig geworden?)

»Schalom«, Carmichael zwirbelt sein Unterlippenbärtchen, »du weißt, ich habe nichts gegen Araber, ich habe arabische Freunde, ich habe jüdische Freunde, jedem das Seine, aber die drehen durch, das kann nur im Chaos enden, geh zu deiner Familie, sofort, schütz deine Familie, an nichts anderes darfst du jetzt denken, geh, aber tu auch nichts Überhastetes, komm schnell noch rüber und trink einen Kaffee, so viel Zeit muss sein, *God save the Queen.*«

»*King*«, sagt Schalom mechanisch.

Seit 36 Jahren.

»Ach ja.« Der Brite schüttelt den Kopf. »Komisch. Hatte gerade eine Vision. Egal. Dieses Land bringt einen ganz durcheinander.«

Natürlich trinkt er keinen Kaffee bei Carmichael. Bricht seine Einkäufe in Tel Aviv ab, auch wenn die Gefahr, tagsüber angegriffen zu werden, eher gering ist, noch dazu in der Stadt.

(Falsch, Schalom, falsch.)
(Gering war.)

Treibt seinen alten Klepper an, das Fuhrwerk rumpelt heimwärts, und da wissen sie es natürlich schon, haben Männer mit Gewehren rund um den Moschaw und an den Zufahrten postiert.

»Gut, dass du kommst«, begrüßt ihn Rachel. »Wir brechen sofort auf.«

»Wir?«

»Du, ich, Vera, Samuel, die Seligs, die Milovics. Ich hab ein bisschen was zusammengepackt, bestimmt können sie alles brauchen.«

»Wo?«

»In Kfar Manin natürlich. Wo denn sonst?«

Jehuda und Benjamin bekunden, mitzuwollen.

»Arik darf nämlich auch!«, lautet die schlüssige Begründung.

»Einverstanden.«

»Augenblick«, protestiert Schalom, dem das alles zu schnell geht. Zieht Rachel beiseite, senkt die Stimme. »Was sollen die Kinder bitte schön in Kfar Manin?«

»Sich ein Bild machen.«

»Wovon?«

Sie schaut ihn an. Ihr Blick ist hart und glänzend wie Diamant.

»Von der Welt, wie sie ist.«

»Ich halte das für keine gute Idee.«

»Doch. Wie sie sein *sollte*, haben wir ihnen jetzt lange genug erklärt.«

Die Welt, wie sie ist, kündigen verbrannte Apfelbäume an. Ein erbärmliches Bild. Vielleicht, weil sie mit ihren verkohlten Armen an Menschen erinnern, die in Todesqualen erstarrt sind.

Ob Manin noch irgendwo im Geäst hängt?

Natürlich nicht. Schalom kommt sich vor wie ein Idiot.

(Das sind doch keine Barbaren.)

Doch als sich die Pritschenwagen den verstreuten Gebäuden Kfar Manins nähern und auf den Platz vor dem Haupthaus einbiegen, ist er sich dessen auf einmal nicht mehr so sicher. Ein Stück weiter liegt etwas Schwarzes, Verkrümmtes auf dem Boden, Menschen stehen darum herum, lautes Weinen dringt herüber.

Doch, das sind ohne jeden Zweifel die Überreste des alten Russen.

Die Welt, wie sie ist –

Schönen Dank auch, Rachel.

»Guckt weg«, sagt er zu Benjamin und Jehuda.

Da starren sie natürlich erst recht rüber.

Das Haupthaus, so weit Schalom es überblickt, hat keinerlei Schäden davongetragen, von den Stallungen und Scheunen ist hingegen wenig mehr geblieben als eine Ansammlung rauchender Gerippe. Teile der Felder sehen aus wie brandgerodet. Was mal ein Zitronenhain war, Manins ganzer Stolz, taugt allenfalls noch zur Herstellung von Zeichenkohle.

Zwei Hilfskräfte sind tot.

Manins ältester Sohn auch. In den Kopf geschossen, nachdem er im Alleingang ein halbes Dutzend Araber liquidiert hat. Erst danach ist es den Arbeitern und Familienmitgliedern gelungen, die Angreifer zurückzutreiben, bis zur Straße zu verfolgen und zur Strecke zu bringen.

Den letzten hat Manins Frau erledigt.

Als er schon am Boden lag.

Hat sich über ihn gestellt, ihm den Lauf der Flinte auf die Stirn gesetzt und ihn nach seinem Namen gefragt.

»Ahmad.«

»Du wirst in der Hölle brennen, Ahmad.«

Und abgedrückt.

Dann ist sie ihren Mann suchen gegangen.

Doch selbst als sie ihn schon vor Augen hatte, suchte sie ihn weiter, er unterschied sich nicht mehr sonderlich vom berstenden Skelett des lodernden Baums, mit dem er regelrecht verbacken war, sodass sie ihn, als der Morgen graute und sie endlich begriff, worum es sich bei dem deformierten Etwas handelte, nur mit Gewalt herunterbekam.

Am Ende erkannte sie ihn an seinem Ring.

Sie helfen, wo sie können.

Spenden Trost.

Immer noch züngeln Flammen aus den Ruinen, wabert Glut hinter knackender Rinde, kokeln die Äcker vor sich hin. Schalom ist wütend auf Rachel, dass sie den Zwillingen gestattet hat, mitzukommen. Als er sie im Begriff sieht, zu dem Baum hinüberzurennen, an dem Manin sein Ende gefunden hat, dirigiert er sie in die entgegengesetzte Richtung und trägt ihnen auf, obdachlos gewordene Arbeiter mit wärmenden Decken und Tee zu versorgen.

Murrend kommen sie der Aufforderung nach.

Im Haupthaus bereiten die Frauen Essen vor, er geht zusammen mit Samuel und anderen daran, aus den Trümmern der Schuppen und Stallungen zu retten, was die Flammen nicht gänzlich vernichtet haben. Einzig die Pferde konnten fliehen, für Ziegen und Kühe hingegen haben sich die Verschläge als Todesfallen erwiesen. Zwischen den qualmenden Überresten stechen ihre verbrannten Beine in die Luft, die Hitze hat ihre Bäuche platzen lassen, es riecht wie nach einem außer Kontrolle geratenen Barbecue – im einen Moment verlockend, im nächsten Brechreiz erregend.

Schalom will gar nicht erst wissen, wie der alte Manin riecht.

Beklommen stolpern sie zwischen den verschmorten Leibern von Hühnern umher, und Samuel flucht auf die Araber.

Auf ALLE.

Ohne Ausnahme. Ohnehin ist er Revisionist, ganz Palästina den Juden, nicht aus religiösen, aus politischen Gründen. Jetzt aber spricht der Hass aus ihm, und Schalom ertappt sich dabei, einzustimmen.

Nein, denkt er.

Genau das wollen die doch.

Den Hass schüren.

Jede Verständigung unmöglich machen.

Tatsächlich bilden Banditen die Ausnahme. Immer noch lehnen Araber wie Juden Gewalt mehrheitlich ab, setzen auf gute Nachbarschaft oder wenigstens Koexistenz. Die einen hier, die anderen da. Jedem sein Platz, und ansonsten lässt man einander in Ruhe. Wenn gar nichts mehr hilft, umgibt sich der Jischuw halt mit einer Mauer. Ein riesiges Getto für anderthalb Millionen Juden, und jenseits dessen können die Araber dann machen, was sie wollen.

Hauptsache, niemand muss mehr sterben.

Die Militanten sind *nicht* repräsentativ, ruft er sich ins Gedächtnis, die Irgun-Bomber nicht *die* Juden, das Pack von letzter Nacht nicht *die* Araber. So schwer es fallen mag in all der Wut und Trauer, ist Schalom entschlossen, keinem der Mörder auf den Leim zu gehen.

Als er Samuel gegenüber eine entsprechende Bemerkung fallen lässt, schüttelt der nur entgeistert den Kopf.

Und lässt ihn stehen.

Das Thema kehrt zu ihm zurück in Gestalt Jehudas, wenig später, als sie noch mitten in den Aufräumarbeiten stecken.

»Ja? Was gibt's?«

Jehuda druckst herum, fasst sich endlich ein Herz.

»Warum sind wir mit Arabern befreundet?«

Schalom runzelt die Stirn.

»Wie kommst du denn darauf?«

»Tufik as-Azuri ist doch dein Freund, oder?«

Ist Tufik as-Azuri sein Freund? Er ist der Mann, bei dem er in Tel Aviv seine Zigaretten kauft. Ein palästinensischer Araber, dessen Familie in Hebron bewundernswerte Dinge getan hat.

»Ich mag ihn.«

»Aber warum? Die Araber sind doch unsere Feinde. Sie sind alle grausam, alle Mörder.«

»Wer sagt das?«

Jehuda schaut stumm über die verbrannten Felder.

Schalom seufzt. Wie bequem wäre es, ihm die Antwort zu geben, die er hören möchte. Ja, die Araber sind unsere Feinde, nein, wir wollen nichts mit ihnen zu tun haben, da hat Samuel recht (der zu verbreiten pflegt, Schalom sei ein Araberfreund).

Es wäre so einfach, sie alle als Feinde zu betrachten.

»Hör mal.« Er geht vor Jehuda in die Hocke. »Als du noch sehr klein warst, sind hier in Palästina schlimme Dinge passiert. Du hast wahrscheinlich noch nichts vom Massaker von Hebron gehört –«

»Doch, klar«, sagt Jehuda etwas hochnäsig.

»So? Wo denn?«

»Ariks Mutter hat davon erzählt.«

Vera. Klar. Hätte er sich denken können.

»Na gut. Und weißt du auch, was damals geschehen ist?«

»Die Araber haben alle Juden umgebracht.«

»Nicht alle.«

»Ariks Mutter hat –«

»Die meisten Juden, die zu der Zeit in Hebron wohnten, haben überlebt. Hat Vera dir das auch erzählt?«

Jehuda schüttelt den Kopf.

»So war es aber«, sagt Kahn. »Sie haben überlebt, weil ihre arabischen Nachbarn sie versteckt haben. Und zwar unter Einsatz ihres Lebens. Diese Araber haben alles riskiert, um ihre jüdischen Freunde zu retten. Viele von ihnen wurden dabei schwer verletzt. Sie hätten sich einfach raushalten und zusehen können, aber sie haben geholfen.«

Und damit eine beispiellose Massenrettung zuwege gebracht. Das ist der andere Teil der Geschichte. Zu der auch gehört, dass Juden anschließend Araber durch die Straßen trieben, in Jerusalem, Haifa, Nablus, überall. Auf sie einprügelten, blind vor Wut. Unschuldige lynchten. Moscheen überfielen und Feuer an muslimische Heiligtümer legten.

Die Welle der Gewalt machte aus Opfern Täter und aus Tätern Opfer. Hinterließ Hunderte Tote und Verletzte, paritätisch verteilt. Ruinierte das Ansehen der britischen Ordnungsmacht, weil beide Seiten ihr vorwarfen, sie nicht ausreichend geschützt zu haben.

Wie denn auch, hoffnungslos unterbesetzt?

Tatsächlich haben britische Soldaten beim Versuch, Juden vor Arabern und Araber vor Juden zu schützen, ihr Leben verloren.

Hebron ist die Wunde, die nicht verheilt.

Soll er das dem Jungen erzählen, hier auf einem verbrannten Acker? Er ist klug, er ist neun, da kann man Kindern manches zumuten, dennoch wäre es zu viel für ihn, also versucht Schalom ihm klarzumachen, dass Juden und Araber durchaus Freunde sein können.

Jehuda runzelt die Brauen.

»Aber wie denn? Die hassen uns doch.« Verzieht das Gesicht. »Und ich hasse die auch!«

»Menschen wissen oft nicht, wen sie hassen«, sagt Schalom.

»Ich schon.«

»Nein. Meist hassen wir nur die Idee von etwas.«

Schwer zu erklären.

(Dann gib dir halt Mühe!)

»Schau – kurz bevor du und Benjamin geboren wurdet, sind wir in dieses Land gekommen, Mama und ich –«

»Weiß ich doch.«

»Aber wir haben euch nie so richtig erzählt, warum.«

Jehuda schüttelt den Kopf.

»Das war, weil wir vor Menschen fliehen mussten, die beschlossen hatten, uns zu hassen.«

»Mama und dich?«

»Alle Juden.«

»Warum? Was haben die Juden denen getan?«

»Nichts. Wir waren einfach nur da. Diese Leute haben beschlossen, Juden zu hassen, einfach weil sie jemanden brauchten, den sie für ihre Probleme verantwortlich machen konnten. Aber Hass ist wie Gift, Jehuda. Auch wenn es manchmal schwerfällt, man darf ihn nicht in sich hineinlassen. Verstehst du?«

»Mhm.«

»Es gibt nicht *die* Araber, *die* Juden, *die* Christen. Jeder Mensch ist anders. Du musst immer erst den Menschen sehen. Wenn er dir gegenübersteht. Wie ist der so? Nett? Eher nicht? Vertrauenswürdig? Könnte er dein Freund sein? Gib dir Mühe, es herauszufinden. Du darfst niemandem mit Vorurteilen begegnen, hörst du? Urteile erst über jemanden, wenn du genug über ihn weißt, um zu urteilen.«

Jehuda schaut auf seine Füße, das muss jetzt sacken. Schalom ist so weit zufrieden. Schade, dass er die Ansprache nicht gleich auch Benjamin hat zuteilwerden lassen.

Wo ist der überhaupt?

Ah, da! Steht zusammen mit Arik bei einer Gruppe von Männern, die sich lautstark unterhalten.

Schalom hört Samuel fluchen.

Er verflucht alle Araber, schreit, dies sei nicht ihr Land, Palästina gehöre den Juden, und wer denn unbedingt an einen Gott glauben wolle, JA, AUCH VOR GOTT, auch nach der Thora!

Arik lauscht mit glühenden Wangen.

Benjamin nickt.

Einen Monat nach der Tragödie von Kfar Manin hört Benjamin Stimmen gänzlich anderer Natur.

Sie feuern ihn an, halten ihn ab –

Feuern ihn an, halten ihn ab –

Innere Stimmen, Kommentatoren seiner größten Sehnsucht, die zugleich seine größte Angst ist:

Schuss fahren.

Traum und Albtraum.

Er schaut die alte Straße hinunter, seine Finger um die Sattelstange des viel zu großen Opel Blitz gekrampft, kaum fähig, das schwere Fahrrad im Gleichgewicht zu halten.

Erschaudert.

Sein Mut ist in sich zusammengesunken wie ein Kuhfladen nach drei Tagen in der Sonne, aber da muss er durch. Niemand vermag dich so sehr zu demütigen wie du selbst, und jetzt zu kneifen, wäre sozusagen Demütigung zum Quadrat.

Wird schon, sagt er sich.

Bei den anderen klappt's ja auch.

Er bringt das Fahrrad in Position. Die Straße ist eher ein Feldweg, der von der Route nach Tel Aviv abzweigt und sich durch Respekt gebietendes Gefälle auszeichnet. Früher einmal führte er nach Kfar Saba, jetzt gibt es eine besser ausgebaute Verbindung, weshalb die alte Strecke zusehends verwildert. Was ganz hübsch aussieht. Pinien und Zypressen säumen die Ränder, dazwischen hat sich ein Landschaftsmaler in Weiß und Rosa ausgetobt: Oleanderbüsche dicht an dicht, gesprenkelt mit prallen Dolden. Kfar Malal liegt um die Ecke und doch weit weg.

Hier ist es einsam.

Sehr einsam.

Benjamin starrt hinab und fühlt sich verschluckt. Wo das Gefälle endet, verschwindet der Weg im kreisrunden Maul eines Tunnels. Von der Bahnlinie, die ursprünglich darüber verlaufen sollte, liegen nicht mal die Gleise. Jenseits des Tunnels erstreckt sich, wie er weiß, eine planierte Fläche, auf der die Bewohner des Moschaws manchmal ihre Landmaschinen abstellen, meist aber ist hier niemand.

Bis auf die Kinder. Sie lieben das Areal. Es eignet sich vorzüglich, um die Welten ihrer Fantasie entstehen zu lassen. Alles Erdenkliche kann man hier spielen, Reise zum Mittelpunkt der Erde –

(Der Tunnel als Einstieg in die Unterwelt)

Reise zum Mond –

(Der Tunnel als Raumschiff)

Araberangriff –

(Geht auch ohne Tunnel, aber de facto sind Araber im Tunnel weit furchteinflößender)

und natürlich –

Schuss fahren!

Soll keiner sagen, in Kfar Malal mangele es an den Segnungen moderner Technik. Viele Familien besitzen hier Fahrräder.

Zum einen, weil sie praktisch sind.

Zum anderen, weil sie zionistisch sind.

Wie hat noch eine Beobachterin zur Jahrhundertwende so schön notiert: *In der Kastanienallee übte sich eine herrliche Männergestalt im Radfahren. Zu dem tiefschwarzen Bart und den strahlenden dunkeln Augen hätte der Burnus besser als die Dreß gepasst. Theodor Herzl, der Schöpfer des Zionismus.*

Der sich also nicht nur für den Zionismus abstrampelte, sondern auch aus purer Lust, und seinerseits vermerkte:

Das Fahrrad wird dem Einzelnen wieder zu seinem Recht verhelfen. Die Fußgänger schleppen sich mit einer unverständlichen Langsamkeit und Trübsal dahin. Ein Tritt auf die Kurbel, und sie sind überholt. – Nichts ist uns zu nah und nichts zu fern. So wird uns dieses Fahrzeug zu einem sinnvollen Paradigma für das Schicksal der Ideen, für ihr Leiden und ihren endlichen, wunderbaren Sieg.

Aha.

Wie kann einer da ernsthaft glauben, im Heiligen Land ohne Fahrrad auszukommen?

Und was fuhr Herzl, der Nachahmenswerte?

Ein Opel Blitz.

Darum gibt es gleich mehrere davon in Kfar Malal, sogar Damen-
räder mit niedrigem Sattel und abwärts gebogener Mittelstrebe. Die
größeren Kinder sausen damit umher, wann immer sich die Gelegenheit
bietet, zur Schule, über die Felder, einfach so. Irgendwann muss jemand
auf den Trichter gekommen sein, wie man dem abschüssigen alten Weg
ein bisschen Spaß abgewinnen kann, indem man sich mit dem Rad abstößt und die Böschung runterdrischt, schneller und schneller werdend,
Spaß und Mutprobe zugleich, denn Bremsen ist natürlich verpönt. Also
rauschen sie mit Karacho in den Tunnel hinein und durch ihn hindurch,
und der verbleibende Schwung reicht locker für zwei, drei Runden auf
dem Platz dahinter, in weiten, eleganten Kurven.

Und wer am längsten ausrollt, ist Sieger.

Wie oft hat Benjamin schon dabei zugesehen. Zusammen mit Jehuda
und Arik. Atemlos beobachtet, wie die Älteren Fahrt aufnahmen und
dem Tunnel entgegenflogen.

Jauchzten und schrien.

Und sich gedacht: So werde ich nie sein.

Und solange ich so nicht bin, bin ich –

Ein NICHTS.

Jehuda und Arik tragen Knüppel zur Verteidigung des Moschaws,
richtige Männer, auch wenn Jehuda bis jetzt wenig mehr getan hat, als
mit dem Ding anzugeben, aber wenigstens traut man ihm was zu, und
Arik? Dass der sich wehren kann, hat er eindrucksvoll bewiesen. An jenem denkwürdigen Tag, als er zwei der meistgefürchteten Jungs einfach
mal so aus den Socken haute. Das war, bevor sie in die Schule kamen,
seitdem genießt er deutlich mehr Respekt, auch wenn die Sache gewaltigen Ärger nach sich zog – die Scheinermanns gegen den Rest der Welt,
Kapitel Kinderkrieg.

Inzwischen ist Arik der beste Sandbombenbauer der ganzen Gegend.

Vor allem aber:

Arik und Jehuda haben ES getan.

Obwohl sie eigentlich zu klein sind für die sperrigen Erwachse-
nenräder, nur, ihr kennt ja Arik. Musste es natürlich gleich ausprobieren. Schon der Ehre halber, weil es ihm die Großen antrugen: Mal sehen, kleiner Kacker, was du draufhast. Wie du dich windest. Doch was
macht Arik? Klettert kaltschnäuzig auf den Sattel. Hockt da wie ein
Affe, unter Gejohle schieben sie ihn an, und das muss man ihm lassen,
er hat ihnen allen Wind aus den Segeln genommen. Der plumpe Außenseiter, aber danach war er für die Dauer eines Tages Herrscher von Kfar

Malal, mindestens. Und Jehuda, der konnte ja nun schlecht passen, also fand auch er sich zu dem Höllenritt bereit und drehte sogar noch eine halbe Runde mehr auf dem Platz als alle anderen.

Was Benjamin daran besonders schmerzt?

Nicht, dass er gekniffen hätte.

Viel schlimmer.

Dass sie ihn gar nicht erst gefragt haben.

Doch er wird es ihnen zeigen, allen! Dass er kein Schwächling ist. Darum steht er jetzt hier mit Rachels Opel Blitz, ein Dutzend Singvögel als Zeugen, um es zuvor einmal im Stillen auszuprobieren.

Dann die GROSSE SHOW.

Seht mal her, der kleine Ben!

Mannomann! Teufelskerl. Den haben wir ja völlig unterschätzt.

Hoch lebe Ben!

Die Vorstellung gefällt ihm.

Was vor ihm liegt, weniger.

Sein Herz trommelt zum Rückzug.

Feigling, schilt er sich. Ein Stück abschüssige Straße, und du schlägst hier Wurzeln und machst dir in die Hose.

Er stellt sich auf die Zehen und erklimmt den Sattel. Ein Damenrad, na ja. Bei der Premiere wird er sich auf eins für Männer helfen lassen. Kleinheit ist keine Schande. Er hat den Sattel so weit runter wie möglich geschraubt, doch es reicht immer noch kaum. Das Leder schiebt sich hart zwischen seine Leisten, quetscht seine kleinen Eier, drückt und schmerzt. Er dehnt Muskeln und Bänder, kaum berühren seine Zehen den Boden, doch immerhin, er sitzt, sofern von Sitzen die Rede sein kann, wenn man auf ein Gestell gespannt ist wie auf eine Folterbank.

Schaut den Weg hinab.

Und plötzlich ist es ihm, als sähe er den Weg zum ersten Mal. Von Moos geädert, grüne Büschel, wo der Belag aufgeplatzt ist, Sand und Schotter, der hungrige Tunnel am Ende, und von einem Moment auf den anderen ist alle Angst verflogen.

Er zieht die Beine an, verlagert sein Gewicht nach vorne.

Quietschend setzt sich das Rad in Bewegung.

Rollt.

Nimmt Fahrt auf.

Es geht viel einfacher, als er gedacht hat.

Und plötzlich fliegt auch er.

Atemberaubend.

Abwärts! Abwärts!

Benjamin krallt sich an den Lenker. Kann es nicht fassen, wie er an Geschwindigkeit zulegt, das Rad über Bodenwellen und Moosflecken springt, ein Pferd, denkt er, ein wildes Pferd, so muss sich Reiten anfühlen, ach was, das ist bestimmt viel besser als Reiten, es ist großartig, fantastisch, mit nichts zu vergleichen, vor allem aber:

Er hat es gewagt.

Er hat es –

GETAN!

Freude erfasst ihn. Unbeschreiblicher Stolz. Zwischen Pinien und Zypressen steigt sein Jubel auf wie ein freigelassener Vogel, während er auf das Halbrund des Tunnels zugetragen wird, und immer noch beschleunigt das Rad, wird schneller und schneller und schneller –

Unglaublich!

Wie schnell kann er werden, bis –

bis –

– bis er die Kontrolle verliert?

Falscher Gedanke.

Was ihm eben noch großartig erschien, fühlt sich plötzlich angsteinflößend und verkehrt an. Die Tunneldecke schießt über ihn hinweg, das Opel Blitz schlägt aus, hüpft in die Höhe, vollführt einen schlingernden Satz, nein, Benjamin, laufen lassen, es fängt sich von selbst, doch seine Hände führen ein Eigenleben. Sie versuchen, gegenzulenken, und das ist das Dümmste, was er bei der Geschwindigkeit tun kann.

Der Lenker stellt sich quer.

Benjamin fliegt weiter, jetzt ohne Rad. Er rudert mit den Armen, zu verdattert, um zu schreien, aber immerhin reichen die zwei Sekunden freien Falls –

Um sich zu schämen.

Weil er *eben doch* ein Schwächling ist.

Eine Lachnummer.

Dann schlägt er auf, schürft über den Schotter, spürt, wie scharfkantige kleine Steine in sein Fleisch schneiden, hört etwas knacken, beißt sich auf die Lippen, keucht, rollt herum –

Liegt zitternd auf dem Rücken. Die zerklüftete Decke des Tunnels, dunkel und feucht, von Geheimnissen durchzogen, scheint auf ihn herabzublicken.

Ja, tatsächlich.

Sie schaut auf ihn herab.

Sie scheint sogar zu ihm zu sprechen.

Hier bist du richtig, sagt sie. Hier genau gehörst du hin, Wurm. Wärst du mal rechtzeitig unter einen Stein gekrochen, da könntest du nun hocken und zuschauen, wie Jehuda ein Mann wird und man Arik auf die Schulter klopft, auch wenn den eigentlich keiner mag. Aber du? Nicht mal wert, dass man dich *nicht* mag. Du existierst gar nicht, siehst du, und darum liegst du jetzt hier unten.

Wisse also, Benjamin, dies ist der Platz für alle Gescheiterten, ein tropfendes Loch, der Abgrund aller Verachtung.

Die Endstation.

Bleib einfach liegen. Niemand wird dich vermissen.

Und weil Benjamin findet, der Tunnel habe ganz recht, rührt er sich nicht, und um ihn herum wird es still.

Nein, nicht ganz.

Ein Wimmern geistert durch das Gewölbe, ein widerhallendes Klagen.

Ist noch jemand hier außer ihm?

Der Neugierde halber richtet er sich auf – und erkennt, dass er selbst es ist, der da weint und wimmert wie ein Waschweib, und sofort wird ihm schlecht vor Selbstekel.

(Widerlich. Memme!)

Aber im Tunnel versauern mit sich und seinem Gejammer will er jetzt auch nicht mehr. Am Ende wird ihm nichts anderes übrig bleiben, als beladen mit Schmach nach Hause zu tapern, wo ihn gewiss fürchterlicher Ärger erwartet, weil er Rachels Opel Blitz kaputt gefahren hat, aber gut, damit ließe sich leben, nur, der Spott, der Spott –

Er rappelt sich hoch.

Schmerz fährt durch seinen Knöchel, als habe jemand mit einer Axt hineingehauen.

Wieder stürzt er der Länge nach hin.

Oh Gott, was ist passiert? Wasser schießt ihm in die Augen, sein Bein, was ist mit seinem Bein? Wie soll er je wieder aus dem Tunnel gelangen, er kann nicht auftreten, er wird hier unten –

Stutzt.

Etwas ist an sein Ohr gedrungen.

»Hallo?«, wimmert er.

Sollte doch noch jemand hier sein außer ihm?

»Hallo?«

Keine Antwort.

Er blinzelt mit nassen Lidern, hebt den Oberkörper. Das Halbrund des Tunnels scheint in Auflösung begriffen, überstrahlt von weißem Licht, das seinen Kopf flutet, nur noch Schemen kann er sehen vor lauter Tränen, gar keine Einzelheiten mehr, dafür aber –

Die Gestalt.

Benjamin vergisst seine Schmerzen. Mit offenem Mund starrt er auf die Erscheinung.

Sie schwebt im Licht, gesichtslos, ein Engel.

Ein dunkler Engel, der sich rasch nähert.

Die Arme ausbreitet.

Sich mit schattenhaften, schlagenden Schwingen über ihn beugt.

Und Benjamin wird klar:

Das war's.

Das war's natürlich nicht.

Aber wenn deine Augäpfel in Tränen schwimmen, weil dein Knöchel zersplittert und dein Schienbein gebrochen ist, hältst du selbst eine adipöse österreichische Kunstmalerin für ein geflügeltes Ungeheuer. Auf Benjamin jedenfalls wirkte sie wie ein in Licht gebadetes Höllenwesen, das seine Klauen ausfuhr, um ihn zu packen und ins Totenreich zu verfrachten.

Was trug die aber auch für Umhänge –

Ein Windstoß musste in den Tunnel gefahren sein, als sie sich näherte, und die Unmengen Stoff auf eine Weise gebläht haben, dass sie anmuteten wie gewaltige Schwingen.

Prrffft –

Die dicke Frau Stadler und Schwingen.

Na, er konnte froh sein, dass sie an jenem Nachmittag von Kfar Saba über die Feldwege zurück zum Moschaw wanderte, weil der Arzt ihr zu mehr Bewegung geraten hatte. Womöglich hätte er noch Stunden da unten gelegen. Es war nämlich nicht lustig, was er sich mit seiner Schussfahrt eingebrockt hatte. *Wie* schlimm es war, erfuhr er zwar erst später, schon weil sie vermieden, ihm die Wahrheit zu sagen, aber irgendwann kam er natürlich von selbst drauf.

Den Fuß kannst du vergessen.

Ende der Apotheose.

Ein Held wirst du in diesem Leben nicht mehr.

Die Sache hatte insofern ihr Gutes, als nun alle schrecklich besorgt um ihn waren. Niemand schimpfte ihn aus. Rachel war froh, dass er sich nicht den Hals gebrochen hatte, was die verzogene Lenkstange ihres Opel Blitz mehr als aufwog. Schalom schien ihn gar neu zu entdecken. Dass hinter all den Büchern, Moby Dick, Seewolf, Gullivers Reisen, Winnetou, ein kleiner Junge steckte, war ihm zwar gelegentlich aufgefallen, nur dass der Genügsame in sich selbst zu verschwinden droht, und gegen Jehudas muntere Umtriebigkeit wirkte Benjamin schon regelrecht durchscheinend.

Jetzt stand er plötzlich im Mittelpunkt.

Viel wichtiger aber: Niemand verspottete ihn.

Und das, obwohl er ihnen *die* Steilvorlage geliefert hatte.

Doch die Jungen im Moschaw wirkten beschämt. Irgendwie schienen alle begriffen zu haben, dass sie ihn mit ihrer Herablassung erst zu der Wahnsinnstat getrieben hatten. Also lachte niemand über ihn, und wer doch meinte, despektierlich die Fresse verziehen zu müssen, bekam sie von Arik und Jehuda schneller zurechtgerückt, als er Pardon sagen konnte.

Das Triumvirat hielt zusammen.

Einerseits.

Andererseits konnte Benjamin nun nicht mehr Rad fahren, keine weiten Strecken gehen, schon gar nicht rennen oder auf Bäume klettern, nichts von alledem tun, was Jungen seines Alters als Hauptbeschäftigung dient, also war er nicht mehr so oft dabei.

Bald fielen ihm auch die einst so geliebten Draufgänger in seinen Büchern lästig.

Sein Blutsbruder Queequeg, der brutal-charismatische Wolf Larsen, der eitle Old Shatterhand. Er konnte ihr heldenhaftes Getue, ihren strotzenden physischen Output kaum noch ertragen. Da nun endgültig feststand, dass er nie einer der ihren sein würde, verlor er jeden Bezug zu ihnen. Sie gingen ihrer geheimen Existenz verlustig, demaskierten sich als Erfindungen, bis nichts mehr von ihnen blieb als Druckerschwärze.

Hinterließen eine entsetzliche Leere.

Benjamin wurde einsilbig. Er begann sich zu fragen, warum es ihn überhaupt in die Welt geworfen hatte, suchte nach Gründen für sein Dasein, lotete Schmerz und Enttäuschung aus.

Es half alles nichts.

Er war nutzlos.

Ihm kam nicht die mindeste Bedeutung zu.

1939

ist Tel Aviv eine schimmernde Perle, ein Experiment in moderner Architektur, weiß und strahlend vor der blauen Kulisse des Meeres. Palmenbestandene Boulevards, Geschäfte, Banken, Kinos, Bars, Theater, Kasinos. Nichts von Jerusalems musealem Pathos, keine historienschweren Monumente oder Nachempfindungen litauischer Schtetl wie Mea Schearim, keine orientalische Verspieltheit. Von Anfang an schienen Tel Avivs Erbauer bestrebt, das prosperierende Weltstädtchen so europäisch wie möglich zu gestalten, sogar ein bisschen amerikanisch darf es sein, und auf alle Fälle säkular.

Glanzvoller natürlich ist das Parkett in Jerusalem.

Hier tanzt das Empire.

Tanzt auf dem Berg des bösen Rates.

Rauschende Empfänge, große Bälle. Bleiche englische Ladys, mit Kopf und Schoß die glutäugigen Wüstensöhne ihrer von Romanen verzuckerten Fantasie herbeisehnend.

Bibelromantiker und Exzentriker beim Champagner.

Offiziere, Diplomaten und Geschäftsleute in schwül dekorierten Raucherzimmern, darin einig, dass den Arabern Unrecht geschehe und man die jüdische Einwanderung begrenzen müsse. Stolz, es versucht zu haben. Vor neun Jahren, mit dem Passfield-Weißbuch: Noch ein paar Tausend Juden, ein paar Tausend Araber, dann ist Schluss.

Enttäuscht, dass es nicht geklappt hat.

Weil nämlich Chaim Weizmann in London auf die Balfour-Deklaration pochte und derart berührend von verratener Liebe sprach, dass das Empire die Einwanderungsbeschränkung wieder kippte.

Aufschrei der Araber.

Die garstige Pointe daran war, dass führende Vertreter der britischen Regierung allen Ernstes annahmen, Weizmann regiere insgeheim Großbritannien und diktiere Ramsay MacDonald seine Wünsche in die Feder, weshalb sie vorauseilend einknickten und Weizmann dadurch erst Macht zugestanden, die er tatsächlich nie besessen hatte. Mit der Wiederkehr von Grippe grassierte das Gerücht, die Juden regieren die Welt, hirnrissig wie die meisten Verschwörungstheorien, allerdings auch ebenso langlebig. Seitdem sind die Araber gekränkt, und die Briten fühlen sich vorgeführt und überrumpelt. Was haben sie nicht alles unternommen, um den Juden ihren Wunsch nach einer nationalen Heimstätte zu erfüllen.

Doch die sind undankbar.

Unersättlich.

Nicht im Mindesten zum Kompromiss bereit.

Als Folge identifiziert sich das Empire zusehends mit der arabischen Seite. Auch, weil deren Aufständische lieber Anschläge auf jüdische Siedler verüben als auf Einrichtungen der Besatzer. Natürlich ist man über die Gewalt besorgt, ein arabischer Generalstreik würde der ohnehin fragilen Infrastruktur Palästinas das Kreuz brechen, die anhaltenden Demonstrationen der Muslime gegen die unbeschränkte jüdische Einwanderung beginnen an den Nerven zu zerren, aber wie gesagt:

»Man muss die Enttäuschung der Araber verstehen.«

»Und unsere nicht?«, fragt Schalom, als Dave Carmichael ihnen auf seiner kleinen Terrasse hausgemachte Limonade serviert. »Was ist aus den Zusagen der Balfour-Deklaration geworden? Wie sollen wir je einen eigenen jüdischen Staat –«

»Jüdische Heimstätte«, korrigiert ihn Tufik as-Azuri.

»*Nationale* jüdische Heimstätte!«

Eine Gruppe Halbwüchsiger zieht am Café vorbei, Araber, die meisten kaum älter als siebzehn. Verwahrlost und demoralisiert. Einige sind so betrunken, dass sie über ihre eigenen Füße fallen. Singen irgendein Lied, dessen Melodie ihnen entgleitet, verschwinden torkelnd und lärmend in einer Seitengasse.

Es ist offensichtlich, wohin sie wollen. Der Weg führt in Tel Avivs Abseits: Bordelle, Spielklubs, Rauschgifthöhlen.

As-Azuri schaut ihnen hinterher.

»Da geht er hin, der arabische Nationalstolz.«

»*Damn it.*« Carmichael stellt eine Schale mit Datteln und Nüssen vor sie hin. »Traurig, aber wahr.«

»Und wenn sie so tief gefallen sind, dass es tiefer nicht geht, nimmt sich der Imam ihrer an. Sie wissen es noch nicht, aber schon bald werden sie bereit sein, für das vage Versprechen jenseitiger Freuden euer Blut zu vergießen.«

»Da sehnt man sich fast nach den alten Zeiten, was, *Gentlemen*? Als man sich noch wegen Frauen und Politik die Fresse poliert hat.«

»Nein, Dave.« As-Azuri schüttelt den Kopf. »Das Jenseits hat immer eine Rolle gespielt.«

»Mag sein.« Schalom lässt eine Pistazie in seinen Mund kollern. »Aber es darf nicht als Rechtfertigung dienen, das Diesseits zu verwüsten.«

»Ach, mein Freund.«

»Doch, wirklich! Und soll ich euch sagen, warum der Zionismus am Ende obsiegen wird? Weil *wir* das Jenseits überwunden haben. Wir haben die Aufklärung auf unserer Seite.«

»Und das betrachtest du als Vorteil?«

»Tufik! Gott und Gewalt sind nichts, womit man ein modernes Staatswesen durchsetzt. Kein jüdisches, kein arabisches. Gute Nachbarschaft entsteht aus Verhandlungen.«

»Wer sagt, dass es um gute Nachbarschaft geht?«

»Die Deklaration.«

»Hast du nicht eben noch lamentiert, dass die Zusagen nicht eingehalten werden?«

»Das ist ein anderes Problem. Die Deklaration als solche −«

»Ist ein einziger großer Schwindel. Eine jüdische Heimstätte ohne Beeinträchtigung nicht jüdischer Gemeinschaften, ich bitte dich.«

»Und was wäre daran so schlimm?«

»Nichts. Nur dass *ihr* es seid, die sich nicht daran halten.«

»Unsinn.«

»Doch. Weil ihr alles für euch wollt. Oder warum sonst stemmt ihr euch mit Händen und Füßen gegen die Einwanderungsbeschränkung?«

»Und wie viele Araber wandern täglich in Palästina ein?«

»Verschwindend wenige.«

»Na, die Zahlen würde ich gerne mal sehen.«

»Siehst du doch.« As-Azuri umfasst mit einer ausgreifenden Bewegung das Treiben auf der Hauptstraße. »Schau dich um.«

»*Ihr* wollt nicht teilen.«

»Wie bitte?« Der Araber lacht laut auf. »Das sagst du mir ins Gesicht, während gerade Schiffe in Haifa anlegen und wieder Tausende jüdische Einwanderer an Land gehen? Es sind doch nicht *wir,* die eine Beschränkung blockieren. Wir würden sofort zustimmen −«

»Glaub ich gern.«

»*Auch* wenn sie uns selbst beträfe! Doch wann immer London Vorstöße zu einer Regelung unternimmt, kommt euer Chaim Weizmann −«

»Moment −«

»Willst du was anderes behaupten?«

»Weizmann hat lediglich darum gebeten −«

»Gebeten! Die Juden diktieren den Briten ihre Wünsche in die Feder.«

»Mein Gott, Tufik, was verzapfst du als Nächstes? Dass wir die Welt regieren?«

»Es reicht, dass ihr *unsere* Welt regieren wollt.«

»Wie billig. Du alter Kameltreiber! Wenn du nicht mein Freund wärst, würde ich es nicht der Mühe wert befinden, noch ein einziges Wort an dich zu richten.«

»Gute Güte«, murmelt Carmichael und humpelt schleunigst zum Nebentisch, der gerade von einer Gruppe britischer Infanteristen nebst Damen belegt wird.

As-Azuri schweigt. Wirkt tatsächlich ein wenig eingeschnappt.

Schalom dreht eine Nuss zwischen den Fingern.

Das Schweigen zieht sich.

»Schön, versuchen wir's andersrum. Sind wir uns darüber einig, dass die Deklaration grundsätzlich den richtigen Weg aufzeigt?«

»Außer Acht gelassen, dass sie etwas Unhaltbares verspricht, ja.«

»Eine nationale Heimstätte *aller Juden*, lautete das Versprechen. Das Versprechen an *uns*. Dafür müssen ja wohl erst mal *alle* Juden einreisen können, oder?«

»Um uns aus dem Land zu drängen.«

»Will *ich dich* etwa aus deinem Land drängen?«

»Nein, weil du dir dann überlegen müsstest, wo du zukünftig deine Simon-Arzt-Zigaretten herbekommst.«

»Es beginnt doch damit, dass wir als Minderheit keinen Staat bilden –«

»Siehst du!« As-Azuri richtet seinen Zeigefinger auf Schalom, seine Augen blitzen. »Genau darum geht es. Uns zu überrennen.«

»Nein, es geht um *zwei* Staaten, du Esel! Einen für euch und einen für uns. Meinst du denn, der Zionismus sei das Hobby irgendwelcher Spinner? Ein Experiment, um spaßeshalber alle Juden des Planeten in einen desperaten Landstrich zu verfrachten, der im Westen zu feucht und im Osten zu trocken ist, und dessen Geschichte man schon sehr lieben muss, um seine Wirklichkeit zu ertragen?«

»Ah! Wusste ich's doch.«

»Was?«

»Dass du deinen Schmerz, in einem Land gestrandet zu sein, das du nicht liebst, zu betäuben versuchst, indem du dir einredest, ein glühender Zionist zu sein.«

»Unsinn, Tufik, wir wollten nach Amerika. Daraus habe ich nie einen Hehl gemacht.«

»Warum klingst du dann wie ein Grammophon, das eine Rede Weizmanns abspielt?«

»Wasch dir die Ohren. Rachel und ich haben ein Land verlassen, von dem wir nie dachten, es einmal verlassen zu müssen. Weil wir spürten, was inzwischen für jedermann offensichtlich ist. Die Nazis propagieren unsere Vernichtung. Und nicht nur die, es hat schon was Epidemisches, wie überall auf der Welt Ressentiments aufbrechen, und seien wir ehrlich, überrascht uns das? Nein. Vertreibung ist unsere Folklore. Nur scheint die Welt diesmal entschlossen, ganze Arbeit zu leisten. Ob es dir gefällt oder nicht, Palästina ist für die Juden eine Überlebensfrage. Ein gigantisches Asyl. Nicht eben die Idealvorstellung, die man sich von einer neuen Heimat macht, aber wo sollen wir sonst hin? Was bleibt uns denn anderes übrig? Kannst du nicht begreifen, dass wir es leid sind, für alles verantwortlich gemacht zu werden?« Kahn haut mit der flachen Hand auf den Tisch. »Wie fändest du es, aus deinem Haus verjagt und in einem Atemzug bezichtigt zu werden, es nur darum verlassen zu haben, um andere aus ihrem zu verjagen?«

»Aber genau das passiert doch.«

»Wir haben aber nicht darum gebeten, dass man uns einen Stern auf die Brust näht und uns interniert. Wir haben die Bolschewiken nicht aufgefordert, uns in Massengräbern verschwinden zu lassen. Wir –«

»Kein vernünftig denkender Mensch bezweifelt, dass euch bitteres Unrecht geschieht.«

»Besten Dank«, höhnt Kahn. »Im Augenblick scheinen mir die vernünftig denkenden Menschen unserer Zeit in einen Raum zu passen.«

»*Gentlemen!*« Carmichael hat sich wieder herangepirscht, legt jedem von ihnen eine Hand auf die Schulter. »Einigen wir uns doch einfach darauf, dass die Welt ein Paradies wäre, ginge es nach uns dreien.«

Schalom massiert seinen Nasenrücken.

»Um sie zu einem Paradies zu machen, müsstest du erst mal die Nüsse auffüllen«, sagt as-Azuri.

Und muss lachen.

Schließlich lachen sie beide, bis das nächste Grüppchen betrunkener, in Tel Aviv gestrandeter Araber vorbeizieht.

»Es liegt nicht mehr in unserer Hand, Schalom.«

»Etwa in deren?«

»Da entwickelt sich ein Aufstand.« As-Azuri beugt sich vor. »Und was ist ein Aufstand, Schalom? Ein Tier. Ein großes, mächtiges, entfesseltes Tier. Wie sich das Tier verhält, ob es die Zähne zeigt, brüllt, wütet oder einfach nur droht, vor allem aber, ob es sich wieder an die Kette legen lässt, hängt davon ab, was in seinem Kopf vor sich geht. Solange sein Denken von Fakten, von einer nachvollziehbaren Sachlage bestimmt wird, wird der Kopf den Körper kontrollieren und seine Kraft zielgerichtet zum Einsatz bringen. Gelangt der Kopf zu dem Schluss, die zionistische Einwanderung müsse reguliert werden, weil Palästina Arabern und Juden nicht unbegrenzt Platz bietet, kann er den Körper veranlassen, öffentlich dagegen zu demonstrieren. So wie vor vier Jahren in Jaffa, Nablus, Haifa, Jerusalem. Hilft das nicht, kann er einen Streik befehlen. So wie jetzt, da wir wohl in einen landesweiten Generalstreik treten werden, bis sich die Briten des Versprechens erinnern, das sie einst König Faisal gegeben haben –«

1919, Pariser Friedenskonferenz. Als die Araber zustimmten, Palästina den Zionisten zu überlassen, wenn die Kolonialmächte sie dafür in die Unabhängigkeit entließen. Ein jüdischer Staat neben einem arabischen Königreich. Zwei Träume –

Geplatzt.

»Was aber, Schalom, wenn das Tier seinen Kopf verliert? Kopflos stürmt es voran! Keine Vernunft, keine Verhandlungsbereitschaft, nur noch Hass bestimmt sein Handeln. Der grölende Haufen, der hier vorbeizog, das waren Bauern. Einfache Jungs vom Land. Warum sind sie hier, was machen sie in Tel Aviv?«

Schalom schweigt. Jeder weiß es. Sie ziehen aus den Dörfern in die Städte, weil ihre Familien nicht länger von der Landwirtschaft existieren können. Weil, wie die Sprecher der arabischen Nationalbewegung schlüssig darlegen, das Pachtland, das die Bauern über Generationen ernährte, den Besitzer gewechselt hat. Jetzt gehört es Juden. Und die Histadrut hat eine Menge Tricks auf Lager, arabische gegen jüdische Arbeiter auszutauschen. Auf Feldern und Plantagen ebenso wie auf den Baustellen, wo immer neue, immer größere zionistische Siedlungen entstehen. Sie bootet die Araber alleine dadurch aus, dass sie jüdischen Arbeitskräften bessere Löhne zahlt. Wovon also sollen sie auf dem Land noch leben? Entwurzelt ziehen sie in die Städte, auch dort keine Perspektive, die meisten von ihnen sind Analphabeten ohne jede Bildung. Was können sie schon? Was vermittelt sich ihnen in ihrer Unwissenheit, außer dass die Juden ihnen die Grundlage ihrer Existenz gestohlen haben?

»Mit der Anmerkung, dass eure großartige Nationalbewegung das Geld zur Verbesserung des Bildungswesens hübsch in die eigene Tasche steckt«, sagt Schalom. »Hätten die Briten keine arabischen Schulen gebaut, würdet ihr heute noch Türkisch sprechen.«

»Ich habe nicht gesagt, dass die Araber keine Schuld tragen.«

»Und ist es nicht seltsam, dass eure Führer, die sich so sehr gegen uns ereifern, kein Problem damit haben, ihr Land an Juden zu verkaufen, solange nur der Preis stimmt, womit sie sich jeder Verantwortung für die darauf lebenden Menschen entledigen?«

»Stimmt.«

»Außerdem behandelt ihr Stadtaraber eure Landsleute vom Acker mit einer Verachtung, die Juden ihnen niemals entgegenbringen würden.«

Verrat auf der ganzen Linie also, der einen Haufen Verlierer hervorbringt. Sie suchen Zuflucht in billigen Vergnügungen, beginnen zu saufen, hängen in Kinos, Kasinos und Kneipen rum, verspielen, was sie nicht bei den Nutten gelassen haben, vernebeln sich in dubiosen politischen Schwafelrunden das Hirn mit Drogen, bis sie ihr letztes bisschen Stolz verloren haben.

»Und dann kommt ein Imam.«

Konfrontiert sie mit ihrer Erbärmlichkeit. Führt ihnen die Sündhaftigkeit und Ausweglosigkeit ihres Daseins vor Augen.

Nur einer kann sie noch retten.

Allahu akbar!

»So viel zu deinem Triumph der Aufklärung. Wenn die Religion sich der Verzweiflung bemächtigt, ist mit Argumenten nichts mehr auszurichten. Dann steuert kein Kopf mehr das Tier, kein Hirn. Nur noch Gottes Wille und der Wille der Imame.« As-Azuri lächelt. »Oder der Bischöfe und Rabbiner. Wir wollen ja fair bleiben.«

In diesem Licht, denkt Schalom, ist die Balfour-Deklaration tatsächlich Makulatur und die Frage nach guter Nachbarschaft –

Nein! Es *muss* einen Weg geben.

»Wir dürfen den Religiösen nicht das Feld überlassen«, sagt er. »Und auch nicht den blindwütigen Nationalisten.«

»Ich fürchte nur, deine Einsicht kommt zu spät.«

»Du weißt, was Faisal damals gesagt hat: Die Juden stehen den Arabern nahe, zwischen beiden Völkern gibt es keinen Konflikt der Charaktere. Und er hatte recht! Solange Menschen wie wir, Tufik, miteinander reden, wird die Vernunft siegen. Juden, die mit Arabern, Araber, die mit Juden befreundet sind –«

»Oder mit Engländern«, grinst Carmichael und stellt eine neue Schale Nüsse vor sie hin.

»Das zuallererst«, lacht Schalom.

Er hebt sein Glas mit der sonnenfarbenen Limonade, prostet seinen beiden Freunden zu, und einen Moment lang herrscht das wohlige Gefühl des Einvernehmens am Tisch.

Unter der Tischplatte klebt ein Paket.

Mit einem Zünder.

Und einer Zeitschaltuhr.

Vielleicht hat es ein arabischer Nationalist, vielleicht ein jüdischer Revisionist dort angebracht, Istiqlal oder Irgun, im Ergebnis macht es keinen Unterschied.

Das Dynamit reicht, um Carmichaels Café in eine lodernde Hölle zu verwandeln.

Bis nach Jaffa ist die Explosion zu hören.

1944

Spätestens mit Schaloms Tod rückt Benjamin wieder aus dem Mittelpunkt, auch aus dem des Bedauerns.

Das Problem ist, dass nun niemand mehr Zeit für ihn hat. Rachel und Jehuda schuften auf der Farm wie die Pferde, Arik findet Erfüllung im Wachdienst des Moschaws und entwickelt unvermutete Anführerqualitäten, sodass er als Ausbilder in die Gadna berufen wird, die paramilitärische Jugendorganisation des Jischuw. Der einstige Außenseiter erlebt seine Schwanwerdung, macht durch Mut, Disziplin und strategische Intelligenz von sich reden, Jehuda bekommt stattliche Muskeln und einen breiten Rücken. Wir halten zusammen, versichern sie Benjamin, vornehmlich an ihrer eigenen Zukunft interessiert. Was zu verstehen ist, nur hadert Benjamin jetzt noch mehr mit sich.

Warum bin ich hier?

Was ist meine Aufgabe?

Es *muss doch* einen Sinn haben.

Und der Sinn heißt –

GOTT.

Erst mal aus pragmatischen Erwägungen. Wenn du nichts wert bist, also *glaubst*, dass du nichts wert bist, gibt es immer noch eine Instanz, der du was wert sein *musst*, weil sie dich andernfalls nicht erschaffen hätte.

Logisch. Oder?

Gott hat also einen Plan.

Einen Plan, den Benjamin drauf und dran gewesen ist zu durchkreuzen, indem er versuchte, ein Draufgänger zu werden. Also ließ Gott ihn bei seiner Schussfahrt über den Lenker absteigen, um klarzustellen, dass er diesen großartigen Jungen nicht in den Fußstapfen seines Bruders zu sehen wünschte.

Du bist zu Höherem berufen, spricht Jahwe.

Du wandelst auf meinen Pfaden.

An meiner Seite.

Das einzig Dumme daran ist, dass Benjamin gern auf dem Hof helfen würde, bloß wie mit seinem verkrüppelten Fuß?

Kann Gott auch *dagegen* etwas haben?

Offenbar ja, fortan nämlich lässt er ihn durch Rachels Mund wissen, es sei seiner Gesundheit abträglich, körperliche Arbeit zu verrichten, sie und Jehuda schafften das schon. Außerdem zahle sich das jahrelang vollbrachte Kunststück, mit den Scheinermanns befreundet zu sein, ohne es sich mit dem Moschaw zu verscherzen, nun in Nachbarschaftshilfe aus.

»Auf dich warten gewiss andere Herausforderungen. Wo du doch so ein begabter Schüler bist.«

Das stimmt.

Er, Jehuda und Arik gehen jetzt auf die renommierte Geula-Schule in Tel Aviv, vor allem Arik genießt es, der ideologischen Dauerbeschallung seines Elternhauses zu entkommen. Dass Bauernkinder weiterführende Schulen besuchen, ist im Moschaw nicht üblich, die Marxisten betrachten Bildung mit Skepsis. Sie sehen darin eine Freizeitvergnügung arbeitsscheuer Kapitalisten mit dem Ziel, ihre Privilegien zu mehren und rechtschaffene Arbeiter zu unterdrücken. Die Kahns und Scheinermanns sehen das anders, ihre Söhne danken es auf unterschiedliche Weise. Während Arik in der Gadna deutlich mehr Bewunderung erfährt als von seinen Lehrern und auch Jehuda sich mehr schlecht als recht durchlaviert, glänzt Benjamin mit Bestnoten, allem voran in Religion, Philosophie und Hebräisch. Schon darum, so Rachel, solle er sich lieber der Bewirtschaftung seines Geistes als dem Pflügen der Felder widmen, eines Tages werde man ihn vielleicht Doktor nennen, auch Rechtsanwalt könne sie sich für ihn vorstellen oder Mediziner.

»Mach was aus deinem klugen Kopf«, sagt sie.

Was sie nicht sagt, ist, dass ihr seine wachsende Frömmigkeit unheimlich wird.

Was ist bloß los mit dem Jungen?

Schalom hat nicht an Gott geglaubt, sie glaubt nicht an Gott, und Jehuda, na ja. Sein Glaube ist vorbeiziehender, sagen wir, taktischer Natur. Womöglich fürchtet er, als Atheist am Ende unrecht zu behalten, und wer will schon disqualifiziert zum Jüngsten Gericht zockeln, aber am Tag seines 16. Geburtstags verkündet er, sich Gott nicht vorstellen zu können, und das Thema ist durch.

Jehuda halt.

Keiner, der tief schürft.

Schaut ihn euch an! Von den Feldern kommend, an der Schwelle zum Mannesalter. Unmelodisch durch die Zähne pfeifend, gebräunt und muskulös, sonnenhell durchzogenes Haar. Der leibhaftige Beweis dafür, dass die zionistischen Plakatmaler nicht allesamt in Wunschvorstellungen geschwelgt haben. Mädchen laufen ihm hinterher, Jehuda lernt. Nicht, was er sollte, aber sie machen es ihm auch allzu leicht. Mit 16 verfügt er über Kenntnisse auf eher altersuntypischen Gebieten, dafür sind seine Noten geeignet, Depressionen auszulösen. Rachel müht sich nach Kräften, die testosteronvernebelten Gedanken ihres Sohnes zurück auf den Lehrplan zu lenken, andererseits kann sie ihm schlecht Vorhaltungen machen. Auf dem Hof arbeitet er für zwei, schafft es auf seine Weise, Schalom zu ersetzen, seiner Unermüdlichkeit ist es zu danken, dass sie Kfar Malal nicht aufgeben müssen, das ist das Entscheidende.

Denn was täten sie dann?

1944 ist Palästina kein Ort, um eben mal die Existenzgrundlage zu wechseln. Ben Gurion fordert, die Briten mit der Waffe in der Hand zu unterstützen, Irgun, sie mit der Waffe in der Hand zu bekämpfen. Völlig zerstritten, erringt die Arbeitspartei zwar die Mehrheit in der Abgeordnetenversammlung, ohne jedoch dem heimischen Terror Einhalt gebieten zu können. Alliierte Truppen überrennen die Strände der Normandie, im Jischuw gedeihen Pläne zur Rettung deutscher Juden. Zeit, zusammenzustehen, wann, wenn nicht jetzt? Doch der Riss in der jüdischen Gesellschaft Palästinas vertieft sich, Handel und Wirtschaft leiden, in den Städten grassiert die Arbeitslosigkeit, ganze Familien verelenden.

Was also soll Rachel Jehuda sagen?

Vergiss den Hof und steck die Nase in deine Bücher?

Sie denkt nach.

Und hat die Lösung vor Augen.

Die ganze Zeit über war sie da, in Gestalt Benjamins, den man immer öfter über den Talmud gebeugt vorfindet. So ein hervorragender Schüler, und dann diese ungesunde Versessenheit auf Religion.

Aber vielleicht langweilt er sich ja nur.

Es mangelt ihm an Aufgaben?

Soll er Jehuda Nachhilfe geben. Immer mal zwischendurch, wenn ein bisschen Zeit ist.

Und dieser Plan –

– geht auf.

Erstens, weil Benjamin Jehuda vor Zensuren bewahrt, derer man sich in der Nachbarschaft schämen müsste. Zweitens, weil seine Fähigkeiten als Nachhilfelehrer die Runde machen.

Bis nach Tel Aviv spricht es sich herum.

Dein Sprössling hat Probleme mit dem Lehrstoff?

Frag Benjamin Kahn aus Kfar Malal, und frag ihn gleich auch, was es kostet.

Rachel könnte sich küssen für die Idee, das läuft ja noch besser als gedacht. Der Junge hängt ihr nicht länger am Rockzipfel, verdient sogar eigenes Geld. Stolz, Zuneigung und Wärme durchfluten sie, und auch ein bisschen Erleichterung, weil ihr vom Leben benachteiligter Benjamin endlich die Anerkennung erfährt, an der sie es hat mangeln lassen, wie denn aber auch, mit all den Sorgen?

Vielleicht, malt sie sich aus, lenkt ihn der Umgang mit so vielen Menschen ja zurück auf weltliche Pfade.

Ein Plan, der *nicht* aufgeht.

Durchkreuzt nämlich von einer Familie polnischer Großisrael-Aktivisten, kinderreich und ziemlich vermögend. Die Szymanskis kommen direkt aus Warschau, haben sich in einer renovierungsbedürftigen Bauhausvilla in Tel Aviv einquartiert, planen jedoch, eines baldigen Tages nach Hebron zu ziehen, um Abraham, Isaak und Jakob nahe zu sein und die Ankunft des Messias aus nächster Nähe mitzuerleben.

Diese Leute sind keine gewöhnlichen Revisionisten.

Sie sind nationalistisch.

Sie sind religiös.

Und beides mit solcher Inbrunst, dass eine Steigerung schwerer vorstellbar ist, als den Mount Everest aufzustocken.

Ihre älteste Tochter heißt Leah.

Und Leah erteilt Benjamin Nachhilfe auf ihre Art.

2011

Libyen, Sirte, 19. Oktober

Als die Granate in den Kleinbus schlägt, ruft Kerstin an, um ihm zu sagen, dass seine Hosen fertig seien.

Sekunden zuvor: das charakteristische Jaulen, langsam anschwellend. Dann umso plötzlicher, wie sich der Bus aufbläht und in einer Explosion, der es auf verblüffende Weise an Feuer mangelt, auseinanderfliegt. Nur Rauch und eine solch immense Druckwelle, dass sie Hagen von den Beinen hebelt. Er klatscht auf. Rollt herum. Schützt den Kopf mit beiden Armen, während Schrapnellsplitter den Asphalt spicken, Trümmer Fenster zerschlagen, sich in Hauswände und Mauern bohren, eine graugelbe Walze über ihn hinwegschießt. Kommt hoch, Augen und Atemwege voller Zementpartikel, den Geschmack pulverisierter Zivilisation auf der Zunge, spurtet seinen Kollegen hinterher.

»*Allahu Akbar!*«

Geschrei, Durcheinander. Der Konvoi ist zum Stehen gekommen. Pumpt seine Antwort in den Wohnblock gegenüber, Katjuschas, Mörsergranaten, das ganze Programm. Reporter und Fotografen hasten zwischen den kreuz und quer geparkten Fahrzeugen hindurch, flüchten in den Schutz der Hauseingänge. Einer der Jeeps, achslastig von der Stalinorgel auf seiner Ladefläche, setzt zurück und knallt dem Hintermann in den Kühler, der Schütze wird vom Sitz geschleudert, fällt in den Dreck, stimmt ins Gebrüll mit ein. Wie besessen feuern die Rebellen in das Gebäude und verwandeln es in eine löchrige Ruine.

Entfesselter Irrsinn.

»Tom!«

Hagen stoppt. Der Bus hat sich in Pollock'scher Manier über die Straße verteilt. Neben dem grotesk verbogenen Wrack windet sich ein Mann am Boden, Brustkorb und Gesicht schwarz versengt. Seine Beine zucken, treten ins Leere.

»Hierher!«

Petter. Wo ist der Feigling?

»Komm her, Mann!«

Da! Lugt über ein zerschossenes Stück Mauer, fuchtelt hektisch mit den Armen.

»Jetzt komm schon! Was tust du denn da?«

Ja, was, denkt Hagen.

Das Stakkato der Artillerie bringt den Himmel zum Widerhallen, ein Hämmern und Dröhnen von hypnotischer Rhythmik. Raschere Frequenzen mischen sich hinein. Kalaschnikows spucken ihre Ladungen in den Nachmittag, knapp und beiläufig. Hinter den leeren, schwarzen Augenhöhlen der Fenster haben Gaddafis verbliebene Getreue ihr letztes Gefecht aufgenommen. Er sollte in Deckung gehen, und zwar schleunigst, stattdessen läuft er zu dem armen Schwein, das es so übel erwischt hat. Sieht aus den Augenwinkeln den Kameramann von Al Jazeera heransprinten, filmend, während Rebellen den Verwundeten aus der Schusslinie zu ziehen versuchen, greift zur Gürteltasche, zerrt das iPhone hervor.

»Tom! Bist du irre? Komm endlich!«

Hört nicht hin. Drückt den Auslöser.

Das Wrack, klick.

Der Verletzte, der ein neues Gesicht brauchen und keines bekommen wird, klick.

Die Kämpfer der Misrata-Brigade, die jetzt den kompletten Boulevard mit MG-Salven bestreichen. Rauchsäulen vor babyblauem Postkartenhimmel. Die Feuerlanzen der Katjuschas. CNN-Reporter in geducktem Lauf auf der Suche nach einer besseren Position, Leichen weiter vorne, wo die Straße überflutet ist, Körper, die sich im Wasser spiegeln wie Inseln, klick. Foto auf Foto lichtet er das Panorama einer seit Langem angekündigten und doch unerwartet verheerenden Zerstörung ab, zum Soundtrack der Foo Fighters, *Wasting Light, Bridge burning.* Dave Grohl, der sich die Seele aus dem Leib schreit.

Dave Grohl?

Sein Klingelton.

Jemand versucht ihn anzurufen.

Erneut beginnt die Luft zu singen, das vertraute, enervierende Crescendo, und diesmal rennt Hagen. Schlittert neben Petter hinter die Mauer, macht sich klein, und da erfolgt auch schon der Einschlag, dicht und ohrenbetäubend, als habe jemand geradewegs in seinen Kopf geschossen. Der Boden bebt, Trümmer prasseln trommelwirbelartig gegen die Barriere, hinter der sie zusammengekauert hocken.

My number's up, bridges all burned –

Geht ran.

»Tom?«

Kerstin, in einem friedvolleren Universum.

Hagen hält sich das freie Ohr zu. So schnell kann er gar nicht Atem holen, wie sie sein Sozialversagen in Attribute fasst: unzuverlässig, verantwortungslos, ein liebloser Arsch, das sei ja wohl unstrittig, und ob er seine Hosen in diesem Leben noch mal abholen wolle?

Hosen?

Ach ja. Wann hat er ihr die noch gleich zum Ändern gebracht, ihre Einwände ignorierend, er solle sich endlich neue kaufen? Letzte Woche, vergangenes Jahr?

»Kerstin?«

»Was?«

»Kannst du später noch mal anrufen?«

»Nein. Wo bist du, verdammt?«

»Ich versteh dich kaum. Wie viel bekommst du für die Hosen?«

»Ist das alles, was dich interessiert? Was ich für die Hosen bekomme, deine verkackten Hosen?«

»Du fehlst mir.«

Petter schaut ihn aus runden Augen an, macht die Handbewegung für bescheuert. Neben ihm klebt die Korrespondentin vom *Guardian* in der Mauer, sichtlich ohne Freude am Job.

»Tom? Was ist das für ein entsetzlicher Lärm?«

Lauter Fragen, keine Antworten.

»Kerstin, ich kann jetzt nicht.«

»Übermorgen fahre ich für zwei Wochen weg. Der Laden ist dann zu. Ich meine, wenn du sie vorher brauchst –«

»Ich glaube kaum. Wir sind unter Beschuss.«

»Was?«

»Unter Beschuss!«

»Wo, um Himmels willen?«

»Sirte. Libyen.«

Pause. »Oh Gott, Tom, macht, dass ihr da rauskommt.«

»Bist du verrückt geworden?« Hagen lacht, hustet. »Ich liebe es!«

»Du spinnst.«

»Ich muss Schluss machen. Ich ruf dich an.«

»Tom!« Das Zischen eingesaugter Luft. »Du blöder Arsch, ich dachte, wir sind zusammen. Du hast mir nicht mal erzählt, dass du wegfährst, und jetzt –«

Er kappt die Verbindung. Hamburg unterwirft sich den geografischen Gegebenheiten und rückt zweieinhalbtausend Kilometer in die Ferne, mitsamt Hagens geänderten Hosen und der Illusion einer Partnerschaft. Von jenseits der Barriere hört er die Motoren der Pick-ups aufheulen, riskiert einen Blick. Wie es scheint, hat die Misrata-Brigade, überrascht von so viel unerwartetem Widerstand, die Flucht angetreten. Ihre rollenden Abschussbasen vollziehen überstürzte Wendemanöver, Blech knallt auf Blech, dazwischen das Fußvolk in ungeordneter Flucht. Ein Mann strauchelt, stürzt, wird überfahren, auf eine Ladefläche gehievt.

In all dem Chaos steht ein Junge, zwölf Jahre vielleicht, und starrt durch den verwirbelnden Rauch zu ihnen herüber. Unmöglich zu sagen, was er empfindet. Hagen hält mit dem iPhone auf seine geweiteten Augen, und der Junge rennt in eine Richtung davon, die so wenig empfehlenswert scheint wie jede andere.

Als Petter endlich hochkommt und seine Kamera justiert, ist er schon verschwunden.

»Vergiss es«, sagt Hagen. »Weg hier.«

Der Beschuss aus den Häusern nimmt an Heftigkeit zu. Mörserteams und Scharfschützen haben sich in den Ruinen verschanzt. Dabei ist Sirte so gut wie gefallen, man könnte meinen, die Übernahme der letzten Wohnblocks, in denen Gaddafis verbliebene Kämpfer gegen die Truppen des Übergangsrats anwüten wie ein Häuflein resistenter Bakterien gegen die Übermacht des Antibiotikums, sei eine bloße Fingerübung. Was die Sache kompliziert, ist, dass die Bakterien das Antibiotikum sehen und gezielt draufhalten können, während sie im Konvoi rätseln, aus welchem Fenster, von welchem Dach her sie gerade ins Visier genommen werden. Da nützt es wenig, dem löchrigen Skelett, das einmal Libyens schönste Stadt gewesen ist, noch ein paar Dutzend weiterer Krater hinzuzufügen. Sie sitzen in der Klemme, trotz ihrer zahlen- und waffentechnischen Überlegenheit, und müssen zusehen, wie sie ihre blutigen Nasen möglichst rasch aus der Gefahrenzone schaffen.

Einige tun das im Rückwärtsgang.

Schlingernd, in voller Fahrt, rumpeln sie blindlings über alles, was ihnen in den Weg gerät, während die Schützen auf den Ladeflächen, wie Manta-Fahrer in die Sattel ihrer lafettierten MG PKs geschmiegt, weiterhin ohne Plan und Ziel drauflosballern. Zementstaub hängt irisierend im Canyon der Straße, die Gegenseite bleibt keine Erwiderung schuldig, also rennen Hagen, Petter und die anderen Journalisten um ihr Leben, nicht ohne sich rückwärts stolpernd letzte verwackelte Bilder zu sichern.

Und das soll ein Befreiungskampf sein?, denkt Hagen.

Lachhaft.

Eine Stadt befreien, indem man sie pulverisiert.

Sie flüchten um eine Hausecke, kommen hustend und taumelnd zu stehen. Eine Straße von Landebahnbreite kreuzt das Kampfgebiet, ein weiterer der vormals so gepflegten Boulevards, jetzt ein Abbild der Verwüstung: Autos, als habe ein Tsunami sie in die Straße gespült, die hohen, schwanenhalsigen Straßenlaternen wie Halme geknickt, die sorgsam getrimmten Bäumchen entlang des Mittelstreifens zersplittert und in Fetzen hängend. Jedes Haus scheint nur noch die Funktion zu haben, das nächststehende zu stützen und vor dem Einsturz zu bewahren. Eine Todeszone, aber wenigstens fest in der Hand der Übergangstruppen.

Hagen wischt sich die Nase.

Sieht zu, wie die Pick-ups einer nach dem anderen hereinbrettern, mit quietschenden Reifen, Männer von den Pritschen springen, Verwundete in provisorische Ambulanzen verfrachten, die losbrausen, kaum dass sich die Türen geschlossen haben: »Go, go, go!«, gefolgt von »*Allahu Akbar*!«, Vorkämpfer des Guten im Einklang mit Gott und der Leistungsstärke strapazierfähiger Dieselmotoren.

Fühlt sein Herz hämmern.

Ganz oben im Hals schlägt es, synchron zum Puls der Artillerie.

Wumm! Bumm!

Scheiße, denkt er, ich hab keine Kondition mehr. Keine Puste. Was ist bloß aus mir geworden.

Tom Hagen, schlaff wie ein Rattenschwanz.

»Hey!« Petter. Scheint sich endlich in Erinnerung gerufen zu haben, warum er hier ist, und schießt eifrig Bilder. Macht dabei alberne Tänzelschritte. »Wer zum Teufel war das eben?«

»Wer war was?«

»*Kerstin*«, äfft Petter ihn nach. »*Du fehlst mir.*«

»Meine Schneiderin.«

»Deine –« Petter blinzelt. Seine Lider öffnen und schließen sich nacheinander, wie bei einem Gecko.

Hagen spuckt aus. »Hast schon richtig verstanden.«

»*Du* hast eine Schneiderin?«

Er zuckt die Achseln. Kennt sein Erscheinungsbild. Abgerissen wäre noch geschmeichelt. Jemand, um den er selbst auf der Straße einen großen Bogen machen würde. Wahrscheinlich hätte er ebenso gut behaupten können, Muammar al-Gaddafi sei vor einer halben Stunde mit dem Human Rights Watch Award geehrt worden.

»Besorgt sie's dir wenigstens besser, als sie näht?«, feixt Petter.

»Wie kommst du darauf, dass sie's mir besorgt?«

»Wie kommst du darauf, dass wir beschossen werden?«

»Ach was.« Hagen verzieht höhnisch die Mundwinkel. »Das hast du auch schon mitgekriegt?«

Der Norweger lässt die Kamera sinken.

»Was soll das jetzt, Tom?«

Hagen löst sich von der Hauswand. Geht über den aufgerissenen Asphalt hinüber zu den Pick-ups. Die schweren Waffen im Kampfgebiet sind verstummt, nur der trockene Husten einer einzelnen Kalaschnikow tendiert ins Chronische.

»Du verkriechst dich. Das soll es.«

»Bist du beknackt? Die haben Granaten auf uns abgefeuert!«

»Ja, und danach hättest du dich blicken lassen können.«

»Blicken lassen?«

»Deinen Job machen. Fotografieren.«

»Ich *mache* meinen Job.«

»Offenbar nicht.«

»Hey! Warte mal.« Petter hampelt aufgebracht neben ihm her. »Ich bin nicht der gottverdammte *Iron Man*, wenn du das meinst. Ich stelle mich nicht in den Kugelhagel und –«

»Du bist mein Fotograf. Oder?«

»Keiner fotografiert im Sperrfeuer von RPGs. Das war Mist, Tom, ehrlich, großer Mist! Den Helden spielen. Auf diese Weise kommt man nicht an gute Bilder, außerdem gefährdest du –«

»Was?« Hagen rastet aus. »Keine guten Bilder?«

»Ich meine –«

»Da!« Hält ihm das iPhone unter die Nase. »Voller Bilder! Exzellente Bilder! Die *du* hättest schießen müssen, kapierst du das endlich? So was lässt sich verkaufen, nicht der Kulissenzauber, den du hier abziehst, Heulen und Zähneknirschen nach der Schlacht, das kann jeder, du Flasche, davon wimmelt es im Netz. Ich dachte, du hast mehr Mumm! Aber nein, es muss nur jemand vernehmlich furzen, und du verschwindest schon hinter irgendwelchen Mauern!«

Petter atmet schwer.

»Ich sehe dir das nach, Tom«, sagt er leise. »Du hast es nicht leicht gehabt in letzter –«

»Ach nein?«

»Wir wissen doch beide –« Lässt den Satz unvollendet.

Hagen legt den Kopf schräg. »Was?«

Der Norweger schweigt.

»Du meinst, ich kann froh sein, dass überhaupt noch einer mit mir spielt. Wolltest du das sagen?«

»Du bist besessen.«

»Besessen. Aha.«

»Warum gehen wir nicht nach Tripolis? Dieses Scheiß-Sirte kannst du niemandem mehr verkaufen, die Leute haben die Nase voll von umkämpften Städten, nachdem der Machtwechsel gelaufen ist. Schau dich doch um, wer ist denn noch hier?«

»Al Jazeera, CNN –«

»Okay, die sind überall, und zwei, drei andere Unverbesserliche auch, aber die neuen Töne kommen aus Tripolis.«

»Es geht nicht um *irgendeine* umkämpfte Stadt.«

»Du verrennst dich. Er ist nicht hier.«

»Er *ist* hier.«

»Nein, Tom.« Petter schüttelt müde den Kopf. »Er ist über alle Berge. Wach endlich auf. Er ist weg.«

Ist er nicht, denkt Hagen.

So manches mag ihm in den vergangenen Jahren abhandengekommen sein, aber auf seinen Instinkt kann er sich verlassen. Und der sagt ihm unmissverständlich, warum es sich empfiehlt, in Sirte zu bleiben, anstatt wie alle anderen den ermüdenden Volksjubel in Tripolis zu dokumentieren.

Gaddafi ist hier.

Hagen weiß es. Fühlt es.

Der letzte Vorhang fällt in dieser Stadt.

»*Sir. Sir!*«

Tritt zur Seite. Zwei Ärzte schieben den Schwerverbrannten auf einer Bahre an ihm vorbei. Gesicht und Oberkörper des Mannes gleichen einer Landschaft nach einem Vulkanausbruch, schwarz und krustig, durchzogen von schwärendem Rot, wo die Haut aufreißt. Ein Auge ist geschlossen, das andere blickt starr zur Decke. Er riecht faulig, nach Tod. Das Leben verlässt ihn schneller, als es aus dem Tropf nachsickern kann.

Was denkt er? Sofern er noch zum Denken in der Lage ist.

Vielleicht: Das Paradies ist gelb?

Das Vorzimmer zur Glückseligkeit ist es auf jeden Fall.

Eidottergelb.

Wände und Decken, die komplette Villa des verhafteten Gaddafi-Protegés, die den Rebellen als provisorisches Lazarett dient, ist in diesem beherzten Gelb gehalten. Nahe des Al-Gardabiyah-Wasserreservoirs liegt das Anwesen, umgeben von Dattelpalmen und Orangenbäumen. Eine

Oase, vor allem aber außer Reichweite der Granatwerfer, die Gaddafis letztes Aufgebot mit bestürzender Präzision zum Einsatz bringt.

Das Problem sind die Spotter auf den Dächern.

Schwer auszumachen, zusammengekauert hinter Giebeln und Firsten, überblicken sie das Umland und sagen den Mörserschützen, wohin sie zu schießen haben. Schon von einem dreistöckigen Gebäude aus hat man kilometerweite Sicht. Große Teile Libyens sind platt wie ein Pfannkuchen, Anschleichmanöver obsolet, und so war es bisher fast jedes Mal dasselbe, in Misrata, Bengasi, Brega, Bani Walid: Bis auf sechs, sieben Kilometer kamen die Konvois heran, ein paar Feuergefechte, rasch erledigt. Dann krachten ihnen die Willkommensgrüße aus den 82- und 120-mm-Mörsern ins Kontor, zwangen sie zum Rückzug, wieder vor, zurück. Immer zielte die Strategie der Verteidiger darauf ab, die Angreifer auf Distanz zu halten. Immer war deren Strategie, aus sicherer Entfernung zurückzuballern, was das Zeug hielt, bis mit den Mauern die Moral bröckelte.

Und die Special Forces übernahmen.

»Sie gehen noch mal rein«, sagt einer der Ärzte ungefragt, als Hagen ihm hilft, einen verletzten CNN-Producer nach draußen zu bringen. »Heute Nacht.«

Das Bein des CNN-Mannes ist verbunden. Hat sich bei den Kämpfen einen Schrapnellsplitter in der Wade eingefangen. Mit dem linken Arm stützt er sich auf Hagen ab, ein winziges, blutiges Päckchen umklammernd. Der Arzt, Abdallah heißt er, hat den Splitter rausoperiert und ihn dem Producer eingepackt.

Souvenirs from Libya –

Zum Herzeigen dort, wo man Krieg für Reality-TV hält.

Wie ein angeschossenes, sechsbeiniges Tier hinken sie über den Flur. Rollbetten reihen sich die Wände entlang, ein Verschiebebahnhof des Elends. Menschen stöhnen, stieren ins Nichts, Verbände um Kopf und Gliedmaßen oder da, wo kürzlich noch welche waren. Vor zwei Wochen, erinnert sich Hagen, sind sie hier aus allen Nähten geplatzt. Dann schien es eine Weile, als sei das Schlimmste überstanden. Zumindest hofften sie, nicht mehr unentwegt Freunde zusammenflicken oder verscharren zu müssen. Ein Trugschluss, befeuert von verfrühten Siegesmeldungen, nachdem die Revolutionsbrigaden zuvor ihre Flagge über dem Ouagadougou-Tagungszentrum gehisst hatten, dem Hauptstützpunkt der Gaddafi-Anhänger. Da mussten sie einfach »Sieg!« schreien. Nach all den Monaten der Entgrenzung, dem kaum noch zu ertragenden Druck. Mit dem Fall Sirtes will der Übergangsrat Libyen für befreit erklären, also liegt es jetzt an ihnen: Beendet den Spuk, Jungs. Strengt euch an. Die Sache ist gelaufen, worauf wartet ihr noch?

Macht hin!

Kein Wunder, dass sie sich Luft verschaffen: »Sieg!« schreien, »*Allahu Akbar*!«.

Und sterben.

Weil das Ganze hier noch lange nicht gelaufen ist.

Ein anderer Arzt kommt ihnen auf dem Flur entgegen, lächelt, um fast gleichzeitig in Tränen auszubrechen. Fällt Abdallah um den Hals, und sie müssen anhalten, lassen ihn weinen.

Irgendjemand hat es wieder nicht geschafft.

Ein Freund.

Und die in Sirte? Die ›Feinde‹? Warum geben sie nicht endlich auf?, will der CNN-Mann wissen, als sie ihn nach draußen zu seinem Team bringen.

Abdallah zuckt die Achseln. Sein Blick birgt eine Antwort, die zu geben er zu müde ist. »Buhadi«, sagt er noch auf Hagens Nachfrage, wo genau die Special Forces reingehen wollen, und eilt zurück in seinen dottergelben OP-Saal.

Stadtteil Buhadi.

Von da hat man sie heute vertrieben.

Dabei sind die Spezialeinheiten schon verschiedentlich in der Stadt gewesen. Aber heute Nacht müssen sie Klarheit schaffen, damit die Herren der Lüfte ein für alle Mal aufräumen können. Am Himmel herrscht das Mandat. Französische Rafale und Mirage 2000, amerikanische F16, B2 und Thunderbolts, britische Tornados und Apaches, Spanier, Italiener, Norweger, Kanadier – die Welt schaut aus dem Cockpit auf Libyen. Seit dem 31. März liegt die Durchsetzung der UN-Resolution offiziell in Händen der NATO. Mit Macht kommt die Operation *Unified Protector* über den Diktator, aus den Himmeln kommt sie, denn Bodentruppen sind von den Beschlüssen nicht gedeckt.

Darum sind auch keine da.

Zumindest nicht, wenn man sich unter Bodentruppen hochgerüstete Verbände vorstellt, die mit Panzern übers Land kacheln, andererseits ist der Begriff Truppe so detailspezifisch wie Säugetier. Da gibt es Arten, Unterarten, Nischenbewohner. Special Forces beispielsweise, NATO-Spotter, die sich, assistiert von Ortskundigen, nachts in belagerte Gebiete schleichen, die Verteidigungslinien ausspitzeln und mit Laserpointern für die Bomber kennzeichnen.

Die gehören auch zur Truppe.

Und sind natürlich auch nicht da.

Von wegen, denkt Hagen.

De facto gibt es keinen Luftkrieg ohne Special Forces am Boden, das weiß jedes Kind. Das wissen auch die Leute in der NATO-Pressestelle, wo man Journalisten gegenüber einräumt, also ja, es seien schon welche vor Ort. Natürlich keine Amerikaner, Engländer oder so. Araber, Vater Libyer, Mama Britin oder Französin, so was. Eigentlich Einheimische, also nicht *wirklich* eine Verletzung der Resolution.

Wie viele?

Na ja. Zwei oder drei.

Die, muss man sagen, haben ihren Job gründlich gemacht. In Misrata, Bengasi, Bani Walid. Wo immer die Bomber der NATO Ziele suchten, haben sie ihre verräterischen Wegweiser hinterlassen. Tags drauf, nach Sonnenaufgang, begann sich der Himmel dann von Druckwellen zu blähen. Winzige, silbrige Punkte im frühen Blau, aber was sie abluden, reichte, um dem Widerstand das Rückgrat zu brechen. 48 Stunden später waren die Rebellen in aller Regel drin, bejubelt von der Mehrheit der Bevölkerung, die mit Gaddafi nichts am Hut hatte und sich glücklich schätzte, endlich befreit worden zu sein, auch wenn das Stadtbild unter dem Beschuss nicht unbedingt gewonnen hatte.

Nur in Sirte ist alles anders.

Sirte, die Herzkammer des Diktators.

Hier ist Gaddafi geboren.

Schon darum liebt er das Küstenstädtchen über alles. Und jeder weiß, je mehr er eine Stadt liebt, desto großzügiger lässt er sie in der Wüste erblühen, weshalb die Villenviertel eine kumulative Dichte von Gaddafern und Protegés aufweisen wie sonst nirgendwo in Libyen. Dass der zusehends in Wirrnis fallende Despot das Geschick seiner Herkunft zum Anlass nimmt, Sirte aus irgendeinem Mauseloch heraus, in dem er gerade hockt, zur neuen Hauptstadt zu erklären, macht alles nur noch schlimmer. Wo soll man hier Verbündete finden – Ortskundige, die nachts mit den Special Forces um die Häuser schleichen? Mag ja sein, dass selbst in diesem Milieu neutronensternartig verdichteter Königstreue viele den Wandel herbeisehnen, aber helfen? Hier hilft niemand den Rebellen. In Sirte als Kollaborateur enttarnt zu werden, ist nun wirklich das Letzte, was man sich vorstellen mag.

So hat die Stadt jedes Ultimatum verstreichen lassen.

Woche um Woche, ohne einzulenken.

Ihren Untergang betrieben, dabei wollte der Übergangsrat sogar weiterverhandeln. Seine diplomatische Eignung unter Beweis stellen. Schon, weil der stänkernde Westen nicht müde wird, den Araber schlechthin zum natürlichen Feind der Menschenrechte zu stilisieren. Die NATO mag Menschen töten, orchestriert wird *Unified Protector* von der wohlklingenden Operettenethik der UN, mit Ban Ki-Moon als ihrem chronisch bestürzten Vorsänger. Unsummen kostet der Einsatz, die will die westliche Welt in demokratische Strukturen investiert sehen, und sie hat ziemlich genaue Vorstellungen davon, wie diese neue Demokratie auszusehen hat. Wörter wie Scharia kommen darin nicht vor.

Der Westen will, dass Libyen den Test besteht.

Und genau hier liegt das Problem, denkt Hagen. Dass sie in Europa und Amerika den Arabischen Frühling als eine Art Eignungstest missverstehen scheinen.

Wer ist der wohlgefälligste Araber?

Im Augenblick jedenfalls keiner.

Weil nämlich der desperate Haufen, der vor acht Monaten angetreten war, um Gaddafi zu stürzen, eine Art Elitetruppe herausgebildet hat, extrem kampferprobt und gut bewaffnet. Leute aus Misrata, einer Stadt 200 Kilometer nordwestlich von Sirte. Ein alter, abgeschlagener Rivale um Gaddafis Gunst. Und diese Misrata-Brigade sagt der schlüpfenden, sich putzenden, von Diplomatie und Menschenliebe zwitschernden Regierung, genug gequasselt. Wir klären das jetzt auf eigene Weise, sonst wird uns der geliebte Bruder Führer, diese verlogene Kanalratte, noch bis ans Ende aller Tage auf der Nase rumtanzen.

Und sie schießen Sirte in Grund und Boden.

Was wörtlich zu nehmen ist.

Haben sie anderswo noch versucht, nicht gleich jedes Haus zu durchlöchern, scheinen sie nun bestrebt, eine ganze Stadt in ihre Atome zu zerlegen. Neid und Missgunst entladen sich aus Mörserläufen, während die Special Forces unter Mühen versuchen, ins Zentrum zu gelangen. Wann immer sie erfolgreich waren, fliegt die NATO ihre Einsätze und zertrümmert, was die Rebellen haben stehen lassen, doch die Sirter sind zäh.

Das Schlachten zieht sich hin.

Wie lange noch?

»Das weiß Gott.«

»Geht's konkreter?«

»Wenn die Spotter heute Nacht erfolgreich sind, wird die NATO bei Tagesanbruch bombardieren.«

Hagen hat einen der Rebellenkommandeure im Garten aufgestöbert, zwischen Palmen und Zierbeeten. Wie es aussieht, sucht der Mann dort einen kostbaren Augenblick lang Ruhe. Die Ruhe hat Hagen ihm gerade gründlich vermasselt, aber es ist ihm gleich. Außerdem kennen sie sich aus Bengasi. Mögen sich, reden oft miteinander.

»Bedeutet, wir gehen morgen wieder rein?«

»Gleich danach.«

Gleich danach heißt, wenn sie in Sirte noch dermaßen durcheinander vom Bombengewitter sind, dass sie vor lauter Händezittern kaum zielen können.

»Und wo ist Gaddafi?«

»Sie lassen nicht locker, was?«

»Ich will nur nicht am falschen Ort sein, wenn ihr ihn schnappt.«

Der Kommandeur zieht ein zerknittertes Päckchen Marlboro aus der Brusttasche. Klopft eine Zigarette heraus, zündet sie an. Hält Hagen die Packung hin.

»Nein danke.«

»Was macht Sie so sicher, dass er hier ist?«

»Psychologie.«

»Ah.« Der Kommandeur lächelt. »Und ich dachte schon, Sie wüssten etwas, das Sie mir noch nicht gesagt haben.«

»Gaddafi ist viel zu verrückt, um das Land zu verlassen. Wo soll er sonst sein?«

»Tatsache ist, wir kriegen widersprüchliche Informationen. Mal heißt es, er hätte sich mit seinen Söhnen in Buhadi verschanzt. Gut möglich, so wie sie uns da heute in Empfang genommen haben. Andere sagen, er sei in Algerien gesehen worden. Im Tschad soll er auch sein. Und in Niger. Wir wissen zwar nicht, wo er ist, aber wenigstens haben wir jede Menge Gaddafis zur Auswahl.«

Hagen fröstelt. Leichter Wind ist aufgekommen, Zikaden singen. Eine dünne Wolkendecke hängt am Himmel, rot pulsierend von den Bränden in der Stadt; der apokalyptische Gegenentwurf zur Schönheit dieses Ortes. Selbst starrend vor Autos, Waffen und Menschen, strahlt die Villenanlage einen trügerischen Frieden aus. Weiter östlich, weiß Hagen, campieren 20 000 Flüchtlinge unter erbärmlichen Umständen in der Wüste. Aus Sirte geflohen, als zwei Tage Waffenruhe herrschte.

Nichts passt mehr zusammen in diesem Land.

Nun, so ist Krieg.

Er fragt sich bloß, wie es je wieder zusammenpassen soll.

»Können Sie mich mitnehmen?«

»Wann? Morgen?« Der Kommandeur pafft ein Wölkchen in die Luft. Hagen erscheint es wie der Vorbote der Rauchsäulen, die in wenigen Stunden über der Stadt stehen werden. »Sie wollen sich dem wirklich noch mal aussetzen?«

Was soll ich denn sonst tun, denkt er. Gaddafi ist meine Absolution. Meine Rückfahrkarte in die Zeit vor 2008. Wenn ich dabei bin, wie sie ihn aus seinem Versteck zerren, das erste Foto schieße, den ersten Bericht schreibe, ihm ein Mikrofon unter die Nase halte oder den Typen, die ihn gekrallt haben –

Er *muss* in der Stadt sein.

Ich muss in der Stadt sein.

»Klar können Sie mitkommen«, sagt der Kommandeur. »In meinem Truck, wenn Sie wollen.« Lässt die Zigarette fallen, kaum zur Hälfte aufgeraucht. »Wo ist eigentlich Ihr Fotograf? Dieser –«

»Petter? Abgereist, vorhin.«

»Tripolis?«

Hagen nickt.

»Wollen Sie meine ehrliche Meinung hören? In Sirte werden Sie nichts anderes zu sehen bekommen als Tote und noch mehr Tote. Fahren Sie ihm hinterher.«

»Schlimmer als heute kann es kaum werden.«

»Sie wissen selbst, dass die Skala nach oben offen ist.«

»Ich kann hier nicht weg.«

Klang da so etwas wie Verzweiflung mit? Er hasst es, diesen Unterton bei sich zu hören.

Der Kommandeur zuckt die Achseln.

»Wie Sie meinen. – Bei Allah, was ist da schon wieder los?«

Gebrüll. Ein Streit.

Rund um die Pick-ups herrscht Betriebsamkeit. Die schweren Maschinengewehre auf den Ladeflächen werden gereinigt, geölt, Munition herangeschleppt. Aus einem der Wagen dröhnt Schlangenbeschwörermusik, strapaziert die Boxen, mehr Krach als Genuss, aber wenigstens haben sie aufgehört, im Garten Insignien des alten Regimes zu verbrennen, erbeutete Gaddafi-Bilder und ähnliches Zeugs. Mehr als einmal hat Hagen erlebt, wie sie sich im Streit fast die Köpfe eingeschlagen haben: *Tod dem Tyrannen! – Seid ihr bescheuert, nachts Feuer machen? – Allahu akbar! – Sie werden uns aus der Stadt beschießen! – Halt die Fresse, Allahu akbar! – Halt selber die Fresse, Idiot!*

Und so weiter, und so fort.

Streiten sich, als bekämen sie Geld dafür.

Und warum? Weil jeder besser zu wissen meint, wovon er tatsächlich nicht die geringste Ahnung hat. Denn was sind sie? Studenten, Arbeiter, Akademiker. Freizeitkrieger in Jeans, Turnschuhen und abenteuerlich zusammengestoppelten *Rambo*-Outfits. Zivilisten, die über Nacht lernen mussten, erbeutete Waffen zu reparieren, sie einzusetzen und damit zu töten. Nachdem immer mehr Soldaten Gaddafi von der Fahne gingen, hat sich das Verhältnis zugunsten der Profis verschoben, aber straff durchorganisierte Kriegsführung lässt sich hier beim besten Willen nicht erkennen.

Eher *Mad Max 4*.

Hagen schaut sich um.

Sofort fallen ihm die beiden Landrover auf. Blitzblank, erstklassige Bereifung, Munition und Ausrüstung ordentlich aufs Dach gestapelt. Würde er einen Blick ins Innere werfen, er bekäme eine hochmoderne Funkausrüstung zu Gesicht, nicht die üblichen geklauten Walkie-Talkies aus gestürmten Polizeiwachen und Kasernen.

So sehen sie aus, die Fahrzeuge der nicht anwesenden ausländischen Bodentruppen.

Hagen muss grinsen.

Von den zwei, drei annoncierten, arabischen NATO-Spottern stehen etwa zehn um die Rovers herum und unterhalten sich im breiten Cockney ihrer Kindheit. Dafür, dass sie nicht hier sind, verursachen sie einen ziemlichen Lärm, aber wenigstens sehen sie arabisch aus. Sind guter Dinge, lachen. Ein Stück weiter zanken sich lautstark zwei Männer, fuchteln einander mit der Faust vor dem Gesicht herum, zeigen abwechselnd auf einen riesigen UB-32-Raketenwerfer, der schräg von der Ladefläche absticht. Irgendwie sieht es verkehrt aus, wie sie das Ding montiert haben.

»Was ist hier los?«, herrscht der Kommandant die beiden auf Arabisch an. »Seid ihr verrückt, so herumzublöken?«

Sie zollen dem Neuankömmling Aufmerksamkeit, indem sie nun gemeinschaftlich auf ihn einschreien. Hagen spitzt die Ohren. Sein Arabisch wird täglich besser, aber die Antworten erfolgen in der Geschwindigkeit einer auf Dauerfeuer geschalteten Uzi und dazu noch im Bengasi-Dialekt.

Sie wollen die Flugbahn optimieren, bekommt er mit.

Der Kommandeur kratzt sich am Hinterkopf.

»Seid ihr sicher, dass das so funktioniert?«

Einer der NATO-Spotter schaut zu ihnen herüber. Löst sich aus der Gruppe, tritt hinzu.

»Wird es nicht.«

Die Männer verstummen. Vor den ausländischen Special Forces, genauer gesagt vor ihren militärischen Kenntnissen, haben sie gewaltigen Respekt.

»Was genau ist verkehrt?«, fragt der Kommandeur.

»Der Winkel. Zu steil. Wenn ihr aus dieser Position feuert, geht der Rückstoß direkt in den Wagentank.«

Und die Kiste fliegt euch um die Ohren, denkt Hagen.

Wäre nicht das erste Mal.

Die Männer fragen, was sie tun sollen.

Der Spotter rät ihnen, den Winkel flacher zu halten.

Sie nicken, ohne ihre Enttäuschung verbergen zu können. Wo sie sich das so schön ausgedacht hatten, aus sicherer Distanz im hohen Bogen in die Stadt zu schießen. Aber hoher Bogen und flacher Winkel? Geht das zusammen?

Entschiedenes Kopfschütteln.

»Das Ding hat auf einem Pick-up üblicherweise nichts verloren. Es gehört unter eine MIG oder auf eine Speziallafette.«

»Ich hab so was aber mal auf einem Panzer gesehen«, wendet einer der Männer ein.

»Ja. Auf einem *Panzer*.«

»Okay, wie wär's damit? Wir verflachen den Winkel und heben dafür die Karre an.« Die Augen des Mannes funkeln vor Begeisterung über seine brillante Idee. Sein Kollege, mit dem er sich eben noch in den Haaren lag, nickt eifrig. »Verstehst du? Wir kippen den kompletten Pick-up nach hinten, indem wir ihn vorne aufwuchten und –«

»Dann geht der Rückstoß in den Boden.«

»Aber wenigstens nicht in den Tank.«

»Egal. Der Wagen wird sich überschlagen.«

»Und wenn wir –«

»Lasst es einfach bleiben.«

Sie stehen betrübt herum und starren den UB-32 an, als sei er ihnen eine Erklärung schuldig.

Und mit denen willst du ernsthaft noch mal losziehen?, fragt sich Hagen.

Die Antwort lautet: Ja. So wie seit Monaten. Seit er in Libyen ist, um sein Talent an das drittklassige Online-Magazin zu verschwenden, das ihn seit nunmehr zwei Jahren über Wasser hält.

Nur dass er jetzt keinen Fotografen mehr hat.

Und kein Auto.

Das hatte Petter angemietet.

Eigentlich, muss Hagen zugeben, war der Kerl gar nicht so übel. Zufallsbekanntschaft, Bengasi: ein Fotograf ohne Talent zum Schreiben, er selbst ein Korrespondent, dem der Partner davongelaufen war. Während der vergangenen Wochen sind sie gut zurechtgekommen, doch Petter ist ein feiger Hund. Oder sagen wir, zu wenig risikofreudig. Oder, um es noch präziser auszudrücken, zu sehr am eigenen Überleben interessiert.

Kurz, eine Fehlbesetzung.

Dennoch, fotografieren kann er.

Überhaupt kommen die talentiertesten Fotografen aus Skandinavien. In der desperaten Weite dort oben spielen Lokalzeitungen eine wichtige Rolle, kleine Redaktionen, die umso mehr Wert auf starke Bilder legen. Während das Interesse der Korrespondenten an Sirte gegen null geht, weil kaum noch jemand damit rechnet, Gaddafi hier aufzustöbern, hängen vor allem skandinavische Fotografen zu Dutzenden im Kampfgebiet herum, um sich den Pulitzerpreis zu sichern.

Er könnte sich einen von ihnen greifen. Zwecks Kooperation, wenn die Rebellen morgen die Stadt erstürmen.

Ein neues Bündnis mit einem neuen Petter –

Nein danke.

Fotografieren kann er verdammt noch mal selbst.

»Nur dass Ihre Fotos keinen Menschen interessieren werden«, gibt ihm der Kommandeur zu verstehen, bevor er zu einem der endlosen Palaver verschwindet, die sie hier abhalten. »Wir sind angeschmiert, Tom. Das Schwein hat sich verpisst. Sie verschwenden nur Ihre Zeit.«

20. Oktober

Sirte blüht.

Glutrote Blüten, die sich tiefschwarz verfärben, während sie Hunderte Meter in den Himmel wachsen.

Blüten, aus Blitzen geboren.

Zu Dutzenden öffnen sich ihre feurigen Kelche, ein ebenso gespenstischer wie faszinierender Anblick, der keinerlei Eindruck von der verheerenden Wirkung am Boden vermittelt, von Menschen, die in der mörderischen Hitze verglühen, in Stücke gerissen werden, lebenden

Fackeln gleich durch überflutete Straßen stolpern, ohne Chance, dem Inferno zu entkommen.

Die Wahrheit ist, dass dir im Bombenhagel nicht einfach das Licht ausgepustet wird.

Es sei denn, du hast Glück.

Alle anderen sterben qualvoll.

Werden verstümmelt, geblendet, erschlagen.

Finden sich verschüttet in völliger Dunkelheit, während sich die Trümmer über ihnen knirschend zusammenschieben, es in der tonnenschweren Masse arbeitet. Spüren Rinnsale fein zermahlenen Betons auf ihrer Haut, die jetzt herabzurieseln beginnen, dichter und dichter.

Dann senkt sich die Decke mit einem Ruck.

Wenige Zentimeter, doch es reicht, um einem den Verstand zu rauben.

Sie beginnen zu zittern. Hyperventilieren.

Schreien.

Genau das sollten sie nicht tun, weil sie auf diese Weise den ohnehin knappen Sauerstoff nur umso schneller verbrauchen, aber erzähl das mal einem Eingeschlossenen. Sie heulen und flehen. Sättigen ihre Lungen mit Zementstaub. Klopfen. Hämmern wie irre mit den Fäusten gegen die Wände ihres Gefängnisses, in der verzweifelten Hoffnung, dass jemand kommen und sie ausbuddeln wird, nutzen ihren winzigen Bewegungsspielraum für Nutzloses, da natürlich niemand kommen wird, um sie zu retten, weil niemand mehr da ist.

Beten, sofern sie ihren Koran kennen. Dass sie zu den Seligen gehören, die 11. Sure im Kopf, 106–107: *Denn die Unseligen werden im Höllenfeuer sein, wo sie laut aufheulen und hinausschreien, und wo sie verweilen werden, solange Himmel und Erde währen, soweit es dein Herr nicht anders will.*

Will er nicht. Nicht heute.

Also ersticken sie.

Was immer noch besser ist, als langsam zerquetscht zu werden.

In diesen Stunden ist Sirte nicht länger Sirte.

Es ist Dschahannam.

Die Hölle.

»Hat irgendwie seine eigene Ästhetik«, sagt ein französischer Fotograf zehn Kilometer weiter zu Hagen. »Nicht, dass wir uns missverstehen, aber es ist schon ein *grand spectacle, n'est-ce pas?*«

Unbestritten ist es das.

Noch bevor der Himmel zu dröhnen begann, gegen zwei Uhr morgens, sind die verbliebenen Korrespondenten und Fotografen auf das Dach der Villa gestiegen und haben sich ihre Plätze gesichert, Loge, Balkon, erstes und zweites Parkett. Wie eine Bühne liegt die Stadt am Horizont. Das Ganze hat etwas von einer Freilichtaufführung, fehlt nur, dass jemand Champagner und Horsd'œuvres reicht, während sie sich gepflegt über die Inszenierung verbreiten. Zuvor sind die Spotter ein letztes Mal ins Herz des Widerstands vorgedrungen, haben die Bastionen der Verteidiger markiert, sich abgesetzt und Sirte zur Exekution freigegeben, in ständigem Kontakt mit der NATO-Einsatzleitung. So wussten die Rebellen auf die Stunde genau, wann die Bombardierung beginnen würde, und damit wissen es auch die Journalisten.

Und die filmen und fotografieren wie besessen.

Ein weiterer Einschlag – Blitz, glutrote Blüte.

Binnen Sekunden türmt sich der Rauch an die 100, 200 Meter auf. Die rußigen Säulen haben Bestand, verharren träge über der Stadt, ändern nur noch gemächlich ihre Form, wodurch sie auf eigenartige Weise belebt wirken, wie gigantische Außerirdische.

Monsterpflanzen aus dem All, denkt Hagen.

Krieg der Welten.

Derlei Assoziationen stellen sich ein, ob man will oder nicht. Hollywood hat das Inferno für alle Zeiten ästhetisiert, Supernovae, Riesenwellen, Vulkanausbrüche, Tornados, brennende Städte, Ereignisse von verstörender Großartigkeit, und alles kommt einem bekannt vor.

Die Wirklichkeit zitiert die Fiktion.

Einschlag. Zeitverzögert hören sie den Donner. Wie Tsunamis rasen die Schallwellen heran, durchlaufen jede Zelle des Körpers und versetzen sie in unheilvolle Schwingungen. Selbst hier noch, so viele Kilometer entfernt, spürt man die Wucht der Detonationen, ein schockartiges Aussetzen des Herzens, als schlage einem ein Riese mit der flachen Hand auf den Brustkorb.

Blitz, Blüte.

Diesmal nördlich, nahe der Uferstraße.

Die Meute ruckt nach rechts.

Richtet die Objektive aus.

In allen Einzelheiten wird das unrühmliche Schauspiel dokumentiert, um es einer Öffentlichkeit zugänglich zu machen, die sich längst schon wieder mehr für die Zukunft des Euro und den Amoklauf um die Ecke interessiert. Unten im Garten schreien die Rebellen »Allahu Akbar!«, high von Adrenalin, jedes Mal, wenn es kracht.

Hagen lässt das iPhone sinken, seiner Gedanken überdrüssig.

Blüten – Außerirdische –

Wendet sich ab.

Eine depressive Mattigkeit hat ihn ergriffen. Wessen Untergang dokumentiert er hier eigentlich? Mit jedem Bild, das er schießt, fügt er der Chronologie seines Scheiterns nur ein weiteres Kapitel hinzu. Schon jetzt quellen die Festplatten der Agenturen über vor identischem Material, ebenso gut kann er sich hinter einem der Pick-ups zusammenrollen und das elende Bombardement verschlafen.

Er braucht andere Fotos. Nicht diesen austauschbaren Mist.

Er braucht *das* Foto.

Bis nach fünf fallen die Bomben.

Noch währenddessen beten die Rebellen im Garten das Fadschr. Verneigen sich gen Mekka, als wollten sie sich vor dem Krachen der Explosionen wegducken, die sie eben noch bejubelt haben, den inneren Blick auf eine bessere Welt gerichtet.

Mit Allahs Hilfe.

Vergesst es, denkt Hagen.

Allah ist nicht euer Ausputzer. Wäre ich er, ich würde euch was husten. Ihr wollt eine bessere Welt? Baut sie euch gefälligst selbst zusammen, ihr habt die alte ja auch selbst kaputt gemacht.

Doch wer ist hier eigentlich schuld?

Gleichsam aus Raumschiffen schauen Analysten und Politiker, Befürworter und Gegner des NATO-Einsatzes auf Libyen. Was okay ist. Unstrittig bedarf es großer Höhe, die Wege der Eskalation nachzuzeichnen und im mäandernden Delta der Geschichte Schuldige auszumachen, und den Rest besorgt die sogenannte öffentliche Meinung. Nur dass jeder in Talkshows erschwätzte Konsens dort seine Gültigkeit verliert, wo die Kacke tatsächlich dampft. Niemand bezweifelt, dass Gaddafi angefangen hat, soll heißen, losgegangen ist es mit Protesten, und der Bruder Führer in seiner Paranoia sah gleich Heerscharen Krimineller und Drogensüchtiger am Werk, Zombies, die dem Ruf westlicher Provokateure folgten, und nahm sein Volk unter Beschuss.

Jetzt aber nimmt das Volk Rache am Volk.

Alles ist viel komplizierter, als der konsensverwöhnte Westen glaubt – und vergessen wir nicht, wir sind in Libyen, das sich schon einmal in einer Revolte erneuert hat, verkörpert in der Gestalt jenes so charismatischen, gut aussehenden Gaddafi, den viele jetzt loswerden wollen, manche aber auch nicht. Nach 40 Jahren Diktatur hat jeder in diesem Land gute Gründe, auf der einen oder der anderen Seite zu stehen.

Nur, welche Seite ist ›die andere‹?

Wie viele andere Seiten gibt es inzwischen?

Die Gaddafer, muss man sagen, geben noch das geschlossenste Bild ab. Schlicht, weil sie das meiste zu verlieren haben. Die Revolutionäre eint hingegen lediglich, wogegen sie kämpfen, nicht wofür. Noch liegen sie sich in den Armen, über Klüfte hinweg. Betonen, dass sie keine Wahl hatten, was soll das für eine Wahl sein, töten oder getötet zu werden, das Richtige entweder mit den falschen Mitteln oder gar nicht zu erreichen? Welche Wahl hatte denn die Weltgemeinschaft? Sanktionen schön und gut, aber wenn einer gerade damit befasst ist, dir die Kehle durchzuschneiden, hilft es wenig, über ein Verkaufsverbot für Messer nachzudenken. Die NATO *musste* bombardieren. Und *sie* müssen sich eben verteidigen, töten, Städte zerstören.

Obwohl sie doch die Guten sind.

Alles richtig.

Nur ändert es nichts daran, dass Rebellen und Gaddafer einander in ihrem Hass längst so ähnlich geworden sind wie Zwillinge. Eine Waffe, das ist die traurige Wahrheit, pervertiert jeden, sobald er sie benutzt. Gewalt mag ein graduelles Phänomen sein, Ohrfeige, Nase brechen, aber wer einmal getötet hat, der hat getötet. Unwiderruflich.

Das Schlimmste, was dein Peiniger dir antun kann, ist, dass er dich zwingt, auf ihn anzulegen und abzudrücken.

Dass er dir keine Wahl lässt.

Endlich drehen die Bomber ab.

Zwanzig Minuten später hockt Hagen im Truck des Kommandeurs, iPhone und Handycam in Bereitschaft.

Ein Lindwurm aus Fahrzeugen setzt sich in Bewegung. Über die Verbindungsstraße Sirte–Bengasi brausen sie der qualmenden Stadt entgegen, das irritierend urlaubsblaue Meer zur Rechten. Im frühen Licht haben die Rauchsäulen begonnen, sich zu zersetzen. Rußige Schwaden treiben über die zerklüftete Skyline und ziehen mit dem Wind landeinwärts. Hagen wird auf der Rückbank hin und her geschüttelt, eingequetscht zwischen Daoud, einem vor Übermüdung wie auf Droge dreinblickenden Soldaten, und der ausufernden Präsenz des Volksschullehrers Ibrahim, dessen Doppelkinn sein Gesicht in ständige Geradeausrichtung zwingt.

Ibrahim redet in einem fort.

»Wegen mir muss keiner sterben, hörst du, kein Einziger, ich meine, ich bin aus Bengasi, Mann, wir haben kein Problem mit denen aus Sirte, nicht wirklich, jedenfalls nicht so wie die aus Misrata, da hat sich einiges angestaut, schon klar, aber wegen mir –«

Fühlt Ibrahim keinen Hass?

»Nein.« Gutmütiges Staunen. »Wozu?«

Die Sirter haben jede Menge Rebellen getötet. Allein gestern über 20.

»Ja schon, aber was sollen sie denn machen, ich meine, schau mal, das sind ja größtenteils Gaddafer, sein Stamm, die haben doch nicht schlecht gelebt unter der alten Kröte, oder? Die würden alles für ihn tun. Da fällt mir übrigens ein, kennst du den? Luftangriff der NATO, es knallt und kracht, und Gaddafis Doppelgänger werden alle in sein Zelt bestellt, wo aber nur Saif al-Islam ist, Gaddafis Sohn, du weißt schon, und der stolziert so umher und sagt dann zu den Doppelgängern, also, meine Herren, es gibt eine gute und eine schlechte Nachricht, fangen wie mit der guten an, mein Vater lebt.« Ibrahim erbebt, das Doppelkinn schwabbelt vergnügt. »Und jetzt die schlechte: Er hat bei seinem heldenhaften Kampf für Libyen den linken Arm, das rechte Auge und das rechte Bein verloren!«

Der ganze Wagen brüllt vor Lachen.

Netter Kerl, dieser Ibrahim. Bis vor Kurzem hat er nicht mal darüber nachgedacht, mit einem Luftgewehr auf einen Spatz zu schießen.

Jetzt weiß er nicht mehr, wie viele Menschen er getötet hat.

Auf dem Ring um Sirte staut sich der Verkehr. Fahrzeuge anderer Einheiten drängen herein. Der Tross hält am Straßenrand, letzte Lagebesprechung. Hagen vertritt sich die Beine. Als sie weiterfahren, registriert er, dass sich der Konvoi teilt.

»Wir nehmen sie in die Zange«, erklärt ihm der Kommandeur vom Vordersitz. »Die Hälfte unserer Leute fährt unterhalb von Distrikt 3 durch Shabiya bis Al-Dollar und dann hoch Richtung Nordstadt. Wir anderen nähern uns aus der Gegenrichtung, entlang Altstadt und Grüner Platz.«

»Das Hotel ist übrigens sauber«, sagt der Fahrer.

Das Hotel am Grünen Platz. Wochenlang Hochburg der Widerständler. Der Kommandeur schnaubt.

»Das Hotel ist schon seit letzter Woche sauber. Erzähl mir was, was ich noch nicht weiß.«

»Deine Frau treibt's mit –«

Irgendein Name, eruptives Gelächter. Kein Scherz ist zu platt, um nicht als Lockerungsübung zu dienen. Über irgendwas müssen sie schließlich lachen. Die Erschöpfung steht ihnen ins Gesicht geschrieben, Monate der Mangelernährung, zuletzt nur noch Nudeln mit Tomatensauce, wovon es in diesem geschundenen Land aus unerfindlichen Gründen nie versiegende Vorräte zu geben scheint. Immer wieder schlafen in fremden Häusern, und oft genug bleibt nur der Truck. Auf die Kühlerhaube will natürlich jeder, weil der Motor nachglüht und einen warm hält. Aber Kühlerhauben sind knapp, also pennen sie auf der Ladefläche, im Schatten der Kanone. Immer noch besser als auf dem Boden. Auf den Boden will keiner. Die Wüste lebt. Sie krabbelt, beißt und sticht. Verzehrt dich in kleinen Happen.

Das Gelächter erstirbt.

»*Allahu akbar*«, kommt es von Daoud.

Er murmelt es vor sich hin. Keiner antwortet. Jubeln werden sie erst, wenn alles vorbei ist.

Macht euch nichts vor, denkt Hagen. Ihr jubelt auf jeden Fall zu früh. Der Krieg hat einen langen Arm. Er holt sich seine Opfer, wenn ihr schon lange glaubt, er sei vorbei.

Acht Uhr, Einfahrt in die Nordstadt.

Gespenstische Stille.

Sie nähern sich dem Viertel, aus dem sie gestern beschossen wurden. Restlos zerstört. Die Ruinen so frisch, dass noch das Geisterbild intakter Architektur in der Luft zu stehen scheint. Milliarden schwebender Zementpartikel brechen das Sonnenlicht, ein changierendes Gleißen, das in den Augen schmerzt. Mittlerweile stehen die Boulevards vollständig unter Wasser. Stinkend und sprudelnd ergießt es sich aus der zertrümmerten Kanalisation, Autowracks darin wie Treibgut, zur Unkenntlichkeit verformt. Von den Ladeflächen stechen skelettöse Finger ab, die Läufe schwerer Maschinengewehre, die anklagend in den Himmel weisen.

Überall liegen Teile explodierter Artillerie herum.

Quadratmeterweise arbeiten sie sich ins Herz des Widerstands vor. Nichts deutet drauf hin, dass es noch schlägt. Die brutalisierte Fieberhaftigkeit des Vortags ist angespannter Wachsamkeit gewichen, als näherten sie sich einem angeschossenen Raubtier. Der Tross hat runtergeschaltet, fährt Schritttempo. Viele sind ausgestiegen, flankieren die träge kriechende Prozession, Gewehre im Anschlag, schneller Vorstoß, Schutz suchen hinter Trümmern, Umgebung sichern, weiter.

Plötzlich Rufe, Aufregung.

»Nicht schießen!«

Drei von Staub bemehlte Männer stolpern mit erhobenen Händen aus einer Einfahrt. Einer hält einen Raketenwerfer hoch wie Tauschgut, ein anderer wirft seine Kalaschnikow demonstrativ von sich. Ein Mörserteam. In ihren Mienen spiegelt sich die hilflose Erschöpfung der Besiegten, die noch nicht fassen können, dass es vorbei sein soll, und sich zugleich fragen, ob die Sieger gnädiger mit ihnen verfahren werden, als es der Mann zu tun pflegte, für dessen Machterhalt sie gekämpft haben.

Vielleicht sind sie aber auch einfach nur zu fertig, um sich überhaupt noch irgendwas zu fragen.

Der Tross rückt weiter vor.

Auch Hagen, Daoud und Ibrahim haben jetzt ihr Fahrzeug verlassen. Stellenweise reicht das Wasser bis zu den Knien, bei jedem Schritt steigt ihnen der Geruch seiner Herkunft in die Nase. Hagen filmt und fotografiert abwechselnd. Lässt die Kamera über einen mehrgeschossigen, zweiflügeligen Wohnkomplex gleiten, der als Einziger noch steht, die Fassade übersät mit Einschusslöchern und Granattrichtern, während von den angrenzenden Gebäuden nur Schuttberge geblieben sind. Sein Blick sucht die überspülte Straße nach Leichen ab. Erfasst verkohlte Klumpen, grotesk verrenkte Gliedmaßen. Viele sind es nicht, die hier liegen. Die meisten derer, die vergangene Nacht gestorben sind, dürften unter dem Schutt begraben liegen.

Ob Gaddafi unter ihnen ist?

Falls ja, wird es Tage und Wochen dauern, bis sie seine Überreste unter einem dieser Trümmerberge ausgebuddelt haben. Falls sie überhaupt noch etwas von ihm finden.

Oder aber der Bruder Führer ist geflohen.

Hat es geschafft, sich durch den Belagerungsgürtel zu mogeln.

Dann, denkt Hagen, kann ich hier einpacken.

Dann war alles umsonst.

Muammar, verdammter Kameltreiber!

Wo steckst du?

Ein weiteres Mörserteam ergibt sich.

Wieder wechseln Waffen den Besitzer.

Sie sind dem großen Wohnblock nun sehr nahe. Wenige Minuten noch, dann müsste der andere Teil des Konvois in Sicht geraten. Ist der Tross wiedervereint, können die Rebellen das Viertel als erobert vermelden, womit die letzte nennenswerte Bastion des Widerstands gefallen wäre.

Gaddafi *muss* hier sein.

Hagen kämpft seine Nervosität herunter. Sieht zu, wie die Gefangenen in die Pick-ups verfrachtet werden, und sagt sich, *Inschallah.* Vielleicht werden nicht *wir* es sein, die den Alten aufstöbern. Vielleicht läuft er ja der anderen Abteilung in die Arme, auch gut. Sobald sie ihn haben, werden sie uns informieren, und ich werde zur Stelle sein, noch vor allen anderen Fotografen. Das ist die Königsdisziplin: Schneller sein als Al Jazeera. Kinderspiel bis jetzt, da die sich noch nicht haben blicken lassen. Jedenfalls nicht in diesem Tross, und auch der *Guardian* und CNN scheinen heute zu kneifen.

Umso besser, denkt Hagen.

Haltet euch nur schön zurück.

Die Wagenkolonne setzt sich wieder in Bewegung. Ibrahim und Daoud waten neben ihm durch die Abwasserflut. Daoud sieht zu ihm herüber und wagt ein Lächeln.

»Bald haben wir es überstanden«, sagt er. »Mit Allahs Hilfe.«

Dass der Leichnam noch zuckt, wird Hagen klar, als Ibrahim sich verwundert an die Kehle fasst.

Vorausgegangen ist ein Knall, trocken wie ein Peitschenschlag. Jemand hat auf sie geschossen. Blut blubbert aus Ibrahims speckigem Hals, eine pumpende Fontäne. Der Kopf des Lehrers kippt zur Seite, sein Mund öffnet und schließt sich wie bei einem Karpfen. Er stiert Hagen an, als wolle er sagen: Unverschämtheit, das.

Stürzt wie ein Baum zu Boden.

»Scharfschützen!«, schreit der Kommandeur ins Funkgerät. »Deckung. Formiert die Wagen.«

Einen Moment steht Hagen da wie paralysiert.

Starrt zu dem Wohnkomplex empor.

Huschende Schatten.

Wirbelt herum.

In der Windschutzscheibe des Pick-ups, dem sie vorangegangen sind, klaffen zwei kreisrunde Löcher. Der Fahrer ist in sich zusammengesunken, doch der schwere Geländewagen rollt unerbittlich weiter, direkt auf ihn zu. In letzter Sekunde wirft er sich zur Seite, sieht den Pickup über Ibrahims massigen Leib rumpeln, schaukelnd wie ein Schiff in schwerer See, kommt hoch. Ringsum springen die Rebellen wie elektrisiert aus ihren Fahrzeugen und eröffnen das Feuer auf den Wohnkomplex. Wagen stellen sich quer und bilden eine Barriere, hinter der die Schützen Deckung suchen, andere flüchten in die Geröllhalden. Hagen sieht Daoud und den Kommandeur an Ibrahims reglosem Leib zerren. Weitere der peitschenknallartigen Schüsse zerfetzen die Luft, Wasser spritzt auf. Sie hasten zu einem Land Cruiser, dessen schwerer Granatwerfer Erinnerungen an letzte Nacht wachruft, werfen sich hinter dem Wagen in die stinkende Brühe. Hagens Verstand sagt ihm, dass es besser gewesen wäre, sich in die Ruinen zu flüchten, nur im Kino halten Autos scharfem Beschuss stand. Im wirklichen Leben durchschlägt ein Projektil, abgefeuert aus einer 7.62, jede Karosserie, doch seine Beine waren schneller als der Kopf, und jetzt ist es ohnehin zu spät.

Neben ihm kniet Daoud fassungslos im Wasser, das Gewehr gegen die Brust gepresst. Ibrahims Blut sprenkelt seine linke Gesichtshälfte.

»Warum sind die noch hier?«, keucht er.

Der Kommandeur bellt Anweisungen in sein Funkgerät.

»Warum?« Daouds Stimme wird schrill. »Wie können die denn noch hier sein? Warum sind die –«

»Weil die NATO nicht der Kammerjäger ist«, blafft ihn der Kommandeur an. »Sie haben Sirte bombardiert, nicht ausgegast, damit mussten wir rechnen.«

Er nennt Namen. Wer reingeht, Feuerschutz gibt.

Daouds Lippen formen ein lautloses Warum.

Warum, Junge?

Weil sie bislang immer da waren, denkt Hagen. Und das weißt du ganz genau, also pack dich an den Eiern. Noch jedes Mal, wenn Gaddafis versprengte Truppen das Weite suchen mussten, haben sie diese netten kleinen Begrüßungskomitees zurückgelassen, um die Bilanz zugunsten eines Mannes zu korrigieren, dem das ganze Blutvergießen keinen Deut mehr nützen wird. Es geht nicht um Strategie. Es geht einzig darum, den Rebellen die Übernahme so bitter wie möglich zu gestalten. Wenige solcher Himmelfahrtskommandos, an hohen Punkten postiert, reichen, um eine ganze Stadt zu terrorisieren. Bis zur letzten Patrone kämpfen diese Typen, knallen Rebellen ab, als lägen sie auf einem Schießstand, gnadenlos und ohne Gnade zu erwarten, bis sie selbst abgeknallt werden.

Bezahlen Gaddafis offene Rechnungen mit ihrem Leben.

Das hier wird bitter. Es kann Stunden dauern, bis sie die Kommandos ausgeschaltet haben. Bani Walid, Misrata und Bengasi, da wenigstens hatten sie die Mehrheit der Bevölkerung auf ihrer Seite.

Hier wird ihnen niemand gegen die Scharfschützen beistehen.

Hagen fotografiert.

Daouds aufgerissene Augen. Die Rebellen hinter ihren Barrieren. Den Wohnblock, Fenster wie klaffende Münder. Niemand dahinter zu sehen. Richtet sich auf, und sofort wird auf ihn geschossen.

»Lassen Sie den Scheiß«, zischt der Kommandeur. »Runter mit Ihnen.«

Zieht den Kopf ein.

Der Befehlshabende hat sich das Hinterrad als Lebensversicherung ausgesucht. Im Schutz von Felge und Reifen ist man vergleichsweise gut gepanzert, es sei denn, die Kugeln durchsieben den Tank oder treffen das Monstrum auf der Ladefläche. Sobald dieser in Heimarbeit gefertigte, von Gottesglauben zusammengehaltene Kampfwagen explodiert, ist es egal, wo man hockt.

»Feuer einstellen!«

Es knattert weiter.

»Einstellen, hört ihr schlecht? Erst wieder, wenn ich es sage!«

Ist so eine Sache mit Befehlen in der angespannten Lage, aber schließlich hört der Donner der Schwerartillerie auf. Nur ein paar Gewehre kläffen weiter, beantwortet vom Peitschenklang der Präzisionsschüsse.

Waffen im Small Talk.

Der Kommandeur stellt seine Leute zusammen. Beinahe eine Strategie. Rechte und linke Flanke, Sturm auf den Wohnblock. Gleich rein und dann hoch in die oberen Stockwerke. Chirurgischer Eingriff. Sein Blick bleibt an Hagen hängen.

»Wollen Sie mit?«

»Was?«

»Sie *wollen* doch mit. Vielleicht ist *er* ja dadrin. Vielleicht sind das *seine* Leute.«

»Klar. Klar!«

»Dann los.« Ins Funkgerät: »Feuerschutz, jetzt! Mit allem, was ihr habt.«

Aus der Deckung des Land Cruisers.

Über die Straße.

Rennen, spritzendes Wasser.

Das Artilleriegewitter bricht von Neuem los, *taktaktak*, zerhackt die Luft. Rauch steigt auf. Hagen filmt, fragmentarische, verwackelte Szenen. Bewaffnete, die zu ihnen stoßen, andere auf der gegenüberliegenden Seite des Boulevards in vollem Lauf. Der Wohnblock. Sind fast da, ein Mann stürzt, rappelt sich hoch, die Scharfschützen in Schach gehalten vom massiven Gegenfeuer. Unmittelbar über ihnen platzt die Hauswand an mehreren Stellen auf, bauscht ihr staubiges Totenhemd. Ein Regen aus zerschossenem Putz geht auf sie nieder, Schüsse, Schreie –

Dann sind sie drin.

»*Allahu akbar*«, flüstert Daoud.

Kühle.

Ein Moment des Innehaltens, Atemholens.

Hagen schaut sich um.

Bis vor Kurzem noch dürfte dieser Raum eine repräsentative, lichte Lobby gewesen sein, mit großen Fenstern, Empfangstheke, Zierpflanzen und blank polierten Marmorfluchten. Jetzt hat sich die halbe Decke auf dem Boden verteilt und alle Pracht unter sich begraben. Trotz der Sonne, die hereingleißt, herrscht diffuses Zwielicht, hervorgerufen durch Schwebstoffe aller Art. Winzige Partikel sammeln sich in Hagens Mundhöhle, verwandeln seinen Speichel in Klebstoff und pappen seine Zunge an den Gaumen. Der durchdringende Geruch verschmorter Kabel sticht ihm in die Nase. Sie pirschen sich den Treppenschacht hinauf, ignorieren die wahrscheinlich ohnehin defekten Fahrstühle. Treppen sind, um den Feind zu überraschen, immer noch die bessere Wahl.

Erster Stock. Flure, Türen.

Drei Mann werden zur Kontrolle der Wohnungen abkommandiert.

Zweiter Stock.

Identisches Bild.

Die Granatwerfer sind verstummt, zum Schweigen verdammt. Jetzt wo die eigenen Leute im Haus sind, können sie draußen nicht länger mit schwerer Munition draufhalten. Umso deutlicher lassen sich die Schüsse der Scharfschützen vernehmen.

»Das kommt von weiter oben«, sagt einer der Männer. »Viel weiter oben.«

»Die sind auf dem Dach. Die Schweine.«

»Hurensöhne!«

»Haltet die Klappe.« Der Kommandant bringt sie mit einer Handbewegung zum Schweigen. Legt den Kopf schräg und lauscht. »Die sind nicht auf dem Dach.«

»Glaub ich aber schon.«

»Nein.«

»Sondern?«

»Eher im Stockwerk drunter.«

»Wie viele Stockwerke hat der Scheißkasten überhaupt?«

»Was denn?«, frotzelt einer. »Schon müde?«

»Fünf«, sagt ein anderer. »Oder sechs.«

»Egal. Das sind irre viele Wohnungen, wie sollen wir denn jede einzelne Wohnung durchs –«

»Gar nicht. Wir gehen hoch.«

Sie schleichen die Stufen empor, nähern sich jedem Stockwerk in Erwartung einer Falle und finden nichts als noch mehr Trümmer. An manchen Stellen hat der Beschuss die Wände so weit eingerissen, dass man durch die verwüsteten Wohnungen den Himmel sehen kann. Eigentlich ein Wunder, dass der Komplex nicht längst in sich zusammengefallen ist.

Vorletztes Stockwerk. Beratschlagen im Flüsterton.

»Eins ist mal sicher, Leute. Die wissen, dass wir hochkommen.«

»Gibt es noch einen Zugang?«

»Ja. Im anderen Gebäudeflügel.«

»Da sind doch auch welche von uns rein, oder? Wenn wir die da oben in die Zange nehmen könnten –«

»Darauf können wir uns nicht verlassen.«

»Scheiße.«

»Keine Ahnung, ob die Flügel miteinander verbunden sind.«

»Und jetzt?«

Ihre Blicke erwandern die verbleibenden Stufen, die in einem Linksknick hinter dem Fahrstuhlschacht verschwinden. Hagen stellt fest, dass die Trockenheit in seinem Mund nicht ausschließlich von dem allgegenwärtigen Staub herrührt.

Du hast Angst, denkt er.

Eine richtige Scheißangst hast du.

Sofort beginnt er, Distanz aufzubauen, indem er seine Angst in einen größeren, neutralen Raum verortet. Wie ein sich windendes Tier kann er sie darin studieren, eine in Panik geratende Kreatur, unmittelbar davor, ihrem natürlichen Fluchttrieb zu gehorchen. Er sieht ihre Erbärmlichkeit, ihre zitternden Flanken, ihren eingezogenen Schwanz, ihre ganze irrationale, lächerliche Natur. Kann sie beherrschen und umdrehen, bis sie den Charakter einer Stimulanz annimmt.

Einer Droge.

Darin war er immer schon gut. Nur darum steht er jetzt hier unterhalb eines Stockwerks voll feindlich gesinnter Scharfschützen. Schaut in die Gesichter ringsum, Klempner, Lehrer, Straßenhändler, übergelaufene Soldaten, Angst, wohin er blickt.

Das hier ist was anderes, als aus sechs Kilometer Entfernung Raketen auf eine Stadt abzufeuern. Es ist der zermürbende Häuserkampf, der ihnen gestern schon so zugesetzt hat.

Und er scheint noch lange nicht vorbei zu sein.

»Schätze, die warten hinter dem nächsten Knick«, sagt er leise. »Jede Wette, dass sie zuerst schießen.«

Der Kommandant hebt belustigt die Brauen.

»Dann möchten Sie vielleicht vorgehen?«

Hagen hält seine Kamera hoch.

»Falsche Munition.«

»Ah.« Der andere grinst. »Na, mehr Mumm als Ihr Außenminister haben Sie allemal. Fertig machen zum Sturm.«

Sie huschen die letzten Stufen hinauf. Hinter dem ersten Knick ist niemand. Hinter dem zweiten auch nicht. Licht strömt ihnen entgegen –

Licht, das einen Schatten umrahmt.

Ganz oben auf dem Treppensims steht jemand mit einer Kalaschnikow und eröffnet das Feuer. Der Trupp ballert zurück, alle Mann wie einer, und der Schatten klappt geräuschlos in sich zusammen.

Taktik?

Scheiß auf die Taktik.

Lärmend und ungeordnet fallen sie in die Etage ein, kaum einer nimmt sich Zeit, die Lage zu peilen. Schießen einfach drauflos, entleeren ihre Magazine. Gestalten wirbeln zu ihnen herum, unmöglich zu sagen, wie viele es sind, drei, fünf oder mehr. Hagen lässt die Handycam surren und versucht, halbwegs in Deckung zu bleiben. Nicht so einfach, stellt er fest, hier oben gibt es keine Wohnungen, nicht mal eine verdammte Zwischenwand, gar nichts, nur tragende Säulen. Das ganze Dachgeschoss ist ein einziger Riesenraum, bis in den letzten Winkel erhellt von Tageslicht, das durch die zahlreichen Fenster und Löcher im Dach hereinwabert. Eine Rohbauhöhle, die jetzt widerhallt von Schüssen und den Schreien der Getroffenen. Zwei Scharfschützen liegen reglos am Boden, dann knickt einer der Rebellen ein, hält sich die Wade, jault wie ein Hund. Der Mann, der ihn erwischt hat, wechselt das Magazin und wird vom Kommandanten mit einem gezielten Kopfschuss erledigt.

Alle Achtung!, denkt Hagen, das war Profiarbeit.

Das macht er nicht zum ersten Mal.

Sieht einen weiteren Scharfschützen zu Boden gehen, die Arme wie zur Kreuzigung von sich gestreckt, alles passiert wahnsinnig schnell – und plötzlich durchfährt es ihn mit der Intensität eines Blitzschlags:

Diese Typen da wissen, wo sich Gaddafi versteckt.

»Aufhören!«, schreit er.

Niemand hält auch nur einen Atemzug lang inne.

»Aufhören! Lasst sie leben. Sie wissen Bescheid, hört ihr? Sie wissen, wo er ist!«

Einer ihrer Gegner zuckt getroffen zusammen, macht kehrt und hastet in verkrümmter Haltung davon.

Der letzte verbliebene Scharfschütze wirft seine Waffe von sich.

Geht vor den Rebellen auf die Knie.

»Das ist gut, gut!« Hagen eilt hinzu. »Ihr müsst ihn –«

Daoud zieht eine Pistole.

»Müsst –«

Schießt dem Mann zweimal in die Brust.

Der Scharfschütze fällt aufs Gesicht und rührt sich nicht mehr. Hagen starrt ihn an, als werde sich der leblose Körper wundersamerweise wieder aufrappeln und ihm das Geheimnis von Gaddafis Verbleib anvertrauen, doch der Schütze ist ohne Zweifel tot.

»Ihr Idioten«, flüstert er.

Niemand beachtet ihn. In wilder Hast haken sie ihren Verletzten unter und ziehen sich zur Treppe zurück.

Wo ist der andere hin?

Der Typ, der abgehauen ist?

Hagens Blicke suchen die leere Etage ab. Die Säulen sind zu schmal, um einen Körper dahinter zu verbergen.

Dann sieht er die Stiege.

Die Leiter am Ende des Raums, die aufs Dach führt.

Läuft hin, legt den Kopf in den Nacken. Blauer Himmel über ihm. Beginnt zu klettern. War der Kerl bewaffnet, als er floh? Er weiß es nicht mehr. Weiß nur, dass er alles daransetzen muss, den Mann lebend in die Finger zu bekommen, der möglicherweise draußen wartet, Vorsicht also.

Schiebt wie eine Schildkröte den Kopf aus der Luke.

Rascher Rundumblick.

Niemand wartet.

Zumindest niemand, der auf ihn schießt.

Stemmt sich ganz heraus.

Jetzt kann er sehen, dass er sich auf dem Dach des östlichen Flügels befindet. Leitungen schlängeln sich über Teerpappe, Wassertanks stehen in Batterien aneinandergereiht, überall liegen Baumaterialien herum. Wie es aussieht, war der Komplex noch nicht fertiggestellt. Von hier oben genießt man einen Panoramablick über die ganze Stadt, sofern von Genuss die Rede sein kann, denn eigentlich sieht man nichts als Zerstörung, Brände und Rauch.

Läuft ein Stück Richtung Westen.

»He!« Legt die Hände trichterförmig an den Mund, bemüht sein bestes Arabisch. »Komm raus. Ich will dir nichts tun. Ich kann dir helfen!«

Geht weiter, schaut sich um.

»Ich bin dein Freund!«

Großer Gott, wie kitschig. Ich bin dein Freund? Wie aus einem beschissenen Karl-May-Film.

»Hab keine Angst! Ich kann dir helfen!«

Und plötzlich hört er wieder die peitschenartigen Schüsse. Wirft sich reflexartig auf die heiße Pappe, macht sich platt wie eine Flunder, atmet den öligen Teergeruch ein. Weitere Schüsse fallen, doch offenbar gelten sie nicht ihm.

Was ist da los?

Haben sie nicht gerade Tabula rasa gemacht?

Hagen springt auf und klopft sich die Teerkrümel aus der Kleidung. Irgendwie klingt es, als würde vom Dach aus gefeuert, und auch wieder nicht. Der Typ, den er verfolgt, kann definitiv nicht so viel Munition im Alleingang raushauen, es sind mindestens zwei, die da schießen.

Es muss noch ein Nest geben.

Langsam geht er weiter, sieht sich um.

Da!

Hinter einem Wassertank schnellt eine schmächtige Gestalt hervor. Hastet zu der schmalen Barriere zwischen Ost- und Westflügel, überspringt sie, kommt unsicher auf, läuft weiter.

»He!«

Keine Reaktion.

»Jetzt warte doch! Ich will dir helfen!«

Sofern du mir steckst, wo Seiner Eminenz in diesen Sekunden der Arsch auf Grundeis geht, mein Freund. Und auch dann weiß ich immer noch nicht, was ich tatsächlich für dich tun kann. Besser gesagt, *will.*

Er setzt dem Flüchtigen nach.

Der gerät ins Taumeln, sichtlich geschwächt. Hagen holt auf. Ist mit einem Satz über die Barriere, treibt sich zur Höchstleistung, bevor der andere in einer weiteren Dachluke verschwinden kann.

»Ich bin dein Freund!«

An seinem Arabisch kann's nicht liegen, dass der Mann nicht stehen bleibt, das ist in Ordnung, scheint der Vertrauensbildung indes keinen Vorschub zu leisten. Unbeirrt hält der Fliehende auf das westliche Ende des Flügels zu, wo sich der Blick auf Distrikt 2 und die Straße nach Misrata öffnet.

Und dort ist –

Nichts.

Keine Luke, kein Abstieg.

Kein Fluchtweg.

Hagen verlangsamt sein Tempo. Aus den Fenstern unter ihm wird heftig geschossen. Offenbar war der Trupp, der die Schützen im Westflügel außer Gefecht setzen sollte, weniger erfolgreich, fragt sich, wer da wen ausgeschaltet hat. Inzwischen dämmert auch dem Flüchtigen, dass er sich in die Falle manövriert hat. Er stolpert rückwärts, der Dachkante entgegen, eine Hand von sich gestreckt. Fünf gespreizte Finger, mehr hat er nicht zur Abwehr. Der andere Arm baumelt schlaff herab. Blutdurchtränkt. Entsetzen spiegelt sich in seinen Augen, namenlose Angst.

Die großen, braunen Augen eines –

Hagen bleibt stehen.

»Scheiße«, flüstert er. »Du bist ja noch ein Kind.«

Der Unterkiefer des Jungen bebt. Er ist höchstens vierzehn. Tränen laufen über seine Wangen. Er wimmert, schüttelt den Kopf, windet sich, als versuche er, aus diesem Albtraum aufzuwachen.

Hagen kann es nicht fassen. Obwohl er es schon hundertmal gesehen hat:

Kindersoldaten. Blutjunge Gotteskrieger.

Scharfschützen!

Scheiße, denkt er, was machen sie bloß aus euch? Diese Drecksäcke, warum tun sie euch das an?

Er schaut in die Tiefe.

Unten rangiert einer der Pick-ups wild herum, setzt zurück, wieder vor, arbeitet sich mit den Vorderrädern einen Berg aus Schutt hinauf.

Ist das nicht – ?

Klar. Da prangt er auf der Ladefläche, der UB-32-Raketenwerfer, der garantiert *nicht* einwandfrei montiert ist, und jetzt haben sie die Kiste zu allem Überfluss auch noch nach hinten gekippt.

Er muss handeln. Ihm läuft die Zeit davon.

»Alles okay«, sagt er zu dem Jungen.

Der sieht sich wild nach allen Seiten um, weicht weiter zurück. Wenige Schritte noch, und er wird vom Dach stürzen. Hagen streckt ihm die Rechte entgegen, senkt beruhigend die Stimme.

»Ich helfe dir.«

Meint es ernst. Egal, wie viele Menschen das verstörte Kind auf dem Gewissen hat.

»Sag mir nur, wo Gaddafi ist. Du weißt doch, wo er ist.«

Der Junge keucht, bleibt stehen. Hagen geht in die Hocke, macht sich kleiner. Schaut zu seinem Gegenüber auf.

»Ich bin deine letzte Chance, verstehst du?«

Unglaube, Verzweiflung, Hoffnung.

Trotz.

Was Augen alles ausdrücken können.

»Ich schwöre, ich bringe dich hier raus«, verspricht Hagen. »Ich helfe dir, wenn du mir nur verrätst, wo –«

Sein Blick schweift ab.

Gut einen Kilometer weiter, in Distrikt 2, geschieht etwas. Ein Wagen schießt zwischen den Häusern hervor, biegt auf die Hauptstraße nach Misrata ein, gefolgt von einem weiteren, noch einem. Bis hierhin kann man das Quietschen der Reifen hören.

Zehn Wagen. Zwanzig Wagen.

Dreißig.

Eine ganze Kolonne, die versucht, sich abzusetzen.

Kein Zweifel, wer da gerade flieht.

Hagen springt auf. Unten stürmt sein Trupp aus dem Haus. Zwei Mann tragen den Verwundeten, und sofort verstärken die Scharfschützen wieder ihren Beschuss. Der Kommandeur brüllt etwas in sein Funkgerät, kein Wort davon kann Hagen hier oben verstehen, aber das muss er auch nicht. Mit der Heftigkeit eines Magenschlages trifft ihn die Erkenntnis, dass der Befehlshabende soeben den Westflügel zur Zerstörung freigegeben hat.

Und sie stehen hier an der Dachkante.

»Lauf!«, schreit er dem Jungen zu.

Im nächsten Moment hallt der zerklüftete Canyon wider vom Dröhnen der Artillerie. Der Junge macht einen weiteren Schritt zurück. Unten schwenkt der UB-32 herum, durch die gekippte Position des Trägerfahrzeugs nun in der Lage, das obere Stockwerk zu treffen, und richtet seine stumpfe Nase auf sie.

Feuert.

Hagen sieht den Pick-up explodieren im Moment, als der Rückstoß des Projektils in den Boden fährt, beginnt zu rennen. Noch während sich der brennende Wagen in der Luft überschlägt, kracht die Granate ins Dach und reißt die Nordwestspitze des Gebäudes mitsamt dem Jungen einfach weg. Eine gewaltige Druckwelle hebt Hagen an wie eine Feder. Er rudert im Fliegen mit den Armen, schlägt auf. Kommt auf die Beine, rennt weiter, über die Barriere, den Ostflügel entlang. Zur Luke.

Die Leiter runter, mehr Springen als Klettern, zum Treppenschacht, abwärts, abwärts, abwärts, durch die zertrümmerte Eingangshalle nach draußen.

»Gaddafi!«, schreit er wie von Sinnen. »Er haut ab! Distrikt 2! Er haut ab, Gaddafi haut ab! Er –«

Die Ruinen wechseln ihre Position.

Himmel und Wasser werden eins, schwappen ihm entgegen, das Aquarell eines Verrückten.

Alles fließt ineinander.

Dann nichts mehr.

21. Oktober

Gaddafi, heißt es, habe zuletzt die Welt nicht mehr verstanden, doch das stimmt nicht ganz.

Gerade am Ende hat er sie sehr wohl verstanden.

Er hat sie so gesehen, wie sie ist.

Nicht dass der Bruder Führer plötzlich in den Stand der Weisheit gelangt wäre. Das nun wirklich nicht. Und den Begriff Demut anzuwenden, bloß weil er sich in den leer stehenden Häusern von Sirte angewöhnt hatte, seinen Tee selbst zu kochen und hektisch im Koran zu blättern, dazu mag sich nicht mal sein alter Kumpel Mansur Dao versteigen, ehedem Kommandant der Revolutionärsgarden und bis zuletzt an seiner Seite.

Nur, im August war Gaddafi noch viel blinder.

Als er nämlich auf Drängen seines Sohnes Muatassim samt zehnköpfiger Entourage nach Sirte floh, erwartete ihn da immerhin eine halbwegs fidele Millionärsszene, die ihm alles zu verdanken hatte. Und die überschlug sich förmlich im Bemühen, ihm seine Illusionen zu erhalten. Während die Medien ihn in Burkina Faso, Niger oder irgendeinem Beduinenzelt vermuteten, stolzierte er in den Luxusvillen seiner Protegés herum, aß Me'chouia und Buriq, köstlich gewürzten Couscous, Datteln, Lammhackwürstchen und gefüllten Fenchel, ließ sich Auberginen mit Harissa, Thunfischtaschen und Trauben schmecken, trank arabischen Kaffee und wähnte sich im Besitz aller Optionen. Seine Gastgeber erzählten ihm, was er hören wollte. Gestärkt von so viel Zuspruch griff er dann zum Satellitentelefon und ließ über Arrai TV, einen befreundeten syrischen Fernsehsender, wunderliche Durchhalteparolen verbreiten: »Erhebt Euch in Millionen, befreit Tripolis!« und Ähnliches. Die Aufrufe kamen über die Menschen mit der Regelmäßigkeit von Sandstürmen und hinterließen ebenso viel Eindruck, nämlich keinen, aber Gaddafi erzählten sie natürlich hinterher, alle hätten begeistert aufgeschrien.

Im August, da war er noch ein Herrscher.

Wenigstens in Sirte.

Dann nahmen die Rebellen Sirte in die Zange.

Am 9. September begannen die Angriffe. Die Millionäre flohen. Flakgeschützsalven und Granaten verwüsteten ihre Domizile, und wo so eine NATO-Bombe hinfällt, weiß man ja auch nie ganz genau. In den Villen jedenfalls konnte Gaddafi nicht bleiben. Noch gab es ein Netzwerk aus Geheimdienstmännern, Stammesbrüdern und Freiwilligen, die ihn, so gut es eben ging, mit dem Nötigsten versorgten. Die ersten Tage der Belagerung waren ein Zuckerlecken gegen das, was dann kam. Verlassene Häuser, in denen alles zerstört war, was sich als zivilisatorische Errungenschaft bezeichnen ließ. Der ständige Albtraum, entdeckt zu werden. Fast jede zweite Nacht umziehen. Kein Strom, kein Wasser, kein Radio, kein Fernsehen, nichts, und sein Satellitentelefon, über das er so gern zu seinen fehlgeleiteten Kindern sprach, musste er ausgeschaltet lassen, weil man ihn darüber hätte orten können.

Also hockte er da. Blind, taub und stumm.

Und die Schlinge zog sich zu.

Eingekesselte Despoten, muss man sagen, verhalten sich fast immer gleich. In ihren schäbigen Verstecken, angesichts schwindender Lebensmittel, mangelnder Hygiene und näher kommender Einschläge, entwickeln sie ein fast kindlich rührseliges Verhalten. Mit großen Augen fragen sie, was los sei. Ich bin doch Präsident. Geliebter Führer. Aller Handlungsfähigkeit beraubt, beginnen sie an der kosmischen Ordnung selbst zu zweifeln und empfinden das Leben als ungerecht.

Und damit liegen sie ganz richtig.

Im Moment, als Gaddafi die Welt verfluchte, hatte er die ihr zugrunde liegende Dramaturgie endlich verstanden: eine Posse, deren Protagonisten von einem sich selbst entwickelnden Drehbuch durch die Kulissen gescheucht werden, ohne dass höhere Mächte Sympathien verteilen. Sich selbst als Verursacher des Unrechts zu begreifen, wäre ihm nie eingefallen, also hatte Mansur Dao fortan einen jammernden Sack am Bein, ein larmoyantes Monster, das im einen Moment wutentbrannt nach Strom und fließendem Wasser schrie und im anderen apathisch vor sich hin starrte.

Das ist das Problem mit Despoten: Sie können sich nur *ein* leidendes Opfer vorstellen.

Sich selbst.

Am Ende, Ironie des Ganzen, hatte Gaddafi mehr mit den Rebellen gemein, als ihm bewusst war. Zum einen Pasta. Irgendwann in den Dreißigern, während der italienischen Besatzung, waren Nudeln in allen Varianten auf libysche Teller geflutscht, und nun hielten sie sich beiderseits der Frontlinie damit aufrecht.

Zweitens, das von ihm verfasste Grüne Buch. Gemäß der darin beschriebenen Dritten Universaltheorie hat die wahre Demokratie vom Volk und nicht von dessen Repräsentanten auszugehen. Und genau daran hielten sie sich jetzt, seine Kinder, und jagten ihn zum Teufel. Eigentlich hätte er stolz sein können, stattdessen quengelte er rum und lag allen in den Ohren mit seiner Angst vor den Bomben der NATO.

Es half nichts.

Sie mussten raus aus Sirte.

Jene Nacht zuvor nun, als die Feuerblumen in den Himmel steigen. Über 70 Geländewagen stehen bereit, aufgetankt und mit laufendem Motor. Für drei Uhr morgens ist der Ausbruch geplant. Erst über die Schnellstraße Richtung Misrata, dann durch die Wüste über irgendeine Grenze, völlig egal, welche. Vielleicht wollen sie aber auch den nächsten Flughafen stürmen oder Schiffe kapern. Die einen wollen dies, die anderen das. Gaddafi spielt mit seiner goldenen Pistole rum, die er gewohnheitsmäßig bei sich trägt, ohne in den vergangenen Wochen je einen Schuss abgefeuert zu haben, und will in gar kein Nachbarland.

Wohin er dann will?

Zurück an die Macht natürlich.

Mansur Dao nickt, klar, Kinderspiel, und drängt zum Aufbruch. Doch die Abfahrt verzögert sich, das Ganze ist weniger gut organisiert als angenommen. Dao tobt, sein Boss schweigt, mit den Gedanken bei der Ungerechtigkeit der Welt. Hat er sich nicht klar ausgedrückt in all den Monaten? Sieg oder Märtyrertod. Was soll er im Exil? Ein Muammar al-Gaddafi geht nicht ins Exil. Er hat einen Plan, und der sieht vor, im Süden einen Aufstand zu entfesseln.

Über der Stadt erleichtern sich die Bomber.

Als endlich alle startbereit sind, können sie dennoch nicht losfahren. Zu dicht ist die Präsenz der NATO. Den Arschlöchern in ihren Cockpits da oben 70 fliehende, schwer bewaffnete Fahrzeuge zu präsentieren, da gab's schon bessere Ideen.

Also harren sie weiter aus, zittern und bangen.

Fünf Stunden lang.

Dann endlich, gegen 8:30 Uhr, das Signal zum Aufbruch.

Mit Höchstgeschwindigkeit biegen sie auf den Boulevard nach Westen ein, dreschen durch die Vororte. Gaddafi sitzt neben Dao auf dem Rücksitz eines Land Cruiser und schweigt. Hat sich jede Diskussion verbeten. Es geht nach Süden, und damit basta.

Erstaunlicherweise, obwohl sie den Belagerungsgürtel durchbrechen müssen, schlägt ihnen kaum Widerstand entgegen. Wer den Konvoi vorüberrasen sieht, ist möglicherweise zu verblüfft, um ihn zu stoppen, was im Übrigen auch keine gute Idee wäre, weil die Pick-ups vor Waffen nur so starren. Vielleicht lässt man ihn aber auch passieren, weil man weiß, dass jemand anderer sich darum kümmern wird. Ein Al-Jazeera-Team, das zufällig am Straßenrand filmt, wundert sich, springt in die Wagen, hinterher, der Äther summt.

Der Konvoi macht Strecke.

Allmählich schöpfen sie Hoffnung. Sirte liegt weit hinter ihnen. Fast eine halbe Stunde sind sie jetzt schon unterwegs.

Dann erscheinen die Bomber.

Später wird aus NATO-Kreisen verlauten, man habe nicht gewusst, wer in der Kolonne sitzt. Geschenkt. Das Scheitern des Ausbruchs ist besiegelt, als Gaddafi am Vorabend wider jede Vernunft doch sein Telefon einschaltet und Verbündete im Süden anruft. 12 000 Mann sollen sie für ihn aufstellen, ein Heer für den Befreiungskampf, an dessen Spitze er sich setzen wird.

Die Geheimdienste sind entzückt.

Da ist er ja, der gute alte Muammar!

Wer immer da gelauscht hat, ob es sogar zutrifft, was der *Daily Telegraph* später schreiben wird, dass nämlich die NATO Gaddafi zu diesem Zeitpunkt längst lokalisiert und seit über einer Woche jeden seiner Schritte beobachtet hat – um 9:00 Uhr jedenfalls sind eine US-Drohne und zwei französische Mirage-Kampfjets zur Stelle und schießen den Konvoi zu Schrott.

Ein Wagen nach dem anderen geht in Flammen auf.

Gaddafi springt in Panik aus dem Land Cruiser, Dao und ein paar Getreue hasten hinterdrein. In der Nähe liegen Farmen, doch die Präsenz der Jets macht jede Flucht über freies Feld unmöglich. Mittlerweile hat der Rauch der brennenden Fahrzeuge Rebellen angelockt, Kämpfer der Misrata-Brigade, die ganz besonders schlecht auf ihren alten Boss zu sprechen sind und jetzt wie Haie der Blutspur folgen.

Es ist die Stunde der Hobbyfilmer.

Gaddafi und Dao hocken in einer Betonröhre unter der Hauptstraße. Oben wird nicht mehr groß gekämpft, die Sache ist gelaufen. Wer gestellt wird, ergibt sich. Die Suche nach dem Bruder Führer beginnt, und was hat man nicht schon alles in Abwasserrohren gefunden.

Sie zerren ihn heraus.

Videos entstehen, Aufnahmen wie durch den Wolf gedreht. Eben noch sieht Gaddafi ganz gesund aus, dann blutet er. Jemand hat auf ihn geschossen. In die Beine, sagen die einen, unter die Achsel, in den Kopf, meinen die anderen. Natürlich ist jeder bemüht, ihm kein Haar zu krümmen, alle sind durchdrungen von der Ehrfurcht vor den Menschenrechten, außerdem will man den alten Mann ja vor Gericht stellen. Es kann also nur ein Versehen sein, dass einige ihn auf die Pritsche eines Pick-ups ziehen und ihm eine Eisenstange in den Arsch rammen, und die Schnitte, die seinen Körper kreuz und quer überziehen, da muss er wohl böse gestürzt sein.

Die Schussverletzungen?

Querschläger im Gefecht.

Ein Gefecht, das zu diesem Zeitpunkt gar nicht mehr stattfand.

Gaddafi durchlebt multiple Schicksale.

Stirbt jeden erdenklichen Tod.

Einmal mehr ist Al Jazeera ganz nah dran, wenn auch nicht nah genug, um das Mysterium der Todesumstände zu lüften, was eine erfreuliche Nachberichterstattung verspricht. Sie streuen die Nachricht als Erste, AP und Reuters greifen sie auf, mit Lichtgeschwindigkeit durcheilt sie das Netz, und die Meldungen überschlagen sich. Die Gaddafi Horror Picture Show flimmert in jedes Wohnzimmer, wer Artikel schreiben kann, der schreibt.

Schreibt die Story, die Hagen gerne geschrieben hätte.

So aber schreibt Tom Hagen gar nichts.

Vorübergehend liegt er in tiefer Ohnmacht, wacht kurz auf, erbricht sich und sackt wieder weg. Dämmert dahin, während sie im Feldlazarett die Platzwunde nähen, die ihm das herabfallende Trümmerteil im Moment, als er aus dem zerstörten Wohnblock hastete, eingetragen hat, vertrauen ihn einer Gruppe Sanitäter an, die nach Tripolis wollen. Die nehmen ihn mit und verfrachten ihn ins Matiga-Krankenhaus. Kaum zu fassen. Vor sechs Wochen war er dort noch zur Berichterstattung. Hat verwundete Rebellen und Gaddafi-Soldaten interviewt, die in getrennten Räumen untergebracht waren, der Gaddafi-Sektor streng bewacht, um die Patienten an der Flucht zu hindern, wohl eher aber, um sie zu schützen, da sie in ständiger Gefahr schwebten, gelyncht statt medizinisch versorgt zu werden.

Jetzt liegt er selbst hier.

Damals schrien alle: »Nieder mit Gaddafi!«

Heute hätten sie Grund zum Jubeln, aber es bleibt ihnen kaum Zeit dazu. Wie Bodennebel stehen die Ausdünstungen des Todes im Raum, betäubend riecht es nach Desinfektionsmitteln. Das Krankenhaus ist hoffnungslos überfüllt. Trotzdem nehmen sie sich brav Hagens Schädel an, schieben ihn in die Radiologie und kümmern sich um ihn, so gut sie können, wozu gehört, ihn für die nächsten 24 Stunden dazubehalten.

Er protestiert.

Sie zucken die Achseln.

Er spuckt Gift und Galle.

Zwecklos.

Am liebsten würde er abhauen. Kann er vergessen. Wann immer er aufsteht, dreht sich die Welt um ihn herum, und sein Kopf fühlt sich an, als wolle das Gehirn zu den Ohren raus. So ist er auch nicht in Misrata, als deutsche Journalisten einen ersten Blick auf Gaddafis nackte Leiche werfen, die sie dort zur Schau stellen wie einen erlegten Alligator.

Nicht mal den toten Diktator kann er sehen.

Die Ärzte meinen, er solle froh sein. Erklären ihm, er sei haarscharf am Schädelbasisbruch vorbeigekommen, und was für unverschämtes Glück er gehabt habe.

Hagen sieht das anders.

Wenn *das* Glück ist, sagt er sich, im entscheidenden Moment von einem verfluchten Stück Stein ausgeknockt zu werden, dann ist Fortuna eine sadistische alte Schlampe.

Als es endlich besser wird, werfen sie ihn raus. Sie brauchen die Betten. Trotz des Elends ringsum ist die Stimmung unter den Patienten sichtlich gehoben. Wenigstens wissen sie jetzt, dass sich die Opfer gelohnt haben. Einige machen das Siegeszeichen, als er seine Siebensachen packt. Er solle über sie schreiben. Dass sie jetzt keine Rebellen mehr seien, sondern Bürger des freien Libyens.

Würde ich ja gerne, denkt er.

Was glaubt ihr, was ich alles schreiben wollte.

Ein holländisches Korrespondententeam nimmt ihn mit nach Sirte, wo sich die Gewalt in sinnloser Endlosschleife weiter entlädt. Man muss einräumen, das Gros der Sieger geht durchaus freundlich und respektvoll mit den Verlierern um. Eigentlich sind es nur die aus Misrata, die jeden Sirter drangsalieren, unabhängig davon, auf wessen Seite er stand und steht. In Misrata scheint man zudem zu glauben, alle Sirter seien unermesslich reich gewesen, dabei gibt es hier ebenso viele einfache und arme Menschen wie anderswo auch. Egal. Die Stadt ist dem Fokus des Interesses entrückt, keiner schaut noch genau hin. In den Straßen herrscht Landsknechtmentalität, es wird geplündert, vergewaltigt und geschossen, man könnte auch sagen, die Befreiung dauert an.

Hagen sucht nach jemandem, den er kennt. Irgendwer muss ihn schließlich aus der Schusslinie gezogen und in Sicherheit gebracht haben. Daoud vielleicht oder der Kommandeur oder wer auch immer.

Doch er trifft niemanden mehr an.

Der Kommandeur, erzählt ihm schließlich jemand, sei zurück nach Bengasi gegangen.

Aha. Man könnte also nach Bengasi fahren.

Sich bedanken.

Man könnte auch nach Nordkorea fahren.

Man könnte vieles tun.

Zum Beispiel das letzte Interview mit Kim Jong Il führen, bevor er sich in die Mystifizierung verflüchtigt. Versuchen, seinem prallen Sohn ein paar halbwegs artikulierte Sätze zu entlocken. Nach Syrien reisen, das gerade in einen Bürgerkrieg taumelt. Baschar al-Assad observieren, den vielleicht schon bald Gaddafis Schicksal ereilen wird. Wie viele Despoten gibt es, denen man beim Sterben ein Mikro unter die Nase halten kann?

Man könnte, man könnte –

Man könnte durchdrehen.

Die Chance seines Lebens.

Vorbeigerauscht.

Wusch! Einfach so.

Einen vergeudeten Tag lang läuft er ziellos durch die Gegend, schmiedet Pläne und verwirft sie wieder. Das Bild des Jungen auf dem Dach steht ihm vor Augen. So vieles steht ihm vor Augen, dass es sich zusammenfügt wie ein Bretterzaun, hinter dem die Zukunft nicht mehr auszumachen ist.

Dann fliegt er nach Damaskus, um sich zu besaufen.

1948

Israel, Tel Aviv

Am Nachmittag des 14. Mai 1948 scheint die Sonne heller, leuchten die Palmen auf dem Rothschild Boulevard grüner, ist die Luft klarer und jedes Geräusch purer Wohlklang. Selbst der schroffe Quader, vor dem sich eine wachsende Menschenmenge drängt, mutet weltstädtisch und erhaben an, auch wenn das Tel Aviv Museum of Art bei nüchterner Betrachtung den Charme eines Bunkers ausstrahlt. Das Bauhaus-Fieber hat der Stadt ihr einzigartiges Erscheinungsbild aufgeprägt, Totalausfälle inklusive. Bald wird die Nummer 16 wieder als Beispiel dafür herhalten, wie man es nicht machen sollte, heute ist sie der Mittelpunkt des Universums.

»Und du bist sicher –?« Rachel lässt den Satz unvollendet. Skepsis und Hoffnung in ihrem Blick führen ihn zu Ende.

»Ganz sicher«, lächelt Jehuda.

»Ich meine ja nur. Es ist ein Gerücht.«

»Es ist, wovon seit November jeder weiß, dass es passieren wird, und heute passiert es halt.«

»Nur dass keiner da ist.«

»Wie bitte?«

»Also, ich sehe jedenfalls niemanden.«

»Halb Tel Aviv tritt sich auf die Füße, und du siehst niemanden?«

»Dummkopf. Ich sehe keinen von *denen*.«

»Ja, weil eben noch keiner von *denen* da ist.«

Rachel schweigt. Schaut an sich herunter. Überprüft den Sitz ihrer Bluse, zupft an den Kragenenden, man könnte den Eindruck gewinnen, Ben Gurion käme eigens nur für sie.

»Vielleicht aber doch«, sinniert sie.

»Vielleicht aber was?«

»Vielleicht sind sie schon drin.«

»Bestimmt nicht.«

»Warum nicht? Wir könnten zu spät gekommen sein.«

»Mutter«, seufzt Jehuda im Tonfall des beginnenden Rollentauschs. »Die Frage ist nicht, ob *wir* zu spät sind, sondern ob *die* zu spät sind, also geh mir nicht auf den Wecker.«

Sie lacht und verwuschelt sein Haar.

»Mein kleiner Optimist.«

Der kleine Optimist sucht aus eins neunzig Blickhöhe die Menge nach bekannten Gesichtern ab.

»In der Einladung stand 16 Uhr«, sagt er. »Reichlich Zeit.«

Schon während der Hinfahrt hat Rachel ihn fortgesetzt genervt, sie würden es nicht rechtzeitig schaffen. Falls es überhaupt *stattfände*. Der Witz ist, dass keiner von denen, die hier in der Mittagssonne ausharren, zu der Veranstaltung eingeladen wurde, geschweige denn ein entsprechendes Schreiben erhalten hat. Dennoch ist allgemein bekannt, dass bezüglich des Erscheinens was von »dunkel festlich« drinsteht, und hinsichtlich der Brisanz des Anlasses »Wir bitten Sie, den Inhalt dieser Einladung und den Zeitpunkt der Versammlung geheim zu halten«.

Was, wie man sieht, fantastisch geklappt hat. Tel Aviv eben. So wie sich Nachrichten in dieser Stadt ausbreiten, ist ein Lauffeuer dagegen ein Schwelbrand.

Jehuda erspäht ein Grüppchen Fußgänger, die sich dem rappelvollen Platz nähern.

»Schau mal. Da kommen Ben und Leah.«

»Wo?« Rachel stellt sich auf die Zehenspitzen, beginnt zu winken. »Ben! Hier! Wir sind hier!«

Leahs Namen ruft sie nicht.

Eigentlich nie. Rachel hält nicht sonderlich viel von dem Mädchen. Sie bemüht sich nach Kräften, nett zu ihr zu sein, aber um es mal so auszudrücken, zu ihrer Umgebungsluft ist sie genauso nett.

»Ben! Ben!«

Benjamin erkennt man schon von Weitem. Es ist seine Art zu gehen. Wann immer sein linker Fuß den Boden berührt, scheint er kurzzeitig dort anzuwachsen. Beinahe gewaltsam muss er ihn losreißen, wenigstens sieht es so aus. Sein ganzer Körper gerät dabei in eine schraubenartige Drehung, armer Ben, aber er lässt sich nicht unterkriegen. Geht bei jeder Gelegenheit, lässt sich von dem elenden Knochensack, den sein Geist bewohnt, keine Vorschriften machen. Neben ihm schreitet Leah einher, notorische Missbilligung im Blick, das Haar züchtig unter einem blauweißen Tuch verhüllt.

»Die kleine Fanatikerin«, zischt Rachel, bevor Leah in Hörweite gerät.

»Nicht jetzt, Mutter.«

»Ben hätte niemals in diese Familie einheiraten dürfen.«

Begrüßung, Umarmung, geheuchelte Herzlichkeit.

Um sie herum wird es enger.

»Ich kann immer noch nicht glauben –«, versucht es Rachel mit einem zweifelgeschwängerten Halbsatz bei Benjamin. »Ich meine, vielleicht entpuppt sich ja alles als – wie soll ich sagen –«

Benjamin wirft seinem Bruder einen amüsierten Blick zu.

»Sie glaubt's nicht, was?«

»Das höre ich jetzt schon den ganzen Morgen«, sagt Jehuda. »Wenn. Aber. Aber. Wenn.«

»Na und?« Rachel zuckt die Achseln. »Ich ziehe es vor, an das Gute zu glauben und mich auf das Schlechte zu verlassen.«

»Die Menschenmenge«, sagt Benjamin. »Meinst du, das ist das Resultat einer Massenpsychose?«

»Erzähl du mir nicht, wozu Massen fähig sind.«

Jehuda schaut auf die Uhr. »Schon gehört?«, sagt er, um das Thema zu wechseln. »Sie haben die Aktgemälde zugehängt.«

Benjamin schaut ihn verdattert an.

»Wo?«

»Unten im Saal.«

Jetzt muss Jehuda grinsen. Sein Bruder weiß so viel mehr als er, aber eben doch nicht alles. Würde man ihn nach dem Bau dort mit den querliegenden Schießschartenfenstern befragen, die Antworten kämen wie aus der Pistole geschossen:

11. April 1909, exakt an dieser Stelle. Ein Haufen Sand, bewegt vom Wüstenwind. 66 jüdische Familien, die das karge Gelände unter sich aufteilen, Grundstücke verlosen, die Geburt einer Stadt: Tel Aviv. Das Erfordernis einer bürgermeisterlichen Residenz, *voilà*: Meir Dizengoffs ehemaliger Amtssitz, seit 1930 Tel Aviv Museum of Art, Expressionismus, Kubismus, Futurismus, Werke von Klimt bis Kandinsky, bla, bla.

Aber Nacktbilder?

Siehst du, Ben, davon weißt du nämlich nichts.

Weil du nie drin warst. Ich schon. Das ist der Unterschied zwischen uns beiden. Du punktest in Theorie, aber meidest Erfahrungen, die ich gerne machen würde, nur dass ich nicht weiß, wo ich suchen soll. Zu wenig gelesen. Wie kann Interesse am balinesischen Muttertempel aufkommen, wenn man nicht weiß, dass er existiert? Musste mich um den Hof kümmern, während du dich in Büchern verkrochen hast. Ein Praktiker ohne theoretische Bildung, ein Theoretiker ohne praktische Erfahrung, das sind wir.

Höchste Zeit, weltläufiger zu werden.

Nun, ein eigener Staat ist ein Anfang.

Dass Ben Gurion diesen Staat ausgerechnet im Museum of Art ausrufen will, hat verschiedene Gründe. Zum einen die erlesene geografische Position. Das wird die Zeremonie verzuckern. Hier ist die erste jüdische Metropole entstanden, die man mit Fug und Recht als solche bezeichnen kann, an gleicher Stelle wird die erste hebräische Nation seit über 2000 Jahren geboren werden. Zum anderen, weil der große Saal halb unterirdisch angelegt und damit beinahe ein Bunker ist – nur, falls jemand auf die Idee kommen sollte, in den nächsten Stunden über dem Rothschild Boulevard Bomben abzuwerfen.

Ägypter, Syrer, Jordanier, Saudis, Iraker –

Jemanden vergessen?

»Ist nicht mit zu rechnen«, verkündet Benjamin und lässt den Blick über die Ansammlung schweifen. »So, wie alles geheim gehalten wurde.«

Humor hat er, das muss man ihm lassen.

»Akte verhängen.« Rachel schüttelt den Kopf. »Was für ein Unsinn. Das ist doch Kunst.«

Schon, aber die Unabhängigkeitserklärung soll vor den Augen und Ohren *aller* wichtigen Repräsentanten des Jischuw verlesen werden, dazu gehören eben auch religiöse Vertreter, und – Moment mal! –, fiel den Organisatoren plötzlich siedend heiß ein, hängen da nicht überall nackte Weiber an der Wand?

Schnell, ein paar Tücher!

»Huren zu malen und es als Kunst auszugeben, macht es nicht besser«, schnaubt Leah in dem hochmütigen Tonfall, den Rachel nicht ausstehen kann.

Aha, Huren, denkt Jehuda.

Und wer sind dann die Zuhälter?

Michelangelo, Rubens, de Goya, Picasso, Matisse?

»Sei nicht so streng.« Benjamin umfasst Leahs Schultern und schickt ein entschuldigendes Lächeln in die Runde. »Wenn es dazu dient, meinen Bruder in ein Museum zu locken, hat es meinen Segen.«

Jehuda verkneift sich jede weitere Bemerkung.

Heute ist nicht der Tag, jemanden zu brüskieren.

Heute ist der Tag, der Fakten für die Ewigkeit schaffen soll. Auf die letzte Sekunde, wie schon in den Tagen davor.

Alles unter Zeitdruck.

Am 12. April ist die Minhelet HaAm, der provisorische Nationalrat, zusammengekommen, um darüber zu befinden, ob man der amerikanischen Initiative folgen und erst mal nur die Bildung einer offiziellen

Regierung oder aber gleich die Unabhängigkeit erklären soll. Ersteres würde einen Waffenstillstand mit den Arabern begünstigen, die ihrem Unmut seit November freien Lauf lassen, doch defensiv war man lange genug, also Staatsgründung.

Aber in welchen Grenzen?

Die UN haben ihren Vorschlag dazu unterbreitet. Auf der Karte sieht das jüdische Nationalgebilde aus wie ein in Stücke gerissener Pfannkuchen, ein loser Verband von Enklaven, mit Jerusalem als neutraler Zone unter internationaler Aufsicht.

Flickwerk, wie Ben Gurion anmerkt.

Immerhin, ein hebräischer Staat.

Wie lange haben sie *darauf* gewartet.

Drei Jahrzehnte –

Zwei Jahrtausende –

Letztlich, was spielt es für eine Rolle? Vom Terror zermürbt, ist das Empire schließlich eingeknickt. Hat den Vereinten Nationen, wie sich der Völkerbund in zeitgemäßer Umetikettierung nennt, das Mandat vor die Füße geworfen, nachdem man ein Vierteljahrhundert lang bemüht war, das Versprechen der Balfour-Deklaration einzulösen, mit dem Resultat zerrütteter Verhältnisse.

Jetzt sind die Briten sauer.

Palästina?

No longer our cup of tea.

Zwecklos, der amtsmüden Mandatsmacht ihren Rückzug ausreden zu wollen. Was Ben Gurion durchaus versucht. Nicht, weil er die Briten so sehr liebt, doch er weiß, dass seine Hagana, auch wenn sie fast schon eine richtige Armee ist, einem Krieg mit den Arabern längst noch nicht gewachsen wäre. Und zu dem wird es unweigerlich kommen, sollte die Region in die Unabhängigkeit entlassen werden.

Der Jischuw braucht Zeit, argumentiert Ben Gurion.

Ein paar Jahre noch.

Schön und gut, aber Clement Attlee, neuer britischer Premier und alles andere als zionistenfreundlich, braucht die öffentliche Meinung (gerade nicht sehr Palästina-gewogen), seine Soldaten zu Hause und Irguns Terror wie ein Loch im Kopf.

Da hilft es wenig, auf die gemeinsame gute Zeit (welche *gute* Zeit, Sir?) zu verweisen, als man noch Schulter an Schulter gegen Nazideutschland kämpfte. Sicher, '39 sah es kurz so aus, als könne die abgewirtschaftete Freundschaft wieder erblühen. Der Araberaufstand war sozusagen implodiert, sechs Monate Generalstreik hatten die Urheber weit mehr gebeutelt als die Adressaten, und von irgendwas musste man ja leben, also gingen alle wieder an die Arbeit. Hitler überfiel Polen, die Rezession kroch durchs Land. Im Mai hatte Großbritannien die jüdische Immigration erneut per Weißbuch eingeschränkt (ein dürftig getarnter Versuch, die Sympathien der Araber zurückzugewinnen, die im Begriff standen, sich den Deutschen an den Hals zu werfen, jedenfalls war der Mufti von Jerusalem mit der Häufigkeit eines Schnupfens in Berliner Hinterzimmern anzutreffen), jedoch:

»Wir werden das Weißbuch bekämpfen, als gäbe es keinen Krieg, und die britische Armee unterstützen, als gäbe es kein Weißbuch.«

Ben Gurion, *over and out.*

Anders gesagt, sind die Nazis erst überwunden, wird es automatisch einen Judenstaat geben, das ist so sicher, wie eins und eins zwei ergibt.

Klappt aber nur, wenn hier alle zusammenhalten.

Also vertragt euch.

Streiten können wir uns später.

Der Appell griff, auch weil es letztlich die Briten waren, die das Schwungrad der Wirtschaft wieder in Gang setzten, indem sie Palästina in eine gigantische Nachschubbastion für ihre Streitkräfte umfunktionieren. Selbst Jabotinsky ließ nun verlauten, seine Revisionisten stünden zum Empire, Irgun entsagte vorübergehend dem Terror, Jahre harmonischen Miteinanders brachen an, in denen jüdische Agenten unter britischer Federführung Terror in arabische Länder trugen, Einheiten der Haganah halfen, Rommel Nordafrika zu verleiden, Juden und Engländer Seite an Seite standen.

Über Tel Aviv regnete es Bomben.

Italienische Bomben.

Mussolini vollstreckte Hitlers Willen. Der Führer schaute vom Himmel herab, sein lebloser Haifischblick brannte Löcher ins Land.

Ihr habt euch in den Osten verkrochen?

Zwecklos. Wir kriegen euch.

Auch hier.

Was durchaus ernst zu nehmen war. Würde Hitler erst in Ägypten einmarschieren, wäre er wenig später am Jordan, und den Rest konnte man sich ausmalen. Die bloße Vorstellung entfaltete eine verheerende Wirkung. Der halbe Jischuw verfiel in Panik, Tausende flohen, andere verbarrikadierten sich in Festungen und Klöstern, wieder andere besorgten sich Zyanid, lieber tot als im Exil, Pläne zur Evakuierung der jüdischen

Führungsschicht wurden entwickelt, ultraorthodoxe Rabbiner appellierten an die verblüfften Araber, sich – wenn es so weit sei – doch bitte an die Zionisten schadlos zu halten, sie selber seien nämlich keine, hätten nie einen Judenstaat angestrebt, man könne doch über alles reden –

Palästinensische Juden dienten Hitler ihre Unterstützung an.

Doch, doch.

So, wie Tufik as-Azuri († 1939) es seinem Freund Schalom Kahn († 1939) vorausgesagt hatte.

Lasst uns leben, und wir verhelfen euch zum Endsieg.

1940 hatte Irgun ein Brüderchen bekommen, eine Organisation unter Leitung eines gewissen Avraham Stern, dem Irgun nicht radikal genug war, und das wollte schon was heißen. Stern träumte von Malkhut Israel, einem jüdischen Großreich, das Gesamtpalästina umfassen sollte, und er war sich nicht zu schade, in Beirut mauschelige Treffen mit Naziofffizieren abzuhalten.

Hatte Hitler nicht gesagt, jede Allianz sei willkommen, um England zu schlagen?

Und wer war hier der Hauptfeind?

Großbritannien, das perfide Albion.

Mit seinem verfluchten Weißbuch!

Hitler als Verbündeter der Juden, darauf musste man erst mal kommen, doch Stern hatte seine eigene Logik. Der Führer will ein judenreines Deutschland? Kann er haben. Einfach, indem er uns Malkhut Israel auf den Weg bringen und sämtliche Juden dorthin ausreisen lässt. Wir retten die Verfolgten vor dem Holocaust, er kriegt seine neue Weltordnung. Verhelfen wir hingegen Churchill zum Sieg, macht sich das Empire weiterhin am Jordan breit, und es hat sich was mit Malkhut Israel. Den Antisemiten, argumentierte er, könne zur Durchsetzung ihrer Ziele gar nichts Besseres passieren, als sich des Beistands der Zionisten zu versichern. Wozu wollt ihr euch die Hände schmutzig machen, sagte er, solange wir nur dafür sorgen, dass noch der letzte Jude eure Länder freiwillig verlässt?

Nur, dazu brauchen wir einen eigenen Staat.

Mit *eurer* Unterstützung.

Kapiert es endlich: Nur Juden können euch von Juden befreien.

Wohl wegen solcher und ähnlicher Ansinnen schossen ihm britische Polizisten 1942 eine Kugel in den Kopf.

Was seine Anhänger nicht vom Weitermachen abhielt.

Nun unter der Firmierung Lechi.

Und Lechi war noch schlimmer als Irgun.

Sprengte Kasernen, Brücken, Eisenbahnen, Kraftwerke in die Luft, ermordete Kollaborateure, erpresste Schutzgelder, überfiel Banken (Was Bankraub mit Freiheitskampf zu tun hat? Na, Terror kostet!), Spaßvögel passten den Werbeslogan der britischen Streitkräfte den Gegebenheiten an, ursprünglich: »Werde Soldat und lerne die Welt kennen«, jetzt: »Werde Soldat in Palästina und lerne die nächste Welt kennen« – und doch ließ, was da gewitterte, den verheerenden Sturm, der bald über die Mandatoren hereinbrechen sollte, nur erahnen.

Denn noch hielt Irgun die Füße still. Ein gewisser Menachem Begin sorgte dafür, alter Weggefährte Jabotinskys und fanatischer Revisionist, der Anspruch auf das gesamte biblische Israel erhob, den krudesten Kumpaneien nicht abgeneigt war, Reden über die Errichtung eines Dritten Tempels schwang (Messias-Herbeilockungsmaßnahme) und wissen ließ, für sein Omelett ordentlich Eier zerschlagen zu wollen.

Kurz: das Land erlösen.

Sterns Alleingänge hatten Irgun geschwächt, Begin musste erst die alte Schlagkraft wiederherstellen, daher die Zurückhaltung. Spätestens jedoch, als der deutsche Adler Anzeichen von Flügelerlahmung zeigte, war es mit der Solidarität vorbei.

Waffenstillstand?

Vergesst es.

Irguns Aktivisten wurden aktiv, plünderten britische Armeedepots, stahlen Waffen. Die Briten verfügten Durchsuchungen, stülpten Kibbuzim und Moschawim von rechts auf links, hässliche Szenen spielten sich ab. Ringsum stand die Welt in Flammen, am Jordan schienen alle nur Augen füreinander zu haben. Entkräftet stemmte sich die Wehrmacht gegen die Rote Armee, Hitler verlor seinen rumänischen Verbündeten, Churchill verjagte die Nazis aus Griechenland. Weiß Gott der Moment, zusammenzustehen, stattdessen erklärte Begin den Briten den Krieg, und Lechi versuchte, den britischen Hochkommissar zu ermorden.

Was misslang.

Hitlers Soldaten flohen aus Riga, rangen um Budapest, Churchill und Roosevelt erörterten Strategien, wie man dem immer noch gefährlichen Irren in Berlin das Handwerk legen könnte –

Juden verhandelten mit Himmler und Eichmann.

Zehntausend fabrikneue Lastwagen, zu liefern an Deutschland, gegen das Leben einer Million ungarischer Juden. Ein Akt der Verzweiflung, dem Lord Moyne, britischer Nahostminister und persönlicher Vertrauter Churchills, augenblicklich den Riegel vorschob.

Geschäfte mit Himmler?

Was denn noch, bitte schön?

Lechi bezichtigte Moyne daraufhin des Verrats am jüdischen Volk, erklärte ihn zum »Hauptverantwortlichen für das Schließen der Tore Palästinas vor jüdischen Flüchtlingen« und schwor, ihm das Lebenslicht auszublasen.

Was gelang. In Kairo.

Und Churchill?

Wandte sich ab.

Tilgte Palästina, Balfour-Deklaration, Zionismus, jüdische Heimstätte und dergleichen Termini aus seinem Sprachschatz.

Ende einer Freundschaft, die ohnehin keine mehr war.

Für Ben Gurion eine Katastrophe.

Die Unterstützung Churchills zu verlieren, bereitete ihm erhebliche Sorgen. In gewisser Weise stand seine Arbeitspartei ja ebenso im Visier der Revisionisten wie die Briten. Notgedrungen beschloss er, sich mit Begin zu arrangieren, um wenigstens einen jüdischen Bürgerkrieg abzuwenden. Er hasste den Irgun-Chef, doch solange es der Verständigung diente –

Diente es nicht.

In Deutschland fiel der einzige begrüßenswerte Schuss des Zweiten Weltkriegs. Die Waffe entglitt Hitlers Fingern, Irgun verwandelte den Südflügel des Jerusalemer King David Hotels in ein Gebirge aus Trümmern, darunter begraben etliche Vertreter der Mandatsregierung sowie der letzte Rest Vertrauen, der zwischen Juden und Empire noch bestanden hatte.

Ein Vierteljahrhundert der Ambitionen und Illusionen.

Verschüttet.

Der Hochkommissar stellte klar: kein Kontakt britischer Soldaten mehr zu Juden, keine Besuche jüdischer Restaurants, Bars und Geschäfte, keine Techtelmechtel mit jüdischen Mädchen (besonders hart). Vor den Stränden drängten sich Schiffe voll illegaler Einwanderer, Nacht für Nacht, von wegen Weißbuch. Eine Farce, und die Briten schauten weg, müde, zwischen den Fronten zerrieben zu werden, da sie nur noch den Machtkampf zwischen Arbeitspartei und Revisionisten ausbaden mussten.

Ben Gurion gibt sich keinen Illusionen hin.

Jetzt einem UN-Teilungsplan zuzustimmen hieße, nicht zu bekommen, was er sich erträumt hat: einen großen, schön geformten Staat, der Jerusalem einfasst, doch um Träume geht es gerade nicht mehr. Das Empire wird so sicher aus Palästina abziehen, wie die Araber dann geschlossen über die Juden herfallen werden. Ohne souveränen Staat keine reguläre Armee. Keine Möglichkeit, auf legalem Wege Waffen zur Verteidigung ins Land zu schaffen. Keine Chance für die Hunderttausenden Holocaust-Überlebenden in deutschen Flüchtlingscamps, einzureisen.

Er *muss* einer Teilung zustimmen.

Egal, wie sie aussieht.

Dann so schnell wie möglich die Souveränität ausrufen. Der Apfel schmeckt sauer, der Gedanke an die herbeigesehnte und endlich erlangte Unabhängigkeit versüßt ihn.

Und überhaupt –

Wenigstens *ist* es ein Apfel.

Das Ende der britischen Ära zeigt ein Jerusalem, das auf fatale Weise an 1917 erinnert.

Damals kollabierte das Osmanische Reich, und die Stadt versank im Chaos. Jetzt, während die Briten ihre Koffer packen, bricht dort wieder jede öffentliche Ordnung zusammen. Irgun, Lechi, Arbeitspartei, jeder will das Empire zum Teufel gejagt haben und fordert die Lorbeeren ein, dabei müssten sich alle zusammen bei den Arabern bedanken. Deren Aufstände haben die Briten schließlich zur Einsicht gebracht, eher würden sich Schlangen und Mäuse befreunden als Juden und Muslime, doch die Araber haben gerade keine Zeit, Dankesbekundungen entgegenzunehmen.

Zu tief verstrickt in eigene Rivalitäten.

Zu sehr damit beschäftigt, jede Variante einer Zweistaatenlösung empört von sich zu weisen.

Und das ist dumm.

Sehr dumm.

Denn damit legen sie ihre Zukunft in die Hände der Vereinten Nationen, und wer will schon Fremde über seine Zukunft entscheiden lassen. Noch könnten sie die UN-Abstimmung verhindern, indem sie vernünftige Gegenvorschläge unterbreiten, was allerdings eine gemeinsame Position erfordern würde, und derzeit eint sie nur die fiebrige Erwartung des Moments, da vor dem Government House in Jerusalem letztmalig der Union Jack eingeholt wird.

Dann, verfluchte Zionisten, werden wir über euch kommen!

Euch unseren Zorn spüren lassen.

Und bis es so weit ist, üben wir schon mal.

»Da! Da sind sie.«

Limousinen fahren vor, die Menge teilt sich, lässt die Delegierten durch, manche in Würde erstarrt, andere lächelnd, winkend und verwundert um sich blickend, als könnten sie selbst nicht glauben, was sie gleich tun werden. Ben Gurions schlohweißes Haar leuchtet in der Sonne. Er geht dicht, sehr dicht an ihnen vorüber, und Jehuda denkt:

Diese Haare!

Wie zwei gebauschte, weiße Flügel.

Rachel gräbt ihre Finger in seinen Arm. Er sieht ihre Augen glänzen, vor Stolz?, denkt er, aber nein, sie sind feucht geworden, und da weiß Jehuda, jetzt gerade denkt sie an Schalom.

In ihrem Herzen klafft ein Loch, das nicht verheilen will.

Er versteht sie.

Auch er denkt oft an seinen Vater, aber er war elf, als die Bombe ihn in Stücke riss. Jehudas Leben hat sich danach schnell wieder zum Ganzen gerundet.

Rachels nicht.

Sie ist eine fröhliche Frau, mit Mitte vierzig bringt sie Männer immer noch dazu, sich auf offener Straße nach ihr umdrehen, und die meiste Zeit verlebt sie im Hier und Jetzt. Oft aber endet ihr Blick eine Handbreit vor ihrem Gesicht. Dann schaut sie nach innen, und dort wohnt die Vergangenheit. In solchen Momenten rollt sie Steine den Berg hinauf. Versucht das Paradoxon aufzulösen, dass Schalom tot ist, gerade *weil* sie dem Tod entflohen sind. Dass er noch leben könnte, hätten sie es drauf ankommen lassen und wären in Berlin geblieben.

Sind denn *alle* deutschen Juden ermordet worden?

Hätten wir nicht eine Chance gehabt?

Was, wenn wir nach Amerika gegangen wären? Wenn Schalom sich nicht mit diesem Tufik as-Azuri angefreundet hätte, dann hätte er an jenem Tag nicht in Carmichaels Café gesessen.

Was, wenn –

In selbstquälerischer Auslassung der Umstände vergisst sie, dass ihnen für Amerika das Geld fehlte und die US-Behörden ihnen ohnehin kein Visum erteilt hätten, weil die Einreise zu diesem Zeitpunkt bereits stark reglementiert war.

Vergisst, dass Sicherheit eine Illusion ist, genährt durch Pausen zwischen Katastrophen.

Dass man nirgendwo sicher ist.

Nicht mal in seinen Gedanken.

Die Menge applaudiert, dann sind sie im Museum verschwunden, David Ben Gurion, Golda Meir, Levi Eschkol und wie die Geburtshelfer alle heißen, die vor 24 Stunden noch nicht wussten, wie sie das Kind nennen sollen.

Zion?

Judenstaat?

Judäa?

Ivri?

Ben Gurion hat Israel vorgeschlagen (Israel = der mit Gott streitet), außerdem empfohlen, die von den UN skizzierten Grenzverläufe nicht in die Unabhängigkeitserklärung mit aufzunehmen, diesen Flickenteppich, und dann auch noch Jerusalem inmitten arabischen Gebiets.

Als *international überwachte Zone.*

Lachhaft.

International überwacht? Die Stadt ist eingekesselt. Das jüdische Viertel von der Arabischen Legion besetzt. So sieht's aus. Seit der Jischuw den Teilungsplan im vergangenen Jahr akzeptiert hat, tobt in Palästina ein blutiger Bürgerkrieg, jeder gegen jeden. Die Briten sind weg, die Gewalt dauert an, und die arabischen Nachbarn beginnen mitzumischen. Gleich nach Abzug der Besatzer hat sich Jordanien die Westbank unter den Nagel gerissen, Ägypten liebäugelt mit Gaza, die muslimischen Potentaten möchten den Kuchen unter sich aufzuteilen. Ein Judenstaat ist dabei nicht vorgesehen, der Teilungsplan ergo Makulatur. So oder so hat Israel nur eine Chance, nämlich aus dem zu erwartenden Krieg als Sieger hervorzugehen, und wer weiß, wie die Grenzen danach verlaufen werden.

Ben Gurion behauptet sich in allen Punkten.

Die Arbeit beginnt, wie gewohnt auf den letzten Drücker: Ausarbeitung der Unabhängigkeitserklärung. Kürzen. Verwerfen. Ergänzen. Ins Englische übersetzen. Saal schmücken, Großporträt Theodor Herzls, umrahmt von blau-weißen Flaggen.

Podium zimmern lassen.

Mittags monieren die religiösen Vertreter des Nationalrats, in der Unabhängigkeitserklärung fehle Gott. Wo ist Gott? Gott muss rein, der Gott Israels. Die Säkularen protestieren, sie wollen keinen Gottesstaat, glauben an keinen Gott, haben das *Recht,* nicht an ihn zu glauben, der Zionismus kommt ganz prima ohne aus, Gott soll sich raushalten, falls es ihn gibt, und falls nicht, sowieso. Dermaßen geraten sie sich in die Haare, dass die Zeremonie vorübergehend auf der Kippe steht, bis jemandem einfällt, Gott als Fels zu verklausulieren.

Tsur Israel. Fels Israels.

Glänzende Idee.

Da wissen die einen, wer gemeint ist, und die anderen können sagen: Gott?

He, Moshe, haben wir einen Abgeordneten namens Gott?

Tut uns leid.

Außerdem muss das Dokument noch abgetippt werden.

Finger fliegen über Tasten, der Sekretär der Nationalverwaltung wartet, nervöse Blicke zur Uhr, gleich wird die Zeremonie beginnen, endlich fertig, nix wie los, aber womit? Hat er doch tatsächlich vergessen, sich einen Chauffeur zu bestellen. Rennt auf die Straße, stoppt blindlings den nächsten Wagen, zum Museum of Art, schnell, Geschwindigkeitsbegrenzung, rote Ampeln, Schnickschnack, was, Sie haben keinen Führerschein, egal, he, warum halten Sie, wer ist der Kerl im Weg?

Ah, Polizei.

Führerschein, Fahrzeugpapiere.

»Sie verzögern die Staatsgründung!«, schreit der Sekretär den Beamten an, womit auch das geklärt wäre.

Mit quietschenden Reifen –

In letzter Sekunde –

»– setzen wir mit Zuversicht auf den Fels Israels unsere Namen zum Zeugnis unter diese Erklärung, gegeben in der Sitzung des provisorischen Staatsrates auf dem Boden unserer Heimat in der Stadt Tel Aviv.«

Ben Gurion macht eine Pause.

»Der Staat Israel ist gegründet. Die Versammlung ist beendet.«

Jubel. Minuten später: »Anerkannt! Anerkannt! Stalin hat Israel anerkannt. Die Sowjets haben uns anerkannt, und Truman auch! Die Amerikaner, die Amerikaner!«

Beispielloser Jubel.

Stunden später: »Ägypten, Saudi-Arabien, Jordanien, der Irak, Syrien und Libanon –«

»Ja? Was?«

»Erklären uns den Krieg.«

»So. Sie erklären einem Staat, den sie nicht anerkennen, formell den Krieg.« Auch wenn sie bemüht sind, es nicht formell klingen zu lassen. Ben Gurion lächelt schmallippig. »Wenn sie mit der gleichen Logik kämpfen, haben sie schon verloren.«

Oder auch nicht, denkt er.

Aber das sagt er nicht.

Kfar Malal

Am frühen Abend fahren sie zurück, die ganze Familie. Benjamin und Leah waren länger nicht mehr im Moschaw. Ben hat sich an einer Talmudschule in Tel Aviv eingeschrieben, vorübergehend, wie er sagt, bis Jerusalem befreit ist. Danach will er die Jeschiwat Merkaz HaRaw Kook besuchen, eine populäre Glaubensschmiede, geleitet von Zwi Jehuda Kook, dem Sohn des legendären Rabbis Abraham Isaak Kook.

»Das kann dauern«, sagt Jehuda.

Im Moment jedenfalls ist in Jerusalem kein Rein- oder Rauskommen, und was Hebron betrifft –

»Ihr wollt da immer noch hin?«

»Natürlich.«

»Ich versteh's nicht, Ben.«

»Was ist so schwer zu verstehen?«

»Warum versteift ihr euch so sehr auf eine Stadt, die fest in arabischer Hand ist?«

»Noch.« Benjamin zuckt die Achseln. »Das wird sich ändern.«

»Wann?«

»Irgendwann.«

Sie gehen die Feldwege entlang, Benjamins vermindertem Tempo angepasst. Spaziergänge mit Benjamin können ausufern. Thematisch und geografisch.

»Unsinn, Ben. Es wird sich gar nicht ändern. Es war schon vor vier Jahren eine hirnrissige Idee, als Leah dir den Floh ins Ohr gesetzt hat.«

»Hat sie nicht.«

»Doch. Leah, deine Schwiegereltern –«

»Ach, Jehuda.« Benjamin lächelt. »Ich wollte schon vorher hin. Ich muss dir doch nicht immer wieder aufs Neue erklären, welche Bedeutung Hebron für uns Juden hat.« Sagt es, als sei Jehuda keiner.

»Ganz gleich, welche Bedeutung es für *euch* hat, da sitzen überall jordanische Soldaten.« Jehuda schüttelt den Kopf. »Mensch, Ben. Hebron ist nicht Teil Israels.«

Benjamin saugt an seiner Backe.

»Was Teil Israels ist, wird sich noch erweisen.«

Ob Absicht oder Zufall ihre Schritte lenkt, plötzlich finden sie sich oberhalb des Tunnels wieder, in dem Bens Schussfahrt vor zehn Jahren ihr Ende fand. Inzwischen ist der Pfad vollständig zugewuchert. Ringsum explodiert die Vegetation in sattem Grün, Blau, Rosa und Gold, auch Braun mischt sich hinein, wo die Hitze begonnen hat,

Böden und Pflanzen zu verbrennen. Es riecht nach Blütenpollen und Landwirtschaft.

Benjamins Blick verliert sich in der Tunnelmündung.

In der Schwärze, die ihn verwandelt hat.

Schwer zu sagen, was in ihm vorgeht.

»Und sonst?« Er reißt sich los. »Wie läuft dein Studium so?«

Jehuda pflückt eine Handvoll wilde Himbeeren und stopft sie sich in den Mund.

»Ich bin dieselbe faule Sau von damals, wenn du das meinst.«

»Nachhilfe gefällig?«

»Oh, du hast mir zweifellos den Arsch gerettet.« Lacht. »Wer weiß, wo ich sonst gelandet wäre.«

»Am Ende landest du doch immer auf einem Traktor.« Benjamin grinst. »Oder auf einer Frau.«

Stimmt. Er liebt die Landwirtschaft.

Und, zugegeben, das andere auch.

»Diesmal brauch ich keine Nachhilfe, Ben. Es fliegt mir zu.«

Weil er es liebt, Farmer zu sein. Vergangenes Jahr haben er und Arik sich an der Hebräischen Universität für Landwirtschaft eingeschrieben. Nur Jehuda ist aufgenommen worden, was Arik schwer zu schaffen macht, wo er doch auch so ein Landei ist. Margalit, die süße kleine Rumänin, mit der er seit einem Jahr herumhängt, wo hat er die wohl kennengelernt? In Tel Aviv auf einer Party? In der Hagana?

Nichts von alledem, auf einem Acker. Bei der Orangenernte.

Zweifellos ist Arik fürs Land geschaffen.

Aber mehr noch für die Armee.

Jehuda weiß das schon lange, inzwischen dürfte Arik es selbst begriffen haben. Nach seinem Wechsel zur Hagana trat er der Siedlungspolizei bei, ist mittlerweile Zugführer. Ein harter Knochen, der anderen das Letzte abverlangt. Seine Vorgesetzten prophezeien ihm eine glänzende Karriere, nur kooperativer, finden sie, müsste er sein.

Ausgerechnet Arik, der alte Streithammel.

Nein, denkt Jehuda, du hättest dich an der Uni zu Tode gelangweilt. Du bist ein Kämpfer.

Und wie es aussieht, wirst du ordentlich zu tun bekommen.

Er selbst hat an der Uni Freunde gefunden, ganz nach seinem Geschmack. Trinken ausreichend, huldigen einem promisken Lebensstil, nehmen die Dinge leichter, als es Gleichaltrige in Ländern mit weniger Problemen vielleicht täten, sind also unterm Strich sehr in Ordnung.

Vor allem Yousef.

Yousef al-Sakakini ist Araber. Vor zehn Tagen lebte er noch in Palästina, seitdem in Israel. Laut Unabhängigkeitserklärung ist er damit automatisch israelischer Staatsbürger. Was die Frage, ob Israel ein reiner Judenstaat ist, dahingehend verändert, ob Israel überhaupt ein reiner Judenstaat sein *kann*.

Und will.

Jedenfalls, mit Yousef versteht er sich blendend, der Kerl hat einen zündenden Humor, auch wenn ihm der vor zwei Monaten abhandenkam, als jüdische Milizen beim Versuch, den Belagerungsring um Jerusalem zu durchbrechen, im Dorf Deir Jassin ein Massaker anrichteten. Irgun und Lechi im Alleingang, Dutzende toter Zivilisten, Frauen und Kinder. Was halt passiert, wenn man von Haus zu Haus geht und Handgranaten durch offene Fenster wirft. Ben Gurion, die Hagana, die Jewish Agency, alle haben den Einsatz aufs Schärfste verurteilt, aber das macht Yousefs Onkel auch nicht wieder lebendig.

»Ein abscheuliches Verbrechen«, nickt Benjamin. »Aber Irgun und Lechi sind nicht die Wegbereiter für Eretz Israel.«

Abgesehen davon, dass es beide nicht mehr gibt. Mit dem Tag der Unabhängigkeit hat Ben Gurion sämtliche paramilitärischen Verbände aufgelöst, auch die Hagana. Es existiert nur noch Zahal, der Welt bekannt als *Israel Defense Forces,* kurz IDF.

Die israelischen Streitkräfte.

»Begin und seine Bande wollen immer noch ganz Israel«, sagt Jehuda verächtlich. »Die ganzen militanten Revisionisten, die sich neuerdings politisch korrekt geben.« Jetzt unter dem Namen Cherut, im Grunde Irgun ohne Waffen. Somit sitzt Begin nun in der Knesset, im israelischen Parlament, wo er allgemein verabscheut wird, Ben Gurion jedenfalls ist derart angewidert von ihm, dass er sich weigert, seinen Namen auszusprechen. Nennt ihn nur »das Mitglied, das neben Herrn Dr. Bader sitzt«.

»Und zu Recht.« Jehuda verzieht verächtlich das Gesicht. »Begin will immer noch Großisrael.«

»Ja, aber aus den falschen Gründen.«

»Gibt es richtige?«

»Natürlich. 2000 Jahre alte. Und noch ältere. Das ist was gänzlich anderes. Er mag sich einbilden, ein frommer Jude zu sein, bloß weil er am Sabbat in eine Synagoge rennt, aber er kann niemanden täuschen. Du wirst auch kein Auto, wenn du in eine Garage gehst. Nein, der jüdische Nationalismus sollte einen höheren Zweck erfüllen. Er sollte ganz im Dienst der Religion stehen.«

»Dann bist du im falschen Land, Ben. Dieser Staat ist alles, nur nicht religiös.«

»Da wäre ich mir nicht so sicher.«

Jehuda zupft an den Himbeersträuchern herum.

»Ben?«

»Mhm?«

»Brüder dürfen einander alles fragen, oder?«

»Worauf willst du hinaus?«

»Na ja, wir sind jetzt 20. Seit zehn Tagen leben wir in Israel, und ich sage dir, wir werden unseren Weg machen. Sie mögen uns bombardieren, beschießen, all das werden wir überstehen. Ich bin so voller Zuversicht, Ben, ich könnte bersten vor Tatendrang! Du wirst ein geachteter Rabbiner werden, Arik bringt es noch zum General, was mich betrifft –«

»Wie wär's mit Landwirtschaftsminister?«

»Das wollte ich hören!«

»Und was wolltest du mich fragen?«

Jehuda blickt auf seine von Himbeersaft verschmierten Finger.

»Ich meine, wir haben schon so viel bekommen. Müssen wir denn das ganze Land haben? Wozu? Nur weil in der Bibel was von einem göttlichen Versprechen steht?«

»Nur? Mensch, Jehuda, darum *geht es.*«

»Darum geht es nicht. Nicht im Zionismus, nicht im UN-Teilungsplan, nicht in der Unabhängigkeitserklärung.«

»Der Zionismus ist eine Übergangslösung.«

»Du glaubst tatsächlich – also, du glaubst ernsthaft an die Ankunft irgendeines – Messias?«

Benjamin lächelt, als hätte ein Kind zu ihm gesprochen.

»Ich glaube an das Land Israel, Jehuda. Dass alle Juden, wohin immer es sie verschlagen hat, aus der Diaspora zurückkehren werden. Dass es unsere Pflicht ist, den dritten Tempel zu errichten. Was dann geschieht, kann ich dir auch nicht sagen. Aber *etwas* wird geschehen, und es wird Frieden über die Welt bringen. Das ist es, was *ich* unter der Ankunft des Messias verstehe. Ja, ich glaube daran, auch wenn ich sie mir nicht vorstellen kann.«

»Und falls nicht?«

»Was meinst du?«

»Wenn niemand kommt, weil überhaupt niemand *da* ist?«

»Es ist jemand da.«

»Woher willst du das wissen?«

»Ich weiß es.« Benjamin schlägt sich auf die Brust. »Ich fühle es. Wie kann ich etwas fühlen, was es nicht gibt? Wir haben den Auftrag, das Land zu befreien.«

»Gut. Hiermit geschehen. Wir haben einen Staat.«

»Das ganze Land, Jehuda. Und das ist jede Anstrengung wert!«

»Auch Blutvergießen?«

»Wer redet von Blutvergießen?«

»Mach die Augen auf, Ben, wir leben im Krieg! Jeden Tag sterben hier Menschen. Erst wenn wir uns mit den Arabern arrangiert haben –«

»Vergiss es! –«

»– werden wir –«

»– *die* wollten sich nicht arrangieren.«

»Eben! Sie nur dazu zu bringen, uns *anzuerkennen*, wird schon ein Kraftakt werden, und ihr wollt das *ganze* Land? Ist dir klar, was das heißt? Wie viele Menschen *dafür* sterben müssen? Glaubst du, sie werden euch ganz Palästina überlassen, wenn sie schon gegen den Teilungsplan Sturm laufen? Und die Juden in der Diaspora, in Paris, New York, London, denkst du, die scharren mit den Füßen, weil sie lieber heute als morgen nach Israel wollen? Denk an Mutter! Sie vermisst Deutschland immer noch, nach allem, was da passiert ist. Was willst du den Juden im Ausland sagen, die keine Lust auf Palästina verspüren? Dass sie ein falsches Leben führen? Was willst du tun, damit sie kommen? Sie hypnotisieren? Und der Dritte Tempel, dafür müsstest du erst mal den Tempelberg unter Kontrolle bringen, da stehen der Felsendom und die al-Aqsa-Moschee, willst du die abreißen? Weißt du, was dann passiert? *Dann* gibt's Armageddon, das sag ich dir, und wofür? Für die bloße *Idee* eines Gottes. Ein Krieg für eine Idee. Hast du dir mal vorgestellt, in deinem letzten bewussten Moment kein Himmelreich zu erblicken, sondern nur Leere und Abwesenheit?«

Benjamin sieht ihn an, und kurz blitzt Zorn in seinen Augen auf.

»Ich sehe Leere und Abwesenheit«, sagt er.

Jehuda schweigt.

»In dir.«

»In mir.«

»Aber ich gebe dich nicht so leicht auf.« Jetzt lächelt er wieder, und sein Finger weist zum Himmel. »Er übrigens auch nicht.«

»Na dann«, seufzt Jehuda.

So endet es immer. Jedes Mal, wenn man es mit streng Religiösen zu tun bekommt. Sie behandeln dich mit der wohlmeinenden Herablassung, die man Halbwüchsigen entgegenbringt. Sechseinhalb Millionen Jahre menschlicher Beobachtungsgabe legen nahe, dass der Apfel nach unten fällt, aber wenn Gott es will, sagen sie, fällt er nach oben. Das Märchenwesen, an das sie hartnäckig glauben. Du merkst an, dass es 1000 gute Gründe gibt, zumindest skeptisch zu sein. Sie bleiben unbeirrbar. Lächeln und wissen es besser. Du willst ernsthaft mit ihnen diskutieren, und sie kommen dir mit dem Scheiß, dass Gott dich trotzdem liebt.

Als renne man mit Anlauf in eine Matratze.

Danach lassen sie das Thema fallen, während sie ihr Weg nach Kfar Manin führt. Jehuda erträgt es kaum, wie Benjamin sich abmüht mit seinem verkrüppelten Fuß, aber er will es ja so. Er will gehen, also gehen sie. Dorthin, wo vor zehn Jahren arabische Banditen das halbe Anwesen der Familie Manin niedergebrannt haben. Längst sind die verkohlten Bäume gefällt, die Ruinen abgerissen worden. Nur Gräber hinterm Haupthaus zeugen noch vom Wahnsinn jener Nacht.

Ein Wahnsinn, der nicht enden will.

Was regst du dich da über die Messianisten auf?, fragt sich Jehuda. Die arabische Aggression sollte uns Sorgen bereiten, das geballte Bestreben der Nachbarstaaten, Israel zu zerschlagen und unter sich aufzuteilen. Auch über die politisch motivierten Großisraelträume eines Menachem Begin muss man sich Gedanken machen, sie alle sind weit gefährlicher als eine Handvoll religiöser Spinner.

Die Ultraorthodoxen lehnen Israel ab?

Sollen sie doch.

Die Nationalreligiösen hängen Utopien nach?

Viel Spaß damit.

Was können sie schon ausrichten?

Israel ist ein säkularer Staat.

Jaffa

Warum wird er dann das Gefühl nicht los, sich gründlich zu irren?

Tags drauf begleitet es ihn. Abends, als er nach Jaffa fährt, um sich dort mit Yousef zu einem Rundgang durch das eben erst eroberte Städtchen zu treffen, ist es immer noch da, und ein Satz aus Schaloms Hinterlassenschaft an Einsichten geistert ihm durchs Hirn:

Glaube ist, es nicht besser zu wissen.

Fast richtig, denkt er jetzt.

Glaube ist, es nicht besser wissen *zu wollen.* Die vorsätzliche Leugnung des gesunden Menschenverstandes macht die Religiösen möglicherweise doch gefährlich.

Irgendwann.

Nun, Jaffa ist ein pittoresker Ort und überfrachtet mit Geschichte: Bewohnt von Kanaanitern, später phönizischer Seehafen, dann römisch, schließlich Kreuzfahrerhochburg und mittelalterliches Handelszentrum, bevor die Stadt unter den Osmanen zum Pilgertreff wurde, und alles scheint noch lebendig. In krassem Gegensatz zur historischen Beschaulichkeit stehen die Militärlaster und Busse voller Rekruten, ein Bild, das Jehudas Vertrauen in die Schlagkraft der neuen israelischen Streitkräfte nicht eben stärkt. Nur per Dekret eine Armee, mangelt es dem zusammengewürfelten Haufen ehemaliger Milizionäre hinten und vorne an Ausrüstung, außerdem sind sie zu wenige. Der junge Staat hat es nicht länger nur mit arabischen Banden zu tun, er sieht sich der vereinten Übermacht der Jordanier, Ägypter, Libanesen, Syrer und Iraker gegenüber.

»Was wollen sie denn mit denen?«, fragt Yousef skeptisch.

Blasse Jünglinge in fadenscheiniger Kleidung verteilen sich um die Busse, die alle denselben ratlosen Gesichtsausdruck zur Schau tragen. Uniformierte dirigieren lautstark Hilfsarbeiter zu den Lastern, Kisten und Pakete werden aufgeladen.

Einmal mehr fragt sich Jehuda, was in Yousefs Kopf vor sich geht?

Wirklich vor sich geht?

Yousef hat es vorgezogen, Bürger des neuen Staats zu werden, statt wie die meisten Araber in die Westbank oder einen der Nachbarstaaten zu fliehen. Und die Fluchtwelle ist beispiellos. Jaffa, bislang zu gleichen Teilen jüdisch, christlich und muslimisch, wirkt wie ausgestorben, gerade mal der siebte Teil der arabischen Einwohnerschaft ist geblieben. Fragst du Yousef, wie er sich als Teil der verbliebenen Minderheit fühlt, schaut er dich allerdings mit großen Augen an und sagt:

»Minderheit?«

Weil er doch jetzt Israeli ist.

Nur halt muslimischer Israeli. Aber er steht aufseiten des israelischen Staats, und das löst mancherorts Unbehagen aus.

Kann ein Araber loyal zu Israel stehen?

»Klar«, sagt Yousef. »Ich muss ja nicht mit allem einverstanden sein, was der Staat unternimmt, aber das müsst ihr Juden auch nicht.«

»He! Aus dem Weg.«

Finger schließen sich um Jehudas Oberarm und zwingen ihn zur Seite.

»Mal langsam«, mault er.

Und verstummt.

Das Mädchen ist klein, fast zierlich, strahlt aber ungezähmte Energie aus. Wie ferngesteuert macht er Platz, um sie mit ihrem schweren Handkarren vorbeizulassen, auf dem sich medizinisches Gerät und Pappkartons voller Verbandszeug stapeln. Eine schimmernde Flut schwarzer Haare ergießt sich über ihre Schultern.

»*Du* bist ja ein schöner Kavalier«, höhnt Yousef. »Hältst Maulaffen feil und lässt sie schleppen.«

Recht hat er. Jehuda besinnt sich und eilt ihr hinterher.

»Kann ich helfen?«

»Nehmen.« Sie drückt ihm die Griffe des Karrens in die Hände, zeigt auf einen der Laster. »Da. Aufladen, zurückkommen.«

Ihr Hebräisch klingt lausig, breites Amerikanisch schlägt durch, auch mit dem Wortschatz scheint es nicht weit her zu sein.

»Wir haben leider wenig Z –«

»Ich weiß«, unterbricht sie ihn. »Halbe Stunde, dann weiter.« Schaut ihn mit gerunzelten Brauen an. »Was rumstehen? *Go ahead*!«

Jehuda setzt sich in Bewegung, ziemlich perplex.

»Und was sind das für Leute?«, fragt er, während er die Kisten auf die Ladefläche wuchtet.

»Holocaust.« Das Mädchen füllt irgendwelche Listen aus. »Überlebt. Zwischendurch in Camps. Auf Zypern, wegen Einreisebeschränkung. Jetzt zu Armee, kämpfen. 7. Brigade.«

»Haben die überhaupt eine Ausbildung?«

»Ausbildung?« Sie starrt ihn an. »Glaubst du, Araber warten, bis hier alle Ausbildung?«

Jehuda wirft einen skeptischen Blick auf die Neuankömmlinge. Fragt sich, ob je einer von denen ein Gewehr in der Hand gehalten, geschweige denn einen Schuss abgegeben hat.

Na, die 7. Brigade wird sich herzlich bedanken.

»Mach fertig!«, drängt sie. »Ich bin noch viel Arbeit.«

»*Habe* noch viel Arbeit«, korrigiert Jehuda sie mechanisch. »Wie heißt du?«

»Phoebe.«

»Jehuda.« Lächelt sein Lächeln, von dem er weiß, dass es Herzen und Schlafzimmertüren öffnet.

»Soldat?«

»Nein, nein. Ich studiere Landwirtschaft. Bin in Rechovot eingeschrieben, wir sind einfach mal nach Jaffa –«

»Andermal. Weiter.«

Yousef kommt aus dem Grinsen nicht mehr raus, packt aber wenigstens mit an. Phoebe gehört zu einer Versorgungseinheit, weil Frauen in den Streitkräften nicht kämpfen dürfen. Falsche Entscheidung, da hegt Jehuda keinen Zweifel. Ein paar Hundertschaften von der wären geeignet, die komplette Jordanische Legion in Angst und Schrecken zu versetzen.

»Du bist sehr hübsch«, sagt er, und weil es erstens wahr und zweitens an Einfallslosigkeit nicht zu überbieten ist, schiebt er hinterher: »Nur dein Hebräisch ist beschissen.«

Sie schaut ihm trotzig ins Gesicht.

»Ich lern schnell. Nächstes Jahr spreche besser als du.«

»Warum unterhalten wir uns nicht auf Englisch«, schlägt er vor.

»Weil wir keine Zeit für Unterhaltungen haben«, antwortet sie in ihrer Muttersprache.

»Gut. Ich mach dir einen Vorschlag. Ich helfe dir hier mit allem, solange du mich brauchst. Wo müsst ihr anschließend hin?«

»Nach Hulda. Kibbuz Hulda.«

Eine knappe Stunde entfernt. In der Nähe von Latrun, einer heiß umkämpften Gegend. Alles andere als ein sicherer Ort.

Egal.

»Ich komm mit und helfe dir beim Abladen. Ich mach alles, was du willst, wenn du dafür mit mir – spazieren gehst.«

»Spazieren.«

»Ja.«

»Du spinnst wohl.«

Sie stapft davon und lässt Anweisungen und Schimpfworte auf zwei Mädchen niedergehen, denen ein Stapel Decken in den Dreck gefallen ist. Jehuda kratzt sich ratlos am Kinn.

Ich bin noch viel Arbeit.

Weiß Gott.

»Mach dir nichts draus.« Yousef schlägt ihm auf die Schulter, sichtlich erheitert. »Gehen wir was trinken.«

Phoebe kommt zurück.

»Spazieren! Was fällt dir ein? Ich bin New Yorkerin, keine von deinen Landgänsen. Du kannst mich zum Essen einladen, du Bauer. In Tel Aviv.«

»Äh –« Jehuda schluckt. »Ist gut.«

»Bist du sicher?«

»Ja. Gerne.«

»Schön. Dann krempel mal wieder die Ärmel hoch.« Sieht seine Verblüffung, lacht auf. »Was übrigens das Restaurant angeht –«

»Keine Angst, ich hab da ein –«

»Hast du ganz sicher nicht. Überlass das mir. Ich kenne Restaurants, von denen du gar nicht weißt, dass es welche sind.«

Latrun

Arik träumt von einer Zeit, die es nie gab.

Männer, die auf Pferden über blühende Felder galoppieren, lachend den Fluss entlangstieben, sich vor einer glutroten Sonne sammeln. Schon diese Sonne: Wie auf Daunen gebettet hängt sie über dem Horizont, sinkt tiefer in ihr graues Federbett, und gleich wird es Rührei geben unter einem Leimband voller Fliegen, Brot und Oliven und klebrigsüße Teilchen, vollkommenes Glück.

Genau das sollte ihn misstrauisch stimmen.

Es gab nie vollkommenes Glück.

Er schnuppert.

Der Wind kommt aus westlicher Richtung, was dem Abend eine erquickende Frische verleiht. Bis hierher kann man die salzige See riechen. Eidechsen schlängeln sich durchs Gras, über der Ebene tanzen Raben, Verdruss bekundend, Singvögel weben Melodien in die Dämmerung. Im nahe gelegenen Wäldchen nehmen die Füchse ihr geheimes Leben auf, streifen umher, die Augen funkelnd im Unterholz, eine geheilte Welt, doch wie kann sie geheilt sein, wenn die Männer Gewehre in der Hand halten und er wie festgewachsen dasteht, seiner Bewegungsfreiheit beraubt?

Denn genau das wird ihm gerade klar.

Dass er außerstande ist, sich auch nur einen Millimeter von der Stelle zu rühren.

»Arik!«

Sein Vater Samuel, ungewohnt euphorisch.

»Wo ist dein Messer?«

Sein Messer!

Schaut erschrocken an sich herab.

Himmel, wo ist sein Messer?

Müsste es nicht in seinem Gürtel stecken? Aber da ist nichts, rein gar nichts. Stattdessen hält er eine Geige in der Rechten, mitsamt Bogen.

Eine *Geige*!

Scham erfasst ihn, was seinen Vater aber nicht zu stören scheint, ganz im Gegenteil. Er kommt herangeritten und entbietet ihm eine Art Salut, und auch das ist in höchstem Maße verdächtig, denn das einzige Mal, dass Samuel je vor ihm salutierte, war, als Arik – schon volljährig und Mitglied der Hagana – von einem seiner nächtlichen Einsätze gegen arabische Terroristen zurückkehrte, und der Alte regelrecht strammstand, versöhnt mit den schulischen Leistungen seines Sohnes angesichts seines Mutes.

In diesem Traum ist Arik ungefähr sechs. Den Dolch hat er im Vorjahr zum Geburtstag bekommen, neulich erst die Geige.

Die beiden Pole seines Lebens.

Geige. Messer.

Was soll er tun?

Am Horizont färbt sich die Sonne dunkel. Schwillt bedrohlich an, zersetzt ihr Bett aus Wolken, und es wird heiß, unerträglich heiß. Arik weiß, er müsste etwas sagen, doch vor lauter Durst klebt ihm die Zunge am Gaumen, sodass er nur ein Stöhnen zustande bringt.

Sein Vater lenkt das Pferd dicht neben ihn.

»Mach dir nichts draus, Junge.« Beugt sich zu ihm herab. »Sieh hinter dich. Sieh, was du alles schon geschafft hast.«

Würde er ja gerne. Doch er kann sich nicht umdrehen.

»So ist es immer«, sagt Samuel. »Am Anfang belächeln sie dich, aber später zollen sie dir Bewunderung.«

Bewunderung?

Wofür?

Dass er seinen Zug ins Verderben geführt hat?

Dass er mit einem Bauchschuss in einem Hohlweg liegt und langsam, aber sicher verblutet?

»Öffne die Augen.«

Also öffnet er die Augen, sieht den grellen Himmel über sich und fühlt –

Wut.

Weiß glühende Wut.

Die Wut bringt ihn zurück ins Hier und Jetzt. Er rollt sich herum. Verflucht die schlampige, dilettantische, affenhirnige Planung dieses Unterfangens, die zwar nicht ihm anzulasten ist, nur dass seine Männer jetzt für das Versagen der Geheimdienste und des Oberkommandos bitter bezahlen müssen.

Er hat es gewusst.

Verdammt, und wie er es gewusst hat!

Von vornherein stand die Aktion unter keinem guten Stern. Schon, als sie losgezogen sind vom Kibbuz Hulda – zwei Uhr morgens, viel zu spät für den geplanten Überraschungsangriff. Es ist Mitte Mai, die Morgendämmerung kommt früh, und mit Gepäck und Waffen bist du eine lahme Ente. Dass sie die Ebene unterhalb der Hügel nicht vor fünf Uhr erreichen würden, stand zu erwarten, und spätestens, als es so kam, hätten sie die Sache abbrechen sollen.

Doch du brichst nicht ab.

Nicht, wenn David Ben Gurion höchstpersönlich zum Angriff bläst.

Arik kriecht ein Stück vorwärts.

Greift sich in die Seite.

Starrt auf seine rot verschmierten Finger.

Das Projektil hat seine Bauchdecke durchschlagen und ist am Oberschenkel wieder ausgetreten, offenbar ohne eine Arterie oder wichtige Blutgefäße zu verletzen. Andernfalls wäre er längst tot. Wenn er es recht bedenkt, kann er sich nicht mal erinnern, wann genau es ihn erwischt hat. Ist einfach nur gerannt, als die Flieger kamen, um irgendwann festzustellen, dass sie ein Loch in ihn geschossen hatten.

Er *darf* jetzt nicht ohnmächtig werden.

Keine Blackouts mehr.

Bleib bei Bewusstsein.

Um den rötlich braunen, stinkenden Tümpel inmitten der Mulde, in die sie es mit knapper Not geschafft haben, lagert der jämmerliche Überrest seines Zuges, vier Unverwundete und ein Dutzend Leicht- bis Schwerverletzte. Es ist sengend heiß. Wie ein riesiger Infrarotstrahler knallt ihnen die Sonne auf den Pelz, ringsum brennen die Felder, was die Hitze zusätzlich verstärkt. Ein steter Regen aus Rußflocken senkt sich auf sie herab, jeder Atemzug wird zur Qual, am schlimmsten aber ist der Durst.

Feuer in den Atemwegen.

Feuer in der Kehle.

Das volle Programm, denkt Arik. Nicht nur, dass wir bei lebendigem Leibe gebacken werden, die Flammen schneiden uns zudem jeden Fluchtweg ab, und Trinkwasser?

Wir haben ja nicht mal Feldflaschen.

Dafür Waffen.

Toll. Bis vergangene Woche mussten wir uns mit ausgeleierten MPs begnügen, jetzt immerhin hat jeder seinen eigenen Schießprügel, tschechische Gewehre, von den Sowjets spendiert, nur dass die Munition alle ist, schönen Dank auch für die GROSSARTIGE PLANUNG, ihr verdammten Idioten, wie konnte das alles nur so schiefgehen, so entsetzlich schief?

Nun, den meisten kann's egal sein. Sie sind tot, verteilen sich auf den Feldern und über die Hänge, und gerade kommen arabische Bauern von den Hügeln herab, um die Verwundeten zu erschießen und auszuplündern, so wie sie es immer tun.

Er wischt sich den Schweiß von der Stirn. Reibt das schlammbespritzte Zifferblatt seiner Armbanduhr sauber.

Zwölf durch.

Schon bemerkenswert, was Menschen aushalten.

Die paar, die noch leben.

Von der Mulde lässt sich ein begrenzter Teil des Schlachtfelds überblicken, genug, um mindestens zwei Dutzend Tote und Verletzte dort liegen zu sehen. Einige der Körper sind in Brand geraten, als die Araber die Felder bombardierten, ihre Uniformen schwelen vor sich hin. Ein anderer zieht sich Zentimeter um Zentimeter voran im Versuch, aus der Schusslinie zu gelangen, die Beine schlaffe Anhängsel in zerfetzten, blutgetränkten Uniformhosen.

Er wird es nicht schaffen.

Und ich schaffe es nicht zu euch raus, denkt Arik bitter.

Nicht durch den Kugelhagel.

Schließt einen Moment die Augen, so unerträglich ist, was er sieht, doch er kann sich nicht auch noch die Ohren zuhalten. Vernimmt Hilferufe, übertönt von Schmerzensschreien, kaum vorstellbar, welche Qualen die Männer dort leiden, und er kann ihnen nicht beistehen.

Das ist das Schlimmste.

Nichts tun zu können.

Sein Zug liegt da draußen. Der 1. Zug, anvertraut seinem Kommando. Noch vor über zehn Stunden vollzählig und guter Dinge, Lagebesprechung im Kibbuz Hulda, Offiziere, Unteroffiziere, Karten wellen sich auf dem Tisch, Optimismus angesichts der Information –

»– dass Latrun lediglich von einer Handvoll schlecht organisierter Dörfler und Milizen gehalten wird.« Der Oberkommandierende nickt in die Runde. »Unzureichend bewaffnet, scheißen sich vor Angst wahrscheinlich in die Hose. Trotzdem, unterschätzen Sie die Kerle nicht. Auch Bauern machen eine Menge Mist.«

Arik hebt die Hand.

»Ja, Scheinermann?«

»Bei allem Respekt, aber ergibt das Sinn?«

»Was wollen Sie damit sagen?«

Was du dich auch schon gefragt hast, denkt Arik. Warum sie einem

Haufen Olivenbauern und Ziegenhirten die Verteidigung dieser strategisch so wichtigen Bastion überlassen. Latrun ist ein Templerstädtchen, auf halber Strecke zwischen Tel Aviv und Jerusalem gelegen, Schauplatz biblischer Fehden und bis vor Kurzem noch britischer Polizeistützpunkt. Oberhalb des Trappistenklosters prangt auf dem Hochplateau etwas, das bei flüchtigem Hinsehen wie eine mittelalterliche Festung wirkt, tatsächlich ist der Klotz keine sechs Jahre alt. Mehrere solche Bollwerke haben die Briten während der Wirren des Araberaufstands ins Land gepflanzt, speziell Latrun genießt den Vorzug einer stattlichen Hügellage. Von hier aus lassen sich große Teile des Ajalon-Tals überblicken, Felder, Dörfer, Kibbuzim, vor allem aber –

Die Verbindungsstraße nach Jerusalem.

Zions verstopfte Arterie.

Zwei Wochen ist es her, dass Ben Gurion den Staat ausgerufen hat, da schleppten die Briten eben ihre Koffer zum Government House raus, übergaben Einrichtungen und Befestigungen an die neuen Herren, und die Polizeistation von Latrun fiel regulär an die Araber. So weit, so gut. Keine drei Tage später marschierte die Jordanische Legion in Ostjerusalem ein, schnürte einen Belagerungsring um die Stadt und schnitt 100 000 Juden von der Außenwelt ab. Kein Trinkwasser, keine Medikamente, keine Verstärkung für die israelischen Truppen im Westen der Stadt, die sich dort mühsam behaupten, nur wie lange noch? Die einzige Nachschubroute ist unpassierbar geworden, seit die Araber in Latrun auf der Lauer liegen. Jedes israelische Fahrzeug, das in Sichtweite gerät, wird umgehend unter Feuer genommen, sämtliche Versuche endeten bislang mit Totalschäden und überstürztem Rückzug.

»Und da soll nur ein Haufen Bauern sitzen, um uns mit Ziegenscheiße zu bewerfen?«, forscht Arik.

Einige lachen.

Der Oberkommandierende nicht.

»Ihnen dürfte aufgefallen sein, dass wir über einen Geheimdienst verfügen, Scheinermann.«

Arik zögert. Sieht die Erregung in den Gesichtern der Zugführer. Ihre Hoffnung, die Straße bis zum Morgengrauen unter Kontrolle gebracht zu haben, ihre Nervosität und Angst, während kostbare Zeit verstreicht.

»Ich will den Angriff nicht infrage stellen«, erwidert er ruhig. »Nur den Zeitpunkt.«

»Der ist jetzt.«

»Jadin sieht das anders.«

Jetzt wird der Oberste sauer. Arik steht einige Dienstgrade unter ihm, was er da betreibt, grenzt an Insubordination, außerdem tragen Debatten wie diese wenig dazu bei, die Moral zu stärken. Aber stimmt, Jigael Jadin ist Operationschef im Generalstab, und er *sieht* es anders. Bis zuletzt hat er für eine Verschiebung gekämpft.

»Weil er dachte, uns stünden nicht genügend Kämpfer und Ressourcen zur Verfügung«, sagt der Oberbefehlshabende. »Aber wir sind nicht länger irgendwelche rivalisierenden Milizionäre. Wir sind die 7. Brigade der israelischen Streitkräfte!«

Kocht den Brei auf, den alle schon gegessen haben, schmeckt aber immer wieder gut.

Israelische Streitkräfte.

Die Armee des Staates Israel.

He, ihr da draußen:

WIR – SIND – EIN – STAAT.

Meinetwegen, denkt Arik. Ändert wenig daran, dass die Brigade ein zusammengestoppelter Haufen blutjunger Immigranten ohne jede Kampferfahrung ist. Holocaust-Überlebende, die auf Zypern festgesessen haben, bevor sie endlich einreisen durften, um vom Pier weg zur Armee verpflichtet zu werden. Die meisten kennen Schlachtfelder nicht mal von Fotos. Arik müsste ernsthaft besorgt sein, trügen nicht zwei Umstände zu seiner Beruhigung bei:

Erstens, der Haufen wird verstärkt vom 32. Infanteriebataillon der Alexandroni-Brigade.

Zweitens, der Kommandeur des 1. Zugs der Kompanie B des Bataillons heißt Ariel »Arik« Scheinermann.

»Der Premier sorgt sich«, fährt der Oberkommandierende fort. »Jeder Tag, den wir zögern, kann uns in Westjerusalem den Hals kosten. Aber wir werden den Arabern Feuer unterm Arsch machen, dass sie wie Kometen bis nach Amman fliegen. Wir *müssen* die verdammte Straße befreien, also holen wir uns jetzt Latrun. Noch Fragen?«

Ein sengender Blick in Ariks Richtung. Was nicht misszuverstehen ist. Der Oberkommandierende schätzt ihn, er schätzt sogar seine Impertinenz, aber was genug ist, ist genug.

»Nein.«

»Sie kommen klar mit Ihrem Gips?«

»Kein Problem.« Arik hebt seinen bandagierten Arm, Autounfall vor zwei Wochen, aber er will es sich nicht nehmen lassen, den Zug zu leiten. »Meine Geheimwaffe. Wer damit eins über den Schädel kriegt –«

Die Stimmung lockert sich.

Und eigentlich sorgt er sich auch nicht wirklich wegen der Araber oder der Brigade. Etwas anderes beschäftigt ihn. Dass nämlich, so intensiv er die Karten des Operationsgebiets studiert, kein Gefühl der Vertrautheit aufkommen will, wie es sonst bei ihm der Fall ist. Die flache Talsenke unterhalb der felsigen Hügel, die schwer einsehbaren Olivenhaine, das ganze Terrain macht ihn aus unerfindlichen Gründen nervös.

Was soll's.

Wahrscheinlich sieht er nur Gespenster.

Doch erst mal sehen sie gar nichts mehr.

Eine geschlossene Decke aus Nebel hängt über den Feldern.

Geisterhaft.

Weit nach Mitternacht sind sie losgegangen vom Kibbuz Hulda, zwei Kompanien der 7. Brigade, zwei vom 32. Bataillon. Um fünf liegt endlich die flache Ackerlandschaft des Ajalon-Tals vor ihnen, mit Latrun und der angrenzenden Hügelkette dahinter. Die Waschküche ist eine Photonenfalle, die Schwaden phosphoreszieren vom ersten, kaum wahrnehmbaren Licht der Morgendämmerung und verschlucken das Hinterland. Arik fragt sich, wie sie in dem Nebel irgendwas erkennen sollen, wenigstens wird er sie schützen, wenn sie auf die Stadt vorrücken.

Das Gute ist, sie haben das Überraschungsmoment auf ihrer Seite.

Niemand dort oben rechnet mit ihnen.

Allerdings sind sie fünf Stunden hinter ihrem Zeitplan. Viel zu spät aufgebrochen, nachdem die Befehlshabenden sich über Details in die Wolle bekamen.

»Stopp.« Hebt die Hand.

Etwas erstrahlt am Himmel.

Ein Leuchtgeschoss.

»Warum schießen die mit Leuchtmunition?«, zischelt der Mann neben ihm. Trägt einen leichten Granatwerfer, Azriel? Unmöglich, alle Namen zu behalten – doch, Azriel!

»Vielleicht Routine«, flüstert Arik.

Hoffentlich.

Eine Weile verharren sie, bis das Geschoss verglüht ist. Setzen sich wieder in Bewegung, wechseln von der Hauptstraße auf freies Feld, pirschen sich durch den dichten, hochstehenden Weizen. Bei jedem Schritt schmatzt der Boden unter ihren Stiefeln. Gar nicht einfach, auf den matschigen Äckern voranzukommen, die Furchen sind die reinsten Stolperfallen, dann plötzlich dumpfer Donner.

Im nächsten Moment kreischen Granaten über sie hinweg.

(Verdammt! Woher wissen die, dass wir hier sind? Die können uns doch gar nicht sehen.)

Und warum schießen die mit schwerer Artillerie?

Unorganisierte Bauern?

Irgendwas stinkt hier gewaltig.

Nur die Männer neben ihm sind in der Suppe zu erkennen, geduckt, die Waffen im Anschlag. Entpersönlichte Schemen in einer entformten Welt. Er sieht nicht, wie sich die Formation auseinanderzieht, aber er weiß, dass es geschieht. Plangemäß soll seine Kompanie direkt auf Latrun vorrücken, das Dorf und die befestigten Anlagen einnehmen, während die anderen den Vorstoß an den Flanken sichern und Hügel 314 besetzen, eine strategisch bedeutsame Anhöhe zwei Kilometer von hier, umgeben von Weinbergen und Olivenhainen.

Damit hätten sie Latrun in der Schlinge.

Nur dass es gerade viel zu schnell hell wird.

Sonne, steh still zu Gibeon, und Mond, im Tale Ajalon, denkt Arik flehentlich. Genau hier hat der alttestamentarische Heerführer Joshua Ben Nun die Gestirne angefleht, in ihrem Lauf einzuhalten, damit er noch vor Anbruch des Sabbats die Herrscher der Amoriter besiegen könne, und Sonne und Mond taten ihm prompt den Gefallen und legten ein Päuschen ein.

Josua, 10, 12.13.

Vorchristliche Zeit. Da war so was gang und gäbe: Sonne anhalten, Fluten teilen.

Doch Arik glaubt nicht an Mythen. Mehr noch, er hält sie für gefährlich. Mythen sind Vergrößerungsgläser, jede Filzlaus nimmt darin die Ausmaße eines Drachens an, und das Schlimme ist, die Läuse wissen das. Eifrig arbeiten sie an ihrer Mythologisierung, scharen fanatisierte Anhänger um sich, die jede Überlieferung für bare Münze nehmen und klar denkende Menschen noch Jahrtausende später in den Wahnsinn treiben.

Wir brauchen ein Mittel gegen Legendenbildung, denkt er.

Freie Sicht auf die Dinge.

Wünscht im selben Moment, es nicht gedacht zu haben, weil die Natur seinem Wunsch umgehend nachkommt. Mit beängstigender Geschwindigkeit hebt sich der Nebel, zersetzt sich, gibt den Blick frei auf die Felder, die im fahlen Morgenlicht Farbe annehmen, auf Olivenbäume, Waldstücke, Hügel, in den Hang gekauerte Häuser –

Auf *sie selbst*.

Von einem Moment auf den anderen stehen sie bei klarster Sicht mitten auf freiem Feld.

Oh nein!, denkt Arik.

Der Hügel vor ihnen beginnt, Feuer zu spucken. Explodiert förmlich von Mündungsfeuer, Mörser, Haubitzen, schwere Maschinengewehre. Einer der Männer neben ihm schreit auf, stürzt der Länge nach hin, ein anderer fällt über seine Füße, die Übrigen bringen sich in Position und schießen zurück. Von der Festung antwortet infernalisches Knattern, es regnet Kugeln und Projektile. Arik wirft sich in den Matsch. Einschläge reißen das Erdreich um ihn herum auf, grelles Sirren und Pfeifen, ein Schrapnell zischt haarscharf über ihn hinweg. Er riskiert einen Blick, sieht seine Kameraden rennen, einen nach dem anderen die Arme hochreißen, zu Boden gehen, sich überschlagen, herumrollen.

Großer Gott, denkt er. Die knallen uns ab wie Kirmesenten.

BAUERN?

Was hat der Geheimdienst da für einen Scheiß verzapft!?

Robbt voran. Im Funkgerät knattert und rauscht es, dann ist die Stimme des Oberkommandierenden zu hören. Viel Sinnvolles hat er nicht zur Lage beizutragen, sie lägen unter heftigem Beschuss, versuchten, den Waldrand zu erreichen, weiteres Vorgehen wie geplant, Sturm auf die Hügel.

Wie bitte, denkt Arik. Bist du noch bei Trost?

»Das sind keine Bauern und Milizen«, schreit er ins Funkgerät. »Da sitzt die beschissene Jordanische Legion.«

Rauschen, Knistern.

»Mindestens sieben meiner Männer sind tot!«

Sieht Sanitäter zu den Verwundeten kriechen, während der Geschosshagel immer heftiger wird, lässt den Blick umherirren auf der Suche nach Deckung. Die nächste Möglichkeit böte ein Waldstreifen rund um Hügel 314, aber so, wie sie hier unter Feuer liegen, werden sie es keine drei Meter weit schaffen.

»Kommen! Bitte kommen.«

Doch der Oberkommandierende ist weg.

Pfeifen, Einschlag. Vor ihm platzt das Erdreich auf, spritzt ihm in die Augen. Als er wieder sehen kann, kauert der Mann mit dem Granatwerfer neben ihm.

»Azriel. Gib mir das Ding. Wir nehmen uns die Festung vor.«

»Okay. Du lädst, ich feuere.«

Weit hinten kann er Punkte ausmachen, die sich über die Felder bewegen. Offenbar sind die anderen, als sich der Nebel hob, weiter nach

Süden vorgestoßen als gedacht. Was ihnen reelle Chancen eröffnet, den Waldrand zu erreichen.

Sein Trupp hingegen –

Nie und nimmer schaffen wir es bis dorthin.

Und bevor wir den Rückzug auf offenem Terrain antreten, können wir uns ebenso gut selbst erschießen.

Es hilft nichts, sie müssen weiter auf Latrun vorstoßen und unterhalb des Hangs Schutz suchen, wo die Scharfschützen sie nicht so leicht erwischen können. Er schreit Befehle. Die Mörser sollen Feuerschutz geben, alle anderen rennen, was das Zeug hält. Gleichzeitig volle Ladung aus den beiden 65-mm-Geschützen, schweren, radgelagerten Kanonen, deren Schrapnelle gut und gerne sechs bis sieben Kilometer schaffen, damit können sie denen in der Festung ordentlich einheizen, schaut sich um –

Die Radkanonen stehen herrenlos herum.

Wo sind die Kerle, die –

Da liegen sie. Tot.

Arik nimmt den Granatwerfer auf die Schulter. Wartet, bis Azriel eine der Patronen in die Röhre geschoben hat, zielt und feuert.

»Nächste.«

Wieder ein Feuerstoß. Und noch einer. Azriel füttert das Ding, so schnell es geht, Arik visiert im Sucher die jordanischen Stellungen an, und plötzlich bleibt der Nachschub aus.

»Azriel? Wir haben keine –«

Sieht Azriel mit offenem Mund im Feld hocken. Ein heller Blutfaden läuft aus seinem Mundwinkel, in seiner Brust klaffen Löcher. Dann geliert sein Blick, er kippt mit dem Gesicht in den Schlamm und rührt sich nicht mehr. Arik flucht. Inzwischen ist es taghell, die aufsteigende Sonne badet die Felder in Licht. Wo zwei Kompanien sein sollten, sind nur Männer in wilder Flucht auszumachen. Rechter Hand erstreckt sich ein ausgetrocknetes Flussbett, vertieft sich auf einer Länge von 20 bis 30 Metern, wo es an die Hügelkette mündet –

»Zur Mulde!« Das Maschinengewehrknattern reißt seine Worte in Fetzen. »Rechts! Die Mulde!«

Spurtet los. Vor seinen Augen hüpft die Landschaft, über der Festung steht heller Rauch. Der Beschuss lässt nicht nach. In atemlosem Zickzack rennt er die Anhöhe hinauf, sieht weitere Männer fallen, schafft es bis unterhalb der Olivenbäume, wirft sich bäuchlings in die Vertiefung. Hier sind sie fürs Erste sicher, Bestandsaufnahme: Von seinen 36 Kameraden sind die meisten auf der Strecke geblieben, die es bis hierher geschafft haben, größtenteils verletzt. Ein Stück weiter liegt ihr einziges Funkgerät. Er streckt die Hand danach aus, als eine Kugel hineinschlägt und es unter seinen Fingern auseinanderfliegt.

Auch das noch.

Und wo kommt dieses unheilvolle Summen her?

Arik braucht einen Moment, bis er die Ursache identifiziert hat, da ist die Invasion bereits in vollem Gange. Wolken von Fliegen und Stechmücken senken sich auf sie herab und sammeln sich in offenen Wunden, noch eine vom Blutdurst getriebene Armee, und gegen die können sie nun gar nichts ausrichten.

Der Tag wird heiß werden.

Nicht im übertragenen Sinne.

Im meteorologischen.

Er legt den Kopf in den schweißnassen Nacken. Noch balanciert die Sonne auf der Hügelkante, doch schon jetzt bringt wahre Backofenhitze die Luft zum Flirren. Der Himmel ist von milchigblauer Färbung, vollkommen wolkenlos, aber wären da Wolken, würden sie sich wohl zu zwei Worten formen:

KEINE GNADE

Was kommt als Nächstes, denkt Arik.

Zwei nervenaufreibende Stunden lang denkt er es, während die jordanische Artillerie das Land in Blei taucht, ohne Pause.

Dann sieht er sie.

Arabische Soldaten.

Mittlerweile rauchen die Felder vom Beschuss, an einigen Stellen sind kleine Feuer ausgebrochen. Die Männer verharren auf dem Bauch liegend. Richtet sich gelegentlich einer auf, um die Lage zu checken, kassiert er sofort einen Treffer. Die Zahl der Verwundeten steigt, außer Arik sind nur vier Kämpfer unversehrt. Bislang haben die Verteidiger auf dem Berg sie mit Granaten, Kugeln und Schrapnellen eingedeckt, dann wird es von einer Sekunde auf die andere ruhig.

Vergleichsweise ruhig.

Etwa so, wie sich ein mittelschwerer Schauer zu Sturzregen verhält. Immer noch zu heftig, um sich rauszutrauen, aber hätte man bloß einen Schirm –

Was ist los, fragt sich Arik.

Warum nehmen sie den Druck raus?

Er drückt sich in den Fels, schiebt sich zentimeterweise vorwärts, bis sein Blick den Hang erfasst.

Im nächsten Moment weiß er, warum.

Die wollen vermeiden, ihre eigenen Leute zu treffen.

Nächster Akt: persönliche Aufwartung.

Ein Trupp Soldaten, die Gewehre im Anschlag, kommt langsam von der Kuppe zu ihnen herunter. Noch sind sie ein beträchtliches Stück entfernt, die Böschung ist steil, sie müssen balancieren, um nicht auszurutschen. Wer hier abstürzt, kann sich schnell das Genick brechen. Kurz verschwinden sie hinter einem Wall lose aufgeschichteter Steine, werden unter Spalieren knotiger Olivenbäumchen wieder sichtbar.

Die Uniformen kennt er nur zu gut.

Jordanier.

Von wegen Bauern!

Arik wirft einen verzweifelten Blick zurück zum Tümpel. Einer der Männer erwidert seinen Blick, seine Lippen formen eine stumme Frage. In seinem Schoß ruht der Kopf eines Verwundeten, dessen Schulter an frisches Rinderhack erinnert. Notdürftig konnten sie die Blutung stoppen, doch der Bursche ist mit einer Hirnhälfte schon im Jenseits, nur das Zucken seiner Füße kündet davon, dass er noch lebt.

Haben die Jordanier sie schon bemerkt?

Die müssen doch mitbekommen haben, dass wir hier sind. Blöd sind die ja nicht.

Klar haben sie das. Aber sie wissen nicht genau, wo.

Und vor allem nicht, *wie viele* wir sind.

Das bereitet euch Kopfzerbrechen, was? Würdet am liebsten raus auf die schwelenden Felder gehen, unsere Verwundeten entwaffnen, abknallen, ausplündern, nur dass ihr Angst habt, wir könnten euch aus dem Hinterhalt eins überbrennen.

Gut so.

Er versucht zu schlucken. Es geht nicht. Als wolle er seine eigenen Mandeln hinunterwürgen. Der Durst macht ihn fertig, aber aus der rotbraunen Pfütze zu trinken hat noch keiner von ihnen über sich gebracht. Ein fauliger, verwesungsartiger Geruch geht davon aus. Schillernder Schleim bedeckt die Oberfläche, durchsetzt von undefinierbaren Klümpchen, als habe sich jemand dort hinein erbrochen.

Nein, denkt Arik.

Noch bin ich nicht so weit, *daraus* zu trinken.

Und solange ich nicht so weit bin, kann ich weiterhin den Hang hochstarren. Wo die Jordanier jetzt verharren, sich beraten, dann schwenkt einer sein Gewehr und zeigt in Ariks Richtung.

»*Etbach el Yahud!* – Tötet die Juden!«

Scheiße!

Mit wildem Geschrei kommen sie aus der Olivenplantage gestürmt, setzen in großen Sprüngen nach unten, zwischen die Weinstöcke.

»Zu mir«, zischt Arik. »Blitzangriff. Solange die im Weinberg sind, haben sie schlechte Sicht. Fertig?«

Die Männer nicken.

»Los!«

Sie taumeln hoch, stürmen aus der Deckung, schreien noch lauter als ihre Gegner, halten drauf. Nur ein schmaler Streifen trennt die Angreifer von der Mulde, steiles, unwegsames Gelände. Zwei Jordanier reißt es zu Boden, gleichzeitig bäumt sich Ariks Nebenmann auf und kippt in seine Richtung. Er springt zur Seite, sieht einen der Angreifer die Panzerfaust schultern, erledigt ihn, bevor er abdrücken kann. Der Mann rasselt mitsamt seiner Waffe zu Tale, die Attacke gerät ins Stocken, im Weinberg wird lautstark geschrien. Sie sind durcheinander. Gestikulieren. Suchen Schutz.

(Damit habt ihr nicht gerechnet!)

(Und ihr habt immer noch keine Ahnung, wie viele wir sind.)

Arik lacht laut auf, dann fällt sein Blick auf den Toten zu seinen Füßen, und seine Eingeweide krampfen sich zusammen.

Was ist das für ein Gefühl?

Angst?

Nein. NEIN!

DU HAST KEINE ANGST! Hast nie Angst gehabt, bring deine Leute in Sicherheit. »Rückzug! Zurück in die Mulde!«

Bestandsaufnahme, zehn Überlebende.

Großer Gott, wirklich, nur zehn?

Zehn kleine –

Noch drei Mal versuchen die jordanischen Soldaten, zu ihnen hinabzustoßen.

Jedes Mal gelingt es, sie zurückzutreiben.

Jedes Mal um den Preis eines Mannes.

Dazwischen: Apathie.

Der Beschuss hat weiter nachgelassen, wozu sollen sie da oben Munition verschwenden? Die paar Soldaten auf den Feldern, die noch leben, können sie später erledigen, und was Ariks Leute betrifft, müssen sie nur warten, bis Durst und Erschöpfung sie aus ihrem Versteck treiben. Man sollte ihnen Respekt zollen, wie sie ihre Festung verteidigen, eine stramme militärische Leistung, und doch –

Da ist etwas im arabischen Verhalten, das Arik nicht versteht.

Schon mehrfach hat er das erlebt. Sie kreisen dich ein, zwingen dich in die Knie, knöpfen dir deine Moral ab, bis du hilflos am Boden liegst, und dann, wenn sie dich richtig fertigmachen könnten –

Tun sie nichts.

Drehen sich um und gehen.

Die Kompanien der 7. Brigade sind in die Flucht geschlagen, sein Zug liegt wortwörtlich am Boden. Wäre ich ihr da oben, denkt Arik, würde ich die Gunst des Augenblicks nutzen, Hügel 314 anzugreifen, die letzten Überlebenden kaltmachen, auf Hulda vorstoßen und von dort weiter auf Tel Aviv. Niemand wäre auf einen solchen Angriff vorbereitet. Ihr hättet gute Chancen, uns einfach zu überrollen.

Doch sie scheinen zufrieden damit, ihren Berg zu verteidigen.

Das Bild zweier Boxer kommt ihm in den Sinn, einer am Ende seiner Kräfte, wankend, blutüberströmt, und der andere lässt ihn stehen, ohne ihm den Knock-out zu verpassen.

Woran liegt's?

(Und warum, zum Teufel, zerbreche ich mir darüber den Kopf?)

(Wie lange sind wir überhaupt schon hier?)

Schaut auf seine Uhr.

Das Glas ist zersprungen.

Stehen geblieben.

Liegt auf dem Rücken, lauscht dem Summen der Insekten.

Oder produziert sein Hirn das Summen?

Interessante Begleiterscheinungen, die der Durst so mit sich bringt. Sehstörungen, Konzentrationsschwächen, Sprachprobleme. Die Zunge liegt wie ein verrottender Tierkadaver in deiner Mundhöhle, Stoffwechsel und Thermoregulation versagen. Angeblich braucht es drei bis vier Tage, um zu verdursten, aber so, wie sie hier schwitzen, werden sie binnen Stunden Mumien gleichen. Regelrecht gedörrt werden sie auf dem rissigen Lehm, vertrocknen bei lebendigem Leibe, nachdem die Sonne den letzten Rest Schatten aus der Mulde vertrieben hat.

Um das Wasserloch herum liegen die Toten.

Arik dreht den Kopf. Murmelt ein paar aufmunternde Worte in Richtung seiner Kameraden.

Erschöpfte Handzeichen, leere Blicke.

Reden wäre zu anstrengend.

Wir müssen hier raus, denkt er. Bloß wie. Sobald man nur den Kopf über den Rand der Mulde hebt, fangen sie da oben ja schon wie wild an zu ballern, also werden wir hier sterben. Es sei denn, wir halten bis Einbruch der Dunkelheit durch.

Dann vielleicht, im Schutz der Nacht –

Eine Fliege versucht, in seinen Mund zu kriechen. Er wedelt sie beiseite. Hat schon Halluzinationen. Das Summen in seinem Schädel wird lauter, gewinnt an Kraft.

Verwandelt sich in ein Brummen.

Ein fernes –

Nein, das kommt nicht aus seinem Kopf.

Das kommt von *oben*.

Arik blinzelt, fokussiert den Himmel. Hoch über ihnen, zwischen den Rauchschwaden, die der glutheiße Wind von den Feldern herübertreibt, wird etwas sichtbar, weiß und silbern.

Wie Vögel.

Vögel, die –

kleine

schwarze

Bomben

fallen

lassen

»Deckung!«

Deckung? WO DENN BITTE?

»Lauft!«

Im nächsten Moment dröhnen die Explosionen, bebt der Boden. Eine Lawine aus Steinen und Erdreich deckt die Soldaten ein, die Luft füllt sich mit schwarzem Rauch. Das komplette Gelände gerät in Brand. Wer kann, springt auf, eben rechtzeitig, um der gewaltigen Detonation zu entgehen, die das hintere Ende der Mulde mitsamt der Wasserstelle und den Toten in einen rotbraunen Geysir verwandelt. Lehmbrocken prasseln herab, dicht wie Sturzregen. Kopflos rennen sie durcheinander, versuchen höher zu gelangen, in den Schutz der Felsen, krabbeln wie Spinnen am Badewannenrand den Hang hinauf, stolpern, stürzen, rutschen ab, krallen sich verzweifelt ins magere Gestrüpp.

»Kommt zurück!«, schreit Arik. Winkt mit beiden Armen. »Da oben sitzt ihr erst recht in der Fa –«

Um ihn herum explodiert das Erdreich, Garben pflanzen sich durch die Mulde auf ihn zu.

Etwas durchschlägt seinen Bauch.

»Mmmm –«

Seine Lippen formen ein Wort.

»Mutter«, flüstert er.

Fällt auf die Knie. Hockt da, betrachtet erstaunt das Loch im kräftigen Gewebe seines Hemdes, dessen Ränder sich rot färben, da – noch eine Wunde, im Oberschenkel, wo kommt die jetzt her?

Was zum –

Mit ausgebreiteten Armen kippt er auf den Rücken.

Männer auf Pferden vor einer schwellenden Sonne.

Dolch oder Geige?

Himmel, was hat er auf dem Ding herumgekratzt, um ihm ein paar halbwegs passable Töne zu entlocken. Nach ein, zwei Jahren war er so weit, dass man sich nicht mehr die Ohren zuhalten musste, von Genuss zu sprechen, wäre vermessen gewesen.

Samuel auf seinem Pferd ragt über ihm auf, ein höllenschwarzer Schatten vor einem glutroten Himmel.

»Sie mögen dich belächeln, Arik, später werden sie dich bewundern.«

bewundern –

später –

Später?

Schreckt hoch.

Eingeschlafen. Verdammt! Er muss trinken. Es hilft alles nichts. Völlig entkräftet, mit seinem Bauchschuss und dann auch noch dehydriert, da wird es kein Später geben. Unter Stöhnen schafft er es auf Hände und Knie, kriecht zu dem ekligen Tümpel, aber der ist verschwunden. Nur ein riesiger Krater, Leichen, Verletzte, abgerissene Arme und Beine.

Lässt sich entmutigt zur Seite fallen.

Denkt an –

GAZOZ.

Mhmmmm. Sein Lieblingssoftdrink. Gibt's in Tel Aviv bei Whitman's Soda Quelle, immer frisch vorrätig.

Wunderbar belebendes GAZOZ.

Stellt sich vor, wie er den Becher an seine Lippen drückt, kühl rinnt es die Kehle hinab –

»Arik?«

Einer seiner Männer. Eli. Blutet aus einer Kopfwunde, scheint aber halbwegs bei Kräften. Andere kriechen, humpeln, taumeln herbei, manche verletzt, andere dem Augenschein nach unversehrt. Wenigstens ein Gutes hatte das Bombardement, der Rauch gibt ihnen Deckung –

Für den Moment.

»Schscht.«

Arik legt den Finger an die Lippen, lauscht. Aus dem Weinberg sind wieder Stimmen zu hören, Jordanier, ohne Zweifel. Auf dem Weg nach unten. Geben Schüsse ab, schreien »*Etbach el Yahud!*«, doch irgendwie scheint es ihrem Vorgehen an Entschlossenheit zu fehlen.

»Haben wir noch Munition?«, flüstert er.

»Handgranaten«, sagt Eli. Die anderen heben stumm ihre Gewehre.

»Sucht alles zusammen, was da ist.«

(Los, hoch mit dir!)

(Wenn du kriechen kannst, kannst du auch gehen.)

Unter Mühen schafft er es auf die Beine. Sein Bauch pocht, die Vorderseite seines Hemdes ist blutgetränkt, aber erstaunlicherweise steht er. Offenbar hat die Kugel lebenswichtige Organe verfehlt und ist am Oberschenkel wieder ausgetreten, nur so kann es sein. Setzt einen Fuß vor den anderen. Geht einige Schritte, ohne zu wanken.

Ich sollte mir öfter vorstellen, GAZOZ zu trinken.

Die anderen schleppen Gewehre, Granaten, sogar einen Mörser herbei. Dem Klang nach stehen die Jordanier unmittelbar davor, die Wand aus Rauch zu durchqueren, erste Schemen werden sichtbar –

Arik hebt die Rechte.

»Feuer!«

Und noch einmal mobilisieren sie alle Kräfte, stürmen voran. Ballern unter Geheul in die Rußvorhänge hinein, pumpen ihre Magazine leer. Hören die Schreie der Getroffenen, schießen aufs Geratewohl den Mörser ab, werfen Granaten hinterher –

Veranstalten einen Lärm, als seien sie zehn Mal so viele.

»Feuer einstellen.«

Halten weiter verzweifelt drauf.

»Einstellen!«

Stille.

»Sie sind weg«, flüstert der Mann mit dem Granatwerfer.

»Sind sie nicht«, keucht Eli. Er liegt mit schmerzverzerrtem Gesicht am Boden, mehrere Kugeln haben ihn in die Beine getroffen. »Die kommen wieder.«

Von ferne ertönt der Donner schwerer Artillerie.

Die Männer sehen Arik aus blutunterlaufenen Augen an, und er fühlt sein letztes bisschen Kraft schwinden. Zusammen mit dem Blut rinnt es aus seinem Bauch, und alles um ihn herum beginnt sich zu drehen.

»Arik! Wie willst du uns hier rausbringen, Arik?«

Fängt sich. Kämpft gegen die Ohnmacht an. Wolken von Stechmücken sammeln sich um seinen Kopf. Als er mit den Händen hindurchfährt, sieht er Dutzende fetter Ameisen seinen Ärmel hinauflaufen.
Die Natur *liebt* Blut.
»Was soll die Frage?«, krächzt er. »Ich hab euch schon aus ganz anderen Situationen rausgebracht, oder?«
Die Männer starren ihn an.
Er wendet sich ab, um nachzudenken, hört jemanden flüstern: »Na, ob er's *diesmal* schafft«, ärgert sich, aber sie haben ja recht. Er weiß, er muss die schlimmste Entscheidung seines Lebens treffen. Wenn es überhaupt den Hauch einer Überlebenschance gibt, bietet sie sich jetzt. Die Felder sind niedergebrannt, immer noch huschen Flammen wie Geistererscheinungen darüber hinweg, entsteigt schwarzer, fettiger Rauch der schwelenden Erde und wird vom Wüstenwind über die Talsenke getrieben. Auf einen besseren Schutz können sie nicht hoffen, und bis Einbruch der Dunkelheit werden sie nicht durchhalten.
»In Ordnung.« Nur noch undeutliches Brabbeln dringt durch seine tauben, aufgerissenen Lippen. »Versucht, über die Felder Richtung Straße zu gelangen.«
»Und wenn sie uns entdecken?«
In den Rauchvorhängen tut sich eine Lücke auf, und Arik kann den braun verbrannten Höhenrücken von Hügel 314 sehen. Silhouetten in Kufiyas tanzen darüber hinweg, schwenken in Siegesstimmung Gewehre, eilen Abhänge herunter, über die sich leblose Körper verteilen, durchwühlen die Kleidung der Toten, erschießen die Verwundeten.
»Dann ist ohnehin alles zu spät. Eli –«
Eli schüttelt den Kopf. »Haut ab.«
»Ich kann versuchen, dich –«
»Haut ab, sag ich. Ich geb euch Feuerschutz.«
»Scheiße!«, flucht einer. Weil sie Eli nicht tragen können. Niemand hier kann irgendwen tragen, sie können sich ja kaum selbst tragen.
»Arik?«
»Ja.«
»Lass mir eine – eine von den Handgranaten da. Bitte.«
Arik nickt stumm, nimmt eine der Granaten vom Gürtel und drückt sie Eli in die Hand. Wie lange er den Jungen schon kennt. Sie sind zusammen in Kfar Malal aufgewachsen. Früher gehörte Eli zu denen, die ihn »Bulle« gerufen haben, Arik hat ihm dafür mal richtig Senge verpasst, aber danach verstanden sie sich gut.
»Viel Glück«, flüstert er.

Fällt auf die Knie und beginnt zu kriechen. Wie ein geschundenes Tier, auf allen vieren, schleppt er sich aus der Mulde. Erreicht den Rand der Felder, kriecht weiter auf offenes Gelände. Immer mehr Araber kommen jetzt von den Hügeln herunter, und es sind keineswegs nur Soldaten. Angelockt von Beute, wagen sich auch Dorfbewohner aus ihren Verstecken. Arik hört einen Schuss, wendet den Kopf und sieht in einiger Entfernung einen Araber, die Pistole auf den reglosen Körper zu seinen Füßen gerichtet. Dann schaut der Araber zu ihm herüber, und einen kurzen Moment begegnen sich ihre Blicke.

Der Tod sieht ihn an.

Arik kriecht weiter, wartet auf das Ende, doch der andere hat das Interesse verloren. Widmet sich dem erschossenen Israeli, geht in die Hocke und beginnt, seine Ausrüstung zu durchwühlen.

Schmerz.

Empfindungslosigkeit.

Wo endet das eine, beginnt das andere?

Schwer zu sagen.

Wenn du in Shorts, auf nackten Knien, über glimmendes Erdreich kriechst, müsstest du eigentlich brüllen vor Schmerz. Und dieser Geruch nach verbranntem Fleisch, das sind eindeutig Ariks Knie.

Doch er empfindet keinerlei Schmerz.

Stattdessen fühlt er sich leichter werden.

Mit analytischem Interesse verfolgt ein Teil von ihm, wie sein Körper trotz der schweren Verletzungen Strecke macht. Linker Hand – wie lange schon? – kriecht einer, der erst vorgestern zu ihnen gestoßen ist, 16 Jahre, ein halbes Kind. Sieht schrecklich aus, sein Kiefer zerschmettert, der Hals dunkel von verkrustetem Blut, während frisches unter dem Ohr nachsickert. Arik erinnert sich nicht an den Namen, ohnehin zu schwach, ihn auszusprechen, und der andere hat vielleicht noch die Kraft, aber nicht mehr die Fähigkeit, sich zu artikulieren.

Also kriechen sie stumm nebeneinanderher.

Hindurch zwischen Toten und Sterbenden.

Dolch oder Geige?

Vögel kreisen über dem Feld. Schwarz, als seien sie aus den amorphen, tief hängenden Rußschwaden hervorgegangen.

Wieder Schüsse.

Ganz nah jetzt.

Der Rauch teilt sich, und sie finden sich mitten in einer Gruppe Araber, so nah, dass man nur die Hand ausstrecken müsste, um sie zu berühren. Doch die Männer sind zu beschäftigt mit Plündern, um die zwei Jammergestalten der Erschießung für wert zu befinden. Fleddern die Leichen, zeigen einander lachend, was sie erbeutet haben, halten Uhren hoch, Sonnenbrillen, Waffen, ein grausiger Wettstreit, wer das meiste einsackt.

Geige?

Liegen bleiben und warten, bis es vorbei ist?

Dolch!

Kriechen!

Weiter, immer weiter, Stunde um Stunde, doch jetzt steigt das Gelände in flachen Terrassen an, Steinwälle trennen die Ebenen voneinander, wie soll er über die schier unbezwingbaren Hindernisse gelangen, auch wenn sie für jedes Kind überwindbar wären?

Er liegt auf dem Rücken. Kriecht.

Eigenartig. Wie kann er gleichzeitig liegen und kriechen? Eines von beidem bildet er sich ein, aber was?

Ein Gesicht beugt sich über ihn.

Yaakov, ach ja, so heißt der Junge mit dem zerschossenen Kiefer. Yaakov Bugin, der aus gleißenden Himmeln auf ihn herabblickt, ein blutender Engel. Rot glänzende Fäden tropfen auf Ariks Stirn, Blut mit Speichel vermischt, kräftige Hände schieben sich unter seine Schulterblätter.

Der Junge will ihm helfen.

Arik wedelt schwach mit der Rechten.

»– ss mich lieg – n –«

(Hau ab, Yaakov!)

»– m – ch lie –«

Yaakov zerrt ihn hoch, schiebt ihn über den Steinwall auf die nächsthöhere Ebene, Arik stützt sich auf seine Schulter.

Stolpert voran.

Dolch!

Dabei mag ich Musik. Doch, wirklich, Papa! Wegen der Geige, ich meine, ich liebe die Geige, aber –

»Prinzipientreue!« Samuels Schritte im Haus, wuchtige Schritte, als lasse jemand Säcke zu Boden fallen. »Absolute Prinzipientreue und Leistung! Schau dir Dita an –«

Dita!

Schwester, wo bist du? Ein Schatten auf einem Feld.

Schöne Dita, sie hat sich verliebt in einen Doktor aus Tel Aviv und wird wohl mit ihm nach Amerika gehen, was Vera und Samuel schmerzt und Arik auch, wie kann man denn bloß wegziehen aus Israel?

Aus *unserem* Staat?

Kleine Geige. Spendet Trost.

Aber Dita –

»– ist besser als du, Arik. In allen Fächern. Herrgott! Was ist denn so schwer daran, ein guter Schüler zu sein? Du musst lernen, selbstständig zu werden, hörst du? Niemand wird dir helfen. Im Leben bist du auf dich allein gestellt, ich war immer allein –«

»Oh, nein, nein!« Mama schreit das Haus zusammen. »Sie haben versucht, ihn umzubringen!«

Samuel.

Zweimal sogar. Zweimal haben die Araber versucht, Samuel das Lebenslicht auszublasen, böse Zungen behaupten sogar, beim zweiten Mal seien es gar keine Araber gewesen, sondern Leute aus Kfar Malal, doch Samuel scheint unverwundbar, blickt vom Pferderücken auf Arik hinab:

»Das halten wir aus, Junge.«

Das hältst du –

»– aus, das schaffst du, Arik. Ist nicht mehr weit. Halt durch!«

Was?

»Versuch, jetzt nicht schlappzumachen.«

Moment mal. Das ist nicht Yaakov, der kann doch nicht sprechen.

Wer trägt ihn denn da?

Oh, Moshik. Sergeant Moshik Lanzet, der stellvertretende Befehlshabende. Um sie herum bekannte Gesichter. Die Reste der Kompanie. So was! Leben noch. Arik blinzelt, klammert sich an Moshiks breiten Rücken, seine Beine schleifen hinterdrein, versucht, Tritt zu fassen, schlurft neben dem Sergeant her. Sieht, dass auch Moshik verwundet ist, blutet aus einer Kopfwunde.

Der beißende Gestank von Schießpulver liegt in der Luft.

Teeriger Rauch.

Sie sind immer noch auf den Feldern.

Wir –

Fahren.

Seitenfenster. Bäume ziehen vorbei.

Wie bin ich in den Wagen gekommen?

Jemand sitzt neben ihm. Junger Rekrut. Einer der Holocaust-Überlebenden, die sie ihnen zur Verstärkung geschickt haben. War sein erster Einsatz. So jung, so weich, seine Gesichtszüge, aber in seinen Augen liegt etwas Uraltes, Einsames.

Ich weiß.

Du hast Dinge erlebt, die dich nie wieder loslassen werden. Du wirst noch schweißnass aus dem Schlaf hochfahren, wenn dieser Tag längst Geschichte ist. Deine Jugend ist auf den Feldern geblieben. Der sengende Wüstenwind hat sie mit sich davongetragen, dir deine Unschuld geraubt, und jetzt fragst du dich, wie du mit deinen Dämonen weiterleben sollst.

Du wirst, Junge. Du wirst.

Du hast gerade erst ein paar davon kennengelernt.

Tel Aviv

Über manche Besucher freut man sich besonders. Jehuda in seiner Unbekümmertheit, das ist, wie soll man sagen, als falle ein Sonnenstrahl direkt auf Ariks Bett.

Oh Mann. Wie poetisch.

Sonnenstrahl, das klingt nach *alf laila wa-laila*, arabische Dichtung, aber so ist es nun mal. Sobald Jehuda den Raum betritt, wird die Luft ein bisschen atembarer, scheint alles ein wenig leichter. Und Leichtigkeit kann Arik in diesen Tagen gut gebrauchen. Seit sie an ihm herumdoktern, schmort er in Selbstvorwürfen. Die sichtbaren Wunden heilen, die seelischen brechen immer wieder auf.

Nicht, dass ihn keiner besuchen käme.

Alle kommen, seine Kameraden, der Befehlshabende, die Freunde aus Kfar Malal. Gali, die Wunderbare. Vera und Dita. Samuel, der schier platzen will vor banalem Erzeugerstolz, aber natürlich schlingt Arik jedes Wort der väterlichen Anerkennung in sich hinein, ohne das befriedende Gefühl der Sättigung zu verspüren.

Vielleicht, weil sie ihm ein Loch in den Bauch geschossen haben.

Alles rutscht durch.

Andererseits ist es krude, deinen Vater berührt zu sehen, weil sie dir die Eingeweide zerfetzt haben. Wann würde Samuel sich wohl dazu durchringen zu sagen: Ich liebe dich?

Wenn sie ihn in Einzelteilen hereintrügen?

Schon eigenartig mit Samuel. Durch keine Charakterschule wäre

Arik lieber gegangen, doch es gab Zeiten, da hätte er all das freudig eingetauscht gegen ein bisschen Liebe. Und wahrscheinlich lieben sie ihn ja sogar, wie Jehuda nicht müde wird zu betonen (auch Gali ist davon überzeugt), nur dass weder Vera noch sein Vater ihre Gefühle je nach außen getragen haben. Dieser Mangel an Zuwendung erzeugt auf Dauer ein Loch in dir, gegen das alle Einschusslöcher der Welt ein Klacks sind, einen immerwährenden Hunger.

Wahrscheinlich der Grund, warum ich so viel fresse, denkt Arik.

Ob Samuel jetzt versöhnt ist?

Der Alte hasst die Arbeitspartei und alles damit Verbundene, es hat ihn geschmerzt, seinen Sohn bei der Hagana zu sehen, wo Ariks erste Amtshandlung darin bestand, revisionistische Propagandaplakate von den Wänden zu reißen. Zugleich ist Samuel kolossal beeindruckt von dem Kämpfer, den er da gezeugt hat. Erweist ihm endlich den schuldigen Respekt, nach dem sich sein Sohn so lange verzehrt hat, beinahe tragisch, dass es Arik jetzt – nennen wir es ruhig, wie es ist – am Arsch vorbeigeht.

»Hast du dran gedacht?«

Jehuda grinst und schwenkt eine Sporttasche.

»Shorts, lange Hosen, zwei T-Shirts, Hemd und Jacke, Unterwäsche, Socken, Turnschuhe.«

»Grandios!« Ariks Augen leuchten. »Unters Bett damit.«

Jehuda verstaut die Sporttasche wie gewünscht und pflanzt sich auf einen der Besucherstühle.

»Du weißt, dass das nicht im Sinne der Ärzte ist.«

»Was ist denn in ihrem Sinne?«, mault Arik. »Dass ich vor lauter Langeweile sterbe? In der Zeit, die ich schon hier bin, hätte ich gleich selbst Medizin studieren können.«

Na ja, fünf Wochen.

So lange ist es her, dass sie ihn, dem Tode näher als dem Leben, ins Hospital verfrachtet haben, und noch in letzter Minute wäre er beinahe abgekratzt. Nicht wegen des Blutverlusts, sondern weil im Moment, als der Krankenwagen vor dem Haupteingang ausrollte, die ägyptische Luftwaffe Tel Aviv bombardierte und alles medizinische Personal Hals über Kopf das Weite suchte. Hinten im Wagen lag Arik auf der Pritsche und dachte:

Aha. Der Tod lässt sich nicht betrügen.

Doch der Tod hatte an diesem Tag andere auf dem Zettel.

Danach war er ans Bett gefesselt, sein Körper steckte voller Kanülen, alles mögliche Zeugs pumpten sie in ihn hinein. Er wollte aufstehen und herumgehen, doch sie verordneten ihm strikte Ruhe, und mit der Ruhe kamen die Gespenster.

Azriel, Eli, die Toten seines Zugs.

Wollten wissen, was schiefgelaufen war.

Auch ihre Eltern erschienen. Stumm warteten sie an seinem Bett, dass er fähig wäre, ihnen Einzelheiten zu berichten, aber was sollte er berichten? Wie Kugeln und Granaten die Körper ihrer Söhne zerrissen hatten? Was die Araber mit denen getan hatten, die noch lebten, nachdem er sie hatte zurücklassen müssen?

Der Befehlshabende wird nicht müde zu versichern, ihr Opfer sei von Wert gewesen. Zwar hätten sie Latrun nicht bezwungen, die Araber jedoch so abgelenkt, dass der Bau einer geheimen Umgehungsstraße zügig voranschreite, schon im Juni könne Jerusalem darüber angefahren und versorgt werden.

Er solle stolz sein.

Doch Arik verspürte keinen Stolz. Nur die deprimierende Gewissheit, seine militärische Karriere in den Sand gesetzt zu haben. Was ihm vor Monaten noch egal gewesen wäre. Hatte er nicht Farmer werden wollen? Den Hof in Kfar Malal übernehmen, dort alt werden, zusammen mit Gali und einem Haufen Kinder?

»Und jetzt nicht mehr?«, fragt Jehuda.

Arik schwingt die Beine über die Bettkante.

»Kannst du dir vorstellen, wie es sich damit lebt, deine Leute in den Tod geschickt zu haben? Männer, die dir anvertraut waren?«

»Du konntest nichts dafür.«

»Jehuda, ich war *Zugführer*.«

»Dem Vernehmen nach bist du ein Held.«

Ein Held, ja. Nichts wäre einfacher, als den Mythos zu nähren. Doch das Wort klingt so falsch in Ariks Ohren wie die verstimmte Geige, an der er sich als Kind abgemüht hat.

»Ich bin kein Held.«

»Andere wären da nicht mehr rausgekommen.«

»Ich musste Männer zurücklassen.«

»Du hattest keine Wahl.«

»Verwundete zurückzulassen ist das Ergebnis deines freien Willens. Egal, wie die Umstände sind.«

»Wenn du Eli mit dir rumgeschleppt hättest, wärst du jetzt tot.«

»Yaakov Bugin hat mich mit sich rumgeschleppt, und er lebt.«

»Er hatte keinen Bauchschuss.«

»Trotzdem, ich –«

»Jetzt hör schon auf«, sagt Jehuda zornig. »Ihr seid in eine Falle gerannt, die haben euch falsche Informationen gegeben. Von wegen Bauern und Milizen.«

Arik starrt düster vor sich hin.

Stimmt schon, der Geheimdienst hat Mist gebaut. Gewaltigen Mist. Da lag eine Tausendschaft bestens ausgerüsteter jordanischer Soldaten auf der Lauer, und die *wussten*, dass sie kamen. Zahals Kommunikation ließ zu wünschen übrig, sie waren miserabel ausgestattet, alles richtig.

Er hebt den Kopf und sieht Jehuda an.

»Wir haben uns den Schneid abkaufen lassen, Jehuda, das war unser größtes Problem. Im Moment, als sie uns unter Feuer nahmen. Ich sage dir, etwas mehr Selbstvertrauen, und wir hätten es auch mit tausend Mann aufnehmen können.«

»Gut. Erklär's ihnen.«

»Das werde ich.« Wirft einen Blick unters Bett. »Schau mal auf dem Flur nach, ob die Stationsschwester irgendwo unterwegs ist. Müsste beim Mittagessen sein.«

Zerrt die Tasche hervor, während Jehuda die Lage sondiert, öffnet sie und beginnt sich anzukleiden. Als sein Freund zurückkehrt, ist er bereits ausgehfertig.

»Kannst du überhaupt laufen? Jemand sagte, sie hätten dir auch in den Fuß geschossen.«

»Komisch, was? Davon hab ich überhaupt nichts gemerkt.«

»Du bist stundenlang mit einem Loch im Fuß herumgelaufen?«

»Sieht so aus.«

»Ich erstarre vor Ehrfurcht«, frotzelt Jehuda. »Wahrscheinlich kannst du auch übers Wasser gehen.«

Arik grinst.

»Jesus wusste einfach nur, wo die Steine lagen.«

Streicht über seinen Bauch. Gerade schmerzt die Wunde wieder, doch er muss hier raus. So vieles hat sich seit Latrun verändert. Das jüdische Viertel in Jerusalem ist gefallen, dafür hält die Verteidigung im Westen der Stadt dem jordanischen Vormarsch stand. Bei Aschdod hat Zahal die Ägypter zurückgedrängt, israelische Kampfflugzeuge bombardieren Beirut, Damaskus und Amman. Das Kriegsglück scheint sich auf ihre Seite zu schlagen, Arik will kämpfen.

»Komm. Wir gehen.«

Noch wacklig auf den Beinen, stellt er fest, als sie über den Flur schleichen. Aber schon draußen auf der Balfour Street, den Duft der Freiheit in der Nase, fühlt er einen regelrechten Energieschub.

»Was macht eigentlich deine Flamme?«, will er wissen. »Wie hieß sie noch gleich?«

»Phoebe?«

»Genau. Ist sie's noch?«

Und wie. Das hätte Jehuda nicht gedacht. Eine Woche nach Jaffa hat es mächtig zwischen ihnen beiden gefunkt, und jetzt befürchtet er fast, mehr in sie verliebt zu sein als sie in ihn. Vielleicht macht er sich aber auch erstmals wirklich Gedanken um ein Mädchen.

»Sie spricht jeden Tag besser Hebräisch«, sagt er voller Stolz.

»Na, das ist ja mal 'ne Information«, spottet Arik.

»Ich finde das höchst bemerkenswert, und alles andere geht dich nichts an. Überleg mal, sie ist erst vor einem halben Jahr hier eingetroffen, in New York haben sie gar kein Hebräisch gesprochen.«

»Eltern schon kennengelernt?«

»Noch in den Staaten. Aber ein Teil der Familie ist hier, sie hat also Gesellschaft.«

»Jetzt auch deine.«

Ja, denkt Jehuda. Wollen hoffen, dass sie reichlich Gebrauch davon macht. Auf so angenehme Weise wie bisher.

»Und Gali?«

»Ich war so was von froh, sie wiederzusehen!« Arik lächelt. »Diese Menschen sind unsere Zukunft, Jehuda.« Sein Gesicht wird ernst. »Wir müssen alles für die Menschen dieses Landes tun, hörst du? Nie wieder werde ich jemanden zurücklassen. Wenn ich die Wahl zwischen dem Nichts und dem Schmerz habe, werde ich den Schmerz wählen, aber ich werde niemanden mehr zurücklassen, und wenn es mich umbringt.«

Sie gehen unter Baumspalieren her. Tel Aviv übt sich im Alltag, gibt sich unbeeindruckt von Tod und Gewalt.

»Keine Gnade«, verkündet Arik. »Kein Pardon mit unseren Feinden. Ich schwöre dir, ich werde mit zehnfacher Härte zurückschlagen. Jeden Angriff auf eine Weise beantworten, dass sie sich wünschen, nie nur darüber *nachgedacht* zu haben.«

»Und wo willst du jetzt hin?«

Arik winkt einen Wagen heran. »Zu meinem Stützpunkt natürlich.«

»Solltest du nicht vorher ein bisschen ausru –«

»Ausruhen kann ich, wenn der Krieg vorbei ist.« Arik zögert, dann drückt er Jehuda an sich. »Danke, mein Freund«, sagt er leise. »Grüß deine kleine New Yorkerin. Wünscht mir Glück.«

1953

Einheit 101

Zwei Gestalten in der Dunkelheit, gebückt, eilig.

Grenzland des jungen Israels.

Eine Spezialeinheit, lauernd, getarnt durch eine Böschung. Soldaten, die zusehen, wie das Erwartete eintritt und die beiden Gestalten von jordanisch besetztem auf israelisches Territorium wechseln.

Bilanz des arabischen Terrors bis dahin:

Besorgniserregend.

Die Vertriebenen kommen nachts über die Grenze, überfallen israelische Dörfer, töten Zivilisten, ziehen sich im Schutz der Dunkelheit zurück, und die israelische Armee ist machtlos, doch heute Nacht lässt Arik das Feuer eröffnen.

Die Gestalten brechen zusammen.

Nur zwei Frauen, die Wasser holen wollten.

Ein Versehen?

Ein Exempel.

Suchen und zerstören.

Motto der Einheit 101.

Eigentlich studiert Arik ja gerade Geschichte und nahöstliche Kultur in Jerusalem, hat Gali geheiratet, doch Ben Gurion will eine Spezialtruppe gegen den arabischen Terror ins Leben rufen. Und wer könnte die besser leiten als Arik, der sofort eine Handvoll Männer aussucht und einem mörderischen Training unterzieht, damit sie Angst und Entsetzen in die Reihen der arabischen Milizionäre tragen.

Keine tosenden Feldzüge.

Verdeckte Aktionen, schnell und effizient.

Al-Bureij-Flüchtlingscamp, Gaza, Vergeltung für die Ermordung eines jüdischen Gastwirts in Ashkalon. Arik und 15 Mann sind in arabischer Landestracht eingedrungen, doch jetzt fliegen sie auf, werden umzingelt.

Keine Milizionäre. Nur Flüchtlingsfamilien, unbewaffnet.

Im nächsten Moment Schreie, Körper stürzen übereinander, werden im Kugelhagel zerrissen.

Das Kommando schießt sich den Weg frei.

Qibya, jordanisches Westufer.

Menschen, die in wilder Hast davonlaufen.

Ein Haus spuckt Feuer und Rauch. Noch während das Dach in sich zusammenkracht, fliegt mit einem Knall, der den Himmel erzittern lässt, das nächste Gebäude in die Luft.

Vergeltung für Jehud, Israel. Jordanische Fedajin haben dort eine Handgranate in ein Fenster geworfen, eine Mutter und ihre zwei Kinder im Schlaf getötet.

Jetzt werfen Ariks Leute Handgranaten in die Fenster.

Seine Einheit 101 ist mit Verstärkung der Fallschirmjäger und einer halben Tonne Sprengstoff angerückt, um das Dorf dem Erdboden gleichzumachen, er will den Arabern die Mathematik der Vergeltung nahebringen: Ein zerstörtes Haus in Jehud, multipliziert mit meinem Zorn, ergibt 50 zerstörte Häuser in Qibya.

Alles, was ihr tut, müsst ihr mit meinem Zorn multiplizieren.

Und weil wir keine Barbaren sind, warnen wir euch sogar vor.

Fordern euch auf, eure Häuser zu verlassen, und sobald keiner mehr rauskommt, sprengen wir.

Und irgendwann ist eben keiner mehr rausgekommen.

Aber es waren noch welche drin.

Frauen und Kinder.

Etwa 50.

Ben Gurions bekümmertes Gesicht, als er Arik fragt, ob dieses Blutbad nicht zu vermeiden gewesen sei.

»Ich hab selbst in den meisten Häusern nachgesehen«, sagt Arik trotzig. »Da war keiner mehr.«

Weist darauf hin, dass die arabischen Übergriffe seit Qibya drastisch zurückgegangen seien.

»Dafür habt ihr mich schließlich geholt. Oder?«

»Aber doch nicht, um ein *Gemetzel* anzurichten.«

Schweigen.

Außenminister Moshe Sharett geht im Zimmer auf und ab, fühlt sich hilflos, depressiv, vollkommen perplex.

»Eine Vergeltungsmaßnahme diesen Ausmaßes ist nie zuvor durchgeführt worden«, sagt er tonlos. »So etwas darf sich auf keinen Fall wiederholen.«

»Wird es nicht.« Moshe Dayan, Leiter des Einsatzkommandos und designierter Generalstabschef. »Allerdings kann man nicht abstreiten, dass Einheit 101 über die Maßen erfolgreich arbeitet.«

»Wie professionelle Killer eben arbeiten.«

»Wir sind keine professionellen Killer!«, explodiert Arik. »Meine Männer riskieren alles, um Israel vor einem Terror zu schützen, den noch Anfang des Jahres niemand hier in den Griff bekommen hat, und jetzt spielen Sie hier den –«

»Ihre Methoden sind unverhältnismäßig«, brüllt Sharett zurück. »Lesen Sie die internationale Presse? Da heißt es, Ihre Leute hätten den Einwohnern überhaupt keinen Räumungsbefehl erteilt, sondern einfach munter drauflosgebombt.«

»Dann erklären Sie der Presse, sie sähen Gespenster.« Jetzt gerät auch Ben Gurion in Rage. »In der fraglichen Nacht hat *kein einziger* israelischer Soldat sein Lager verlassen, verstehen wir uns richtig?«

Dayan runzelt die Stirn. »Ach nein?«

»Nein. Es waren irgendwelche israelischen Dorfbewohner.«

»Mit einer halben Tonne TNT?«

»Was man eben so im Haus hat«, spottet Sharett.

Ben Gurion winkt ab. »Jedenfalls werde ich morgen im Radio genau das sagen.«

»Das glaubt uns doch kein Mensch.«

»Dann sorgen Sie dafür, dass man es glaubt. Sie sind der Verteidigungsminister.«

»Ich erhielt vorhin einen Anruf aus dem Außenministerium. Die wissen sich kaum zu retten vor –«

»Die Aufgabe des Außenministers ist es nicht, Außenpolitik zu machen, sondern der Welt die Politik des Verteidigungsministers zu erklären.« Ben Gurion legt eine Pause ein, bläst Luft durch die Backen. »Und die Aufgabe der Einheit 101 ist es, Mörder zur Strecke zu bringen. Keine Frauen und Kinder.«

»Diese Frauen sind Huren«, knurrt Arik. »Sie bedienen arabische Milizionäre, die unsere Gemeinschaft infiltrieren und die Zivilisten unseres Landes angreifen.«

»Kanonen auf Spatzen«, beharrt Sharett.

»Die Spatzen haben alleine in diesem Jahr 160 Israelis ermordet, wenn ich Sie daran erinnern darf.«

»Wollen Sie abstreiten, dass selbst Ihre eigenen Männer moralische Bedenken –«

»Vergangenes Jahr ebenso viele.«

»Das ist mir bekannt, verdammt.«

»Worauf warten Sie dann? Bis aus den Spatzen ausgewachsene Raubvögel werden?«

»Wir lassen jedenfalls keine Einheit operieren, die für den Erfolg beliebig hohe Opferzahlen in Kauf nimmt.«

»Müssen wir ja auch nicht.« Dayan beugt sich vor. »Wir könnten sie auflösen.«

Überraschtes Schweigen.

»Offiziell«, fügt er hinzu. »Das bringt erst mal Ruhe.«

Ben Gurion hebt die Brauen. »Und dann?«

»Ins Fallschirmjäger-Bataillon 890 eingliedern. Arik wird Kommandant, die Einheit übernimmt als Teil der 202. Brigade weiterhin heikle Missionen.«

»Der Generalstabschef hat recht.« Arik schaut auf. »Die Einheit ist die bestausgebildete Truppe, die Zahal momentan zur Verfügung steht. Sie zu zerschlagen, wäre ein gewaltiger Fehler. Lassen wir sie unter dem Dach der Brigade weiter operieren. Ausschließlich gegen militärische Ziele, wenn Sie das beruhigt.«

Sharett reibt sich das Kinn.

»Vielleicht keine schlechte Idee.«

Darauf kannst du wetten, freut sich Arik, der in Erwartung von Schelte alles längst mit Dayan abgesprochen hat.

Wir bleiben im Spiel.

Nach meinen Regeln.

Beim anschließenden Vieraugengespräch mit Ben Gurion, um das Arik gebeten hat, weil er weiß, du musst dem Alten schon ein bisschen mehr bieten, um sein Vertrauen zurückzugewinnen, zieht er alle Register.

Redet auf den Premier ein.

Leise und eindringlich.

Versichert ihm, dass seine Männer keine kaltblütigen Killer seien, sondern aufrichtige Patrioten. Dass ihn persönlich jedes zivile Opfer auf der Gegenseite schmerze, doch Qibya habe die Wende eingeleitet, nach so vielen Niederlagen, Fehlschlägen und Demütigungen sei man endlich wieder imstande, den Feind tief im Hinterland zu treffen. Was die Einheit 101 für die Moral und das Selbstbewusstsein der Truppe leiste, könne gar nicht hoch genug eingeschätzt werden, die Sicherheit des Staates Israel und seiner Bürger stehe für diese Männer über allem, jeder von ihnen sei bereit, sein Leben zu geben.

Arik ist wirklich gut.

Auch, weil er das alles glaubt.

In der Einheit, erklärt er Ben Gurion, herrsche eine besondere Form der Kameradschaft, sie seien verschmolzen wie der Stahl eines Panzers,

Helden für Israel. Und wenn der alte Mann für irgendetwas anfällig ist, dann für Heroismus.

Am Ende tickt nur noch die Uhr im Raum.

»Ariel Scheinermann«, sagt Ben Gurion versonnen. »Was ist das eigentlich für ein Name?«

Kurz ist Arik verwirrt.

»Die Familie meines Vaters – Scheinermann – Schöner Mann – ich denke, das ist der Ursprung.«

»Du weißt, dass ich eigentlich Grün heiße?«

»Davon hörte ich, ja.«

»David Grün.« Ben Gurion lächelt. »Und Levi Eschkol hieß früher Schkolnik, Golda Meir mit Nachnamen Meyerson, Herzl Vardi hörte auf Rosenblum. Unsere alten jüdischen Namen. Aber in diesem Land sollten wir hebräische Namen tragen. Die hebräische Kultur ist es, die uns eint.«

Arik schweigt.

Irgendetwas Bedeutendes ist im Gange.

»Ariel«, sinniert Ben Gurion. »Aber alle nennen dich Arik.«

»Seit ich denken kann.«

»Na ja, das ist in Ordnung.« Pause. »Scheinermann hingegen –« Wieder eine Pause. »Du bist in Kfar Malal aufgewachsen, nicht wahr? In der Scharon-Ebene?«

Arik nickt.

Und Ben Gurion, mit einer Wärme, wie Samuel Scheinermann sie seinem Sohn gegenüber nie aufzubringen imstande war, nimmt ihn in die Arme. Und gibt ihm seinen neuen Namen.

Einen Namen, wie er sich für einen hebräischen Patrioten gehört.

»Ariel Scharon.« Schmeckt ihn beim Aussprechen förmlich ab. »Ja, das ist gut. Das solltest du dir überlegen, Junge.«

2011

Syrien, Damaskus, 30. Oktober

Hagen sitzt in der Falle.

Das muss man sich so vorstellen: Ein elender Ort, in dem man schon viel zu lange rumhängt. Raffst dich also auf, marschierst los. Der Ort bleibt hinter dir zurück, verschwindet am Horizont. Freude und Zuversicht, es endlich geschafft zu haben. Wanderst durch eine vielversprechende Welt, immer geradeaus, den ganzen Tag lang. Es dämmert, Lichter kommen in Sicht, und – zack! – bist du wieder in demselben elenden Ort, den du hinter dir glaubtest.

Sisyphos lässt grüßen.

Das Ganze im Detail.

Irgendwas hat ihn geweckt. Einfallende Helligkeit wahrscheinlich, das Schnattern der Zimmermädchen auf dem Gang. Was immer es war, jetzt ist er wach. Nicht gut. Seine Augen liegen entzündet in ihren Höhlen, darüber lastet die Gewitterfront eines schweren Katers. Die wird ihn nicht wieder einschlafen lassen, so viel ist klar, also kann er ebenso gut versuchen, aufzustehen. Ein stechend säuerlicher Geruch macht sich breit, dessen Ursache sein eigener, in Alkohol getränkter Körper ist. Die Lider schmirgeln über seine Augäpfel, als er sie hochfährt. Jetzt starrt er auf einen behaarten Unterarm, der nicht seiner zu sein scheint, auch die Zunge erinnert eher an einen verrottenden Hamster, so dick und nutzlos gammelt sie in seiner Mundhöhle vor sich hin.

Nichts davon sollte zu ihm gehören.

Tut es aber.

Er richtet sich auf, wirft einen Blick ins Zimmer.

Üblicherweise, nach einer Reihe zeitraubender Prozeduren, in deren Verlauf ihm der Spiegel eine Kreatur präsentiert, neben der er nicht im Bus würde sitzen wollen, bessert sich sein Zustand. *So* viel hat er streng genommen nicht getrunken gestern Abend. Und am Abend davor. Und dem davor. Das Problem ist nur, er war anderthalb Jahre lang clean. Ist nichts mehr gewohnt. Außerdem hat sich sein Hangover mit den Nachwirkungen der Gehirnerschütterung zu einem Generalangriff auf seine Sinne verbündet, dass ihm die simpelsten Dinge nicht einfallen.

Seit wann bewohnt er beispielsweise diese Suite?

Wäre schon darum interessant zu wissen, weil es die Antwort auf die Frage mitliefern würde, seit wann er sich allabendlich volllaufen lässt. Damit hat er sofort nach dem Einchecken angefangen.

Das weiß er noch.

Aber eine Suite?

Er kann sich nicht erinnern, eine Suite gebucht zu haben.

Und was ist das da neben ihm?

Scheiße.

Dass er so gar nicht aufwachen will, hat offenbar noch einen Grund. Die Wurst aus Laken in der anderen Betthälfte spannt sich zu straff, um einfach nur ein Haufen zerwühlter Wäsche zu sein. Etwas steckt dadrin, das er ungern zu Gesicht bekommen möchte. Es lebt und bewegt sich, schnarcht dezent und strapaziert sein Gedächtnis.

Großer Gott, denkt er.

Ich bin so was von durch den Wind, dass ich nicht mal einen halbwegs würdigen Absturz zuwege bringe.

Filmriss.

Geisterbahn im Bett.

Ich bin ein wandelndes Klischee.

Schüttelfrostartige Anwandlungen von Selbstmitleid erfassen ihn. Er versucht sich zu erinnern. Es schmerzt. Nicht seelisch, körperlich. Die Maschine in seinem Kopf wirft ein Notstromaggregat an, zeigt ihm sich selbst zwölf Stunden zuvor in der Hotelbar.

Was war da?

Auch nach mehreren Versuchen bekommt er die Chronologie nicht ganz auf die Reihe, aber wenigstens das eine oder andere in loser Folge: schwarz umrandete Augen in einem Madonnengesicht, auf Drogenopfer geschminkt. Hellblonde Brauen beflügeln die Vorstellung, weiter unten auf dieselbe Haarfarbe zu stoßen. Ihre Lippen scheinen beim Aufblasen einer Luftmatratze erstarrt zu sein, aber eine Nutte ist sie nicht, das kann er noch unterscheiden. Wie auch immer. Etwas muss er gesagt haben, das ihr gefallen hat, weil sie fortan an ihm hängt wie kalter Pfeifenrauch und so viel redet, dass er wohl überlegt, wie man die Quasselei abstellen kann.

Also küsst er sie.

Anfangs sieht sie noch jung aus, doch die Tünche aus Puder und Grundierer krümelt in ihren Krähenfüßen, und die Augenbrauen sind wahrscheinlich gebleicht. Jeder Schluck lässt sie im Ganzen einladender und im Detail abstoßender erscheinen. Scheiß drauf. Ihre Zunge erkundet sein Zäpfchen. Hagen gerät in Fahrt. Wie durch Zauberhand erneuert sich das Schälchen mit Pistazien vor ihnen, von den Wodka Martinis ganz zu schweigen, die sie in sich reinschütten. Es ist beim besten Willen nicht gesellschaftsfähig, was sie da am Tresen veranstalten, aber bitte, was ist um fünf Uhr morgens noch gesellschaftsfähig?

Alles danach kriegt er nicht mehr zusammen.

Nur eines weiß er mit zunehmender Sicherheit.

Das hier ist nicht sein Zimmer.

Es ist ihres.

Die Lady bewohnt eine Suite. Eine verdammte Riesensuite.

Er steht leise auf, schleppt sich ins Bad – der reinste Tanzsaal – und pinkelt. Muss sich dabei setzen. Sitzpinkler, denkt er. So wie Frauen ihre Männer gerne hätten. Klappt doch.

Sein Kopf wiegt mindestens drei Zentner.

»Tom?«

Und wenn er keine Antwort gibt? Einfach sitzen bleibt und versucht, noch mal aufzuwachen?

Kindisch. Er muss antworten.

»Bin hier.«

Schlurft zurück ins Schlafzimmer.

Was er vorfindet, sieht bei Weitem nicht so übel aus, wie er befürchtet hatte. Ihr pechschwarzes Haar steht ab wie bei einem Igel, die Augenbrauen sind immer noch weißblond und – klar, was sonst – gebleicht, das erkennt er jetzt, als sie sich aus dem Laken schält, aber im Ganzen hätte es ihn schlimmer treffen können.

Melinda? Belinda?

Ein bisschen knochig. Blass.

Trotzdem. Glück gehabt.

Sie vögeln unter der Dusche.

Melinda Belinda Melissa schmiegt sich gegen die Kacheln, seufzt leise und hält die Augen geschlossen, während er von hinten in sie eindringt. Dabei starrt er auf ihre Schulterblätter, auf die deutlich segmentierte Wirbelsäule unter ihrer weißen Haut, und fragt sich, was zum Teufel er hier tut. Bei jedem Stoß geht in seinem Schädel eine mittlere Sprengladung hoch, was ihn nicht davon abhält, wie ein Duracell-Kaninchen weiterzumachen. Eine Qual. Seine Hände klammern sich um ihre eckigen Hüftknochen, mehr stützt er sich auf ihr ab, als dass er sie zu sich heranzieht, und als er endlich kommt, sacken ihm kurz die Knie weg.

»Gut«, murmelt sie verträumt. »War das im Preis mit drin?«

Er lacht.

Lunch auf der Hotelterrasse. Amanda ist Amerikanerin. Künstlerin. Sucht in Krisengebieten nach Inspirationen. Ihr Mann betreibt eine Privatbank in Seattle.

»Ich schätze, das hab ich dir gestern Abend schon erzählt. Oder?«

Hagen zuckt die Achseln.

»Einigen wir uns darauf, dass keiner mehr so genau weiß, was er dem anderen erzählt hat.«

»Oh.« Sie lächelt. »Das Wesentliche weiß ich schon noch.«

Zu seinem Kater gesellt sich ein schlechtes Gewissen. Amanda ist nett, wirklich nett, auch wenn sie hart an der 50 segelt und in der Mittagssonne schlagartig wieder danach aussieht. Trotzdem will Hagen nur noch weg, er hat die Schnauze voll, eine Woche ist er jetzt in Syrien, ohne etwas anderes zuwege gebracht zu haben, als zu saufen, sich zu bemitleiden und jetzt diese stinkreiche Amerikanerin anzubaggern. Gut, vielleicht hat sie auch ihn angebaggert. Aber er ist darauf eingestiegen, das macht es zum Problem. Wahrscheinlich gibt sie sich Hoffnungen hin, wenigstens auf eine nette gemeinsame Zeit.

Er will keine nette gemeinsame Zeit.

Nicht schon wieder.

Die letzte nette gemeinsame Zeit, die er hatte, die mit Kerstin, seiner Hamburger Änderungsschneiderin, geht gerade zu Ende. Er weiß, dass er es versaut hat. Wieder mal. Kerstin hat ihn so genommen, wie er ist, mit seiner ganzen fürchterlichen Vergangenheit. Er hätte verdammt noch mal netter zu ihr sein sollen, aber er ist eben ein Arsch.

Er ist ja nicht mal nett zu sich selbst.

»Willst du einen Nachtisch?«

Ihm wird übel. »Nein danke, äh –«

»Oh, mein armer, kleiner Gigolo.« Sie beugt sich vor und streicht ihm über die Wange. »So verkatert. Und musstest noch mal ran.«

»Na ja.«

»Dafür warst du gut. In Pflicht und Kür.«

Pflicht und Kür?, denkt Hagen.

Was macht sie als Nächstes? Benotungstafeln unterm Tisch hervorziehen wie beim Eiskunstlauf?

Dann sieht er, was sie als Nächstes macht.

Ohne es erst mal zu kapieren. Schließlich gibt es tausend Gründe, in aller Öffentlichkeit einen Scheck auszuschreiben.

Aber nicht, ihn zu ihm rüberzuschieben.

»Sehen wir uns mal wieder?« Sie kramt in ihrer Handtasche, fördert ihre Sonnenbrille zutage und steht auf. »Mein Flug geht heute Abend. Ich glaube, ich hab deine Nummer gar nicht.«

Hagen schaut wie betäubt auf den Scheck.

Eintausend Dollar.

»Was ist das?«, fragt er.

Sie hebt die Brauen.

»Was ist was?«

Er wedelt mit dem Scheck.

»Das.«

»Was soll's schon sein? Wie vereinbart.«

»Was heißt, wie vereinbart?«

»Oh.« Zwischen ihren Brauen entsteht eine kleine Falte. »Sag jetzt bloß nicht, du willst mehr.«

»Ich –«

»Du hast tausend gesagt.«

»Ich hab was gesagt?«

»Und das war's auch wert. Oder fast. Aber wenn du jetzt –«

»Moment.« Hagen hebt die Hand. »Ich will nicht mehr. Ich will überhaupt nichts von deinem Geld.«

»Ach.«

»Du erzählst mir gerade allen Ernstes, ich hätte dir angeboten, dich für – dich für Geld –«

»Nein. Ich hab's dir angeboten.«

»Und ich habe –«

»Du hast gesagt, tausend. Das wäre dein üblicher Kurs.«

»Mein üblicher Kurs?«

Allmählich hört er sich an wie ein Papagei. Amanda seufzt. »Schätze, es war doch keine so gute Idee. Syrische Callboys kosten die Hälfte und sind genauso gut, aber ich dachte, warum nicht mal ein Deutscher. War 'n Reinfall. Na dann.«

»Amanda –«

»Behalt den Scheck.« Sie stöckelt an ihm vorbei. »Und deine Nummer kannst du auch behalten.«

Der Tag geht zu Ende, bevor er richtig angefangen hat.

Wie eigentlich schon seit einer Woche.

Mit dem Unterschied, dass Hagen heute nicht mal den Versuch unternimmt, sich aus der Falle zu befreien. Und man kann nun weiß Gott nicht behaupten, das Damascus Four Seasons sei ein elender Ort, es zählt zu den nobelsten Herbergen des Vorderen Orients, doch der Ort ist in ihm. Wo früher sein Selbstwertgefühl wie eine strahlende Sonne pulsierte, saugt jetzt ein schwarzes Loch jeden Rest Kraft, jedes winzige bisschen Zuversicht in sich hinein.

Wächst in ihm, ein bedrohlicher Nihilismus.

Zehrt ihn auf.

Mit jedem Tag fällt es ihm schwerer, dem Sog zu widerstehen. Wie alle schwarzen Löcher wird auch dieses umso gefräßiger, je mehr es in sich hineinschlingt. Es frisst die Vergangenheit und die Zukunft, löscht unterschiedslos schlimme wie gute Erinnerungen aus, schreddert Freude, Hoffnung, Empathie, Angst, Hass und Selbsthass, und gerade von Letzterem hat Hagen überreichlich im Angebot. Also füttert er das Monstrum, und der Alkohol, den er hinterherkippt, fungiert als Wachstumsbeschleuniger. Er weiß, je mehr das Loch wuchert, desto mehr Kraft wird es ihn kosten, sich seiner Gravitation zu widersetzen. Zugleich werden die Stimmen in seinem Kopf lauter, einfach aufzugeben. Schlechte Ratgeber sind es, mit denen er sich da rumschlagen muss, ein Mädchen vor einer Höhle, ein Junge auf einem Dach, doch ihre Einflüsterungen haben etwas dunkel Verlockendes.

Kapitulieren.

In sich selbst verloren gehen.

Warum eigentlich nicht? Doch sosehr ihn die Stimmen quälen, halten sie ihn zugleich am Leben. Solange er noch fühlt, was er nicht fühlen will, hat die Depression keine Macht über ihn.

Wahrscheinlich würde es schon helfen, wenn er mit der Sauferei aufhörte.

Seinen Bericht schriebe.

Stattdessen hängt er am Pool des Damascus Four Seasons herum und durchsucht die stygische Finsternis in seinem Schädel nach Gründen, die ihn veranlasst haben, einer betrunkenen Millionärin vorzuschwindeln, er sei ein Callboy. Nicht, dass er Amandas Aussage in Zweifel zieht. Es wird exakt so gewesen sein, wie sie gesagt hat, was aber nur beweist, dass der Prozess seiner Selbstentwertung längst nicht abgeschlossen ist.

Oder sollte er besser sagen, seiner Selbstvernichtung?

Denn darauf läuft es ja wohl hinaus.

Callboy –

Wie kann man nur so tief sinken?

Um Komplizenschaft bemüht, stellt er sich vor, die Frage an Amanda weiterzureichen: Wie sie nur so tief sinken konnte, dass ihr seine abgerissene Erscheinung 1000 Dollar wert war. Bei ihrer Vermögenslage kann sie sich mit dem Äquivalent des jungen Richard Gere zur Nacht betten, also warum bezahlt sie einen schlecht rasierten Fremden, der schon an der Bar die Contenance verliert, für Sex im Vollrausch?

Die Antwort ist so einfach wie ernüchternd.

Weil sie die Wahl hat.

Tief sinken kann nur, der zu schwimmen verlernt hat, und Amanda dürfte weit davon entfernt sein, abzusaufen. Mit dem Auftrieb ihrer diversen Millionen schwimmt sie, wohin sie will.

Taucht ab. Taucht auf.

Nach Belieben.

Und ich sinke dem Abgrund entgegen wie ein toter Fisch.

(Schwachsinn! Jammerlappen! Reib dir die Augen und schreib endlich deinen verdammten Bericht!)

Wozu?

Um was zu erreichen? Dass im entscheidenden Moment wieder alles danebengeht?

Doch es ist ja noch viel schlimmer.

Die Wahrheit ist, dass er sich außerstande sieht, überhaupt irgendetwas zu schreiben.

Außerstande, ein weiteres Mal den Kampf gegen die großen Magazine, die potenten Sender, aufzunehmen. Selbst *deren* Vertreter, ausgestattet mit komfortablen Budgets, können wenig mehr tun, als vom Hoteldach aus Mutmaßungen zu äußern, und Hagen arbeitet für ein drittrangiges Internet-Magazin, dessen Chefredakteur gerade mal wieder wissen will, warum sein einziger Auslandsreporter im teuersten Hotel der Stadt Unsummen verpulvert, ohne seit drei Tagen etwas Verwertbares abgeliefert zu haben.

»Was erwartest du denn für deine Scheißkröten?«

»Wenn die Scheißkröten reichen, dir im Four Seasons den Arsch abwischen zu lassen, wird ja wohl auch eine Reportage drin sein, die aus dem ganzen Brei raussticht.«

Genau, denkt Hagen. Der ganze Brei. Wir nudeln die Leute mit Nachrichtenbrei, zwingen es ihnen rein wie bei der Gänsemast. Zehn Tote hier, 17 Verletzte da.

»Mensch, Tom, was ist los? Warum gehst du nicht nach Homs?«

»Ich war in Homs.«

»Wann?«

»Am Tag meiner Ankunft.«

»Ja, und?« Hagen hört den anderen die Fassung verlieren. »Und warum hast du dann nichts geschickt?«

Berechtigte Frage.

Auf dem Weg von Sirte nach Kairo jedenfalls war er dermaßen down, dass er sich nicht mal mehr in der Lage gesehen hätte, vom Punxsutawney-Murmeltiertag zu berichten.

Am liebsten wäre er einfach umgefallen und liegen geblieben.

Doch der Weg führt nach Syrien.

Unweigerlich.

Also treibt er sich zwei Tage in der ägyptischen Hauptstadt herum, wartet darauf, dass die syrische Botschaft sein Visum bewilligt, spricht mit koptischen Christen und Muslimen, die sich blutige Schlachten liefern, als hätte sie nie ein gemeinsames Interesse geeint, fühlt den Arabischen Frühling in einen ungemütlichen Herbst umschlagen, fotografiert und macht sich Notizen.

Und atmet langsam wieder durch.

Die Gaddafi-Schlappe wird ihm nachhängen, da muss er sich keinen Illusionen hingeben. Sie schmerzt und wird weiter schmerzen.

Andererseits, die Welt ist ein Krisenherd.

Reichlich zu tun.

Wie zur Bestätigung empfängt ihn Damaskus mit einer bildschönen, staatlich organisierten Pro-Assad-Demonstration. Auf dem Umajad-Platz werden Fahnen geschwenkt und »Lang lebe die Heimat und ihr Führer« geschrien, während der solcherart Bejubelte eine Delegation der Arabischen Liga trifft und mit der Zusicherung verarscht, neue Verfassungsrichtlinien ausarbeiten und der Gewalt abschwören zu wollen. Daran gemessen endet der Tag mit 20 Toten suboptimal, was in westlichen Medien allerdings kaum zu Buche schlägt, da zur selben Zeit im afghanischen Kabul ein Bus mit 13 NATO-Soldaten in die Luft fliegt. 13 tote Amerikaner, so was hat Gewicht! Sicher, der Westen schaut nach Syrien, aber irgendwie – vielleicht weil es schon traditionsbildende Züge annimmt – haben Anschläge im Irak und in Afghanistan dann doch das größere Durchsetzungspotenzial.

Hagen versucht, ein paar Oppositionelle zu interviewen.

Zwecklos. Keine da. Jedenfalls nicht an diesem 26. Oktober. Die Solidaritätsoperette ist in vollem Gange, ihr Chor singt wie mit einer Stimme. Damaskus präsentiert sich als Metropole des Präsidenten, auf deren Plätzen und Straßen sich niemand von irgendwelchen Banditen und Terroristen in den Latte Macchiato spucken lässt.

Also fährt er ins Stadtviertel Midan, wo sich zahlreiche Moscheen um die angebliche Grabstätte der Tochter Mohammeds drängen. Hier, sagt man ihm, soll es verschiedentlich rumoren. Nach den Freitagsgebeten zögen die Menschen auf die Straße, um gegen das Regime aufzubegehren. Okay, es ist Mittwoch, ein bisschen Widerstandsflair sollte dennoch zu erwarten sein, doch Midan ist verriegelt und verrammelt. Die Moscheen werden von bis an die Zähne bewaffneten Shabiha-Milizionären bewacht, deren Finger schon nervös zucken, wenn einer bloß mit langem Gesicht an einem Assad-Plakat vorbeiläuft. Niemand hier hat das mindeste Interesse, einem deutschen Journalisten seine politische Gesinnung zu offenbaren. Nicht in einem Land, dessen Fußballstadien zu Gefängnissen umfunktioniert wurden, und verletzt werden will schon gar niemand. Weiß schließlich jeder, was dir in den Krankenhäusern von Homs, Banias und Tel Kalach blüht, dass Patienten gefoltert und Verwundete zur Begrüßung erst mal von Geheimdienstlern, Pflegern und Schwestern zusammengeschlagen werden. Einzig wer aufseiten des Präsidenten kämpft, kann auf gute Behandlung hoffen und darf ausländischen Journalisten erzählen, was für Gräuel die Widerstandskämpfer an unschuldigen Bürgern verüben.

Damaskus bringt ihn nicht weiter.

Also nach Homs.

Für den Abend hat Hagens Fixer einen Trip in die Hochburg des Widerstands organisiert. Über die Dörfer schleust er ihn rein, ein riskantes Unterfangen, da sich die Stadt im Belagerungszustand befindet. Panzer blockieren die Ausfallstraßen und strategischen Knotenpunkte, auf den Dächern lauern Scharfschützen, sämtliche Telefonleitungen sind gekappt. Die allgegenwärtigen Assad-Porträts sind von den Wänden gerissen und durch Parolen ersetzt worden, »Baschar, du Hund« – »Tod dem Schlächter!«. Überleben in Homs ist ein Lotteriespiel, dennoch ziehen ganze Scharen skandierender Menschen nach den Abendgebeten durch die Viertel, sammeln sich im Schutz der Dunkelheit, in akuter Gefahr, angegriffen zu werden, verhöhnen das Regime mit Spottgesängen und lynchen Assad-Puppen. Gaddafis Ende macht ihnen Mut, und den können sie wahrlich brauchen. Mut ist im Augenblick so ziemlich das Einzige, was sie den unvermittelt herabstoßenden Hubschraubern, die Raketen in ihre Häuser feuern, entgegenzusetzen haben.

Der Fixer organisiert ein Treffen mit desertierten Soldaten. Sie erzählen Hagen, wie sie gezwungen wurden, auf Zivilisten zu feuern, andernfalls würden sie selbst erschossen. Ein Rebellenführer kommt hinzu, ein junger, charismatischer Kerl, der viel lacht und Hagen auf seinem Laptop eine knallbunte Facebook-Seite präsentiert. Gerade haben sie das Video der letzten nächtlichen Kundgebung ins Netz gestellt. Vermummte Gesichter, niemand will erkannt werden, doch die Stimmung ist eindeutig: Bilder des Präsidenten werden verbrannt, Reden gegen ihn abgefeuert.

Assad, verpiss dich!

Sie sind wild entschlossen, ihn loszuwerden.

Und danach?

Der Rebellenführer überlegt. Vermutlich denkt er an die zerstrittene syrische Opposition im Ausland, an die Versuche fanatischer Dschihadisten, sich der Revolution zu bemächtigen.

Inschallah?

Demokratie, sagt der Mann. Wir müssen ein demokratisches Syrien aufbauen, in dem alle Volksgruppen friedlich zusammenleben. Wer immer unsere neuen Führer sind, sie werden daran gemessen werden, ob sie jedem Einwohner Syriens dieselben Rechte garantieren, und ob er sein Leben so gestalten kann, wie es ihm gefällt.

Wir werden weise, gerechte Männer wählen.

Ein bisschen klingt es, als rede er von der Ankunft Außerirdischer.

Hagen ist in seinem Element. Bis nach Sonnenaufgang berauscht er sich an der Vorstellung, tiefer und tiefer in die Strukturen des Widerstands vorzudringen, um schließlich eine jener Reportagen abzuliefern, für die sie ihn früher auf Händen durch die Redaktion getragen haben. Assad wird sich warm anziehen müssen, denkt er. Ein paar Monate noch, ein Jahr vielleicht, dann bist du reif.

Das hier ist nicht mehr zu stoppen.

Er sieht den Diktator vor seinem geistigen Auge, wie sie ihn in irgendeinem Loch aufstöbern, aus einem Wagen zerren, vor sich hertreiben, ihm die Hölle bereiten.

Sieht sich selbst auf diesen einen Moment hinarbeiten.

Und ihn ein weiteres Mal verpassen.

Und plötzlich ist die Luft raus.

Aber so was von!

Erst wird ihm gar nicht bewusst, wie es ihn abwärtszieht. Er lauscht dem Rebellenführer, der berichtet, wie Schlägertrupps seinen Vater gefoltert haben, weil sie dachten, er habe Waffen versteckt. Ausgerechnet sein Vater – *Allahu akbar*! –, der nie was anderes als ein Brotmesser in der Hand gehalten und niemals an einer Demonstration teilgenommen hat. Fünf Tage haben sie ihn an der Decke aufgehängt, die Schweine,

gefesselt an den Handgelenken, und mit Knüppeln auf ihn einge-
droschen.

Hagen hört es und hört es doch nicht.

Der Schweiß bricht ihm aus.

Kalter, eiskalter Schweiß.

Während er sich noch wundert, beginnen seine Hände zu zittern,
und sein Herz drängt durch die Rippen nach draußen.

Die Männer schauen ihn an, unsicher, besorgt. Er versucht etwas zu
sagen. Die Stimme bleibt ihm weg, eine Klammer legt sich um seinen
Brustkorb.

»Tom?«

Bekommt keine Luft mehr.

Die vergangenen drei Jahre, sein tiefer Fall, die verdrängten Schuld-
gefühle und verzweifelten Anstrengungen, wieder Fuß zu fassen, sein
chronisches Scheitern, all das bläht sich auf –

»Tom? Was hast du?«

Und implodiert.

Der Fixer schafft ihn zurück nach Damaskus.

Als er am späten Nachmittag im Four Seasons eincheckt, fühlt er sich
wie ein wandelnder Leichnam.

Zu Tode erschöpft.

Zugleich reagiert er auf jede Kleinigkeit, als jage ein unbarmherzi-
ger Folterknecht Stromstöße durch seine Bauchhöhle. Ganz klar, seine
Hormone fahren ein Angstprogramm, sein Körper unterwirft ihn dem
Stress ständiger Fluchtbereitschaft, nur dass eigentlich nichts da ist, wovor man Angst haben und fliehen müsste. Die aufgedonnerte Lobby
verspricht, was der Rest des Hotels hält, luxuriöse Zimmer, perfekt ge-
mixte Drinks und die Gesellschaft mehr oder weniger gut gekleideter,
Small-Talk-erprobter Menschen.

Man könnte sich keinen friedvolleren Platz wünschen.

Noch hat der fledermausartige Schwarm Journalisten, den die Krise
anlockt, das Damascus Four Seasons verschont. Wird der Bürgerkrieg
erst die Hauptstadt erfassen, werden die Zimmerpreise in den Keller
rasseln und sein Bier muss man selbst organisieren, weil von Service
dann nicht mehr die Rede sein kann. So war es in Tunis, Kairo und
Tripolis, so ist es überall auf der Welt. Wann immer sich Nobelschup-
pen im Auge des Hurrikans wiederfinden, sucht auch noch der abge-
brühteste Krisentourist das Weite. Statt seiner fallen Horden von Fotografen, Fernsehteams und Schreibern ein, okkupieren Zimmer, Dach,

Lobby, Bar. Kein Hotelmanager liebt diese Invasionen, der Korrespondent als solcher hat gutes Benehmen nicht eben erfunden, er ist nett, aber laut bis zur Grenzüberschreitung, und er lässt seinen Krempel rumliegen, wo er geht und steht.

Andererseits, bevor die Kästen leer bleiben, kann man sie ebenso gut zur Medienzentrale umfunktionieren.

In jeder Krise steckt ein Geschäft, und nicht das übelste.

Augenblicklich tummelt sich hier nur die Vorhut. Typen, die für Amnesty International und ähnliche NGOs arbeiten, kenntlich an ihrer Vorliebe für einheimische Kleidung, wild drapierten Tüchern und Bärten. Optisch nah am Volk, wie es so schön heißt. Ein paar Wahnsinnige, meist Fotografen, Irokesenschnitt, Army-Klamotten, Tattoos, schusssichere Westen mit zwölf Karabinerhaken, langes Messer am Gürtel. Das Gros der Kollegen gibt sich gewollt unauffällig – gute Schuhe, helle Stoffhosen und Hemden, die Ärmel hochgekrempelt, *der* Look. Viele Korrespondentinnen, da hat ein Wandel stattgefunden, ganz besonders in den USA, wo die Medienmachos schon dachten, ihr Revier abgepinkelt zu haben. Jetzt müssen sie sich das Feld mit einer wachsenden Zahl exzellent ausgebildeter Frauen teilen, die kein Risiko scheuen und die Haudegen teils ganz schön alt aussehen lassen.

Und allen wächst ein Mobiltelefon aus dem Ohr, wenn sie nicht gerade auf ihre Laptops einhacken.

Noch allerdings bewohnen weitgehend reguläre Gäste die Suiten und zahlen entsprechende Preise. Amerikaner und Russen, Vertraute der alawitischen Landeselite, Chinesen in kurzärmeligen Leinenhemden, bewaffnet mit Arsenalen kleinster Aufzeichnungsgeräte. Auch die Arabische Liga stromert durchs Land und lässt sich von Assad Sand in die Augen streuen, um nicht sehen zu müssen, wie es ihren Heimatmonarchien bald ergehen könnte. Dafür hat sich der amerikanische Botschafter in einen unbegrenzten Urlaub verabschiedet, und Tausende Syrer fliehen ins Ausland.

Und Hagen war in Homs.

Er hätte weiß Gott genug zu erzählen, stattdessen geht er an die Bar, um sich zu besaufen.

Mit Ansage.

Mehr bringt er nicht zuwege. Heute nicht und nicht in den Tagen danach, auch wenn er es immer wieder versucht. Loszieht, sobald er halbwegs nüchtern ist, sich einredet, das in Homs wäre lediglich ein simpler Schwächeanfall gewesen, eine vorübergehende Sinnkrise, na gut, ein Nervenzusammenbruch, *so what*? Eine Weile funktioniert es. Jetzt am

Pool, Amandas Tausend-Dollar-Scheck in seiner Brusttasche, den dritten Wodka Martini neben sich und das klarinettenartige Quengeln seines Chefredakteurs im Ohr, muss er sich eingestehen, was er sich schon lange hätte eingestehen sollen.

Dass er am Ende ist.

»Tom?«

»Was?«

»Ich sagte, das ist einfach zu wenig.«

»Was ist zu wenig?«

»Seit drei Tagen höre und sehe ich nichts von dir. Wir sind ein investigatives Magazin, verstehst du, die Leute erwarten –«

»Ich tue mein Bestes. Okay?«

»Nein, nicht okay.«

»Ich muss noch an den Berichten feilen.«

»Hör auf, mich zu verscheißern. Du tust gar nichts, das ist dein Problem. Du hängst durch.«

»Unsinn.«

»Trinkst du wieder?«

»Was?«

»Ob du wieder trinkst?«

»Sag mal, wie redest du eigentlich mit mir? Ich war im beschissenen Homs, du Arschloch!«

»So? Dann schick deinen Bericht.«

»Sprich nicht mit mir wie mit irgendeinem gottverdammten Schmierfink. Erinnere dich daran, wer ich bin!«

Schweigen.

»Ich erinnere mich daran, wer du *warst*.« Oh, das sitzt. *Chapeau!* Gut pariert. »Nur darum arbeitest du für uns. Verstanden?«

Hagen schließt die Augen. Die Sonne bereitet ihm Kopfschmerzen. Er sollte in den Schatten gehen, aber selbst dafür ist er zu schlapp.

»Und jetzt will ich deine Berichte sehen.«

Hm, ja. Klar.

Er müsste nichts weiter tun, als seine Tonaufnahmen und Notizen aus Homs in lesbare Form überführen und samt Fotos nach Hause mailen.

Er könnte in Lichtgeschwindigkeit liefern.

Schneller, als der eiskalte, ölige Alkohol seine Kehle herunterrinnt.

Die Welt um ein paar weitere faszinierende Nachrichten bereichern, gestern, Afghanistan: 200 ISAF-Soldaten kotzen und scheißen sich die Seele aus dem Leib. Chemiewaffen? Nicht doch. Weit gefehlt! Spaghetti bolognese, nicht richtig durchgekocht. Toxinbildende Bakterien, wer braucht da noch die Taliban?

Das sind Nachrichten.

Gestorben wurde natürlich auch. Bundespräsident Wulff besucht Kunduz, stärkt der Bundeswehr den Rücken. Die Mehrheit der Deutschen ist gegen den Einsatz, der seit Jungs Ablösung durch zu Guttenberg endlich Krieg heißen darf.

Karl Theodor zu Guttenberg. Auch wieder Geschichte.

Hagen summt vor sich hin.

Er will nicht an Afghanistan denken.

Den Bericht schreiben, klar, doch, klar. Was man nicht alles aufschreiben könnte. Die Quartalszahlen von Lockheed Martin, Northrop Grumman, General Dynamics und Boeing. Wie geht's der Rüstungsindustrie? Danke der Nachfrage: F-16-Jagdflieger, B-2-Bomber, Abrams-Panzer oder Chinook-Hubschrauber – satte Gewinne eingefahren. Amnesty International nölt rum: Die Freie Welt habe durch ihre massiven Waffenexporte in den Nahen Osten und nach Nordafrika zur Unterdrückung der dortigen Protestbewegungen beigetragen. Deutschland, Frankreich, Großbritannien, Italien, Österreich, Russland, Tschechien und die USA, sie alle hätten die Machthaber Ägyptens, Syriens, Libyens, Jemens und Bahrains mit Sprengkörpern und Gewehren versorgt, als längst klar war, dass die Lumpen damit die Menschenrechte unterdrücken.

NEIN! IST NICHT WAHR!

So was tun die?

Also, in Berlin hat keiner was davon gewusst.

Die Bundesregierung liefert zur Verschönerung des Landschaftsbildes 200 Kampfpanzer an Saudi-Arabien.

Hagen beginnt zu kichern, schlürft an seinem Drink.

War da nicht was in Somalia?

Ach ja. Kenia ist einmarschiert, um die bösen al-Shabaab-Milizen zu zerschlagen. Gerade nicht so populär. Vielleicht Kuwait. Da protestieren sie gegen den Regierungschef. Tote? Nö. Weiterblättern. UN sprachlos. Russland und China blockieren jede Resolution gegen Assad, erstaunlicherweise aber nicht gegen den Jemen, wo Saleh mit tödlicher Präzision auf sein Volk schießen lässt.

Jemen?

Wo ist noch mal der Jemen?

Homs, Homs, Homs.

Eine Wolke schiebt sich vor die Sonne. Hagen fröstelt.

Jetzt muss er liefern, jetzt! Noch glänzen die Superstars durch Abwesenheit. Wenn erst Christiane Amanpour mit ihrer 30-köpfigen Entourage aufkreuzt, um Assad exklusiv die letzten Worte zu entlocken, kann er einpacken. Sobald Jeremy Bowen von BBC mit unübertroffener Nonchalance seinen Strohhut durch die Lobby trägt, wird es eng für kleine Internet-Korrespondenten. Ganz zu schweigen von CNN-Topreporter Anderson Cooper, muskulös, keine Gefahr scheuend und so oft im Bild, dass böse Zungen ihm nachsagen, seine T-Shirts säßen umso enger, je tiefer die Kugeln flögen.

Hihi. Haha!

Sein Handy lässt Dave Grohl von der Leine.

My number's up, bridges all burned –

Wenn das wieder dieser Arsch von Redakteur ist –

»Hallo, Tom.«

Hagen kann es kaum glauben.

Die Stimme hat er seit über zwei Jahren nicht mehr gehört.

»Wie geht's dir, Tom?«

Erinnerungen stellen sich ein, gute und schreckliche. Kommen mit Macht über ihn. Das schwarze Loch stülpt sich aus, und plötzlich ist alles wieder da, schmerzhaft wie glühendes Eisen und zugleich so vertraut, dass er heulen könnte.

Was heißt hier könnte?

»Stör ich?«

»Nein.« Tatsache, er heult. »Du störst nicht.«

»Alles in Ordnung, Alter?«

»Ja. Nein. Ich –« Tränen laufen über Hagens Wangen, seine Stimme arbeitet sich mühsam an dem Kloß vorbei, der in seiner Kehle anschwillt, und das Fass läuft über.

»Hm, schlechter Zeitpunkt, was?«

»Nein.«

»Ich kann später noch mal –«

»Nein, es ist alles – alles okay, ich – kann nur –«

Keine Toten mehr sehen.

Keine zerschossenen Häuser und qualmenden Wracks.

Kann den Blick der Lebenden nicht mehr ertragen, ihre Geschichten von Verzweiflung, Erniedrigung, Misshandlung. Ich kann das alles nicht mehr verarbeiten, es ist zu viel, ich –

»Ich kann einfach nicht mehr, Krister.«

Israel, Tel Aviv, 31. Oktober

Von allen Agenten, die nicht wie solche aussehen, sieht Ricardo Perlman am wenigsten wie einer aus.

Mittelgroß, mit freundlichen, immer etwas betrübt blickenden Augen hinter goldgefassten Brillengläsern, die weißen Haare in pedantische Wellen gelegt, könnte er dem arrivierten Kulturbetrieb entsprungen sein – ewiger zweiter Geiger im Israel Philharmonic Orchestra, stellvertretender Museumsdirektor. Der Nimbus des Missverstandenseins haftet ihm an, die in Resignation umgeschlagene Enttäuschung, nicht gebührend wahrgenommen zu werden. Einer, dessen Leistungen man zwar goutiert, ohne sich jedoch mehr von ihm zu erwarten, und der in luziden Momenten erkennt, dass er auch nicht mehr zu bieten hat.

So kann man sich irren.

Perlman ist der klassische Fall des Mannes, der unterschätzt wird.

Das ist ihm oft zugutegekommen. Seine melancholische Freundlichkeit. Die gepflegte Unauffälligkeit. Die leise, weiche Stimme, das Bürokratische.

So einem vertraut man.

Dem erzählt man mehr als anderen, sei es aus Herablassung oder weil man denkt, er verstünde einen besser als so ein aufgeblasener Macho oder eine dieser selbst ernannten Lara Crofts, wie sie in Verhörzimmern ihr Unwesen treiben.

Nichts ist wichtiger, als Vertrauen zu gewinnen.

Vor allem, wenn man plant, es zu missbrauchen.

Puedes confiar en mi. –

Denn eigentlich ist Perlman Argentinier.

Auch wenn er nur einmal dort war, während eines Urlaubs.

Für fünf Tage. Ahnenforschung.

1896, als die Regierung in Buenos Aires damit liebäugelte, das Zweistromland zwischen Paraná und Uruguay an die Zionisten zu verkaufen, sind seine Urgroßeltern dort eingewandert. Am Ende setzte sich die Palästina-Fraktion durch, ungeachtet dessen erblühte auf patagonischem Boden eine wachsende jüdische Gemeinschaft. Sie wuchs noch, als Putschisten die *Década Infame* einläuteten, die ›schändliche Epoche‹. Korrupte Generäle und Politiker ebneten einander den Weg zur Macht, bis eine Gruppe Offiziere dem Spuk angewidert ein Ende setzte, unter ihnen ein gewisser Juan Perón, glühender Bewunderer des Faschismus und beseelt von der Idee, mit Hitler zu paktieren. Prompt unterzeichnete seine Clique fanatischer Nationalisten ein Kollaborationsabkommen mit Deutschlands Auslandsgeheimdienst, der fortan ungehindert im Land Dollars wusch und über argentinische Kanäle kriegswichtige Materialien nach Deutschland schmuggelte.

Eine unselige Kumpanei.

Schwer zu sagen, wohin sich das entwickeln würde, also verließen die Perlmans vorsorglich das Land. Als Argentinien unter dem Druck der Alliierten mit Hitler brach und ihm als letzter Staat der Welt den Krieg erklärte, lebten sie schon in Tel Aviv, im Herzen aber blieben sie Kinder der unvergleichlichen, endlosen Pampa.

Zweierlei wurde von nun an durch die Generationen weitergereicht: Argentinische Vornamen.

Agentengeschichten.

Perlmans Urgroßvater und Großvater dienten in der Palmach, sein Vater war Teamleiter beim Auslandsgeheimdienst Mossad, er selbst ist mittlerweile Nummer zwei im Zentralkommando des Schin Bet.

Ein unauffälliger, sanftmütig wirkender Mann.

Ein zuvorkommender Killer.

Israels Gegner lernen ihn früh kennen.

1963 gibt Mossad-Chef Meir Amit die Parole aus, alle Sinnesorgane auf die Kunst der Informationsbeschaffung zu lenken. Keine aufgeblasenen, unzureichend abgesicherten Operationen mehr, die nur Mensch und Material verschleißen, keine übermäßige Einmischung in die Politik. Stattdessen Daten sammeln.

Sammeln, sammeln, sammeln, sammeln.

Zusammenhänge und Muster erkennen.

Dann handeln.

Mit der Präzision chirurgischer Eingriffe.

Gezielt. Tödlich.

Information ist alles, und die wirklich relevanten Daten liefern dir nicht Satelliten, Flugzeugkameras und komplexe Abhörtechniken, so Erstaunliches SIGINT, die elektronische Aufklärung, auch zu leisten mag –

Die liefern Menschen.

Einfach indem sie zuhören, hinschauen, reden.

HUMINT, *Human Intelligence*, Erkenntnisgewinn aus menschlichen Quellen, wird zur stärksten Waffe der israelischen Geheimdienste. So wie Mossad-Agenten nach und nach die Länder des Nahen Ostens, Afrikas, Europas und Amerikas infiltrieren, den besten aller arabischen

Geheimdienste unterwandern, Jordaniens Muchabarat, und bis in den grausamsten vordringen, Syriens Nachrichtendienst, baut der Schin Bet sein eigenes Netzwerk zur Informationsbeschaffung im Westjordanland und Gazastreifen auf, rekrutiert Kollaborateure in Teestuben und Moscheen, durchsetzt islamistische Zellen. Selbst im Herzen der Hamas lockert Geld die Kiefermuskulatur, doch besteht die hohe Kunst in der Gewinnung von Partnern, die Israel aus Überzeugung unterstützen. Über die gelangt man zu den wahren Schaltstellen des Terrors. Unter Lebensgefahr beschaffen sie Daten, an die du mit keiner Spähtechnologie kämest, vergiften den Organismus des Widerstands von innen heraus, geben dir das Rüstzeug an die Hand, um deine Feinde gegeneinander auszuspielen.

Perlman ist begeistert von HUMINT.

Als Außenagent des Departments für Arabische Angelegenheiten füttert er seine Desk Officers im Schin-Bet-Südkommando unermüdlich mit kleinen und allerkleinsten Beobachtungen. Der Desk Officer ist, was man den *Pilot in the picture* nennt, ihm obliegt es, die feinen Verbindungslinien zwischen der Unzahl zusammenhanglos erscheinender Schnipsel sichtbar zu machen, die da eintrudeln, Beispiel:

Der junge Latif aus dem Flüchtlingslager Bureij rasiert sich seit letzter Woche die Körperhaare und trägt neue Klamotten.

Im Avenue Café, Strandpromenade, Gaza-Stadt, haben hochrangige Hamas-Funktionäre eine Gruppe Studenten getroffen.

Anbei die Gästeliste der Teestube am Midan al-Jundi al-Majhool, die wir seit Längerem observieren.

Drei unabhängig voneinander operierende Agenten.

Drei Informationen.

Der Desk Officer puzzelt und stellt fest: Einer der Studenten mit Hamas-Kontakten war gestern in besagter Teestube, wo er aufs Herzlichste Latif umarmte. Schlussfolgerung: Der gute Latif ist ein heißer Anwärter aufs Paradies. Von dem hören wir demnächst, und zwar ein vernehmliches

BUUUMMMMM.

Sprengstoffgürtel, Innenstadt, wo auch immer.

Maßnahme: Überwachung verstärken.

Der junge Perlman puzzelt mit, unterbreitet seine Vorschläge, und es sind gute, weil praktikable Vorschläge.

Elvedin, gesuchter Terrorist, Phantom.

Nicht auffindbar, bis sich herausstellt, er mag Männer. Bevorzugt einen. Schleicht sich bisweilen zu ihm hin, im Schutz der Dunkelheit. Überquert ein Plätzchen, hundert Meter eine Mauer entlang –

Da ist das Haus.

Sie beobachten ihn eine Weile, bis sie Gewissheit haben, dies ist sein Verhaltensmuster – Plätzchen, Mauer, Amore, und genauso geht er auch zurück.

Perlman nimmt die Vorbereitung in die Hand.

Macht es selbst. Da hat er noch schwarzes Haar, und sein Arabisch ist makellos. Könnte ein palästinensischer Bauarbeiter sein, dennoch riskant. 30 Minuten Arbeit, Menschen gehen vorbei, schauen, doch niemand schöpft Verdacht.

Früher Morgen.

Elvedin kommt von seinem Lover, kann kaum laufen vor Erschöpfung. Hoch über ihm kreist eine Aufklärungsdrohne. Ein fliegendes Auge. Dutzende Kilometer entfernt sehen sie ihn auf ihren Bildschirmen die Mauer entlanggehen, warten geduldig.

Wenige Schritte noch –

Gleich –

Knopfdruck, und der präparierte Ziegelstein, den Ricardo Perlman so schön unauffällig in die Mauer gefügt hat, explodiert und überantwortet Elvedin der Geschichtsschreibung.

Ein anderer mag Pornografie.

Sein Wohnort ist bekannt, eine Bombe auf sein Haus zu werfen hätte zur Folge, dass Frau und Kinder mit draufgehen, und außerhalb des Hauses kriegt man ihn nicht.

Zu raffiniert, der Kerl.

Ein kleiner Sprengsatz wäre ideal.

Zwecks dessen allerdings müssen sie ihn von seiner Familie isolieren. Und was wäre besser dazu geeignet als ein neutral aussehendes Päckchen, in dem sein kundiges Auge die heiß ersehnte Zustellung seines Pornolieferanten erkennt?

Was machst du, wenn du so was zugestellt bekommst?

Du gehst ins Nebenzimmer, um es auszupacken, wo dich keiner sieht.

Diesmal sind keine DVDs und Hefte drin.

Frau und Kinder bleiben unverletzt.

Perlmans Idee.

Burhan, ein Junge aus einem Dorf bei Ramallah im Westjordanland, macht einen Fehler.

Er ruft seinen Kumpel an.

Beide sind gerade 18 geworden, der Vater des Jungen ist ein hohes religiöses Tier, ein angesehener Scheich und Hamas-Aktivist, der während der ersten Intifada dazu aufgerufen hat, Steine zu werfen. Jetzt sitzt er im Gefängnis, weil Arafat in Befolgung der Oslo-Verträge die komplette Hamas einzubuchten beginnt, und der Junge ist blind vor Hass.

Sein Vater ist nämlich ein Guter. Steine ja, aber im Gegensatz zu den meisten seiner Parteigenossen lehnt er den Einsatz tödlicher Waffen ab.

Warum muss er dann ins Gefängnis?

Ungerecht, die Welt ist ungerecht, Burhan will sich rächen, an Israel, an Arafats verfluchter PA. Will sich den Militanten anschließen, will eine Waffe, ein richtiges Gewehr, auch wenn ihm seine innere Stimme sagt, dass er nie auf einen Menschen feuern könnte.

Nun liegen Gewehre im Westjordanland nicht einfach rum.

Man braucht Geld und Verbindungen.

Burhans Kumpel meint, da ließe sich vielleicht was machen.

Es gäbe jemanden in Dschenin –

»Der würde uns bestimmt Waffen verkaufen«, sagt er am Telefon.

»Da kriegen wir auch Maschinenpistolen.«

Nein, kriegen sie nicht, sondern einen Sack über den Kopf.

Schläge mit dem Gewehrkolben.

Eine Freifahrt im Jeep zum israelischen Militärstützpunkt Ofer südlich von Ramallah.

Schon dessen bloße Erscheinung legt nahe, dass der Begriff Hochsicherheitsanlage hier erfunden wurde. Ofer ist ein Ort, um den sich allerlei Mysterien ranken. Der Schin Bet, heißt es, habe dort feuchtkalte Räumlichkeiten bezogen, um renitente Palästinenser weichzukochen, und tatsächlich schimmelt Burhan ein paar Tage in solch einem lichtlosen Loch vor sich hin.

Dann wird er in ein Büro geführt.

In dem Büro sitzt Ricardo Perlman.

»Wer Waffen kaufen will«, erklärt er Burhan, »sollte das nicht am Telefon regeln. Wir telefonieren nämlich auch gerne. Du machst dir keine Vorstellung, was man da zu hören bekommt.«

Burhan mauert.

»Wollen wir uns unterhalten?«, fragt Perlman.

»Nein.«

Schon sitzt er wieder im Loch.

Nächstes Mal gibt Burhan immer noch den Coolen, hört aber wenigstens zu, also bringt Perlman ihm die israelische Sicht der Dinge nahe. Schon jetzt erlaubt ihm seine Menschenkenntnis, Burhan einzuschätzen, und er sieht, dass von ihm kaum echte Gefahr ausgeht. Da sitzt einfach nur ein netter Junge, der schon zu viel Schlimmes hat erleben müssen, getrieben von Widerstandsromantik, vor allem aber von der zehrenden Sorge um seine Familie.

»Wir können dich wegen versuchten Waffenkaufs problemlos ein paar Jahre verschwinden lassen«, sagt Perlman. »Es liegt bei dir. Überleg dir, auf wessen Seite du stehen willst.«

Burhan kräuselt die Lippen. »Ganz bestimmt nicht auf eurer.«

»Es gibt noch eine andere Seite als die israelische oder palästinensische.«

»Welche denn?«

»Die Seite des Friedens.«

»Pah.«

»Der Verständigung. Der Zukunft.«

»Ich soll meine Leute verraten?«

»Du sollst helfen, Anschläge auf mein Land zu verhindern.«

Burhan verschränkt die Arme und schweigt.

Perlman lässt eine längere Pause verstreichen, dann sagt er: »Weißt du was? Ich verstehe dich, Burhan.«

»Tun Sie nicht.«

»Doch, im Ernst. Aber verstehst *du* auch die Menschen in Israel, deren Freunde, Kinder und Eltern von euren Bomben in Stücke gerissen werden? Begreifst du, dass Leid etwas ist, das Menschen über alle Nationen, Ideologien und Glaubensrichtungen hinweg auf furchtbare Weise eint? Ich habe mich über deine Familie informiert, Junge. Gute Leute. Dein Vater ist ein guter Mensch. Dein Volk leidet, das muss enden. Aber dafür müsst ihr aufhören, uns Leid zuzufügen. Auch wir haben gelitten. Jahrhundertelang. Wir wurden gehetzt, gequält, ermordet, ein Volk ohne Heimat. Jetzt sind wir immerhin ein Fleck auf der Landkarte, umgeben von Feinden, aber wir haben dazugelernt. Glaubst du, wir lassen noch *ein einziges Mal* zu, dass uns jemand wehtut?«

Burhan schweigt.

»Es gibt drei Szenarien«, sagt Perlman. »Im ersten werden wir uns endlos weiterbekriegen und einander Schmerz zufügen. Im zweiten ringen wir euch nieder, bis keine Gefahr mehr von euch ausgeht. Im dritten schließen wir Frieden.«

»Sie haben das vierte vergessen.«

»So?«

»*Wir* gewinnen.«

»Das ist kein Szenario. Das ist Science-Fiction. Genau das wird nicht passieren, bleiben eins bis drei. In welchem möchtest du aufwachsen und Kinder zeugen?«

Burhan starrt auf seine Knie.

»Euch sag ich *gar* nichts.«

»Weil du nichts zu sagen hast. Du weißt nichts.« Perlman lächelt. »Aber das könnte sich ändern. Du könntest Agent des Schin Bet werden.«

»Nie!«

»Ich sehe schon, dir gefällt's hier.« Steht auf. »Also was immer *du* tust, ich gehe jetzt eine schöne, kühle Coke trinken.«

Vier Wochen lang sieht Burhan ihn nicht wieder. Wird wie blöde geschüttelt, angekettet, muss stundenlang in schmerzhafter Haltung dasitzen, Dunkelhaft, Lärmfolter, Psychoterror, ungenießbares Essen, während die Feuchtigkeit in seine Knochen zieht.

Vier Wochen, bis Burhan einwilligt, sich die Sache zu überlegen.

Weitere vierzehn Tage, bis er zustimmt.

Noch mal einen Monat, in dem Perlman ihm klarmacht, dass er Hirne lesen kann wie offene Bücher, und in Burhans Hirn steht geschrieben: *Ich mach so lange zum Schein mit, bis ich die Gelegenheit erhalte, euch so richtig den Arsch aufzureißen.*

»Das wird dir nicht gelingen«, sagt Perlman. »Letzte Chance. Ist das palästinensische Volk ein Volk von Terroristen?«

»Nein, verdammt!«

»Dann hilf ihm.«

»Wie?«

»Indem du *uns* hilfst. Ich will dich als Freund. Lass uns den Terror gemeinsam bekämpfen.«

In den meisten Fällen spricht dann doch wieder das Geld, aber Perlman schafft es. Immer aufs Neue schafft er es. Durch Offenheit und Beharrlichkeit gewinnt er Burhan als Freund, langsam, ganz langsam erweitert er das Weltbild des Jungen, andere werden Freunde, Helfer von unschätzbarem Wert.

HUMINT.

Im Jahr, als er Burhan rekrutiert, ist Perlman selbst schon einige Zeit der *Pilot in the Picture*. Jetzt fügt er die Splitter zum Ganzen, legt geheime Verbindungen offen, erkennt sich abzeichnendes Unheil. Mit der Folge, dass er in Büros, Konferenzräumen und Krisenzentren herumhängt und die adrenalinfördernde Wirkung des Außeneinsatzes vermisst.

Also nimmt er sich die Freiheit.

Ein bisschen mitmischen, wenn es sich ergibt.

1999 ergibt es sich, als sie den ›Marder‹ jagen. Die Puzzlesteine haben das Bild eines Doppelagenten entstehen lassen, jemand aus dem inneren Zirkel der Hamas, von dem sie bislang dachten, er leite brav Details über geplante Terroraktionen an sie weiter. Was der Marder auch tut, nur – wie sich zeigt – in Form fantasievoll ausgeschmückter Märchen, während er der Gegenseite umso brisantere Interna des Schin Bet zukommen lässt. Perlman kann sich glücklich preisen, dass nicht er es war, der den Mann angeworben hat, aber jetzt obliegt es seinem Team, ihn kaltzustellen.

Noch haben sie nur einen Verdacht.

Und eine Adresse.

Wann immer der Marder zur Berichterstattung von Nablus nach Israel reist, stellt ihm der Schin Bet eine Wohnung in einem sicheren Haus zur Verfügung, wie die für Geheimdienstzwecke hergerichteten Schlupfwinkel im Jargon heißen. Der Mossad unterhält Hunderte solcher Häuser in allen Hauptstädten der Welt. Angehende Rakasim – Agentenführer – werden dort trainiert, Verhöre durchgeführt, Agenten für die Dauer ihres Einsatzes untergebracht. Ähnliche Einrichtungen betreibt der Schin Bet in Israel und den besetzten Gebieten, nach außen die normale Nachbarschaft, tatsächlich abhörsicher, mit bombenfesten Türen und Fensterglas, das Ortungsstrahlen zerstreut.

Doch der Marder scheint sich unbemerkt einen zweiten Unterschlupf geschaffen zu haben.

Die Spur führt mitten in den sozialen Brennpunkt Tel Avivs, alter Busbahnhof, äußerst üble Gegend. Das ganze Programm: Drogenhandel, Prostitution, schwindelerregend hohe Arbeitslosigkeit. Die Straßen durchweht eine stete Melange aus Fäulnis und Abgasen, Spritzen, Kondome und Rasierklingen zieren die Hauseingänge. Um die Ecke, in der trostlosen Salomon Street, warten Morgen für Morgen illegal eingereiste Afrikaner auf Tagelöhnerjobs, Gangs nutzen die verlassenen Haltestellen als Sammelplatz, Junkies dösen in ihrer Kotze.

Niemand setzt einen Fuß hierher, der nicht einen wirklich triftigen Grund hat.

Zum Beispiel, um Waffen zu horten.

Unbemerkt an Bomben zu werkeln.

Eine kleine, geheime Funkzentrale zu betreiben.

Was immer der Marder in dieser Gegend treibt, zwei Agenten ziehen los, um es ihm nachhaltig zu verleiden.

Perlman klinkt sich ein, Frontluft schnuppern. Ein Lob der Kleiderkammer, so wie sie aussehen, gehen sie locker für schwere Körperverletzung durch, aber der Marder ist nicht blöde. Als sie ihn die Rohbetonfassade des stillgelegten Verwaltungsgebäudes entlanggehen sehen, vorbei an Strichern, die sich vor der Essensausgabe drängen, muss ihm jemand gesteckt haben, dass Ärger blüht.

Er dreht sich um, heftet die Augen auf sie.

Weiß Bescheid.

Und nimmt die Beine in die Hand.

Perlman flucht, sie sind außer Zugriffsweite. Das Überraschungsmoment ist dahin, jetzt müssen sie ihn hetzen. Und der Marder gibt Vollgas. Flitzt zwischen graffitibeschmierten Mauerresten hindurch hinter eine Phalanx leerer Wartehäuschen, gerät außer Sicht, wieder zu sehen, außer Sicht, zu sehen, hastet in eine Durchfahrt.

Sie folgen ihm.

Kühle, dunkel, Uringestank.

Das Hallen ihrer Schritte.

Als sie keuchend ins Sonnenlicht rennen, ist der Kerl wie vom Erdboden verschluckt. Sie teilen sich auf, zwei nach Süden, Perlman in nördliche Richtung. Geht zügig, schaut sich nach allen Seiten um. Verbeulte Autos vor blätternden Fassaden, dicht an dicht geparkt, trostlose Cafés, Lebensmittelstände unter verblichenen Markisen, Bordelle, Nutten, dahineilende Schwarze, Araber und Filipinos. In der Mittagshitze dünstet der Fahrbahnteer narkotisierende Gase aus, kostenloser Trip für alle, Glücksspiel zwischen überquellenden Müllcontainern, Technobeats bringen die Luft zum Schwingen. Eine Stichstraße führt zu einem Wohnblock, davor eine Clique martialisch aufgebrezelter Mädchen, die sich auf Skateboards vergnügen.

Unmittelbar vor Perlman stoppt ein Lieferwagen, nimmt ihm die Sicht, fährt wieder an –

Der Marder steht auf der anderen Straßenseite.

Startt zu ihm rüber, Schrecksekunde. Macht auf dem Absatz kehrt, mitten hinein in die Mädchengang, prügelt sich den Weg frei, einer der Teenager geht zu Boden. Läuft auf den Wohnklotz zu. Perlman setzt ihm nach, zorniges Schreien im Ohr, sieht den Fliehenden die Drehtür erreichen, darin verschwinden.

Folgt ihm in die Eingangshalle.

Auch nicht gerade das Vier Jahreszeiten. Säuerlicher Geruch, leere

Bierdosen kullern in den Ecken herum. Vor einem Verschlag, der mal als Pförtnerhäuschen gedient hat, hockt schlaff ein Typ im Kapuzenshirt, goldener Schuss, vielleicht auch nur besoffen. Die Deckenbeleuchtung flackert, vier Aufzüge, zwei davon mit Schildern: AUSSER BETRIEB.

Die anderen beiden intakt.

Einer unterwegs nach oben.

Da bist du, denkt Perlman.

Nimmt das Wettrennen zu Fuß auf, immer zwei Stufen auf einmal. Die kahlen Wände des Treppenschachts scheinen seine Schritte zu verdoppeln, oder ist da jemand hinter ihm? Keine Zeit, es herauszufinden, sein Blick schießt hoch zur Fahrstuhlanzeige, Lift in Bewegung, siebter, jetzt achter Stock –

Er selbst erst im vierten. Außer Puste, schreibtischgeschädigt.

Weiter, weiter!

Fünfte Ebene, Lift auf der achten.

Sechste.

Immer noch auf der Acht. Hat gestoppt, und ja, da *ist* noch jemand auf der Treppe *(Unverantwortlich, hier den Helden zu spielen, Scheißbüroarbeit, Fronteinsätze sollten passé sein, eitler Idiot, aber zu spät, jetzt musst du's zu Ende bringen, dir den Kerl schnappen)* – Siebte – *(Bevor er dich schnappt, Lahmarsch!)*, und da kommt er auch schon keuchend und mit vorgehaltener Waffe im achten Stock aus und blickt in die trostlose Röhre eines Flurs, die sich beidseitig verliert, Tür an Tür, keine Menschenseele, aber er weiß, der Marder ist hier.

Pirscht sich voran.

Leere. Stille. In einige der Türen sind kleine Scheiben eingelassen, die das Deckenlicht spiegeln. Unmöglich zu sehen, was dahinter ist.

Sehr gut möglich, *ihn* von dort zu sehen.

Der Schweiß sickert ihm in den Kragen. Er hält nach Kleinigkeiten Ausschau, die ihm verraten, wo der andere sich versteckt halten könnte, Fußabdrücke, irgendein noch so winziger Hinweis.

Nichts.

Schrrrrt –

Fährt herum, die Waffe von sich gestreckt.

Da steht ein Mädchen.

Mädchen? Doch, ohne Zweifel, aber was für eines. Tanktop und Armeehose. Millimeterkurze Stoppeln, die ihren Schädel überziehen wie eine Schicht aus Samt, reckt einen Arm, ruft: »Hinter dir!«, läuft los, mit Riesensätzen, rennt ihn fast über den Haufen und an ihm vorbei.

Er dreht sich im Moment, als eine der Türen aufschwingt und der Marder herausspringt, bewaffnet, das Mädchen auf halber Strecke zwischen ihnen –

Schreit: »Runter!«

Und sie kapiert, lässt sich fallen, eine Kugel pfeift dicht an seinem Kopf vorbei.

Drückt ab, trifft den anderen in die Schulter.

Der Mann taumelt, falsche Schulter, immer noch zeigt der Pistolenlauf auf Perlman, das wird knapp –

Zu knapp –

Das Mädchen wächst vor dem Marder aus dem Boden. Mit einer fast beiläufigen Bewegung schlägt sie ihm die Waffe aus der Hand, umspannt seine Kehle und klatscht ihn gegen die Flurwand. Der Doppelagent ächzt, als der Aufprall die Luft aus seinen Lungen drückt, gleitet daran ab wie ein Omelett an Teflon. Sie zerrt ihn hoch und beginnt mit der geballten Rechten, sein Gesicht in Unordnung zu bringen.

»Stopp! Aufhören.«

Macht ungerührt weiter. Der Marder kommt nicht mal zum Schreien, seine Füße schlagen wild in der leeren Luft.

»Hör auf!«

Sie lässt ihn fallen wie einen Sack.

Perlman bückt sich und sammelt die Pistole seines Gegners ein, während er seinen Schutzengel misstrauisch im Blick behält.

»Danke. Keine Ahnung, wer Sie sind, aber Sie haben sich gut eingeführt.«

»Der Arsch hat meiner Freundin eine reingehauen.«

»Woher wussten Sie, dass er dadrin ist?«

»Wusst ich halt.«

Was nicht klingt, als wolle sie sich dezidierter zu dem Thema äußern. Wischt sich die Nase, nickt befriedigt und macht Anstalten, den Schauplatz des Dramas zu verlassen.

»Augenblick.«

»Was 'n?«

»Haben Sie auch einen Namen?«

»Und Sie?«

»Ricardo. Ric.«

»Shoshana.«

»Tut mir leid, Shoshana, aber ich muss Sie bitten, hierzubleiben.«

Sie zuckt die Achseln.

»'kay.«

Es ist ihm peinlich, aber er kann nicht aufhören, sie anzustarren. Vom Marder geht keine Gefahr mehr aus. Das Häuflein Elend zu seinen Füßen wäre nicht mal fähig zur Flucht, wenn er ihm ein El-Al-Ticket und Bargeld zustecken und ihm ein Taxi rufen würde. Wie groß mag sie sein? Eins fünfundachtzig? Eher mehr. Überragt ihn um Kopfeslänge und scheint einzig aus Muskeln zu bestehen. Nie hat er eine Frau mit solchen Muskeln gesehen. Keine schwellenden, von Eiweiß aufgepumpten Geschwüre, sondern lange, geschmeidige Stränge, die harmonisch ineinandergreifen. Wie eine Skulptur steht sie da und schaut gelangweilt den Flur hinab.

Sie ist so kolossal, als entstamme sie einer anderen Rasse.

Perlman ruft die anderen und beschreibt ihnen den Weg.

In den Augen des Mädchens blitzt Neugier auf. Sie deutet mit ihrem rasierten Schädel auf den Marder.

»Wer ist das?«

»Ein Verräter.«

»'kay.« Reckt den Oberkörper. Scheint darüber nachzudenken. Das Tanktop spannt sich über flachen, wohldefinierten Brüsten.

»Wen hat er denn verraten?«

»Israel.«

»Macht er nicht noch mal.«

Shoshana Cox lässt ihn nicht los. In den kommenden Tagen denkt er unentwegt über sie nach. Die Zeugenvernehmung ist abgeschlossen, alle klopfen ihm auf die Schulter.

Wofür eigentlich?

Sie hat ihn aufgespürt.

Und fast umgebracht in ihrer Wut.

Eine Woche geht er mit dem Gedanken schwanger.

Dann fährt er raus zum stillgelegten Busbahnhof, parkt den Wagen etwas abseits, wo man nicht befürchten muss, dass er seiner Räder beraubt und auf Backsteinen gebettet wird, schlendert in die Salomon Street und klingelt im dritten Stock. Ein Mann im Unterhemd öffnet, seine linke Gesichtshälfte ein einziger Bluterguss. Blinzelt, als habe Perlman ihn aus hundert Jahren Zauberschlaf gerissen. Was von der Wohnung zu sehen ist, präsentiert sich im Zustand fortgeschrittener Verwahrlosung. Das Plärren eines Fernsehers wird konterkariert vom Zank zweier Halbwüchsiger.

»Entschuldigen Sie die Störung«, sagt Perlman freundlich. »Könnte ich bitte mit Shoshana sprechen?«

Der Mann glotzt ihn aus rot unterlaufenen Augen an. Seine Fahne ist eine einzige Warnung, Streichholz oder Feuerzeug zum Einsatz zu bringen, so viel Alkohol schwebt noch darin.

»Sie wohnt doch hier, oder?«

Im Hintergrund wird eine Frau sichtbar.

»Shana ist ausgezogen«, sagt sie.

»Wo kann ich sie finden?«

Sie kommt näher. War mal hübsch. Ist es immer noch, konstatiert er, auf ihre eigene deprimierende Weise. Die tiefblauen Augen, der breite Mund, die Stupsnase – er sieht Shoshana in ihr, allerdings auch, was aus Shoshana werden kann, und das flößt ihm Angst ein.

»Fragen Sie 'n paar Häuser weiter«, sagt die Frau müde. »Sie wohnt jetzt bei einer Freundin.«

»Wir waren ihr nämlich nicht *fein* genug«, knurrt der Mann.

»Nein, sie ist ausgezogen, weil –«

»Du, halt's Maul!«

Sie schrumpelt in sich zusammen.

»Die blöde Drecksau«, fügt der Mann hinzu. Zeigt auf seine malträtierte Gesichtshälfte. »Tut 'ne Tochter *so was* mit ihrem Vater?«

Kommt drauf an, was *du* vorher mit deiner Frau getan hast, denkt Perlman.

»Was wollen Sie überhaupt von der?«

»Ich hätte Shoshana einen Vorschlag zu machen.«

»'n Vorschlag?« Der Mann plustert sich auf. »Pass mal auf, Bruder, wenn du irgendwelchen Schweinkram –«

»Ganz und gar seriös.«

Sein Gegenüber schiebt angriffslustig das Kinn vor und verharrt ratlos in seiner Drohgebärde. Die Frau bedeutet Perlman zu warten, verschwindet im Nebenzimmer und kommt kurz darauf wieder mit einem Zettel zum Vorschein.

»Hier. Shanas Adresse.«

»Danke.«

»Seien Sie nett zu ihr.« Ein Funken Hoffnung glimmt in ihren Augen, es könne auf der Welt noch etwas anderes geben als *das* hier. »Ihr Freund hat sie gerade verlassen.«

»Das tut mir leid.«

»Leid?« Der Mann kräuselt die Lippen. »Ihrem Freund tut's leid.«

»Oh.« Perlman lächelt. »Wird wieder was draus?«

»Wenn sie seine verbeulte Fresse sehen, wissen Sie, was ich meine.« Schlurft davon. »Glauben Sie mir – *dem* tut's leid.«

Perlman tritt zurück auf die Straße. Folgt den Hausnummern. Erst als er vor dem Gebäude steht, abgewrackt wie alles hier, wird ihm bewusst, dass weder Herr noch Frau Cox annähernd eine Statur aufweisen, die Shoshana erklären würde.

Da ist vielleicht die Oma durchgeschlagen.

Klingelt, Türsummer, zweiter Stock. Shoshana wartet im Flur, und wieder raubt ihre Erscheinung ihm den Atem.

»Hallo, Shoshana.«

»'llo.«

»Erinnern Sie sich an mich?«

»Paar Zellen funktionieren noch.«

»Hätten Sie Zeit und Lust, einen Kaffee mit mir zu trinken?«

Sie blinzelt misstrauisch. »Wollen Sie mich wegen was drankriegen?«

»Dann wäre ich mit der Kavallerie gekommen.«

»'kay. Wo?«

Perlman ruft sich die Umgebung ins Gedächtnis. Überall hier werden Substanzen unters Volk gebracht. Vor etlichen der Bruchbuden stehen Metall- und Resopalstühle herum, bevölkert von Langzeitarbeitslosen, Junkies und Nutten, die dort den Tag platt sitzen. Auch viele ehrliche Leute, deren Pech es ist, auf der falschen Seiten der Arm-Reich-Schere gelandet zu sein, die in Israel zusehends auseinanderklafft. Perlman hat nichts gegen die Menschen hier, er würde nur keinen Würfel Zucker auf den Zustand der hiesigen Kaffeemaschinen verwetten.

»Mein Wagen steht um die Ecke. Starbucks?«

Sie schaut prüfend auf ihn herab. Dreht sich um und kommt bekleidet mit einer ärmellosen Fliegerjacke wieder.

»Pasta«, sagt sie.

»Oh, gut, dann –«

»Ich zeige Ihnen, wo's die besten gibt.«

Im Bellini verdrückt Cox ihre zweite Portion Spaghetti carbonara. Perlman begnügt sich mit einem Salat Nicoise.

»Sind die Nudeln zu Ihrer Zufriedenheit?«

»Mhm.«

Kunststück, denkt er, du hast dir den teuersten Italiener Tel Avivs ausgesucht. Das Restaurant ist traumhaft gelegen, man sitzt an Tischen mit rotweiß karierten Tischdecken und schaut auf einen malerischen Platz. Cox hat Geschmack, und eigenartig, da sitzt keine Riesin beim Fraß. Ihre Bewegungen sind leicht und anmutig, ihr Muskelspiel von einer Eleganz, dass Perlman stundenlang zuschauen könnte.

»Woher kannten Sie das Bellini?«

Sie blickt auf, hebt eine Braue. »Sie meinen, woher kennt jemand aus *meinem* Umfeld so einen Schuppen?«

Schwang das so offenkundig mit?

»Ich wollte Sie nicht kränken.«

»Geschenkt. Kannte es nicht.«

»Ach.«

»Hab nur gehört, 's wär gut. Mir im Netz die Speisekarte angeguckt, Kritiken gelesen.«

Davon geträumt, hier essen zu gehen. Gewusst, dass es beim Träumen bleiben wird.

Perlman stellt sich vor, sie zu küssen. Auf eine Leiter zu steigen und es einfach zu tun. Ohne würde es schwierig. Mit einem Meter zweiundsiebzig ist er zwar nicht *so* klein – aber Cox misst, wie er inzwischen weiß, einen Meter neunzig.

Wie mag es sich anfühlen, über dieses Stoppelhaar zu streichen?

Sie wischt ihren Mund ab. »'kay. Worüber reden wir?«

»Woher wussten sie, hinter welcher Tür er war?«

Sie grinst.

»Vielleicht bin ich das verdammte *Marvel Girl*.«

»*Marvel Girl?*«

»*X-Men*. Nie gelesen?«

»Ich fürchte, der Vorzug dieser Lektüre ist mir bislang versagt geblieben. Verraten Sie's mir, Shoshana.«

»Da gibt's nichts zu verraten. Ich seh die Flöhe springen. Jeden allerkleinsten Scheiß.«

»Und diesmal?«

»Hab den Flur gescannt und wusste, wo er war.«

»Sie wollen mir erzählen, Sie wären ein Telekinet?«

»Was ist das?« Cox runzelt die Stirn. »Ein Gedankenleser?«

»Ja.«

»Ich kann nichts sehen, was nicht da ist. Ich reagiere einfach – intuitiv? Als die Tür aufging, wusste ich's.«

»Die hat sich aber erst geöffnet, *nachdem* sie mich gewarnt hatten.«

»Hat sich vorher bewegt. Paar Millimeter.«

»Und *das* haben Sie gesehen?«

»Der Kerl hatte die Klinke schon gedrückt. Und die Tür«, sie hält Daumen und Zeigefinger eine Winzigkeit auseinander, »so viel bewegt.«

»Und Sie sind sicher, dass Sie keine übernatürlichen Kräfte haben?«

»Meine natürlichen reichen mir voll und ganz.«

Weiß Gott.

»Wären Sie bereit, ein paar Tests zu machen?«

»Was 'n für Tests?«

Perlman lässt einen Moment verstreichen. Sortiert sein Besteck. Schaut ihr in die Augen.

»Ich will offen zu Ihnen sein, Shoshana. Man kann nicht direkt sagen, dass Sie auf der schiefen Bahn wären, aber sie ist«, er hält die Hand gekippt, »schon ganz schön geschrägt.«

»Ich halt auf jeder Bahn das Gleichgewicht.«

»Sonst keine Visionen?«

Sie lehnt sich zurück, verschränkt die Arme und betrachtet ihn. Deltamuskeln, Bizeps, Trizeps und Extensor-Gruppe bilden kupferbraune, schimmernde Landschaften.

»Was genau wollen Sie eigentlich von mir?«

Wann immer sie ihre Schnodderigkeit ablegt, spricht sie deutlich und akzentuiert. Keine Spur mehr von Slang.

»Ich will wissen, welche Perspektiven Sie sehen.«

»Perspektiven?«

»Für Ihr weiteres Leben.«

Shoshana verzieht die Lippen. Es könnte als Lächeln durchgehen, nur dass ihre Augen nicht mitlächeln. »Jetzt passen Sie mal auf, *Sugar Daddy.* Da wo ich lebe, gibt es vier Himmelsrichtungen. Woanders auch, aber komisch, *ich* seh immer nur Scheiße, egal, in welche ich gucke. Gibt's 'ne fünfte? Ich wär sehr dran interessiert, es zu erfahren. Ansonsten kennen Sie jetzt meine Perspektiven.«

Perlman schaut hinaus auf den sonnenbeschienenen Platz, die Palmen, das strahlende Gebäude des Suzanne Dellal Zentrums für Tanz und Theater schräg gegenüber.

»Es *gibt* eine fünfte Himmelrichtung«, sagt er.

»Und wo liegt die?«

»In Ihnen.«

Drei Tage verbringt sie in einem sicheren Haus am Stadtrand von Tel Aviv, wo Perlman, ein Psychologe und ein Rakas-Ausbilder sie einer Reihe von Intelligenztests unterziehen.

Cox steckt voller Widersprüche.

Hängt keiner Ideologie an, politisch desinteressiert. Ihre Schulbildung muss als erbärmlich gelten, dennoch weiß sie annähernd alles über die Französische Revolution, liefert treffende Analysen ihrer Hintergründe, kann indes wenig Erhellendes zum Sechstagekrieg beisteuern.

Die Biografie Charles Mansons ist ihr geläufig, eines Mannes, der lange vor ihrer Geburt im fernen Kalifornien das Böse entfesselte, Gandhi hingegen, John F. Kennedy, Chaim Weizmann? Fehlanzeige. Präzise legt sie dar, wie man Exoplaneten nachweist, durch Spektralanalysen, und versagt an der Funktionsweise eines Radios. In weitgehender Unkenntnis der Weltliteratur (Homer? Shakespeare? Hemingway? *Fuck, keine Ahnung, Mann!*) liest sie komplexes Zeug wie Orwells *1984* oder Amos Oz' *Geschichte von Liebe und Finsternis.* Ihre Ausdrucksweise ist derb, geschult an TV-Serien und Comics, bis sie unvermutet Fremdwörter und Formulierungen einstreut, die einem anderen Geist zu entstammen scheinen.

»Wie passt das zusammen?«, fragt Perlman den Psychologen am Ende des zweiten Tages.

»Sie hat einen IQ von 160.«

»Das besagt wenig.«

»Erst mal besagt es, dass sie in der Lage ist, alles zu verstehen. Cox ist extrem lernfähig. Setzen sie ihr was vor, sie frisst es. Vorausgesetzt, es interessiert sie.«

»Und falls nicht –«

»Hinterlässt es nicht den mindesten Eindruck. Ihr Wissen ist aleatorisch. Irgendwo hat sie mal was über Robespierre gehört, fand es spannend – jetzt ist sie Expertin.«

Perlman sinniert darüber nach.

»Wirklich Expertin? Oder doch nur ein Nachschlagewerk, das sich als Expertin verkauft?«

»Kein talentierter Papagei, wenn Sie das meinen. Ihre kognitiven Fähigkeiten sind hoch entwickelt, sie hat nur keine Bildung erfahren.« Der Psychologe überlegt. »Stellen Sie sich den Weltraum vor. Leuchtende Galaxien, dazwischen Tintenschwärze. Etwa so sieht es in ihrem Kopf aus.«

Sie testen ihren Teamgeist.

Ihre Reaktionsfähigkeit.

Ihr Kombinationsvermögen.

Es ist verblüffend. Cox erkennt komplizierteste Muster, wo andere Unordnung erblicken. Sie ist der geborene *Pilot in the picture.* Ihr Gehirn verarbeitet auf einen Schlag mehr Sinnesreize als das der meisten Menschen.

»Und setzt sie in Schlüsse um«, sagt der Psychologe. »Blitzschnell. Das ist das Entscheidende.«

»Klingt nach evolutivem Vorteil.«

»Durchaus. Das Mädchen ist eine Überlebensmaschine. Sie mag zwar aussehen wie *Bumble Bee* –«

»*Bumble Bee?*«

»*Transformers.* Coole Filme. Nie gesehen?«

Schon wieder jemand, der ihm sein popkulturelles Defizit vor Augen führt. Er bräuchte dringend ein bisschen kundige Beratung.

»Ist sie teamfähig?«

»Schwer zu sagen.«

»Gefährlich?«

»Shoshana weist ein hohes Maß an Empathie auf. Aber tief in ihr kocht eine alte Wut.« Der Psychologe macht eine Pause. »Ja, sie ist zweifellos gefährlich. Die Frage ist, für wen.«

Augenscheinlich gibt es nichts Langweiligeres als das Hauptquartier eines Geheimdienstes.

Weder glimmen überall Großbildschirme, sitzen Menschen mit Headsets vor futuristischen Maschinen, noch flirten Agenten lässig mit der Chefsekretärin. Was gelegentliche Besucher des Schin Bet zu sehen bekommen, sind Büros, die ebenso gut eine Finanzbehörde beherbergen könnten. Was sie nicht sehen, soll man auch nicht sehen (und will es nicht, im Falle manch gemütlicher Verhöreinrichtung), ohnehin spielen sich die wirklich aufregenden Sachen in den Köpfen ab.

Und dort, wo's brennt.

Im Außeneinsatz sind Bond und Bourne realer, als man glaubt.

Avraham Hills Büro setzt der Schmucklosigkeit die Krone auf. Vom Preis fürs schönste Innendekor ist es mindestens so weit entfernt wie Harry Potters Besenkammer. Klotziger Schreibtisch, Landkarten an den Wänden, Bücher, zwei Telefone. Jetzt sitzt der Leiter des Zentralkommandos, Zigarette im Mundwinkel, zurückgelehnt in seinem bandscheibenfreundlichen Kippsessel und hört zu. Studiert das Papier mit den Testergebnissen, schaut Perlman an, und in seinem Blick hängt eine Wolkenfront aus Zweifeln.

»Sie wollen diese Frau ernsthaft zur Agentin ausbilden?«

»Wenn sie einwilligt.«

»Sie ist Kopf einer Mädchengang. Einer ziemlich üblen.«

»Hmja.«

»Etliche Anzeigen wegen Körperverletzung.«

»Nichts wirklich Schlimmes.«

»Da dürfte der Marder anderer Meinung sein. Er wird nie wieder dieselbe Nase im Gesicht tragen.«

»Ohne Cox hätte der Marder mich erschossen.«

»Cox und das Gesetz befinden sich auf Kollisionskurs.«

»Ich glaube, sie ist ganz in Ordnung.«

»Weil sie noch keinen totgeschlagen hat?«

Sicher, denkt Perlman, das ist einer der Punkte, an denen wir arbeiten müssen. Nicht dass Shoshana jemanden totschlagen *will*. Es könnte ihr nur aus Versehen passieren. Wir müssen ihre Kräfte kanalisieren, ihr beibringen, Kontrolle über ihre Fähigkeiten zu erlangen.

Über die körperlichen wie die geistigen.

»Hören Sie, Ave.« Er beugt sich vor. »Was die Gesellschaft diesem Mädchen jetzt nicht gibt, wird es sich später holen. Und das wird uns allen weniger gefallen. Cox ist hochintelligent, sie sieht Dinge, die anderen entgehen. Sie *spürt* Dinge –«

»Spürt.« Der Leiter lässt den Finger an der Schläfe kreisen. »Glauben Sie, die Kleine hat –«

Die KLEINE. Perlman könnte sich abrollen.

»Übersinnliche Fähigkeiten?«

»Glauben Sie's?«

»Wär doch schick, ein paar Mutanten in der Truppe zu haben.«

»Mutanten.« Sein Gegenüber rollt die Augen. »Wenn ich nicht dieses Gottvertrauen in Ihre Menschenkenntnis hätte –«

»Sie ist kein Mutant«, beruhigt ihn Perlman. »Einfach nur begabt.«

»Wenn sie Mist baut, Ric –«

»Hole ich eine Schaufel und mache ihn weg.«

»Agentin beim Inlandsgeheimdienst?«

Sie sitzen auf einer Bank am Dizengoff Square in der Sonne und essen Falafel aus dem Papier. Cox wirkt nicht sonderlich überrascht. Nach dem tagelangen Theater mit den Eignungstests war ihr klar, worauf das Ganze hinauslaufen würde.

»Interesse?«

»Was bin ich dann? 'ne Art Bond Girl?«

»Ja, und Sie werden es bleiben, wenn Sie nicht anfangen, intelligentere Fragen zu stellen.«

»'kay. Erzählen Sie mehr.«

»Sie erhalten eine dreijährige Ausbildung. Hartes körperliches Training. Wir bringen Sie in prekäre Situationen. Gefangenschaft, Folter, Verhör. Sie lernen, Psychoterror und Schmerz auszuhalten, Ruhe zu bewahren, besonnen zu urteilen. Wir trainieren Sie im Gebrauch von Waffen, vor allem aber darin, sie nach Möglichkeit nicht zu benutzen. Jedenfalls nicht, solange Ihr Verstand in der Lage ist, Alternativen zu entwickeln.«

»Klingt bis jetzt wie 'n normaler Tag in der Salomon Street.«

»Politisch sind Sie ein unbeschriebenes Blatt, Shoshana. Das ist gut. Linksradikale, Rechtsausleger, eifernde Zionisten finden bei uns keine Heimat. Schon gar nicht haben wir's mit Leuten, die aus dem Beten nicht rauskommen. Sie dürfen ruhig fromm sein, eine stramme Patriotin, aber wenn Sie fragwürdigen Philosophien anhängen, sollten wir jetzt darüber reden.«

»Ich mag Schlangen und Insekten.«

»Schöner Ausgleich, wenn man mit Schweinen zu tun hat.«

»Gelten Sexpraktiken als radikal?«

»Keine Tiere, keine Kinder, keine anschließenden Beerdigungen.«

Cox nuckelt an ihrer Diät-Coke. Sagt nichts.

»Wie sieht's aus?«, forscht Perlman nach.

»Kommt drauf an.«

»Worauf?«

»Warum *Sie* interessiert sind.«

»Sie machen es von uns abhängig?«

»Es liegt ausschließlich an Ihnen, Ric. Meinerseits erfülle ich Ihre Anforderungen.«

Perlman lächelt. »Sie haben doch noch gar nicht alle gehört.«

Cox reckt ihre nackten Arme. Ein paar Kinder blicken scheu zu ihr herüber und schnell wieder weg.

»Als ich klein war, wurde ich gehänselt«, sagt sie. »Arsch zu sein, Anführer, beides ist mir bestens vertraut. Ich weiß alles über Gruppendynamik. Ihr braucht keine Egozentriker und einsamen Wölfe. Typen wollen bei euch mitmachen, weil sie denken, Agent sein heißt, Sportwagen fahren, Geld wie Heu scheffeln, reihenweise Ischen flachlegen, und dass es glamourös ist, Araber zu killen. Wichser, die sich einen runterholen auf ihre Macht, Leute umnieten zu können. Alles Quatsch. Es geht um Verantwortung.«

Perlman hebt die Brauen. Schweigt.

Cox fährt fort: »Euer Job besteht darin, Vertrauen aufzubauen. Zu arglosen Menschen, Mördern, wie's gebraucht wird. Mit Introvertierten und Autisten ist euch nicht gedient. Der Schin Bet versteht sich als verschworene Gemeinschaft, man hackt sich 'n Arm ab für den anderen. Nie und unter keinen Umständen wird jemand im Stich gelassen. Hab ich was vergessen?«

»Wer nur sein Image aufpolieren will –«

»Mein Selbstwertgefühl hat einen Knacks.« Sie schaut ihn an. »Das wissen Sie vermutlich schon.«

»Ja.«

»*Ihr* Risiko, Ric.«

»Falls wir Ihnen eine Chance geben –«

»Bieten Sie mir was, damit ich *Ihnen* eine Chance gebe.«

Perlman blinzelt in die Sonne.

Das strahlend weiße Rund der Architektur, der tiefblaue Himmel. Mütter auf Bänken, die ihre Kinder im Auge behalten. Ein Taxi vor dem Hotel Cinema, dem lachende, Koffer schleppende Gäste entsteigen, Vögel, Verkehrslärm. Die allgegenwärtige Bedrohung.

Schwer vorstellbar an einem Tag wie heute.

»Was wünschen Sie sich am meisten?«

Sie zögert nicht. »Eine Familie.«

»Sie haben doch eine Familie.«

»Biologische Erzeuger sind keine Familie, Ric. Würden sie meine Sippe besser kennen, könnten Sie meinen Hang zu Spinnen und Insekten verstehen.«

»Was noch?«

»Ich will eine *echte* Chance.«

»Wer sagt, dass Sie keine echte Chance bekommen?«

»Schauen Sie mich an. Sehe ich normal aus? Nein, ich sehe aus wie das Ergebnis eines Experiments. Ich will kein Experiment sein.« Ihre blauen Augen ruhen auf ihm. »Auch nicht Ihres.«

»Stimmt. Sie *sehen* aus wie das Ergebnis eines Experiments.« Er lächelt. »Eines gelungenen, wenn ich das sagen darf.«

Cox senkt den Blick.

Oha! Schüchterner als gedacht.

»Aber darum geht es nicht«, fügt er hinzu. »Bei aller Bewunderung für Ihre Körperkraft, gegen eine gut gezielte Kugel ist sie wertlos. Ich will, was in Ihrem Kopf ist, Shoshana. Überzeugen Sie mich, dass Sie damit umgehen können. Dann bekommen Sie Ihre Familie. Ich gebe Ihnen mein Wort drauf. Dann *haben* Sie eine Familie.«

In den folgenden Wochen schneidern sie ihr ein Lehrprogramm auf den Leib. Zum Standardprozedere gesellt sich Allgemeinbildung, Ethik, kleine Benimmschule. Im Crashverfahren holen sie nach, was Cox' soziales Umfeld ihr versagt hat, in der Hoffnung, dass sie so schnell lernt, wie der Psychologe behauptet hat.

Perlman erlebt eine Überraschung.

Nicht nur, dass sie den Lehrstoff aufsaugt wie ein Schwamm, sie legt zudem eine erstaunliche Begabung an den Tag.

Cox übt nicht. Jedenfalls nicht in herkömmlicher Weise.

Sie programmiert sich darauf, Dinge zu können.

Richtig klar wird ihm das auf dem Schießstand (ein Segen, dass sie's bei *uns* lernt, denkt er). Vor ihrer ersten Ausbildungsstunde hat sie nie eine Waffe in der Hand gehalten, allerdings schon einen Riesenstapel Bücher über Waffenkunde gelesen und sich Dutzende Übungsvideos reingezogen.

Sie bittet darum, die .22 Beretta halten zu dürfen.

Einfach nur halten.

Wiegt sie in den Fingern.

Dreht und wendet sie, nimmt sie blitzschnell auseinander, setzt sie zusammen. Lädt das Magazin, als hätte sie nie etwas anderes getan, zieht Kopfhörer und Schutzbrille auf, visiert die Pappkameraden mit den aufgemalten Zielscheiben an und – nun, ja –

Erledigt sie.

Nicht jeder Schuss sitzt auf der Zwölf, aber klar ist, keiner der Papp-fritzen, wären sie echt gewesen, würde je wieder aufstehen.

Natürlich kritteln sie trotzdem an ihr rum, schon damit sie nicht abhebt und entschwebt, dennoch ist es verblüffend. Wie es aussieht, kontrolliert Cox Reflexe und Motorik über ihren Intellekt. Sie übt im Kopf und beherrscht die Praxis dann meist schon beim ersten Versuch. Gäbe man ihr Bücher übers Segeln, Schlittschuhlaufen, Geigespielen, sie würde sie lesen –

Wieder lesen –

Und es können. Nicht perfekt vielleicht, aber den Grundkurs könnte man sich schon mal sparen.

Lernten Kinder auf diese Weise Blockflöte, denkt Perlman, es würde nicht länger an Folter grenzen, ihnen zuzuhören, sondern alle Beteiligten in Genuss baden.

Vier Wochen später erhält er die nächste Demonstration ihrer Begabung. Vorausgegangen ist eine Unterhaltung nach einem ermüdenden Tag im Übungsgelände. Simulierte Geiselnahme. Perlman holt sie ab. Selten hat er sie schwitzen sehen, heute steht ihr das Wasser geschlossen auf der Stirn. Die Ausbilder haben es tatsächlich geschafft, sie bis an die Grenzen ihrer Kraft zu bringen, mehr noch:

Erstmals hat sich ihre Kraft als Problem erwiesen.

»Übertrainiert«, mault sie. »Ich soll Muskeln abbauen.«

»Na ja.« Er zuckt die Achseln. »Die Hälfte reicht doch immer noch, um *Marvel Girl* zu spielen.«

»*Marvel Girl* hat keine Muskeln«, belehrt sie ihn.

»Wie dumm von mir. Wer hat denn Muskeln im Universum der Superhelden?«

»*Wonder Woman.*«

Marvel Girl. Wonder Woman. Einen prägenden Teil der Jugend hat er offenbar im Schnellzug durchfahren.

»Lust auf ein Bier?«, fragt er.

Es ist Spätherbst, noch kann man abends draußen sitzen. Bislang hat Perlman seine privaten Kontakte zu Cox auf ein Minimum beschränkt, er will keine Gerüchte befeuern, aber *ein* Bier –

»Wenn's auch 'ne Coke sein darf.«

Richtig. Sie trinkt ja keinen Alkohol. Die Gewohnheiten ihres Erzeugers haben sie hinreichend abgeschreckt.

Zwanzig Minuten später sitzen sie auf der Ben Jehuda Street.

»Dachte schon, Sie lassen sich gar nicht mehr blicken.«

Er lächelt. »Sie werden noch genug mit mir zu tun bekommen.«

»'kay.«

»Und mich auf den Mond wünschen.«

»Was heißt wünschen? Ich schieß Sie höchstpersönlich rauf.«

Eine Weile schauen sie den Fußgängern zu.

»Sagen Sie mal –« Cox zögert. Fährt mit dem Finger über ihr Glas, malt Muster ins Kondensat. »Mögen Sie sich eigentlich?«

Perlman ist perplex. Öffnet den Mund, schließt ihn. Mag er sich? Darüber muss er nachdenken. Über den Sinn der Frage, mehr aber noch über die Antwort, die sich ihm allzu schnell aufgedrängt hat.

Eigentlich, grundsätzlich, irgendwie –

Aber warum diese Einschränkungen?

Er bewegt die Frage weiter in seinem Kopf, dann sagt er: »Als Teenager mochte ich mich überhaupt nicht.«

»Warum nicht?«

»Zu klein. Zu schmächtig.«

»Rührend.« Sie seufzt. »Ich war schon mit zwölf 'n Freak.«

»Wegen Ihrer Größe?«

»Wie kommen Sie denn darauf?« Sie reißt in gespieltem Erstaunen die Augen auf. »Die sieben Zwerge haben mich nur darum nicht genommen, weil kein achter im Drehbuch stand.«

»Was ist so schlimm daran, groß zu sein?«

»Fragen Sie mal Ihre Geschlechtsgenossen.«

»Nun ja. Sie sind aber auch recht eindrucksvoll gebaut.«

»Soll ich dürr rumlaufen, bei der Größe?« Cox starrt ihn an. »Wissen Sie, wie ich vor dem Training aussah? Leute haben schon versucht, 'ne Fahne an mir hochzuziehen.«

Er kann sich dieses lange, dünne Mädchen vorstellen.

Kein einfaches Los.

Und plötzlich hat er eine Idee.

»Wissen Sie was? Nächste Woche richtet das Verteidigungsministerium eine Gala aus. So ein Wohltätigkeitsvehikel, aber sicher ganz amüsant. Ich muss hin, und Sie kommen mit.«

»Hä?«

»Als meine Begleitung.«

»Zu einer Gala?«

»Genau.«

Cox rutscht unruhig auf der Stuhlkante hin und her. »Ich weiß aber nicht, wie man zu einer Gala geht.«

»Rechtes Bein, linkes Bein.«

»Nein, ich – haben Sie denn keinen, der mit Ihnen geht?«

»Doch. Sie.«

»Gibt's keine Frau Perlman?«

»Es gab eine.«

»Oh. Scheiße, Fettnapf.« Sie schaut betreten drein. »Tut mir leid. Was Tragisches?«

»Tragisch?« Er überlegt. »Ich war ihr zu langweilig.«

»Sonst nichts?«

»Sonst nichts.«

Cox durchdenkt die Sache.

»Und? Hatte sie recht?«

»Tja.« Er trinkt einen Schluck. »Die aufregenden Sachen durfte ich ihr nicht erzählen, und alles andere – doch, ich fürchte schon. Von ihrer Warte aus betrachtet hatte sie wahrscheinlich recht.«

»Tut mir trotzdem leid. Vermissen Sie Ihre Frau?«

Vermisst er sie? Eindeutig vermisst er etwas, aber was?

»Ich weiß es nicht, um ehrlich zu sein.«

»Schön, das mal aus Ihrem Mund zu hören.«

»Oh, ich weiß eine Menge nicht.« Er lässt die Hand gut gelaunt auf die Tischplatte klatschen. »Jetzt aber wenigstens, wer meine Begleiterin sein wird.«

Ihr Gesichtsausdruck spricht Bände.

»Kopf hoch, Shoshana. Betrachten Sie's als Teil Ihrer Ausbildung.«

»Ich hab nicht die mindeste Ahnung, was man auf so einer Scheißga –
so einem Empfang trägt.«

»Wie wär's mit einem Abendkleid?«

»Einem was?«

»A – bend – kleid.«

»Ich zieh kein Abendkleid an.«

»Es ist eine Gala. Keine Raver-Party.«

»Ich zieh aber kein verficktes Abendkleid an«, protestiert sie.

»So lautet die Direktive.«

»Allein, in so was reinzukommen«, sagt sie gequält. »Im Fernsehen brauchen sie dafür jedes Mal einen Trottel, der einem den Reißverschluss zumacht.«

»Bitten Sie Ihre Freundin.«

»Ach, *Fuck*!«

»Und gewöhnen Sie sich die Anglizismen ab. Wenn es sie drängt zu
fluchen, sagen Sie *Lech tizdayen*.«

Hebräisch. Gleiche Bedeutung.

»*Fu* –« Cox knetet ihre Hände. »'kay. Ich geh mir eines kaufen.«

»Das besorgen wir«, sagt Perlman, vor seinem inneren Auge, wie sie
irgendeinen Fetzen von der Stange zieht. »Welche Größe?«

»Fragen Sie beim Zirkus nach.«

Er lässt eine Auswahl kommen. Dekolletiert, schulterfrei. Gucci, Jil
Sander, Dolce & Gabbana. Wie sich erweist, stellt Cox' Größe kein
Problem dar, das Zauberwort heißt Stretch-Anteil. Sie vereinbaren eine
Modenschau in ihrer Wohnung, in *Anwesenheit* ihrer Mitbewohnerin,
wie Perlman insistiert, aber als er dort eintrifft, ist Cox allein.

Er fühlt eine gewisse Befangenheit.

Sitzt steif auf dem Rand des zerschlissenen Sofas unter dem Amy-
Winehouse-Poster und fragt sich, was er da bloß losgetreten hat, während sie aus dem Schlafzimmer ruft:

»Jil Sander geht gar nicht.«

Minuten vergehen. Sie probiert nicht nur die Kleider durch, sondern
auch alle erdenklichen Flüche.

Endlich erscheint sie im Türrahmen.

»Und?«

»Näher ran.«

Zögerlich leistet sie Folge.

»Wenden.«

Dreht sich wie ein Revuepferd. Über ihrer Trapezmuskulatur steht der Reißverschluss offen.

»Jetzt sagen Sie schon was.«

»Wieso ich?« Perlman genießt es. »Wie gefällt's *Ihnen*?«

»Weiß nich.«

»Kommen Sie, Shoshana. Eigene Meinung ist gefragt. Im Zweifel haben Sie niemanden, der Ihnen sagt, wie Sie aussehen. Was zeigt Ihnen der Spiegel?«

»Eine Saturnrakete, die in einen Fallschirm geschossen wurde.«

Perlman muss lachen. »Noch mal.«

»Na ja – Scheiße ist anders, oder?«

Er gibt auf. »Sie sehen *großartig* aus.«

»Echt jetzt?«

»Echt jetzt.«

Sie dreht sich erneut, koketter, schaut an sich herab, tapst auf nackten Füßen vor ihm hin und her.

»Und Schuhe?«

»Halte ich für angeraten.«

»Was für Schuhe, Ric?«

»Was würden Sie denn gerne für Schuhe tragen?«

Sie kraust unsicher die Brauen. »High Heels?«

Damit wären's dann zwei Meter, denkt er. Von der Absatzspitze bis zum Scheitel. Mindestens.

Er nickt. »Unbedingt.«

»Gut.« Sie grinst. »Dann dürfen Sie mir jetzt den Reißverschluss zumachen.«

Als er mit ihr im Verteidigungsministerium aufkreuzt, fällt der anwesenden *Intelligence* wie zu erwarten die Olive aus dem Martini. Ein atemberaubend proportionierter Muskelberg in schulterfreier, eng anliegender Gucci-Robe, Schädel rasiert, zwei Meter und zwei Zentimeter groß (nachgemessen!), das bekommen sie nicht jeden Tag zu sehen.

Dabei war er zwischendurch in arge Zweifel geraten.

Shoshana und High Heels –

Schnapsidee, das Ganze.

Der Abend rückte näher, und Perlmans Sorge wuchs. War er vielleicht zu weit gegangen? Sie sollte ja nicht durch den Abend stolpern, außerdem fühlte er eine gewisse, ihm unangenehme Hybris keimen.

Shoshana Cox.

Mein Geschöpf!

Und das Geschöpf kommt rein in seinem Abendkleid und fällt als Erstes auf die Schnauze.

War er etwa Henry Higgins?

Doch seine Furcht erweist sich als unbegründet. Sie stolziert übers Parkett, als sei sie nie auf etwas anderem gelaufen. Wieder darf er Zeuge ihrer speziellen Begabung werden. Nicht, dass es als Zeichen sonderlicher Intelligenz zu gelten hätte, auf zwölf Zentimetern rumzustöckeln, nur hat sie die Herausforderung einmal mehr durch intellektuelle Vorarbeit gelöst. Ausgiebig darüber nachgedacht, wie man mit Grandezza auf den Dingern geht, sie erst dann angezogen –

Und es gekonnt.

Auch mit der Konversation scheint es zu klappen. Gute Laune brandet auf, wo immer sie steht. Perlman hat sie recht schnell sich selbst überlassen, sie soll nicht das Gefühl bekommen, er ziehe sie am Nasenring durch die Manege. Nur gelegentlich schaut er zu ihr rüber, vergewissert sich, dass es ihr gut geht, und kann einfach nicht anders, als Stolz zu empfinden.

Ein bisschen ist er eben *doch* Henry Higgins.

»Wusste gar nicht, dass Brigitte Nielsen und Godzilla eine Tochter haben.« Hill tritt neben ihn. Erst jetzt wird Perlman bewusst, dass der Chef des Zentralkommandos Cox nie persönlich getroffen hat.

»Lassen Sie sie das bloß nicht hören.«

»Oh, sie macht was her.«

»*Das* dürfen Sie ihr sagen.«

»Die gehört zum Film. Auf den Laufsteg.« Hill reibt sein Kinn. »Einen sehr stabilen Laufsteg.«

»Hmja«, schmunzelt Perlman.

»Und Sie sind sicher, dass die bei uns richtig ist?«

»Ihre Ausbilder sind sicher.«

»Auf Ihre Verantwortung, Ric.«

Und das ist ernst gemeint. Keine Kinkerlitzchen, soll es heißen. Kein James-Bond-Scheiß. Schaff dir kein Hobby an, Perlman, für das du hinterher büßen musst. Wir sind hier *nicht* beim Film, und der Schin Bet ist *keine* Freakshow.

Elf Jahre her.

Jetzt denkt er an die Gala zurück. An die Nacht, als Shoshana Cox ein bisschen von dem Selbstwertgefühl zurückerlangte, um das ihr Umfeld sie so lange betrogen hatte. Und wie sie ihn morgens im Taxi, vor ihrer Wohnung, auf die Wange geküsst hat.

»Danke.«

Nie wieder ist sie ihm so nahe gekommen.

Auf Avraham Hill folgte Eli Ben-Tov, Perlman rückte in die Position des Vize auf. Im Zentralkommando ist er jetzt die Nummer zwei, Herr über Agenten, Rakasim, Analysten, IT-Spezialisten, Desk Officers und Abteilungsleiter. Sogar Nummer eins könnte drin sein, nur Schin-Bet-Direktor wird er wohl nicht mehr werden.

Perlman ist froh darüber.

Sagen wir ruhig, heilfroh!

Er mag die milde Enttäuschung des ewigen Zweiten in den Zügen tragen, das ist das Wesen seiner Physiognomie, aber um nichts in der Welt will er Meetings mit Bibi durchstehen müssen und sich bei Bier und Oliven von ihm ins Handwerk pfuschen lassen. Benjamin Netanjahu, der glaubt, über *seinen* Schreibtisch würden Israels Dienste gesteuert, in alles seine Nase steckt, mit Kleinjungentrotz die Auslöschung *sämtlicher* Hamas-Führer fordert und ein solches Faible für gezielte Tötungen entwickelt hat, dass es einen schon bedenklich stimmen muss.

Sicher, der Premier hat Gespür bewiesen. Im Golfkrieg präzise vorhergesagt, wie Saddam Hussein sich verhalten würde, Israels damalige Lage auf den Punkt analysiert.

Zugleich legt er ein Gebaren an den Tag, als seien Mossad, Schin Bet und Militärischer Nachrichtendienst die Neuauflage der Tafelrunde, mit ihm als Artus. Seine Stimmung kippt schneller als das Wetter in den Bergen. Eben noch jovial, schreit er im nächsten Moment: »Ich will ihre Köpfe! Ich will sie tot sehen. Es ist mir egal, *wie* es gemacht wird. Ich will, *dass* es gemacht wird. Je eher, je besser!«

Schreit und schreit.

Und das Allerschlimmste an Netanjahu ist –

Sara Netanjahu.

Seine Frau, die ernsthaft verlangt, über die geheimdienstliche Arbeit auf dem Laufenden gehalten zu werden, bloß weil Hillary Clinton mal erwähnt hat, sie interessiere sich für die CIA. Da zockelt der Direktor dann zur Berichterstattung, und Perlman kann durchatmen und seinen Job machen.

Solange man ihn lässt.

»Leider lassen sie uns jetzt nicht mehr«, sagt er zu seiner Rakeset. »Die Observierung wird eingestellt.«

Und die Rakeset sagt: »Nein.«

Wie es nun mal Cox' Art ist, wenn ihr was nicht passt. Seit fünf Jahren ist sie Agentenführerin und störrisch wie gehabt.

»Ich weiß, Sie haben viel Zeit investiert –«

»Investment ist okay. Ich will die Ausschüttung.«

»Mir sind die Hände gebunden, Shana.«

Sie lässt sich in den Stuhl vor seinem Schreibtisch fallen, dass er gefährlich in der Lehne knackt.

»Wie lange haben wir noch?«

»Drei Tage. Nicht, dass sich jemand viel davon verspräche.«

»Die nutze ich.«

»Ganz wie Sie wollen.« Sinnlos, es ihr auszureden. »Aber danach rufen Sie Ihr Team zurück.«

»Silberman *hat* die Daten«, sagt sie wütend. »Ich weiß es.«

»Ein Tropfen Gewissheit in einem Ozean aus Zweifeln.«

»Zwei Tropfen. *Sie* wissen es auch.«

Perlman seufzt. »Wir haben in einem Jahr nicht das Geringste bei ihm gefunden. Ihm nichts nachweisen können.«

»Weil er erst handeln wird, sobald er sich unbeobachtet fühlt. Seit Monaten folgen wir ihm jetzt auf Katzenpfoten. Er muss zu dem Schluss gelangt sein, dass wir aufgegeben haben. Er *ist* so weit!«

»Und wir sind raus.«

Sie nagt an ihrer Unterlippen. Steht auf, geht zur Tür.

»Ach, Shana.« Perlman beginnt, in irgendwelchen Papieren zu wühlen. »Keine Alleingänge, klar?« Sieht sie aus dem Augenwinkel verharren. »Ohne mich vorher zu informieren«, fügt er eben so laut hinzu, dass sie es hören kann.

1967

ist gesprenkelt mit Ereignissen.

In Bolivien wird Che Guevara hingerichtet, Deutschland sieht im Fernsehen plötzlich bunte Bilder, Christiaan Barnard verpflanzt das erste Herz. Millionen Hippies rufen den Summer of Love aus und feiern sich in Monterey, als hätten sie den Pop gepachtet.

Die Beatles zeigen ihnen mit *Sgt. Pepper's Lonely Hearts Club Band*, wo der Hammer hängt.

Elvis heiratet seine Priscilla, ein gewisser Karol Wojtyła wird Kardinal, Felice Gimondi gewinnt den 50. Giro d'Italia, die Besatzung von Apollo 1 verbrennt in ihrer Kapsel, ohne einen Meter geflogen zu sein.

Es treten ab: Otis Redding, Konrad Adenauer und Jayne Mansfield.

Es treten auf: Kurt Cobain, Nicole Kidman, Pamela Anderson, Julia Roberts, in der Reihenfolge ihres Erscheinens.

Nicht übel für ein Jahr.

Und Israel bekommt einen religiösen Rand.

So was kann passieren, wenn man einen Krieg gewinnt.

Und zwar nicht irgendeinen Krieg.

Sondern *den* Krieg.

Den Sechstagekrieg.

Ganz anders als der davor.

Den haben Ägypter, Jordanier, Libanesen, Iraker und Syrer schließlich verloren, geeint im Hass, nicht in den Zielen, ein angekündigtes Scheitern. Vielleicht wäre Israel dennoch überrannt worden, hätte nicht Syrien in letzter Sekunde einen halben Rückzieher gemacht. Was immer den Ausschlag gab, nach separaten Waffenstillstandsabkommen endete der Unabhängigkeitskrieg 1949 mit einem Triumph der Zionisten und erweiterte deren Staatsgebiet beträchtlich, während sich die streitbaren Nachbarn 700 000 palästinensische Flüchtlinge aufgehalst und die Chance eines palästinensischen Staats fürs Erste verspielt hatten.

Das Schicksal meinte es gut mit Israel, eine neue Grenze war geboren.

Die Grüne Linie.

Und wenn der Unabhängigkeitskrieg schon ein Triumph war –

dann ist der Sechstagekrieg
DIE OFFENBARUNG!
Denn jetzt heißt es:
GOTT meint es gut mit Israel!
Was zu Beginn des Jahres noch ganz anders aussah.

Israel, See Genezareth

Ein Land in kollektiver Paralyse.
Januar.
Der Geländewagen rumpelt die unbefestigte Straße zum nordwestlichen Seeufer hinunter, mit schleifender Kupplung. Jeden Tag verblüfft der Motor Jehuda durch neue, rätselhafte Geräusche. Sämtliche Unzulänglichkeiten der Baureihe scheinen sich in der Karre zu bündeln, sodass er sie nicht mal weiterverkaufen kann. Jedenfalls nicht zu einem Preis, der einer Neuanschaffung förderlich wäre. Er wird das Mistding fahren müssen, bis es ihm unterm Arsch auseinanderfällt, aber egal, es könnte schlimmer kommen.
Und wie es aussieht –
Kommt es schlimmer.
Wenn man sich so umschaut, liegen die Nerven ganz schön blank. Erstaunlich eigentlich, sollte man sich an den Zustand permanenter Bedrohung nicht gewöhnt haben? Wo sonst kommen die Kinder mit gepanzertem Gemüt auf die Welt, wenn nicht in Israel? Doch gerade zweifeln sie hier an ihrer Stärke. Der Druck von Jahrzehnten entfaltet seine Wirkung, alle Kraft scheint aufgezehrt. Seit Phoebe, Jehuda und Uri Mitte der Sechziger in die Gegend um Tiberias gezogen sind, hat sich die Lage verschärft. Es geht um Wasser, kostbarer als Gold. Israels Flüsschen und Grundwasserspeicher geben nicht genug her für die rasant anwachsende Bevölkerung, der Süden leidet unter chronischer Dürre, das größte Trinkwasserreservoir des Landes, der See Genezareth, liegt im Nordosten, gespeist vom Jordan, dessen Quellflüsse in Syrien und im Libanon entspringen.
Israel, Syrien, Libanon, Jordanien, Westbank –
Alle hängen am selben Tropf.
Und die Golanhöhen, an die der See Genezareth im Osten grenzt, sind immer noch syrisches Territorium.
Wie geschaffen für Artilleriestellungen.
Seit Jahren ballern die Syrer von dort runter und nehmen israelische

Fischer aufs Korn, die Landwirte trauen sich kaum noch auf die Felder. Nachdem Israel versucht hat, das Wasser des Oberen Jordans umzuleiten, übt sich Damaskus in dieser Zermürbungstaktik. Die USA schickten Vermittler, ein Vertrag erblickte das Licht der Welt über eine gemeinsame Ressourcenwirtschaft, den Israel zu unterzeichnen bereit war und die Arabische Liga nicht, beide aus demselben Grund. Einen Völkervertrag mit Israel zu unterschreiben, hätte geheißen, Israel anzuerkennen, und Israel anzuerkennen hieße, die Pläne des ägyptischen Staatschefs Gamal Abdel Nasser zu durchkreuzen, der von Panarabien träumt, einem geschlossenen arabischen Kulturraum zwischen Atlantik und Persischem Golf.

Ein zionistischer Staat passt da nicht rein.

Sprich, keine Verträge zwischen Arabern und Juden.

Über gar nichts.

Als Resultat der gescheiterten Diplomatie hat Israel schließlich ein sechseinhalbtausend Kilometer langes System aus Leitungen und Kanälen namens National Water Carrier in Betrieb genommen, das sich direkt aus dem See Genezareth bedient. Gewaltige Mengen fließen seitdem durch den Carrier bis hinab in die Wüste Negev, um den öden Landstrich zum Blühen zu bringen. Syrien spuckt erwartungsgemäß Gift und Galle, entwickelt seinerseits Pläne, den Jordan umzuleiten, Israel schickt Kampfjets, um dem Vorhaben ein Ende zu setzen, Syrien nimmt es wieder auf, Bombardierung, Wiederaufnahme, vergangene Woche nun hat die israelische Luftwaffe sechs syrische Migs abgeschossen.

Das ist der Status quo, als Jehuda den Wagen am Seeufer parkt und hinüber zu einer Gruppe Techniker geht, die mit Blick auf umgebende Bananenplantagen irgendetwas diskutieren.

Nein, sie scharen sich um Yousef.

Yousef al-Sakakini, der wild mit den Armen fuchtelt, die Finger spreizt, sich im Kreis dreht.

Die Gruppe bricht in Gelächter aus. Offenbar nicht ganz bei der Sache. Yousef scheint Witze zu erzählen, man muss aber auch sagen, er erzählt die besten.

»Wie weit sind wir denn?«, fragt Jehuda in die Runde.

»Uns tun die Bäuche weh«, erwidert einer der Männer lachend.

»Soso.« Jehuda setzt seinen strengsten Blick auf. »Ihr könnt versichert sein, in ein paar Stunden werden euch die Rücken wehtun.«

»Och, Jehuda.« Yousef grinst ihn an. »Spaß muss sein.«

»Der ist mit Geld nicht zu bezahlen«, kichert eine Inspektorin aus dem Kibbuz Hatzerim.

»Ich weiß.« Jehuda lässt den Blick schweifen. Sonnenlicht tanzt auf der Oberfläche des Sees. »Man sollte ihm darum auch keines geben. Und wo wir gerade dabei sind –«

Gibt selber schnell einen Witz zum Besten.

Sie lachen sich scheckig.

Entlang der Uferlinie sichern Zahal-Einheiten ihre Gruppe mit Granatwerfern und leichten Haubitzen. Wie eine riesige Aufschüttung aus Sand liegen die Golanhöhen im Dunst, jederzeit kann der nächste Beschuss erfolgen. Die Gruppe muss geschützt werden, sie leistet Pionierarbeit. Was hier getestet wird, verspricht Israels Agrarwirtschaft zu revolutionieren, Systeme biegsamer Rohre und Röhrchen, über die den Pflanzen ebenso viel Wasser zugeführt wird, wie sie benötigen, ohne dass ein einziger Tropfen verdunstet. Tröpfchenbewässerung ist das Zugpferd der frisch gegründeten Firma Netafim, und Jehuda als Projektleiter soll die Revolution in den Norden tragen.

Die Bezahlung, na ja.

Die ist eher konterrevolutionär.

Doch die Sache hat Entwicklungspotenzial, und der Job ist natürlich super. Tausend andere würden sich die Finger danach lecken, aber die sind halt nicht mit Arik befreundet. Der ist mittlerweile Generalstabsoffizier im Nordkommando und damit dem inneren Zirkel um Premier Levi Eschkol zugehörig. Eschkol wiederum hat in seiner Zeit als Landwirtschaftsminister Israels Wasserwirtschaft hochgepäppelt, das Thema liegt ihm am Herzen, und natürlich kennt er in der Branche *jeden*, also geht Arik zu Eschkol und bittet ihn, Jehuda den Job zu verschaffen.

Eschkol ruft Netafim an.

Jehuda studiert schon mal die Immobilienangebote rund um den See Genezareth.

Ein echter Freundschaftsdienst, speziell vor dem Hintergrund, dass man Israel mit ausgebildeten Landwirten pflastern kann. Was Jehuda nicht klar war, als er sich damals einschrieb. Problembewusstsein entwickelte sich erst, als er keine Arbeit fand und sein neu erworbenes Wissen vornehmlich Rachel zugutekam, weswegen er und Phoebe erst mal auf ihren Hof zogen. Die Frauen verstanden sich gut, trotzdem willst du nicht ewig mit Mama am Frühstückstisch sitzen. In Tel Aviv wurde ein Verwaltungsposten frei, Warenkontrolle, wenig lukrativ, aber was wären wir ohne den Trost der Plattitüde?

»Das Beste kommt noch«, versprach ihm der Ressortleiter allabendlich, »Rom wurde auch nicht an einem Tag erbaut«, nicht mal für »Lehrjahre sind keine Herrenjahre« war sich der Mann zu schade, reine Hinhaltetaktik, weil sich an der Beförderungsfront gar nichts tat.

Jehuda wurde ungeduldig.

Phoebe wurde schwanger.

Arik wurde aktiv.

1955 wechselte Jehuda zu Netafim in die Entwicklungsabteilung, jetzt ist er hier, und die ausgelassene Stimmung lässt ihn die Gefahr von der anderen Seite des Sees vergessen, bis jemand einstreut:

»Es gibt Krieg.«

»Wer sagt das?« Die Netafim-Inspektorin schaut sich irritiert um.

»Die Nachrichten sagen das.« Einer der Soldaten ist hinzugetreten.

»Nasser hat die Straße von Tiran für israelische Schiffe dichtgemacht. Vorhin kam die Meldung.«

Nasser, Syrien eng verbunden. In den Fünfzigern haben sich beide zur Vereinigten Arabischen Republik zusammengeschlossen. Hielt nicht lange, zeigt aber, woher der Wind weht.

Krieg mit Syrien bedeutet Krieg mit Nasser.

Und umgekehrt.

Und plötzlich ist die Stimmung gar nicht mehr so gut. Eine Wolke aus Niedergeschlagenheit, Angst und Mutlosigkeit senkt sich herab. Yousef zieht die Nase hoch, schaut von einem zum anderen.

»Soll ich noch einen Witz erzählen?«

Jehuda schüttelt den Kopf.

»Ich denke, wir gehen mal an die Arbeit.«

»Völliger Blödsinn«, poltert Arik.

»Dass es Krieg gibt?«

»Dass wir Grund zur Besorgnis hätten.«

März.

Sie sitzen auf der Veranda des kleinen Hauses, das Phoebe und Jehuda gemietet haben, trinken geeiste Buttermilch und sehen zu, wie Uri, Gur und Ariks Hund sich gegenseitig durch den Garten jagen. Jehuda liebt diesen Platz. Harmonisch erstrecken sich die Ackerlandschaften des Nordbezirks bis hinunter zum See, mit der uralten Stadt Tiberias zur Rechten.

Das war's dann aber auch schon mit der Harmonie. Zwar kommt das Bewässerungsprojekt stetig voran, doch die Gefahr, Opfer syrischer Artillerie zu werden, steigt unentwegt. Einer der Ingenieure hat einen Nervenzusammenbruch erlitten, immer noch besser, als hätten sie ihm die Beine weggeschossen, dennoch –

Sie sind alle ganz schön durch den Wind.

Sogar wegzuziehen haben sie schon überlegt.

Doch wohin? Wo ist man in dem kleinen Staat noch sicher? Und einen Job an den Nagel zu hängen, für den andere sich duellieren würde, scheint auch nicht die beste aller Ideen zu sein.

»Mir ist dieser Vertrauensverlust schleierhaft«, sinniert Arik. »Alle kauen sie auf den Fingernägeln, als ginge die Welt unter, dabei verfügen wir über eine unbesiegbare Armee und beste Geheimdienste. Selbst Eschkol lässt sich von der miesen Stimmung anstecken.«

»Wenn die Ägypter mobilmachen, ist das ja nicht gerade ein Grund zur Freude«, sagt Jehuda.

»Ach was. In Kairo sollten sie sich größere Sorgen machen.«

»Es heißt, Nasser hätte aufgerüstet.«

»Nasser kann aufrüsten, bis ihm das Hirn siedet. Wenn es so weit ist, erledigen wir ihn mit Intelligenz.«

Und verschweigt, dass er Eschkol und Generalstabschef Jitzchak Rabin seit Wochen zu einem Präventivschlag gegen Ägypten drängt. Mit dem Ergebnis, dass Rabin einer begrenzten Aktion zustimmen würde, im Sinai vielleicht, was Arik aber nicht zufriedenstellt.

Begrenzte Aktionen hält er für ausgemachten Schwachsinn.

Entweder richtig oder gar nicht.

Und richtig heißt, das Unkraut mit der Wurzel rauszureißen.

»He! Guck mal!«

Gur vollführt Kunststücke mit Uris Fußball. Lässt ihn von den Zehen aufs Knie tanzen, auf die Schulter, den Kopf, zurück. Uri jagt ihm das Ding ab, dribbelt es haarscharf an Phoebes Kräuterbeet vorbei, der Hund tobt ihnen hinterdrein, bellt wie verrückt, Nachbarköter antworten in unbestimmter Ferne. Ihr Kläffen dringt über die dunkler werdenden Felder, als erörterten sie die Schönheit der Dämmerung. Hundepoesie. Scherenschnittartig zeichnen sich Pinien, Eukalyptusbäume und Überlandmasten vor dem verlöschenden Himmel ab.

Wie schnell alles gegangen ist, fährt es Jehuda durch den Kopf.

Ich habe eine *Familie.*

Konnte mir nie vorstellen, eine zu haben, geschweige denn Kinder, und jetzt habe ich bald sogar zwei.

In wenigen Monaten, wenn alles gut geht.

Meine Kinder.

Uri entwickelt sich zu meinem Ebenbild. Erst zwölf, geht mit seiner Größe aber locker für 16 durch. Wird mir noch über den Kopf wachsen, und ich bin schon eins neunzig. Dagegen Gur, Ariks Sohn. Ganz anders als sein wuchtiger Vater. Zartgliedrig, hübsch, ausnehmend charmanter Bengel, kein Zweifel, der kommt nach Gali.

Ariks erste große Liebe.

Auch schon seit fünf Jahren tot.

Autounfall auf der Straße nach Jerusalem, allein in ihrem kleinen Austin. Manche Geschichten enden, bevor sie richtig begonnen haben. Andere beginnen, die man niemals für möglich gehalten hätte.

Ganz ehrlich?

Gali war Ariks große Liebe, stimmt. Aber die Frau seines Lebens ist Lily, und Hand aufs Herz, wer hätte ahnen können (am wenigsten wohl Arik selbst), dass er sich in Galis jüngere Schwester verlieben würde? Ohne es recht zu merken, während er noch trauerte?

Jetzt hat er zwei weitere Söhne. Omri ist drei, Gilad erst wenige Monate alt. Sein Glück ist vollkommen, im Privaten jedenfalls.

Beruflich –

»Ach, was ich noch erzählen wollte«, sagt Arik, wie um Jehudas Gedanken zu Ende zu führen, »gestern haben sie mich zum Brigadegeneral befördert.«

Da muss Jehuda lächeln. Sieht den dicklichen Jungen vor sich, der mit einem Holzknüppel in einem Anemonenfeld steht und den Blüten vor lauter Frust die Köpfe abhaut.

»Mensch, Arik. Das ist ja fantastisch.«

»Na ja, erst mal nur andere Schulterklappen. Aber ich dachte, es beruhigt euch.«

»Uns? Wieso denn uns?«

»In der Position hab ich mehr Handlungsfreiheit, außerdem – aber behalt es für dich – könnte es sein, dass sie Moshe zum Verteidigungsminister machen.«

Moshe Dayan. Gemeinsame Vergangenheit. Fallschirmjäger, Einheit 101. Sollte Dayan tatsächlich Verteidigungsminister werden, dürfte das Ariks Spielraum enorm erweitern.

Bleibt die Frage, was das Ganze mit Jehuda zu tun hat.

»Mit eurer Sicherheit hat's was zu tun.« Ariks Hand weist auf den schlafenden Dinosaurier, wie Uri das Massiv der Golanhöhen nennt. »Oder denkst du, ich sehe weiter zu, wie die Syrer von da drüben auf euch schießen?«

»Erst mal musst du mit Nasser fertigwerden.«

Der sich seit der Suezkrise 1956 zum Führer der arabischen Welt stilisieren lässt und in der Rolle sichtlich aufgeht. Ein Sieg über Israel würde ihn in den Rang eines Halbgotts erheben.

Arik beugt sich vor, einen Schnurrbart aus Buttermilch auf der Oberlippe.

»Ich erklär dir mal, wie ich das sehe. Nasser rasselt mit dem Säbel. Tatsächlich ist seine Armee ein verlauster Haufen, sein Generalstabschef ein Idiot und sein Offizierskorps von Intrigen zerrissen. Er hat nichts, aber auch gar nichts aus '56 gelernt. Nasser denkt, wir hätten den Suezkrieg nur gewonnen, weil Frankreich und Großbritannien an unserer Seite standen, und die Sowjets, die ihn so fleißig hochrüsten, tappen erst recht im Dunkeln. Unentwegt erzählen sie ihm, wir planten einen Erstschlag gegen die komplette Region, dabei sagt ihm sein eigener Geheimdienst, das sei Quatsch, aber der Pharao leidet an Paranoia. Also plant er seinerseits den Erstschlag.«

»Und das beunruhigt dich nicht?«

»Nein, weil seine Militärmaschine immer noch am Boden liegt, so wie wir sie im Suezkonflikt verschrottet haben.«

»Was treibt ihn dann an?«

»Angst. Sein Zorn richtet sich gegen Israel, aber tatsächlich sieht er überall Amerikaner.«

Was Nasser sieht, ist Folgendes: ein sozialistisch ausgerichtetes System in Syrien, das mit den Sowjets kungelt (so wie sich auch seine eigenen Vorstellungen einer panarabischen Republik aus linken Ideologien speisen), und Israel, das kurz davorsteht, Syrien anzugreifen, damit an der Nordgrenze endlich Ruhe herrscht. Darüber hinaus sieht er Uncle Sam, der die Strippen zieht, weil die Amerikaner bekanntlich gegen jedes Regime vorgehen, das im Ruch sozialistischen Gedankenguts steht, sprich, im Nahen Osten tritt der Kalte Krieg bald in die heiße Phase.

»Also versteigt er sich zu der Idee, die Amis schickten uns vor, um zuerst Syrien, dann Ägypten und schließlich die komplette arabische Welt zu unterjochen.«

»Um so die Sowjets zu schwächen.«

»Genau.«

»Und? Was dran?«

»Ach, Jehuda!« Arik lacht. »Nicht im Mindesten. Washington ist an guten Beziehungen zur arabischen Welt interessiert, aber du kennst ja die Lieblingspsychose der Kommunisten.«

»Imperialistische Verschwörung.«

Und wer ist das Frankenstein-Monster der westlichen Imperialisten schlechthin? Israel, weshalb es zur arabischen Folklore gehört, hinter allem Tun und Treiben der Zionisten immer gleich Europa und die USA zu erblicken. Dass sie in der Knesset einfach nur nach Wegen suchen, den Syrern die Lust auf Terror zu verleiden, kann sich der verschwörungsversessene arabische Potentat nicht vorstellen.

»Also will Nasser uns zuvorkommen und zugleich seinen Nimbus als Großpharao nähren. Muss er auch, sein Stern beginnt zu sinken. Er steht unter Druck, nur kommen die Sowjets nicht so schnell mit Waffenlieferungen nach, wie er das gerne hätte. Glaub mir, der Mossad ist über jeden seiner Schritte informiert, sollte er wirklich losschlagen, stehen wir schneller vor Kairo, als er kapitulieren kann.« Lehnt sich zurück. »Was mich betrifft, hätte ich ihm schon längst eins übergebraten.«

»Und Syrien?«

»Ich bitte dich. Schau sie dir an, ein Militärputsch jagt den nächsten. Die sind doch gar nicht in der Lage, Krieg zu führen.«

»Das klang vergangenes Jahr ganz anders.«

Wir wollen einen totalen Krieg ohne Einschränkungen, einen Krieg, der die zionistische Basis zerstören wird.

Syriens Präsident, Zitat Ende.

»Na und?« Arik zuckt die Achseln. »Araber. Kennst sie doch. Die quatschen viel.«

Aber in Israel quatschen sie ebenfalls viel, vor allem im Mai, als sich der Ton aus Damaskus deutlich verschärft. Syriens Verteidigungsminister Hafiz al-Assad erklärt jetzt:

»Unsere Streitkräfte sind nun voll und ganz bereit, den Akt der Befreiung zu vollziehen und die zionistische Anwesenheit im arabischen Heimatland in die Luft zu jagen. Ich als Militär glaube, dass die Zeit gekommen ist, den Vernichtungskrieg zu führen.«

Und Nasser legt nach: »Unser wichtigstes Ziel ist die Vernichtung Israels. Das arabische Volk will kämpfen.«

Das wirkt.

Israels Medien jedenfalls überschlagen sich vor Besorgnis, zumal keine 48 Stunden darauf ägyptische Infanterieeinheiten die entmilitarisierte Suez-Zone besetzen und in den Sinai vorrücken. Arik scheint recht zu behalten. Nasser hat nichts gelernt, er glaubt, Israel sei einer Allianz aus ägyptischen, syrischen und jordanischen Streitkräften ohne westlichen Beistand nicht gewachsen. Würde er sonst eine unzulänglich ausgerüstete Armee zum Einsatz bringen? Er *muss* die Zionisten für demoralisiert halten, worin ihn die israelischen Leitartikel dieser Tage nur bestärken dürften.

Schwarzmalerei in fettesten Lettern.

Aber vielleicht, denkt Jehuda, sind *wir* es ja, die nichts gelernt haben.

Weil unser Geheimdienst die Lage falsch interpretiert und Nasser viel stärker ist, als wir glauben.

Und jetzt schließt er auch noch die Meerenge von Tiran.

Hat angeblich die Gewässer vermint.

Schickt die UNO-Truppen aus dem Land.

Ganz klar eine Kriegserklärung.

Blufft er? Hat er sich in eine Situation hineinmanövriert, die ihm keine Wahl mehr lässt, als den Konfrontationskurs fortzusetzen, um bei seinen arabischen Nachbarn nicht das Gesicht zu verlieren?

Oder unterschätzen wir ihn?

So, wie in Israel zurzeit gequatscht wird, wie die Medien sich gegenseitig hochschaukeln, könnte durchaus Letzteres der Fall sein. In den arabischen Dörfern, bei teerstarkem Kaffee und Wasserpfeife, scharen sich Millionen Analphabeten um das einzige Radio und lauschen der Propaganda ihrer Führer, melodiöse Versprechungen von Sieg und Ehre, von blutiger Rache an den zionistischen Landräubern, von Panzern und gewaltigen Heeren im südlichen Grenzgebiet. Radio Kairo sendet auch in Hebräisch, nicht aus uneingestandener Liebe zu den Juden, sondern damit sie hören können, was ihnen blüht.

Und sie hören.

Und glauben.

Sie sind ebenso empfänglich für Propaganda wie die Muslime, deren Opium das Wort ist, auch wenn die Schlachtrhetorik wenig mit der Wahrheit zu tun hat, aber was ist schon Wahrheit, wo doch jeder seine eigene hat. Israels Wahrheit lautet, dass niemand auf der Welt sich je einen Millimeter von der Stelle gerührt hat, um das Leben eines Juden zu retten, also werden sie auf sich allein gestellt sein, und wenn nur die Hälfte dessen stimmt, was da übers Radio reinkommt –

Die Moral sinkt wie ein Barometer bei Sturm. Als Jehuda am Morgen des 26. Mai durch den Frühdunst zur gleißenden Fläche des Sees hinunterreitet, wo die Installationsarbeiten des Bewässerungsnetzes trotz Raketenwarnungen weitergehen, sieht er die Rauchsäule schon von Weitem.

Ruft Yousef über Funk.

»Reite zurück«, sagt Yousef. »Du hast schulfrei.«

»Was ist passiert?«

»Alle wohlauf. Die Syrer haben eine Rakete in unser Westlager geschossen.«

»Und?«

»Komplett runtergebrannt.«

»Scheiße.«

Einen Augenblick hat er gehofft, sie hätten Ziegenställe getroffen. Jehuda ist ein mitfühlender Mensch, aber verschmorte Ziegen wären ihm lieber, als die teuren Geräte und Materialien im Westlager vernichtet zu wissen. Während er noch über die Folgen nachdenkt, erklingt von jenseits des Sees dumpfer Geschützdonner, und er sieht das silbrige Aufblitzen von Jets hoch am Himmel.

Syrer?

»Ich komme runter.«

»Nein, dazu besteht keine Notwendigkeit, besser, du –«

Unweit des Lagers wächst eine zweite Rauchsäule empor, gefolgt vom Dröhnen des Einschlags.

»Yousef?«

Geschrei im Funkgerät, Knistern und statisches Rauschen. Das Pferd schnaubt und tänzelt zur Seite, als spüre es die Unruhe seines Reiters.

»Yousef!«

»Jehuda.« Wieder Yousef, jetzt ziemlich gehetzt. »Wir hauen hier ab. Die Soldaten schicken uns weg. Sieh zu, dass du nach Hause kommst, wir sprechen uns später.«

Jehuda starrt hinunter zum Ufer.

Verdammt!

Wendet das Pferd und galoppiert zurück zum Haus.

Denkst du, ich sehe weiter zu, wie die Syrer von da drüben auf euch schießen?

Nicht? Dann tu endlich was, Arik!

Auf der Veranda steht Uri und beobachtet neugierig, wie sich der Explosionsrauch über dem fernen Ufer verteilt. Jehuda springt aus dem Sattel und bringt ihn ins Haus.

»Was ist denn da unten los, Papa?«

»Unser Lager brennt.«

»Waren das die Syrer? Schon wieder?«

»Ja, aber mach dir keine Sorgen.«

»*Ich* mache mir keine Sorgen.« Uri setzt eine ernste Miene auf. »Also nicht um mich. Nur um dich und Mama und das Baby.«

»Keine Bange. Hier oben sind wir ja sicher.«

Schön wär's.

Phoebe kommt ihm entgegen, beide Hände in die Lenden gestützt. So wie ihr Bauch sich rundet, ist er eine einzige Aufforderung, sie unverzüglich zur Entbindungsstation zu bringen.

Beginn neunter Monat.

»Hör mal«, sagt sie. »Eschkol im Radio.«

Und tatsächlich, Levi Eschkol, Premier und Verteidigungsminister in Personalunion, hält eine Ansprache im Rundfunk, dem Zweck geschuldet, sein Volk zu ermutigen. Es lauscht ihm in Feldlagern und Schützengräben, wie das so ist mit Völkern, die sich kein großes stehendes Heer erlauben können, weshalb sie selbst das Heer sind. Ein Heer von Reservisten. Auch Jehuda würde längst in einer Uniform stecken, hätten sie ihn nicht freigestellt.

Das Netafim-Projekt ist zu wichtig.

Also hören sie zu, was der Führer aller Israelis ihnen mitzuteilen hat, während sich 15 Kilometer weiter die syrische Artillerie austobt. Eschkol war nie ein begnadeter Redner, aber heute wirkt er so unausgeschlafen, als hätten sie ihn direkt aus dem Bett vors Mikrofon gezerrt. Von Entschlossenheit keine Spur, dann:

»– könnte es notwendig sein, dass wir Teile unserer Truppen von den Grenzen zurückziehen – verlegen müssen – äh, werden –« Pause. Getuschel. »Zurückziehen oder verlegen? Hier steht beides.«

Phoebe und Jehuda schauen einander an.

»Was faselt der denn da?«

Was immer es ist, denkt Jehuda, bei dem Gestammel könnte man keinem Soldaten den geringsten Vorwurf machen, wenn er seine Uniform auszöge und schleunigst das Weite suchte.

Negev, Camp Shivta

»Eschkol ist ein Idiot«, tobt Arik wenige Tage später, während er über den Exerzierplatz des Militärgeländes stapft, um einen Tross Neuankömmlinge in Empfang zu nehmen. »Tausend Mal hab ich ihm gesagt, er soll Nasser einen Präventivschlag verpassen, jetzt haben wir den Salat.«

Der Salat: Hussein von Jordanien hat Nasser seine Truppen unterstellt, womit Israel ein Dreifrontenkrieg droht:

Im Norden die Syrer.

Im Osten die Jordanier.

Im Süden die Ägypter.

»Und genau *das* wollte ich vermeiden!«

Dafür hat er Rabin unter vier Augen sogar vorgeschlagen, Eschkol zu verhaften. Was Rabin empört von sich wies, um gleich darauf einen Schwächeanfall zu erleiden.

Alles Memmen.

Mehrere Unteroffiziere sind an seiner Seite, lauschen ihrem mono-logisierenden Anführer, der seinen schweren Körper mit erstaunlicher Geschwindigkeit über den Exerzierplatz bewegt. Der Stützpunkt liegt mitten in der Wüste Negev, unmittelbar an der ägyptischen Grenze. In Laufweite findet man Ruinen uralter byzantinischer und nabatäischer Siedlungen, aber die interessieren gerade niemanden. Von den Kaser-nen aus kann man die endlosen Drahtverhaue und Wachtürme auf der anderen Seite sehen. Arik soll hier die 38. Division in Stellung bringen, falls die Ägypter aus dem mittleren Sinai über die Grenze drängen, was er mit Freuden tun wird.

Und noch einiges mehr, geht es ihm durch den Kopf.

Wenn es so weit ist.

Immer noch treffen Zivilisten ein, die sich binnen kürzester Zeit in Soldaten verwandeln. In der Knesset scheinen sie endlich aufgewacht zu sein. Als Jeschajahu Gawisch, Oberkommandierender des Süd-kommandos, in einem Jeep an ihnen vorüberrollt, erfährt er auch, wa-rum.

»Eschkol hat einer Einheitsregierung zugestimmt«, ruft Gawisch ihm zu. »Mosche Dayan ist Verteidigungsminister!«

Arik bleibt stehen. Blickt über das staubige Gelände, die Kasernen, das Durcheinander aus Militärfahrzeugen, Panzern, Kompanien.

Gut, denkt er. Sehr gut!

Sie hatten einige Zerwürfnisse in der Vergangenheit, aber er wusste immer, das würde sich einrenken. Vergangene Woche hat Dayan ihn hier im Negev besucht, und Arik hat ihm in der Enge seines Wohnwa-gens seine Pläne erläutert. Der alte Ärger ist verraucht, jetzt herrscht bestes Einvernehmen zwischen ihnen.

Arik weiß, Dayan wird seine Pläne unterstützen.

Auch seine Alleingänge.

Immer noch ist unklar, ob die Araber bluffen oder wirklich angreifen werden, aber das spielt jetzt keine Rolle mehr.

Angriff

Am Morgen des 5. Juni, 7:14 Uhr, entfalten Cherubim und Seraphim ihre Flügel. Es erhebt sich das Heer der Engel in seiner Herrlichkeit, es schwingen sich auf Gabriel, Michael, Raphael, Raguel, Sariel, Uriel, Jerachmiel, ihr Donner lässt die Himmel erzittern, gewaltig stoßen sie herab auf Israels Feinde und bringen Feuer und Verderben über die Horden des Pharaos, dass dieser in Klagen ausbricht und elend verzagt.

Das Ganze noch mal.

Um 7:14 Uhr starten 183 israelische Kampfjets, dringen unbemerkt in den ägyptischen Luftraum ein und zerstören binnen Stunden zwei Drittel der ägyptischen Luftwaffe, bevor ein einziger Pilot starten kann.

Der Anfang vom Ende.

Alle ägyptischen Flugfelder liegen in Trümmern, da rücken die Bodenstreitkräfte von Zahal schon gegen feindliche Stellungen im Sinai vor. Um kurz nach halb elf ist Ariks Kommandofahrzeug über die ägyptische Grenze gerollt, jetzt dirigiert er Infanterie und Panzerdivisionen nach Süden. Drei Tage nach Kriegsbeginn verwandelt er die Ebene um Nahal in ein loderndes Inferno. Von der 6. Ägyptischen Division bleibt ein glühender Haufen Stahl, Knochen und Asche. Hussein bestreicht Westjerusalem und das Umland Tel Avivs mit Artillerie, Zahal-Einheiten erobern die Jerusalemer Altstadt, hissen die Flagge auf dem Tempelberg, fallen in die Westbank ein und nehmen Kurs auf Amman. Während die Jordanier am fünften Tag verschreckt das Weite suchen, sind die syrischen Verbände, die auf den Golanhöhen stationiert waren, schon vorher in Panik geflohen, zermürbt von massiven Bombardements. Israelische Truppen besetzen die Bergrücken nördlich des Sees Genezareth, den Gazastreifen, das Westjordanland, den Sinai, bereit, in Amman, Kairo und Damaskus einzumarschieren, fehlt nur die Order, aber sie bleibt aus. Niemand hat ein ernsthaftes Interesse daran, Ägypten, Jordanien oder Syrien zu erobern.

Am sechsten Tag ist der Krieg zu Ende.

Und Arik ein Held.

Er hat eine der ausgefeiltesten Schlachten in der Geschichte Israels geschlagen, wenn nicht *die* Schlacht überhaupt. Sie feiern ihn, nennen ihn Genie, ach was, Genie ist noch zu wenig.

Und er?

GENIESST ES.

Ein Hubschrauber bringt ihn zurück nach Tel Aviv, verzückt lässt er den Blick über die weiß schimmernden Strände des nördlichen Sinai streichen, Palmen werfen Schatten im Abendlicht, selbst die Flüchtlingslager bei Gaza lassen sein Herz höher schlagen. Er gestikuliert, schreit gegen den Lärm der Rotoren an, neben sich Mosche Dayans Tochter, die ihm lachend bedeutet, keines seiner Worte zu verstehen, sodass er schließlich einen Stift und einen Fetzen Papier hervorkramt und darauf notiert:

Das alles gehört uns.
Das alles haben wir erobert.
Und versucht die Traurigkeit zu ignorieren, die ihn seit seinem Sieg über die 6. Division befallen hat. Das Entsetzen über den eigenen Erfolg angesichts des Grauens, das Napalm und Panzerbeschuss in der Ebene hinterlassen haben.
Immer noch kann er den Verwesungsgestank riechen.
Die verkohlten Leichen in den ausgebrannten Fahrzeugwracks sehen.
Hunderte. Tausende.
Sein Werk.

Jerusalem

SEIN WERK!
»*Seine* Botschaft an uns!«
Benjamin hält inne. Lässt den Blick über die andächtig lauschenden Schüler und Lehrer wandern, die sich zwischen Wandschränken voller Bücher drängen. Der große Saal in der Jerusalemer Jeschiwat Merkaz HaRaw Kook ist besetzt bis auf den letzten Platz. Hier, in einer der bedeutsamsten Religionsschulen Israels, hat er studiert, nun lehrt er selbst Talmud, Poskim und traditionelles jüdisches Recht.
»Gott hat uns diesen berauschenden Sieg geschenkt, um ein Zeichen zu setzen. In den Geschichtsbüchern wird von den beispiellosen Leistungen unserer Armee zu lesen sein, und ja, sie haben Beispielloses geleistet, aber warum? Weil *Er* sie geführt hat. Im Moment, da ich die israelische Flagge über dem Tempelberg wehen sah, wusste ich, wessen Gnade und Wirken wir unseren Triumph zu verdanken haben.«
Zustimmendes Murmeln. Viele bewegen den Oberkörper rhythmisch vor und zurück. Benjamin sieht ältere Männer mit kräftigen, grau durchsetzten Bärten, vor allem aber junge, sichtlich ergriffen, die meisten noch mit Flaum auf den Wangen.
Unsere Zukunft, denkt er voller Stolz.
»Die heilige Erneuerung des israelischen Volkes, jetzt erst beginnt sie richtig, da wir in biblischen Grenzen leben. Eretz Israel ist keine Vision mehr, die Wiederbesiedelung nicht aufzuhalten.«
»Gott sei gepriesen!«
Moshe Levinger, gleich in der ersten Reihe.
Reckt die Faust.
Benjamin betrachtet ihn. Levinger ist einige Jahre jünger, sieht aber

älter aus. Ein unscheinbarer Brillenträger, den man allzu leicht unterschätzt, bis er einem die Gesichtsknochen zurechtrückt. Kennt keine diplomatischen Zwischentöne, ganz anders als Benjamin, doch sie eint dieselbe, tief empfundene Sehnsucht.

Levinger kann noch nützlich sein.

»Ja«, sagt er. »Gott sei gepriesen. Und beginnen werden wir auf dem Boden des Stammes Juda, der Wirkstätte Abrahams und Davids.«

Lässt eine Pause verstreichen.

»In Kiryat Arba! In Hebron!«

Tel Aviv

Ein Dutzend Männer, über eine Karte gebeugt.

Ariks rechter Zeigefinger schreibt Geschichte.

Er berührt das Papier da und dort, zieht Linien, kreist Gebiete ein. Jede Berührung hat unmittelbare Auswirkungen, Kompanien setzen sich in Bewegung, Bautrupps und Logistiker nehmen die Arbeit auf.

»Vieles müssen wir nur geringfügig anpassen. Hier und da sind die Zufahrtsstraßen demoliert, einiges haben wir selbst zerdeppert, aber das meiste können wir so übernehmen. Die Militärbasis bei Shechem haben wir sozusagen besenrein vorgefunden.«

»Dort befindet sich jetzt die Infanterieschule«, ergänzt Moshe Dayan.

»Und hier? Was kommt hier hin?« Levi Eschkol markiert das Gebiet zwischen Nablus und Ramallah.

»Neue Rekruten, Fallschirmjäger und Militärpolizei. Gebäude und Infrastruktur sind weitgehend intakt, nur in Qabalan müssen wir neue Unterkünfte hochziehen.«

»Teuer«, merkt einer der Generäle an.

»Es käme uns teurer, darauf zu verzichten.«

»Wie lange brauchen Sie für die erste Umzugswelle?«

»Das geht schnell.« Arik lächelt selbstzufrieden. »Bei Shechem herrscht praktisch schon militärischer Alltag.«

Soll heißen, Zahal betreibt in diesen Gegenden seit Kurzem ein paar brandneue Ausbildungslager. Was keiner weiteren Erwähnung wert wäre, lägen die Einrichtungen nicht östlich der Grünen Linie. Es war Ariks Idee, die fluchtartig verlassenen Kasernen der Jordanier im Westjordanland zu israelischen Stützpunkten umzufunktionieren, erstens, um die Gebiete auf diese Weise zu sichern.

Zweitens, kein Plan ohne Hintergedanke.

Militärische Außenposten in Feindesland sorgen für Entspannung entlang der Staatsgrenzen, und da könnte man ja mal die Frage stellen, was nach diesem glorreich errungenen Sieg unter Staatsgrenzen zu verstehen ist.

Fest steht, Westbank, Golanhöhen, Gazastreifen und Sinai liegen unter israelischer Besatzung. Okkupiert, nicht annektiert. Feiner Unterschied. Annexion hieße, sie Israel einzuverleiben, mit allen völkerrechtlichen Konsequenzen. Die Definition lässt keine Missverständnisse zu: Wer annektiert wird, geht im Staatsgebiet des neuen Machthabers auf wie Wermut im Dry Martini, was die Frage aufwirft, ob die Übernahme mit allgemeinem Einverständnis erfolgte. Komplexes Thema. Früher konnte man sich nach Herzenslust bekriegen, und wer den Kürzeren zog, wurde geschluckt; kein römisches, osmanisches, napoleonisches Reich ohne gewaltsame Aneignung, schon, weil es so hübsch einfach war. Man brauchte keine umständlichen Verträge auszuarbeiten, der Staatskörper besaß einfach ein paar Arme oder Beine mehr, und wann hätten Arme und Beine je auf Teilautonomie bestanden.

Damit ist es jetzt vorbei.

Annexion, sprich *jede gegen die territoriale Unversehrtheit eines Staates gerichtete Androhung oder Anwendung von Gewalt*, ist gemäß Artikel 2, Ziffer 4 der Charta der Vereinten Nationen vom 26. Juni 1945 strengstens

VERBOTEN.

Also haben wir es mit Okkupation zu tun. Besatzung. Ausübung von Kontrolle, ohne indes das kontrollierte Terrain dem eigenen Hoheitsgebiet zuzuschustern.

Das Dumme daran: Laut Charta ist Okkupation ebenfalls VERBOTEN.

Jedenfalls als Dauerzustand, und das frustriert. Du besetzt eine fremde Wohnung, darfst aber das Kinderzimmer nicht mit deinem Nachwuchs bevölkern. Deutschland beispielsweise. Okkupiert, nicht annektiert. Steht formell unter Besatzung, ohne darum gleich 51. Staat der USA geworden zu sein, selbst die Sowjets ziehen es vor, einen Hampelmann für sich tanzen zu lassen, Franzosen und Briten sind vom Kolonialismus sowieso bedient, keine der Siegermächte will in Deutschland auf Dauer durch bloße Militärpräsenz vertreten sein. Kostet nur ein Heidengeld, ohne dass man sich häuslich niederlassen darf, also raus hier, lieber heute als morgen.

Da fassen sich die Völkerrechtler schon mal in Geduld.

Darum tolerieren sie auch, dass Israel nichtisraelisches Land durch

Militärbasen und Wehrdörfer sichert, bis die Friedensverträge unter Dach und Fach sind.

Weil sie erwarten, dass Israel sich dann zurückzieht.

Und genau darum kippt die Stimmung, als Arik den Teilnehmern der Runde darlegt, wo er im Umkreis der Stützpunkte die Familien der Soldaten anzusiedeln gedenkt, und Eschkol lapidar sagt:

»Gar nicht.«

Arik versteht nicht.

Wäre Ben Gurion noch Premier, würde das Gespräch jetzt im Stil einer Vater-Sohn-Debatte weiterlaufen, doch der Raum ist voller missgünstiger Generäle, denen er mit seiner Arroganz schon zu oft auf die Füße getreten ist, und Eschkol hat eigene Vorstellungen. Er schätzt Arik als Brecheisen, selbst fährt er eine Politik der Verständigung. Hat Lyndon B. Johnson weitreichende Beistandsversprechungen abgerungen, als erster jüdischer Premier diplomatische Beziehungen zum runderneuerten Deutschland geknüpft. Israels Ansehen in der Welt ist sein Kapital und Eschkol niemand, der Kapital leichtfertig verspielt.

»Wir werden die Gebiete ausschließlich militärisch sichern.«

»Es würde die Lage der Stationierten enorm verbessern«, versucht es Arik ein weiteres Mal.

»Unserer Reputation würde es schaden.«

»Familien gehören zusammen. Darf ich auf die Erfahrungen der Vergangenheit verweisen? Der Staat Israel existiert nur, weil Juden durch Besiedlung Tatsachen geschaffen haben. Der einzige Weg, Terrain langfristig zu sichern, ist, darauf zu leben.«

»Mein lieber Scharon –«

»Wir haben jede Menge Platz da!«

»Aber nicht das Recht.«

Arik pumpt Luft in seinen mächtigen Brustkorb, er ist überhaupt ziemlich mächtig geworden über die Jahre, an Einfluss wie an Leibesfülle, aber gerade läuft er gegen eine Mauer. Problematisch nur, dass der Runde so viele Regierungsvertreter, Geheimdienstler und hohe Militärs angehören, weshalb er nicht rumpoltern kann wie sonst, wenn er mit Dayan alleine ist. Beziehungsweise, für Arik wäre es wohl weniger ein Problem, für Dayan schon, dem nicht entgeht, wie soeben größere Reserveeinheiten Blut in die Stirnader seines Generals verlegt werden.

»Können wir gerade mal unterbrechen?«, fragt er Eschkol leise. »Ich muss telefonieren.«

»Natürlich. Eine Kaffeepause täte uns allen gut.«

Dayan nickt Arik im Rausgehen zu.

»Bibliothek.«

Bibliothek? Die liegt am entgegengesetzten Ende des Gebäudes. Warum sollen sie bis in die Bibliothek marschieren?

»Baumängel.«

»Baumängel?«, echot Arik.

»Dünne Wände überall, schlecht isoliert.«

»Und darum gehen wir in die Bibliothek?«

»Ja.« Dayan macht eine Kopfbewegung zu den Kaffee trinkenden Männern. »Damit sie dich hier nicht rumbrüllen hören.«

Arik brüllt nicht.

Er steht nur kurz davor. Durchmisst den Raum, als wolle er eine Furche in den Boden laufen.

Dayan schaut unbeeindruckt zu.

»Doch, Arik, es *ist* ein Unterschied.«

»Dann erklär ihn mir!«

»Die Stationierung von Militär auf gegnerischem Gebiet ist eine vorübergehende Maßnahme. Die Ansiedlung von Zivilisten ist weit mehr als das.«

»Es sind Soldatenfamilien.«

»Na und?«

»Sie wohnen praktisch in den Kasernen.«

»*Praktisch* nach deinem Verständnis bedeutet, ihnen schmucke kleine Siedlungen zu bauen.«

»Es bleiben Militärstützpunkte.«

»Es wären *Siedlungen*. Du darfst deine Steinchen ja nach Herzenslust auf dem Spielbrett verteilen, aber du solltest sie nicht dort festkleben. Wenn wir Soldaten in die Westbank schicken, können wir sie jederzeit wieder abziehen. Mit Familien ist das was anderes.«

»Und warum?«

Dayan rollt sein verbliebenes Auge.

»Stell dich nicht dümmer, als du bist. Du baust ihnen Häuser, Eigenheime, eine Infrastruktur, schaffst ihnen eine Heimat. Willst du ihnen das in drei, vier Jahren wieder nehmen, wenn wir uns aus der Westbank zurückziehen?«

»Wer sagt denn, dass wir das tun?«

»Wer sagt, dass wir es nicht tun?« Dayan seufzt. »Spielt aber auch keine Rolle. Im Moment, da du Zivilisten in die Westbank lockst, erfüllst du den Tatbestand ziviler Besiedelung. Und das signalisiert aller Welt: Wir wollen hierbleiben. Dauerhaft. Verstehst du? Wir werden als

Landräuber dastehen, und Friedensverhandlungen kannst du dann vergessen.«

»Landräuber!« Arik schnaubt unwillig. »Schau dir die Westbank an, man kann Tage hindurchlaufen, ohne jemandem zu begegnen –«

»Du zitierst David.«

Ben Gurion, der gesagt hat, man könne tagelang durch Judäa und Samaria streifen, ohne einer Menschenseele zu begegnen, weniger verklausuliert: Dies ist ein Land ohne Volk für ein Volk ohne Land.

Jeder bediene sich selbst.

»Und er hat recht, verdammt noch mal! *Wem* gehört denn hier *irgendwas*? Golan, Sinai, einverstanden, das war syrisches, ägyptisches Staatsgebiet, aber Judäa und Samaria? Wo sind sie denn, die *rechtmäßigen* Eigentümer? Bauern, Ziegenhirten, Analphabeten! Jahrhunderte lebten sie unter osmanischer Herrschaft, dann kamen die Briten, und als die gingen, haben die Jordanier sich hier breitgemacht. Jetzt sind wir eben da. Es gab nie einen souveränen palästinensischen Staat, dem wir Land hätten wegnehmen können, also ist niemand da, dem wir es *zurückgeben* könnten.«

»Der UN-Teilungsplan –«

»Zeig mir die legitimen Herrscher Palästinas! Die Handvoll Araber etwa, die im 7. Jahrhundert von der Halbinsel kamen und auch nichts anderes taten, als Militärkolonien zu errichten? Die Römer?«

»– wurde von uns anerkannt, und damit das Recht der Araber auf ihren eigenen Staat.«

»Ein Recht, das sie verwirkt haben.«

Dayan schweigt. Arik stemmt die Fäuste auf die Tischplatte und beugt sich zu ihm vor.

»Wenn du wirklich wissen willst, Moshe, wem dieses Land gehört –«

»Oh nein.« Dayan hebt beide Hände. »Komm mir jetzt nicht mit der Bibel. Nicht mit Religion. Nicht du.«

Arik, bekannt für seinen Appetit auf Schweinerippchen, wenn sie hübsch knusprig gebraten sind.

»Es geht nicht um Religion«, schnaubt Arik. »Es geht um Sicherheit.«

»Sicherheit.« Dayan schaut auf die Uhr. »Na schön. Ein paar Minuten haben wir noch. Komm mal mit.«

Am Ende des Flurs geht es rechts zum großen Konferenzraum, wo die anderen ihren Kaffeedurst inzwischen gestillt haben dürften. Dayan hält sich links, bugsiert Arik in sein Büro, nimmt einen Schnellhefter vom Schreibtisch und reicht ihn rüber.

Arik liest, was auf dem Deckblatt steht.

»Ein Gutachten?«

»Ein Vorgutachten. Die endgültige Ausfertigung bekommen wir in zwei bis drei Monaten.«

»Wer hat das in Auftrag gegeben?«

»Wir.«

»Wer ist wir?«

»Die Regierung. Eschkol, ich und ein paar andere.«

Arik blättert die Kladde auf.

Wenn der kurze Text der Rechtsberater seinen Niederschlag im offiziellen Gutachten findet, bedeutet es nichts anderes, als dass jede Besiedlung okkupierter Territorien durch Zivilisten das Völkerrecht verletzt und damit illegal ist.

Na bravo, denkt er.

»Warum weiß ich davon nichts?«

Dayan zuckt die Achseln.

»Weil es eben erst auf meinen Schreibtisch flatterte. Ich hatte keine Gelegenheit, es dir vor dem Meeting zu geben, eigentlich ist es nur für Eschkols und meine Augen bestimmt. Also halt die Klappe, ja? Wenn wir gleich wieder da reingehen, bist du gewappnet. Tu einfach so, als hättest du den Vorschlag von vorhin gar nicht gemacht.«

Arik starrt auf das Papier.

»Das wollt ihr doch wohl nicht veröffentlichen?«

»Doch, wir wollen es in großen Lettern an die Pyramiden schmieren, wenn wir im September Kairo eingenommen haben.« Dayan schüttelt den Kopf. »Was glaubst du eigentlich?«

»Das ist pure Munition.«

»Allerdings.«

»Gegen uns.«

»Gegen solche, die behaupten, wir würden uns nicht ernsthaft mit dem Thema auseinandersetzen. Selbstverständlich bleibt es unter Verschluss. Ändert aber nichts.«

Arik lächelt dünn.

»Ich will dir mal was sagen, Moshe. Ich bin kein Prophet, ich kann nicht in die Zukunft sehen, aber eines spüre ich ganz deutlich, und zwar hier.« Streicht über seinen Bauch. »Es wird keine Friedensgespräche geben. Nicht, weil *wir* nicht wollen, sondern weil *die* nicht wollen. Und je länger es keine gibt, desto mehr werden eure Positionen aufweichen. Höre meine Worte: Binnen Jahresfrist schießen die Siedlungen in den umstrittenen Gebieten nur so aus dem Boden.«

Pfeffert die Kladde zurück auf Dayans Schreibtisch.
»Und das hier kannst du in den Reißwolf stecken.«

See Genezareth

Phoebe reicht Jehuda die *Haaretz* rüber:
»Schau mal auf Seite acht.«
Jehuda ist schon auf dem Sprung, mit Yousef am Ostufer des Sees
Genezareth verabredet, wo die zerstörten Lager wieder aufgebaut wer-
den. Seinen Kaffee in der Rechten, überfliegt er den Text der ganzseiti-
gen Anzeige, stutzt und liest ihn noch mal.

*Unser Recht, uns gegen die Vernichtung zu verteidigen, gibt uns
nicht das Recht, andere zu unterdrücken. Eine Besatzung führt zu einer Fremdherrschaft. Eine Fremdherrschaft führt zum Widerstand. Widerstand führt zu Unterdrückung. Unterdrückung führt zu Terror und
Gegenterror. Die Opfer des Terrors sind in der Regel unschuldige Menschen. Das Behalten der besetzten Gebiete wird uns in ein Volk von
Mördern und Ermordeten verwandeln. Verlassen wir die besetzten Gebiete sofort.*

»Kein Unterzeichner«, wundert er sich.
»Ich weiß, wer dahintersteckt.« Phoebe räumt Geschirr in die Spüle.
»Hab läuten hören, Haim Hanegbi sei mit dem Text und einem Bündel
Bargeld in der Hand bei *Haaretz* reinmarschiert.«
»Der Journalist?«
»Genau der.«
»Warum hat er nicht unterschrieben?«
»Wahrscheinlich, damit's überhaupt einer liest.«
Hanegbi ist Mitglied einer linken Gruppierung aus hebräisch und
arabisch sprechenden Israelis namens Matzpen, die sich von den hie-
sigen Kommunisten abgespalten hat. Deren moskauhöriger Kurs ging
den Matzpen-Aktivisten zu weit, was aber schon ihre einzige gemäßigte
Haltung darstellt. Tatsächlich sind sie um einiges radikaler als die Kom-
munisten. Unterstützen offen den Befreiungskampf der palästinensi-
schen Araber, wenden sich gegen die zionistische Philosophie, wonach
Staat und jüdisches Volk untrennbar verbunden sind, fordern die Ein-
gliederung Israels in eine sozialistische Föderation des Nahen Ostens.
Alles Positionen, mit denen sie auf der Beliebtheitsskala noch hinter
Kopfläusen rangieren.
Die meisten Israelis hassen sie. Der Sechstagekrieg hat ein Klima ge-

schaffen, in dem Linke und Friedensaktivisten nicht gerade aufblühen. Wenn also im Moment irgendwo Hanegbis Name drüber- oder druntersteht, beschlägt den Leuten gleich die Brille.

»Es sind mehrere, die mitgemacht und nicht unterschrieben haben«, sagt Phoebe. »Schätze, das Geld mussten sie bar auf den Tisch legen, damit *Haaretz* das Pamphlet überhaupt druckt.«

»Und was denkst du darüber?«

Phoebe gibt ihm einen Kuss und lächelt.

»Ich denke, dass ich dich schon wieder viel zu lange von der Arbeit abgehalten habe.«

»Im Ernst.«

Sie zuckt die Achseln. »Was denkst *du* darüber?«

Wenn er das bloß wüsste.

Er entsinnt sich eines flammenden Plädoyers, das er seinem Bruder Benjamin in Kfar Malal gehalten hat, 20 Jahre muss das her sein oder länger. Damals hat Jehuda die Meinung vertreten, jeder Versuch, sich Gebiete jenseits der Grünen Linie anzueignen, sei ein aus nationalistischem oder religiösem Wahn beschrittener Holzweg, der unweigerlich Tod und Verderben zur Folge haben müsse.

Aber die Lage ist eine völlig andere.

Natürlich bemächtigen sich die Nationalreligiösen des Themas, sie sind im Aufwind wie kaum je zuvor. Dieser Sieg kann nur von Gott gegeben sein. Die Erlösung hat begonnen, selbst beinharte Atheisten zweifeln neuerdings, ob da nicht höhere Gewalt im Spiel war. Einer nach dem anderen kommen die Hardliner aus der Deckung, und anders als früher werden sie mit Applaus bedacht. Eine »Großisrael-Bewegung« formiert sich, die keinen Zweifel daran lässt, den Messias unter Einsatz aller Mittel herbeisiedeln zu wollen. Jedes Fleckchen Westbank, das der Premier zur zivilen Nutzung freigibt, bringt die Gläubigen ihrem Ziel näher, und natürlich haben sie weiterreichende Vorstellungen von Eretz Israel als die paar Quadratkilometer, die Eschkol nun doch annektieren will. Dessen Strategie zielt darauf ab, die Araber mit der Freigabe kleinerer Gebiete für Siedlungszwecke derart zu verschrecken, dass sie sich zu Friedensgesprächen gezwungen sehen, um Schlimmeres zu verhindern.

Bloße Taktik also.

Doch bloße Taktik nimmt Gott übel.

Wegen taktischer Winkelzüge wird sich der Messias nicht herbei bequemen, und ist es denn Zufall, dass die eroberten Gebiete Israel genau zu jenem Ganzen komplettieren, das in der Bibel als LAND ISRAEL beschrieben wird? Kann man diese Zeichen überhaupt missdeuten? Zeigt sich hier nicht ganz klar die Verheißung?

Mag sein.

Jehuda kann nichts Derartiges erkennen.

Für ihn zeigt sich lediglich, dass die Araber selbst Schuld tragen an ihrer verfahrenen Lage. In seinen Augen ist der Ausgang des Sechstagekrieges weder Resultat höheren Wirkens noch Anlass, 2000 Jahre alte Grundbucheintragungen zu thematisieren. Die Gebiete sind an Israel gefallen als Ergebnis eines Präventivschlags, der erforderlich wurde, um die eigene Vernichtung abzuwenden.

Sie zu besetzen, ist nur legitim.

Aber auch, sie zu behalten?

Zu besiedeln?

Jehuda steht unschlüssig in der Tür. Zu kompliziert im Augenblick.

»Ich muss dann mal.«

Am selben Abend schleppt er Yousef und Fatima zum Essen mit nach Hause, und da liegt ein Exemplar von *Maariv* auf dem Tisch, Israels auflagenstarker Abendzeitung.

»Seite 24«, ruft Phoebe aus dem Arbeitszimmer.

Sie muss einen Artikel für *haOlam haZeh* fertigstellen, ein linksliberales Nachrichten- und Unterhaltungsmagazin, darum hat Jehuda sich bereit erklärt zu kochen. Die Arme sind ihm lang von Tüten voller Lebensmittel, Yousefs Nase ragt knapp über einen riesigen Pappkarton. Beide sind beladen wie Packesel, also schnappt sich Fatima die Zeitung.

»Noch so eine Anzeige«, sagt sie. »Großformat.«

»Worum geht's?«

»Soll ich vorlesen?«

Jehuda wuchtet die Tüten auf den Küchentisch.

»Sei so gut.«

»Der Sieg der israelischen Armee im Sechstagekrieg hat das Volk und den Staat in eine neue und schicksalhafte Ära gestellt. Das vollkommene Land Israel ist jetzt in den Händen des jüdischen Volkes, und so wie wir nicht das Recht haben, auf den STAAT ISRAEL zu verzichten, sind wir verpflichtet, das zu erfüllen, was dieser Staat uns nun in die Hände gab: DAS LAND ISRAEL.«

Jehuda nimmt ihr die Zeitung aus den Händen.

»Jetzt geht's aber los«, sagt er.

Liest weiter:

»Wir sind zur Treue der Vollständigkeit unseres Landes verpflichtet,

317

sowohl für dessen Vergangenheit als auch für dessen Zukunft, und keine Regierung in Israel hat das Recht, diese Vollständigkeit aufzugeben. Die heutigen Landesgrenzen sind die Garantie für Sicherheit und Frieden – und auch für eine totale nationale Stärke, materiell und geistig. In diesen Grenzen wird allen Bewohnern Freiheit und Gleichheit, die dem Staat Israel zugrunde liegen, zuteilwerden, ohne Unterschiede.«

»Da bin ich aber beruhigt«, spottet Yousef, schnappt sich ein Messer und beginnt, Karotten zu schneiden.

»Ich nicht.« Phoebe kommt aus dem Arbeitszimmer, bricht ein Stück Staudensellerie ab und beginnt daran zu knabbern. »Diesmal gibt es übrigens Unterzeichner.«

Und wer da nicht alles unterzeichnet hat! Praktisch die komplette intellektuelle Elite des Landes. Der Dramatiker Nathan Altermann, von Ben Gurion so sehr verehrt, dass er ihn nur Nathan der Weise nennt, Literaturnobelpreisträger Samuel Agnon, Mystiker Uri Zvi Greenberg, Volksdichter Haim Gouri, und so weiter.

»Tja«, sagt Jehuda.

»Tja?«, wiederholt Phoebe mit vollem Mund. »Ist dir aufgefallen, welche Rolle sie dem Staat zukommen lassen?«

Yousef hält mit Schneiden inne, rekapituliert. »Keine Regierung Israels hat das Recht –«

»– die Vollständigkeit des Landes aufzugeben«, ergänzt Fatima. »Staat ohne Mandat.«

»Ganz genau, ihr Süßen. Der Premier wird ausgehebelt. Nicht nur Eschkol. Jeder Premier wird ausgehebelt.«

»Grenzen von Gott gewollt.«

»Unverhandelbar.«

»Dummes Zeug.« Yousefs Rechte wiegt das Messer in stetem Rhythmus, produziert ansehnliche Häufchen orangeroter Scheiben von gleichmäßiger Dicke. »Muss ich als Moslem euch daran erinnern, dass ihr Juden unentwegt mit Gott verhandelt? Abraham hat mit ihm gefeilscht, Moses hat mit ihm gefeilscht, ihr feilscht doch andauernd mit ihm. Wir dürfen das nicht.«

»*Inschallah*«, gähnt Phoebe und plündert eine Tüte Backpflaumen.

»Blödsinn.« Fatima stößt mit ihrem Finger Dellen ins Papier. »Das da ist ein politisches Statement.«

»Wer's glaubt.«

»Freiheit und Gleichheit aller Bewohner? Klingt politisch.«

»Klingt nach Pathos«, sagt Yousef. »Und Pathos ist über die Wahrheit vergossener Zement.«

»Uff«, stöhnt Jehuda. »Wo hast du das denn her?«

»Schick, hm?«

»Pulitzerpreis-verdächtig.« Phoebe greift in den Möhrenhaufen.

»Was gibt's eigentlich zu essen?«

»Nichts, wenn du unsere Einkäufe weiterhin in dieser Geschwindigkeit verdrückst.«

»Korianderhühnchen mit Gemüsereis«, verkündet Jehuda.

»Lecker.«

»So oft, wie ihr arabisch esst, habt ihr jedenfalls zur Gleichstellung aller Bewohner schon erheblich beigetragen«, stellt Fatima fest.

»Stimmt.« Phoebe wirft noch eine Nuss ein. »Ihr dürft sogar mit uns am Tisch essen.«

In diesem Haushalt kann man über so was lachen.

Doch eigentlich ist es nicht lustig.

Weil die Araber, die bei Staatsgründung in Israel geblieben sind, zwar die israelische Staatsbürgerschaft erhielten, bis vergangenes Jahr jedoch unter Kriegsrecht standen: keine unerlaubte Entfernung vom Wohnort, kein ungehindertes Reisen, Untersuchungshaft ohne Angabe von Gründen, willkürlich verhängte Sperrstunden, spontane Ausweisung.

Damit ist es vorbei, was nicht darüber hinwegtäuschen kann, dass Freundschaften wie die zwischen Phoebe, Jehuda, Fatima und Yousef die absolute Ausnahme sind. Die meisten Muslime leben im Ländlichen, wo sie unter sich bleiben, in den Städten bringen Juden und Araber einander immerhin nicht gegenseitig um. Koexistenz ist die Freundschaft der Realisten, zweitklassig behandelt zu werden vorherrschende Gefühlslage unter arabischen Israelis.

Daran gemessen klingt der *Maariv*-Text gar nicht so übel.

Sie diskutieren noch ein bisschen, während es über den Golanhöhen dunkelt und der See Genezareth ein prachtvolles Farbenspiel von Azur über Blaurosa bis zu tiefem Indigo durchläuft. Die Zeitungen liegen auseinandergerupft auf dem Arbeitstisch in der Küche.

Morgen werden sie Altpapier sein.

Was drinsteht, wird das Land verändern.

Unter dem Zement aus Pathos gärt es, rivalisieren gegeneinandergerichtete Kräfte, schaffen ein Israel, das nie wieder dasselbe sein wird wie vor 1967, vor diesem phänomenalen, fatalen Sieg.

Was für ein Israel wollt ihr eigentlich?, fragen die USA in diesen Tagen.

Die Reaktion ist ein Stimmengewirr.

Die Antwort nicht zu verstehen.

Doch Benjamin kennt sie.

»Das Land Israel – und bitte beachten Sie, ich rede nicht vom *Staat* Israel! – gehört den Juden. Wenn wir diesen Anspruch heute geltend machen, dann nicht alleine in der Absicht zu siedeln, sondern in der Absicht zu herrschen.«

»Über wen wollen Sie herrschen?«, fragt die englische Reporterin.

Benjamin hält inne, ordnet seine Gedanken.

»Die grundlegende Bedingung für die Vollendung des Zionismus ist die Inbesitznahme von Judäa, Samaria, Gaza und Golan. Dank höherer Fügung konnten wir diese Gebiete vergangenes Jahr zurückerobern. Für Sie mag das wie Kriegsglück erscheinen, wir erkennen hier eindeutig Gottes ordnende Hand.«

»Das heißt, Sie wollen über die Araber herrschen?«

»Scher dich zum Teufel, du Sau.«

Sagt er natürlich nicht.

Verbalausfälle sind Moshe Levingers Programm. Benjamin gibt den Gentleman unter den Radikalen, und gerade setzt er sein verbindlichstes Lächeln auf.

»Es ist eine atavistische Neigung, über irgendwen herrschen zu wollen. Natürlich respektieren wir das Recht aller sogenannten Palästinenser auf Selbstbestimmung, nur eben nicht im Heiligen Land. Sie fühlen sich der arabischen Nation zugehörig? Wunderbar. Es gibt reichlich arabische Staaten, in denen sie sich verwirklichen können.«

»Aber Palästina ist ihre Heimat.«

»Sind Sie sicher? Würden Juden nach England gehen, Kent, Sussex und Cornwall besetzen und dort ihre Unabhängigkeit ausrufen? Nein. Und warum nicht? Weil es nicht unser Land ist. Ebenso wenig wie Palästina das Land der Araber ist. Denken Sie nach.«

Was sie tatsächlich tut, er kann ihr beim Denken regelrecht zusehen. Weil sie es nämlich nicht weiß.

Eine kleine Reporterin, beflissen empört und sicherlich fähig, jede UN-Resolution im Wortlaut nachzuplappern, ohne je einen Blick in die Bibel geworfen zu haben. Müsste sie nicht allmählich mit den Vereinten Nationen angerückt kommen?

»Die UN bezeichnen die Besetzung des Westjordanlandes als völkerrechtswidrig.«

Treffer.

»Und vom Standpunkt der UN aus betrachtet ist das sogar richtig.«

Benjamin nickt verständig. »Im Gesetzeskanon nichtjüdischer Völker muss es bindende Übereinkünfte geben hinsichtlich der Souveränität von Völkern und Staaten. Nur dass die Juden das *auserwählte* Volk sind. Verstehen Sie? Damit unterstehen wir keiner irdischen Gesetzbarkeit. Selbst wenn wir *wollten*, könnten wir den Anspruch auf ganz Palästina nicht aufgeben, wir sind gebunden an Gottes Befehl, und Gott hat Abraham das Land Israel unter Eid versprochen.«

»Ihr eigener Premier sieht das anders.«

»Was Sie nicht sagen.«

»Levy Eschkol hat die Besiedlung besetzter Territorien verboten.«

»Würden Sie Moshe Levinger fragen, er würde Ihnen antworten, dass die Heiligkeit des Landes über der des Staats steht.«

»Sie boykottieren den Staat?«

»Ganz im Gegenteil.«

»Das klingt aber so.«

»Wir respektieren ihn, solange er der Besiedlung nicht im Wege steht.«

»Warum ist Ihnen das so wichtig?«

»Das fragen Sie? Ohne Besiedlung keine Erlösung.«

Schon klar, was sie davon hält, wobei sie ganz offensichtlich die Frage beschäftigt, warum er kein bisschen so aussieht, wie sie sich einen schwer religiösen Juden vorstellt.

Gut, er trägt eine Kippa.

Aber wo ist der komische Hut?

Der schwarze Mantel, der rasierte Nacken?

Was ist mit den Schläfenlocken, dem Rauschebart?

Stattdessen Windjacke, offenes Hemd, khakifarbene Hose. Benjamin würde jede Wette eingehen, dass sie keinen Ultraorthodoxen von einem Nationalreligiösen unterscheiden kann, was sie nicht davon abhält zu insistieren.

»– dass sich die Zeiten geändert haben. Sollten Sie nicht –«

Doch er ist abgelenkt.

Ein Tumult weiter vorne, Araber, die sich mit skandierenden Israelis in die Haare kriegen. Steine fliegen, Soldaten bellen Anweisungen, präsentieren drohend ihre Waffen. Benjamin sieht Levinger losstürmen wie von der Kette gelassen, ein paar junge Leute gehen reflexartig in Verteidigungshaltung. Levinger ist nicht groß, breit oder kräftig, aber das ist ein tollwütiges Frettchen auch nicht.

Uniformierte springen hinzu.

Verhindern Schlimmeres.

Araber und Juden, erstmals seit 20 Jahren wieder in Hebron vereint. Könnte man Hass sichtbar machen, er hinge wie giftgelber Nebel in den Straßen.

Levinger schüttelt die Fäuste, wendet sich ab. Er ist noch fahler und hohlwangiger geworden, nicht gerade, was man einen Charismatiker nennt, ausgestattet mit dem Feingefühl eines Alligators, indes ebenso zupackend. Seine Brachialrhetorik kommt bei den aufgeputschten Eretz-Israel-Aktivisten dieser Tage bestens an, Sprüche wie »Land ist wichtiger als Leben« treffen den Nerv der Radikalen, die nichts in ihrem überschaubaren Universum fürchten außer Gott und zwecks Unterstreichung ihrer Entschlossenheit gern mit geladenen Pistolen in der Luft rumfuchteln. Niemand verkörpert ihren heiligen Zorn so kongenial wie der garstige Rabbi, und sein Coup vor sechs Wochen, das war schon hohe Kunst.

Erster Akt, anfüttern.

Gesucht: Familien oder Singles zur Wiederbesiedlung der Altstadt von Hebron. Für Einzelheiten kontaktieren Sie Rabbi M. Levinger.

Prompt melden sich eine Gruppe Jeschiwa-Studenten und sechs Familien, darunter Benjamin und Leah mit ihren fünf Kindern, hinzu kommen Leahs Eltern, Brüder und Schwestern, Levingers Stoßtrupp steht.

Zweiter Akt, einmogeln.

In Hebron hat der Sechstagekrieg einen ökonomischen Krater gerissen. Jordaniens Elite liebte den Ort wegen seiner guten Luft, jetzt siecht er dahin, und im einst so beliebten Al-Naher-Al-Khaled-Altstadthotel wünschen die Gespenster besserer Tage einander Gute Nacht. Da kommt die Gruppe Schweizer Touristen gerade recht mit ihrer Offerte, das Haus auf unbestimmte Zeit zu mieten, 40 Betten auf einen Schlag! Ein Umschlag gleitet über den Tresen, der Reiseleiter legt noch was drauf für die Benutzung der Hotelküche zwecks koscherer Essenszubereitung, denn –

Dritter Akt: Überraschung!

– es sind gar keine Schweizer, sondern Levingers Pilgergruppe, was den arabischen Hoteliers aber erst klar wird, als der Mietvertrag unterzeichnet ist und Levinger die Katze aus dem Sack lässt.

Nun ja.

Beim Geldzählen lässt der Schock nach.

Schließlich kommen schon seit Kriegsende wieder jüdische Pilger her, um am Grab der Patriarchen zu beten. Der Ort ist Juden wie Muslimen heilig, wär nicht das erste Mal, dass sich die Frommen an der Stätte ihrer Verehrung prügeln. Klugerweise hat Dayan mit dem Mufti und dem Bürgermeister Hebrons einen Stundenplan ausgehandelt, nach dem nun der Herr angerufen wird, außerdem schwört Levinger, man wolle hier nur Pessach feiern und dann gleich wieder verschwinden. Pessach kommt, Pessach geht.

Levinger bleibt.

Und zwar, wie er der Presse und den entsetzten Gastgebern jetzt erklärt:

BIS DER MESSIAS EINTRIFFT!

Israels Linke und Intellektuelle laufen Sturm, die Nationalreligiösen wissen sich vor Begeisterung kaum zu lassen. Eschkol würde am liebsten die Rücklauftaste drücken, hat jede zivile Besiedlung ausdrücklich untersagt, da strömen schon Sympathisanten nach Hebron, reist der Religionsminister mit Spendierhosen an, der Arbeitsminister sendet Glückwünsche, Menachem Begin lässt ausrichten: »Seid stark!« Tief besorgt schickt der Bürgermeister Telegramme an Eschkol, El-Fatah habe Terror angedroht, wenn noch mehr jüdische Familien kämen, dies sei eine arabische Stadt. Levingers Leute stürmen seine Residenz, beschimpfen ihn, er verbietet sich ihren »hitlerschen Tonfall«, alarmiert den Militärgouverneur, der ruft in seiner Ratlosigkeit Moshe Dayan an, Dayan kommt schlichten mit der Prinzipienfestigkeit eines Wackelpuddings, womit er im Wesentlichen die Haltung seiner Regierung repräsentiert. Eschkol will es sich mit den Nationalreligiösen nicht verscherzen, sie machen sich hilfreich in Koalitionen, andererseits kann man Levingers Trupp nicht einfach gewähren lassen.

Wo die ganze Welt schon guckt.

Einen Teil der Entscheidung nimmt ihm der Hotelier ab, indem er die unliebsamen Gäste kurzerhand auf die Straße setzt. Dayan bietet ihnen einen nahe gelegenen Militärstützpunkt an, auf den sie umsiedeln können, einige wollen kämpfen, Levinger bespricht sich mit Benjamin, der rät zum Einlenken.

Und da sind sie nun.

Hocherhobenen Hauptes auf ihrem Weg zu den Militärfahrzeugen, die sie hier rausschaffen sollen.

Bejubelt von den einen, bespuckt von den anderen.

Das Spektakel hat arabische wie israelische Sympathisanten mobilisiert, beide prallen hier aufeinander und haben ihre World Champions im Steinewerfen gleich mitgebracht. Nicht dass Benjamin Angst um sich hätte, auch nicht um Leah, die trotzig ihre Kinder um sich schart, aber genau um die macht er sich natürlich Sorgen.

»– kaum retten.«

»Pardon?«

»Ich sagte, wenn jeder auf der Welt göttliche Landversprechungen bemühen würde, könnten wir uns vor Kriegen kaum retten«, wiederholt die BBC-Frau, während ihr Kameramann rückwärts vor ihnen hergeht und auf Benjamins Gesicht fokussiert. »Müssen Sie nicht einfach anerkennen, dass die Gegenwart neue Fakten schafft?«

Er lächelt tapfer, während ihn seine Hüfte plagt. Mehr denn je, seit er versucht, seinen verkrüppelten Fuß in eine natürliche Haltung zu zwingen, was offenbar keine gute Idee ist. Inzwischen weiß er, dass eine Verbesserung seines Gangs eine Reihe komplizierter Operationen erforderlich machen würde, und auch, dass die Ärzte es damals vermasselt haben, sein Humpeln also aus Pfusch resultiert.

Nun ja.

Gottes Plan.

»Und wo beginnt die Gegenwart?«, fragt er freundlich. »Ich bin sofort bei Ihnen, wenn Sie mir eine brauchbare Definition liefern.«

»Zum Beispiel mit dem UN-Teilungsplan.«

Der Kameramann stolpert, fällt beinahe auf seinen dämlichen Hintern, fängt sich im letzten Moment.

Benjamin muss sich ein Grinsen verkneifen.

»Haben Sie ein Auto?«, fragt er.

Sie runzelt misstrauisch die Stirn. »Was tut das zur Sache?«

»Ich meine, wenn jemand es stiehlt, schafft die Gegenwart dann neue Besitzverhältnisse?«

»Das kann man so nicht –«

»Wenn Ihnen jemand Land überträgt, und Eindringlinge jagen sie daraus fort, ist es dann deren Land oder immer noch Ihres?«

»Kommt drauf an, *wer* mir das Land gegeben hat«, sagt sie schlau.

»Eine Instanz, die das Recht dazu hatte.«

»Sie bemühen einen Gott, von dem kein Mensch weiß, ob es ihn überhaupt gibt.«

»Wissen Sie, ob es ihn *nicht* gibt?«, mischt Leah sich ein, und kurz ändert sich die Tonart. »Wissen Sie das in Ihrem Affenhirn, *Darling*? In Ihrem kleinen Idiotenköpfchen?« Sie schimpft fast schon so virtuos wie Levingers Frau, er muss dringend mal mit ihr reden. Hebt beschwichtigend beide Hände.

»Entschuldigen Sie. Sind Sie Christin?«

»Ja.«

»Glauben Sie an die Zehn Gebote?«

»Ich halte sie für vernünftig.«

»Befolgen Sie sie?«

»Die meisten.«

»Warum? Ihrer Logik nach sind es Vereinbarungen von gestern.«

»Das habe ich so nicht –«

»Zwischen Ihnen und einem Gott, den es vielleicht nicht gibt. Oder?«

»Die Gebote können ebenso gut von Menschen aufgestellt worden sein«, antwortet sie schnell. »Es ist unerheblich, von wem sie kommen, es ändert nichts an ihrer Verbindlichkeit.«

»Sehen Sie? Spielt es eine Rolle, wer uns das Land gegeben hat? Fakt ist, dass es *geschah*, und jetzt bedenken Sie noch eine Kleinigkeit. Hebron war vor dem Unabhängigkeitskrieg bereits von Juden besiedelt. Wussten Sie das? Die Gegenwart mag Fakten schaffen, die schwerer wiegen als jahrtausendealte Versprechen, aber hier geht es um 20 Jahre.«

Ein Soldat drängt zur Eile, lotst sie zu einem Militärtransporter.

Die Frau lässt nicht locker.

»Aber Sie wollen die Palästinenser aus dem Land werfen! Sie wollen alles für sich alleine.«

Benjamin verharrt, einen Fuß bereits im Wagen.

»Wieder falsch, sie können sogar bleiben. Gemäß der Bibel ist ihr Status dann *Ger Toshav*, ständig anwesende Fremde. Und dafür müssen sie sich nicht mal zum Zionismus bekennen. Das wussten Sie auch nicht, stimmt's?«

»Jedenfalls ist Ihre Wiederbesiedlung gescheitert.«

»Keineswegs. Wir bleiben ja hier. Wir ziehen nur ein bisschen hinaus ins Grüne.«

Sie lacht.

Gefall dir ruhig in deiner Überheblichkeit, denkt er.

Wir haben Zeit.

Ich werde am Flussufer sitzen, wenn du vorbeitreibst.

Zwei Wochen später hat sich sein Blickwinkel verändert.

Nicht inhaltlich.

Rein, was den Ausblick betrifft.

Jetzt leben sie auf einem Hügel hinter Stacheldraht, schwer bewacht von Zahal-Einheiten. De facto hat der Militärstützpunkt am Tag ihrer Ankunft aufgehört, einer zu sein, ebenso wenig kann man ihn als Siedlung bezeichnen, oder doch? Immerhin ist Moshe Dayan Levingers Forderung nachgekommen, Quartiere für 160 Personen herzurichten, obwohl sie nicht mal halb so viele sind, sprich, Zuwachs ist einkalkuliert.

Eschkol bleibt kaum noch eine Richtung, in die er weggucken kann.

Weil er Militärstützpunkte nicht verboten hat.

Er hat gesagt: Keine *zivilen* Siedlungen.

Und seit wann ist ein Militärstützpunkt eine zivile Siedlung?

Antwort der Linken: Wenn mehr Zivilisten drauf leben als Soldaten, zumal wenn sie beabsichtigen, sich häuslich dort niederzulassen. Dann ist eine Militärbasis so zweckgebunden wie ein Vogelhäuschen, in dem sich Eichhörnchen niedergelassen haben, aber derlei Spitzfindigkeiten halten den Frommen nicht vom Gebet ab. Sie leben in einer Grauzone, und Grauzonen pflegen sich mit der Zeit zu entfärben.

Bis hin zu reinstem, unschuldigem Weiß.

Einfach aussitzen, rät Arik.

Irgendwann werdet ihr legalisiert.

Natürlich besucht er Benjamin und Levingers Trupp der Getreuen auf ihrem Adlerhorst. Da schauen sie nun gemeinsam zu, wie die Abendsonne Hebrons Dächer und die biblischen Hügel mit Gold übergießt, die kargen Hänge der östlichen Gebirge verschwimmen im Mythendunst, dass Cecil B. de Mille seine Freude dran gehabt hätte, und Benjamin ist glücklich, denn er weiß:

Sie haben gewonnen.

Wen schert es, dass sie umziehen mussten?

Wir sind immer noch hier! Das ist der springende Punkt.

»Und daran wird sich nichts ändern«, verspricht ihm Arik leutselig in die Hand. »Ich weiß noch, wie ich Eschkol vergangenes Jahr gedrängt habe, seine Position aufzugeben. Dass er Siedlungen irgendwann zustimmen *müsse*, weil sich die Araber jeder Lösung verweigern würden. Und haben sie bislang Angebote unterbreitet, die es rechtfertigten, ihnen auch nur eine Handbreit von Judäa und Samaria zurückzugeben?«

»Nein.« Benjamin schweigt eine Weile. »Kein Angebot würde es rechtfertigen.«

Land ist unverhandelbar.

Land ist heilig.

»Ganz deiner Meinung«, nickt Arik. »Eschkol wird weiter aufweichen, Ben, verlass dich drauf. Die Zeit spielt für uns.«

Und da hat er recht. Monatelang haben UN-Sicherheitsrat, Amerika und Sowjetunion Israel gedrängt, endlich einen Tauschhandel mit den Arabern abzuschließen. Land für Frieden, wie sie es nennen. Israel strapaziere das Völkerrecht in der Hoffnung, die Zeit werde legalisieren, was illegal sei. Ein Vorwurf, der Eschkol schwer zusetzt. Der große Sieg beginnt für ihn ungeahnte Probleme aufzuwerfen, den Falken in der Knesset gilt er als Weichei, der Weltgemeinschaft als Buhmann. Er kann fast schon froh sein, dass die UN-Forderungen auch im arabischen Lager verhallen, wo man Israel keinerlei Sicherheiten garantieren will. Solange die Araber auf stur schalten, lässt sich die Belagerung halbwegs rechtfertigen, und jemand wie Arik kann in aller Öffentlichkeit sagen, Land für Frieden scheitere am mangelnden Willen der anderen.

So lange, bis die Welt das Interesse verliert.

Und das wird sie, denn sie hat ein ganz anderes Problem.

Es herrscht Krieg.

Kalter Krieg.

»Ein paar Jahre noch, dann schießen die Siedlungen hier nur so aus dem Boden«, erklärt Arik Benjamin. »Und weißt du, warum? Weil es dann keine Sau mehr kümmert. Es mag jüdisches Schicksal sein, inmitten von Feinden zu leben, aber nicht, uns von ihnen auf der Nase herumtanzen zu lassen. Wir rüsten ihr eigenes Land als Sicherheitspuffer gegen sie auf, wir vermischen unsere Enklaven untrennbar mit ihren. Dann müsst ihr euch nicht mehr in der Illegalität eines Militärpostens herumdrücken.« Er lacht. »Vielleicht zieht ihr ja nach Kiryat Arba –«

Was schon mal gut wäre.

»– oder tatsächlich zurück in die Altstadt von Hebron.«

Noch besser.

Nur die Sache mit der Vermischung –

Da müssen wir noch mal ran, denkt Benjamin. Klar, dass Arik kein Genpool vorschwebt, er will jüdisches und arabisches Leben auf eine Weise verfilzen, bis man es nicht mehr auseinanderdividieren kann, was eine Rückgabe der umstrittenen Gebiete praktisch unmöglich machen würde.

Taktisch geschickt.

Aber Benjamin will überhaupt keine Araber mehr in Eretz Israel sehen.

Nicht, weil er was gegen sie hat.

Wirklich nicht.

Sondern weil die Vision des legendären Oberrabbiners Abraham Jitzchak Kook auch seine Vision ist, mit der schlichten Schönheit eines Lichtstrahls weist sie in die Zukunft: *Zuerst die Erlösung des Landes, dann die Erlösung des Volkes, zuletzt die Erlösung der Welt.*

Und das Volk ist nicht erlöst, solange es sich mit Andersgläubigen den Hauseingang teilen muss.

Das versucht er Arik zu erklären –

Und Arik hört mit halbem Ohr hin, während er sich fragt, ob er Leute wie Benjamin je verstehen wird.

Was geht bloß in deren Köpfen vor?

Verdrehen die Lebensrealität in Erwartung einer endzeitlichen Rettergestalt, so wie die Schiiten überzeugt sind von der Rückkehr des verborgenen zwölften Imams und die Evangelisten der Johannes-Offenbarung entnehmen, dass Jesus zur Erde herabsteigen wird, sobald Israel wieder in biblischen Grenzen existiert.

Und das Schlimmste daran:

Immer muss es erst zur Apokalypse kommen.

Weltuntergang, weil die Ungläubigen ja irgendwie wegmüssen. Ohne finale Schlacht geht es nicht, nur der Gläubige überlebt und erlangt Glückseligkeit, und weil das einigen Gläubigen nicht schnell genug geht, kann man der Apokalypse ja schon mal von eigener Hand auf die Sprünge helfen. Fanatiker wie Levinger wären bereit, durch Ströme von Blut ins Paradies zu waten, ohne sich darum als schlechte Menschen zu empfinden. Ganz im Gegenteil. Die Gerechtesten aller, nur: Apokalypse muss sein!

Frieden hingegen ist ihnen suspekt, weil:

Friedensverträge = Land futsch = Erlösung vertagt.

Ihr habt nicht die geringste Ahnung, was Apokalypse bedeutet, denkt Arik. Wärt ihr mit mir im Sinai gewesen und hättet die verkohlten Leichen der Ägypter in ihren Panzerwracks gesehen –

Aber auch davon würde sich ein Moshe Levinger wahrscheinlich nicht beeindrucken lassen.

Benjamin schon.

Oder? Doch, Ben ist gemäßigt. Trotzdem erstaunlich, wie sich die Kahn-Brüder auseinanderentwickelt haben. Jehuda, wenig nachdenklich und unideologisch, ist der Kumpel geblieben, der er immer war, Ben entfernt sich auf seinem heiligen Streitross zusehends von dem Jungen, der in Kfar Malal an der Seite Wolf Larsens die Meere unsicher machte und mit Jules Verne zum Mond flog.

Eigentlich, denkt Arik, wenn man es genau betrachtet, sind Jehuda und ich die Brüder.

Was den guten Ben mit Eifersucht erfüllt, aber was soll er machen? Sein leiblicher Bruder liebt ihn, doch gemeinsame Themen finden sie kaum noch. Jehuda kann mit dem Erlösungstheater nichts anfangen, weniger noch als ich, den mit Ben zumindest das Interesse an der Besiedlung der eroberten Gebiete verbindet. Und natürlich ist Ben schlau genug, zu erkennen, dass ich nicht von der Thora getrieben werde, er muss sich ja nur mein Zeitungsinterview von vergangener Woche zu Gemüte führen:

SCHARON: Judäa und Samaria waren integrale Bestandteile des Landes, bevor sie 1948 von den Arabern okkupiert wurden. Wir haben sie im Ringen um Israels Sicherheit zurückerobert, wir sollten sie im Interesse unserer Sicherheit behalten.

Was meinen Sie mit behalten? Annektieren?

SCHARON: Schauen Sie, ich möchte Ihnen etwas erklären. Ich bin in Kfar Malal groß geworden, einem Moschaw nördlich von Tel Aviv. Im Schatten arabischer Städte wie Kalkilya, von denen aus jahrzehntelang jüdische Dörfer terrorisiert wurden. Dieser schmale Küstenstreifen, aus dem ich stamme, ist das Herz Israels. Dort finden Sie zwei Drittel aller Israelis, unsere wichtigsten Kraftwerke, den Großteil unserer Industrie, unseren einzigen internationalen Flughafen. Zugleich war die Region der verwundbarste Teil des Landes. Terroristen konnten mühelos über die Grenzen gelangen, ihre Angriffe ausführen und in kürzester Zeit wieder verschwinden. Von den Bergen Samarias aus kann man das gesamte Gebiet überblicken. Und beschießen. Wir haben gesehen, dass feindliche Artillerie vom Westjordanland aus nahezu jeden Punkt im Küstengebiet erreichte. Würden wir die Kontrolle über Judäa und Samaria aufgeben, hätten wir wieder dieselbe prekäre Situation.

Es heißt aber, sie wollten die umstrittenen Gebiete nicht nur militärisch sichern, sondern auch zivil besiedeln.

SCHARON: Wir haben kein Interesse daran, uns das Land der Araber unter den Nagel zu reißen. Wir wollen sie nicht aus ihren Städten vertreiben, wir brauchen weder ihre Äcker noch ihr Vieh. Von entscheidender Bedeutung ist, dass wir die wichtigsten Straßenkreuzungen und Hügel sichern. So haben wir nicht nur die Westbank unter ständiger Beobachtung, sondern auch das Kernland.

Wäre es nicht eine Option, mit Jordanien Frieden zu schließen, Hussein das Westjordanland zurückzugeben und ihn vertraglich zu verpflichten, jeden Terror gegen Israel zu unterbinden?

SCHARON: Trauen Sie den Jordaniern wirklich zu, unsere Sicherheit zu gewährleisten? Selbst wenn sie wollten, könnten sie den Terror unterbinden?

Schon jetzt verletzt Eschkol die Grüne Linie.

SCHARON: Welche Rolle spielt die Grüne Linie? Unser Land kann sich kein großes stehendes Heer leisten, es hat uns immer überfordert, die lange Grenze zum Kernland zu sichern. Das wird einfacher mit den besetzten Gebieten als Puffern. Gaza und Sinai gegen Ägypten, die Golanhöhen gegen Syrien, Judäa und Samaria gegen Jordanien. Wir dürfen die Kontrolle über die besetzten Gebiete nicht wieder aufgeben. Nur so können wir Israel und unserer Hauptstadt Jerusalem den erforderlichen Schutz bieten.

Konsequenterweise müssten Sie mit dieser Haltung jeden Friedensvertrag blockieren.

SCHARON: Nein, keineswegs. Aber ich komme aus einer Familie pragmatischer Zionisten. Wir haben erfahren, dass Juden ihre Existenz in einer feindlich gesinnten Welt nicht allein auf Vertrauen oder Verträge gründen sollten. Trotzdem würde ich keine Option in den Wind schlagen. *(Lächelt.)* Abgesehen davon, dass ich nicht die Regierung bin.

Noch nicht.

Aber das kann sich ja ändern.

Genau!, denkt er. Ich will Sicherheit, Bens Religiöse wollen den Messias herbeilocken. Um meine Ideen durchzusetzen, brauche ich Macht. Macht erfordert Zustimmung. So wie ich polarisiere, werde ich es kaum schaffen, die israelische Mitte geschlossen hinter mich zu bringen, Kriegsheld hin oder her. Also muss ich auf dem Weg zu höheren Ämtern andere Kräfte hinter mich scharen, und dafür muss ich diesen Kräften zuhören.

Er lächelt Benjamin an.

»Erklär mir noch mal ganz genau, wie ihr euch die nächsten Schritte vorstellt.«

Und Benjamin, der schon so oft versucht hat, Arik die Psychologie der Nationalreligiösen nahezubringen, sieht befriedigt, wie bei seinem Gegenüber der Groschen fällt.

Denkt: Tja, alter Freund. Da wären wir. Du bist über die Jahre nicht religiöser geworden als ein Stein. Kehrte der Messias zurück, du würdest Panzer auffahren lassen, weil du glaubtest, er wäre eine Geheimwaffe Nassers, aber welcher Ideologie du anhängst, spielt keine Rolle.

Es zählt nur das Ergebnis.

Also schließen wir einen Pakt, hier und jetzt.

Und helfen uns gegenseitig, zu bekommen, was wir gerne hätten.

2011

Israel, Tel Aviv, 3. November

Es gehört zu den Topoi der Geschichte, dass der Held von seiner Heldenhaftigkeit nichts hat.

Mohammed Bouazizi zum Beispiel endet dick bandagiert in einem Krankenhaus, ohne einen Triumph auskosten zu dürfen, den er selbst sich am wenigsten hätte träumen lassen. Denn wer ist er schon? Nur ein kleiner tunesischer Gemüsehändler, ein Insekt unter dem Stiefel eines allgewaltig scheinenden Polizeistaats, so unerträglich gedemütigt, dass er sich im Dezember 2010 vor der Präfektur seiner Heimatstadt mit Benzin übergießt und anzündet. Er bekommt nicht mehr mit, wie seine Verzweiflungstat Ben Ali, jenen Präsidenten, der noch Tage zuvor in falscher Anteilnahme an seinem Krankenbett herumgelungert ist, aus dem Amt fegt, und hätte man ihm erzählt, sein Tod werde den gesamten nordafrikanischen Raum umwälzen, Bouazizi hätte mit letzter Atemkraft wissen wollen, ob man sie noch alle beieinanderhabe.

Doch genau das geschieht.

Die Medien peppen dem Phänomen ein schickes Label auf, der Arabische Frühling ist geboren. Er greift über auf Ägypten und Libyen, erfasst Syrien, den Jemen und Bahrain, trägt Unruhen nach Saudi-Arabien, Dschibuti und Irak, nötigt die Herrscherhäuser von Jordanien, Marokko und Kuwait zu Reformen und Verfassungsänderungen, erzwingt Rücktritte. Vor allem aber bringt er einen Typus Araber zum Vorschein, von dem der verdutzte Westen bislang gar nicht wusste, dass es ihn gab: säkulare, coole Chatter und Blogger, geborene Demokraten. Keine Fusselbärte im Kaftan schwenken den Koran, niemand verbrennt amerikanische Flaggen. Und das ist neu. Auch wenn Tunesiens Revolution weniger unblutig abläuft, als es sich bei flüchtigem Hinsehen darstellt, Kairos Tahrir-Platz vorübergehend zum Schlachtfeld wird – diese Haltung, dieses Bekenntnis zur Freiheit sind in höchstem Maße bewundernswert. Die arabische Welt definiert sich nicht länger über Fanatiker und Diktatoren.

Sie macht Punkte auf der Sympathieskala.

Und zwar ganz gewaltig.

Seht her, rufen ihre Protagonisten, wir zeigen euch, wie Revolutionen heute abzulaufen haben. Was ihr in Deutschland hinbekommen habt, das können wir schon lange.

Friedlich, friedlich!

Ihr Mantra in Tunesien.

In Ägypten.

Nun ist dieser Ben Ali ein seifiger Kleptokrat, dessen Lächeln die Hochglanzseiten der Gesellschaftsmagazine ziert. Vielleicht nicht ganz so glamourös wie seinerzeit der Schah von Persien, aber doch ein verlässlich erblühender Furunkel am Arsch des Boulevard, mit einer Gattin, deren Gucci-Outfits und 1000-Dollar-Frisuren dem Westen schon reichen, um darin ein Bollwerk gegen den Islamismus zu erblicken, ungeachtet dessen, dass sie die Korruption erfunden haben könnte. Dieser Gentleman-Diktator ist viel zu eitel, um sich von irgendwelchen Revolutionären in die Pomade packen zu lassen. Seine Eitelkeit schlägt sogar noch seine Herrschsucht, darum macht er sich lieber vom Acker, statt den Märtyrer zu geben. Sitzt in seinem saudischen Exil und hadert. War er nicht angetreten, um Gutes zu tun? Hat das Land modernisiert, den Sozialstaat geplant, die Emanzipation der Frau vorangetrieben. Sicher, sein Apparat war repressiv und grausam. Musste er aber doch auch sein, um all die Memmen und Vollidioten, aus denen sich Völker naturgemäß zusammensetzen, an die Kandare zu nehmen. Geschah nicht alles zu ihrem Besten?

Undankbare Schwachköpfe!

Aber Ben Ali hat Stil, er hat nicht die Armee mobilisiert, keinen Bürgerkrieg vom Zaun gebrochen, damit sie ihn hinterher noch mehr dämonisieren können. Lieber gibt er sich in den Weiten der wahhabitischen Paläste, die seine neue Heimat sind, der Verbitterung hin. Seine geliebte Leila hat schnell noch anderthalb Tonnen Gold mitgehen lassen, das sollte fürs Alter reichen.

Machen wir uns nichts vor.

In Tunesien hatten sie einfach Glück.

Mubarak ist aus anderem Holz geschnitzt.

Der Pharao wehrt sich verbissen. Lässt seine Schlägertrupps von der Leine, versucht die Demonstranten zur Gegengewalt zu provozieren. Aber auch er kann nicht verhindern, dass sein Land zum Sinnbild für die Disziplin der Massen wird, die sich weder einschüchtern noch radikalisieren lassen. Der Witz ist ja, es gibt keine Anführer, keine charismatischen Lichtgestalten, die man verhaften, foltern und hinrichten könnte, um der Revolte den Kopf abzuschlagen. Sie entsprießt dem virtuellen Nährboden von Facebook und Twitter, und nichts davon haben die Diktatoren des Nahen Ostens auf dem Schirm, also geht auch Mubarak in die Knie, unter dem Druck friedlicher Proteste. Libyen hat weniger Glück, wird ins Chaos gerissen, was die Woge der Sympathie nur umso mehr anschwellen lässt.

Teufelskerle, diese Revolutionäre!

Denen muss man helfen, denn, Schlussfolgerung des Westens: Die wollen, was wir wollen.

Wollen sie natürlich nicht.

Der Begriff Demokratie ist ungefähr so dehnbar wie ein ausgekauter Spearmint-Strip, kein Mensch kann sagen, wohin das alles führen wird, und dass einige der Teufelskerle, ob wissentlich oder nicht, ebenjenen Kräften zuarbeiten, auf die man in Europa und den USA mit Ausschlag reagiert, steht außer Zweifel, und doch – im Herbst 2011 schlagen die Herzen der freien Welt mit Inbrunst für den arabischen Widerstand.

Und das verändert so einige Sichtweisen.

Israel zum Beispiel fällt in all der Aufregung hintenüber.

Es findet kaum noch statt, und wenn, scheint sich seine Rolle auf die des notorischen Spielverderbers zu beschränken, der überall Khomeini-Klone aus dem Boden wachsen sieht. Netanjahu bangt um die Einhaltung der Friedensverträge, fürchtet eine dritte Intifada, nicht auszudenken, spränge der Funke der Revolution auf die besetzten Gebiete über. Doch die Dinge entwickeln sich mit oder ohne Israel. Ebenso gut könnte er Signale des Respekts und der Ermutigung an Ägyptens Revolutionäre senden. Sich ihnen als Partner anbieten, damit aus dem kalten Frieden der Machthaber ein Frieden der Völker wird. Die festgefahrenen Verhandlungen mit Mahmud Abbas wieder aufnehmen, der Alte soll ja zu allerlei Konzessionen bereit sein. Wann eröffnen sich historische Chancen, wenn nicht in Krisenzeiten?

Doch Netanjahu lässt jede Chance verstreichen.

Eine nach der anderen.

Noch im Januar fordert er die Weltgemeinschaft auf, Mubarak zu unterstützen, im Februar weint er ihm vernehmlich hinterher. Die unschlagbare Pointe des Ganzen ist, dass sich die einzige Demokratie des Nahen Ostens vor nichts mehr zu gruseln scheint als vor der Demokratisierung ihrer Nachbarn, nach dem Motto: Freie Wahlen? Besten Dank, hatten wir schon, im Gazastreifen, und was ist dabei herausgekommen? Die Hamas, also bleibt uns bloß weg mit Demokratisierung.

Da hilft es auch nicht viel, dass Schimon Peres den arabischen Nachbarn im Alleingang Unterstützung anbietet. Netanjahu bleibt stumm. Anstatt Verständnis dafür zu äußern, dass Millionen Menschen sich ihrer diebischen, folternden Despoten zu entledigen wünschen, verharrt er in Beklommenheit. Zu fragmentiert ist die Knesset, mit Splitterparteien gespickt wie ein Minenfeld, lauter militante Minderheiten, die einen ruckzuck die Macht kosten können. Und Netanjahu ist gerne an der Macht.

Divide et impera.

Bloß nichts aufs Spiel setzen, sieht man ja, wohin das führt. Im Frühjahr etwa: Kaum fasst er sich ein Herz und stellt großzügige Gebietsabtritte an einen künftigen Palästinenserstaat in Aussicht, schon geht ihm die Nationale Union an die Gurgel. Klar, er hat es so gewollt, das Bündnis mit den Ultrarechten und Ultraorthodoxen. Aber deren Einfluss nimmt beständig zu. Die Arbeitspartei, einst linkes Gegengewicht, hat nichts mehr zu melden, er damit aber auch nicht. So konservativ kann sein Likud gar nicht auftreten, dass nicht mindestens zehn andere noch viel verbohrter wären. Jede falsche Bewegung empört irgendeine Minderheit, Religiöse, Russen, Alte, Junge, keinem kann er es recht machen, und dann muss er sich zu allem Überfluss auch noch mit Sozialprotesten rumschlagen. Zu Hunderttausenden gehen sie auf die Straße. Nicht dass sie ihn loswerden wollen, Israel ist nicht Ägypten, sie protestieren gegen Wohnungsnot, drückende Steuern, steigende Lebensmittelpreise, das marode Gesundheitssystem, aber es nervt, es nervt gewaltig!

Im Kopf von Netanjahu:

Muss hier sein, dort sein. Aus dem Gazastreifen schießen sie Qassam-Raketen rüber, viele dieses Jahr, der Süden leidet, muss Gegenoffensive starten, Schlag, Gegenschlag, Schlag, Gegenschlag, Islamischer Dschihad schlägt Waffenstillstand vor, schneller gebrochen als vereinbart, Siedler beschweren sich über dies und das, unsere Leute haben ägyptische Grenzbeamte abgeknallt, tragisches Versehen, zu spät, in Kairo stürmen sie die Botschaft, apropos Botschafter, was macht eigentlich unser Botschafter in der Türkei, ach, ausgewiesen, Erdoğan immer noch sauer wegen des Angriffs auf die Gaza-Flotille letztes Jahr, schon klar, neun tote Türken, Augenblick, wie war das, Abbas will im Alleingang einen Palästinenserstaat in den Grenzen von 1967 ausrufen und damit vor die UN ziehen, Affront, Eklat, absolut inakzeptabel, wie kann er das machen, er soll sich verdammt noch mal mit uns zu Friedensgesprächen an den Tisch setzen, ach, die hab ich selbst auf Eis gelegt, egal, Charme-Offensiven aus Ramallah sind nicht gut, wo alle Welt schon so verzückt ist von den meuternden arabischen Massen, oh, Telefon, wie, was hat der ägyptische Übergangspremier gesagt, der Friedensvertrag mit Israel sei nicht mehr sakrosankt, wie heißt der überhaupt, der

Arsch, aber da haben wir's, ich hab's euch ja gesagt, Moment, schon wieder Telefon, was, Anschlag auf Gaspipeline im Sinai, Brandstiftung in israelischer Moschee, Abbas von UN-Delegierten bejubelt, Nobelpreis für Chemie an Israel verliehen –?

Ach so. Das ist was Gutes.

Selten genug.

Aber so sieht es eben aus, dass alle Welt ihn mit Befindlichkeiten triezt, und Obama, dieser Idiot, ist auch nicht gerade eine Hilfe. Wie kann man ihm also unterstellen, er sei unflexibel?

Er ist alles, nur nicht unflexibel!

Mag sein.

Nach außen wirkt er so flexibel wie in Harz gegossen.

Und wenn er sich mal bewegt, scheint es nur zu geschehen, um den Ausbau von Siedlungen zu genehmigen, die dem Friedensprozess im Weg stehen wie Klafterholz. Weshalb die öffentliche Wahrnehmung Israels gerade nicht die allerbeste ist: ein Staat, verkapselt in sich und seinen Ressentiments, störrisch, unbeweglich, unbelehrbar.

So stellt es sich von außen dar.

Von innen betrachtet ist Israel vor allem eines:

Ein Phänomen.

Hagen sitzt an der Ecke Frishman und Sirkin Street vor einem kleinen Bistro und schlürft seinen Tee.

Genießt jeden Schluck.

Ein Strauß frischer Minze, aufgepeppt mit einem Spritzer Limette. Heiß und belebend. Das Zeug spült die Substanzen aus seinem Körper, mit denen er in Damaskus begonnen hatte, sich zugrunde zu richten.

Klärt seinen Geist.

Seit drei Tagen trinkt er nichts anderes mehr.

Von der gegenüberliegenden Straßenseite weht Gesang herüber, ein Kindergarten vielleicht oder eine Schule. Kristallenes Morgenlicht bringt die Architektur ringsum zum Leuchten. Bauhaus, wohin man blickt, frisch getüncht. Das Weiß der Fassaden sticht gegen einen azurblauen Himmel ab, Koniferen und Pinien bilden Oasen dunkler Verschwiegenheit. Alles sehr elegant und geschmackvoll, ein Viertel im Aufwind. Die neue Begehrlichkeit pumpt Geld in seine Arterien, lässt Restaurants entstehen, Cafés und Boutiquen, die sich vor allem in der nahe gelegenen Dizengoff Street eng aneinanderreihen. Gelegentlich schwappt von dort eine Woge Verkehrslärm heran und verebbt, bevor sie sich störend bemerkbar macht. Obwohl Anfang November, zeigt das Barometer noch wohltuende 22 Grad Celsius an, und es ist nicht mal Mittag.

Wie friedlich, denkt Hagen.

Durchatmen im Krisenzentrum der Welt.

Im Auge des Hurrikans.

Denn das ist Israel, nüchtern betrachtet. Eine trügerische Oase, um die ein gewitternder Wirbel tobt. Der Arabische Frühling hat Schwüle und schließlich Sturm hervorgebracht, der jede vertraute Struktur hinwegfegt. Mit Assad könnte dem Land sein verlässlichster Feind abhandenkommen, Ägypten kündigt eine Freundschaft auf, die nie eine war, der Libanon entwickelt sich zum Verschiebebahnhof islamistischer Interessen, Teheran bastelt an der Mutter aller Bomben, Gaza ist ein spuckender Geysir, die Westbank schöngeredetes Feindgebiet.

Jedes andere Volk würde in Lauerstellung verharren.

Geduckt, den Kopf eingezogen.

Nicht dieses.

Und das ist bemerkenswert.

Denn an Frieden glaubt hier gerade keiner mehr. Netanjahu ist so ziemlich der Letzte, von dem man sich einen Durchbruch erhofft, und dann erst Avigdor Lieberman, ein wahrhaft exotisches Exemplar von Außenminister, dessen Türstehervergangenheit in seinem politischen Wirken durchschlägt wie Fassadenschimmel. Solange die Vorstellungen des höchsten Diplomaten darin gipfeln, den Iran oder den Gazastreifen »platt wie ein Fußballfeld« zu bomben, gehört jede Idee der Verständigung ins Reich der Science-Fiction. Selbst Scharon in seinen schlimmsten Flegeljahren erscheint gegen den amtierenden Außenminister rückblickend wie ein linksliberaler Menschenrechtler, also wie hieß das Wort noch gleich?

Frieden?

Natürlich wollen sie Frieden, was denn sonst?

Auch in Aschkelon, Aschdod, Yavne und Beer Scheva, im Süden Israels, wollen sie Frieden, es würde schon reichen, mal wieder ein paar Nächte durchzuschlafen.

Doch zurzeit liegen sie wach.

Der Süden steht unter Beschuss.

Seit acht Tagen feuern Islamischer Dschihad und Al-Quds-Brigaden selbst gezimmerte Grad-Raketen und Granaten über die Gaza-Grenze. Israels Luftwaffe bleibt ihnen nichts schuldig, bombardiert ihre Trainingslager, lehrt sie Mores, mit der Folge, dass noch mehr Raketen rüberfliegen, wieder Luftschläge, Tote und Verletzte. Eine Waffenruhe, vermittelt von Ägypten, hält sagenhafte drei Stunden, dann kommen die nächsten Raketen, israelische Kampfhubschrauber starten erneut Richtung Gaza, ein Teufelskreis.

Die Kinder gehen nicht zur Schule.

Jedenfalls nicht in Schulen, die in Reichweite der palästinensischen Raketen liegen.

Fast schon Alltag.

Teufelskreise ist man hier gewohnt.

Dabei schienen die Chancen für ein bisschen Ruhe gar nicht schlecht zu stehen. Mehr als tausend freigelassene Palästinenser für Gilad Shalit, jenen israelischen Oberfeldwebel, der fünf Jahre in Hamas-Haft gesessen hatte, flackerte da nicht ein Flämmchen wenn auch nicht der Versöhnung, dann doch der Annäherung auf?

Doch in Gaza ziehen sie daraus die falschen Schlüsse.

Traditionell missversteht man hier Entgegenkommen als Schwäche.

Da sitzen noch mehr inhaftierte Brüder in israelischen Gefängnissen, und wenn das mit dem einem Gilad Shalit so fabelhaft geklappt hat, um wie viel besser müsste es dann erst mit fünf Shalits gehen? Der Feind ist eingeknickt, jetzt bloß nicht nachlassen.

Immer feste drauf.

Ein weiteres Problem, mit dem sie hier fertigwerden müssen, und dass Netanjahu laut darüber nachdenkt, iranische Atomanlagen anzugreifen, trägt auch nicht gerade zur Beruhigung bei. »Apokalyptische Konsequenzen« stellt Teheran in Aussicht, sollte es so weit kommen, was in der Rhetorik Ahmadinejads nichts Neues ist. Ständig will er Israel von der Landkarte tilgen, was aber, wenn Netanjahu zuerst den Radiergummi ansetzt, und sei es nur im Kleinen?

Und was, wenn er es nicht tut?

Haben sie Angst?

Aber so was von klar haben sie Angst!

Gehen wir heute Abend essen?

Super, mach 'n Tisch!

Die Uhr tickt anders in einem Land, das traditionell die letzte Party feiert. Wo das Leben auf Unsicherheit gründet, gewinnt der Augenblick eine tiefere Bedeutung. Krachen wird es ohnehin, warum die Flügel hängen lassen? Man könnte das als Totentanzmentalität missverstehen, wäre es nicht so offensichtlich Ausdruck eines Lebenshungers, der dem Wissen entspringt, dass es in diesem Land alles gibt, nur eines nicht:

Normalität.

Nicht zu haben, also tun sie wenigstens so, als ob.

Und auch heute wird Tel Aviv seinem Ruf als Miami des Ostens mehr als gerecht, gibt sich quirlig, laut und lebenshungrig, voller Menschen, die auf geheimnisvolle Weise alle dem Wasser zuzustreben scheinen, Murmeln auf einer schrägen Ebene. Eine einzige, sehnsuchtsvolle Hinwendung zum Meer ist diese Stadt. Keine 500 Meter von hier liegen die Strände, öffnet sich ein atemberaubender Blick nach Westen, eine Richtung, in die sich Israel zunehmend orientiert.

Wohin auch sonst, denkt Hagen.

Im Osten endet der Blick an einem Zaun.

Er lehnt sich zurück und beobachtet den Gehweg, die Lider halb geschlossen. Leichter Kopfschmerz macht ihm zu schaffen. Er ignoriert ihn, süßt seinen Tee nach.

Sieht ihn kommen.

Denkt, meine Güte!

Menschen verändern sich, doch an Björklund ist alles wie immer.

Nein, nicht einfach wie immer.

Tatsächlich sieht er so sehr nach Björklund aus, dass es Hagen schwindelt. Derselbe schlendernde Schritt, dieselbe zähe Gelassenheit, mit der er einen Fuß vor den anderen setzt, als könne nichts auf der Welt ihn zu einer schnelleren Gangart bewegen, dasselbe fahlblonde, schulterlange Haar, Statur, Bart, Teint, als sei keine Zeit vergangen.

Kein einziger Tag.

Kaum auszuschließen, denkt Hagen, dass er sogar dieselben Klamotten trägt wie bei ihrem letzten Zusammentreffen.

Er rutscht zur Stuhlkante vor. Steht auf, etwas zu hastig, und sofort gerät die Frishman Street in Schräglage, und er muss sich einen Moment lang an der Tischplatte festklammern.

Verdammte Gehirnerschütterung.

Aber er macht sich was vor, es ist nicht die Gehirnerschütterung, und im Grunde weiß er das ganz genau. Ein Jahr lang Alkohol und Drogen, zwei Jahre clean, vergangene Woche Druckbetankung in Damaskus, übergangslos und exzessiv, ebenso abrupt zurück zu Tee und Wasser.

Kalter Entzug.

Kein Elefant steckt das einfach so weg.

Dann ist Björklund da, und einen Moment verharren beide in Befangenheit, schicken erkundende Blicke vor. Zwei Männer, die sich seit einem nebelverhangenen Wintertag vor fast drei Jahren nicht mehr gesehen, nur gelegentlich telefoniert haben, und auch das ist schon eine gefühlte Ewigkeit her.

Hagen fährt sich mit der Zunge über die Lippen. Muss sich zusammenreißen, um seine Nervosität zu verbergen.

»Hey.« Seine Stimme klingt kratzig und ungewohnt in seinen Ohren.

»Schön, dich zu sehen.«

Björklund verzieht die Mundwinkel. Lächelt sein reduziertes Lächeln, das Leute, die ihn weniger gut kennen, schon mal als Anzeichen einer beginnenden Magenverstimmung deuten.

Auch daran hat sich nichts geändert.

»Du siehst scheiße aus, Alter.«

Sagt es auf eine Weise, die vermuten lässt, dass er den Satz bereits den ganzen Weg hierher auf den Lippen getragen hat. Irgendeine muskelprotzige Eröffnung, wie sie große Jungs benutzen, um keine Sentimentalitäten aufkommen zu lassen.

»Immer noch gut genug für einen Tausender«, kontert Hagen.

Jetzt muss Björklund grinsen. Die Geschichte fand er schon am Telefon komisch.

»Sie wird dich kaum für dein *Gesicht* bezahlt haben.«

Mannhaftes Gelächter. Von einer Lockerungsübung zur nächsten arbeiten sie sich, und endlich streckt der Schwede seine langen Affenarme aus und zieht ihn an sich. Die kurze Umarmung lässt Hagen mit einem Gefühl der Verlegenheit zurück, andererseits ist er erleichtert. Da das Eis gebrochen ist, muss es jetzt nur noch weiter tauen.

Und das bedeutet, sie müssen reden.

Was am Telefon vergleichsweise einfach war.

Hier ist jede Distanz aufgehoben.

Nahkampf.

Doch sie kämpfen nicht.

Sie sind zwei Männer, die sich auf einer Hängebrücke über einem Abgrund begegnen, und keiner von ihnen will hinabschauen, geschweige denn kämpfen und in die Tiefe gerissen werden.

Zu viele Tote da unten.

Also reden sie ein bisschen über Hagens verpatzte Chance in Libyen und darüber, wie es seinem alten Partner inzwischen ergangen ist.

Definitiv besser als mir, stellt Hagen fest.

Nach dem Afghanistan-Desaster hat sich Björklund seine Preise und Auszeichnungen besehen, die er einst für Reportagen über guatemaltekische Indios, kalabresische Mafiadörfer und den Alltag in Teheran bekommen hatte, und entschieden, es sei an der Zeit, wieder andere Dinge abzulichten als immer nur zerschossene Häuser, Blutlachen und

Vermummte mit Kalaschnikows. Was in der Konsequenz bedeutete, sich aus dem überhitzten Tageszeitungsgeschäft zurückzuziehen und nach Art freier Fotografen der Dinge zu harren, die da kommen.

Und sie kamen.

Nordeuropas Hochglanzmagazine entdeckten ihn für opulente Fotostrecken, und Björklund begann die Welt durch das Objektiv seiner Kamera wieder als Ganzes wahrzunehmen.

Er sah mehr Krisengebiete denn je.

»Ich meine, was ist heute kein Krisengebiet? Letztes Jahr hatten wir eine Strecke über die Serengeti, danach Fat Acceptance, diese Bewegung, bei der schwabbelige Amerikaner um ihr Recht kämpfen, schwabbelig sein zu dürfen. Allein in Mississippi sind 44 Prozent aller Kinder übergewichtig, wenn das keine Krisengebiete sind.« Zuckt die Achseln, schlürft seinen Cappuccino. »Verstehst du, ich hab kein Problem mit Krisen. Ich will nur nicht mehr bis zu den Knöcheln im Blut stehen.«

Darum ist er jetzt auch nicht in Homs oder Damaskus, sondern hier, zusammen mit einem Nahost-Korrespondenten des deutschen Magazins, für das er gerade arbeitet, um die Stimmungslage in Israel zu erfassen. Ein paar Tage Tel Aviv, dann rüber nach Jerusalem, Abstecher in die Westbank, zwei Siedlungen besuchen, Abschluss im geschundenen Süden, alles ohne Zeitdruck.

Beinahe ein Urlaub.

»Vielleicht schieben wir sogar noch Nablus und Ramallah ein und holen uns ein paar palästinensische O-Töne.«

»Komfortabel.«

»Na ja.« Björklund kratzt sich hinterm Ohr. »Es gibt schon einen konkreten Aufhänger. Gilad Shalit.«

»Seid ihr da nicht ein bisschen spät dran? Der Austausch ist vor zwei Wochen über die Bühne gegangen.«

»Die Familie hat uns ein Interview in Aussicht gestellt.«

Nicht schlecht, denkt Hagen.

Denn bis jetzt hat Shalit nicht viel gesagt. Ägyptens Vermittlerrolle geschuldet, musste er im dortigen Fernsehen einer mitleidlos lächelnden Reporterin Rede und Antwort stehen, die den ausgemergelten Jungen drängte, sich für die Freilassung gleich aller inhaftierten Palästinenser einzusetzen. Shalit erklärte, er freue sich auf seine Familie und Freunde, sei glücklich, nicht mehr jeden Tag das Gleiche tun zu müssen, man habe ihn gut behandelt, er hoffe, der Austausch trage zum Frieden bei. Und, ja, alle Palästinenser sollten zu ihren Familien zurückkehren dürfen, Hauptsache, sie fielen nicht gleich wieder über sein Land her.

Dann sagte er noch, es ginge ihm nicht besonders, der ägyptische Simultanübersetzer verkündete, es gehe ihm prima, eine Farce. Danach durfte er endlich nach Hause, während im Gazastreifen gejubelt und in die Luft geschossen wurde.

Seitdem ist Gilad Shalit verstummt.

Er hat fünf Jahre in einem Erdloch gesessen.

Er ist todmüde.

Aber das geht natürlich nicht. Schön, dass er sich freut, wieder zu Hause zu sein, aber wie ist es ihm *wirklich* ergangen? Die Welt will die schäbigen Einzelheiten hören, unterhalten werden, durchs Schlüsselloch gucken, doch Shalits Familie schirmt den Jungen ab. Sie bewahrt ihn davor, sich vor laufenden Kameras die Haut vom Leib ziehen zu müssen. Meist redet sein Großvater, manchmal sein Vater, während Gilad den Schlaf des Vergessens schläft.

»Könnte allerdings sein, dass er sein Nickerchen für uns unterbricht«, sagt Björklund.

»Weil ihr die Guten seid«, spottet Hagen. »Ihr werdet ihm keine indiskreten Fragen stellen.«

»Natürlich nicht.«

»Alles nur –«

»– zu seinem Besten!«

Ihr alter *running gag*, wenn sie mal wieder jemanden in der Mangel hatten. Auch heute lachen sie ein bisschen darüber. Auf Zehenspitzen tasten sie sich in die Vergangenheit zurück, reden schließlich sogar über die aktuelle Lage in Afghanistan.

Nur über Inga reden sie nicht.

Das letzte Mal, als sie über Inga geredet haben, war Weihnachten 2008.

Das letzte Mal, dass sie überhaupt miteinander geredet haben.

Spaziergang entlang der Außenalster. Der Atem kondensiert zu Sprechblasen, es ist frostig.

In jeder Beziehung.

»Du hättest sie aus der Sache raushalten müssen.«

»Es war ihre Entscheidung.«

»Erzähl keinen Scheiß. Inga wusste doch gar nicht, was sie wollte.«

»Sie war Reporterin, sie –«

»Sie war eine *Volontärin*! Verdammt, wie kannst du so uneinsichtig sein? Du borniertes Arschloch! Du hättest sie nie und nimmer mitnehmen dürfen!«

»*Wir*, bitte schön! *Wir* hätten sie nicht mitnehmen dürfen.«

»Ach, jetzt bin ich auf einmal schuld?«

»Benutz einfach nur die richtigen Pronomina.«

»Fick dich, Tom.«

Kalter, von Norden einfallender Wind.

Nebel, eisige Partikel.

»Ich hab dir den Arsch gerettet, Krister. Vergiss das nicht.«

Und das hat er tatsächlich.

Aus dem Bild, das sich den Rettungskräften in Taloqan bot, konnte er Björklund nicht rausretuschieren, also nahm er die alleinige Schuld auf sich. Gab mit der Großmut des ohnehin Verstoßenen zu Protokoll, Björklund über den eigentlichen Zweck ihrer Exkursion bis zuletzt im Unklaren gelassen zu haben. Weder habe sein Partner von der geplanten Befreiungsaktion gewusst, noch, worum es sich bei dem Gehöft tatsächlich handelte. Björklund, versicherte Hagen dem Untersuchungsausschuss, sei einzig im Glauben den Berg hinaufgekraxelt, die nächtlichen Aktivitäten einiger lokaler Mudschaheddin zu dokumentieren, dem vermeintlichen Tipp eines Fixers folgend.

Sie fragten ihn, warum er Björklund belogen habe.

Tja, warum?

Er habe eben nicht riskieren wollen, dass der ihm die Sache ausredete. Oder der Redaktion steckte, dass ihr Starreporter sich nicht an die Abmachungen hielt.

Er bog die Wahrheit und stellte sich ins denkbar schlechteste Licht, und ausgerechnet ein Umstand, der ihn rückblickend noch monströser dastehen ließ, kam seiner Glaubwürdigkeit zugute. Da es für Inga keinen Unterschied mehr machte, hatte er freimütig eingeräumt, sie im Gegensatz zu Björklund mit allen Details seines Unterfangens vertraut gemacht zu haben. Nur wenig später erblickten E-Mails das Licht der Öffentlichkeit, in denen Inga einer Freundin klagte, sich in Afghanistan zu weit aus dem Fenster gelehnt zu haben, und jetzt setze Hagen sie unter Druck. Nicht direkt, eher subtil. Seine Enttäuschung jedenfalls sei spürbar gewesen, als sie versucht habe, einen Rückzieher zu machen, und jetzt müsse sie mit ihm und Björklund in dieses verdammte Tal, und sie habe ungute Vorahnungen und überhaupt eine Scheißangst.

Alles stand in den E-Mails.

Dass er seiner Redaktion den Mittelfinger zeigte.

Wie er vorzugehen gedachte.

Natürlich auch, dass er sie vögelte.

Sofern man den Mails also überhaupt etwas Positives abgewinnen konnte, dann, dass sie Hagens Aussagen bestätigten. Hätte er behauptet, Inga habe von nichts gewusst, der Ausschuss hätte ihm auch betreffs Björklunds keinen Glauben mehr geschenkt.

So ging man davon aus, dass er die Wahrheit sagte, und Björklund war rehabilitiert.

Hagen hatte gerettet, was zu retten war.

Ihre Freundschaft gehörte nicht dazu.

»Du glaubst, es sei eine Heldentat gewesen, alles auf dich zu nehmen? Vergiss es, Tom. Es war einfach das Mindeste, was du tun konntest. Ein winziges bisschen Wiedergutmachung für die unzähligen Male, die *ich deinen* Arsch gerettet habe.«

»Wann hättest du je –«

»Ständig. Deine Alleingänge, wenn du mal wieder zu fragwürdigen Mitteln gegriffen, andere in Gefahr gebracht hast, alles hab ich gedeckt, jahrelang. Durch jede Scheiße bin ich mit dir gekrochen, die du uns eingebrockt –«

»Weil es dein Job war.«

»Weil ich dein Freund war!«

Hagen rastet aus.

»Die Scheiße, wie du es nennst, hat uns ganz nach oben katapultiert, du Idiot, und es war dir *recht*! Und jetzt will ich dir mal was sagen, du bist nämlich selber ein borniertes Arschloch, ohne mich wärst du nicht da, wo du heute bist, also –«

»Ganz genau! Wegen dir bin ich jetzt da, wo ich bin.«

»Ich habe doch nur –«

»Wo ich nie sein wollte.«

»Es tut mir ja auch leid, es tut mir entsetzlich –«

»Und das ist einzig und allein deine Schuld.«

Und dann, bevor er sich umdreht und im eisigen Nebel verschwindet, sagt Björklund noch:

»Inga wird dir immer anhängen, Tom. Mich bist du los, wir sind quitt. Sie wirst du nie loswerden.«

Und dem gab es leider nichts entgegenzusetzen.

Björklund hatte recht.

Hagens Schuldgefühl war übermächtig. Nie würde er seine Schuld abtragen können, nicht gegenüber den Lebenden, nicht gegenüber den Toten. Es war wie ein Fluch, den Krister Björklund über ihn ausgesprochen hatte, denn von nun an ging alles schief. Die Zeitung feuerte ihn, Ingas Eltern halsten ihm eine Klage auf, BND und Bundeswehr versuchten ihn juristisch dranzukriegen, die Geschichte wurde durch die

Medien gezerrt, niemand wollte mit der gefallenen Legende Tom Hagen noch irgendetwas zu tun haben.

Er stürzte ab wie Ikarus.

Und so fragt er sich jetzt, da sie einträchtig vor einem Café in der Frishman Street sitzen, dreierlei:

Warum hat Björklund ihn nach all den Jahren wieder angerufen? Was hat seinen Gesinnungswandel ausgelöst? Und was genau meinte er am Telefon, als er Hagen vorschlug, nach Tel Aviv zu kommen, er *habe* da möglicherweise was für ihn.

»Uri Blau. Klingelt da was?«

Uri Blau –

Hagen knabbert an seinem Minzesträußchen.

Doch, da klingelt was. Gar nicht so lange her, dass er den Namen gehört hat, nur dass sich die zugehörige Story nicht einfinden will.

»Gezielte Tötungen«, hilft Björklund nach. »*Targeting.*«

»Gaza?«

»Westjordanland, Gaza, tutto completto. Du kennst das Programm.«

Hagen kennt es. Nicht im Einzelnen natürlich, aber er weiß, dass die israelische Armee um 2000 herum begonnen hat, als gefährlich eingestufte Palästinenser gezielt zu liquidieren. Die Grundlage bildeten Informationen des Inlandsgeheimdienstes Schin Bet.

Des SCHABAK.

Und dann fällt es ihm wieder ein.

Uri Blau!

»Ist das nicht dieser *Haaretz*-Journalist, dem sie den Prozess machen wollen? Wegen Weitergabe von Staatsgeheimnissen?«

Björklund grinst. »Ein paar deiner grauen Zellen scheinen Damaskus überlebt zu haben.«

»Hilf mir auf die Sprünge. Worum ging's da noch gleich?«

»Um die Wahrheit. Blau hat 2008 einen Artikel zum Thema *Targeting* veröffentlicht. Auslöser war eine Direktive des Obersten Gerichtshofs.«

»Der die Tötungen legitimierte. Weiß ich noch.«

»Tut mir leid. Knapp vorbei.«

»Sondern?«

»Sie haben sie nicht grundsätzlich verboten.«

Richtig.

Feiner Unterschied.

Hagen durchforstet seine Erinnerung, klaubt die Fakten zusammen.

Ein weiterer Name schwemmt hoch. Salah Shehadeh, militanter Hamas-Führer und Bombenbauer. Anschauliches Beispiel dafür, dass die Israelis mitunter recht eigene Vorstellungen von Verhältnismäßigkeit entwickeln, wenn es um einen einzelnen Mann geht.

Für Gilad Shalit haben sie über 1000 palästinensische Häftlinge laufen lassen.

Shehadeh werfen sie eine Ein-Tonnen-Bombe auf den Kopf.

Das Resultat ist verheerend. Für Shehadeh sowieso, aber die F-16, die das Ei legt, verwandelt bei der Gelegenheit gleich auch Shehadehs komplette Nachbarschaft in Schutt und Asche. Neun Häuser gehen in Flammen auf, 14 Menschen finden den Tod, überwiegend Kinder, mehr als 100 Unbeteiligte werden verletzt.

Alles, um einen einzelnen Mann zu töten.

2002, zum Zeitpunkt des Geschehens, ist Ariel Scharon gerade ein Jahr an der Macht, und sein Sicherheitskonzept passt auf eine Streichholzschachtel: Terroristen werden ausgeschaltet. Man ermordet keine Juden, weder hier noch im Ausland, ohne den Preis dafür zu zahlen. Shehadeh bezahlt ihn, und natürlich weint niemand dem Typen eine Träne nach. Leute wie er bringen unendliches Leid über Israels Zivilbevölkerung, mit geheimer Rückendeckung vom obersten Boss – im 24-Stunden-Takt ringt ein weinerlicher Arafat vor laufenden Kameras die Hände und verurteilt einen Terror, den er selbst hinter den Linien befeuert. Die Lage gerät außer Kontrolle, von Sderot bis Haifa liegen die Nerven blank. Scharon findet sich an der Spitze eines Volkes wieder, das erstmals in seiner Geschichte vollkommen ratlos erscheint. Niemand glaubt noch daran, dass die Intifada in den Griff zu bekommen sei, was also tut der »Bulldozer«, da er mit »der Kreatur« Arafat nicht verhandeln will?

Er schmiedet eine bis dahin gelegentlich angewandte Praxis zur konzertierten Kampagne um.

Targeting.

Seine Botschaft an die Palästinenser ist unmissverständlich: Erst wenn der Terror endet, endet die Eliminierung der Terroristen.

Bis dahin werdet ihr eure Toten nicht mehr zählen können.

Und er beginnt zurückzuschlagen.

Ohne Erbarmen.

Die Welt versucht sich mit der neuen Taktik zu arrangieren, indem sie in kritischen Momenten gerade woanders hinguckt, bloß, Shehadeh bleibt kein Einzelfall. Entschlossen, dem Horror der Selbstmordattentate ein Ende zu setzen, pulverisiert Zahal das Umfeld der Delinquenten immer öfter gleich mit, und so lange können nicht mal UN und Europarat wegschauen. Die Frage kocht hoch, ob Mitglieder einer Terrororganisation als militärische Feinde oder Straftäter zu betrachten seien. Das Haar zu spalten, macht für die Betroffenen durchaus Sinn. Als Straftäter haben sie Anrecht auf einen fairen Prozess, sprich, man muss sie verhaften, erkennungsdienstlich behandeln und einem Richter vorführen.

Sie auszuschalten, löst das Problem natürlich schneller und nachhaltiger.

So fallen in den Jahren darauf mehr als 300 Palästinenser gezielten Tötungen zum Opfer. Mit dem kleinen Schönheitsfehler, dass ein Drittel davon einfach zur falschen Zeit am falschen Ort war und möglicherweise gar nichts Böses im Schilde führte. Menschenrechtsgruppen laufen sich warm, um den Generalstabschef höchstpersönlich wegen der Ermordung Unschuldiger dranzukriegen, reichen Klage beim Obersten Gerichtshof in Jerusalem ein und hoffen auf ein Verbot des *Targeting*.

Das Urteil ist ein Schlag ins Gesicht: Man befinde sich im Kriegszustand, *Targeting* sei ergo ein Akt der Selbstverteidigung unter der Voraussetzung, dass die zu erwartenden zivilen Opfer nicht im Missverhältnis zum militärischen Nutzen stünden und man alles versucht habe, der Lage auf andere Weise Herr zu werden.

Heißt im Klartext, du darfst jemandem das Licht ausknipsen, wenn eine Festnahme nicht durchführbar ist.

»Kein Verbot also.«

»Aber auch kein Freibrief«, sagt Björklund. »Schätze, sie steckten in der Zwickmühle. 2002 sind 450 Israelis durch Anschläge ums Leben gekommen, ein Jahr später immer noch über 200. Rechne das spaßeshalber mal hoch auf England oder Frankreich, dann kommst du auf 9000 Tote pro Jahr. In Amerika wären es 50 000!«

Kein Staat kann sich das bieten lassen, denkt Hagen.

Doch mit dem *Targeting* sind die Anschläge auf israelischem Boden zurückgegangen. Und zwar drastisch.

»Dem mussten sie Rechnung tragen, andererseits konnten die Richter nicht so tun, als wäre alles in Butter. Also retteten sie sich in einen Kompromiss: Tötungen müssen von Fall zu Fall entschieden werden, und erlaubt sind sie nur in außergewöhnlichen Situationen.«

»Und wie definiert man außergewöhnliche Situation?«

Björklund lacht trocken.

Eine Frage, die sich wohl auch Uri Blau gestellt hat.

2008 jedenfalls reicht er einen Artikel bei der Zensurbehörde ein, brav wie es sich gehört, Überschrift: *Lizenz zum Töten*. Der Inhalt hat Sprengkraft, andererseits scheint nichts drinzustehen, was unbedingt geheim gehalten werden müsste, also winken die Zensoren den Text durch. Dass Blau seine Behauptungen mit Dokumenten belegt, die nur geheim sein *können*, fällt ihnen entweder nicht auf, oder sie wollen Armee und Geheimdienst eins auswischen, die ihnen permanent damit in den Ohren liegen, mit ihrer Laxheit das Ansehen der israelischen Sicherheitskräfte zu ramponieren. Wie auch immer, folgenden Tags steht in *Haaretz* zu lesen, die Armee unterlaufe das Diktum von 2006 praktisch in einem fort.

Eine Menge Leute fallen vom Stuhl.

Netanjahu bekommt einen Schreikrampf.

Im Oberkommando, in der Regierung, überall schrillen die Alarmglocken.

Denn natürlich stimmt die Sache.

»Und Blau hatte Wind davon bekommen.«

»Hat er«, sagt Björklund mit einem Grinsen, als bereite ihm Blaus Coup persönliche Genugtuung. »Aber woher weht dieser Wind, dass ihm gleich haufenweise vertrauliche Faxe und E-Mail-Ausdrucke auf den Schreibtisch flattern?«

Hagens Erinnerung funktioniert jetzt wieder ausgezeichnet.

Alle Steine rutschen an ihren Platz.

»Anat Kamm.«

Eine unscheinbare, junge Frau, die seit Kurzem für ein Internetportal über Popkultur schreibt. Die Seite gehört zu *Haaretz*, das heißt, sie arbeitet für denselben Verein wie Blau, doch als sie 2005 ihren Wehrdienst antritt, arbeitet sie erst mal für jemand ganz anderen.

Ein Bürojob.

Papierkram.

Ihr Boss heißt Yair Naveh.

Oberkommandierender im Westjordanland.

Und über Navehs Schreibtisch wandert mit schöner Regelmäßigkeit der komplette Schriftverkehr zu illegalen *Targeting*-Aktionen.

Wandert direkt in Kamms vertrauensvolle Hände.

Von wegen!

Als ihr bewusst wird, *was genau* das für Informationen sind, ist es mit der Vertrauenswürdigkeit vorbei. Heimlich beginnt sie die Dokumente zu fotokopieren, rund 2000 Seiten hat sie beisammen, als ihr Wehrdienst endet, und weil sie findet, dass so etwas in der Zeitung stehen sollte, gibt sie den ganzen Packen an Blau weiter. Der Schin Bet braucht nicht lange, um ihr auf die Spur zu kommen. Ein Richter wird aus dem Hut gezogen, der eine sofortige Nachrichtensperre verhängt und Kamm unter Hausarrest stellt. Uri Blau sieht Unbill auf sich zukommen, rettet sich in letzter Sekunde nach London, kehrt aber schon ein Jahr später nach Israel zurück, wo er seitdem auf seinen Prozess wartet.

»Und das Mädchen?«

»Haben sie letzte Woche verurteilt«, sagt Björklund.

»Wie viel? Zehn Jahre? Zwölf?«

»Viereinhalb.«

»Da hat sie ja noch richtig Glück gehabt.«

»Ihre Fans sehen das anders. Und sie *hat* Fans. In den letzten Monaten ist sie so etwas wie eine Volksheldin der linken Szene geworden. Sie bekommt Heiratsanträge. Sie hat sogar ein paar heimliche Fans beim Schin Bet.«

Björklund macht eine Pause, trinkt einen Schluck.

»Womit wir bei Teil zwei der Geschichte sind, fast noch abgefahrener als der erste. Esther Weinstein –«

Hagen seufzt.

Wer zum Teufel ist jetzt wieder Esther Weinstein?

»– musst du nicht kennen, keine Angst«, beruhigt ihn Björklund. »Im Gegensatz zur Kamm-Blau-Affäre ging diese Sache nämlich nie durch die Medien. Weinstein ist eine Informatikstudentin, die vorübergehend fürs Militär arbeitet und später ins Zentralkommando des Schin Bet wechselt. Dort koordiniert sie den Informationsfluss zwischen Geheimdienst und Armee, speziell was terroristische Umtriebe in Gaza und Westbank betrifft. Du weißt schon, der Schin Bet observiert die bösen Jungs, gibt seine Erkenntnisse an Zahal weiter, und die schicken eine Viper oder einen AH64, um das Problem zu lösen.«

»Nicht immer durch die Rechtslage gedeckt.«

»Wie wir jetzt wissen. Und Esther Weinstein weiß das auch. Und es empört sie ebenso, wie es Anat Kamm empörte. Sie hat das gleiche linksliberale Gen, spielt schon länger mit dem Gedanken, mal was durchsickern zu lassen, nur dass sie sich bislang nicht getraut hat.«

»Bis Blaus Artikel erscheint.«

»Wasser auf ihre Mühle. Sie denkt, endlich kommt Bewegung in die Sache, aber dann muss Blau fliehen, und was in Weinsteins Augen noch viel schlimmer ist: Kamm wird unter Arrest gestellt. Und es ist *ihre* verdammte Behörde, die das Mädchen enttarnt hat.«

»Kennen sich die beiden?«

»Nein, ein Fall von Bewunderung aus der Distanz. Weinstein muss miterleben, wie Geheimdienst und Armee zwei in ihren Augen couragierten Journalisten Maulkörbe verpassen, weil sie es wagten, Verbrechen gegen geltendes Recht öffentlich zu machen. Und sie denkt, so kommt ihr mir nicht davon. Ihr glaubt, ihr habt das Leck gestopft? Ihr wisst ja gar nicht, wo es überall raustropft! Also geht sie eines schönen Tages im Juni 2010 hin, lädt Unmengen geheimen Datenmaterials des Schin Bet auf mehrere CDs und schmuggelt sie raus.«

»Und das ging so einfach?«

»Guck dir Bradley Manning an.«

Sicher, denkt Hagen.

Klar geht so was, du musst nur die Chuzpe haben.

Dennoch, nach der Erfahrung mit Anat Kamm –

»Sind alle viel vorsichtiger geworden.« Björklund nickt. »Und Weinstein quasselt viel zu viel, sie vertraut sich den falschen Leuten an, ein sogenannter Enthüllungsjournalist bekundet Interesse, und als sie ihn trifft, schnappt die Falle zu, denn der Journalist ist vom Schin Bet.«

»Autsch.«

»Womit die Daten dorthin zurückkehren, wo sie gestohlen wurden. Drei CDs mit Dokumenten von 2007 bis 2009.«

»Macht Sinn. Sie hat versucht, Kamms und Blaus Recherchen zu untermauern.«

»Ja, soweit macht es Sinn.«

Björklund schaut an Hagen vorbei die Frishman Street herunter. Einen Augenblick herrscht Stille. Hagen schlürft seinen Tee und genießt die Sonne auf seinem Gesicht. Er hat nicht die leiseste Ahnung, worauf Björklund hinauswill, aber es klingt mehr nach James Bond als nach *Apocalypse now,* und mit Apokalypse hat er es im Moment nicht so. Bond ist eindeutig besser, also hört er weiter aufmerksam zu.

»Was keinen Sinn macht, ist, dass sie dem angeblichen Journalisten im Vorfeld verspricht, ihm einen *Teil* des Materials zu übergeben.«

»Vielleicht war es ja nur ein Teil.«

»Nach ihrer Festnahme behauptet sie aber, es sei alles gewesen.«

»Und der Schin Bet glaubt ihr nicht.«

»Natürlich nicht. Aber sie können ihr auch nicht das Gegenteil beweisen. Schlummern da also noch irgendwo weitere CDs, mit deren Veröffentlichung sie drohen kann, sollten die Ankläger nicht einem Handel zustimmen?«

»Klingt unausgegoren.«

»Was ist schon ausgegoren. Vielleicht ist ihr die Idee ja in letzter Sekunde gekommen.«

»Ein bisschen was in der Hinterhand zu behalten?«

»Wer weiß, wozu es noch nütze ist.«

»Dann müsste sie einen Komplizen haben.«

»Treffer. Denn bei ihr finden sie nichts, sosehr sie auch suchen. Also checken sie Weinsteins Umfeld. Die Dame hängt bevorzugt mit ihresgleichen rum, Informatiker und Computerfreaks, eine ziemlich chaotische Clique, linke Gesinnung, Drogen, Umweltschutz, Menschenrechte, der ganze Scheiß. Aber die winken ab, auch Pini Silberman.«

»Du machst mich fertig mit deinen Namen.«

Björklund lehnt sich zurück und legt die Fingerspitzen aufeinander.

»Könnte aber gut sein, dass du Silberman demnächst kennenlernen willst.«

»Wer ist das überhaupt?«

»Ein Hacker. Weinstein war mal mit ihm zusammen.«

»Du glaubst, er hat das restliche Material?«

»Ich glaube es nicht«, sagt Björklund wie nebenbei. »Ich weiß es.«

Jetzt ist Hagen hellwach.

»Woher?«

»Von ihm. Er hat uns kontaktiert.«

»Dich?«

»Meinen Partner. Silberman sagt, er besitzt zwei CDs mit Daten aus 2005 und 2006. Als *Targeting* gerade verhandelt wurde. Aber damals fanden auch andere interessante Dinge statt. Scharon ließ Gaza räumen, Libanonkrieg, Machtzuwachs der Hamas, keine Ahnung, was alles drauf ist, aber hinter den Vorhang zu schauen, ist eigentlich immer interessant, oder?«

Hagen überlegt.

»Und was soll ich dabei?«

»Die Kohle zusammenkratzen, die Silberman dafür will.«

»Und dann?«

»Die CDs auswerten, hoffentlich irgendeine hübsche Sauerei finden und eine saftige Enthüllungsreportage schreiben.«

»Und was hast du –?«

»Nichts. Du kannst Silberman haben, wenn du willst.«

»Moment.«

Hagen fährt sich über die Augen. Das klingt schwer danach, als fiele ihm gerade ein Weihnachtsgeschenk aus heiterem Himmel vor die Füße, und Geschenke fallen nicht aus dem Himmel.

»Wo ist der Haken?«

»Kein Haken.«

»Esther Weinstein hat grünes Licht gegeben?«

»Nein. Silberman bescheißt sie.«

»Warum?«

»Weil er ein Junkiearsch ist. Koks, Crack. Total klamm. Ein Jahr lang hat der Schin Bet ihn und andere aus Weinsteins Dunstkreis überwacht, jetzt scheint es, als hätten sie aufgegeben. Weiß man natürlich nie, aber Silberman hat beschlossen, sich aus der Deckung zu wagen. Er braucht Geld. *Haaretz* oder andere israelische Zeitungen zu kontaktieren, traut er sich nicht, und da kam ihm eben die Idee, seinen Schatz an europäische Journalisten zu verhökern, die zufällig im Lande sind.«

»Warum gerade ihr?«

»Weil wir im Hilton an der Bar standen, als er reinkam.«

»Er quatscht euch einfach so an?«

»*Er* hat *uns* ausgewählt. Wenig wahrscheinlich, dass wir für den israelischen Geheimdienst arbeiten.«

»Warum macht ihr es nicht selbst?«

Björklund lächelt in sich hinein. Es sieht aus, als kämpfe er mit aufsteigender Magensäure.

»Weil wir deswegen nicht hier sind.«

»Und außerdem?«

»Und außerdem verwaltet die Chefetage ein garstiges kleines Trauma aus den Achtzigern.«

Ach so, denkt Hagen.

Man ist etwas sensibel, wenn es um Originaldokumente geht. Weder will einer zurücktreten noch einen zweiten *Schtonk!* im Kino sehen müssen, und dann auch noch Israel, das weißglühend heiße Eisen.

Er kann sie verstehen.

»Hamburg hat nicht kategorisch abgelehnt«, fährt Björklund fort. »Es ist ja nicht so, als hätte man sich dort in den vergangenen 30 Jahren gar nichts mehr getraut. Aber sie wollen die Daten ausgiebig prüfen. Das kann Wochen in Anspruch nehmen.«

»Und so lange will Silberman nicht warten.«

»Er braucht Geld, er braucht Stoff. Was er nicht braucht, ist ein Jein.«

»Und was soll der Spaß kosten?«

»50 000.«

»Schekel?«

»Bist du bescheuert? Dollar.«

Hagen lässt sich das alles durch den Kopf gehen, während Björklund in Schweigen verfällt.

Für seine Verhältnisse hat er ohnehin schon Romane erzählt.

Wer rückt fünfzigtausend Dollar raus für so einen Deal?

Natürlich wird auch Hagen die Katze nicht im Sack kaufen, ein paar Tage wird sich Silberman schon gedulden müssen, während deren er die Daten unter die Lupe nimmt. Das Geld wäre zu keiner Zeit in Gefahr. Findet sich was auf den CDs, lohnt es die Investition. Falls nicht, bekommt der Junkie einen Tritt.

Trotzdem, wer schießt ihm die Summe vor?

Sein Internetportal?

Zum Totlachen. Die gehen schon unter seiner Spesenabrechnung in die Knie. Nein, die bestimmt nicht.

Aber sein alter Arbeitgeber könnte die Summe lockermachen.

Ohne Probleme.

Nur will sein alter Arbeitgeber nach dem Desaster in Taloqan nichts mehr mit ihm zu tun haben.

Drei Jahre.

Ganz ist der Kontakt nie abgerissen. Sein Rauswurf ist ja nicht auf die brutale, amerikanische Tour erfolgt. In den Redaktionen wissen sie sehr wohl, dass man niemanden fortgesetzt in Krisengebiete schicken kann, ohne für seine Entwicklung und sein Handeln mitverantwortlich zu sein. Der Krieg deformiert jede Psyche, auch die des Beobachters.

Was nichts daran änderte, dass Verleger und Chefredaktion ihm ihr Vertrauen entzogen.

Hart in der Sache.

Mild im Tonfall.

Und das war beinahe noch schlimmer, als hätten sie ihn angeschrien.

In ihren verständnisvollen Blicken lag ein Maß an Verachtung, dass Hagen sich auf Milbengröße schrumpfen fühlte. Der Druck hat dich fertiggemacht, sagten sie, dein Einschätzungsvermögen hat gelitten.

Du brauchst Ruhe.

Zwei, drei Jahre mindestens.

Sie haben ihn behandelt wie einen psychisch Kranken.

Und das kam ihm letztlich zugute. Man muss sagen, in der Szene herrscht eine fast rührende Fürsorgepflicht, selbst wenn einer richtig Scheiße baut. Am Ende übernahm der Verlag sogar seine Anwaltskosten und sicherte ihn finanziell für die ersten zwölf Monate ab. Es war also nicht direkt so, dass sie ihn fallen ließen, sie suchten einfach nur nach der größtmöglichen Wüste, in die sie ihn schicken konnten.

Und wie sagt schon Prinz Feisal in *Lawrence von Arabien* so treffend?

In der Wüste ist gar nichts. Und kein Mensch braucht gar nichts.

Die drei Jahre sind um, denkt sich Hagen.

Auch wenn ihr eigentlich 30 meintet.

Zeiten ändern sich.

Also ruft er die Chefredaktion an. Bekommt auch gleich den Richtigen an die Strippe. Sie plaudern. Wie ein Tourist schlendert er die Shlomo Lahat Promenade mit ihren belebten Cafés und Restaurants entlang, unter hoch aufgeschossenen Palmen Richtung Marina, den schneeweißen Strand zu seiner Linken, rechts die im Mittagslicht erstrahlenden Türme der Luxushotels.

»Fünfzigtausend?«

Da liegen schon zehn Minuten Höflichkeitstalk hinter ihnen, und Hagen hat mit seiner Libyenstory Eindruck geschunden.

»Ich denke, das kann man verhandeln.«

»Was erhoffst du dir von den CDs? Ich meine, Schin Bet – wenn es wenigstens der Mossad wäre.«

»Der Schin Bet ist so gut wie der Mossad.«

Vielleicht noch besser. Klar, Mossad, der Auslandsgeheimdienst, hat Glamour. Steht für Spionage, Attentate und Mordanschläge, ist weltweit verwickelt in jede nur vorstellbare Konspiration, immer für einen Thriller gut, doch der Schin Bet gewährt Einblicke ins intime Innere. Und Innenpolitik ist der wahre Schatz, den Staaten zu hüten haben.

»Allein Scharons Gesinnungswandel in der Siedlungspolitik«, sagt Hagen.

»Hab ich eh nie ganz verstanden.«

»Eben. Welche geheimen Deals hat es damals gegeben? Kein Mensch weiß, was in seinem Kopf vorging, was er alles noch in petto hatte, bevor es ihn erwischte.«

»Stimmt. Da ist viel spekuliert worden.«

»Das waren spannende Jahre!«

Längeres Schweigen.

»Ein Junkie, sagst du?«

»Einer, der für Stoff seine Großmutter verkaufen würde, wenn ich Krister richtig verstanden habe.«

»Du weißt, wie wir zu solchen Typen stehen.«

»Klar.« Was erzählst du mir da? Ich könnte das Misstrauen gegenüber Figuren wie Silberman erfunden haben.

Der Punkt ist, die meisten Informanten wollen etwas bewirken, auf Unrecht hinweisen, weshalb man brisante Informationen meistens umsonst bekommt. Wenn so einer dann nebenbei erwähnt, seine Familie benötige dringend drei Esel oder ein Auto, versucht man ihm natürlich zu helfen. Oder er brauche Geld, um seine Lieben in Sicherheit zu bringen, alles kein Thema.

Wer hingegen nur abkassieren will, ist ein Drecksack und Täuscher, da kannst du drauf wetten.

Er hat nichts zu verkaufen, was du brauchst.

Und auch Junkies kennen natürlich keinerlei Skrupel, dich zu verarschen, die am allerwenigsten. Mit einem Unterschied. Sie treibt weniger kriminelle Energie als ihre Sucht. Wer weiße Mäuse und Spinnen sieht, kann früher der loyalste Zeitgenosse auf Erden gewesen sein, er ist nicht mehr er selbst. Stell ihm ein paar Riesen in Aussicht, um seine Sucht zu befriedigen, und er wird keine Ehre und Loyalität mehr kennen.

Durchaus möglich, dass er dir nichts zu bieten hat.

Oder aber sehr viel.

Hagen wartet. Kann den anderen denken hören. Jogger kommen ihm entgegen, Frauen in engen Outfits, geschmeidig wie Katzen, die Typen durchtrainiert und oberkörperfrei. Unten am Wasser wird Beachvolleyball gespielt, attraktive Menschen in einer attraktiven Stadt.

So attraktiv ein Pulverfass eben sein kann.

»Ich muss das besprechen, Tom.«

»Sicher.«

»Ich entscheide das nicht alleine. Du weißt, dein Gesicht hängt hier immer noch im Schrank.«

Schon klar. Er hat sein Gesicht verloren. Aber es hilft, die Leute zu kennen, die es in Verwahrung haben. Vor allem, wenn man weiß, was diese Leute interessiert. Und Hagen erinnert sich sehr genau, dass der Chefredakteur ein Faible für Geheimdienste hat.

»Ihr riskiert nichts«, fügt er hinzu.

Trockenes Lachen.

»Überhaupt wieder mit dir zusammenzuarbeiten, und sei es nur dieses eine Mal, ist schon Risiko genug.«

Da hast du verdammt recht, denkt Hagen.

Aber das größte Risiko ist, keines einzugehen. Spätestens in einer Stunde hab ich dich wieder am Ohr.

»20 000. Maximal.«

»Weiß nicht, ob er es dafür macht.«

»Dann kann er uns mal. – Ach, Tom –«

»Mhm?«

»Vorerst zu niemandem ein Wort, dass wir dich mit der Sache beauftragt haben. Klar?«

»Ich melde mich.«

Wählt Björklund an.

»Du hast nicht zufällig die Telefonnummer von deinem Goldkehlchen?«

»Doch, aber die Verhandlungen führe ich. Was soll ich ihm sagen?«

»20. Max.«

»Sind das deine eigenen 20?«

Björklund stößt einen Pfiff aus, als Hagen ihm erklärt, dass er wieder mit den alten Leuten im Geschäft ist.

»Wenn alle Stricke reißen, lege ich aus eigenen Beständen noch was drauf. Trotzdem, fünfzig kann er sich abschminken.«

»Ich rede mit ihm.«

Hagen geht Tee trinken.

Sitzt in einem hübschen Bistro mit Aussicht aufs Meer. Sieht zu, wie die Sonne dem Horizont entgegensackt und sich im Dunst, der über dem Wasser hängt, blutrot färbt.

Obwohl noch nichts entschieden ist, fühlt er seine alte Zuversicht zurückkehren.

My number's up, bridges all burned –

»Silberman ist fast durchs Telefon gesprungen.«

»Hätte mich auch gewundert.«

»Ich hab ihn auf 25 runtergehandelt. Fünf musst du aus eigener Tasche berappen.«

»Das geht in Ordnung. Ich kann –«

»Augenblick«, fällt ihm Björklund ins Wort. »Für den Freundschaftspreis will er die Kohle *sehen*, wenn er uns die CDs aushändigt. Er will dran *riechen*. Und er sagt, du hast 24 Stunden Zeit, um das Material auszuwerten. Keine Sekunde mehr.«

»25 Riesen.«

»Krieg ich nicht durch.«

Das ist natürlich gelogen. Ein Chefredakteur, der sich das Go holt, wieder mit dem Schmuddelknaben zu spielen und ihm auf Treu und Glauben 20 000 Dollar anzuweisen, muss wegen zusätzlicher 5000 kein weiteres Mal im Olymp vorstellig werden.

»Ich würde den Rest ja selbst übernehmen«, sagt Hagen. Legt alle Zerknirschung in seine Stimme, derer er mächtig ist.

»Aber?«

»Aber so flüssig bin ich im Augenblick nicht.«

»Tom, das sind 5000 mehr als ausgemacht.«

»Ich weiß.«

»Für eine Katze im Sack.«

»Tja.« Hagen seufzt. »Dann müssen wir die Sache wohl abblasen. Danke, dass du's wenigstens versucht hast.«

Zehn Minuten später kriegt er das Okay.

1975

Sinai

Stell dir vor, Gott hatte Sand übrig. Schrecklich viel Sand, durchsetzt mit Steinen, und weil er nicht wusste, wohin damit, und die Sahara schon voll war, hat er alles einfach in den nördlichen Sinai geschüttet. Ein bisschen mit den Händen drin rumgefuhrwerkt, damit es hübsch dünig wird, hier und da Gestrüpp verteilt von der Art, wie es in Endzeitszenarien, wenn der Mensch längst abgedankt hat, immer noch da ist, ein paar Oasen samt Dattelpalmen drum herum spendiert, fertig.

Schwer vorstellbar, dass diese Ödnis schön sein soll.

Aber, verdammt, sie ist es.

Wunderschön.

Der Wüstenwind zerzaust Jehudas Haar. Er hat den Kopf in den Nacken gelegt, die Sonnenbrille färbt den Himmel violett.

18 Grad Celsius.

Nicht schlecht für Dezember.

Beugt sich aus dem Fond, schaut hinter sich. Aufgewirbelter Staub vernebelt die Sicht auf die nachfolgenden Fahrzeuge. Eine Kolonne aus Jeeps und Lastwagen brettert eine Piste entlang, die vor wenigen Jahren noch nicht da war, folgt dem Leitwolf. Arik würde den offenen Wagen am liebsten selbst fahren, aber das Feldtelefon fesselt ihn an den Beifahrersitz.

Wann immer er kann, dreht er sich zu Jehuda um.

Lacht.

»Deine neue Heimat, Jehuda!«

Um gleich wieder in den Krisenmodus zu schalten.

»– bei Weitem der größte Schwachsinn, den der Generalstab seit Langem von sich gegeben hat.« Seine Lippen berühren die Mikrofonkapsel, als wolle er ein Stück herausbeißen. »Und Yitzhak weiß das. Ich habe ihm gesagt, wir können Syrien unter gar keinen Umständen gestatten, Truppen in den Libanon zu entsenden, selbst wenn –«

Ein Schwall aus Quäklauten ergießt sich aus dem Hörer.

»Nein, auch dann nicht. – Und wenn Assad tausendmal die Christen unterstützt. – Was? Für wann ist das geplant? – Mann, seid ihr noch zu retten? Na klar weiß ich, dass Assad helfen könnte, uns die PLO vom Hals zu schaffen, aber wie wollt ihr ihn danach unter Kontrolle bringen? – Ja, ich will auch einen stabilen Libanon. Einen, durch den ich hindurchmarschieren kann bis nach Damaskus, wenn es sein muss, kapiert ihr das? Und keinen Scheiß-Außenposten Assads.«

Arik, von Feinden umgeben?

Komplizierter.

Hier geht es um einen Staat gewordenen Bastard, der als Vorzeigemodell einer friedlichen Gewaltenteilung zwischen Christen und Muslimen herhalten soll. Was in etwa so gut funktioniert, wie zwei ausgehungerte Hunde mit der paritätischen Aufteilung eines Knochens zu betrauen.

Der Libanon schlittert in einen Bürgerkrieg.

Die Christen haben sich zu großzügig bedient, sagen die Muslime, wundersam verstärkt durch Hunderttausende palästinensische Flüchtlinge aus den Kriegen 1948, 1967, 1973, die das ethnische Gleichgewicht des Libanon in Schieflage bringen und nahe der israelischen Grenze Elendslager füllen, Petrischalen des Terrors. Während sich die Konfliktparteien blutige Gefechte liefern, macht sich in Beirut ein gewisser Jassir Arafat, aus Jordanien geflohen, die Situation der Vertriebenen zunutze. Bewaffnete Kämpfer seiner PLO durchwirken die palästinensischen Flüchtlingscamps. Immer wieder kommt es zu Attacken auf israelisches Territorium, jedes Mal erfolgt die Antwort mit zehnfacher Härte, werden die Lager bombardiert, nicht ohne unbeteiligte Einheimische zu treffen. Israel will die libanesischen Muslime gegen die palästinensischen aufhetzen, die ihnen den Schlamassel einbrocken. Es gilt, einen Keil zwischen sie und die PLO zu treiben und den Christen den Rücken zu stärken, da man den Libanon schon nicht einfach annektieren kann, was natürlich das Beste wäre – allein der Zugang zu Djabal Amel, dem biblischen Nordgaliläa, und den Wassern des Litani.

Von der militärischen Kontrolle ganz zu schweigen.

Doch annektieren geht nicht. Bei den UN würden sie ausrasten, und ein Libanon, der im Chaos versinkt, geht natürlich ebenso wenig.

Bleibt nur, die Christen zu unterstützen.

Und da sorgt nun eine denkwürdige Koinzidenz dafür, dass ausgerechnet Erzfeind Syrien die gleiche Strategie verfolgt. Hafiz al-Assad will einen pflegeleichten Libanon, er hasst die libanesischen Islamisten fast noch mehr als die Zionisten, weshalb sie in Jerusalem der Ansicht zuneigen, man solle ihn gewähren lassen. Seine Politik arbeite israelischen Interessen entgegen, und bevor der Libanon de facto unregierbar werde, sei Assad das kleinere Übel.

Doch Arik will kein kleines Übel.

Er will überhaupt kein Übel.

Er will Syrien aus dem Libanon werfen, die PLO und jeglichen muslimischen Nationalismus zerschlagen, sich einen christlichen Präsidenten als Handpuppe überstülpen und ihm einen israelfreundlichen Friedensvertrag in die Feder diktieren.

»Das erreichen wir nicht durch Zuschauen«, wettert er ins Feldtelefon. »Ein sofortiger Schlag gegen Syrien ist die einzige Option. Ansonsten haben wir Assad im Libanon an der Backe, und morgen überlegt er's sich und kungelt mit den Islamisten.«

Unausgesprochen: Ist der Libanon erst mal christliches Protektorat Israels, bleibt den palästinensischen Flüchtlingen und der PLO nur noch der Weg über die syrische Grenze, Assad wird sich herzlich bedanken und sie weiter nach Jordanien treiben, wo sie dann ihren Staat ausrufen können, und wir behalten die Westbank, den Golan, Gaza, und den Sinai sowieso.

Arik, General a. D.

Versucht, wie ein Politiker zu denken.

Immerhin hat er es schon so weit gebracht, wie ein Politiker zu denken, der wie ein General denkt.

Der Tross biegt auf ein Gelände ein, das sich von der übrigen Wüste bislang nur durch die gute Absicht unterscheidet, hier eine Stadt bauen zu wollen, doch hat die Absicht gereicht, einen Krieg auszulösen.

Auch schon wieder zwei Jahre her, denkt Jehuda.

Oh Mann.

Das Leben hat ganz schön Fahrt aufgenommen.

Er springt aus dem Jeep, und im Moment, da seine Stiefel Grund berühren, wird der Traum zur Wirklichkeit, und er fühlt eine neue Ära anbrechen, goldene Jahre.

Da ist sie wieder, die verloren geglaubte Aufbruchsstimmung.

Seine letzten Zweifel – wie weggeblasen.

Wir werden Könige sein.

Könige einer neuen Welt!

Noch allerdings ist das Königreich im Entstehen. Wohncontainer und Fertighauskomponenten bestimmen die Landschaft, schwere Maschinen plätten Quadratkilometer Baugrund, schichten Erdreich zu Halden, ein beständiges Rattern und Dröhnen bringt die Luft über der

Ebene zum Schwingen. Schaltgetriebe großer Dieselmotoren wetteifern mit Generatoren um die enervierendsten Frequenzen. Hunderte Arbeiter nomadisieren zwischen den Stahlungetümen, nie hat Jehuda ein ähnliches Projekt zu Gesicht bekommen, doch es fühlt sich an, als bauten sie die neue Heimat ausschließlich für ihn.

Für ihn, Phoebe und die Kinder.

»Zufrieden?« Arik wuchtet sich hinter ihm aus dem Fond. Mittlerweile reicht keine Verbalkosmetik mehr, seine Statur zu umschreiben. Stattlich war gestern, jetzt ist er fett.

Nie eine Mahlzeit ausgelassen.

»Ich sollte der Fairness halber sagen, dass es hier von Sandflöhen nur so wimmelt.« Tritt neben Jehuda, entblößt sein makelloses Gebiss. »Falls du nach dem Haken fragst. Abgesehen davon fällt mir nämlich beim besten Willen keiner ein.«

Wie er da steht, die Augen mit der Rechten beschattend, hat er etwas von einem Herrscher, anders kann Cheops auch nicht dagestanden haben, als sie vor seinen Augen die Pyramide hochzogen.

Arik, König von Israel!

Kein Scherz. König von Israel nennen sie ihn neuerdings. So schnell dreht sich der Wind. Noch vor wenigen Jahren hätte niemand mehr einen Blumentopf auf ihn verwettet.

Wofür so ein Krieg doch gut sein kann.

»Komm, ich stelle dich dem Team vor.«

Im Schatten eines Containers sind Männer und Frauen um einen Klapptisch versammelt. Führungspersonal, das sieht man sofort. Gebügelte Hosen, Hemden, Blusen, makelloser Sitz. Jehuda schüttelt viele Hände, blickt in Augen, in denen sich die fertige Stadt bereits spiegelt.

»Arik sagt, Sie seien der Beste, den man sich wünschen kann.«

»Na ja.« Er lächelt bescheiden.

»Stimmt es, dass Sie da oben als Erster mit Tröpfchenbewässerung experimentiert haben?«

»Oh, das war nicht meine Erfindung, Netafim hat –«

»Aber Sie haben das System den Bedingungen angepasst.«

»Ja, schon.«

»Lust auf eine Rundfahrt?«

Eine rotblonde Frau, Ende 40, türkisblaue Augen, Sommersprossen, amerikanischer Akzent. Eine dieser All American Beautys, die zwischen 30 und 60 nicht altern, um dann über Nacht zu knitterigen, tapezierten Skeletten zu mutieren.

Wer war *die* noch gleich? Namen, Funktionen, Verantwortlichkeiten, alles stürzt auf ihn ein, ach ja, Alison Titelman. Verantwortlich für den Agrarbereich, Himmel – seine direkte Vorgesetzte! Die einzige Person mit der Autorität, ihm zu sagen, was zu tun ist. Allen anderen wird *er* sagen, was zu tun ist.

Er wird Herr sein über das komplette Agrarbewässerungssystem dieser glorreichen neuen Mittelmeermetropole mit dem schönen Namen

Jamit.

Jehudas Traum.

Sadats Albtraum.

Jahrelang hatte der Ägypter gehofft, Israel werde den Sinai zurückgeben, nachdem Nassers Streitmacht gescheitert war, hatte Charmeoffensiven gestartet, mit dem Säbel gerasselt, Friedensangebote unterbreitet.

Doch Israel verfolgte andere Pläne.

Der Hinterhof, wie Arik den Sinai nannte, bot sich in idealer Weise als Pufferzone zwischen dem Gazastreifen und Ägypten an, um israelisches Kernland zu schützen. Gleich nach dem Sechstagekrieg hatte Zahal das Ostufer des Suezkanals durch eine Reihe wallartiger Befestigungsanlagen gesichert, bestückt mit Spähposten. Eine militärische Maßnahme, Festungen baut man und reißt sie ab, doch Anfang der Siebziger verfügte Moshe Dayan, die Rafiah-Ebene im Nordosten Sinais von Beduinen zu säubern, und Arik, mit der Verlässlichkeit eines Kehrbesens, übernahm den ausführenden Teil (»Weil die Scheißkerle Waffen in den Gazastreifen schmuggeln, anders bekommen wir den Sumpf da nie ausgetrocknet«).

Was man sich so vorstellen muss:

Lebst du mit deiner Familie in einem Zelt, habt ihr exakt einen Tag, um euren Kram zu packen und euch außer Sichtweite zu verziehen.

Und außer Sichtweite heißt –

WEIT weg.

Lebt ihr in einem festen Haus, bekommt ihr zwei Tage.

Dann wird es niedergerissen.

Fragen?

Ariks Vorgehen ließ Assoziationen an den Kammerjäger aufkommen und löste in Israel (außer bei den Nationalreligiösen) einen Aufschrei der Empörung aus. Wurden hier aus Unterdrückten Unterdrücker? Waren wir nicht immer die Gerechten? Dass einer gehen muss, wenn zwei denselben Fleck beanspruchen, daran führt kein Weg vorbei –

Aber doch nicht SO!

Das ist unmenschlich, barbarisch.

Das sind nicht wir.

Den Geschädigten brandete eine beispiellose Woge der Sympathie entgegen, was nichts daran änderte, dass ihre Klagen vor Gericht sämtlich abgewiesen wurden. Wäre es nur um Waffenschmuggel gegangen, um Ariks Methoden, sich überführter, potenzieller und eingebildeter Terroristen anzunehmen –

Ariel Scharon, den sowieso keiner mehr leiden konnte, weil er das Image verdarb, und keineswegs nur wegen der Beduinen.

Auch wegen Gaza.

Nach Jahren militärischen Tauziehens war Nasser schließlich eingeknickt, gestorben und Arik beherzt zur nächsten Mission geschritten. Gaza, im Würgegriff der Gewalt: Araber terrorisierten Araber, die in Israel lebten, jobbten, studierten und im Zweifel den falschen Bus nahmen, nämlich den mit der Bombe. In ihrer Paranoia witterte die PLO überall Kollaboration. Wer Geschäfte mit Zionisten machte, riskierte den Tod. Eine arabische Nutte wurde von einem Zahal-Soldaten nach dem Weg gefragt? Es genügte als Beweis, dass sie kollaborierte, also konnte sie froh sein, wenn man sie einfach erschoss und nicht bei lebendigem Leibe in Stücke schnitt. Es wurde gefoltert und gemordet in Gaza, was das Zeug hielt, am meisten litt die muslimische Bevölkerung, aber natürlich traf es immer wieder auch Juden. Die nette Immigrantenfamilie etwa, die den Fehler beging, sich von Gaza-Stadt ein Bild verschaffen zu wollen.

Einen Parkplatz suchte, mit halb offenem Fenster.

Jemand warf eine Handgranate hinein.

Und so weiter und so fort, klar, dass man dagegen was unternehmen musste, nur, Arik zu schicken, hieß immer gleich, Unkraut zu jäten, indem man den Garten abfackelte. Dayan suchte nach verträglichen Wegen. Mit dem Ergebnis, dass die Gewalt noch mehr eskalierte und folgende kleine Unterhaltung gebar:

Dayan: »Nein, Arik. Nein!«

Scharon: »Moshe, wenn wir jetzt nicht aktiv werden, verlieren wir die Kontrolle über den Gazastreifen!«

Dayan (nach langem Brüten): »Dann mach.«

Na, das musste er ihm aber nicht zweimal sagen.

Ariks ramponierter Ruf resultierte auch daraus, wie er *dieses* Problem angegangen war, einfach indem er Gaza von Elitekräften in seinen Besitz bringen ließ und höchstselbst zur Verkündigung schritt.

ALSO SPRICHT ARIEL, EUER HERR:
Ihr seid alle Terroristen.
Wer kein Terrorist ist, ist *noch* kein Terrorist und wird vorsorglich
schon mal wie einer behandelt.
Wer eine Waffe trägt, wird erschossen.
Wer nicht stehen bleibt, wenn man ihn dazu auffordert, wird erschossen.
Wer auf uns zukommt, und er kommt nicht so auf uns zu, wie wir
ihn gerne auf uns zukommen sähen, wird erschossen.
Wer sich versteckt, wird erschossen.
Das neue Zahal-Freizeitangebot für den Gazastreifen umfasst Hausdurchsuchungen, Ausgangssperren, Fällen von Bäumen (weil sich dahinter Terroristen verstecken können), Einreißen von Häusern (weil
sich darin Terroristen verstecken können), Erweitern der Zufahrtswege
für Anti-Terror-Kommandos in Flüchtlingslagern durch Niederwalzen
von Unterkünften, auch solchen von Nicht-Terroristen (die ja mal welche werden könnten) und unter Umgehung gültigen Rechts.
Gefangene werden nicht gemacht.
Darüber hinaus muss niemand Angst haben.

Fakt war, dass der Gazastreifen drei Monate nach Ariks therapeuti-
schem Wirken so ruhig dalag wie der Friedhof von Tel Aviv. Selbst seine
Gegner mussten widerstrebend vermelden, er habe ganze Arbeit geleistet, doch ihre Lippen kräuselten sich vor Verachtung, auch wenn Dayan
den »Bulldozer« über den grünen Klee lobte und Golda Meir ihm den
Rücken stärkte. Im Generalstab hingegen regten sich Zweifel, ob Ariks
brutales Vorgehen die Probleme wirklich gelöst oder nur letzte Brücken der Verständigung abgebrochen hatte.
Wäre es nicht sinnvoller gewesen, die Lebensumstände der Menschen in Gaza zu verbessern? Ehrenhafter, eine einzige Träne zu trocknen, statt Ströme von Blut zu vergießen?
Menschenrechtler, Linke, Kibbuzniks, die gesellschaftliche Mitte –
Arik wurde ihnen unangenehm.
Der Held von '67 hatte Federn gelassen, und jetzt auch noch die Sache mit den Beduinen. Dennoch hätten die vor Gericht vielleicht ein
paar Achtungserfolge erzielt, wäre es nicht um mehr gegangen als Waf-
fenschmuggel.
Es ging um einen Traum.
Jamit.
Eine Stadt am Meer, aus dem Wüstensand gestampft. Die *Vision* ei-

ner Stadt, genauer gesagt, doch die bloße Ankündigung reichte, Sadats letzte Hoffnung auf eine friedliche Rückgewinnung des Sinai endgültig zerschellen zu lassen.

Jamit war – wie die Araber sagen – der Strohhalm, der dem Kamel den Rücken brach.

Also machte er mobil, während Israel schlief, dahindämmernd im Vollrausch seiner Unbesiegbarkeit.

Kopfschmerzen vorprogrammiert.

6. Oktober 1973.

Jom Kippur, heiligster jüdischer Feiertag.

Das Leben steht still.

Eine Nation, wie in Aspik gegossen.

Stunden zuvor, als Ägypten und Syrien schon erkennbar Truppen verschieben, hat der militärische Nachrichtendienst die Sache noch runtergeredet. Keine Kriegsgefahr am Jom Kippur. Ebenso gut hätte er sagen können, kein Risiko, bei Hereinbrechen der Sintflut nasse Füße zu bekommen, aber man ist ein bisschen *deaf, dumb and blind (Tommy, The Who* – dreht sich aktuell auf Uris Plattenteller: So macht jeder seine Erfahrung mit den Briten, früher hatten sie das Mandat für eine nationale jüdische Heimstätte in Palästina, heute haben sie das Mandat für Popmusik), und jedes Mal, wenn Jehuda die Zeile hört, scheint sie ihm die Sinnesverfassung des Staates Israel an jenem 6. Oktober exakt in Worte zu fassen. Das Gottvertrauen in die Streitkräfte ist von der Art, als müsse man nur gähnend mit den Fingern schnippen, und sie träten jedweden Feind in den Staub.

Doch heute tritt niemand irgendwen irgendwohin.

Heute legt Zahal die Beine hoch.

Also bitte, es ist Jom Kippur!

Und die Araber –

die wissen das

GANZ GENAU.

Gegen Mittag setzt die ägyptische Armee über den Suezkanal, dringt in den Sinai vor und erwischt Zahal in der Unterhose.

Schockstarre.

Der Himmel schwarz vor Helikoptern. Kampfflugzeuge, die den Verteidigungswall in Grund und Boden schießen, während zeitgleich syrische Panzerverbände und Fallschirmjäger die Golanhöhen einnehmen.

Panik, Konfusion.

Die Mobilmachung erfolgt holprig, dann kommt Zug in die Sache.

Feiertags sind alle Reservisten zu Hause oder in der Synagoge, schnell auffindbar, sofort am Telefon, bin in fünf Minuten da, ein Umstand, der den arabischen Alliierten bei der Ausarbeitung ihres schönen Plans entgangen ist. Alle Straßen sind frei, die Militärtransporte kommen ungehindert durch. Arik, im militärischen Ruhestand, wird reaktiviert. Vor drei Monaten hat er die Brocken hingeschmissen, frustriert, dass sie ihn nicht zum Generalstabschef ernennen wollten, den Likud ins Leben gerufen, ein Mitte-Rechts-Bündnis konservativer Parteien, sein Heil in der Politik gesucht und sich staatstragend gegeben:

»Israel blickt nun ruhigen Jahren entgegen, was seine Sicherheit betrifft. Solange wir am Ufer des Suezkanals stationiert bleiben, haben die Ägypter keine Chance, einen Krieg zu gewinnen.«

Arik, diesmal voll daneben.

Jetzt sieht er sich in die Führung des Südkommandos berufen mit der Aufgabe, den ägyptischen Vormarsch zu stoppen, und, ganz ehrlich –

Es kommt ihm gelegen.

Den Popularitätsschub kann er gebrauchen.

Nicht, dass er zur Imageauffrischung einen Krieg herbeigesehnt hätte, Arik liebt den Krieg nicht.

Er ist nur einfach gut darin.

Gib ihm einen bewaffneten Konflikt, und er setzt sich in Bewegung mit der Erbarmungslosigkeit eines Dschingis Khan, der strategischen Intelligenz eines Sun Tsu und der Unverfrorenheit eines Odysseus. Und auch jetzt wirft er seine Nach-meinen-Regeln-oder-gar-nicht-Kriegsmaschinerie an, versetzt umgehend Divisionen in den Südsinai, missachtet Anweisungen, ignoriert Drohungen, ihn abzulösen, überrollt die gegnerischen Angriffslinien, kesselt die 3. Ägyptische Armee ein, überquert befehlswidrig den Suezkanal und rückt bis auf 120 Kilometer an Kairo heran.

Da steht er.

Ginge es nach ihm, er würde auch den letzten Schritt tun und Sadat mit dem Kopf nach unten aus dem Fenster halten.

Na, wenigstens hat er den Krieg gewonnen.

Am 24. Oktober vermitteln die UN einen Waffenstillstand.

Sieg für Israel.

Aber zu welchem Preis?

Mehr als zweieinhalbtausend Gefallene, fast 10 000 verwundet, Materialschäden in zigfacher Millionenhöhe – das soll noch die legendäre, unbesiegbare israelische Armee sein?

Zweifel gären.

Wir sind *nicht* unbesiegbar.

Es gibt *keine* garantierte Sicherheit.

Die Bedrohung ist *permanent.*

Der Heldenmythos vom wehrhaften Zionisten bröckelt. Die Überlebenden des Holocaust, die in Israel ein verschämt verschwiegenes Dasein fristen, Lämmer, die sich haben zur Schlachtbank führen lassen, *Sabon*, Seife, wie einige hier sie abfällig nennen, Schwächlinge und Versager, hatten sie vielleicht *doch* keine Wahl? Trennt uns am Ende nur die *Illusion* der Überlegenheit von einer weiteren Shoa, einem zweiten Holocaust? Schon in den Sechzigern, als der Mossad Adolf Eichmann nach Israel entführte und ihm dort öffentlich der Prozess gemacht wurde, hatte sich der Blick auf die NS-Opfer geändert. Bis dahin war der Holocaust im kollektiven Gedächtnis unterrepräsentiert (umgeben von feindlichen Nachbarn, die dich ins Meer treiben wollen, hast du andere Sorgen), jetzt, verkörpert durch diesen Mann, erlebten auch jene, die nie einem Nazi ins Auge geblickt hatten, die monströse Bürokratie des Massenmords, und es dämmerte ihnen, dass man gegen eine Vernichtungsmaschine, die sich auf Männer wie Eichmann stützt, wenig Chancen hat.

Was bliebe vom wehrhaften Zionisten in einem KZ?

Was, wenn wir den Jom-Kippur-Krieg *verloren* hätten?

Nun, sie sind der Niederlage knapp entgangen, doch das nationale Selbstbewusstsein hat Schaden genommen, der Nimbus der Unbesiegbarkeit ist dahin. Nach dem Erweckungserlebnis von '67 schlägt die Stimmung in die andere Richtung aus.

Wir müssen uns schützen.

Die Nationalreligiösen, organisiert in Gusch Emunim, dem »Block der Getreuen«, drängen nun erst recht darauf, Judäa, Samaria und den ganzen biblischen Raum zu befreien, noch länger auf den Messias zu warten könne man sich nicht leisten, also siedelt, Brüder und Schwestern, siedelt ihn herbei, herbei! Aber auch die Pragmatiker plädieren für einen stärkeren Ausbau der Pufferzonen, insbesondere im Sinai, und was wäre geeigneter, Israels Präsenz dort zu erhöhen, als –

Eine Stadt.

Jamit ist beschlossene Sache.

Arik treibt das Projekt voran.

Über Nacht sind seine Popularitätswerte durch die Decke geschossen, vergessen ist, dass man sich kürzlich noch für diesen Mann geschämt hat. Strahlend kehrt er auf die politische Bühne zurück und entwickelt sein Konzept. Dem Sinai kommt in der Bibel einige Bedeutung zu, Gott hat sich hier offenbart, Moses die Gebote in die Hand gedrückt, doch verglichen mit Judäa und Samaria spielt er für die Religiösen kaum eine Rolle. Dafür eignet er sich in idealer Weise, einen ganz neuen Siedlertypus zu etablieren.

Säkular und unideologisch.

Ganz nach Ariks Geschmack, der die Besiedlung keinesfalls nur den Gottesfürchtigen überlassen will. Schön, dass sie ihm den nötigen Rückhalt an Wählerstimmen sichern. In ihren Reihen wird er brav eine Kippa tragen und einem Messias das Wort reden, an den er so inbrünstig glaubt wie an fliegende Elefanten.

Jetzt aber will er die breite Bevölkerung für sich gewinnen. Siedeln zur sicherheitsrelevanten *und* kulturellen Maxime allen zionistischen Wirkens erheben, zum Ausdruck hebräischer Identität.

Die Umstände könnten nicht besser sein. Nach dem Beinahe-Desaster von Jom Kippur ist der Widerspruch gegen die Okkupation der umstrittenen Gebiete nahezu verstummt. Arik muss nicht mehr viel Überzeugungsarbeit leisten. Nur von der herrlich mediterranen Lage Jamits schwärmen und die Immobilienpreise tief genug ansetzen, dass selbst beinharte Siedlungsgegner ins Wanken geraten.

Ach ja –

Und seine Freunde nicht vergessen.

Er mag sich zu einem brutalen, verlogenen, karriereversessenen Mistkerl entwickelt haben, aber Freundschaft ist ihm heilig. Hast du Arik als Kumpel, musst du dir keine Sorgen machen.

Er geht durchs Feuer für dich.

Auf alle Fälle kann er dir prima Baugrund besorgen, und das zu einem wirklich sensationellen Kurs.

In Jehudas Fall besorgt er ihm den Job gleich mit.

Der Jeep kurvt zwischen den Baubaracken hindurch und hält auf offenes, geplättetes Gelände zu.

»Die Agglomeration sieht ein Rechteck vor«, erklärt einer der Bauleiter aus dem Fond. »Kennen Sie sich mit der Struktur römischer Forts aus?«

»Nicht wirklich.«

Jehuda hat während seines Landwirtschaftsstudiums einige Lehrgänge in Hydrologie belegt, ohne zu ahnen, dass ihm diese Erfahrung einmal zugutekommen wird.

Vom Städtebau versteht er wenig.

»Im Osten sind zwei Dutzend mehrstöckige Gebäude geplant, in unmittelbarer Nachbarschaft des Gemeindezentrums und der Verwaltung. Die Westhälfte haben wir Einfamilienhäusern vorbehalten.«

»Großzügige Gärten«, fügt Titelmann hinzu.

»Werden Sie auch da wohnen?«, fragt Jehuda.

»Oh, ich glaube, wir sind sogar Nachbarn«, lächelt die Amerikanerin.

Ihre roten Locken züngeln im Wind.

Stupsnase, fällt ihm auf.

Ein Segen, dass Phoebe nicht zur Eifersucht neigt. Etwas geht von Alison Titelmann aus, das Frauen im Gesicht ergrünen lässt.

Sie folgen dem Verlauf eines schnurgeraden Grabens.

»Hier entsteht ein Wall, der das Ganze umschließt«, sagt der Planer. »Nichts Dramatisches, aber doch so, dass man das Areal gut verteidigen kann. Drei Stadttore. Die Straßen senkrecht zueinander angelegt, mit Hauptachsen, die unmittelbar in die Ausfallstraßen übergehen. Wollen Sie mal Ihre künftige Bleibe sehen?«

Klar will er das.

Also fahren sie das neue Zuhause der Familie Kahn besichtigen, die augenblicklich im Freien campieren müsste, dafür lässt das gegossene Fundament schon den Grundriss erkennen.

In sechs Monaten wird hier ein schneeweißer Quader stehen. Inmitten grüner Wiesen, Hecken und Dattelpalmen.

Mit wunderbar frischer Luft.

Die haben sie am See Genezareth zwar auch, in Jamit aber werden sie mit jedem Atemzug den Duft des nahe gelegenen Meeres einsaugen. So wie Tel Aviv riechen könnte, wäre es nicht von Abgasen verpestet.

Jehuda geht ein paar Schritte. Vom Flur ins Wohnzimmer in die Küche, alles noch potenziell. Titelmann schlendert neben ihm her und sie landen im Schlafzimmer.

»Haben Sie Kinder, Jehuda?«

»Zwei. Junge und Mädchen.«

»Enkel?«

Jehuda grinst. »Sehe ich so aus?«

Sie lacht, ein roter Mund von fulminanter Breite, während sich die Lider zu Halbmonden verengen.

»Sehe *ich* so aus? Und ich habe drei.«

Jehuda schaut zum Nachbargrundstück hinüber. Sein Sohn wird dort einziehen, mit Anastasia, seiner jüngsten Flamme. Uri hat die Russin auf seinem Stützpunkt kennengelernt, in der Kommandantur, wo sie Sekretariatsarbeiten verrichtet und Rekruten den Kopf verdreht. Ohne Zweifel das, wovon jeder Soldat träumt und was viele im Spind hängen haben, blond, perfekt gebaut und sich all dieser Vorzüge bewusst. Ihretwegen ist das Sekretariat der meistfrequentierte Ort der Kaserne nach der Kantine, doch Uri scheint den Vogel abgeschossen zu haben. Phoebe mag das Mädchen nicht, hält sie für kalt und berechnend, aber erzähl das jemandem, der gerade den besten Sex seines Lebens hat.

Jehuda betrachtet die Dinge gelassener.

Soll Uri sich austoben. Anastasia wird seine Kinder zur Welt bringen oder eine Episode bleiben, egal. Der Junge hat jetzt ein Haus im Sinai (wenn auch ein noch abzubezahlendes), wer immer dort an seiner Seite wohnen wird.

»Tja.« Breitet in gespielter Resignation die Arme aus. »Tut mir leid, dass ich ihnen nichts anbieten kann.«

Titelmann zwinkert ihm zu.

»Verlassen Sie sich drauf, das holen wir nach.«

Die Vision: 250 000 Menschen in gepflegten Häusern, eine Infrastruktur wie in Tel Aviv, Cafés, Restaurants, Geschäfte, Kinos, Hotels, Wassersportangebote, Tiefseehafen.

Die Realität: Sand.

Noch ist das Ganze hier von einer Stadt so weit entfernt wie die Apollo-Hinterlassenschaften auf dem Mond von Lower Manhattan, doch Jehudas Wirklichkeit ist eine andere.

Er kann Jamit *sehen*.

Vor seinem geistigen Auge.

Sie karren ihn zum Wasserwerk, zeigen ihm den Anschluss an den National Water Carrier, die landwirtschaftlich nutzbaren Flächen. Er steigt aus, gräbt ein bisschen, packt Bodenproben ein und *sieht*, wie hier demnächst Feldfrüchte sprießen werden.

Träumt, während der Sand durch seine Finger rieselt.

Sieht das Paradies entstehen, und weil er Realist ist, sieht er es mitsamt der Schlange.

Die Schlange hat die Beduinen vertrieben. So viele Trümmer, an denen sie auf der Hinfahrt vorbeigekommen sind, weit mehr als erwartet. Während der Gerichtshof befand, die Regierung habe lediglich eine Handvoll Nomaden evakuiert, die illegal auf staatseigenem Territorium siedelten, sprechen Menschenrechtler von 1500 vertriebenen Familien der Al-Ramilat-Stämme.

Na, was hat er erwartet?

Jungfräuliches Land?

Diese Wunde muss heilen, denkt Jehuda. Wenn wir in Jamit ein friedliches und gerechtes Leben führen wollen, müssen wir vergangenes Unrecht gutmachen.

Und die Schlange windet sich vor Lachen, toller Vortrag, Junge, aber warum bist du dann überhaupt hier? Weil du nicht Nein sagen konntest zu Ariks verlockendem Angebot! Darum! Also hör auf, im Sand nach Beduinenscheiße zu stochern. Nichts ist verlogener, als der Versuchung nachzugeben und sie dann nicht auszukosten.

Titelmann geht neben ihm in die Hocke.

»Wir wären dann so weit für Ihre Präsentation.«

Jehuda schaut auf.

»Ja. Gerne.«

In der Baracke am Wasserwerk haben sich Agronomen, Ingenieure und Architekten versammelt, größtenteils Staatsbedienstete wie Alison Titelmann. Schalen mit Früchten und rohem Gemüse verteilen sich über die Tische. Es duftet nach frisch gebrühtem Kaffee.

Alle starren Jehuda an. Er lässt einen Moment verstreichen, verjagt die Schlange aus seinem Kopf.

»David Ben Gurion hat einmal gesagt, der Wüste Negev fehlen Juden und Wasser. Wenn ich mir die Einwanderungszahlen so anschaue, mache ich mir um die Juden weniger Sorgen. Eher darum, dass ein Negev voller Juden ein ganz besonders durstiger Negev ist, und genau dieses Problem blüht uns im Nordsinai auch. Wir bauen eine Stadt für eine Viertelmillion Menschen ins Herz der Dürre. Das Meer vor der Haustür zu haben, hilft uns wenig, es ist versalzen, ich schätze also, wir müssen verrückt sein.«

Leises Lachen, zustimmendes Nicken.

Hier sind sie gerne verrückt.

»Nun, Alison bat mich, ein paar grundsätzliche Betrachtungen zum Wassermanagement Jamits anzustellen, lassen Sie mich kurz ihr Gedächtnis auffrischen: 28 Prozent allen Wassers, das wir in Israel verbrauchen, stammt aus dem See Genezareth und dem Jordanbecken. 31 Prozent entnehmen wir den Grundwasserströmen der Westbank, 16 Prozent gewinnen wir aus unterirdischen Vorkommen entlang der Mittelmeerküste, der Rest entstammt kleineren Reservoirs, die sich übers Land verteilen.«

Er hält kurz inne, lässt die Zahlen wirken.

»Alle diese Wasserquellen werden längst über Gebühr strapaziert. Dem See Genezareth entnehmen wir mehr, als nachfließen kann. Der Jordan verzeichnet Tiefststände. Die Reservoirs sind bis in Tiefen von 1000 Metern angebohrt und überpumpt, so dass Meerwasser hineinsickert. Es gibt immer noch gewaltige Vorkommen, allein unter dem Negev lagern 100 Billionen Kubikmeter, aber jährlich pumpen wir fünf Millionen davon raus. Unsere einstige Kibbuz-Gesellschaft entwickelt sich rapide zur Industrie- und Hightech-Nation, sprich, der Verbrauch wird sich verdoppeln, verdreifachen, verzehnfachen. Stimmt, wir recyceln, je öfter sie in Tel Aviv die Hosen runterlassen, desto mehr geklärtes Abwasser fließt auf die Äcker, doch die Rückstände der Verunreinigung beginnen die Böden zu belasten. Wir entsalzen Meerwasser, aber die Verfahren kosten ein Heidengeld. Das Schlimmste aber ist die tägliche Verschwendung. Wenn ich sehe, wie Farmer ihre Zitronenhaine mit Trinkwasser beregnen, als hätten wir endlos davon, müssten israelisches Obst und Gemüse unbezahlbar sein, und in gewisser Weise sind sie das auch, so viel zur Ausgangslage.«

Sie schauen ihn abwartend, interessiert an. Viel Neues hat er bis jetzt noch nicht erzählt. Sie an die schalen Fakten erinnert, gut. Jetzt wollen sie ihn Brot und Fische vermehren sehen.

»Wie also gelangen wir zu einem effizienten Wassermanagement? Darauf gibt es drei Antworten, und alle sind richtig. Erstens, sämtliche Quellen maßvoll anzapfen, anstatt eine einzige auszubeuten. Zweitens, zur Erzielung maximaler Effekte so wenig Wasser wie möglich einsetzen. Drittens, recyceln, recyceln, recyceln.«

Er macht eine Pause.

»Der mir vorliegende Versorgungsplan für Jamit liefert eine vierte Antwort, und sie ist falsch. Denn sie gründet auf einer einzigen, fragwürdigen Idee, unseren Bedarf fast zur Gänze aus dem See Genezareth zu decken. Warum? Nur, weil wir es können? Haben wir vergessen, dass jeder Tropfen, der im Nahen Osten aus irgendeinem Hahn fließt, woanders fehlt? Muss ich jemandem ernsthaft erklären, dass Wasserknappheit ein Kriegsgrund ist? *Der* Kriegsgrund.«

Oktober '73. Schwarzer Rauch über dem Golan. Flugzeuge, Panzer, das Donnern schwerer Artillerie.

Jehuda hat den metallischen Geschmack der Angst noch auf der Zunge. Sieht sich, Phoebe und die Kinder auf der Veranda ihres Hauses stehen und zu dem so beängstigend nahen Gebirgszug hinüberstarren, den die Syrer gerade versuchen zurückzuerobern.

48 Stunden der Ungewissheit.

»Sie wollen meine Meinung hören? Ich sage ihnen meine Meinung. Der jetzige Plan ist Mist.«

Schon hat er einige schwer vor den Kopf gestoßen. Nicht zu vermeiden. Titelmann kennt sein Konzept, Jehuda weiß sie hinter sich, aber ihre Unterstützung ist nur die Hälfte wert, wenn er sich in dieser Runde nicht Respekt verschafft.

»Wir sollten ihn fallen lassen zugunsten einer paritätischen Versorgung aus verschiedenen Quellen. Teils werden wir, wie geplant, Trinkwasser aus dem Jordanbecken beziehen, teils von einer Meerwasserentsalzungsanlage, zu deren Anschaffung ich Finanzierungspläne ausgearbeitet habe, außerdem steht uns wenige Kilometer südwestlich von hier ein bislang kaum genutztes Grundwasserbecken in geringer Tiefe zur Verfügung, das heißt, wir können mit vergleichsweise wenig Aufwand Brunnen anlegen. Unsere Industrie ist mit Abwasser aus Tel Aviv, Aschdod, Aschkelon und Beer Scheva bestens bedient, für die Landwirtschaft zapfen wir Reservoirs im Negev an –«

»Augenblick.« Ein Hydrologe hebt die Hand.

»Ja?«

»Das Negev-Wasser ist brackig.«

Lächelt triumphierend. Sein Gesichtsausdruck sagt, mach deine Hausaufgaben, bevor du hier Reden schwingst.

Aha, denkt Jehuda. Du bist schon mal einer von denen, die den See Genezareth leer saufen wollten.

»Es ist 30 000 Jahre altes Tiefenwasser«, erwidert er freundlich. »Frei von Keimen und Viren. Sehr sauber.«

»Zu salzig für Nutzpflanzen.« Der Mann blickt in die Runde. »Ich meine, wir können das machen, aber die Aufbereitung wird Unsummen kosten.«

»Genau das, was Sie eigentlich vermeiden wollen«, sagt Titelmann aus dem Hintergrund.

Spielt ihm den Ball zu.

»Ja, Sie haben recht.« Jehuda nickt. »Und auch wieder nicht. Während der vergangenen Monate habe ich die biologischen Muster der Wüste studiert, Lebensformen, Vegetation, so ziemlich alle Spielarten der Verbindung von Wasserstoff und Sauerstoff. Ich war Dauergast in Forschungsinstituten, die sich tagein, tagaus nur mit der Frage beschäftigen, wie wir noch den letzten, unbrauchbar erscheinenden Wassertropfen nutzen können, und dabei haben wir auch mit Negev-Wasser gearbeitet. Es klingt erstaunlich, aber tatsächlich eignet sich dieses Wasser hervorragend für die Aufzucht bestimmter Feldfrüchte. Tomaten und Melonen gedeihen prächtig, sie reagieren mit biochemischen Abwehrprozessen auf die unerwünschten Stoffe, und diese Reaktionen produzieren –« Er lässt genießerisch die Zunge schnalzen. »– eine ganz wunderbare Süße.«

Er weist auf die Obstschalen.

»Probieren Sie. Was Sie dort sehen, wurde mit Negev-Wasser hochgezogen. Die chemischen Analysen finden Sie in einer Dokumentation, die ich im Anschluss verteilen werde.«

Alison Titelmann schaut ihn an. Im Halbdunkel der Baracke erscheint ihr Lockenkopf wie ein Medusenhaupt.

Eins zu null, sagt ihr Blick. Bleib dran.

Er wartet, bis ihnen der Melonensaft aus den Mundwinkeln läuft, lässt sie Tomaten und Paprika kosten.

»Das heißt, wir reden hier nicht mehr von bloßer Selbstversorgung. Stellen Sie sich Jamit-Melonen als Exportschlager vor. Sie kennen das gute alte Motto der Kibbuzim: Arbeite, was du kannst, und du erhältst, was du brauchst. Nun, wir werden es abwandeln: Lass die Natur für dich arbeiten, und du erhältst mehr, als du dir vorstellen kannst. Dazu gehört auch die Aufzucht mit Meerwasser.«

Einer der Architekten lässt stirnrunzelnd sein Stück Melone sinken.

»Sie wollen Meerwasser auf die Felder leiten?«

»Wir tun es bereits. Mit dem Ergebnis, dass wir die Verträglichkeit von Meerwasser bei 180 Nutzpflanzen nachgewiesen haben.«

»Wie geht das?«, fragt Titelmann.

Jehuda lächelt.

»Warum gilt als Faustregel, Meerwasser töte Nutzpflanzen ab? Weil es zwei kritische Substanzen enthält: Magnesium- und Natriumchlorid. Auf Lehm- oder Humusböden in der Tat ein Problem, aber wir kultivieren hier Wüstenboden. Hochporös. Und die kritischen Salze sind leicht löslich, sie sinken schnell in tiefere Schichten ab, ohne lange an den Wurzeln zu haften. Was dort verbleibt, ist reines Wasser. Wir baden die Pflanzen regelrecht in Salzwasser, doch sie saugen ausschließlich Süßwasser. Nur in der Wüste ist das möglich.«

Eine Agronomin hebt die Hand.

»Birgt das auf Dauer nicht die Gefahr, das Sediment zu versalzen?«

»Ja, aber wir haben einen Trick gefunden, die Böden parallel zu entsalzen. Indem wir Binsen pflanzen.«

»Binsen?«

»In Haifa haben wir eine Binsenart entdeckt, die überschüssiges Salz in ihren grünen Bestandteilen lagert. Nach zweimaliger Ernte waren die

Testböden gereinigt, und die Binsen lassen sich zu erstklassigem Papier verarbeiten. Warum sollte Jamit nicht obendrein zu einem führenden Papierhersteller avancieren – weltweit führend, versteht sich.« Allmählich wachsen ihm Flügel. »Oder nehmen Sie Dünengras, ebenfalls salzresistent. Versuchen wir doch mal, es mit Getreide zu kreuzen, dann werden sich biblische Visionen erfüllen: Weizen in der Wüste.«

Spricht weiter, hat noch mehr in petto, am Ende bestürmen sie ihn mit Fragen. Er streut ihnen Details hin wie Vogelfutter, eine kleine chemische Reaktion hier, ein verblüffender Nebeneffekt da.

Und die ganze Zeit über denkt er:

Dies ist Tag X.

Der Tag, auf den wir einmal zurückblicken und sagen werden: Damals hat alles begonnen. Dieser Tag hat unser Leben verändert.

»Wer in diesem Land nicht an Wunder glaubt«, schließt er, »ist kein Realist.«

Wieder David Ben Gurion. Goldene Worte des großen Zionisten. Seit zwei Jahren ist der Staatsgründer tot und auf dem besten Weg in die Unsterblichkeit. Die Gesamtheit seiner Äußerungen wird eingekocht zu einem Extrakt, der jeden Vortrag veredelt. Gerade jetzt, wo Israels Wirtschaftswachstum stagniert, die Parteien ihren guten Ruf verspielen, der Rausch von '67 verflogen und einem ausgewachsenen Kater gewichen ist.

Das Land lechzt nach Erneuerung.

»Und die gebe ich ihm, verlass dich drauf.«

Die Sonne ist hinter dem Horizont versunken, das Meer liegt wie geriffeltes Silber da. Obwohl schon Mitte November, haben sie ihre Schuhe ausgezogen und treten lustvoll Kuhlen in den Sand, die sich sofort wieder mit Wasser füllen.

Ein bisschen wie Kinder.

Wie damals, als sie am Strand von Tel Aviv Burgen gebaut haben, bis die Flut kam und alles davontrug.

Jetzt gehen sie wieder einen Strand entlang.

Zwei 47-jährige Männer.

Und wieder bauen sie, nur in ganz anderen Maßstäben, der Hoffnung ergeben, diesmal möge es länger halten. Über ihnen spannt sich ein Band aus Sternen, das Gedanken an außerirdische Zivilisationen freisetzt.

»Du willst eine neue Partei gründen?«, fragt Jehuda.

»Ja, aber tritt es nicht breit.«

»Welche Richtung schwebt dir denn vor? Oder würfelst du noch?«

Die Frage ist berechtigt, seit seinem Abschied von der Armee legt Arik einen politischen Slalom hin, dass man kaum nachkommt. Kungelt mit den Nationalreligiösen, wie man es vom Urvater des Likud nicht anders erwarten würde, berät aber zugleich Jitzchak Rabin, seit zwei Jahren Premier und entschieden gegen jede Besiedlung Judäas und Samarias.

»Das sind keine Widersprüche, Jehuda.«

»Sondern?«

»Evolution.« Arik grinst. »Ich entwickle mich weiter.«

»Indem du dir gleichzeitig Flossen und Flügel wachsen lässt?«

»Ganz recht, ich bin ein fliegender Fisch, flexibel, wie Politiker sein sollten. Und was sind die anderen? Starr, korrupt, dekadent. Keine Inhalte. Willst du die Wahrheit wissen, Jehuda? Sie kotzen mich an. Rabin ist noch der Beste, aber sein Kleinkrieg mit Peres beraubt ihn wertvoller Optionen.«

»Etwa, dich zu befördern.«

»Genau. Du weißt, ich bin Pragmatiker, mir geht es einzig um Israels Sicherheit, aber ich muss *handeln* können. In der Vergangenheit schien mir das Beste für unsere Sicherheit zu sein, die Besiedlung der Westbank voranzutreiben.«

»Und jetzt?«

»Sehe ich das ein bisschen anders.«

»Nicht dein Ernst!«

»Doch. Nach reiflicher Überlegung bin ich zu dem Schluss gelangt, die jordanische Option dient unserer Sicherheit mehr.«

Die jordanische Option –

Im Klartext, Rückgabe der Westbank an Jordanien.

Jehuda ist von den Socken.

»Und wie soll deine neue Partei heißen?«

»Weiß ich noch nicht genau.« Arik schürzt die Lippen. »Schlomzion könnte mir gefallen.«

Schlom = Schalom = Friede. Friede für Zion.

Ist Arik krank?

»Natürlich nicht, aber überleg doch mal. Wer sitzt uns wie eine Zecke im Fleisch und ist nicht kaputtzukriegen? Na?«

»Jassir Arafat.«

Der ganz schön Karriere macht, seit Jordanien die Westbank an Israel verloren hat. Damals sind Hunderttausende Palästinenser in Husseins Königreich geflohen, wo sich schon die Vertriebenen von '49 auf die Füße traten. Die Lager platzten aus allen Nähten, unregierbar, unkontrollierbar, ein Biotop, in dem die PLO bestens gedeihen konnte.

Ein Staat im Staate, mit dem guten Jassir als ihrem charismatischen Herrscher.

Kein Wunder, dass Hussein ihn rausgeworfen hat.

Arafat war drauf und dran, Jordanien zu übernehmen.

Jetzt sät er Zwietracht im Libanon.

»Unerträglich, die Kreatur.« Arik kräuselt die Lippen. »Glaubt man gerade, ihn quitt zu sein, taucht er woanders wieder auf, aber seien wir realistisch. Entweder wir töten ihn oder finden Wege, uns mit ihm zu arrangieren, und Arafat ist resistenter als eine Kakerlake. Zu Jordanien: im Ursprung britisches Mandatsgebiet. Gesamtpalästina wäre mehr als groß genug gewesen für einen jüdischen und einen arabischen Staat, aber nein, die Briten mussten dieses idiotische jordanische Königreich abtrennen, und jetzt prügeln wir uns mit den Palästinensern um den kümmerlichen Rest. Wie soll das gehen? Zwei Staaten auf diesem Klecks von Territorium. Die Westbank war zwei Jahrzehnte jordanisch besetzt, die meisten dort nennen sich immer noch Jordanier und haben einen jordanischen Pass, hätten die ernsthaft ein Problem damit, morgen wieder zu Jordanien zu gehören? Nein, sie würden es begrüßen. Gib Jordanien die Westbank zurück, und die Frage nach einem palästinensischen Staat hat sich erledigt.«

»Und das willst du Hussein verkaufen?«

»Na ja.« Arik spreizt die Finger. »Da gibt es wiederum zwei Optionen. Eine mit und eine ohne Hussein.«

Weil der jordanische König dem Thema gespalten gegenübersteht. Die verlorenen Gebiete würde er mit Kusshand zurücknehmen, aber dann hätte er wieder Arafat am Bein, und der kämpft für einen unabhängigen palästinensischen Staat.

»Also heißt die zweite Option, Arafat stürzt Hussein und übernimmt den Laden.«

»Wie bitte?«

»Warum denn nicht? Dann kann er sich in Jordanien-Palästina-Tralala zum König krönen lassen, wir schließen einen Friedensvertrag mit ihm und werden beste Freunde.«

»Und wie soll Arafat das anstellen?«

»Hilf mir mal auf die Sprünge.« Arik schnippt mit den Fingern. »Wie heißt noch dieser Beatles-Song, mit dem dieser in Fransen hängende Typ auf diesem Hippie-Festival –«

»Woodstock?«

»Ja, ja.«

»Joe Cocker?«

»Genau. *With a little help from my friends.*«

»Moment. Du willst mir jetzt nicht erzählen, wir sollen Arafat helfen, Hussein zu stürzen.«

»Ich denke nur laut nach.«

Jehuda schaut sich um. Dunkle Silhouetten geistern hinter ihnen her, Ariks Leibwache.

»Und bei wem hast du sonst noch laut nachgedacht?«

»In den richtigen Kreisen.«

»Das hieße aber, sämtliche Siedlungen im Westjordanland zu räumen.« Jehuda wägt die Konsequenzen ab. »Weiß Benjamin davon?«

»Du kennst mich doch. Ich erzähle jedem, was er hören will. Benjamin will das nicht hören. Außerdem sind das ungelegte Eier. Im Wahlkampf wird Schlomzion die Option *mit* Hussein vertreten. Als mutige Friedensinitiative, zu der die etablierten Parteien nicht fähig sind.«

Jehuda kann es immer noch nicht fassen.

Arik wäre tatsächlich bereit, Siedlungen zu opfern und besetztes Territorium zurückzugeben.

Dann kommt ihm ein Gedanke.

»Und Gaza?«

»Warum fragst du nach Gaza?«

»Gaza und Sinai. Konsequenterweise müsstest du Gaza und Sinai dann an Ägypten zurückgeben. Ebenfalls um des Friedens willen.«

Arik bleibt stehen, schaut aufs Meer hinaus, das jetzt die Farbe blauschwarzen Stahls angenommen hat.

Schüttelt den Kopf.

»Die Ägypter wollen keinen Frieden, denk an Nassers Worte: Was mit Gewalt genommen wurde, wird mit Gewalt zurückgeholt. Sadat sieht das genauso. Die arabischen Staaten haben sich mit der Khartum-Resolution entschieden: keine Anerkennung Israels, keine Verhandlungen, kein Frieden. Wir haben sie gedemütigt, das verzeihen sie uns nie. Jordanien ist ein Sonderfall. Der Sinai wird nicht verhandelt.«

»Bist du sicher?«

»Glaubst du, ich baue eine Stadt auf einem Stück Land, das ich wieder weggeben will?«

»Und wenn deine jordanische Option keine Freunde findet?«

»Machen wir weiter wie gehabt. Siedeln, siedeln, siedeln. Wie gesagt, ich bin ein fliegender Fisch.« Grinst. »Man erzählt sich übrigens, du hättest heute Nachmittag schwer Eindruck geschunden.«

Offenbar, denkt Jehuda. Hätte Alison Titelman sonst im Hinausgehen schnell noch seinen Kompetenzspielraum erweitert und sein Gehalt angehoben? Im Flüsterton, damit es die anderen nicht mitkriegen. Ziemlich nah ist sie ihm dabei gekommen.

»Stell dir das vor, Jehuda!« Ariks Zähne blitzen in der Dunkelheit. »Erst wollten sie dich nur als Agronom, jetzt bist du auf dem besten Weg, das komplette Wassermanagement zu übernehmen. In zehn, zwanzig Jahren wird Jamit ein zweites Tel Aviv sein. Auf euch wartet ein großartiges Leben.«

Jehuda lächelt.

Denkt an den Tag vor einem Jahr zurück, als Arik ihn anrief und von Jamit erzählte. Ihm anbot, als einer der Ersten im Sinai zu siedeln. Da steckte ihnen der Schock des syrischen Angriffs noch in den Knochen. Eigentlich fühlten sie sich ja wohl am See, schöne Landschaft, überschaubare Kosten, tolle Arbeitsbedingungen und Aufstiegschancen bei Netafim. Phoebe steuerte als freie Journalistin ihren Teil zum Einkommen bei, sie hatten gespart und einen Hof nördlich von Tiberias ins Auge gefasst, Platz genug für eine Großfamilie, gut investiertes Geld.

Die Verhandlungen liefen bereits, dann Ariks Angebot:

»– und das Beste daran ist, dass ihr die freie Auswahl habt, bevor die Grundstücke in den Verkauf gehen. Ihr könnt euch die schönsten Flecken rauspicken, und die Konditionen sind sensationell. Weißt du was? Ihr solltet gleich doppelt zuschlagen, Uri wird auch bald eine Familie gründen wollen, und was dein berufliches Weiterkommen angeht, die Stadt braucht Wasser und erfahrene Agronomen. Ich würde mich dafür starkmachen, dass –«

Phoebe war skeptisch.

Natürlich klang es fantastisch, aber sie würden ihr ganzes Erspartes einsetzen müssen, niedrige Konditionen hin oder her.

Außerdem mochte sie den Norden.

Die Syrer?

Scheiß auf die Syrer. So bald würden die nicht wieder aufkreuzen, und war man im Sinai wirklich sicherer?

Andererseits drangen immer häufiger Arafats Terroreinheiten über die libanesische Grenze nach Israel vor. Erst im Mai hatte ein Kommando mit dem klangvollen Namen *Demokratische Front zur Befreiung Palästinas* in Ma'alot ein Massaker an Schülern angerichtet.

Selbstmordattentäter.

Etwas Neues. Unerwartet und unheimlich. Bis dahin hatten Terroristen in der Regel versucht, ihren Rückzug zu sichern. Wenn Arafats neue

Taktik darauf abzielte, lebende Bomben über die Grenze zu schicken, konnten sie sich auf einiges gefasst machen.

Und Ma'alot lag keine 25 Kilometer nordwestlich von ihrem Wohnort.

Syrien war eine Sache, der Libanon eine ganz andere.

Sie überlegten hin und her. Das Bild der neuen Stadt leuchtete. Heller und heller. In anderen Ländern ist eine Utopie etwas Unerreichbares, in Israel ist sie der Bus, den der Zaghafte verpasst.

Schließlich sagten sie zu. Uri hielt es ohnehin für eine super Idee, und nach dem Erfolg des heutigen Tages scheint sie das auch zu sein.

Alles richtig gemacht.

Israel vollzieht die fällige Wende zur freien Marktwirtschaft, Jehuda wird dafür sorgen, dass Jamit ganz vorne mitspielt. Obst und Gemüse von erlesener Qualität, Exporte in alle Welt. Jamit-Trauben, Jamit-Melonen, Jamit-Tomaten, Jamit-Bananen.

Vergesst Chiquita.

Er schaut zum Horizont.

Die Sterne sind verschwunden.

Wolken ziehen auf.

1976

Die Stadt wächst rasant.

Es wird März.

Jehuda ist nun immer öfter hier unten. Er hat ein Faible für Science-Fiction entwickelt, liest Isaac Asimov, Arthur C. Clarke, Philip José Farmer. Eine Menge Israelis mögen so was. Vielleicht, denkt er, weil letztlich auch wir nichts anderes tun, als neue Welten zu besiedeln. Seit Raumschiff Zion in Palästina gelandet ist, schlagen wir uns in gefahrvoller Umgebung mit feindseligen Einheimischen herum.

Ray Bradburys *Mars-Chroniken* etwa. Die liebt er.

Schon wegen der Koinzidenz.

Wüste, Wüste.

Wann immer er im Sinai aus dem Wagen steigt, fühlt er sich versucht, in ein Funkgerät zu sagen:

»Atmosphäre atembar. Menschenähnliche Eingeborene.«

Und mal ehrlich, sehen Wüstenskorpione mit ihren acht Augen nicht ganz und gar extraterrestrisch aus?

»Nimm immer schön deine Laserpistole mit«, spottet Phoebe, die mit Science-Fiction nichts anfangen kann.

Aber Jehuda ist halt ein Kind. Ein ewiger Abenteurer, und Fakt ist, Jamit könnte ebenso gut auf einem fernen Planeten liegen. Der futuristische Baustil verstärkt den Eindruck noch. Schneeweiße Gebäude mit eigenartig weichen Konturen, wie aus Gischt geformt. Weißer Sand, blaues Meer. Ein Leuchten von unglaublicher Intensität, Israels Farben.

Dazwischen sprießendes Grün.

Sie arbeiten wie die Pferde hier unten, und die Resultate können sich sehen lassen. In den verzweigten Venen und Arterien des künstlichen Bewässerungssystems gluckert und murmelt es, winzige Wurzeln saugen homöopathische Mengen Wasser und entfalten winzige Blättchen, der Wüstenboden gleicht mehr und mehr einem lebendigen, Rätsel aufgebenden Organismus. Jehuda denkt an den intelligenten Ozean aus Stanisław Lems *Solaris*, das beste Buch, das er je gelesen hat, auch wenn er nicht die Hälfte davon versteht.

Macht aber nichts.

Salvador Dalí, hat Benjamin ihm mal erzählt, vergöttere Kants Kategorischen Imperativ und habe nach eigener Bekundung *kein einziges Wort* davon verstanden. Dabei sei es ganz einfach. Das Banale mit Worten so zu verzieren, dass etwas Besonderes daraus werde, das sei Literatur. Man müsse nur durch die Ornamentik hindurchblicken wie durch ein orientalisches Gitter.

Benjamin, der keine Romane mehr liest.

Nur noch die Thora.

Dafür fängt Jehuda jetzt damit an, und als Alison Titelmann ihn in einer Arbeitspause lesend am Strand vorfindet, im Schatten einer Dattelpalme, während sein umtriebiger Geist die Landschaften des Mars durchstreift, empfiehlt sie ihm gleich etwas Neues.

Er ist überrascht.

Eine Geistesverwandte?

Wie Verdurstende stürzen sie sich auf das gemeinsame Thema. Raumschiffe, Aliens, fremde Welten. Alisons Vater hat Stanley Kubrick mal die Hand geschüttelt, am Set von *2001*. Wer den sandigen Sinai bewässere, meint sie, komme um Frank Herbert gar nicht herum, den solle er dringend als Nächstes lesen.

Warum wundert es ihn nicht, dass sie Science-Fiction mag?

Vielleicht, weil sie selbst ein bisschen wie ein Alien anmutet mit ihren rot züngelnden Haaren und ihrer bleichen Haut?

Er fährt hoch zum See Genezareth und verbringt zwei Wochen mit Phoebe und der kleinen Miriam.

Nun ja, klein –

Die ist jetzt auch schon neun.

Als er das nächste Mal in den Sinai reist, liegt das Buch in seinem Büro auf dem Schreibtisch.

Der Wüstenplanet.

Na, wenn *der* Titel mal nicht Programm ist.

Er schlägt den Einband auf, und ein Zettel flattert heraus.

Vorsicht vor Sandwürmern. A.

Eine Illustration ziert die Buchrückseite, gewaltige Ungetüme recken ihre Schädel aus den Dünen, dreigeteilte Kiefer klaffen auseinander, Reihen um Reihen nadelspitzer Zähne.

Sandwürmer –

»Wir müssen uns mit dem Gedanken anfreunden, weniger rauszuholen, als wir erhofft haben.«

Phoebe, abends am Telefon.

Während er das Projekt vorantreibt, hält sie mit Miriam die Stellung am See. Das Haus zu verkaufen gestaltet sich schwierig. Wenn es ein Land auf der Welt gibt, in dem Feiglinge unterrepräsentiert sind, dann Israel, doch die Nähe zum zersplitternden Libanon, Arafats zerstörerische Grenzgänge, die Ungewissheit, wo sich als Nächstes jemand in einem alles vernichtenden Feuerball dem Trost Allahs anvertrauen wird, lässt die Leute zögern, in den Norden zu ziehen.

Mit dem Ergebnis, dass die Preise verfallen.

»Dafür bekommen wir hier umso mehr«, versucht er sie aufzumuntern.

»Ja. Vor allem mehr Sand.«

Bitte nicht, denkt er. Nicht schon wieder.

»Es ist ein bisschen spät, Zweifel anzumelden, oder?«

»Ich zweifle ja gar nicht.«

»Du solltest öfter mal herkommen. Es ist ja nicht so, dass wir in Erdlöchern hausen. Die Übergangsquartiere sind mehr als menschenwürdig, außerdem kannst du zusehen, wie unsere beiden Häuser in die Höhe wachsen.«

»Du hast ja recht. Entschuldige.«

»Der März ist fantastisch hier«, schwärmt er. »Ein unglaubliches Klima. Wir gehen ins Meer baden.«

»Wer ist wir?«

Na, wer wohl? Alle hier, was soll denn die inquisitorische Frage, während Alisons Name von seiner Zungenspitze gleitet und gleich wieder verschluckt wird. Nur wenige Male hat er sie in einem Badeanzug gesehen, aber jemand, der weiß ist wie Sand, fällt eben auf, und ihre Figur –

»Warum kommst du nicht einfach am Wochenende runter?«, schlägt er vor.

»Würd ich liebend gern, glaub mir.«

»Aber?«

»Du weißt doch. Diese verdammte Serie für *Haaretz*.«

»Hilf mir auf die Sprünge.«

»Über Histadrut.«

Ach ja. Eine Chronik der Gewerkschaftsbewegung Israels. Genauer gesagt, wer die Gewerkschaft über die Jahre alles als Sprungbrett in die Politik genutzt hat.

Dafür muss man doch keine Chronik bemühen, findet Jehuda.

Es würde reichen zu sagen: Alle.

»Arbeiten kannst du auch hier.«

»Nein, das ist nicht so gut.« Sie zögert. »Ich hab doch bei uns sämtliche Unterlagen.«

»Bring sie halt mit.«

»Es sind zu viele.«

»Phoebe! Nur *dieses* Wochenende.«

»Es gibt einfach zu vieles zu regeln.«

Sie sehen sich wirklich beunruhigend selten, und keineswegs nur, weil es zu vieles zu regeln gibt.

Da ist noch etwas anderes.

Mehr und mehr fragt er sich, was ihn wirklich beunruhigt. Dass sich die Distanz zwischen ihnen längst nicht mehr nur in Kilometern bemisst? Oder dass der Gedanke, sie in komfortabler Ferne zu wissen, zusehends seinen Reiz entfaltet?

Kein Zweifel, er sehnt sie herbei.

Aber *wen* genau sehnt er herbei?

Die Frau, die er liebt?

Oder die ordnende Instanz, die ihn davon abhält, etwa zu tun, was einen Pfiff aus der Trillerpfeife rechtfertigen würde?

Hinzu kommt, dass Phoebes Verhalten schon länger seinen Verdacht nährt, sie bereue den gemeinsamen Entschluss, in den Süden zu ziehen. Der Hausverkauf, die Organisation des Umzugs, der ganze Papierkram, all das bindet Zeit, sicher, dennoch könnte sie sich für Jehudas Geschmack öfter im Sinai blicken lassen, ohne dass es am See gleich Probleme gäbe. Und falls doch, wäre sie binnen Stunden zurück. Die Busverbindung ist ideal, Israel nicht der amerikanische Mittelwesten. Sie mögen ein großes Volk sein, aber in einem kleinen Land.

Uri zum Beispiel kommt, wann immer es seine Zeit erlaubt.

Selbst Miriam war schon alleine hier.

Mit neun!

Warum dann nicht Phoebe?

Bleib fair, sagte er sich, dein Sohn ist im Negev stationiert, praktisch um die Ecke, aber dennoch –

Irgendwie ist es auch eine Frage des Interesses.

Da liegt er nun nachts, starrt seine Augendeckel an, sieht Phoebe durch das fast leere Haus am See streifen, ihre Finger gleiten über Sitzlehnen und Kissenbezüge, sie wirft sehnsuchtsvolle Blicke auf die Golanhöhen, dieses schlafende Urweltwesen, sitzt träumend, die Knie unters Kinn gezogen, auf der Veranda, verwachsen mit der getünchten Holzwand im Rücken, klammert sich an das, was sie aufgeben muss.

Wohnt wie eine Süchtige. Als wolle sie in allen Räumen gleichzeitig sein und das Haus dabei auch noch von außen anstarren.
WILL! NICHT! WEG!
Und wenn noch so viele Leute mit Sprengstoffgürteln draußen herumschleichen.

Tief unten im Sand wühlen die Würmer.
Mythisch, gigantisch.
Durchwühlen Jehudas unruhigen Schlaf.

Dann, eines Abends, als er von den Plantagen zum Haus fährt, um die neu eingebauten Waschbecken zu begutachten, lehnt Alison nebenan im Türrahmen, ein Glas Wein in der Rechten, und winkt ihm zu. Noch gibt es keine Hecken und Zäune zwischen den Grundstücken, keine individuelle Bepflanzung, nicht mal Rasen. Lediglich aufgeworfenes Erdreich und Steinplatten, um zu den Eingängen zu gelangen. Leichter Westwind trägt Ahnungen an dreieinhalb Millionen Quadratkilometer blaue Eintönigkeit heran, die sich vom Strand bis Gibraltar erstrecken, Vorstellungen von Freiheit und Nichtgesehenwerden.
»Lust auf eine Erfrischung?«
Sie ist allein.
Er ist allein.
Also geht Jehuda zu ihr rüber, man kann auch sagen, er sieht die Wand und fährt dagegen.
Immerhin schaffen sie es in gesitteter Form, aus beschlagenen Gläsern Weißwein zu trinken. Während sich Jehudas Mobiliar in einer Matratze erschöpft, um nicht jede Nacht mit den Unterkünften des Wasserwerks vorliebnehmen zu müssen, ist Alisons Einrichtung schon ziemlich perfekt. Sie lehnen nebeneinander am Küchentisch, spielen das Zufallsspiel, zufällige Blicke, zufällige Berührungen.
Die Gläser abzustellen, kriegen sie auch gerade noch so geregelt.
Neben die Spüle, weil sie den Küchentisch brauchen.
Dann –
Wie in einem Spielfilm scheint der Cutter ein Stück rausgeschnitten zu haben, eben noch standen sie Schulter an Schulter, jetzt presst sich die stramme Ausbeulung seiner Hose gegen ihren Unterleib, gleiten seine Hände ihren Rücken hinab, über Hintern und Schenkel, sein linker Arm hält sie, während er mit der Rechten ihren Schamhügel massiert, durch ihre Khakihose hindurch kann er die Hitze spüren, und Alison?
Scheint vier Arme zu haben.

Umklammert, umschlingt ihn, sehnig und voller Kraft, selbst ihre Zunge hat etwas schlangenhaft Muskulöses, wie sie sich in seine Mundhöhle windet, kein Tasten oder Erkunden, bloße Inbesitznahme, badet seine Sinne in einer Melange aus Schweiß und Pheromonen, als er ihr Hose und Slip gleichzeitig über die Hüften streift, keine Zeit zu verlieren (tut eigentlich *er* all diese Dinge, oder biegt sie ihn in gewünschte Richtungen, ein Python, der sein Opfer in ein verzehrgerechtes Format zwingt, es würde ihn nicht erstaunen, seine Knochen knacken zu hören), jetzt liegt sie auf dem Tisch, und er leckt sie, stößt rhythmisch hinein in die heiße, feuchte Höhle, fühlt ihre Klitoris schwellen unter kreisenden Zungenbewegungen, ihre Krallen in seinem Haar, als wolle sie es ausreißen, macht sich los, hockt sich über sie, reißt ihre Bluse auf, sein Hose steht bereits offen (hat sie das getan, wann?) – fummelt sich zum Verschluss ihres BHs vor, will nicht aufgehen, Scheißding, also schiebt er ihn über ihre Brüste nach oben, unelegant schief hängt er da, quetscht ihr weißes Fleisch, fahles Fleisch, über ihnen die nackten Glühbirnen, wie das so ist in frisch bezogenen Haushalten, die Lampen kommen als Letztes, kalt und grell dieses Licht, ausgeleuchtet ihr weit offener Mund, ihre Zähne, auf denen sich karmesinroter Lippenstift abgesetzt hat, als hätte sie Blut getrunken –

Ihre Lust, ihre Hingabe, die Gier einer Verzweifelten.

Ihr entblößter Körper, Objekt seiner Analyse.

Jehuda will sie nicht so taxieren, aber das Licht, das verdammte Licht, jetzt sieht er alles, was er bislang nicht gesehen hat, nicht sehen wollte, nicht sehen will.

Alison öffnet die Lider, sichtlich verwirrt. Immer noch im freien Fall ihrer Gefühle, aber er ist nicht mehr da, um sie aufzufangen.

»Ich kann nicht«, sagt er.

»Du kannst nicht?«

»Nein.«

Das muss sie erst mal verdauen.

Er spricht nämlich codiert, tatsächlich hat er gesagt: »Es reicht nicht.« In seinen Augen liest sie das lausigste Kompliment, das ein Mann einer Frau machen kann: Nicht schlecht für dein Alter (nur noch getoppt von: Sie müssen großartig ausgesehen haben, als Sie jung waren).

Sie sieht ihren Verfall in seinen Augen.

Wärst du nur 15, ach was, zehn Jahre jünger, sagt sein Blick, es hätte kein Halten gegeben.

Aber Alison ist noch älter als Phoebe.

Alison Titelmann ist 52 Jahre alt, jedes dieser Jahre liegt vor ihm wie eine Studie – und gerade, dass sie *für dieses Alter* noch großartig in Schuss ist, macht es zum Problem.

Das ist Phoebe nämlich auch.

Für *ihr* Alter.

Kurz, er sieht nichts, was er zu Hause nicht auch hätte, warum es also *dafür* aufs Spiel setzen?

All das begreift sie, während sie sich auf die Ellbogen stemmt.

»Das ist nicht dein Ernst.«

Gott, wie er sich schämt.

»Es tut mir leid.«

»Es tut dir LEID?«

»Nein. Doch. Äh, so hab ich das nicht gemeint.« Mist. »Ich meine, ich wollte ja auch, ich wollte es wirklich –«

»Aber jetzt nicht mehr.«

»Es hat nichts mit dir zu tun.«

»Nichts mit mir zu tun?« Ihre Augen verengen sich. »Bist du verrückt? Behandele mich gefälligst mit Respekt.«

»Das tue ich.«

»Blödsinn! Wenn du mich respektieren würdest, dann würdest du mich hier und jetzt ficken, auf diesem verdammten Tisch!«

»Es ist nicht richtig, Alison –«

Sie schnellt unter ihm hoch, der Python greift an, stößt die Faust schmerzhaft gegen sein Sternum, drückt ihn auf die Tischplatte herunter, während die andere Hand in seiner Hose verschwindet. Im Gegenlicht sieht er sie über sich, Gesicht und Oberkörper beschattet, ihr Kopf scheint in Flammen zu stehen, sie holt seinen Schwanz hervor, der wieder hart wird, ob er will oder nicht, drückt und massiert ihn, bewegt die Hand schneller, und einen Moment denkt er, ja, weiter –

»Nein.«

»Doch.«

Macht Anstalten, über ihn zu gleiten.

»Nein!«

Stößt sie weg, rutscht von der Tischplatte, fühlt die Kante hart in sein Kreuz schlagen, was macht er hier bloß? Zieht den Reißverschluss hoch, während ein fleißiger Buchhalter in seinem Kopf 23 Ehejahre mit Phoebe gegen die paar Minuten in dieser Küche rechnet, zwei großartige Kinder, ein gewaltiges Darlehen, das sie aufnehmen mussten und natürlich zurückzahlen werden, wenn erst das Haus verkauft ist, viel wird ihnen nicht bleiben, sie müssen neu anfangen, aber egal, sie waren immer ein Team, sind es noch.

Alison starrt ihn an, besudelt, zerwühlt.

»Warum hast du aufgehört?«

Er schüttelt den Kopf.

»Ich – ich wollte uns nicht in Schwierigkeiten bringen.«

»Versteh ich das richtig? Du hast deine Zunge in meiner Möse gehabt, um uns nicht in Schwierigkeiten zu bringen?«

Ihm fällt nichts ein, was er darauf erwidern könnte.

Doch, ihm fällt schon eine Menge ein.

Jede Menge Spitzenplatzierungen auf der Erbärmlichkeitsskala.

Sie senkt den Kopf, zieht mit unsicheren Bewegungen ihren BH über die Brüste.

»Raus«, flüstert sie.

»Alison –«

»Hast du nicht gehört? RAUS!«

Jamit ist noch nicht groß, gerade mal 150 Wohneinheiten, ein paar Dutzend Gewächshäuser, Verwaltungszentrum, Wasserwerk, eine Verpackungsanlage. Das Ganze gleicht Bradburys Marskolonie unterm Strich mehr als einer soliden Ortschaft, und natürlich hat in dieser hübschen Überschaubarkeit jeder mit jedem zu tun.

Da ist es schon eine Leistung, einander drei Tage lang aus dem Wege zu gehen.

Aber sie schaffen es.

Zwischendurch kommt Uri zu Besuch, Jehuda bringt ihn in der Baracke unter, hat nicht die Kraft, eine zweite Matratze zu organisieren, und als sie das Haus besichtigen, in dem er und Anastasia wohnen werden, ist er heilfroh, dass es nicht unmittelbar neben Phoebes und seinem liegt wie das Alisons, sondern zwei Straßen weiter, wo er nicht Gefahr läuft, ihr zu begegnen.

Denn was sollte er dann sagen?

Uri, das ist Alison Titelmann, meine Chefin, wir hätten kürzlich fast gevögelt, aber ich hab's dann doch vorgezogen, sie auf dem Küchentisch liegen zu lassen?

Sein Sohn jedenfalls ist begeistert, wie sich der Rohbau Schritt für Schritt in sein neues Zuhause verwandelt. Er trägt Uniform, sieht fantastisch aus, definitiv besser als sein übernächtigter Vater, der unrasiert und verknautscht durch die Räume schleicht.

»Hast du irgendwas?«, will Uri beim Mittagessen wissen.

Sie sitzen vor der Strandbude, essen Falafel, trinken Coke und lassen sich die Sonne ins Genick scheinen.

»Nein, wieso?«

»Dachte nur. Du siehst müde aus.«

»Wir sind hier alle ein bisschen übermüdet.«

»Kommt ihr denn gut voran?«

»Bestens.« Jehuda beißt ab, kaut, um Zeit zu gewinnen. »Aber es ist halt viel Arbeit, und wir wollen ja fertig sein, wenn im Sommer –«, bla bla bla, weiß genau, kann nicht ständig davonlaufen, hat gewaltigen Bammel vor der Begegnung mit Alison, die überfällig ist, auch wenn er sich unentwegt einredet, dass gar nichts passiert ist. Sie sind zu weit gegangen, aber hat er nicht rechtzeitig die Kurve gekriegt? Wäre nicht alles viel schlimmer, wenn sie tatsächlich miteinander geschlafen hätten?

Schlimmer für *ihn*. Er kann sich ja so schon kaum vorstellen, Phoebe in die Augen zu schauen.

Auch schlimmer für Alison?

Ihr Mann werde aus Tel Aviv nachkommen, hat sie erzählt. Bis heute ist kein ehemannähnliches Wesen in Jamit aufgekreuzt. Nur Alisons Tochter mit zwei Kindern im Schlepp, die Alison Oma nannten, was grausam klang und nach einem Grund, die beiden Blagen zu hassen.

Alison hat gelacht.

Nachlaufen mit ihnen gespielt.

Er fragt sich, wie sie mit dem Älterwerden zurechtkommt. Hätte bis vor Kurzem noch Eide darauf geschworen, dass es sie kaltlässt. Oder? Wer solche Gene hat, braucht nur mit den Fingern zu schnippen, und die Männer drängen sich in der Schlafzimmertür. Ohnehin erkennt man sein Alter nicht im Spiegel, sondern in den Augen der anderen, und die meiste Zeit dürfte sie dort Bewunderung und Begehren gesehen haben.

Auch in seinen.

Bis sie auf dem Küchentisch landeten.

Jetzt ist er nicht mehr so sicher, was gute Gene schlussendlich nützen. Er quält sich mit Fragen, die ihm früher nie in den Sinn gekommen wären. Jeder will alt werden, denkt er, aber wollen wir es auch *sein*? Wann ist man überhaupt alt? Wenn die Zahl der gelebten Jahre die noch zu erwartenden übersteigt? Wenn die Ratio mit dem Unterleib gleichzieht, gar die Oberhand gewinnt?

Wenn dich jemand halb nackt auf einem Küchentisch liegen lässt?

Gewissensbisse plagen ihn, andererseits, besser ein schlechtes Gewissen als gar keines. Wie viele kennt er, die ihr Gewissen als neuwertig verkaufen könnten, kaum benutzt. Vielleicht macht er sich ja um Alison viel zu viele Gedanken, und es geht weniger um ihre Probleme mit dem Älterwerden als um seine mit dem Erwachsenwerden.

Dann, drei Tage nach Uris Besuch, stehen sie sich plötzlich gegenüber. In der Kantine des Gemeindezentrums.

Tabletts in Händen.

Wenigstens entleert sie nicht sofort die Suppenschüssel über seinen Kopf.

Sie suchen sich einen Tisch und reden über die Arbeit, bis das Thema totgemolken ist, essen eine Weile schweigend weiter. In Jehudas Kopf herrscht Leere. Er hatte sich ein paar Formulierungen zurechtgelegt für den Moment ihres Wiedersehens, doch was ihm davon in den Sinn kommt, klingt gedrechselt und verlogen.

Schließlich sagt er einfach: »Ich hab dich gekränkt.«

Sie stochert in ihrem Essen rum, schaut aus dem Fenster.

»Ja. Das hast du.«

»Du bist wunderschön, Alison.«

Was immer er im Licht der Küchenbeleuchtung gesehen hat oder zu sehen glaubte, sie ist es. Darum sagt er es ihr, darum klingt es ehrlich, und darum hat er immer noch keine Suppe im Gesicht.

»Und?«

»Ich weiß nicht.« Jetzt druckst er doch ein bisschen herum. »Ich hab die Konsequenzen gescheut. Der Fantasie schuldest du keine Erklärungen. Es musste erst passieren, um mir klarzumachen, dass es mein Leben radikal ändern würde. Was idiotisch war. Ein Dreijähriger hätte vorher gewusst, dass hinterher alles anders ist, aber na ja. Plötzlich sah ich Phoebe, Miriam, Uri, die Zukunft, die wir gemeinsam planen.« Er stockt, verknotet die Finger. »Dann sah ich euch beide. Phoebe hängt über dem Gartenzaun, um mit dir zu quatschen, während ich mich durch die Hintertür aus deinem Haus schleiche. Bei dir in der Küche hätte ein Doppelleben begonnen, Alison, und ich kann kein Doppelleben führen. Also wäre die Konsequenz gewesen, Phoebe zu verlassen, und ganz ehrlich – du bist großartig, begehrenswert, andernfalls wäre es nie so weit gekommen, aber um meine Familie aufzugeben, hat die Liebe dann doch nicht gereicht.«

Sie hebt die Brauen.

»Ich bin auch nicht in dich verliebt«, sagt sie. »Ich wollte einfach nur mit dir schlafen.«

»Und ich mit dir.«

»Es hätte ein Verhältnis werden können.«

»Tür an Tür mit meiner Frau.«

»Na und? Ohne Tiefe. Was an Tiefe fehlt, hätten wir durch Länge wettmachen können. Ohne dass sie was merkt.«

Jehuda schüttelt den Kopf.

»Du kannst hundert Typen wie mich täuschen, aber keine andere Frau. Phoebe *würde* es merken.«

»Jaja.« Sie lächelt in sich hinein. »Wer sein Leben genießt, wird bald von seiner Frau zur Rede gestellt.«

»Hm.«

»Ibsen. Kluger Mann. Aber es ist schön, dass es noch Treue gibt.«

Er runzelt die Stirn, spürt der flüchtigen Ironie in ihren Worten nach.

»Du findest Treue altmodisch.«

»Nein, nein! Sie ist toll. Sie rettet zwar nicht den Sex, aber wenigstens kann man noch ein paar Jahrzehnte befreundet sein.«

»Was ich sagen will, ist –«

»Was?«

»Dass es mir leidtut, dir einen falschen Eindruck vermittelt zu haben.«

»Nämlich?«

»Dich nicht anziehend genug zu finden.«

»Oh.« Sie beugt sich zu ihm vor, und er hat wieder ihren puderigen Duft in der Nase. »Da bin ich aber beruhigt.«

»Ich meine es ernst, Alison. Es tut mir leid.«

»Mir auch. Ich hab's genauso vermasselt wie du. Mach dir mal wegen Phoebe keine Sorgen. Das Ganze bleibt unser schäbiges kleines Geheimnis.«

»Danke. Ich würde deinem Mann auch nie –«

»Wir sind seit acht Monaten geschieden.«

Aha.

»*C'est la vie.*« Alison hebt ihr Wasserglas. »Frieden?«

»Frieden.«

Sie schaut ihn über den Rand des Glases an, lächelt versöhnlich, aber ihr Blick sagt etwas anderes.

Wir haben einen unbefristeten Waffenstillstand geschlossen.

Frieden wird es nicht geben.

2011

Tel Aviv, 4. November

An diesem Vormittag geht Hagen Ariel Scharon besuchen.

Was soll er sonst tun?

Das Treffen mit Pini Silberman ist für den frühen Abend geplant, der Verlag hat die versprochenen 25 000 Dollar angewiesen, auf der Bank war er auch schon. Jetzt liegt das Geld sicher verwahrt im Zimmersafe und ein ganzer Tag vor ihm, den er irgendwie rumkriegen muss. Eine Stunde hat er auf dem Dizengoff-Square in der Sonne gesessen und sein Hotel angestarrt, ein schneeweißes, ehemaliges Kino im Bauhaus-Stil, vollgestopft mit alten Filmplakaten, Kinositzen und Projektoren. Sein regulärer Arbeitgeber, vorübergehend besänftigt durch den endlich fertiggestellten Syrien-Artikel, möchte wissen, was zum Teufel er in Israel verloren hat. Wo doch nebenan der schönste Bürgerkrieg im Gange ist! Will plausible Gründe hören, warum sein Korrespondent nicht aus Homs oder Damaskus berichtet, und Hagen kann ihm ja schlecht die Wahrheit sagen, dass er neuerdings die Konkurrenz bedient und nebenbei eine gepflegte Phobie gegen Kriegsgebiete entwickelt hat.

Irgendetwas muss er liefern, also checkt er die Eilmeldungen. Israelische Marines haben den Vorstoß einer internationalen Aktivistentruppe gestoppt, deren Schiffe die Gaza-Seeblockade durchbrechen wollten. Ähnlich wie vergangenes Jahr, nur ohne Tote, uninteressant.

Was noch?

Israelische Richter verdonnern einen Neonazi zu fünf Jahren Haft.

Ein Neonazi in Israel?

Hagen liest weiter. Der Typ und seine Bande sollen Hakenkreuze an Synagogen geschmiert und arabische, schwarze und schwule Israelis zusammengeschlagen haben. Und was der Sache die Krone aufsetzt: Der Angeklagte ist Jude.

Ein jüdischer, aus Russland eingewanderter Neonazi.

Schon besser. Wie es aussieht, ist der »russische Planet« mal wieder aus der Verdunklung getreten. Israels größte Parallelgesellschaft, anderthalb Millionen Einwanderer aus der ehemaligen Sowjetunion, und viele davon mit einem satten Integrationsproblem! Wozu auch gehört, dass manche dieser russischen Jugendlichen einen ausgeprägten Rassismus pflegen. Ihre Geschichtskenntnisse mögen gegen null gehen, über Hakenkreuze wissen sie wahrscheinlich wenig mehr, als dass sie die arrivierte jüdische Gesellschaft schockieren, von der sie sich ausgegrenzt fühlen. Aber zweifellos stellen sie ein ernst zu nehmendes Problem dar. Ein Problem, um das sich der Staat zu kümmern hätte, wäre er nicht peinlich darauf bedacht, die Vorfälle unter den Teppich zu kehren.

Weil nicht sein kann, was nicht sein darf. Kein Israeli will sich die Frage stellen lassen, wozu ein Judenstaat nütze ist, wenn man nicht mal dort von Antisemiten verschont wird.

Hagen liest weiter.

Netanjahu hofft auf die IAEO, die Internationale Atomenergie-Organisation. Genauer gesagt erhofft er sich von ihren Berichten die Rechtfertigung für eine Militäraktion gegen Irans Atomanlagen, denn der Premier weiß:

Mit der Bombe ist in einem halben Jahr zu rechnen!

Soso, denkt Hagen.

Das weißt du also.

Er verwurstet sämtliche Neuigkeiten im Blitzticker und legt mit einem Kommentar nach:

Was immer von Irans Atomprogramm zu erwarten ist (und es kann nichts Gutes sein), so wenig ist von Netanjahus Ankündigungen zu halten, die iranischen Anlagen zu bombardieren. Nicht, weil ein Volk, das unmittelbar bedroht wird, kein Recht auf Selbstverteidigung hätte. Sondern weil Netanjahu denselben schmutzigen Trick anwendet, den er bislang noch jedes Mal angewendet hat, wenn er seine Macht bedroht sah. Kommendes Jahr sind Wahlen, und wann wählt man einen Hardliner? Wenn die Angst vor äußeren Feinden derart überhandnimmt, dass man Missstände im eigenen Land, soziale Ungleichheit und gesellschaftliche Spaltung, in Kauf nimmt. Also lässt Netanjahu keine Gelegenheit verstreichen, seine Landsleute in Furcht und Schrecken zu versetzen. Er schürt die Angst vor dem Krieg ebenso wie die Angst vor dem Frieden, weil er weiß, dass die Mehrheit ihn wiederwählen wird, solange sie seinen monochromen Bedrohungsszenarien Glauben schenkt. Der Welt vermittelt sich so das Bild eines Israels, das immer stärker nach rechts rückt. Doch Netanjahu ist viel zu sehr Opportunist, als dass er konsequent rechts stünde. Tatsächlich würde er auch mit den Linken koalieren, wenn er nur im Amt bliebe.

Klick, versenden.

Danach fällt ihm nichts Sinnvolles mehr ein, was er tun könnte bis zur Übergabe der CDs, also beschließt er, Scharon zu besuchen.

»Hallo, Arik.«

Keine Antwort. Klar.

Scharons Blick verliert sich im Nichts. Scheint in eine Zeit jenseits aller faulen Kompromisse gerichtet, tatsächlich dürfte der einst mächtigste Mann Israels nicht mal mehr fähig sein, den Tatbestand seiner Existenz zu reflektieren, und sollte er doch etwas wahrnehmen, wird er es garantiert für sich behalten.

Der israelische Patient gibt nichts preis.

Er kann es nicht.

Hagen tritt näher an den wuchtigen Körper heran. Beugt sich vor, lauscht den leise rasselnden Atemzügen, zu denen sich der breite Brustkorb in stetem Rhythmus hebt und senkt.

Verblüffend.

Welche Zukunft mögen die jetzt blicklosen Augen gesehen haben, bevor ihr Besitzer das Bewusstsein verlor? Der alte Mann in dem Krankenbett wirkt entspannt und stabil, wie entlastet von aller Verantwortung und Schuld. Nichts Starres, Jenseitiges haftet ihm an. Die Decke ist über den Brustkorb gezogen, die Arme liegen frei, der linke ein wenig angewinkelt. Etwas an seiner Mundstellung, die Art, wie er die Lippen schürzt, erweckt den Eindruck, als werde er gleich zu sprechen beginnen und der Welt endlich verraten, welches seine nächsten Schritte gewesen wären, über die so viel spekuliert worden ist.

»Ich denke, dass wir die Idee, an der Besatzung festzuhalten, begraben sollten – und es ist eine Besatzung, auch wenn Ihnen das Wort nicht gefällt. 3,5 Millionen Palästinenser unter unserer Herrschaft – das ist in meinen Augen schrecklich, das kann nicht endlos so weitergehen. Wollen Sie für immer in Dschenin, Nablus, Ramallah, Bethlehem bleiben? Für immer? Ich halte das für falsch.«

2003 vor der Knesset.

Ratlose Gesichter, ein konsternierter Netanjahu, der nicht recht weiß, wo er hingucken soll, während sein Premier gerade eine historische Kehrtwende vollzieht.

An diesem Tag hat Scharon seinem Volk die Wahrheit gesagt. Ihm klargemacht, dass man nicht für alle Zeit über ein anderes Volk herrschen und sein Land besetzt halten kann. Dass es besser ist, sich mit dem Erreichten zufriedenzugeben, als dem Unerreichbaren hinterherzujagen. Er wird der Wahrheit Taten folgen lassen, für die ihn die einen noch mehr lieben und die anderen noch mehr hassen werden. Und alle überraschen. Sie haben einen Krieger gewählt, doch der Krieger wandelt sich zum Friedenspragmatiker, dessen Bemühungen schon darum

Aussicht auf Erfolg haben, weil sie nicht mit Versöhnungsromantik belastet sind.

»Ein Friede, bei dem das israelische Ballett in Ramallah auftritt und andersherum, das war ganz sicher nicht seine Sache«, wird Dov Weissglas, sein engster Vertrauter, später äußern. Er ist Scharon so nahe gewesen wie kaum ein anderer, aber was genau im Kopf des Alten vorging, kann auch er nicht sagen. Nur dass der Bulldozer wie besessen daran arbeitete, seine letzte große Vision zu verwirklichen, wie immer sie ausgesehen haben mag.

Bis zum Abend des 4. Januar 2006.

Als sein Verstand starb.

Hagen sieht zu, wie Flüssigkeit aus dem Tropf in den reglosen Körper sickert. Fragt sich, was von dem alten General noch zu erwarten gewesen wäre, doch Scharon schweigt.

Hirntot, lautet die Diagnose.

Vielleicht nicht ganz. An manchen Tagen, wenn man ihn darum bittet, bewegt er schon mal einen Zeh.

Der Mann in diesem Bett kann nicht mal das.

Er ist aus Wachs.

Eine Puppe.

Ausgerechnet Wachs.

Du warst alles, denkt Hagen, aber ganz sicher nicht wächsern und starr, und das soll von dir bleiben?

Eine Wachsfigur?

Eine Tafel hält Informationen bereit: Noam Braslavsky, der Künstler, der die Skulptur geschaffen hat, will einen verlorenen Vater zeigen, um den nie offen getrauert werden konnte. Ein Symbol für die Schockstarre einer ganzen Nation, die offenen Auges nichts sieht, weil sie nichts sehen will, dabei ist Israel keineswegs so erstarrt. Dafür streiten sie hier viel zu gerne. Die Galerie zum Beispiel – bestens besucht. Erwartungsgemäß zieht die Nachbildung des komatösen Premiers alle Aufmerksamkeit auf sich, so viel zum Tabuthema Scharon.

Neben Hagen sagt eine Frau zu ihrem Begleiter: »Damals hab ich ihn gehasst. Er wollte alles kaputtmachen. Alles, woran wir geglaubt haben. Aber jetzt tut er mir nur noch leid.«

Zwei Soldaten ein Stück weiter:

»Scheiße, so zu enden, was?«

»Ja, im einen Moment bist du ein Held, und dann –«

»Zu früh gegangen.« Ein Mann zu seiner kleinen Tochter, aber eigentlich mehr zu sich selbst: »Viel zu früh.« Und als das Kind fragend zu ihm aufschaut: »Hier liegt unser Selbstbewusstsein, Rachel. Weißt du? Das Selbstbewusstsein einer ganzen Nation.«

Nein, weiß sie nicht, woher auch, sie weiß nur, dass ihr der Typ in dem Bett unheimlich ist und sie lieber ein Eis hätte.

Hagen schaut auf die Uhr. Halb vier.

Um fünf sind sie verabredet.

Er verlässt die Galerie, nimmt ein Taxi zurück zu seinem Hotel, setzt sich mit dem iPad in die Sonne und ergänzt seinen Kommentar von vorhin um eine weitere Passage:

In nichts tritt Netanjahus Identitätslosigkeit deutlicher zutage als im Vergleich mit Ariel Scharon, Israels letztem großen Premier. Scharon hat sich mit jedem angelegt, zuletzt sogar mit sich selbst. Netanjahu will sich mit niemandem anlegen. Scharon war klar geworden, dass man sich ändern muss, um die Welt zu verändern. Netanjahu will, dass die Welt sich ändert, damit er bleiben kann, was er ist.

Schickt den Text ab.

Die Antwort kennt er im Voraus.

Brillant, Tom. Super! Kannst du es jetzt bitte so formulieren, dass es auch jeder Idiot versteht?

Er muss –

Er *muss* den Deal mit Silberman über die Bühne bringen!

Irgendetwas MUSS auf den CDs sein!

Schaltet das iPad aus und macht sich auf den Weg zum Hilton.

Björklund erwartet ihn auf seinem Zimmer, wo die Übergabe stattfinden soll.

»Wo bist du gewesen?«

»Alten Freund besucht.«

»Hast du das Geld?«

Hagen zieht den prallen Umschlag aus der Jacke, winkt einmal damit und lässt ihn wieder verschwinden.

»Wann kommt Silberman?«

»Gar nicht. Der gute Pini hat den Plan kurzfristig geändert. Jetzt will er uns in der Tiefgarage sehen.«

»Ach, das ist doch lächerlich!«

»Sag's ihm selbst.«

»Wofür hält er sich? Jason Bourne?«

Nur im Kino treffen sich die Leute in Tiefgaragen.

Björklund zuckt die Schultern.

»Er hat gesagt, zweites Untergeschoss, rückwärtige Wand gegenüber dem Kassenhäuschen. Da soll eine Nische sein, die –«

»Konspirativer Kokolores.«

»Reg dich ab. In zehn Minuten ist die Sache gegessen.«

»Ich bin die Ruhe selbst. Wegen mir können wir uns in der Wüste Negev treffen, Hauptsache, der Kerl liefert.«

Sie fahren nach unten. Die Fahrstuhlkabine ist das reinste Spiegelkabinett. Hagen spiegelt sich in Hagen spiegelt sich in Hagen. Nirgendwo kann man hinschauen, ohne sich selbst zu begegnen.

»Und wie war's bei dir?«

»Ergiebig.«

Björklund und sein Team haben rund drei Dutzend Einzelinterviews gebraucht, um festzustellen, dass Bibi den Leuten ordentlich Angst macht. Bloß dass die meisten nicht wissen, vor wem sie mehr Schiss haben sollen, vor Ahmadinejad oder ihrem eigenen Premier.

Sag ich ja, denkt Hagen.

Die Türen öffnen sich. Eine Familie steigt zu, Mutter mit Baby im Arm sowie ein vielleicht dreijähriger Junge, der Hagen missgelaunt anstarrt, bevor er in quengelndem Ton etwas einfordert, das die Frau ihm offensichtlich nicht zu geben gewillt ist. Das Baby reagiert genervt und wirft sein Plüschtier von sich. Der Junge hebt es auf, die Kleine greift danach, er will es ihr nicht geben, hält es außer Reichweite der winzigen Finger, schrilles Geschrei.

Hagen schaut zur Decke.

Kinder.

Es hilft, sie sich als lustige, kleine Tiere vorzustellen.

Dann kann man sie lieb haben.

Unterstellt man ihnen planende Intelligenz, muss man sie hassen.

Der Junge scheint seine Gedanken lesen zu können, weil er ihn jetzt noch vorwurfsvoller anstarrt als vorhin. Beinahe ist Hagen erleichtert, als eine Gruppe lärmender Amerikaner hereindrängt. Die Familie entflieht samt Plüschtier in die Lobby, irgendein Staat zwischen Tennessee und Louisiana übernimmt den Laden. Dialekt, breitgezogen wie Kaugummi. Kurzzeitig steigt der Geräuschpegel auf Partylevel, dann spuckt der Fahrstuhl die Horde im ersten Untergeschoss wieder aus.

Als die Türen das nächste Mal auseinanderklaffen, sind sie alleine.

Vor ihnen erstreckt sich das Parkdeck.

Leer.

Ihre Schritte hallen wider von den kahlen Betonwänden, als sie zwischen den Autoreihen die Nische ansteuern. Sie liegt, ganz wie der Junkie gesagt hat, an der rückwärtigen Wand. Die Schmalseiten umfassen verschlossene Türen mit Kein-Zutritt-Schildern. Silberman hat sich so ziemlich die desperateste Ecke im ganzen Untergeschoss ausgesucht.

Sie warten.

Nach wenigen Minuten erklingt von der Zufahrt her diffuses Dröhnen. Ein Motor wird hochgepeitscht, jemand fährt in die Etage ein. Das Dröhnen verwandelt sich in das akzentuierte Knattern eines Vierzylinders, dann biegt eine Yamaha FZ8 um den nächststehenden Pfeiler und bremst mit quietschenden Reifen vor ihnen ab.

Der Fahrer nimmt seinen Integralhelm ab.

Ein flüchtiger Blick in seine Augen, und Hagen weiß Bescheid.

Pini Silberman braucht Stoff.

Aber so was von.

Die Pupillen des Junkies sind geweitet, er zieht die Lippen über die Zähne. Als er vom Sattel steigt, geschieht es eigenartig ruckend, als werde er von Stromstößen in Bewegung gehalten.

»Wo ist die Kohle?«

»Pini Silberman?«

»Wer denn sonst, Mann?«

Hagen holt seinen Laptop aus der Umhängetasche. Fährt ihn hoch und stellt ihn auf den Boden.

»Gut. Dann haben Sie was für uns.«

Silberman hüstelt. Er sieht wirklich nicht gut aus, unrasiert, die Haare stumpf und struppig. Seine Augen zucken hin und her, fiebrig und schwarz in einem fahlen Gesicht, das vom Drogenkonsum gezeichnet ist. Seine Lippen zittern, als er auf Björklund zeigt.

»Du hast versprochen –«

»Tom ist in Ordnung, Pini«, beruhigt ihn der Schwede. »Er hat das Geld dabei. 25 000, wie du gesagt hast.«

»Wie *du* gesagt hast! Ich wollte das Doppelte.«

»Hatten wir das nicht geklärt?«

»Zeig mir das Geld.«

»Sobald ich die CDs bekommen habe«, sagt Hagen.

Silberman kratzt sich am Schädel, knetet seine Hände, zieht sich am Ohrläppchen. Schnieft.

»Was ist los?«, will Björklund wissen.

»Weiß nicht.«

»Letztens an der Bar warst du cooler.«

»Ja, cool, immer cool.« Der andere breitet die Arme aus, macht einen Knicks. »Hey, ich bin cool. Ich bin cool, ja? Ich will nur das Geld sehen. Wie vereinbart.«

»Sobald wir die CDs haben«, wiederholt Hagen.

»Vertrauen gegen Vertrauen?«

»Sicher.«

»Dann du zuerst.«

»Nein, du zuerst. *Du* willst *uns* was verkaufen, schon vergessen?«

Silberman tritt vom einen Bein aufs andere, schaut sich um. Hagen kommt sich vor wie in einem drittklassigen Agententhriller. Warum haben wir uns nicht gleich auf irgendeiner Scheißbrücke getroffen, denkt er. Nachts im Regen. Endlich fördert der Junkie zwei Hüllen aus seiner Lederjacke zutage, hält sie ihm hin und zieht sie rasch wieder weg, als Hagen danach greifen will.

»Erst das Geld.«

»Was glaubst du eigentlich?« Björklund platzt der Kragen. »Dass wir dich beklauen? Gib uns die verdammten Dinger, Pini.«

Hagen schüttelt den Kopf. »Vergiss es, Krister. Der Typ hat nichts.«

Er macht Anstalten, den Laptop wieder zuzuklappen.

Silberman lacht. »Okay.«

»Vergiss es.«

»Okay, okay.« Schreit: »Ich sagte, okay!«

Hält ihm erneut die Hüllen hin.

Hagen lässt einen Moment verstreichen. Dann nimmt er Silberman langsam die CDs aus den Fingern und reicht sie Björklund. Der Fotograf geht in die Hocke, holt die erste Scheibe ohne Eile aus ihrer Verpackung und schiebt sie in das Laufwerk des Laptops.

»Nicht, dass wir uns falsch verstehen, Pini«, sagt er in versöhnlichem Tonfall. »Wir wollen nur sichergehen, dass du uns keine Raubkopie von Lady Gaga andrehst.«

Silberman spreizt die Finger und lächelt wie ein Idiot.

»Alles korrekt, Mann.«

»Umso besser.«

»Was ist nun mit der Kohle? Ich muss auch sichergehen.«

»Sind tatsächlich jede Menge Daten drauf«, sagt Björklund aus der Hocke. »Auf den ersten Blick wirkt es authentisch.«

»Was denn sonst?« Silberman rollt die Augen. »Es *ist* authentisch!«

Hagen holt den Umschlag mit den Fünfhundertern hervor, ohne sein Gegenüber aus den Augen zu lassen, zieht die Scheine ein Stück heraus und fächert sie auf.

»Zufrieden?«

Silberman bleckt die Zähne.

»Fein. Wenn ich bis morgen Abend zu der Überzeugung gelange, dass dein Krempel was wert ist, bekommst du das Geld. Wenn nicht, schiebe ich dir deine CDs eigenhändig in den Arsch. Verstanden?«

»Ja. Klar.«

Björklund greift zur zweiten Hülle. Entnimmt die CD, wartet, bis der Laptop die erste ausgeworfen hat, und drückt sie in den Schlitz. Silberman beginnt, einen hektischen Tanz aufzuführen.

»Das musst du dir angucken, Mann!« Streckt einen zitternden, zuckenden Finger aus. »Gleich die erste Mail. Der Hammer! Damit kriegt ihr sie am Sack, damit macht ihr sie fertig!«

Gefasel.

Wer sind sie?

Aber Hagen kann nicht anders.

Er dreht den Kopf und schaut hin.

So sieht er den Helm erst heranfliegen, als er ihn praktisch schon im Gesicht hat.

Reflexartig duckt er sich weg. Das Ding streift seine Schläfe, kracht auf sein Schultergelenk und bringt ihn aus der Balance.

»Hey, bist du irre gewor –«

Silberman greift erneut an, das Gesicht zur Fratze verzerrt. Holt mit gestrecktem Arm aus. Der Helm fängt das Deckenlicht in seiner gewölbten Oberfläche, zieht es zu einem Streifen, als der Junkie ein weiteres Mal damit zuschlägt, doch diesmal ist Hagen schneller und reißt die Unterarme vors Gesicht. Mit knapper Not gelingt es ihm, den Aufprall abzufedern. Er macht einen Schritt nach hinten –

Und stürzt rücklings über Björklund, der gerade hochkommen will.

Sein Hinterkopf knallt auf den Beton.

Feuerwerk.

Silberman bückt sich. Fingert nach etwas, während sie zappelnd auf dem Rücken liegen. Hagens Blick klärt sich. Er zieht die Beine an und verpasst dem Junkie ein paar kräftige Tritte gegen Ellbogen und Hüfte. Silberman jault auf. Der Helm scheppert zu Boden, kullert wie ein abgeschlagener Kopf darüber hinweg. Hagen tritt weiter zu, sieht, wie Björklund sich auf alle viere stemmt und gleich wieder zusammenklappt, als Silberman einen Stiefel in seine Rippengegend versenkt.

»Du Schwein!«, keucht er.

Kämpft sich hoch, und da sitzt Silberman auch schon wieder hinterm Lenker der FZ8 und fummelt an seiner Jacke herum. Hagen wirft sich auf ihn, bekommt seine Schultern zu fassen, krallt sich fest. Der Junkie kämpft ums Gleichgewicht, versucht, den Anlasser zu erreichen, während Hagen bemüht ist, ihn vom Sattel zu zerren.

»Drecksack!«, keucht er.

Im nächsten Moment vollführt die Maschine einen Satz, und Hagens Finger rutschen vom glatten Leder der Jacke ab.

Die Yamaha nimmt Fahrt auf.

»Bleib hier!«

Rennt dem Motorrad hinterher, chancenlos gegen die 779 ccm Hubraum, die Silberman unter Getöse davontragen.

»Du sollst stehen bleiben! Komm zurück, du –«

Unsinnig, lächerlich. Was brüllt er hier rum? Als ob es sich der Arsch in einem unverhofften Augenblick der Läuterung noch überlegen würde. Silbermans einziges Interesse ist es, schnellstmöglich Land zu gewinnen. Hagen kapituliert schweratmend, die Hände auf die Knie gestützt, während das Dröhnen in der Auffahrt verklingt.

»Was zum Henker sollte denn das?«, wundert er sich.

Björklund erscheint neben ihm und hält sich die Rippen.

»Wo ist dein Umschlag?«

»Mein –«

Der Fotograf sieht ihn beinahe mitleidig an.

»Schätze, *das* sollte es.«

Hagen erstarrt. Er lässt Björklund stehen, rennt zur Nische, sucht wie von Sinnen den Boden ab. Kein Umschlag weit und breit. Nur der verschmierte Reifenabrieb von Silbermans FZ8 und sein Laptop.

»*Fuck!*«

Hastet zurück, die Auffahrt hoch, kaum in der Lage, einen klaren Gedanken zu fassen, so sauer ist er. Was hat der Junkie sich bloß dabei gedacht, wo sie doch seinen Namen kennen, seinen Wohnort, aber Junkie ist eben Junkie, vergiss alle Logik.

Dich kaufen wir uns, denkt er.

Silberman dreht auf. Prügelt die Yamaha über die Ha Yarkon Street, zur Rechten die Parkanlage, die das Hilton umgibt, dahinter das Meer. Sieht den massigen Hotelkasten im Rückspiegel kleiner werden.

Und noch etwas.

Das andere Motorrad, das ihm folgt.

Mist!

Er hat geahnt, dass sie ihn nicht in Ruhe lassen werden, aber auf Schritt und Tritt? Nach einem Jahr erfolgloser Beschattung? Immer noch? Wahnsinn, er muss sich irren, die Sucht hat ihn schon ganz hysterisch werden lassen. Sicher ist das nur irgendein Motorradfahrer, der irgendwohin will, so wie er selbst.

Die andere Maschine holt auf.

Silberman drückt aufs Gas, legt einen Zahn zu. An der Marina geht er in eine halsbrecherische Kurve und biegt in den Sderot Ben Gurion ein, und das Motorrad kachelt hinterher. Unter Missachtung aller Tempolimits rasen sie dahin, denn jetzt ist Silberman richtig schnell.

Fliegt über den Asphalt.

Wird seinen Verfolger dennoch nicht los.

Inzwischen könnte er sich ohrfeigen für die Aktion in der Tiefgarage. Aber er *musste* ihnen das Geld abnehmen, oder? Konnte er sicher sein, dass sie ihn nach Ablauf der 24 Stunden bezahlen würden? Seine Zweifel sind berechtigt, er weiß nur allzu genau, dass die CDs für einen Europäer kaum Erhellendes bereithalten. Für einen Israeli schon, aber ganz sicher nicht für einen Deutschen.

Jedenfalls nichts, was 25 000 Dollar wert wäre.

Du hast alles falsch angefangen, denkt er sich jetzt.

Elender Idiot!

Alleine, sich in einem Parkhaus zu treffen. In einem gottverfluchten, scheißvideoüberwachten *Parkhaus*! Und die beiden haben deinen Namen, deine Handynummer, sie werden dir auf die Bude rücken und dich langmachen, und dann?

Er hat alles versaut.

Und das macht ihn rasend.

25 Riesen in seinem Besitz, ohne dass er das Gefühl richtig auskosten kann.

Immerhin, der Umschlag lugt aus seiner Lederjacke heraus, er hat das Geld, kann sich also ganz der Aufgabe widmen, den Verfolger loszuwerden, der ihm beharrlich im Nacken sitzt. Das Problem ist, der Typ fährt eine BMW HP4, sofern ihn der Blick in die Außenspiegel nicht täuscht, eine extrem leichte und wendige Rennmaschine. Sich den vom Hals zu schaffen, zumal wenn er mit dem Gerät umgehen kann, ist fast unmöglich, also wechselt er vorübergehend aufs Trottoir, scheucht Passanten vor sich her, die mit knapper Not in die Auslagen eines Obst- und Gemüsehandels entkommen, schießt über die Dizengoff Street, wieder zurück auf den Sderot Ben Gurion und wie eine Flipperkugel zwischen Autos und Motorrollern hindurch, deren Fahrer ihm zornig hinterherhupen, duckt sich tief über den Lenker. Architektur in allen Stadien der Renovierung und des Verfalls fliegt an ihm vorbei, Gehwege und Erfrischungsbuden ziehen impressionistische Streifen. Da, die Reines Street, Ampel springt auf Rot, egal, Haken schlagen, Chaos stiften, eine Sache von Sekunden, dann hat er wieder Strecke vor sich bis zur Kreuzung Shlomo HaMelech, weniger Autos auf diesem Stück, freie Fahrt.

Und plötzlich ist das andere Motorrad verschwunden.

Silberman kann es kaum glauben.

Sollte er den Mistkerl wirklich abgehängt haben?

Aber vielleicht hat er sich ja auch die ganze Zeit über geirrt, und es war tatsächlich nur irgendein Typ, der gerne Rennen fährt.

Irgendein Durchgeknallter.

»Jaaaa!«, schreit er. »Hahaaaa!«

Schaut wieder und wieder in die Spiegel.

Nichts. Parkende Autos, die rasend schnell zurückbleiben, Zierhecken und Platanen, Radfahrer.

Bis auf –

Etwas schießt in hoher Geschwindigkeit an den Radfahrern vorbei.

Scheiße.

Da ist die andere Maschine wieder, näher als zuvor. Hat auf den Mittelstreifen gewechselt, kurvt in hohem Tempo zwischen Fußgängern hindurch, donnert heran. Silberman stöhnt auf. Beschleunigt. Der reine Selbstmord, mitten im Feierabendverkehr dermaßen aufzudrehen, aber was soll er tun? Er kann den Blick nicht von den Spiegeln lassen, und als er sich endlich losreißt und aufschaut, ist die Straße verschwunden, und er blickt gegen eine Wand.

Möhren, Gurken, Auberginen.

Quietschbunt und riesig.

Reißt den Lenker herum. Zur einen Seite Gitter, zur anderen ein Straßencafé. Keine Chance, auszuweichen.

Versucht zu bremsen.

Der Aufprall katapultiert ihn aus dem Sattel.

Kreischend schlittert die Yamaha unter dem Gemüsetransporter hindurch, mit durchdrehenden Rädern, während Silberman nicht aufhört zu fliegen. Sein Körper dreht sich einmal um die eigene Achse, dann kracht er auf die Kühlerhaube eines Mercedes Cabriolets und verursacht dabei ein Geräusch, als habe jemand eine Waschmaschine aus dem zehnten Stock aufs Trottoir geworfen. Ein Spinnennetz aus Sprüngen fragmentiert die Windschutzscheibe, wo sein Kopf aufschlägt. Der Mercedes stoppt. Die Fahrerin beginnt zu kreischen, dann scheppert es vernehmlich, als ein anderer Wagen ihr hinten drauffährt und das Cabrio ein Stück vorwärtsschiebt.

Menschen bleiben stehen.

Kommen zögerlich näher.

Starren.

Ein bizarres Bild fesselt ihre Aufmerksamkeit, sie glauben sich in einem Film, denn es regnet Geld. Anmutig wie Herbstblätter flattern 500-Dollar-Noten umeinander, surfen auf der frühabendlichen Brise, die den Sderot Ben Gurion durchweht, trudeln abwärts und verteilen sich rund um den leblosen Körper, ohne dass eine einzige auf ihm landet.

Cox bringt ihre BMW neben dem Straßencafé zum Stehen, Vollbremsung, springt vom Bock. Läuft zur Unfallstelle. Sieht den Junkie und die Scheine, zählt eins und eins zusammen.

Da ist dir wohl das Portemonnaie geplatzt, denkt sie.

Denn das ist Silbermans Geld, klarer Fall. Besser gesagt, Geld, das er bei sich trug. Seit wann und ob es ihm gehört, steht auf einem anderen Blatt. Bis vor seinem Besuch in der Tiefgarage, darauf würde sie ihre Maschine verwetten, dürfte es noch jemand anderem gehört haben.

Sie beugt sich über die verkrümmte Gestalt auf dem Kühler, während die Fahrerin in immer neue Bereiche menschlicher Lauterzeugung vordringt, und erkennt, dass Silberman an dieser Welt nicht mehr zu leiden hat. Sein himmelwärts gerichteter Blick lässt ebenso wenig Zweifel an seinem Ableben wie der Umstand, dass sich zusammen mit seinem Blut größere Teile Hirnmasse über die zerborstene Scheibe verteilt haben.

Sie zieht den Helm ab und beginnt, die Geldscheine einzusammeln. Ein dicker Mann löst sich aus der umstehenden Menschenmenge und stapft angriffslustig auf sie zu.

»Was soll das werden?«, dröhnt er. »Was tun sie da?«

»Meinen Job.«

»Sind Sie wahnsinnig geworden?« Er schiebt sie zur Seite, versucht sie von dem Wagen wegzudrängen. »Der Mann braucht Hilfe!«

»Er braucht einen Bestatter.«

»Ich entscheide, was er braucht. Ich bin Arzt. Und Sie hören hier augenblicklich auf zu plündern, sonst –«

Cox fördert ihren Ausweis zutage, hält ihn dem Dicken unter die Nase und zeigt auf die totenbleiche Fahrerin, die eben dabei ist, wie ein Pudding aus der geöffneten Wagentüre zu kippen.

»Sie wollen helfen? Helfen Sie *ihr*.«

»Wer zum Teufel sind Sie?«

»Der Staat.«

Der Dicke runzelt die Stirn, tritt zu dem Cabrio und wirft einen Blick auf das, was von Silberman übrig ist. Tritt näher heran, fühlt seinen Puls.

»Er ist tot.«

»Ach was.«

Cox lässt ihn stehen, geht zurück zu ihrem Motorrad und ruft Perlman an. Ihr Vorgesetzter hört eine Weile wortlos zu, dann sagt er:

»Ging's nicht etwas weniger dramatisch, Shana?«

»Soll heißen?«

»Na ja. Er ist hinüber.«

»Nicht meine Schuld, wenn er sich vor den Gemüselaster setzt.«

»Ben-Tov wird das anders sehen. Er wird nicht entzückt sein.«

Du bist vielleicht lustig, denkt Cox. Wenn einer, den ich observieren soll, in eine Tiefgarage einfährt, um zehn Minuten später ohne Helm wieder daraus hervorzuschießen, als seien sämtliche apokalyptischen Reiter hinter ihm her, muss ich ihm ja wohl auf den Fersen bleiben, oder? Dass er mich entdeckt hat, war sicher blöd, aber kaum zu vermeiden. Was dreht er auch wie ein Irrer auf?

»Haben Sie ihn gehetzt?«

»Ich konnte nicht zulassen, dass er mich abhängt.«

»Beantworten Sie einfach meine Frage.«

»He, geht's noch?«, explodiert Cox. »Ich habe ihn *verfolgt*!«

»Ich versuche Sie nur aus der Schusslinie zu nehmen, falls Sie's noch nicht gemerkt haben.«

Was auch bitter nötig ist, das muss sie sich eingestehen. Seit Tagen schon haben sie für Silbermans Observierung keine juristische Handhabe mehr. Cox gibt sich keinen Illusionen darüber hin, dass der Vorfall eine Menge Ärger nach sich ziehen wird.

»Ja, vielleicht hat er sich gehetzt *gefühlt*«, räumt sie ein. »Ich musste irgendwie mithalten.«

»Wir wollten ihn observieren, nicht jagen.«

»Na toll.«

Perlman schweigt.

Polizeisirenen klingen auf, kommen rasch näher.

Pulsierendes Blaulicht.

»Er *muss* das Geld in der Garage bekommen haben«, insistiert Cox. »Das sind mindestens 20 000, einiges liegt da noch rum. Und was bitte hatte Pini Silberman zu verkaufen? Wer würde ihm dermaßen viel Kohle geben, wenn nicht für –«

»Beweisen Sie es.«

»Darauf können Sie wetten.«

Schon weil es unsere einzige Chance ist, unbeschadet aus der Sache rauszukommen, denkt sie. Wenn wir *jetzt* Indizien dafür finden, dass der Junkie tatsächlich Dreck am Stecken hatte und soeben ein Deal über die Bühne gegangen ist, wird kein Hahn mehr danach krähen, ob wir ihn rechtmäßig überwacht haben oder nicht. Andernfalls steht zu befürchten, dass sie mich künftig nicht mal mehr die Ben-Gurion-Büste am Tel Aviv Airport observieren lassen.

»Na schön«, seufzt Perlman. »Fahren Sie ins Hilton. Sie sollen uns die Überwachungsbänder zeigen. Tiefgarage und den ganzen Rest. Die gerichtliche Verfügung reichen wir nach, falls sie drauf bestehen. Sie kennen ja das Zauberwort.«

Cox kennt es.

Gefahr im Verzug.

Was in diesem Fall bedeutet, dass der Staat und die Interessen seiner Bürger unmittelbar bedroht sind.

Sie wird keinen Gerichtsbeschluss brauchen.

Sie braucht vor allem Argumente.

Denn Eli Ben-Tov ist, wie schon angekündigt, alles andere als entzückt. Der Leiter des Zentralkommandos geht davon aus, dass seinen Anweisungen Folge geleistet wird, so wie er seinerseits dem Direktor Folge zu leisten hat. Seit Mai leitet ein neuer Chef die Geschicke des Schin Bet, belastet mit dem Erbe des Datenskandals und nach Monaten ergebnislosen Eiferns, Weinsteins verschollenen Downloads auf die Spur zu kommen, nicht länger bereit, an deren Existenz zu glauben.

Über ein Jahr war Perlman dahinter her. Mit der Folge, dass jeder, der verdächtigt wurde, das Material zu verstecken, die Bekanntschaft der Rose machte.

Shoshana (hebr.) = die Rose

Und die Rose schoss sich auf Silberman ein.

Nahm ihn in die Mangel.

Verhöre, Hausdurchsuchungen.

Ohne Resultat.

Eines Tages behauptete Silberman, Cox habe ihn in seiner Wohnung aufgesucht und mit dem Kopf in die Kloschüssel gehalten. Cox verwies auf Silbermans Drogenkonsum, gab zu Protokoll, wie sie ihn in der Badewanne gefunden habe, fast ertrunken, der arme Kerl, und legte ihm nahe, sich lieber für die Lebensrettung zu bedanken.

Sie war zu klug, um blaue Flecken zu hinterlassen.

Silberman war zu tough, um etwas preiszugeben.

Patt.

Danach hatte er allerdings panische Angst vor ihr, also verlegten sie sich darauf, ihn zu beschatten, bis nun letzte Woche entschieden wurde, ihn ganz von der Liste zu streichen.

Cox hat ihn gewissermaßen ohne Mandat in den Tod gejagt. Und Ben-Tov ist niemand, den ein beherztes »Ja, aber –« in irgendeiner Weise beeindruckt. Allenfalls treibt es seinen Blutdruck in die Höhe.

Rückblick: Um 18:20 Uhr hat Silberman zwischen Gemüselaster und Cabrio die Daseinsform gewechselt. Eine Viertelstunde später ist Cox im Hilton aufgekreuzt, um die Überwachungsvideos der Tiefgarage einzusacken. Punkt 19:00 Uhr Sichtung in Perlmans Büro, zehn Minuten später zu Ben-Tov, reinen Wein einschenken, Cox erlag gar nicht erst der Versuchung, »Ja, aber« zu sagen.

Stattdessen: »Ich hab Scheiße gebaut.«

Gefolgt von: »Und recht behalten.«

Was Ben-Tov veranlasste, ihr gehobenen Tonfalls nützliche Ratschläge zuteilwerden zu lassen, und was ihr blühe, wenn sie noch ein einziges Mal seine Weisungen missachte.

Jetzt sagt Perlman: »Ich wusste davon, Eli. Und ich hab es gebilligt.«

»Sie?«, vergewissert sich Ben-Tov entgeistert.

»Ich weiß, wir hätten es absprechen sollen.«

Schwierige Lage für Ben-Tov. Er darf seinen Stellvertreter nicht vor einer Rakeset zur Sau machen, außerdem, Kirche im Dorf gelassen – *sooo* schlimm ist es auch wieder nicht. Klar kann jemand mit Perlmans Kompetenzen Dinge ohne Rücksprache entscheiden, und Ben-Tov kann es schon dreimal. Es geht um Grundsätzlicheres: sich aufeinander verlassen zu können. Um Loyalität, den Eckpfeiler ihrer Organisation. Es geht um den berechtigten Verdacht, dass die jüngste Direktive in Sachen Weinstein von Bibi persönlich kam, Gottes Wort also. Wer fragt da nach Kompetenzen? Wenn Bibi verfügt, dass sich ab sofort keiner mehr beim Telefonieren in den Zähnen pulen darf, dann sind die Zehn Gebote ein Ratgeber dagegen.

Perlman nimmt seine Goldrandbrille ab, bläst ein Stäubchen vom Glas und setzt sie wieder auf.

»Würde ich sagen, es war ein Fehler, Eli, müsste ich lügen.«

Ben-Tovs Blicke wandern zu Cox.

»Was hat Sie überhaupt so sicher gemacht?«

Sie zuckt die Achseln. »Hab's ihm angesehen.«

»Vor oder nachdem Sie ihn mit dem Gesicht in die Toilettenschüssel gehalten hatten?«

»Ich habe *nie* –«

»Solche Erlebnisse können sich in der Mimik eines jungen Mannes nachhaltig niederschlagen.«

»Ohne Cox wäre Silberman in der Badewanne ertrunken«, sagt Perlman und schafft es, sich ernst zu halten.

»Ja, klar.« Ben-Tov rollt die Augen. »Wollt ihr mich eigentlich verarschen? Mir ist es scheißegal, wen Sie in Ihrer Freizeit stalken, solange ich Bibi nicht erklären muss, warum jemand, den wir in Ruhe lassen sollen, auf der Flucht vor unseren Agenten an der Windschutzscheibe eines Mercedes endet.«

»Erklären Sie ihm lieber, dass dabei die Downloads aufgetaucht sind«, rutscht es Cox heraus, was schon ein bisschen impertinent ist.

Ben-Tov spießt sie wortlos mit dem Zeigefinger auf.

»'tschuldigung«, fügt sie hinzu.

»Schon besser.«

Um 19:30 Uhr berufen sie den Führungsstab ein, zugeschaltet ist der Direktor, ein Glatzkopf mit Kippa. Soweit Perlman sich erinnert, ist er der Erste in dieser Position, der die Kopfbedeckung religiöser Juden trägt.

Er fragt sich, was das für den künftigen Kurs des Schin Bet bedeutet. Ob es etwas bedeutet. Bis jetzt scheint der Neue nicht im Gleis einer Ideologie unterwegs zu sein.

Sie lassen die Überwachungsvideos laufen.

»Deutlich erkennbar, dass Silberman einem der Männer etwas aushändigt, das wie eine CD aussieht«, erläutert Perlman. »Vielleicht auch mehrere. Vom Empfänger haben wir Nahaufnahmen, der andere bleibt im Schatten. Keine brauchbaren Bilder. – Jetzt geht der Mützenträger in die Knie – auf dem Boden ein Laptop – scheint eine der CDs zu laden – sein Kollege zeigt Silberman den Umschlag. Mit einiger Sicherheit das Couvert, das wir bei der Leiche gefunden haben. Das Geld wurde eingesammelt, 24 500 Dollar, gehen wir von 25 000 aus – jetzt der Action-Teil: Sie geraten sich in die Haare.«

Die Schwarz-Weiß-Figuren beginnen sich zu prügeln, Silberman flieht, einer der Männer hinterher. Gibt auf. Der Mützenträger kommt nach, sein Gesicht nicht zu erkennen.

Dafür sind die Fotos des anderen passbildtauglich.

»Wir können wohl davon ausgehen«, sagt Ben-Tov, »dass hier gerade Weinsteins Daten verhökert wurden.«

»Die Fahndung läuft«, schließt Perlman. »Wenn es sich um einen kürzlich eingereisten Ausländer handelt, sollte das Ergebnis bald vor- liegen. Falls nicht –«

Einen Moment herrscht Schweigen.

Alle warten auf den Kommentar des Direktors.

Auf sein Donnerwetter, um genau zu sein.

Es bleibt aus. Stattdessen: »Interessant, aber vorerst nur eine Vermutung.«

»Eine ziemlich konkrete Vermutung.«

»Mehr haben Sie nicht?«

»Noch nicht.«

»Gut. Identifizieren Sie die Leute. Ich setze den Premier in Kenntnis. Und kommen Sie mir nie wieder mit Solo-Nummern. Sie dürfen sich den Schweiß abwischen.«

Ben-Tov schaut Perlman an.

Nächstes Mal holst du mich ins Boot, sagt sein Blick.

»Diese verdammte Ratte!«

Hagen kocht. Sitzt in Björklunds Wagen, Laptop auf den Knien und eine Stinkwut im Bauch, die sich in laut vernehmlichem Gluckern und Grollen entlädt. Ihm ist schlecht vor Hunger. Er würde Gott weiß was geben für einen Hamburger oder eine Pizza, um den Überschuss an Säure zu binden, die als Reaktion auf Silbermans Schurkenstreich fröhlich aus seinen Magenwänden sprudelt, aber noch viel lieber würde er den Verursacher des ganzen Ärgers in die Finger bekommen.

Doch Silberman lässt auf sich warten.

»Hab dir ja gesagt, dass er nicht nach Hause fährt«, gähnt Björklund.

»Nicht nach *der* Nummer.«

Damit dürfte er recht behalten, was Hagen aber nur noch mehr in Rage bringt.

»Ratte«, wiederholt er.

Seit fast zwei Stunden beobachten sie jetzt schon die Straße und das heruntergekommene Haus auf der gegenüberliegenden Seite. Das heißt, eigentlich ist es mehr Björklund, der beobachtet, während Hagen wie ein Besessener scrollt und Dokumente über Dokumente auf den Bildschirm lädt, deren meiste in Hebräisch abgefasst sind, so dass er sich dem digitalen Übersetzer anvertrauen muss. Die Software ist verblüffend formulierungssicher, eine Neuentwicklung des Pentagon, die Hagen illegal bei einem Hacker erstanden hat. An den Kürzeln und Decknamen, mit denen die Texte gespickt sind, verschluckt sich zwar auch dieses Wunderwerk der Programmierung, weiß schließlich jeder, dass eine Besiedelung der äußeren Saturnringe mehr Aussicht auf Erfolg hat, als dass je eine Software dem Kauderwelsch der Bürokratie gewachsen sein wird, doch unterm Strich ergibt das meiste durchaus Sinn.

Offenbar hat er authentische Dokumente vor Augen.

Oder zumindest etwas, das so aussieht, denn immer noch besteht die Möglichkeit, dass er einer Riesenfälschung aufsitzt. Andererseits, wozu hätte Silberman einen derartigen Aufwand betreiben sollen? Fast alles spricht dafür, dass er Weinsteins verschollene Downloads verwaltet und verhökert hat, also können sie davon ausgehen, jetzt im Besitz interner Daten des Schin Bet zu sein – was ja erst mal großartig klingt.

Nur dass es Hagens Laune kaum bessert.

Bis jetzt nämlich hat die Sichtung weder Erhellendes noch gar Brisantes zutage gefördert. Eher künden die Dokumente von miefiger Kleinarbeit, ödem Agentenalltag. Höhepunktlos reiht sich Bericht an Bericht, Direktive an Direktive. Selbst wo es um gezielte Tötungen geht, wird man den Eindruck nicht los, als habe das Ganze schon in tausend Zeitungen gestanden, und die Observierungsprotokolle sind schlicht ermüdend.

Alles, was er da liest, scheint ihm besorgniserregend banal.

Vor allem ist es besorgniserregend wenig.

Was hast du denn erwartet?, denkt er.

Einen zweiten Bradley Manning?

Eine Cybergalaxie, sodass man Wochen bräuchte, um das Material zu sichten und auszuwerten? Staatsgeheimnisse en gros, zu sortieren in die Kategorien brisant, äußerst brisant und pures TNT?

Klar, davon träumen sie im Moment alle. Der ganze investigative Journalismus geht am Stock, aufgeschreckt von einem charismatischen Buhmann namens Julian Assange. Was sollen klassische Berichterstatter ausrichten gegen die alles nivellierende Veröffentlichungswut von Wikileaks und Co.? Digitaler Geheimnisverrat ist in Mode, Assange surft auf einem Ozean aus Daten, anonyme Schleusen sorgen für steten Zufluss. Alleine Manning, dieser unglückliche kleine Soldat Schwejk in seiner irakischen Diaspora, dem angesichts der Konfliktbewältigungspolitik seiner Regierung die Galle hochkam, konnte mühelos das SPIR-Net seines Oberkommandos anzapfen und Daten in solchen Mengen runterladen, dass Heerscharen politischer Reporter kaum zu ihrer Ermittlung in der Lage gewesen wären. Darum macht die Branche nun eine mittlere Krise durch, und die emsig wühlenden Frontleute mit ihren überschaubaren Budgets wünschen insgeheim nichts mehr, als dass jemand kommt und ihnen so eine feine CD in die Hand drückt, vollgepackt mit Texten, Fotos und Videos, *Top Secret* oder besser noch *Secret-Noforn*, »Nicht an Ausländer weitergeben« – ein Selbstbedienungsladen, aus dem man sich für den nächsten Leitartikel nur das Passende rauspicken muss.

Von solcher Ergiebigkeit sind Silbermans CDs weit entfernt.

Esther Weinstein, so viel ist sicher, war alles andere als Miss Manning.

Hagen klappt den Laptop zu.

Kann ja noch kommen, der große Knüller. Bis zu diesem Zeitpunkt hat er vielleicht ein Fünftel der Daten gesichtet. Dass zwei CDs voller geheimdienstlicher Informationen ohne jeden Nachrichtenwert sein sollen, ist eigentlich unmöglich.

»Und wenn er längst oben ist?«

Dann müsste er vor uns hier angekommen sein, denkt Hagen. Was er locker hätte schaffen können. Seine Wohnung ist dunkel, aber wer sagt, dass er nicht bei ausgeschalteter Beleuchtung abwartet, bis wir endlich genug haben und abziehen?

»Wir könnten die Tür aufbrechen.«

Björklund sieht ihn an. Seine Augäpfel schimmern im Dunkeln.

»*Ganz sicher* brechen wir nicht die Tür auf.«

»Wir müssen ja nichts anrühren.«

»Das ist Hausfriedensbruch.«

»Wenn er da ist, soll er die Kohle rausrücken, und falls nicht, haben wir ihm halt das Schloss demoliert. Du lieber Himmel! Sein dämliches Türschloss.«

»Es bleibt Hausfriedensbruch.«

»Und wie nennt man das, was er mit mir gemacht hat?«

Björklund schweigt.

»Glaubst du im Ernst, ich schieße 25 000 Dollar in den Wind, die mir nicht mal gehören? Was soll ich denn deiner Meinung nach tun? Zur Polizei gehen? Ach, wissen Sie, wir wollten da vorhin ein paar geheime Dokumente des Schin Bet einkaufen und in Deutschland publik machen, und jetzt haben wir ein kleines Problem – so in der Art?«

»Du könntest sagen, es war ein Scheinankauf.«

»Und das glauben die mir dann?«

Keine Antwort.

»Aber okay.« Hagen spreizt die Finger. »Ist ja egal, was sie glau-

ben, die werden sich den Typen krallen, und was erzählt der ihnen als
Erstes? Dass *du* es warst, der sich für seine Scheiß-CDs interessiert hat.
Dass *du* angebissen hast wie ein Karpfen.«
Björklund nagt an seiner Unterlippe. Und plötzlich spürt Hagen,
wie peinlich seinem alten Partner die Sache ist, und da fühlt er sich so-
fort noch mieser.
Eine Weile starren beide die Straße an.
»Tut mir leid.«
»Mir tut's leid.«
»Muss es nicht. Du hast versucht, mir zu helfen.«
»Schwer schiefgegangen.«
»Trotzdem danke.« Hagen zuckt die Achseln. »Bleib im Wagen. Ich
geh alleine rüber.«
Björklund schürzt die Lippen. Dann öffnet er die Tür.
»Du warst drei Jahre lang allein.«
»Quatsch, ich –«
»Außerdem kenne ich dich. Du wirst versuchen, was sie im Fern-
sehen machen, und man kriegt Türen nicht auf, indem man sich dage-
genwirft. Man bricht sich allenfalls die Schulter.«
Er geht zum Kofferraum und kehrt mit etwas Langem, Dunklem zu-
rück. Schwingt es wie eine Keule.
Hagen kann nicht anders, er muss lachen.
»Du hast ein Brecheisen dabei?«
»Immer.«
»Stimmt nicht! Damals hattest du nie –«
»Damals warst *du* das Brecheisen.« Björklund lässt das Ding in seine
Handfläche klatschen. »Was ist jetzt? Kommst du?«

Um 20:30 Uhr erhalten sie die Bestätigung vom Ben Gurion Airport.
Perlman informiert Ben-Tov.
»Thomas Hagen, deutscher Korrespondent, wohnhaft in Hamburg,
gestern eingereist aus Ankara.«
»Ankara –«
Was nichts heißen muss. Wenn westliche Journalisten von Syrien, Li-
byen, Ägypten und so weiter nach Israel wollen, machen sie gern Zwi-
schenstation in der Türkei, damit der Passkontrolle am Ben Gurion
Airport nicht das Gesicht einfriert wegen unpopulärer Reisestempel.
Leute sind schon für weniger zurückgeschickt worden.
»Dieser Hagen wird zwei Pässe mit sich führen«, sagt Perlman. »Der
vorgelegte liest sich, als hätte er eine Araber-Allergie, aber wir konnten

auf die Schnelle einiges über ihn zusammenkratzen. Nahost-Experte, allerdings eher muslimische Länder. Kaum Israel-Expertise. Schreibt für ein Online-Magazin. Vor wenigen Tagen war er noch in Syrien, davor in Libyen.«

»Ein Online-Magazin«, sinniert Ben-Tov. »Wichtig?«

»Klitsche.«

»Und die spucken eben mal so 25 000 Dollar für den Ankauf unserer Daten aus?«

»Was anderes ist interessant«, sagt Perlman. »Bis 2008 scheint dieser Hagen ein hell leuchtender Stern am deutschen Korrespondentenhimmel gewesen zu sein. Große Reportagen, Auszeichnungen. Dann verschwindet er von der Bildfläche.«

»Warum?«

»Wir harren der Erleuchtung.«

Ben-Tov spielt mit einem Bleistift herum.

»Warum kauft ein Journalist geheime Daten an?«

»Um groß rauszukommen.«

»Eben. Also zeichnen sich zwei Möglichkeiten ab. Entweder, der Typ recherchiert in konkreter Sache, dann hat er gezielt nach Weinsteins Daten geforscht. 2005, 2006 – was kann ihn da interessieren? Scharm el-Scheich? Abkopplung von Gaza?«

»Talia-Sasson-Report?«

Jene von Scharon in Auftrag gegebene Studie, der zufolge weit über hundert Siedlungen in der Westbank illegal waren, selbst nach israelischer Rechtsauffassung. Eine blamable Dokumentation krimineller Energie, aber was gäbe es da noch zu recherchieren, was nicht längst allgemein bekannt ist?

»Unerlaubte Tötungen«, schlägt Ben-Tov vor.

»Scharons Korruptionsaffären«, ergänzt Perlman.

»Oder er will einfach zurück ins Geschäft. Mit irgendwas.«

»Hauptsache, brisant.«

»Und da kommt Silberman heranspaziert –«

»Und macht seinen Bauchladen auf.«

»Wie auch immer«, knurrt Ben-Tov. »Jetzt läuft er mit unseren Daten durch die Gegend.«

»Wir checken bereits die Hotels.«

Was dauern kann. Die großen Kästen hat man schnell durch, doch kleine und mittlere Hotels gibt es wie Sand am Meer in Israel, von Pensionen ganz zu schweigen.

»Bekommen wir seine Handynummer?«

»Wir sind mit dem Mossad im Gespräch«, sagt Perlman.

Im Klartext, Israels Agenten in Deutschland werden tätig. Klingt gut. Nach Allmacht, wäre da nicht die profane Realität. Über Hagens Umfeld wissen sie rein gar nichts. Die Redaktion des Online-Magazins dürfte um die Zeit kaum erreichbar sein, gelänge es, den Provider zu ermitteln, dürfte der keine Auskunft geben, außerdem haben auch die Feierabend, bleibt ein Ersuchen an den BND – *Mayday, Mayday*, deutscher Journalist klaut Staatsgeheimnisse –, ein deutscher Richter muss vom Abendbrottisch aus entscheiden, ob der Mossad zu unterstützen sei, während der Stundenzeiger emsig das Ziffernblatt umrundet, und dann brauchen sie immer noch die Genehmigung eines israelischen Richters, um den Journalisten orten und abhören zu dürfen.

»Das ist die leichteste Übung«, sagt Ben-Tov und greift zum Telefon.

Perlman steht auf. »Ich hetze Cox auf die Kripo. Sie soll sich ein bisschen in Silbermans Wohnung umsehen.«

Für einen Junkie ist Silbermans Wohnung erstaunlich aufgeräumt. Selbst die Küche präsentiert sich augenscheinlich als infektionsfreie Zone, nur vom Bewohner fehlt jede Spur.

Also sitzen sie eine Weile im Dunkeln auf dem einzigen Sofa, Schulter an Schulter wie ein altes Ehepaar, und warten.

Wie in amerikanischen Filmen. Jemand kommt nach Hause, hängt den Mantel an die Garderobe, geht pinkeln, weiter ins Wohnzimmer, schaltet das Licht ein und da sitzt jemand mit einer Knarre und knurrt: *'n Abend, Mister.*

Um neun sagt Björklund:

»Ich könnte ein Bier vertragen. Würde mich glücklich machen.«

Hagen steht auf und sieht in Silbermans Kühlschrank nach.

Leer wie das Universum vor der Schöpfung.

Was *ihn* glücklich machen würde, weiß er ziemlich genau, nämlich Silberman eine Reihe guter Ratschläge zuteilwerden lassen, und zwar exakt so viele, wie seine Faust Knöchel hat. Nur wird mit dessen Erscheinen heute Nacht nicht mehr zu rechnen sein, also können sie ebenso gut ins Hotel zurückkehren.

Was sie dann auch tun.

Verlassen das Haus, gehen zum Wagen.

Als Björklund anfährt, sieht Hagen am anderen Ende der Straße einen Polizeiwagen auftauchen.

Er denkt sich nichts dabei.

Tja, amerikanische Filme –

Da läuft das so: Die von lauter freundlichen Tom Sellecks besetzte, im Provinzmief vor sich hin gammelnde Polizeibehörde hat endlich mal einen richtig schönen, fiesen Mordfall an der Backe. Und als der charismatische Held kurz vor der Aufklärung steht, erscheinen ein paar arrogant kläffende Typen vom FBI, die alle aussehen wie aus der Actionfigur-Stanze, reißen die Befehlsgewalt an sich und bauen eine Stunde lang dermaßen gepflegt Scheiße, dass ein abendfüllender Spielfilm dabei raus springt. Noch schlimmer ist es, 100 Knilche von der CIA oder vom Secret Service in der Scheune ihr provisorisches Hauptquartier einrichten zu sehen, kurz, brave Polizisten hassen es auf den Tod, wenn die Schlapphüte aufkreuzen und alles besser wissen.

In diesem Fall belehrt eine Geheimagentin die Ermittler, dass es sich im Fall Silberman keineswegs um einen Unfall handelt, ohne ein Wort darüber zu verlieren, worum es sich *dann* handelt.

Klar schafft das Frust.

Jetzt sind sie die Lakaien, andererseits wären Geheimdienste ohne Uniformträger aufgeschmissen, also ist gegenseitiger Respekt angezeigt. Eine Sonderkommission nimmt die Arbeit auf, Cox wird als Schnittstelle installiert, mit unbeschränktem Zugriff auf den gesamten Polizeiapparat, jederzeit und ohne Angabe von Gründen. Als sie um 21:15 Uhr vor Silbermans Wohnung eintrifft, wartet die SOKO schon, ein paar Beamten glotzen, wie man's kennt. Nachdem Cox das Bodybuilding reduziert hat, wirkt sie schlanker und weiblicher, doch ihr Muskelspiel ist immer noch beeindruckend. Die Motorradjacke spannt sich über ihren Schultern. Sie steigt von der BMW, nimmt den Helm ab, und wie am Gummiband gezogen wandern die Blicke zu ihrem rasierten Schädel.

Irren ab, als sie näher kommt.

Nur eine Polizistin schaut sie unverwandt an.

Lächelt ihr Ich-wär-so-gern-wie-du-Lächeln.

Cox erwidert es, schüttelt dem Hauptkommissar die Hand. Er ist sichtlich verschnupft, weil er nicht schon mal ohne sie hoch zur Wohnung stiefeln durfte. Die Neugier steht ihm ins Gesicht geschrieben, worum es hier eigentlich geht, überschattet von der Gewissheit, es niemals zu erfahren. Sie schellen, erst bei Silberman (falls da außer ihm noch jemand logiert), dann im Haus, jemand drückt auf, gehen hoch.

Sofort sieht Cox, was los ist.

Silbermans Tür wurde aufgebrochen. Kaum Splitter, brav wieder zugezogen. Die Spurensicherung begibt sich an die Arbeit, während Cox und der Kommissar die Wohnung in Augenschein nehmen.

Ganz manierlich für einen Junkie, denkt sie.

Ziemlich genau so, wie sie es in Erinnerung hat von ihrem Besuch vergangenes Jahr, als er maliziös grinsend im Türrahmen lehnte und sie nicht reinlassen wollte. Also hob sie ihn hoch, trug ihn nach drinnen und stellte ihn in seinem Wohnzimmer wieder ab.

»Das ist Hausfriedensbruch!«

»Ein Klacks gegen Landesverrat, Pini.«

»Was soll das, Scheiße? Ihr habt mich zigfach verhört, meine Bude durchsucht –«

»Manchmal muss der Kammerjäger zweimal kommen.«

Während sie sich umsah, Schränke und Schubladen öffnete, Bücher hervorzog und auf den Boden fallen ließ.

»Ich beschwere mich! Ich werde –«

Ins Nebenzimmer ging, wo seine Laptops standen.

Sie der Reihe nach hochfuhr.

Da griff er sie an.

An dem Tag war er nur ein bisschen stoned, aber es reichte, ihn seine Vorsicht einen entscheidenden Moment lang vergessen zu lassen. Cox stand mit dem Rücken zu ihm, sah im Bildschirm des Computers, wie er heransprang, ausholte –

Ließ den Ellbogen in seine Magengrube schnellen.

Zielsicher, ohne sich umzudrehen. Blaue-Flecken-freie Zone. Ihr war klar, sie würde nichts finden, es ging darum, ihn so weit einzuschüchtern, dass er freiwillig mit den Downloads rausrückte.

»Es *existieren* keine Downloads!«, sabberte er in den Teppich.

»Steh auf.«

»Fotze!«

»Ich bin immun gegen Komplimente. Was hat Esther dir gegeben und wo ist es?«

»*Nichts!*« Er krümmte sich. »Esther ist 'ne Freundin. Einfach nur 'n Schuss, den ich mal genagelt habe.«

»Ach, Pini.«

»Sie war heiß auf mich.« Rappelte sich hoch. »Ich schwör's.«

»Doch nicht du.«

»He, ich bin gut aussehend, klar?« Silberman feixte. Versuchte, Terrain zurückzuerobern. »Ich kann witzig sein.«

»Kaum.« Sie packte ihn am Kragen und sah die Angst in seinen Augen. »Witz erfordert Geist. Du bist so hohl in der Birne, dass es beim Denken hallt. Letzte Chance.«

»Es gibt keine –«

Woraufhin sie ihn auf die Toilette schleppte.

(Aus den Statuten der CIA: Beim Waterboarding ist darauf zu achten, dass Mund und Nase tiefer liegen als der Rest des Körpers, damit kein Wasser in die Lungen fließen kann.)

Hielt ihn senkrecht rein.

Zwei Mal.

Silberman gurgelte, spuckte, hustete, strampelte. Cox schleifte ihn zurück ins Wohnzimmer und ließ ihn fallen. Sie wollte es nicht übertreiben, ihn nicht wirklich foltern. Er sollte lediglich glauben, sie werde es tun. Als sie ihn wie einen aufs Trockene gezogenen Fisch daliegen sah, beschlichen sie Zweifel, ob sie am Ende einen Unschuldigen malträtierte, dann fing sie seinen hasserfüllten Blick auf.

Und alles war klar.

»Ich sag nichts«, murmelte er. »Und wenn du mich vierteilst.«

Ungesagt: Pass bloß auf, wenn du nicht riskieren willst, dass sie dich suspendieren. Du kriegst es ums Verrecken nicht aus mir heraus.

Niemals!

Er *war* im Besitz der Downloads.

Und sie musste sich geschlagen geben. Trat einen Schritt auf ihn zu, und er kroch wie ein geprügelter Köter vor ihr weg.

Da ging sie.

Idiot, denkt sie jetzt. Warum hast du nicht mit mir geredet? Du könntest noch leben und dir nach Herzenslust an den Eiern spielen.

Ein mieses Gefühl macht sich in ihr breit. Pini Silberman mag 25 000 dafür kassiert haben, sein Land zu verraten. Er war kein Bradley Manning, keine Esther Weinstein. Nicht moralisch motiviert, von keinem Ideal getrieben. Nur ein illoyales Stück Scheiße, jemand, den die Drogen in ein noch größeres Arschloch verwandelt hatten, als er ohnehin schon war.

Aber er hat niemanden umgebracht.

Und du hetzt ihn vor den Gemüselaster.

Na und, verdammt? Wer Staatsgeheimnisse verscherbelt, der nimmt den Tod unschuldiger Menschen in Kauf.

»Schauen Sie sich mal das Sofa an«, sagt sie zu dem Kommissar.

»Ja.« Er kräuselt die Lippen. »Schäbig.«

»Da hat jemand gesessen.«

Zwei Personen, nebeneinander. Die Kissen sind verknautscht, die Kuhlen so tief, dass es keine halbe Stunde her sein kann. Da lag Silberman bereits auf dem Seziertisch, wer also war hier? Und warum?

Eigenartig, die Sache in der Tiefgarage.

Warum hat Pini die Ankäufer attackiert? Weil er fürchtete, sie könnten von dem Deal zurücktreten? Weil das Material nichts hergab? Spekulation, aber mehr hat sie nicht.

Spekulationen und ein durchgesessenes Sofa.

Sie nimmt den Kommissar beiseite. »Wir brauchen Zeugen, die während der vergangenen Stunde die Straße beobachtet haben. Wer ins Haus gegangen ist, wer rauskam.«

»Stellen Sie sich vor«, sagt der Kommissar. »Darauf bin ich auch schon gekommen.«

Im Hilton treibt es Hagen an die Bar, wo er sich in letzter Sekunde entschließt, statt Wodka Martini doch lieber Cola zu ordern, weil ihm einfällt, dass Alkohol konserviert. Also auch Sorgen. Außerdem schmerzt sein Schädel, so wie neuerdings damit umgegangen wird. Er will Silberman, dem Stück Scheiße, nicht auch noch einen Exzess wie in Damaskus verdanken, und darauf wird es unweigerlich hinauslaufen, wenn er jetzt anfängt zu trinken. Der Junkie hat es fertiggebracht, dass er sich wie der letzte Idiot vorkommt – mehr Macht über sein Befinden wird er ihm keinesfalls zugestehen.

»Schau dir erst mal die CDs an«, schlägt Björklund vor. »Danach können wir ihn immer noch zu Hackfleisch verarbeiten.« Taucht seine Oberlippe in Schaum und lässt ein kühles Stella Artois in sich hineinlaufen.

Hagen sieht ihm zu.

Zehrendes Verlangen ergreift von ihm Besitz. Sein ganzer Körper schreit nach frustlösenden Mitteln, und ist nicht der einzige Weg, eine Versuchung loszuwerden, ihr nachzugeben? Wieder zügelt er sich, bestellt einen Cappuccino, bestellt ihn gleich wieder ab und rutscht vom Barhocker.

Björklund hat recht. Er muss die CDs durcharbeiten.

»Was ist jetzt mit morgen?«, fragt der Schwede. »Kommst du mit?«

»Nach Jerusalem?«

»Um acht hauen wir ab. Hotel American Colony.«

Hagen zögert. Das American Colony im arabischen Teil Jerusalems ist ein orientalischer Traum, glamourös, geschichtsträchtig und von Konspiration durchweht. Vielleicht die schönste Herberge des Nahen Ostens, nur im Moment nicht seine Preisklasse.

»Mach dir darum mal keine Gedanken«, sagt Björklund.

Macht er sich natürlich doch, er ist ein abgebranntes Haus. Seine Einnahmen halten mit den Ausgaben nicht mehr Schritt, was er angespart hatte, ist bis auf einen kümmerlichen Rest zusammengeschmolzen. Dass er seinen Bankrott beharrlich ignoriert, trägt auch nicht eben zur Verbesserung der Situation bei. Es verleitet ihn lediglich dazu, anderer Leute Geld auszugeben, und gerade scheint es, als habe er es darin zu fragwürdiger Meisterschaft gebracht.

»Kann ich mir nicht leisten«, sagt er.

»Wir buchen dich als Informanten ein. Stefan hat kein Problem damit.«

Stefan Lukoschik ist Björklunds aktueller Partner auf dieser Tour, ein altgedienter Korrespondent mit jeder Menge Israel-Erfahrung und tadellos sitzenden Bügelfalten. Hinter ihm steht eines der größten deutschen Magazine. Sie dürften ihn mit einem nicht zu knappen Budget ausgestattet haben, und wann wäre Hagen nicht zumindest für ein paar Informationen gut gewesen?

»Gib ihm einen Gutenachtkuss von mir«, sagt er, schlägt Björklund auf die Schulter und macht sich vom Acker.

1982

Sinai, Jamit

Noch ist die Dattelpalme wenig mehr als ein Setzling im wandernden Sand, der mal eine Palme werden will.

Und damit für Jehuda genau richtig.

So eine hat er gesucht.

Er geht in die Hocke, verharrt. Schaut eine Weile hinaus auf das türkisfarbene, glitzernde Meer, lauscht dem Flüstern in den Wedeln der ausgewachsenen Exemplare, die den Strand säumen.

Kneift die Lider zusammen.

Da surft jemand.

Ist das die Möglichkeit?

Doch, tatsächlich, da ist jemand auf einem Surfbrett unterwegs!

Ich könnte das sein, denkt er.

Fast jeden Morgen vor der Arbeit ist er hier surfen gegangen, mit dem Wind dahingeflogen, den Blick auf die erwachende, weiße Stadt gerichtet. Jamit, dieser Palme sehr ähnlich. Weit davon entfernt, eine Metropole zu sein, aber auf dem besten Wege, eine zu werden.

Immerhin, 4000 Einwohner.

Zuletzt.

Behutsam beginnt er, den Setzling auszugraben. Schaufelt den Sand nach allen Seiten weg, legt den Wurzelballen frei, darauf bedacht, keine der zarten Verästelungen zu knicken oder abzureißen, hebelt ihn heraus und bettet ihn in seinem Schoß.

Der Tag der Entwurzelten, denkt er.

Als er den Blick wieder zum Meer hebt, ist der Surfer verschwunden.

Eine Sinnestäuschung?

Wahrscheinlich. Im Augenblick ist Jehuda sehr empfänglich für Sinnestäuschungen. Solange er da hockt, die blaue Weite vor sich und die Stadt im Rücken, spielt ihm sein Hirn wahlweise zwei Filme vor. Der eine heißt *Jamit, Perle am Mittelmeer* und handelt von einer gepflegten Oase mit schmucken Reihen kubischer Wohn- und Geschäftshäuser, umgeben von Gärten und Grünflächen. Ein Städtchen, das zwar stagniert, dafür aber hat man hier seine Ruhe, wunderbar frisches Seeklima und unberührte Natur. Idealisten leben in diesem Jamit, vorwiegend

Säkulare, ein paar gemäßigt Religiöse, Israelis der zweiten und dritten Generation, amerikanische und russische Immigranten, Familien von Soldaten, Handwerker, mittelständische Unternehmer und natürlich Farmer. Die Zwischenbilanz kann sich sehen lassen, prächtige Obst-, Gemüse- und Blumenplantagen, über 400 Treibhäuser, moderne Verpackungsanlagen.

Eine Stadt voller Optimismus, Kinder und Hunde.

Der zweite Film – *Jamit, Seehafen der Welt* – porträtiert ein internationales Handelszentrum, Drehkreuz für Hightech-Produkte und Nahrungsmittel, rasantes Wachstum, 250 000 Einwohner vom Dockarbeiter bis zum Dirigenten, Kulturhochburg. Auch hier ist das Leben idyllisch, die Ökologie intakt, zugleich bersten die Viertel vor Geschäftigkeit und Lebensfreude, bevölkern Wassersportler aller Kontinente die Hotelphalanx entlang der palmengeschmückten Promenade, schimmern europäische Kreuzfahrtschiffe im Hafen neben Frachtern aus Übersee, reckt sich das nimmermüde Ballett der Lastkräne, ein Schmelztiegel auf dem besten Wege, Tel Aviv den Rang abzulaufen. Wer in diesem Jamit den Dezernenten für Landwirtschaft und Wasserversorgung sprechen will, sollte beizeiten dessen Sekretariat bemüht haben, denn:

Der Mann ist beschäftigt.

Trifft Konzernchefs, Siedlerführer und Politiker, hält Vorträge in aller Welt, zu wem wollen Sie, Jehuda Kahn?

Hatten Sie einen Termin?

Bedaure.

Sein Namensvetter aus dem ersten Film hat auch ein Vorzimmer, ist aber meistens selbst dort anzutreffen, etwa beim Kaffeekochen für sein Team. Wenn er nicht gerade die Gewächshäuser inspiziert oder seine Mutter in Kfar Malal besucht, kann man auf einen Plausch reinspazieren. Er wird geschätzt und gut bezahlt, doch im Gegensatz zum zweiten Film ist er kein Star, sondern ein Provinzagronom.

Und jetzt nicht mal mehr das.

Jamit, Seehafen der Welt ist nie gedreht worden.

Jamit, Perle am Mittelmeer wird gerade aus dem Programm genommen.

Jehuda atmet die salzige Luft ein.

Lauscht dem Wind und den heranschlagenden Wellen.

Missklänge mischen sich hinein.

Erst leise, dann lauter werdend, als ziehe jemand den Regler an einem Mischpult hoch. Maschinengetöse und Geschrei, eine Kakofonie, die er vorübergehend ausgeblendet hat.

Jetzt brandet sie umso machtvoller heran.

Er dreht sich um, und die Welle aus Lärm trifft ihn mit ganzer Wucht.

Sieht den dritten Film, den er nicht sehen will.

Bilder von Zerstörung und hilfloser Wut.

Nimmt seine Palme und läuft los.

Viereinhalb Jahre zuvor, Ben Gurion Airport, Tel Aviv.

Ein Mann steigt aus einem Flugzeug.

Er ist schlank, hochgewachsen, mit Stirnglatze und Schnurrbart. Eleganter Typ. Dunkle Haut, wacher, freundlicher Blick. Westliche Medien verwenden zur Umschreibung seiner Person gern Attribute wie *aufgeschlossen* und *kultiviert*. Beeindruckend lässig kommt er die Gangway herunter, und nur wer ihn genau kennt, bemerkt die Anspannung in seinen Zügen.

Jeder hier ist angespannt. Hoffnung setzt dich mitunter mehr unter Druck als Verzweiflung.

»Ist Scharon hier?«, fragt er.

»Natürlich. Alle sind hier, alle haben auf Sie gewartet.«

Er lächelt dieses entwaffnende Lächeln, das vielen als Indiz für seine Aufrichtigkeit dient und andere umso mehr ängstigt, weil sie dahinter ein besonders perfides Täuschungsmanöver wittern. Sein Blick sucht den frisch gekürten Landwirtschaftsminister, nicht zu übersehen in seiner Macht- und Leibesfülle.

»Ich hab versucht, Sie zu erwischen, als Sie auf unserer Seite des Suezkanals waren«, sagt er lächelnd und schüttelt seinem Gegenüber die Hand.

»Tja.« Arik schmunzelt. »Jetzt haben Sie die Gelegenheit, mich als Freund zu erwischen.«

Sadat nickt. Sie schauen sich noch einen Moment in die Augen, entdecken Sympathie füreinander, dann schreitet der ägyptische Präsident die Ehrenformation ab, Seite an Seite mit Israels neuem Ministerpräsidenten Menachem Begin –

Moment, wie war das?

Begin?

Irgun-Begin?

Der *Abgeordnete neben Herrn Dr. Bader*?

Undenkbar, aber dies ist schon wieder ein ganz anderes Israel. Das Land hat schwerste Erschütterungen auf der politischen Richterskala durchlebt, tiefe Spalten haben sich aufgetan, in einer davon ist sang- und klanglos die Arbeitspartei verschwunden. Drei Jahrzehnte Regierungsgewalt, der Mehrheit langt es. Es ist der Sommer des Mahapach, des politischen Aufruhrs. Ariks Schlomzion-Experiment ist an seinem eigenen Wankelmut gescheitert, er selbst wieder im Likud untergekrochen, womit Planspiele à la Jordanische Option vom Tisch sind. Begin triumphiert, 43 Sitze in der Knesset, nah an der Apotheose. Streng genommen müsste er Arafat auf Knien danken, dessen Terrorkampagne hat die Hilflosigkeit des Vorgängerregimes erst offengelegt, dem auch zur grassierenden Inflation wenig einfiel, und dann noch Korruptionsvorwürfe gegen Rabin.

Zeit für den Wechsel.

Begin, der harte Hund, wird's schon richten.

Begin, der keinen Zweifel daran lässt, dass Judäa, Samaria und Gaza »befreite Gebiete« sind, die es im Schweinsgalopp zu besiedeln gilt, weshalb man Arik, zugleich Chef der Siedlungskommission, immer öfter Schulter an Schulter mit Gusch-Emunim-Repräsentanten über Landkarten gebeugt vorfindet, mit gestrecktem Zeigefinger, da, da und da.

Begin, der offen ausspricht, dass zu Eretz Israel auch Jordanien gehört, aber das Problem lösen wir später.

Begin, der den guten alten Zionismus rückblickend derart verfrömmelt, dass sich Herzl der Bart sträuben würde, was ihm den ungeteilten Zuspruch aller Bibeltreuen und Thoragelehrten sichert.

Begin, mit dem Frieden so wahrscheinlich ist, wie durch eine Betonmauer zu laufen.

Begin, ausgerechnet Menachem Begin, dem der Frieden heute zugeflogen kommt in Gestalt einer A300 EgyptAir, an Bord Anwar as-Sadat, dessen Rede vor der Knesset alles ändern wird. Er wird Begin die Chance bieten, sich in ganz anderem Licht zu präsentieren.

Wird, was als unverhandelbar galt, verhandlungsfähig machen.

Wird Frieden bringen.

Und Tränen.

»Sie ist weg!«

Phoebe kommt ihm entgegengelaufen, in Auflösung begriffen.

»Was heißt, weg?«, ruft Jehuda.

»Ich hab sie zuletzt mit Ofer gesehen, und dann –«

Ein Hubschrauber wirft seinen Schatten über sie, zerhackt die Luft mit seinen Rotoren. Nur ihre Lippen bewegen sich weiter, formen Worte. Jehuda zieht sie in einen Hauseingang.

»– gingen sie vom Motel rüber zu den Bungalows.«

»Vielleicht ist sie ja noch dort.«

»Nein. Ich hab nachgesehen.« Sie zeigt auf die Palme, die er in seiner Armbeuge gebettet hat. »Was ist das denn?«

»Ein Souvenir. Phoebe, sie ist 15. Keine fünf.«

Phoebe läuft rot an.

»Sie ist eine 15-Jährige in einem Hexenkessel, sie ist mit diesem Jeschiwa-Arschloch Ofer unterwegs, und sie ist deine Tochter, verdammt noch mal!«

Jehuda schaut die Straße hinab. Jamit ist eine Geisterstadt, die sich zu einem letzten, fulminanten Spuk aufgerafft hat. Militärfahrzeuge blockieren die verwahrlosten Fahrbahnen und Gehwege, Soldaten tragen sich windende, schreiende Menschen aus den Häusern, Spezialeinheiten bringen riesige Kräne in Position, an denen Käfige baumeln.

»Ich geh da kein weiteres Mal hin«, hat er Arik am Telefon erklärt.

»Du musst, Jehuda. Bitte.«

»Wozu denn?«

»Ihr beide seid verständige Menschen, du und Phoebe. Ihr seid immer gut mit allen ausgekommen.«

»Und?«

»Auf dich werden sie hören.«

»Von wem redest du?«

»Von einigen deiner alten Nachbarn, die Ärger machen könnten. Ich will nicht, dass im letzten Moment was aus dem Ruder läuft.«

»Aber da sind kaum noch welche von uns.«

Weil die meisten Siedler längst freiwillig das Feld geräumt haben. Jehuda, Phoebe und Miriam sind bereits im Februar ausgezogen, unmittelbar gefolgt von Uri, Anastasia und Yael. Fast alle Einwohner Jamits haben sich ins Unvermeidliche gefügt. Ginge es um die wenigen, die durch Geld und gute Worte nicht zu bewegen waren, ihr Zuhause aufzugeben, Zahal hätte an diesem 23. April leichtes Spiel, doch die Großisrael-Prediger von Gusch Emunim machen allen einen Strich durch die Rechnung. Etliche Häuser sind belagert von zugereisten rechten Aktivisten und Jeschiwa-Schülern, die sich aufführen wie im Wilden Westen.

»Mit denen werden wir mehr als genug zu tun haben. Ihr müsst uns entlasten, Jehuda.«

»Klar, Arik. Wir werden da sein.«

Ein Versprechen, das ihm ordentlich quersaß, und zu allem Überfluss auch noch der Ärger mit Miriam. Wollte unbedingt mit. Noch einmal das Haus sehen, in dem sie zum Teenager herangewachsen ist – zu einem ziemlich selbstgerechten, pathetischen und lächerlichen Teenager, der nichts Besseres zu tun hat, als sich von einem halbwüchsigen

Gusch-Emunim-Aktivisten schöne Augen machen zu lassen und altkluge Vorträge vom Stapel zu lassen: Der im vierten Buch Mose erwähnte »Bach Ägyptens« sei ja wohl ganz klar der Wadi el-Arisch, womit Jamit innerhalb biblischer Grenzen liege, es lebe der Widerstand.
Verfluchte Teenie-Romantik.

Und dann kommt dieser Ofer mit seinen baumelnden Schläfenlocken und seinem zweifellos unverschämt guten Aussehen auch noch aus Hebron, der Hochburg religiöser Verzückung. Aus einer der Thoraschulen, in denen Benjamin lehrt.
Der liebe Onkel Ben.

Ganz hingerissen von der »Solidaritätsbewegung gegen die Sinai-Evakuierung«, kein Wunder, er hat sie ja mit initiiert.
Solidarität, am Arsch, denkt Jehuda.

Ihr Fanatiker seid in der Lage, einen einvernehmlich geregelten Abzug in einen Bürgerkrieg zu verwandeln. Missbraucht uns verständige Siedler für eure Machenschaften, dabei sind wir euch in Wirklichkeit scheißegal. Ihr wollt nur verhindern, dass sich der Sinai zum Präzedenzfall für Judäa und Samaria entwickelt, die Eskalation nehmt ihr billigend in Kauf.
Phoebe war dagegen, Miriam mitzunehmen.
Strikt.

Also geht Miriam zu Papa. Der Klassiker: pubertierendes Mädchen und Vater, Manipulatorin und Knetmasse.
Ich hätte es besser wissen müssen, denkt er.
Phoebe hatte recht.
Zu spät.

Ein Militärlaster kommt herangeschossen, würgt den Motor ab. Soldaten springen nach draußen. Schwelgeruch liegt in der Luft. Auf den gegenüberliegenden Häusern drängen sich die Aktivisten, werfen Sand, brennende Reifen und Müll herunter, skandieren »Juden vertreiben Juden!«. Zahal hat sie aus Kellern und Erdgeschossen vertrieben, was vergleichsweise einfach war, Mauern anbohren und unter Hochdruck Wasser ins Innere schießen, nur dass es die Typen nicht raus, sondern aufs Dach geschwemmt hat, wo sie nun hocken und Spektakel machen wie übergroße Vögel.

»Jehuda«, drängt Phoebe, »ich will wissen, wohin Miriam –«
»Platz! Platz!«

Jemand scheucht sie beiseite. Soldatinnen tragen eine Frau auf die Straße, die sich wie eine Entfesselungskünstlerin windet im Versuch, Arme und Beine frei zu bekommen. Keine religiöse Aktivistin. Nur

Alina, eine Goldschmiedin, die hier zusammen mit ihrem Mann gewohnt hat, einem Jom-Kippur-Invaliden, den sie jetzt ebenfalls nach draußen schleppen wie eine Couch. Beide haben sich für das Haus hoch verschuldet.

»Okay.« Jehuda nickt. »Wir gehen sie suchen.«

Sie laufen Richtung Motel. Überall bietet sich ihnen das gleiche, deprimierende Bild, wenigstens ist die Räumung gut organisiert. Frauen tragen Frauen, Männer tragen Männer. Die Soldaten sind unbewaffnet, viele haben Tränen in den Augen. Sie leiden mit den Menschen, die sie von hier vertreiben müssen, aber so lautet nun mal die Vereinbarung: Land für Frieden.

Frieden für Land.

»Können Sie eine Rechtskurve fliegen? Ich will mir von dem Wadi dort einen besseren Eindruck verschaffen.«

»Kein Problem.«

»Und gehen Sie ein bisschen tiefer.«

Der Pilot legt die Maschine quer, verringert die Höhe. Sie ziehen über sudanesisches Grenzland hinweg, rotes, sonnenverbranntes Erdreich, aber Arik sieht das Potenzial.

»Und *das* wollen Sie begrünen?«, fragt der Copilot.

»Warum nicht?«

Würde man Arik fragen, als was er sich gerade empfindet, Farmer, Soldat oder Politiker, er würde antworten: Genau. Den Krieg hat er erlernt, in die Politik wächst er zusehends hinein, aber mit Landwirtschaft ist er groß geworden. Zeig Arik ein Stück Boden, und er sagt dir, was dort sprießen kann und was man dafür tun muss.

»Es ist Wüste, aber sehen Sie das karge Gestrüpp dort? Da gibt es Wasser. Ich bin sicher, im Überfluss.«

»Ja, aber zu wenig, um irgendwas anzubauen –«

»Vergiss es«, unterbricht der Pilot seinen Kollegen. »Er ist Israeli. Er kann dir auch den Mond begrünen.«

Sie lachen, und kurz fragt sich Arik, ob er das alles nur träumt. Sitzt hier, mit Kopfhörer und Karte auf dem Schoß, im Cockpit von Sadats privater Antonow zwischen zwei ägyptischen Kampfpiloten, die ihn über die Wüste fliegen, um neue Areale für Ägyptens Ackerbau auszukundschaften. Noch im Jom-Kippur-Krieg haben die beiden sich Luftschlachten mit seiner Division geliefert und gnadenlos seine Einheiten bombardiert. Den Kopiloten haben Ariks Leute damals vom Himmel geholt, in letzter Sekunde konnte er sich mit dem Fallschirm retten.

Wir haben einander nach dem Leben getrachtet, denkt Arik.

Und jetzt, Frühjahr '78, keine fünf Jahre später, sind wir gemeinsam unterwegs, um die Wüste zum Blühen zu bringen und Lebensmittel zu produzieren.

Zum Wohle des ägyptischen Volkes.

»Es geht nicht um Wasser«, erklärt er den Männern. »Es geht um Technologie. Gebt mir vier Wochen, und da unten steht eine komplette Farm. Mit etlichen Quadratkilometern bewässerter Anbaufläche für Weizen, Mais, Erdnüsse, Okra, Melonen, was immer ihr wollt.«

Sie glauben ihm.

Denn er hat es schon einmal bewiesen. Vor zwei Monaten ist ein gewisser Daud in seinem Ministerium vorstellig geworden, ob Israel helfen könne, irgendwo auf einer Farm moderne Bewässerungssysteme zu installieren. Arik sparte sich jede Nachfrage, sie würden ihm eh nichts erzählen, er wusste auch so, von welcher Farm die Rede war. Trommelte ein paar Experten zusammen, strengste Geheimhaltung. Sie landeten, wenig überraschend, in Sadats Heimatdorf, wo – Das müsst ihr gesehen haben! – tatsächlich noch ein Büffel im Kreis marschierte und die Wasserpumpe in Gang hielt wie zu Saladins Zeiten. Natürlich waren sie nicht hier. Auch die beiden israelischen Trucks, die tags drauf mit Tonnen landwirtschaftlichen Geräts auf das Gelände einfuhren, waren nicht hier, aber zwei Wochen später war das Dorf in der Gegenwart angekommen, und der Büffel ging in den verdienten Ruhestand. Sadat versammelte Ägyptens Presse, lüftete das Geheimnis, präsentierte den verblüfften Journalisten die segensreichen Nebenwirkungen der Koexistenz, und gestern nun haben sie in seinem Kairoer Büro auf Knien gehockt, Tee getrunken und eine riesige, über den Boden ausgebreitete Karte studiert.

Der Präsident hat Arik in seine Visionen eingeweiht.

Blühende Landschaften, wo heute noch nicht viel mehr passiert, als dass der Wind den Sand umverteilt.

Und Arik dachte, was kann Frieden besser zum Ausdruck bringen, als gemeinsam mit seinem ehemaligen Erzfeind Pläne schmiedend auf einem Teppich herumzurutschen?

Jetzt, während der Jet ihn über den roten Wüstenboden trägt, denkt er: Wenn drei Männer, die sich noch vor Jahren bis aufs Blut bekämpft haben, in einem Cockpit freundschaftlich über die Ergiebigkeit von Böden spekulieren können, ist alles möglich.

Dann hat der Frieden wirklich eine Chance.

Und ganz langsam beginnt sich seine Haltung, welchen Preis er für den Frieden zu zahlen bereit wäre, zu ändern.

Der Preis ist der Sinai.

Was sonst?

Sadat ist nicht nur nach Jerusalem gekommen, um ergreifende Reden zu halten, auch wenn er sein Herz auf dem Silbertablett präsentiert. Er habe sich geschworen, erklärt er den Abgeordneten, bis ans Ende der Welt und notfalls bis in die Knesset zu gehen, wenn er dadurch den Tod eines einzigen Soldaten verhindern könne. Das rührt sie, und als er verkündet, den jüdischen Staat anerkennen zu wollen, ohne Wenn und Aber, lieben sie ihn.

Anwar Superstar!

Und ein bisschen Liebe kann Sadat gerade gut gebrauchen.

Himmel aber auch, was bezieht er anderswo Prügel!

Die PLO spuckt Gift und Galle, Syrien, Libyen, Algerien und Irak frieren augenblicklich ihre diplomatischen Beziehungen zu Ägypten ein, Sadats Popularität in der arabischen Welt sinkt auf den absoluten Nullpunkt. Das alles nimmt er nicht auf sich, nur damit Begin ihn in sein Nachtgebet einschließt.

Er will den Sinai zurück.

Was den Premier ins Schwitzen bringt.

Ausgeschlossen, die historische Chance verstreichen zu lassen, er wäre der meistgehasste Politiker des Planeten, andererseits erfordert Frieden die Aufgabe israelischer Siedlungen. Rabins damaliges Versprechen, nie ein einziges Haus im Sinai zu opfern, hat Begin dummerweise erneuert, jetzt läuft er Gefahr, der lieb gewordenen Unterstützung durch die thoratreuen Siedler von Gusch Emunim verlustig zu gehen. Dayan, inzwischen Außenminister, rät, den Preis zu zahlen, Jimmy Carter will in die Geschichte eingehen, Ariel Scharon hat ein Problem. Als Chef der Siedlungskommission steht er bei Gusch Emunim noch mehr im Wort als sein Chef. Er ist der Siedlerpate, unter seiner Ägide sind in Judäa, Samaria, im Gazastreifen und auf den Golanhöhen die Bauprojekte nur so aus dem Boden geschossen. Widerwillig stimmt er zu, die Okkupation der Westbank für die Dauer der Friedensgespräche auf Eis zu legen, nörgelt öffentlich an Sadats Forderung herum, während er innerlich längst akzeptiert hat, was unabwendbar ist.

»Ägypten wird niemals auf den Sinai verzichten«, hat Dayan ihm lapidar erklärt. »Also hör auf zu mauern.«

Und Arik denkt: Du hast recht.

Sadat hat recht.

Aber wenn beide recht haben, was soll er dann Siedlerführern wie

Hanan Porat, Moshe Levinger, Benjamin Kahn oder Daniella Weiss erzählen? Gerade Weiß, die ihn jüngst noch gelobt hat, er sei –

»– der Daddy der Siedlerbewegung! Wissen Sie, es gibt Vater und Daddy. Ich bevorzuge Daddy, weil er uns an der Hand genommen und von Hügel zu Hügel geführt hat.«

Und jetzt fragen sie Daddy natürlich, wie er das mit dem Sinai zu handhaben gedenkt.

Du weißt schon, Daddy, wegen Eretz Israel.

Daddy könnte antworten, dass die überwiegende Mehrheit der Israelis gerade auf Eretz Israel pfeift.

Wir schreiben nicht mehr 1967, wisst ihr?

Buchstabiert mir nach:

F – R – I – E – D – E – N

Er könnte sagen, dass seine Politik unverändert darin bestehe, überall dort zu siedeln, wo die Landessicherheit es erfordere, und dass der Sinai, wenn es zum Friedensvertrag mit Ägypten komme, für Israels Sicherheit nicht länger von Relevanz sei.

Was ebenso für alle anderen besetzten Gebiete gilt.

Könnte er sagen.

Kann er aber nicht. Weil er sich bei Gusch Emunim so weit aus dem Fenster gelehnt hat, dass ihn kaum noch die eigenen Füße am Rahmen halten.

»Es war ein Fehler«, hat er öffentlich erklärt, »das Siedlungsvorhaben ausschließlich unter sicherheitspolitischen Aspekten zu betrachten. Nicht nur mein persönlicher Fehler. Es war ein grundlegender Fehler des Zionismus. Die historischen Gründe für eine Besiedlung sind weitaus zwingender, das ist mir jetzt klar. Israel ruht auf den Geschichten der Bibel. Alles hier ist historisch. Alleine das Grabmal der Patriarchen – welche Nation besitzt ein solches Monument, fast 4000 Jahre alt, in dem unsere Vorfahren begraben liegen, Abraham und Sarah, Isaak und Rebecca, Jakob und Leah? Diese Stätten dürfen wir niemals aufgeben.«

Immer wieder ergreifend, Arik über Religion reden zu hören.

Vor allem wohl für ihn selbst.

Aber es war halt zu verlockend, die Messianisten auf diese Weise hinter sich zu bringen. Entsprechend harsch fallen ihre Reaktionen aus, als er schließlich verkündet:

»Ich habe dreimal im Sinai gekämpft, aber für Frieden bin ich bereit, auf Sinai zu verzichten.«

Gusch Emunim tobt, rechte Fanatiker schüren Ängste, nationalistische Abgeordnete verlegen demonstrativ ihren Wohnsitz nach Jamit, ein Protest, der das Land zu jeder anderen Zeit erschüttert hätte. Jetzt fällt er auf wie das Summen einer Fliege im Flugzeughangar. Denn die überwiegende Anzahl der Israelis will nur noch eines: Ruhe.

Sie will Ruhe vor Terror, vor zermürbenden Kriegen. Sie haben schon Arafat und die PLO am Hals, den Libanon, Syrien, Jordanien, wenigstens an einer Front wollen sie Frieden, und das ist den Sinai wert. Arik sieht sich getragen von einer Welle der Zustimmung, am Ende ist er es, der Begin, als dieser in Camp David Sorgenfurchen in den Boden läuft, telefonisch überzeugt, den Sinai aufzugeben.

Sadat will die Rückgabe bis ʾ82 abgewickelt sehen. Spätestens.

Tun wir ihm den Gefallen.

»Da ist sie!«

»Nein, Phoebe. Das ist sie nicht.«

Sie schüttelt ihn ab, kämpft sich an den Soldaten vorbei, fasst Miriam an der Schulter.

Das Mädchen dreht sich um.

Es ist nicht Miriam.

Ratlos stehen sie vor dem Motel, drehen sich im Kreis. Nachdem das Haus vor einem halben Jahr geschlossen wurde, sind wilde Siedler dort und in die leer stehenden Bungalows eingefallen, haben die Wohnungen der Fortgezogenen besetzt, sich in den umliegenden Dörfern breitgemacht. Tatsächlich ist Jamit nie eine richtige Stadt geworden, eher ein Zellkern mit Mitochondrien drum herum, nun befallen von illegalen Zuwanderern.

Von den Hauswänden flattern Transparente, schmutzig und zerfetzt: NEIN ZUM RÜCKZUG!

NEIN ZU EINEM FRIEDEN DER LÜGEN!

»Vielleicht ist sie noch mal zum Haus gegangen«, schlägt Jehuda vor.

»Okay, schauen wir nach.«

»Herr Kahn!«

Einer der Einsatzleiter kommt ihnen entgegengelaufen, von oben bis unten bekleckert, schwer zu sagen, was ihm die Okkupanten da auf den Kopf geworfen haben. Jehuda kennt ihn. Am Vortag sind sie zusammen die Namen derer durchgegangen, die voraussichtlich Widerstand leisten werden. Wenige, war Jehudas Eindruck. Offenbar wollen von den 500 Familien, die in Jamit wohnten, nur 20 ihr Heim mit dem Leben verteidigen.

»Wie gut kennen Sie die Leute?«, hat der Leitende ihn gefragt.

»Ziemlich gut. Die meisten.«

»Freunde?«

»Mit Dror Katzenbach sind wir befreundet. Vor allem Phoebe, sie hat öfter für ihn gekocht.«

Und tatsächlich, um genau den geht es jetzt.

»Später.« Phoebe winkt ab. »Wir müssen unsere Tochter suchen.«

»Was ist denn mit Dror?«, will Jehuda wissen.

»Jehuda, verdammt!«

»Er droht, sich in die Luft zu sprengen.« Der Leitende schwitzt, wirkt überfordert. »Er hat ein M-16 im Haus, 5000 Schuss Munition und einen Sack voll Handgranaten. Behauptet er jedenfalls.«

Dann stimmt's auch, denkt Jehuda. Dror Katzenbach, Exoffizier, Blumenliebhaber, Waffennarr.

»Wir würden das Haus ja stürmen, aber –«

»Nein. Auf keinen Fall. Sie sollten ihn ernst nehmen.«

»Du gehst *nicht* da rein!«, herrscht Phoebe ihn an.

»Ich brauche Ihre Hilfe aber *jetzt*!«, drängt der Leitende. »Bitte.«

»Nicht bevor wir Miriam gefunden haben.«

»Der Mann ist eine akute Gefahr! Ich meine, nicht nur für sich, er hat – also, er hat –«

»Was?«

Das ist dem Leitenden jetzt so peinlich, dass er sich an seiner Spucke zu verschlucken droht.

»Er hat drei Geiseln.«

Katzenbach.

Krumm, schlechte Augen, aber immer noch ausgeschlafen genug, um drei Grünschnäbel nach Strich und Faden zu verarschen.

Öffnet die Tür, tritt hinaus, wedelt beschwichtigend mit den Händen.

»In Ordnung. Ich kapituliere.«

Die Soldaten atmen auf.

Froh um jeden, der das Handtuch wirft.

»Haben Sie noch was im Haus?«, fragt der Leitende. »Können wir Ihnen helfen?«

»Um ehrlich zu sein, es sind noch jede Menge Möbel drin.« Zerknirscht, beschämt. »Bilder. Zeugs. Dachte ja nicht, dass ihr die Eier habt, das hier durchzuziehen.«

»Schon okay.«

»Schickt nicht gleich 'ne Herde Elefanten rein, ja?«

430

»Kein Problem.«

»Seid vorsichtig mit den Sachen!« Fleht jetzt regelrecht. »Da sind viele Erinnerungsstücke drunter –«

»Wir schauen uns das mal an.«

Zwei Männer, eine Frau, unbewaffnet. Katzenbach lässt sie ein.

»Durch den Flur bitte. Ins Wohnzimmer.«

Lässt die Tür zufallen, folgt den dreien, die abschätzen, wie viel Arbeit es wohl sein wird, den Krempel nach draußen zu tragen, bis ihnen plötzlich ganz wunderlich wird.

Übelkeit. Gesichtsfeldverengung.

Als sie sich umdrehen, trägt Katzenbach eine Gasmaske.

»Das kann doch wohl nicht wahr sein«, echauffiert sich Phoebe.

»Er sagt, sie seien wohlauf.« Der Leitende fährt sich entnervt über die Augen. »Was Ihre Tochter angeht, ich kann ein paar Leute abstellen, die Ihnen suchen helfen. Haben Sie ein Foto?«

Sind sie Eltern? Klar schleppen sie Bilder ihrer Kinder in der Brieftasche mit sich herum.

»Gut. Wir können es kopieren lassen.«

»Hört ihr nicht zu?« Phoebe hebt beide Hände, spreizt alle zehn Finger. »Ich sagte –«

»Phoebe. Wenn Dror ernst macht –«

»Ach Scheiße!« Sie funkelt Jehuda an. »Und *du* hast es ihr erlaubt.«

Ja, toll, denkt er. Und was soll ich jetzt machen? Als ob meine Tochter nicht absoluten Vorrang hätte. Nur dass dieser Ofer meiner Meinung nach kein gefährlicher Radikaler ist, lediglich einer, der sich gerne auf einem Fernsehschirm sieht.

Und Miriam ist ganz sicher nicht mit Handgranaten behangen.

Phoebe sieht sein Zögern.

»Na schön«, sagt sie. »*Ich* gehe zu Katzenbach.«

»Was?« Jehuda schüttelt den Kopf. »Moment mal! Auf gar keinen Fall wirst du –«

»Auf gar keinen Fall?« Sie lacht trocken auf. »Ihr und eure Männergespräche, ihr kommt doch zusammen auf keinen grünen Zweig. Such du Miriam, wir treffen uns am Motel oder bei Dror.«

Jehuda tritt von einem Bein aufs andere.

So ein Mist!

Aber Phoebe ist chronisch angstfrei. Und er hat Arik zugesagt, dass sie nötigenfalls die Feuerwehr spielen werden.

»Keine Sorge«, sagt sie. »Auf mich wird er eher hören als auf dich.«

»Du nimmst dir ein Megafon und hältst Abstand zum Haus!«
»Was denkst du denn? Bin ich lebensmüde?«
Nein, du bist großartig. Er küsst sie, wendet sich ab und drückt dem
Leitenden seine Dattelpalme in die Hände.
»Verwahren Sie die für mich. Wehe, ihr wird ein Blatt geknickt.«

Arik fühlt Neid.
Der Unterzeichnung des Friedensabkommens am 26. März '79
in Washington ist er ferngeblieben, dazu hat er sich dann doch nicht
durchringen können. Sehr zu Sadats Bedauern, aber sein Fernbleiben ist
auch eine Konzession an Gusch Emunim, die schon ernsthaft an ihrem
Paten zu zweifeln begannen.
Tatsächlich hätte er Sadat sehr gerne die Hand geschüttelt.
Sie sind nicht unbedingt Freunde geworden in den anderthalb Jahren
ihrer Bekanntschaft, aber doch fast. Arik bewundert den Präsidenten.
Er hat den Verlust seiner Führungsrolle auf sich genommen, die Ver-
achtung der Nachbarn, Gegenwind aus den eigenen Reihen, alles für die
Intaktheit seines Landes.
Weil Land, wie er Arik erklärt hat, den Ägyptern heilig sei.
Und Arik dachte, wem sagst du das?
Du hast es geschafft, die Welt zu einem hoffnungsvolleren Platz zu
machen, den Falken Begin wie eine Friedenstaube aussehen zu lassen,
all das verdient höchste Bewunderung. Nicht dir gilt mein Neid, son-
dern deinem Volk, weil seine Sehnsucht gestillt wurde.
Du hast gekämpft.
Und wir? Schaut man sich um, fällt ein bestürzender Mangel an Lei-
denschaft ins Auge, Israels Linke banalisieren –
»– was Juden über Tausende von Jahren heilig war!« Arik vor Gusch-
Emunim-Aktivisten. »Diese Leute tun so, als wäre Land nichts mehr
wert. Sie lassen es an Respekt fehlen gegenüber unserer Flagge, unserer Hymne, unserem Territorium, das nicht einfach nur irgendein Stück
Grundbesitz ist, sondern Eigentum in historischem Sinne. Eigentum,
das uns dazu verpflichtet, es unserem Volk zu erhalten!«
Und schon hat Gusch Emunim ihn wieder lieb.
Auch, weil er es diesmal so meint.
Beinahe.
Unverändert sagt ihm seine Ratio, dass niemand klaren Verstandes
sich nach einem Ort sehnen kann, den seine Vorfahren vor 2000 Jahren
verlassen haben, aber jetzt geht es um etwas ganz anderes.
Es geht darum, *überhaupt* eine Heimat zu haben. So wie Franzosen,

Ägypter, Japaner, Argentinier, Deutsche, Russen und Kanadier, die Einwohner Liechtensteins, San Marinos und Tongas, sogar die Kostümierten im Vatikan eine Heimat haben, deren Grenzen von jedermann respektiert werden.

Ohne ständig in Angst und Schrecken leben zu müssen.

(Immerzu waren wir in der Welt verstreut. Niemand, der das Schicksal der Verfolgung und Heimatlosigkeit nicht teilt, kann unser Leid ermessen.)

Und sein Neid schlägt um in Wut.

Kalte Wut darüber, dass Juden sich ständig vor aller Welt verantworten müssen für Dinge, die ihnen ebendiese Welt jahrhunderte- und jahrtausendelang angetan hat. Über die Beflissenheit, mit der die UN eine israelkritische Resolution nach der anderen raushauen, während die Machenschaften eines Jassir Arafat als Befreiungskampf glorifiziert werden. Über Washingtons Arroganz, mit der sie dort erwarten, dass Jerusalem für jeden Mist um Erlaubnis fragt. Über die Selbstgerechtigkeit der europäischen Linken, gerade auch im aufblühenden Deutschland, die vom *Problem Israel* sprechen, mit dem es sich zu befassen gälte.

Ihr glaubt, wir sind ein Problem?

Ich *zeige euch*, was ein Problem ist.

Arik erinnert sich der erbärmlichen Holzhütte, in der er mit Dita, Vera und Samuel gelebt hat.

»Land gibt man nicht weg«, hat Samuel ihn gelehrt.

Sadat hat sein Volk erlöst?

Schön. Ich werde meines erlösen. Den Sinai zurückzugeben, mag richtig gewesen sein, aber das Westjordanland, Gaza und die Golanhöhen werden wir besiedeln, bis niemand uns diese Gebiete mehr nehmen kann.

Es ist UNSER LAND.

Zu klug, die Gebietsansprüche der Palästinenser vom Tisch zu wischen, verfeinert Arik seine Strategie von jetzt an. Leitet staatliche Gelder um wie Flussläufe, beginnt sie in den Erwerb palästinensischen Landes zu pumpen, subventioniert israelische Unternehmen und Privatleute, um in Judäa und Samaria Grundbesitz zu erstehen. Nach jordanischer Gesetzgebung droht Arabern, die ihr Land an Juden veräußern, der Tod, darum laufen die Deals über arabische Vermittler. Ein Trick, den israelische Medien prompt als hinderlich für den Frieden kritisieren. Arik kontert, ob es ihnen lieber wäre, er würde das Land einfach konfiszieren. Ein TV-Team klebt ihm an den Fersen, als er mit Siedlerführern in

Gaza die Claims absteckt, stellt peinliche Fragen, sie können von Glück reden, dass er ihnen nicht die Kameras aus der Hand schlägt.

»Ihr seid eine Bande Terroristen!«, schreit er. »Ich habe in der Armee gegen Terroristen gekämpft und gewonnen, ich kämpfe gegen euch und gewinne, verlasst euch drauf!«

Zur besten Sendezeit.

Arik halt.

Der Witz ist, dass niemand ihn stoppt, weil niemand ihn wirklich stoppen *will*. Dieser Sündenbock ist allzu nützlich. Erledigt für andere die Drecksarbeit, und dafür dürfen sie ihn noch öffentlich an die Wand nageln. Wie durch eines von Jehudas Bewässerungssystemen leitet er Milliarden in den Siedlungsbau, installiert ein offenkundig legales, indes unüberschaubares, labyrinthisches Aderwerk von Kanälen, durch die er den Boden befruchtet für immer neue Bauvorhaben, alles mit Rückendeckung Begins.

Andere sind entsetzt.

Moshe Dayan, Verteidigungsminister Weizmann.

»An einer palästinensischen Autonomie führt kein Weg vorbei«, erklären sie Arik. »Aber daraus kann nichts werden, solange alle, die sich dafür einsetzen, an *dir* nicht vorbeikommen.«

»Und warum sollten *wir denen* zur Autonomie verhelfen?«, schnaubt Arik. »Ist es denn unser Problem, dass sie jede Chance ergreifen, eine Chance zu verpassen? Sie haben ihren Staat in den Wind geschlagen, als sie ihn hätten haben können!«

»Das ist 35 Jahre her.«

»35 Jahre ändern nichts.«

»Bist du noch zu retten? Wir haben Frieden mit Ägypten! *Du* wolltest, dass aus dem Frieden der Staatschefs ein Frieden der Völker wird, jetzt machst du alles zunichte.«

»Ich verhelfe uns nur zu dem Land, das uns *zusteht*!«

»Einige Leute sehen das anders.«

»Einige Leute können mich am Arsch lecken.«

»Wie du meinst«, sagt Dayan und tritt zurück.

Weizmann schließt sich an.

Machen wir uns das klar: Zwei Minister werfen das Handtuch, deutlicher ist die Zerrissenheit der israelischen Führung kaum je zutage getreten. Und Arik fällt nicht mehr dazu ein, als Begin zu nötigen, ihm unverzüglich das frei gewordene Amt des Verteidigungsministers zu übertragen.

Blind vor Zorn und Ehrgeiz.

Nur, niemand will ihn da wirklich sehen. Als Siedlerpate auf Autopilot ist er schon problematisch genug.

Begin bleibt stur.

Stur.

Stur.

Gibt nach.

»Aber wenn Sie nur *einmal* gegen Kabinettsbeschlüsse verstoßen«, lässt er Arik wissen, »werde ich Sie feuern.«

Arik ist es schnuppe. Er darf wieder den Säbel umschnallen.

August '81.

Alle Hände voll zu tun.

Noch vor seiner offiziellen Ernennung lässt er Iraks Nuklearanlagen bombardieren, niemand braucht viel Fantasie, um zu begreifen, was Saddam da ausbrütet, allgemeiner Beifall in der Knesset. Richtet sein Augenmerk sodann auf den Libanon. Ein Staat, in Anarchie versunken. Die Syrer haben sich dort festgesetzt wie Hausschwamm, ihre anfänglichen Sympathien für die Christen auf Arafats palästinensische Nationalisten verlagert. In Israels Norden trauen sie sich kaum noch auf die Straße, Selbstmordattentate sind an der Tagesordnung. Washington vermittelt. PLO und Israel einigen sich auf eine Waffenruhe, die sogar hält. Was Arik nicht daran hindert, unter der Hand eine Operation vorzubereiten mit dem Ziel, Arafats Netzwerk zu zerschlagen, Syrien zum Abzug zu zwingen und in Beirut eine willfährige christliche Regierung zu installieren.

Erst mal nur für die Schublade.

So vertieft ist er in die Planung, so beschäftigt damit, Allianzen mit den christlich-libanesischen Milizen zu schmieden, dass ihm der Sinai gedanklich abhandenkommt.

War da was?

Ach ja, im April kommenden Jahres. Räumung.

Delegiert die Evakuierung und vergisst, dass im Sinai immer noch rund 7000 Menschen wohnen, darunter ein paar enge Freunde. Und nur manchmal fragt er sich:

Wohin mit denen?

In Jamit fragen sie sich das jede Minute.

Doch 1981 neigt sich dem Ende zu, ohne dass aus Jerusalem ein einziger konstruktiver Vorschlag gedrungen wäre. Also schweißen sie ihre Stadttore zu, verschanzen sich hinter Stacheldrahtverhauen, rufen eine Miliz ins Leben, bis an die Zähne bewaffnet und bereit, jedem, der sie vertreiben will, den Tag zu verderben. Die Regierung hat sie in den Sinai gelockt, jetzt soll sie für Entschädigungen und neue Eigenheime sorgen, vorher weicht hier niemand einen Millimeter.

Da kann sich auch Arik nicht länger taub stellen. Er kommt, umarmt seine alten Freunde, den Siedlersprecher Avi Farhan, Kindheitskumpel Jehuda, hört zu, nickt, verspricht, sich um alles zu kümmern, und entschwindet wie Morgennebel.

In Jamit kratzen sie sich am Hinterkopf.

»Wir vertrauen Arik«, resümiert Farhan schließlich. »Er kann uns als Einziger aus dem Schlamassel rausholen.«

Jehuda ist der gleichen Meinung.

Die Tore werden wieder geöffnet.

Spätestens im Februar ist klar, dass der gute alte Arik nur Zeit geschunden hat. Von Kompensationspaketen oder neuer Heimat keine Spur. Was einige zur Annahme verleitet, die Regierung meine es nicht ernst mit dem Abzug, andernfalls hätte man doch längst Häuser bereitgestellt, Geld überwiesen, oder? Die es besser wissen, appellieren ans israelische Volk, sie jetzt nicht alleinezulassen, ein Zeichen zu setzen, zu Abertausenden nach Jamit zu eilen, doch Israel dürstet nach Frieden. Die Mehrheit findet, die Jamiter sollten sich mal nicht so haben und ihre Ärsche schleunigst aus dem Sinai herausbewegen, also handeln sie sich nur einen Haufen talmudfester Fanatiker ein, die sich in und um Jamit festsetzen und ihnen gehörig auf die Nerven gehen.

Das endlich veranlasst Arik zum Handeln.

Wenn auch ganz anders, als die meisten hier gedacht haben.

Über Nacht lässt er Kompanien aufmarschieren, die Zufahrtstraßen sichern, Nagelteppiche ausrollen. Wo gestern noch Ziegen den Boden durchstöbert haben, erstrecken sich plötzlich Maschendrahtzäune, wachsen Kontrollterminals aus dem Boden, säumen Militärlaster, Polizeifahrzeuge, Kranken- und Feuerwehrwagen einen breiten, geharkten Sandstreifen, Israels künftige Grenze zu Ägypten.

Und niemand, der nicht belegen kann, in Jamit zu wohnen, gelangt noch rein oder raus.

Jetzt leben sie also auf militärischem Sperrgebiet.

Sie versuchen, die Sperren beiseitezuräumen.

Arik bleibt hart.

Sie trösten sich damit, die Sperren hätten insofern ihr Gutes, als sie weitere Horden der *Psychim*, wie sie die religiösen Fanatiker nennen, draußen halten.

Die Hoffnung zerschlägt sich.

Als Jehuda im März runter zum Strand geht, um eine Runde zu surfen, wundert er sich über ungewohnte Geräusche, die das Meer heranträgt. Es dröhnt, es knattert, Punkte erscheinen am Horizont, wachsen sich zu Booten aus, knüppelvoll mit bewaffneten Bärtigen.

Kein verirrtes Rollkommando Arafats.

Die Gusch-Emunim-Ausgabe der Navy Seals.

»Jamit! Für immer Jamit!«

Da sind die meisten Jamiter schon fortgezogen, irgendwohin. Man hat sich arrangiert. Will keine blutigen Zusammenstöße. Wenn es dem Frieden dient, gehen sie eben, die Regierung soll nur endlich Wohnraum bereitstellen. In einer feierlichen kleinen Zeremonie holt Avi Farhan die israelische Flagge ein, die sechs Jahre lang über seinem Haus geweht hatte, legt sie sich über die Schultern und pilgert zu Fuß nach Jerusalem. Ihm folgen drei, dann 30, 300, schließlich Tausende Gefolgsleute. Als sie wie eine geschlagene Armee in der Hauptstadt eintreffen, ist auch Jehuda an Farhans Seite. Arik, die Freundlichkeit selbst, führt sie vor Wandkarten, hier, da und dort könnt ihr siedeln, im ganzen Gazastreifen, sagt, wo ihr hinwollt. Währenddessen feiern die *Psychim* in Jamit Pessach, unter den misstrauischen Blicken der Soldaten, die nach und nach anrücken, um die Räumung und Zerstörung der Stadt vorzubereiten. Rechte Landesprominenz erscheint, schwingt kämpferische Reden, droht: »Wenn wir heute Jamit aufgeben, haben wir bald auch Tel Aviv und Jerusalem verloren. Nächstes Jahr und übernächstes Jahr und für immer in Jamit!«

»Jamit! Jamit!«

Gespenstisch.

Die verbliebenen Jamiter würden die Typen am liebsten zum Teufel jagen, was hat deren Affentheater mit ihnen zu tun, doch die »Bewegung gegen die Sinai-Evakuierung« hat ihnen das Heft längst aus der Hand genommen. Jeschiwa-Schüler besetzen den örtlichen Luftschutzbunker, packen ihn voll Sprengstoff, drohen mit Massaker und Desaster, ein Rabbi reist aus Amerika an, um ihnen den Quatsch wieder auszureden, andere erklimmen die Spitze des Kriegerdenkmals, verbarrikadieren sich in luftiger Höhe und genießen die Aussicht.

In einer Atmosphäre kollektiven Irrsinns bricht der 23. April an.

Und Dror Katzenbach entwickelt seinen Plan.

Hält Inventur, schafft seine Bestände an Waffen und Munition, Eierhandgranaten und Gaskartuschen in die Küche und befindet, es sei ein schöner Tag zu sterben.

Es sei denn –

»Ihr sollt abziehen!«, brüllt er nach draußen.

Soldaten haben das Haus in angemessenem Abstand umstellt. Katzenbach zu erschießen, schließt sich aus. Was, wenn er es schafft, den Zünder zu betätigen? Keiner weiß, wie viel von dem Höllenzeug er tatsächlich dadrinnen bunkert.

»Ich will mit Begin reden. Mit Scharon, sie sollen herkommen!«

Der Verhandlungsführer fährt die weiche Tour.

Ob er denn nicht –

Könnte er nicht bitte –

Er solle doch vernünftig –

»Vernünftig? Ist es vernünftig, uns unserer Heimat zu berauben für einen Scheinfrieden mit einem Gangster, der nur darauf wartet, über uns herzufallen, sobald sein Land wieder vereint ist? Ich will Begin! Ich will Scharon! Sofort! Oder hier fliegt alles in die Luft!«

Schweigt in Erwartung des nächsten Kuschelversuchs.

Und hört stattdessen: »Lass den Scheiß, Dror.«

Phoebe?

Phoebe Kahn?

»Entweder du redest mit mir, oder ich sage denen, sie sollen abziehen, und dann kannst du ein Loch in den Boden bomben, dass du in Australien wieder rausfliegst.«

Jehuda läuft die Hauptstraße entlang. Sie haben ihm ein Funkgerät in die Hand gedrückt, sodass er mit den Soldaten in permanenter Verbindung steht. Wer Miriam zuerst findet, gibt Nachricht. Um ihn herum nimmt ein bizarres Schauspiel seinen Lauf. Die Kräne lassen mannshohe Käfige auf die Dächer der besetzten Häuser hinab, Soldaten darin wie seltene Tiere. Die Widerständler recken die Fäuste, schreien den Ankömmlingen Beleidigungen und Verwünschungen entgegen.

Und plötzlich sieht er Ofer.

Am Ende der Straße. Zusammen mit anderen Jeschiwa-Studenten führt er einen rituell anmutenden Tanz auf, wie entfesselt hopsen sie im Kreis herum, klatschen in die Hände, singen irgendetwas.

»Ofer!«

Hört ihn nicht, wie auch. Tanzen auf der Terrasse eines dreistöckigen Gebäudes, unmöglich zu sagen, ob Miriam unter ihnen ist.

Dröhnendes Hupen.

Jehuda springt zur Seite, ein Militärlaster rollt an ihm vorbei, die Ladefläche voller Siedler. Leere Gesichter, verquollene Augen. Im selben

Moment verschwindet Ofer jenseits der Dachkante. Jehuda läuft zu der Truppe hinüber, die gerade einen der Käfige fertig macht.

»Wo ist Ihr Vorgesetzter?«

»Was? Wer sind Sie denn?« Sieht sich scheuchenden Handbewegungen ausgesetzt. »Sie dürften gar nicht hier sein, gehen Sie weiter.«

»Ich *darf*, mein Junge. Ich bin die Deeskalation.«

Nennt ihm den Namen des leitenden Offiziers, in dessen Auftrag Phoebe gerade –

Phoebe, oh, Phoebe.

Halt bloß ordentlich Abstand.

»Was machst du hier, Phoebe?«

Katzenbach ist am Fenster erschienen. Im Rahmen nimmt sich seine reglose, gebeugte Gestalt aus wie das Porträt eines Verstorbenen. Nur die erhobene Rechte zittert unmerklich.

Der alte Dror hat nämlich Parkinson.

Nicht sehr beruhigend, wenn man sich vorstellt, dass er in dieser Hand einen Zünder hält.

»Du willst ernsthaft drei Menschen umbringen, Dror?«

»Vier«, ruft er.

»Wieso denn vier?«, wundert sich der Leitende. »Wer soll denn die vierte –«

»Ich weiß, was ihr denkt, ihr Hohlköpfe!«, erschallt Katzenbachs Stimme, erstaunlich kräftig für den schmächtigen Körper. »Wer ist Nummer vier, fragt ihr euch. Habt doch nur drei zu mir reingeschickt. Wer ist der vierte?« Er lacht heiser. »*Ich, ich* bin Nummer vier, aber genau das ist der Punkt, um uns geht es ja gar nicht, ihr habt uns längst abgeschrieben.«

»Kein Mensch hat dich abgeschrieben«, sagt Phoebe ins Megafon und hört sich selbst als Echo.

– *ieben – en –*

»Verschwinde, Mädchen.«

»Nein.«

»Das ist nicht *dein* Krieg hier.«

»Es ist überhaupt kein Krieg.«

»Geh zu deinem Mann und deinen Kindern.«

»Vergiss es. Wenn du dich und andere unbedingt in die Luft sprengen willst, werde ich hier sein und zusehen.«

Überlegt fieberhaft.

Wie konnte sie bloß annehmen, dieser Situation gewachsen zu sein?

Professionelle Verhandlungsführer genießen Heldenstatus bei Polizei und Militär, die meisten sind Psychologen. Und sie? Ihre größte therapeutische Leistung hat darin bestanden, Miriam über den Tod ihrer Katze hinwegzutrösten.

Zu spät.

»Außerdem werde ich jedem erzählen, was für ein Feigling du warst.«

»Ich?«, schreit Katzenbach. »Ein Feigling?«

»Wie oft hast du bei uns am Tisch gesessen und Heldengeschichten erzählt? Unabhängigkeitskrieg, '67, Jom Kippur, Suez – Ich war ganz schön beeindruckt, aber das könnte sich ändern.«

»Sind Sie sicher, dass das die richtige Strategie ist?«, fragt der Leitende leise.

Sie lässt den Blick umherschweifen. Sieht Scharfschützen auf den umliegenden Dächern, junge Männer und Frauen, deren Finger am Abzug möglicherweise noch mehr zittern als Katzenbachs parkinsongeschüttelte Rechte.

»Sind Sie sicher, dass *das* die richtige Strategie ist?«

»Ich will, dass Menachem Begin kommt«, brüllt Katzenbach. »Ariel Scharon soll kommen. Der Bulldozer soll kommen. Er soll herkommen und mir ins Gesicht sagen –«

»Und was würde das ändern?«, fragt Phoebe.

– ndern – ern –

»Sagen Sie ihm, das geht in Ordnung«, nickt der Leitende. »Wir holen sie herbei.«

Phoebe hebt die Brauen. »Ach, tatsächlich?«

»Sagen Sie ihm, wir telefonieren. Wir versuchen –«

»Versuchen Sie es *wirklich*?«, forscht Phoebe. »Ich meine, *wird* Arik kommen, wenn Sie ihn bitten?«

Die Antwort lässt eine Spur zu lange auf sich warten.

Katzenbach wendet sich vom Fenster ab, seine Silhouette verschmilzt mit dem Dunkel des Zimmers.

»Dror!«

Keine Antwort.

»Glaubst du denn wirklich, sie lassen dein Haus als einziges stehen?«

Kneift die Augen zusammen. Ist er verschwunden? Nein, noch da. Steht mitten im Zimmer, Schwarz vor Schwarz. Als er wieder spricht, scheint seine Stimme an Kraft verloren zu haben.

»Was spielt es noch für eine Rolle.«

Mist. So kommt sie nicht an ihn ran.

»Du hast doch nicht ernsthaft Lust, dich mit dem Premier zu streiten. Oder? Was willst du wirklich?«

»Ich will hierbleiben.«

Wie ein Kleinkind, denkt Phoebe zornig. Sie mag den alten Mann, sie
mag ihn sogar sehr, aber wahrscheinlich würde sie jetzt zulassen, dass
er sich aus der Welt bombt, wären da nicht drei junge Menschen in seinem Haus.

»Gut. Wenn du hierbleiben willst, komme ich zu dir.«

Katzenbach schweigt.

Sie lässt das Megafon sinken und geht auf das Haus zu.

»He, Moment!« Der Leitende versucht sie am Ärmel festzuhalten.
»Was machen Sie da?«

»Mit ihm reden.«

»Sind Sie verrückt?«

»Nehmen Sie Ihre Finger weg.«

»Sie widersetzen sich nicht meinem Kommando!« Er läuft ihr hinterher, stellt sich ihr in den Weg. »Ich werde das nicht zulassen.«

Phoebe bleibt stehen.

»Jetzt passen Sie mal auf, Ihretwegen kann ich meine Tochter nicht
suchen. Sie wollten Hilfe, also helfe ich. Lassen Sie mich gefälligst meine
Arbeit machen, ich hab schon nicht vor zu sterben.«

»Das ist zu gefährlich. Einer von uns muss –«

»Einer von Ihnen wird es nur versauen. Dror ist mein Freund. Ich
geh das Problem jetzt für Sie lösen.«

»Phoebe, komm nicht näher«, knarzt Katzenbachs Stimme.

Der Leitende schwitzt.

»Er *wird* mir nichts tun«, sagt Phoebe ruhig. »Ich weiß es.«

Bravo, Phoebe.

Du und deine Riesenfresse.

Wären wir nur nie in den Scheißsinai gezogen!

Sie denkt an das Haus am See Genezareth, an das sie sich so sehr ge-
klammert hat. An ihre Kinder. An Jehuda und die seltsame Krise damals
zwischen ihnen. Wie sie einander beinahe verloren hätten.

Man kann nichts festhalten.

Dreht sich zum Haus um und geht weiter.

Jehuda klammert sich ans Gitter.

Wacklig.

Sie haben ihm eine Schutzweste und einen Helm verpasst, eingekeilt
steht er zwischen vier Zahal-Einsatzkräften, drei Männern und einer

Frau, denen anzusehen ist, dass sie lieber in Treibsand versinken würden, als jetzt gerade hier zu sein. Über ihm quietschen die Stahlseile in den Scharnieren. Der Käfig schwingt hin und her, steigt höher, gibt den Blick frei auf die Dächer.

Dutzende Okkupanten, dicht gedrängt.

Mehr als 100, schätzt er.

Ofers lustige Tanzgruppe hat sich in den Hintergrund verzogen. Dafür beherrschen Vollbärtige mit Kippa, blauweißen Umhängen und Gebetsriemen das Bild. Einige haben sich schwarze Kapseln mit Thoraversen auf Herz und Stirn gebunden, ihre Oberkörper rucken vor und zurück. Andere werfen Unrat herunter, drohen mit Knüppeln.

Freiwillig werden die das Dach nie verlassen. Sie wollen die letzte Konfrontation, und sie werden sie bekommen.

Jehuda schaut nach unten.

Sieht die Soldaten lange Leitern herbeischleppen und an die Außenfassade lehnen. Aus seiner luftigen Warte wirken sie wie eine monströse Spezies bodenbewohnender Insekten. Die Helme vereinheitlichen ihre Köpfe zu Chitinhäuptern, wuselnd drängen sie sich vor dem Gebäude, als wollten sie im nächsten Moment über- und aneinander hochkrabbeln. Sobald eine Leiter an die Dachkante schlägt, versuchen die Okkupanten, sie zurückzustoßen, schimpfen und spucken auf die Uniformierten, die ihre Stiefel auf die untersten Sprossen setzen.

Fast wie im Mittelalter, denkt Jehuda.

Fehlt nur, dass sie von oben glühendes Pech runterkippen.

Zwei Soldaten bringen einen fahrbaren Tank in Stellung, aus dem sich ein Schlauch windet, richten die Mündung nach oben.

Im nächsten Moment schießt eine Fontäne weißen Schaums unter Hochdruck heraus.

Die Dachbesetzer prallen zurück.

Ein zweiter Tank wird herangerollt.

Im Nu verwandelt das Schaumbombardement die Okkupanten in taumelnde Witzfiguren. Wie aus einem Slapstickfilm. Marx Brothers. Chaplin. Laurel und Hardy. Als seien sie allesamt in eine riesige Sahnetorte gefallen.

Sie wischen sich den Schaum aus den Gesichtern. Strömen wieder zur Kante, zorniger denn je.

Versuchen erneut, die Leitern wegzustoßen.

Die Kanonade geht in die zweite Runde. Das Zeug überzieht nun auch die Soldaten, die das Dach fast erreicht haben. Sie ducken sich, setzen den Aufstieg fort.

»Was um alles in der Welt ist das für eine Sauerei?«, entfährt es Jehuda.

»Schaum«, sagt die Soldatin neben ihm.

»Was für Schaum?«

»Na, Schaum halt. Wasser und Seife.« Sie klappt ihr Visier herunter. »Was glauben Sie denn, was es ist? Löschkalk?«

»Scheint sie nicht sonderlich zu beeindrucken.«

»Abwarten. Bald werden sie die Schnauze voll haben. Im wortwörtlichen Sinne.«

Der Käfig schwenkt aufs Dach ein, über die Köpfe der Widerständler hinweg, senkt sich herab. Die Sahnetortengestalten versuchen zu entkommen, rutschen aus, wälzen sich in weißer Matsche.

Louis de Funès. *Die Abenteuer des Rabbi Jakob.*

Kaum zu glauben.

»Aufsetzen«, spricht einer der Soldaten ins Funkgerät. »Gaaanz langsam.«

Fluchen, beten, singen, schreien. Alles schlägt über ihnen zusammen, als würden sie in eine See aus Lärm eintauchen.

»Langsamer!«

Einer der Demonstranten rollt sich unter den Käfig.

»Stopp!«

Die Gittertür schwingt auf, die Soldaten springen nach draußen, zerren den Strampelnden unter dem Käfigboden hervor, er windet sich wie ein Aal, brüllt sie an. Jehudas Blick sucht Ofer im Moment, als der nächste Schaumbeschuss niedergeht. Fährt mit dem Unterarm über den Sichtschutz, verteilt die Schmiere, klappt ihn hoch, bekommt eine weitere Portion mitten ins Gesicht. Allmählich nimmt das Ganze den Charakter eines Happenings an. Zwei weitere Käfige setzen mit hohlem Klonk auf, spucken ihre Ladung Sicherheitskräfte aus. Die Knüppelschwinger werden entwaffnet, unter den Armen gefasst. So martialisch sie sich gebärden, so rigoros Zahal vorgeht, scheint es doch eine stille Vereinbarung zwischen beiden zu geben, einander keinen ernsthaften Schaden zuzufügen. Die Besetzer beschränken ihren Widerstand darauf, die Füße in den Boden zu stemmen und möglichst lautstark zu protestieren, aber weil das Dach inzwischen glatt ist wie eine Skipiste, finden ihre Fersen keinen Halt.

Jehuda bahnt sich seinen Weg durch die shampoonierte Gesellschaft, während die Soldaten ihren Fang in die Käfige verfrachten.

Wo ist dieser Ofer?

Da. Tastet sich halb blind voran, sieht aus wie aus der Waschtrommel gefallen. Jehuda packt ihn an der Schulter.

»Wo ist meine Tochter?«

Ofer fährt herum, schlägt seine Hand weg.

»Ich hab dich was gefragt!« Packt ihn am klatschnassen Hemdkragen. »Wo ist meine Tochter?«

Dann wird ihm klar, wie er Ofer erscheinen muss. Eine sprechende Schaumkrone. Ein Marshmallowmann.

»Miriam«, fragt er. »Wo ist Miriam?«

Die Züge des Jungen glätten sich. Hat ihn wohl endlich erkannt.

»Was weiß ich denn, wo die ist.«

Jehuda stößt ihn von sich weg. Ofer taumelt, gleitet aus und fällt der Länge nach in die Pampe.

»Phoebe hat euch zusammen gesehen.«

»Na und?«

Er bückt sich, zerrt ihn hoch. »Wo ist sie?«

»Ich – ich weiß es doch nicht.«

»Ist sie hier oben?«

»Nein!«

»Wann hast du sie zuletzt gesehen?« Holt aus. »Wo?«

Ofer tritt zu und erwischt ihn in der Kniekehle. Jehuda knickt ein, fängt sich in letzter Sekunde, sieht den Jungen davon- und einem Soldaten geradewegs in die Arme rennen.

Der Soldat klappt mit einem Stöhnen zusammen.

Ofer läuft weiter, scheint von dem Abkommen auf gegenseitige Unversehrtheit nichts mitgekriegt zu haben.

Jehuda erwischt ihn am Hemdsaum.

»Lass mich endlich in Ru –«

Haut ihm eine runter, wieder liegt der Junge am Boden, und diesmal stemmt Jehuda ihm das Knie auf seine Brust.

»Au! Aua!« Ofer schlägt um sich, kämpft wie ein Tier. »Scheißkerl!«

»Wo?«

Der Soldat schlittert hinzu, hat sich vom Schlag in den Solarplexus erholt. Gemeinsam versuchen sie Ofer zu bändigen.

»Am Kriegerdenkmal!«

»Was wolltet ihr da?«

»Ist doch egal, sie hat mich stehen lassen.« Ofer starrt ihn hasserfüllt an. »Ich weiß nicht, wo sie ist. Ich weiß es nicht, verdammt noch mal.«

Jehuda lässt ihn los.

Miriam, denkt er.

Bislang hat sich keiner von denen, die sie suchen, gemeldet.

Wo bist du bloß?

»Dror?«

Phoebe lehnt an der Eingangstür, ihre Handflächen ruhen auf dem weiß lackierten Holz. Um sie herum kocht die Luft. Der Singsang der Militanten, das Gebrüll der Soldaten, Motorenlärm, das Rasseln der Kräne, Bulldozer, Helikopter.

Jamit ist ein Hexenkessel.

Im Haus ist es still.

Totenstill.

»Dror, das Problem ist, dass die Tür von der Druckwelle aus den Angeln gerissen wird, wenn du zündest. Das würde ich kaum überleben. Du kannst mich also ebenso gut reinlassen.«

»Geh weg«, hört sie ihn endlich.

Ganz nah, das Holz leitet seine Stimme. Er scheint ebenso dicht hinter der Tür zu stehen wie sie davor.

»Keine Lust«, sagt sie. »Hast du irgendwas im Haus? Tee?«

»Phoebe, bitte.«

»Lass mich rein. Fünf Minuten. Wenn du danach immer noch meinst, du müsstest dich und drei Unschuldige umbringen, verschwinde ich wieder. Alles Weitere wird dann nicht mehr mein Problem sein.«

»Kommen Sie endlich zurück!«, schreit der Leitende von der anderen Straßenseite.

»Hörst du das, Dror? Die nerven mich.«

Lauscht auf ihr Herz. Wie oft schlägt das Herz in der Minute? Es ist eine der Situationen, welche die Zeit stauchen und dehnen, bis sie am Ende irrelevant wird. Sobald sie diese Schwelle überschreitet, wird sie ihr vertrautes Kontinuum verlassen. Sie wird dann nicht mehr in ihrer Zeit sein, sondern in Drors.

In einem Tunnel, an dessen Ende ein gewaltiger Sog –

So plötzlich wird die Tür aufgerissen, dass sie den Halt verliert und in die schmale Diele stolpert.

Das Schloss fällt wieder zu.

Katzenbach starrt sie im Halbdämmer an, das M-16 in der Rechten.

»Hast du gar keine Angst?«

Phoebe schaut sich um. »Müsste ich denn welche haben?«

Zur Linken kann man in die Küche sehen, eine schmale Stiege führt nach oben. Alles wie immer. Vertraut. Keine gepackten Kisten, kein Bild von der Wand genommen.

»Wie oft hast du bei uns am Tisch gesessen, Dror? Wie oft auf Miriam aufgepasst? Erwartest du ernsthaft, dass ich *Angst* vor dir habe?«

Er schweigt.

Schlurft ihr voraus in die Küche.

Sie folgt ihm, während ihr Blick die Tür zum Wohnzimmer streift. Geschlossen. Was mag er mit den drei Soldaten gemacht haben? Katzenbachs arthritische Erscheinung täuscht, seine Reflexe sind die eines Jüngeren. Jahrzehnte der Kampferfahrung haben seine Sinne geschärft, er verfügt über beachtliche Kräfte, auch wenn der Parkinson ihm zu schaffen macht. Dann fällt ihr ein, was der Leitende ihr über die Umstände der Geiselnahme erzählt hat, und sie schnuppert argwöhnisch.

»Das Gas ist verflogen«, brummt Katzenbach, ohne sich umzudrehen. »Sie liegen da drüben und schlafen.«

Öffnet den Kühlschrank, fördert eine Flasche Eistee zutage. Nimmt zwei Gläser vom Bord und gießt ihnen ein.

»Gut verpackt«, fügt er grinsend hinzu.

Reicht Phoebe ihr Glas. Sie schaut ihn wortlos an, und sein Blick wird verlegen, schweift ab.

»Ich hab ihnen nicht wehgetan, Phoebe.«

Sie trinkt einen Schluck.

»Aber du hast es vor.«

Erst jetzt fällt ihr die offene Kiste unter dem Küchentisch auf. Kleine, glänzende Leiber, dicht an dicht. Durchaus möglich, dass das einige Tausend Schuss Munition sind. Neben der Spüle reihen sich Handgranaten aneinander, bestimmt ein Dutzend.

Na, da ist sie ja im richtigen Zimmer gelandet.

Katzenbach, mit jeder Faser Soldat.

Sie weiß, dass er getötet hat. In den großen Kriegen, in Gaza, als Arik seine Spezialkommandos dort aufräumen ließ. Dror gehörte dazu. Seine Vorliebe für Waffen grenzt an Besessenheit, zugleich hat Phoebe ihn in seinem Garten vor Augen, wie er mit Akribie Rosen züchtet und mit Miriam Halma spielt. Nie würde der Blumenzüchter jemandem Schaden zufügen.

Der eine ist nur ein liebenswürdiger alter Mann.

Der andere ist ein Killer.

Lässt sich mit Gewissheit sagen, wer davon gerade die Oberhand hat?

»Ich werde *niemandem* wehtun«, knurrt Katzenbach. »Sie sollen mir einfach einen der Mistkerle vorbeischicken, die für all das hier verantwortlich sind. Egal, wer kommt. Begin, Scharon.«

»Und dann?«

»Sollen sie sich verantworten.«

»Gut.« Phoebe zieht einen Stuhl heran, setzt sich. »Sie haben sich verantwortet. Arik liegt heulend vor dir auf den Knien, Begin geißelt sich den Rücken. Wie geht's dann weiter?«

»Sie nehmen diesen Unsinn zurück.«

»Welchen Unsinn?«

»Sie lassen uns weiter hier wohnen.«

»Hm.« Phoebe dreht ihr Glas zwischen den Fingern, stellt es ab und steht wieder auf. »Schade.«

»Schade?«

»Du vergeudest unsere Zeit.«

»Augenblick.« Er zwinkert verwirrt. »Was ist los?«

»Was los ist? Du verarschst mich, das ist los. Du bist wie ein Wiederkäuer, ich will hierbleiben, hierbleiben, hierbleiben. Und wenn die komplette Knesset anrückt, wirst du nicht hierbleiben können, das weißt du genau, also *was machst du dann*?«

Er verzerrt die Lippen, reißt eine der Handgranaten hoch, und Phoebe fühlt ihren Herzschlag aussetzen.

»*Das* mache ich!«

Ruhig, denkt sie. Ganz ruhig. Dreh jetzt nicht durch.

Du hast ihn.

»Und die da?« Zeigt hinaus auf die geschlossene Wohnzimmertür. »Was hast du für die vorgesehen?«

»Die –« Katzenbach ringt nach Worten.

»Lasse ich frei«, ergänzt Phoebe. »Sprich mir nach, Dror. Die Soldaten lasse ich frei, weil ich kein Mörder bin, weil ich Menschen, die ihre Pflicht tun, so wie ich meine getan habe, nicht umbringe, und mich selbst lasse ich laufen, weil ich kein Selbstmö –«

»Du hast doch gar keine Ahnung!«, schreit er.

»Wovon denn?«

»Verschwinde endlich!«

»Nein! Erklär es mir! Wovon habe ich keine Ahnung?«

Katzenbach ist rot angelaufen. Sie wartet auf eine Antwort, und als keine erfolgt, dreht sie sich um und macht Anstalten, die Küche zu verlassen.

»Phoebe!«

Jehuda hastet die Straße zu ihrem Wohnviertel entlang. Am Gemeindezentrum vorbei, wo Spezialeinheiten versuchen, aneinandergekettete Demonstranten vom Geländer der Eingangstreppe loszuschweißen.

Er und Miriam haben dem Haus am Vormittag einen letzten Besuch abgestattet, aber vielleicht ist sie ja noch mal hingegangen.

Zwei Helikopter entschwinden in nordöstliche Richtung.

Das kurze Aufblitzen eines Feuerwehrwagens.

Dann niemand mehr.

Der Soundtrack der Räumung bleibt hinter ihm zurück, eingeebnet von Distanz, nur noch ein diffuser Tumult.

Sprintet die Allee entlang, seine Straße, biegt ein, erstes Haus, Alison Titelmann. Vor zwei Jahren weggezogen, nach Tel Aviv, Planungsstab, Karrieresprung. Seitdem steht es leer. Jehuda war es nur recht. So reibungslos die Zusammenarbeit verlief, lebten sie als Nachbarn doch in einer Atmosphäre ständiger Befangenheit. Nicht, dass Alison sich je etwas hätte anmerken lassen. Immer freundlich, unverbindlich. Kollegen halt, ins selbe Viertel gewürfelt. Er wusste, sie würde dichthalten, weniger um seine als um ihre Würde zu bewahren.

Dennoch war er froh, als sie wegzog.

Warum eigentlich? Vielleicht, weil er außerstande war, die Erinnerung sachgerecht abzulegen? Irgendwo zwischen A wie *Abgewendete Probleme* und Z wie *Zerronnene Träume* verweigert sie sich jeder Zuordnung. Sie in Tel Aviv zu wissen, half ihm, das Geschehene zu verdrängen, zugleich grämte ihn, was *nicht* passiert war.

Hätten sie es durchziehen sollen? Wäre es befreiender gewesen, es zu tun, statt dass es nun auf ewig in der Zwischenwelt des Begonnenen und nicht zu Ende Geführten herumgammelt?

Verquaste Gedanken.

»Miriam? Bist du hier?«

Ihr verlorenes Heim. Leer, abweisend, seltsam unpersönlich. Phoebes hübsche Vorgartenbepflanzung niedergetrampelt. Die Räumungsarbeiten sind abgeschlossen, die Sicherheitskräfte längst fort, nicht ohne die Tür versiegelt zu haben.

Einen Moment ist er ratlos. Tigert um den weißen Quader herum, tritt schließlich das Kellerfenster ein und zwängt sich ins Innere.

Keine Miriam.

Nimmt sich Uris Haus vor, gleiche Prozedur.

Nichts.

Läuft zurück auf die Hauptstraße, stutzt. Dumpfe, bedrohliche Frequenzen, mehr in der Magengrube als im Ohr. Eine gleichmäßige Front, die sich von Süden her nähert.

Tief, anschwellend.

Was zum Teufel ist das?

Unter seinen Füßen beginnt der Boden zu zittern, erst unmerklich, dann wie bei einem Erdbeben.

Das Dröhnen schwerer Motoren.

In der Straßenmündung taucht etwas auf, eine gewaltige Schaufel, meterhohe Stahlräder, Panzerketten. Jehuda weicht zurück. Die Planierraupe dreht sich langsam in seine Richtung, wie ein Saurier, der ihn erspäht hat und nun sein Erbsenhirn in Abstimmung mit seinem Magen bringt, ein weiteres Ungetüm rumpelt hinterdrein, noch eines.

Die letzten Bewohner Jamits werden Maschinen sein.

Sein Funkgerät meldet sich.

»Ihre Tochter –«

»Ja?« Spricht atemlos hinein. »Was ist mit ihr?«

Atmosphärische Störungen, dann wieder die Stimme des Soldaten, jetzt klar und deutlich.

»Also – ich glaube, wir haben sie gefunden.«

Katzenbach ist in sich zusammengefallen. Hat die Hand mit der Granate sinken lassen, hält sie umklammert, der Tremor schüttelt seinen Unterarm.

Reist zurück.

Die Vergangenheit saugt ihn ein – in die Zeit vor drei Jahren, als seine Frau einem Gehirnschlag erlag, vor fünf Jahren, als ihr einziger Sohn in die USA auswanderte, vor sechs Jahren, als sie noch freudestrahlend eines der schneeweißen Häuser Jamits bezogen und Katzenbach seine ersten Rosenstöcke pflanzte, vor zehn, 20, 30 Jahren –

Haltlos stürzt er zurück in die Dunkelheit.

»Ich *kann* hier nicht weg«, flüstert er.

»Warum nicht? Was ist so schlimm daran, noch mal umzuziehen?«

Er schüttelt stumm den Kopf.

»Inzwischen gibt es Alternativen, Dror. Jehuda, Miriam und ich gehen in den Gazastreifen. Die Regierung wird uns Mittel für den Neuanfang zur Verfügung stellen.«

»Du verstehst nicht. Ich halte das nicht *noch mal* aus.«

Phoebe zögert.

Nicht noch mal –

»Wir hatten ein gutes Leben, weißt du.« Katzenbachs Stimme klingt hohl, quält sich durch die Jahrzehnte wieder zurück in die Gegenwart. »Eine Apotheke unten im Haus. Das war, bevor sie begannen, die Familien auseinanderzureißen.«

Und mit einem Mal dämmert ihr, wovon er redet.

»Jeden Tag sahst du, wie Menschen aus ihren Häusern gezerrt wurden, und wir dachten immer, uns werden sie in Ruhe lassen. Auch als wir schon die Sterne tragen mussten.« Er hält inne. Seine Mundwinkel zucken. »Mein Vater hat die Apotheke schließlich verkauft. Unter Wert. Sie verboten ihm, weiter zu arbeiten und das *deutsche Volk zu vergiften*, und natürlich haben sie uns *nicht* in Ruhe gelassen. '38 reiste mein Onkel nach Chicago. Wir hatten Verwandte an der Ostküste. Sie besorgten uns Visa. Wir wollten nur noch weg, aber dann kamen sie mitten in der Nacht. Brachen die Tür auf, schleiften uns nach draußen, einen nach dem anderen. Meiner Mutter traten sie in den Bauch.«

Phoebe sieht zu, wie er weiter in sich zusammenfällt. Mit jedem Wort scheint ihm Lebenskraft zu entströmen.

»Bahnhof Grunewald. Den Morgen werde ich nie vergessen. Weil er so schön war. So ein wunderbarer Sonnenaufgang. Der Zug stank nach Pisse und Erbrochenem, wir hingen unter- und übereinander wie Vieh.«

»Wo haben sie euch hingebracht?«

»Nach Sachsenhausen.«

»Sachsenhausen?«

Er sieht sie an. Sein Blick ist hart und kalt.

»Ins KZ. Die Touristenvisa haben uns gerettet. Insofern, als die Schweine uns drei Wochen Zeit gaben, Deutschland den Rücken zu kehren. Denen von uns, die noch konnten.« Schaut auf seine zuckende Rechte. Hebt die Brauen, als frage er sich voller Erstaunen, was seine Finger da umklammern. »Also wanderten wir aus. Nach Chicago. Mein Vater, mein Bruder, meine Schwester. Ich.«

»Und deine –«

»War gestorben. An inneren Verletzungen.«

»Das tut mir leid«, flüstert Phoebe.

Katzenbach zuckt die Achseln.

»Mein Onkel beging den Fehler, '42 zurück nach Deutschland zu reisen. Um irgendwelche Angelegenheiten zu regeln. Wir schrieben ihm Briefe. Die deutschen Behörden klebten eine grünweiße Marke darauf: *Abgereist, ohne Angabe einer Adresse.* Er brauchte auch keine mehr. Da hatten sie ihn schon nach Estland deportiert.«

Sein Blick irrt ab. Plötzlich entdeckt er seinen Eistee, trinkt in gierigen Schlucken, knallt das Glas auf die Arbeitsfläche.

»Du weißt nicht, wie es ist, aus seinem Zuhause vertrieben zu werden. Nein, Phoebe!« Er hebt die Hand, bringt sie zum Schweigen, bevor sie etwas erwidern kann. »Auf *diese* Weise. Das weißt du nicht. Und jetzt tragen sie wieder Menschen nach draußen.«

Phoebe steht auf, tritt vor ihn hin. »Das ist was anderes.«

»Nicht«, er schlägt sich gegen die Stirn, »in meinem Kopf.«

»Es mit damals zu vergleichen –«

»Dieses Land hat sich nie wirklich für uns interessiert. In Jerusalem platzen sie fast vor Stolz: Yad Vashem, größte Holocaust-Gedenkstätte der Welt. Sie meinen tatsächlich, nachdem sie Eichmann den Prozess gemacht haben, könnten sie die Geschichten der Überlebenden für sich vereinnahmen. Glaubt ja ohnehin jeder Zweite im Ausland, Israel sei als Reaktion auf den Holocaust gegründet worden. Aber der Holocaust gehört nicht zu Israel, und wenn sie sich das tausendmal einreden. Solange ihre eigene Welt in Ordnung war, bevölkert von heldenhaften Zionisten, hatten sie für uns nur Verachtung übrig.«

Phoebe versucht, die Puzzlesteine seiner Erzählung zu ordnen.

»Du hast immer gesagt, du wärst amerikanischer Jude.«

»Aus der Diaspora heimgekehrt, ja.« Er stößt ein schnaubendes Lachen aus. »So hab ich's erzählt. Klang besser in diesem Land. Wie es ist, wenn nachts Männer deine Wohnung aufbrechen, dich, deine Eltern, Geschwister, Freunde zusammenschlagen, abtransportieren, foltern und ermorden, und du kannst *nichts* dagegen tun, wollte hier jahrelang keiner hören. Und selbst heute – wir feiern einen Holocaust-Gedenktag, aber wem gilt der? Den paar Partisanen, die sich gegen die Nazis gewehrt haben. Wir feiern den Aufstand im Warschauer Getto. Eine Woche vor dem Unabhängigkeitstag, wie passend! Immer nur geht es um Heldenhaftigkeit! Ist es denn zu viel verlangt, derer zu gedenken, die sich nicht wehren konnten?«

»Aber das tun wir, Dror.«

»Hat dir Sachsenhausen was gesagt?«

»Nein, aber –«

»Auschwitz?«

»Doch, natürlich.« Phoebe schluckt. »Klar.«

»So klar ist das nicht. Holocaust, Auschwitz – erst nach Eichmann entdeckten sie das alles als –«, er fuchtelt mit der Rechten in der Luft herum, wie um den passenden Begriff herauszugreifen, »– identitätsstiftendes Merkmal. Weil sie plötzlich Angst bekamen, ihnen könnte das Gleiche hier passieren. Lächerlich. Nirgendwo auf der Welt leben so viele Holocaust-Überlebende wie in Israel, und nirgendwo so viele in Armut. Willst du wissen, warum?«

Eigentlich nicht, denkt Phoebe. Ich will nur, dass wir jetzt endlich dieses Haus verlassen. Ich will, dass Jehuda draußen steht, zusammen mit Miriam.

Ich will ein normales Leben führen.

»Warum?«, fragt sie.

»Weil du nicht als Überlebender der Shoa giltst, wenn du weniger als ein halbes Jahr in einem KZ und anderthalb Jahre in einem Getto warst. Ansonsten hast du keinen Anspruch auf Rente aus Reparationsabkommen, auf Entschädigung, auf irgendeine Form der Unterstützung. Gäbe es nicht die Sozialfonds und privaten Stiftungen –«

Phoebe runzelt die Brauen. »Warum bist du dann nicht in den USA geblieben?«

»Amerika war gut.« Sein Blick verliert sich. »Aber nicht das Land meiner Wahl. Mein Vater, meine Geschwister dachten anders. *Ich* wollte nach Israel. Im Moment, als ich in Haifa von Bord ging, habe ich mein Deutsch vergessen, eine Uniform angezogen und begonnen, für die Unabhängigkeit zu kämpfen. Aber ein Zionist war ich nie.«

»Du hast eine Heimat gefunden.«

Er stößt ein trockenes Lachen aus.

»Ja, und jetzt werfen sie uns raus.«

»Sie werden uns entschädigen.«

»Glaubst du im Ernst, es ginge mir um Entschädigung? Ich habe keine Geldsorgen wie die meisten hier. Ich könnte jederzeit umziehen. Aber gibt mir das meine Würde zurück? Ich habe sogar angeboten, ägyptischer Staatsbürger zu werden. Nur um hierbleiben zu dürfen. Aber die Geschichte wiederholt sich, Sadat will den Sinai *judenrein*.«

Er mag seine Muttersprache vergessen haben, aber dieses eine Wort sagt er auf Deutsch. Akzentfrei.

»Ich weiß, mein Widerstand hier ist unsinnig, engstirnig, egoistisch.« Seufzt. »Wir haben Frieden mit Ägypten. Gut. Sehr gut. Ich werde niemals Frieden finden.«

Und jetzt, schlaue Phoebe?

Was kannst du zu alldem sagen, ohne es zu banalisieren?

»Dror –« Eine Idee. Spontan, unausgereift. »Du hast doch Weihnachten erlebt in Amerika –«

»Weihnachten?« Er hebt überrascht eine Braue. »Man konnte sich dem ja nicht entziehen.«

»Wie sie alles vorbereiten, schmücken –«

»Sicher.«

»Und im Dezember kaufen sie Amaryllis –«

»Ritterstern.« Die Andeutung eines Lächelns umspielt seine Mundwinkel. »Eigentlich heißt es Ritterstern. Amaryllis nur, wenn sie aus Südafrika kommen.«

»Das wusste ich nicht.«

»Ritterstern stammt aus Südamerika. Hippeastrum.«

»Ja, ja, und natürlich dürfen die Amaryllis – Rittersterne, egal – erst unmittelbar vor dem Fest aufblühen. Das heißt, die Knollen müssen genau zum richtigen Zeitpunkt in den Handel gelangen, gar nicht so einfach, wegen der Zuchtbedingungen –«

»Arides Klima.« Katzenbach nickt. »Das Wasser muss warm sein. Amaryllis wachsen nicht unter 14 Grad.«

Bizarr.

Ein Haus, umstellt.

Scharfschützen.

Drei betäubte Soldaten im Wohnzimmer.

Ein Geiselnehmer, mit dem sie über Botanik fachsimpelt, während Jehuda da draußen Miriam sucht.

»Was für ein Wahnsinnsgeschäft, Dror!«, fährt sie eifrig fort. »Jahr für Jahr führen die Amerikaner Millionen Knollen ein, und im Gazastreifen sind die Bedingungen ideal.«

»Worauf willst du eigentlich hinaus?«

»Nun ja, wie es aussieht, wird Jehuda auch in der neuen Siedlung wieder das Wassermanagement übernehmen, aber da entsteht halt kein zweites Jamit. Wir brauchen ein zusätzliches Einkommen, Miriam wird noch eine Reihe von Jahren bei uns wohnen, und ich kann ja nicht ständig an der Schreibmaschine sitzen.«

»Also denkt ihr über Gewächshäuser nach.«

»Ein paar Hunderttausend Knollen im Jahr sollten schon drin sein.« Sie lächelt. »Oder? Was meinst du?«

Katzenbach mustert sie unter gefurchten Brauen.

»Nur, alleine schaffen wir das nicht. – Wir brauchen jemanden, der das zusammen mit uns aufbaut – und da dachte ich an –«

»Ja?«

»An dich.«

»Mich?«

»Keiner versteht so viel von Blumen.«

Tatsächlich stimmt nichts von dem, was sie Katzenbach da erzählt. Es ist praktisch abgemacht, dass Jehuda in Gaza für die Wasserversorgung zuständig sein wird, und damit kommen sie locker zurande. Das mit den Amaryllis hat sie irgendwo gelesen. Jemand in Südgaza, der damit experimentiert und beachtliche Erfolge erzielt.

»Du könntest Teilhaber – ich meine, verstehst du, es wäre schon darum keine gute Idee, wenn du –« Fährt mit der Handkante ihre Kehle entlang. »Mehr hab ich nicht anzubieten.«

Der alte Mann schweigt.

»Komm mit uns nach Gaza und hilf uns«, sagt sie leise. »Bitte.«

Um sie herum stirbt die Stadt. Die Agonie Jamits dringt durch die Fenster zu ihnen hinein, es kann nicht mehr lange dauern, bis der Leitende da draußen die Geduld verliert.

Katzenbach wischt sich die Nase, kratzt sich am Ohr.

Nagt an seiner Unterlippe.

»Ja«, sagt Jehuda. »Das ist sie.«

»Wir wollten sie nicht wecken. Wir wollten ihr keine Angst machen.«

»Das war gut.«

Sie flüstern, weil die Scheiben runtergekurbelt sind, und Jehuda denkt, na, darauf hättest du auch von selber kommen können.

Aber der Unteroffizier war schneller. Alles an diesem Tag ist in Datensätze überführt worden, Namen, Ausweisnummern, Ankunftszeiten, Nummernschilder, und natürlich hat Zahal penibel vermerkt, wo die Autos abgestellt sind. Es war kein Problem, den Wagen vor den Toren Jamits ausfindig zu machen.

Miriam liegt zusammengerollt auf der Rückbank.

Schnarcht ganz leise.

Jehuda betrachtet liebevoll seine Tochter. Sie ist 15. Wenn sie sich zurechtmacht, sieht sie aus wie 17 (was ihn schon einige Stunden Schlaf gekostet hat), jetzt eher wie zwölf.

»Danke«, sagt er. »Ich bin Ihnen sehr dankbar.«

»Passen Sie auf die Kleine auf. Das hier ist kein Ort, an dem Kinder alleine unterwegs sein sollten.«

»Natürlich.« Zieht den Mann ein Stück beiseite. »Haben Sie was von meiner Frau gehört? Können Sie Kontakt herstellen?«

»Augenblick.«

Der Unteroffizier spricht ins Funkgerät.

Lauscht.

»Alles in Ordnung. Sie ist wieder draußen.«

»Wieder *draußen*?« Jehuda fällt der Kiefer herunter.

»Ja. Wurde mir so –«

»Geben Sie her.«

Am anderen Ende der Leitung druckst der Befehlshabende herum, bringt verquälte Entschuldigungen hervor, versichert ihm, es habe zu keiner Zeit Gefahr bestanden, was Jehuda nur noch mehr auf die Palme bringt. Zugleich ist er so stolz auf Phoebe, als hätte sie im Alleingang den ganzen Nahen Osten befriedet.

»Sagen Sie ihr, ich hab Miriam gefunden«, bellt Jehuda. »Wir kommen zu Katzenbachs Haus.«

Gibt dem Soldaten sein Funkgerät zurück. Der Mann steckt es ein und macht sich auf den Rückweg. Jehuda öffnet die Wagentür, beugt sich ins Innere und streicht Miriam über die Wange. Sie murrt, blinzelt wie ein Erdhörnchen.

»Papa?«

»Miri, Schatz. Was machst du denn hier?«

Richtet sich auf, reckt die Glieder. Unter ihrem linken Auge hat sich eine Schlaffalte gebildet.

»Ich hatte einfach keine Lust mehr.«

»Keine Lust?«

Ihr Kopf weist zur Stadt. »Auf den ganzen Mist.«

»Warum hast du Mama denn nichts gesagt?«

»Die quatschte gerade mit irgendwelchen Leuten.« Miriam rutscht zur offenen Wagentür vor und lässt die Füße herausbaumeln. »Außerdem wollte ich ja gar nicht weg. Nur kurz mit Ofer zum Motel, um zu sehen, was sie da organisiert hatten. Ihr Affentheater auf den Dächern. Er wollte, dass ich mit raufkomme, aber dann ist mir alles zu blöd geworden.« Wischt sich die Nase. »Einschließlich Ofer, wenn dich das beruhigt.«

Jehuda kniet sich vor sie hin.

»Du bist traurig, mhm?«

»Du denn nicht?«

»Doch.« Und *wie* traurig er ist. Mehr als er zugeben mag. »Aber wir werden uns ein wunderschönes neues Leben aufbauen, Miri. Wir haben doch schon ein gutes Leben.«

»Mann, Papa! Wir wohnen bei Oma!«

In Kfar Malal. Stimmt.

Irgendwo mussten sie ja hin, solange ihr neues Zuhause nicht fertiggestellt ist. Viele Siedler haben sich bereits über die Moschawim von Hevel Schalom verteilt, eine Region im Negev. Israelisches Kernland. Wäre durchaus eine Option gewesen, im Negev hätte sofort Wohnraum zur Verfügung gestanden. Die Siedlungen Sufa, Dekel, Talme Yosef und Sdei Avraham sind vergangene Woche eingeweiht worden, Pri Gan und Yevul existieren schon seit über einem Jahr. Auf vorhandene Strukturen aufzusetzen, wäre das Vernünftigste gewesen, nur, Vernunft ist eine alte Gouvernante ohne jede Leidenschaft, und Jehuda will sein Surfbrett nicht kilometerweit durch den Wüstensand schleifen müssen.

Er will ans Meer.

Miriam will ans Meer. Uri, Anastasia, Yael (auch wenn die gerade mal vier ist) wollen ans Meer, obwohl es Uri von Hevel Schalom weit näher zum Stützpunkt gehabt hätte. Und Phoebe?

War froh über die Unvernunft der anderen.

Mit dem Resultat, dass sie jetzt warten müssen. Es dürfte Herbst werden, bis die Siedlungen im nördlichen Gazastreifen fertiggestellt sind. Ihr neues Heim wird an der Grenze zum Kernland liegen (Vorteil), landschaftlich ganz hübsch (wenn auch nicht der Sinai, Gaza-Stadt in Sichtweite), ruhig, gute Luft, ein Wassersportparadies (Wind und Wellen sind die gleichen), außerdem ist man schneller in Städten wie Aschkelon, Aschdod, selbst bis Tel Aviv sind es gerade mal 45 Kilometer.

»Wir sind doch nur vorübergehend bei Oma«, tröstet Jehuda sie. »Spätestens im Oktober haben wir's geschafft.«

Miriam schnieft. »Hand drauf?«

Er hebt die Rechte.

Gimme five.

Sie schaut nicht mehr ganz so düster drein.

»Hey, ich hab's ausgemessen«, grinst Jehuda. »Es sind exakt 800 Meter bis zum Strand.«

Elei Sinai soll ihr Dorf heißen. Die Reminiszenz in der Namensgebung stört Jehuda eher, als dass sie ihn tröstet, man muss loslassen können, doch Phoebe gefällt es. Ihretwegen hätten sie Jamit auch Elei Genezareth nennen können. Ihm ist es letztlich schnuppe, entscheidend für ihn war, dass Tel Aviv zugesichert hat, Wasser- und Agrarmanagement wieder in seine Hände zu legen. Im Negev würde er mehr verdienen, könnte wieder bei Netafim anheuern und eines der abgelegenen Forschungszentren übernehmen, wo sie an neuen Bewässerungsverfahren arbeiten, sogar eine leitende Position im Westjordanland hält das Unternehmen für ihn frei, einige Kilometer nördlich von Ramallah.

Bis Juni muss er sich entschieden haben.

Klingt verlockend.

Nur, Netafim Negev hieße, eine Stunde Fahrzeit von Elei Sinai bis zu seinem Arbeitsplatz, Netafim Westbank anderthalb bis zwei.

Pro Strecke!

Ich bin 54, denkt Jehuda. Will ich mir das wirklich antun?

Fahrzeit Elei Sinai: null.

»Komm.« Er nimmt Miriam in den Arm, drückt sie.« Während du geschlafen hast, ist deine Mutter offenbar so was wie *Superwoman* geworden.«

Einträchtig trotten sie zurück in die sterbende Stadt, ins Tohuwabohu der Räumung, vorbei an Schaumpartys und sonstigen Absurdi-
täten. Vor Katzenbachs Haus ist ein Aufgebot postiert, als hätte er die
Goldreserven von Fort Knox darin gebunkert.

Da ist Phoebe. Sieht ihn und Miriam, hopst auf und nieder, winkt mit
beiden Händen, setzt sich in Bewegung.

Nie war Jehuda so erleichtert.

Katzenbach sitzt auf einer Mauer und beobachtet, wie sich die Kahns
wieder komplettieren.

Hebt seine knotigen Finger, zögert, lässt sie sinken.

Nette Geschichte, die Phoebe ihm da aufgetischt hat, um ihn zur Ka-
pitulation zu bewegen. Noch schöner, wenn man sie glauben könnte.

Aber selbst dann –

Er wendet den Blick ab, sieht zu seinem Haus hinüber. Gerade bringen sie die Geiseln nach draußen. Die Wirkung des Gases lässt allmählich nach. Ein paar Stunden werden sie noch benommen sein, aber keinerlei Schäden davontragen.

(Hätte ich wirklich den Tod dreier Menschen in Kauf genommen?)

Jetzt schleppen sie sein Munitionsarsenal auf die Straße. Patronen,
Handgranaten. Das Gewehr. Als Nächstes werden sie dann seine Einrichtung demontieren, die Bilder abhängen, den Kleinkram in Kisten
pfeffern.

Seine vielen Fotos.

Die Toten, die in den Rahmen weiterleben.

Katzenbach erhebt sich und schlurft zu dem Leitenden hinüber, der
Anstalten macht, sich in seinen Jeep zu schwingen.

»Darf ich ein letztes Mal ins Haus?«

»Ins –« Der Offizier zögert. »Tut mir leid. Ich fürchte, das kann ich
nicht gestatten.«

»Eine Minute nur.«

»Bedaure.«

»Ich will lediglich ein paar Fotos in Sicherheit bringen.«

»Wir passen schon gut darauf auf.«

»Sie stehen oben im Schlafzimmer. Ich würde gern selbst –« Er
stockt. »Bitte. Ich schwöre, keinen Unsinn zu machen. Ich werde niemanden mehr in Gefahr bringen.«

Der Leitende saugt unschlüssig an seiner Backe.

Sein Blick ruht abwechselnd auf dem alten Mann und dem Haus.

»Also schön.«

»Danke.«

»Ich gebe Ihnen jemanden mit.«

»Nein.« Katzenbach schüttelt den Kopf. »Ohne Begleitung. Einen Moment nur. Alleine mit meiner – Familie.«

»Hören Sie, Dror, das kann ich nicht –«

»Ihre Leute haben doch alles schon rausgeschafft«, fleht Katzenbach. »Waffen, Munition, Granaten. Es sind nur noch Erinnerungen im Haus. Eine *einzige* Minute. Bitte.«

Die Finger des Leitenden trommeln komplizierte Rhythmen auf dem Lenkrad.

»Sie haben uns ganz schön Ärger gemacht.«

»Ich weiß. Es tut mir leid.«

»Ich postiere ein paar Leute vor der Tür. Wenn Sie in fünf Minuten nicht wieder draußen sind, kommen wir Sie holen.«

»Danke.« Katzenbach lächelt. »So lange werde ich nicht brauchen.«

Miriam wirft im Gehen einen Blick zurück.

»Guckt mal. Dror geht wieder rein.«

Phoebe bleibt stehen, wendet den Kopf. Sieht den Alten im Haus verschwinden und mehrere Soldaten an der Tür Position beziehen.

»Tatsächlich«, wundert sie sich.

»Vielleicht will er noch was holen«, sagt Jehuda.

»Wahrscheinlich.«

Sie starrt zu dem Haus hinüber und fragt sich, was da nicht stimmt.

Warum lassen sie Katzenbach überhaupt noch mal rein? Weil er ihnen versichert hat, keine Gefahr mehr darzustellen? Stimmt ja auch. Zahal hat ihn entwaffnet. Er kann nichts mehr anrichten.

Dennoch –

»Phoebe?«

Ruft sich das Gespräch in der Küche in Erinnerung. Sieht ihn an die Arbeitsfläche gelehnt, wo sich die Handgranaten aneinanderreihen. Liegen da wie seltsames, matt glänzendes Obst.

Katzenbach nimmt eine davon in seine rechte Hand.

Lässt die Hand sinken.

Sie reden.

Das Ganze läuft vor ihrem inneren Auge ab wie eine Videoaufzeichnung, alles ist klar zu sehen, nur nicht, wie er die Granate wieder zurück an ihren Platz legt. Als sie seine Finger in ihre nahm, hielten sie jedenfalls keine Granate mehr umklammert.

Katzenbachs gebeugte Gestalt, seine weite, formlose Hose –

Seine Windjacke.

Voller ausgebeulter Taschen.

Niemand, der diese Taschen durchsucht.

»Mist«, flüstert sie.

»Phoebe? Was ist los?«

Sie antwortet nicht. Geht zurück zum Haus, geht schneller, beginnt zu laufen, aus Leibeskräften zu rennen.

»Nein!«, schreit sie.

Einige der Soldaten schauen zu ihr herüber.

»Nein! Lasst ihn nicht alleine da reingehen. Lasst Dror nicht alleine da reingehen! Er hat eine –«

Dumpfer Donner dringt aus dem Haus.

Die Druckwelle lässt das Gebäude erbeben, pflanzt sich durch den Erdboden fort, läuft unter ihren Füßen hindurch. Noch während sich die Wachen reflexartig wegducken, fliegen im ersten Stock die Fenster aus den Rahmen.

Phoebe bleibt stehen.

Presst die Knöchel gegen die Schläfen.

Nein. Nein.

Macht auf dem Absatz kehrt, geht zurück, vorbei an Jehuda und Miriam, die mit schreckgeweiteten Augen zum Haus starren, versucht dem Gespenst zu entkommen, das sich an ihre Fersen heftet, flieht vor der grausigen Geschichte, die Katzenbach ihr erzählt hat.

Der Alte folgt ihr.

Holt sie ein.

2011

Tel Aviv, 5. November

Die Nacht steckt ihm in den Knochen, besser gesagt die durchwachte Zeit. Dabei hätte er beruhigt ins Bett gehen können, es wäre kein Problem gewesen, den Fall für die Dauer einiger Stunden zu delegieren. Aber so funktioniert Perlman nicht.

Wichtiger war ihm, dass Cox Schlaf findet. Er kennt seine Rakeset. Silbermans Tod verschuldet zu haben setzt ihr zu, ganz gleich, wie sehr sie den Kerl verabscheut hat. Es quält sie mehr, als hätte sie ihm ein Loch in die Stirn geschossen. Dann wäre es Notwehr gewesen, mit hundertprozentiger Gewissheit. Schon einmal hat Cox auf jemanden schießen müssen, während der Intifada, als sie in der Westbank operierte. Sie hat Terroristen ans Messer geliefert. Sprengsätze gelegt. Attacken durch Gegenattacken vereitelt, Menschen durch Desinformation aufeinandergehetzt. Alle hier im Schin Bet sind sie Handlanger des Todes und schlafen den Umständen entsprechend gut.

Dennoch macht der Job etwas mit dir.

Auf lange Sicht.

In einem *Target and Assassination Room* zu sitzen, dessen Bildschirm die Aufnahmen einer Drohne zeigen, deren Pilot Kilometer entfernt in einem Container sitzt, verändert dich.

Tief unter dir (du bist die Drohne) fährt ein Auto.

Eine Landstraße entlang.

Durch eine Ortschaft.

In dem Auto sitzt ein Terrorist (das weißt du), aber wer ist der Mann neben ihm? Agenten haben unter Lebensgefahr diese eine Information für dich destilliert, dass in diesen Minuten, da unten in dem Auto, einer der übelsten Bombenbauer der Hamas sitzt und zu einem Geheimtreffen fährt. Lässt du die Chance verstreichen, ihn zu seinen Ahnen zu schicken, kannst du sicher sein, bald wieder von ihm zu hören.

In den Abendnachrichten.

Zusammen mit Bildern dessen, was er angerichtet hat.

Das Team, das die Drohne steuert, wartet auf deinen Befehl. Du zögerst. Obwohl du weißt, du hast keine Sekunde, um zu zögern. Gleich wirst du ihn verloren haben, wird er in einer Einfahrt verschwunden sein, außer Sicht- und Schussweite.

Wer ist der Beifahrer?

Ein Unschuldiger?

Wie funktioniert das, Leben gegen Leben? Ist das Mathematik? Einer, der zur falschen Zeit am falschen Ort war, gegen Hunderte, die zur falschen Zeit am falschen Ort sein werden?

Also gibst du den Befehl. Aus deinem klimatisierten Raum in Tel Aviv heraus. An den Container im Luftwaffenstützpunkt, wo ein junger Kerl, der ebenso wenig wie du mit der Situation klarkommt, auf einen Knopf drückt, was 90 Kilometer weiter im Westjordanland letale Auswirkungen hat. Das Auge der Drohne zeigt dir aus großer Höhe, in puderigem Schwarzweiß, wie sich etwas, das eben noch ein Auto war, in etwas anderes verwandelt. Jedes Videospiel ist lebensnäher als diese eigenartige Transformation fester in wolkige Strukturen, du siehst nichts wirklich Schreckliches.

Doch es glüht umso länger in dir nach.

Es verändert dich in deinem tiefsten Innern, und wenn es tausendmal vertretbar war.

Perlman kennt das nur zu gut, Cox lernt es kennen. Seit einer Stunde ist sie wieder fit, endlich folgen sie einer konkreten Spur. Noch in der Nacht hat der Mossad Hagens Handynummer reingereicht. Die Ortung läuft, bislang erfolglos. Kein Signal. Vorsorglich haben sie ihm eine stille SMS geschickt, einen Trojaner, getarnt als Nachricht seines israelischen Netzanbieters. Im Moment, da er die SMS öffnet, wird sich ein Spähprogramm auf sein Gerät laden. Schaltet er das Handy aus, können sie es über den Trojaner wieder einschalten, unbemerkt, das Display bleibt dunkel. Ihn orten, sein Mikro aktivieren, lauschen, was in seinem Umfeld gesprochen wird, ihn punktgenau lokalisieren, sofern sein Handy über GPS verfügt. Ignoriert er die SMS, wird es schwieriger. Dann lässt sich lediglich der Sendemast bestimmen, in den er eingeloggt ist. Mit zunehmender Dichte der Masten sind Kreuzpeilungen möglich, doch bei 100 bis 150 Metern endet die Ortungsgenauigkeit. Aber auch dann können sie ihn abhören und seine Nachrichten lesen, und vor einer Viertelstunde hat der deutsche Provider kraft Intervention des BND Hagens Verbindungsdaten der letzten Wochen freigegeben.

Sie füttern den Computer mit den Nummern. Erwartungsgemäß sind ihm fast alle unbekannt.

Bis auf eine.

Hotel Cinema, 1 Zamenhof Street, Dizengoff-Platz.
Hier in Tel Aviv.

Um 7:30 Uhr betritt Cox in Gesellschaft eines Agenten die Lobby, zwei
Polizeibeamte warten draußen.

Der Herr an der Rezeption bedauert.

Tom Hagen?

Ausgecheckt. Sei vor fünf Minuten in ein Taxi gestiegen.

Mit welchem Ziel?

Da ist der Mann nun wirklich untröstlich, wie gern würde er helfen. Eilt ihnen gestikulierend voraus, schließt Hagens Zimmer auf, Cox'
Leute stellen es auf den Kopf, während sie denkt: Was erwartest du eigentlich? Einen Lageplan, wo er die CDs vergraben hat? Lustige Schnit-
zeljagd? Seine Folgeadresse in einem Herz auf den Spiegel gemalt?

Sie winkt einen der Agenten heran.

»Sucht den Taxifahrer.«

»Kaffee?«

»Danke, nicht mehr.«

Schon so vibrieren Hagens Nerven. Das schafft die Illusion fiebriger Wachheit, tatsächlich ist er hundemüde. Anflüge von Benommenheit wechseln mit Phasen der Überreiztheit, alles dringt eine Spur zu
grell, zu schrill auf ihn ein. Nach 24 Stunden ohne Schlaf fühlt er sich
nicht länger als Wesen aus Fleisch und Blut, er ist die Materie gewordene Ausstülpung des Bildschirms, in den er die ganze Nacht über ge-
starrt hat. Selbst seine Gedanken flimmern.

Dafür hat er die CDs ausgewertet.

Besser gesagt das, was er davon verstanden hat.

Denn natürlich lässt die Übersetzungssoftware Fragen offen. Manch
dicken Hund wird er übersehen, einiges missverstanden haben. So plausibel die Übersetzungen im einen Moment scheinen, so kryptisch wirken sie im nächsten. Sicher ist eigentlich nur, dass Weinstein die Daten-
kuh nicht beidhändig gemolken, sondern gezielt Informationen über
illegale Tötungen abgezapft hat. Durchaus interessant, nur kräht im
Ausland gerade kein Hahn nach *Targeting*. Die Zweite Intifada ist Geschichte, der Druck raus. Zur Prävention oder als Antwort auf Rake-
tenangriffe finden Tötungen nach wie vor statt, ein leidiges Quidpro-
quo, dem internationale Medien allenfalls Randnotizen widmen, und
mal ehrlich, auch in Israel haben sie andere Sorgen. Die Bilanz einer
durchwachten Nacht könnte kaum frustrierender ausfallen.

Wäre da nicht der Teil, der die Jewish Division betrifft.

Er wühlt in seinem Rührei herum.

Dokumente der Jewish Division, das wundert ihn schon. Falls es Weinstein lediglich um Solidarität mit Kamm und Blau ging, müssen die Daten zufällig mit reingerutscht sein, denn faktisch sind *Targeting* und das, was die Division treibt, verschiedene paar Schuhe. Die Bekämpfung palästinensischen und sonstigen arabischen Terrors obliegt dem Department des Schin Bet für arabische Angelegenheiten, worunter auch gezielte Tötungen fallen. Im Gegensatz dazu wacht die Abteilung für nichtarabische Belange über jedwede Aktivität anderer Länder auf hiesigem Boden, während Department drei den Schutz israelischer Politiker und Diplomaten, staatlicher Infrastrukturen und der Fluglinie El Al zu verantworten hat. Über die Jewish Division ist bekannt, dass sie der Abteilung für Nichtarabisches untersteht, mit *Targeting* also wenig am Hut hat, sondern ein Phänomen ganz anderer Art ins Visier nimmt: Jüdischen Terror.

Und der erschöpft sich keineswegs in Übergriffen radikaler Siedler gegen Palästinenser.

Hier geht es um Anschläge im ganz großen Stil. Darum, den Staat vor den eigenen Leuten zu schützen, um die Bewältigung eines Traumas, 1995, Israels Variante von Dallas, Texas. So wie der Secret Service den Tod JFKs als Makel im Wappen trägt, haftet dem Inlandsgeheimdienst die Schmach der Ermordung Jitzchak Rabins an. Ein Fanatiker riss den Hoffnungsträger von Oslo aus dem Leben, und wer hatte es vermasselt?

Der Schin Bet.

Trotz aller Bemühungen, die vielfältigen Gruppierungen radikaler Siedler und Eretz-Israel-Aktivisten im Auge zu behalten, die für einen solchen Anschlag infrage kamen.

Trotz Heerscharen an Bodyguards.

Lukoschik und Björklund planen den Tag. Schütten literweise Kaffee in sich rein, die CDs sind kein Thema. Vielleicht ahnt Lukoschik, dass Björklund den Junkie an Hagen weitervermittelt hat, von dem Deal weiß er definitiv nichts.

Sie sind übereingekommen, dass es so bleiben soll.

Hagen wirft einen Blick auf sein iPhone. Letzte Nacht fiel ihm plötzlich auf, dass der Akku leer ist (wär ihm früher nie passiert), also hat er es an die Steckdose gehängt, blöderweise an eine tote (wär ihm *erst recht* nicht passiert), jetzt saugt es Hilton-Strom.

Soll er es einschalten?

Lieber noch ein bisschen saugen lassen.

Rührei fällt ihm von der Gabel. Lukoschik zersäbelt eine Tomate.

»Schlecht geschlafen?«

»Hmja.«

»Kommende Nacht schläfst du besser. Im *American Colony* hat noch jeder gut geschlafen.« Wischt sich mit der Serviette den Mund ab.

»Okay, Herrschaften. Wir müssen.«

Hagen rollt seinen Koffer nach draußen.

Lukoschik fährt den Wagen vor.

8:25 Uhr.

8:30 Uhr.

Der Taxifahrer, endlich ausfindig gemacht, gibt an, Hagen habe zum Hilton gewollt. Sie fahren hin und zeigen den Portiers das Fahndungsfoto. Ja, der sei aus einem Taxi gestiegen, gegen zwanzig vor acht. Gerade eben wieder aufgetaucht. Fünf Minuten her. Mit einem Rollkoffer. In einen Wagen geklettert, welches Modell noch gleich?

Groß, sagt der eine. Dunkel.

Silbermetallic, meint der andere.

Definitiv ein Geländewagen.

Nein, eher eine Großraumlimousine. Bedauerlicherweise der Moment, da ihre geballte Aufmerksamkeit einer Reisegruppe zufloss.

Nicht zu fassen. Sie gehen zur Rezeption, Riesengedränge, eine Busladung Asiaten checkt aus. Der Schin Bet hat Vorrang, trotzdem Pech: An den Mann vom Foto kann sich hier niemand erinnern.

Klar, denkt Cox. Weil er nicht im Hilton gewohnt hat.

Aber vielleicht der andere.

Der mit der Schirmmütze.

Ist Björklund ohne Schirmmütze überhaupt denkbar? Wer ihn nicht besser kennt, könnte mutmaßen, die langen, blonden Haare seien drangenäht, der alte Agassi-Trick.

Auch jetzt trägt er sie.

Lukoschik steuert den Wagen über die Levinsky Street, der Schwede checkt seine E-Mails. Hagen hängt im Fond, zerknittert und unrasiert. Wann immer er seine Position verändert, sich vorbeugt oder in die Polster zurückfallen lässt, zieht er ein Geisterbild seiner Selbst hinter sich her. Jedes Mal dauert es einen Moment, beide Hagens wieder auf denselben Körper einzuschwören.

Er denkt über die Jewish Division nach.

Auch sie geriet nach Rabins Tod in die Kritik. Offenbar hatte einer ihrer Agenten im Bemühen, das Vertrauen seiner Observanten zu gewinnen, den späteren Attentäter mit abscheugeschwängerten Parolen gegen den Premier erst richtig befeuert. Dennoch ging sie gestärkt aus der Sache hervor. Jemand musste den Eiferern in Hebron, Kiryat Arba und Tapuach auf die Finger gucken, nun mehr denn je. Jitzchak Rabin war der erste israelische Premier, der im Amt getötet worden war, aber würde er der letzte bleiben?

Wie als Antwort wehte 2005 Rabins Gespenst durch den Schin Bet, als ausgerechnet Ariel Scharon, treibende Kraft des Siedlungsbaus, unilateral beschloss, Gaza zu räumen.

Ebenso gut hätte er sich eine Zielscheibe auf die Stirn malen können.

Über Nacht fand er sich auf der Abschussliste nationalreligiöser Wutbürger, und der Schin Bet träumte den Albtraum von '95 weiter, nur mit veränderter Besetzung. Orthodoxe Rabbiner bezichtigten Scharon des Verrats. Sie befanden, wie auf Rabin seien auch auf ihn Din Rodef und Din Moser anzuwenden, zwei angestaubte Vorschriften aus dunkelster halachischer Vergangenheit, die Juden dazu anhalten, andere Juden, sofern sie jüdisches Leben und Eigentum bedrohen, zu töten. Direktiven also, deren Anwendung im 21. Jahrhundert ebenso wenig zur Debatte stand, wie Jungfrauen besserer Ernten halber in Vulkane zu werfen, aber fromme Hardliner begannen ernsthaft über die Wiedereinführung religiös fundierter Todesurteile gegen widerborstige Politiker zu diskutieren.

Und Scharon machte es seinen Leuten nicht gerade leicht, ihn zu beschützen. Das begann mit seiner Abneigung gegen Helikopter und endete mit seinem Unwillen, in Jerusalem zu übernachten. Stattdessen zog es ihn allabendlich auf seine Farm im Negev, und natürlich – obwohl es ungleich sicherer gewesen wäre – verschmähte er die Flugbereitschaft und beharrte darauf, im Wagen nach Hause gefahren zu werden. Als Folge mussten sie sich im Department für Personenschutz jeden Tag eine neue Route ausdenken und diese doppelt und dreifach abschotten. Da schwitzten sie nun Blut und Wasser, während sich der Alte bester Laune auf dem Rücksitz ausstreckte und bei laufender Aircondition ein Nickerchen hielt.

Beim Gedanken daran fallen Hagen glatt die Augen zu.

Nicht einschlafen jetzt.

Er zieht das iPhone hervor. Zeit, seine SMS und E-Mails durchzugehen.

Schaltet es ein.

»Ich brauche eine Liste, wer heute früh alles ausgecheckt hat.«

Die Hotelmanagerin wirft einen verzweifelten Blick auf den Ansturm, der die Rezeption flutet.

»Sofort«, sagt Cox mit Nachdruck, und im selben Moment erklingt die Stimme der Zentrale in ihrem Ohr:

»Hagen hat sein Handy an.«

»Wo?«

»Levinsky, Höhe Busbahnhof. Bewegt sich stadtauswärts.«

Cox läuft nach draußen, spricht in ihr Headset: »Einkreisen. Die am nächsten dran sind. Wir suchen einen Geländewagen, vielleicht auch eine Großraumlimousine, dunkel oder silbermetallic.«

Agenten und Polizei sind zusammengeschaltet, jeder hört mit.

»Das ist ja mal 'ne detaillierte Beschreibung«, spottet jemand.

»Mehr haben wir nicht.« Springt auf ihre Maschine, dreht eine 180-Grad-Kurve und reiht sich in den Verkehr auf der Uferstraße ein.

»Fährt die Derech Hel HaShiryon runter. Richtung Süden.«

Er will auf die Autobahn.

Los, Hagen! Check deine verdammten Nachrichten.

ÖFFNE DIE SMS!

Cox dreht auf. In halsbrecherischem Tempo kurvt sie den Mittelstreifen entlang, ohne sich Illusionen hinzugeben. Die Beschreibung ist mehr als dürftig. Wie sollen sie in einem Radius von 150 Metern den richtigen Wagen finden? Blechgewühl, Funkwellenchaos, jeder hat an diesem Morgen sein Handy eingeschaltet.

»Signal wird schwächer«, sagt die Frau in der Zentrale. Ruhig und freundlich wie ein Navi. »Augenblick – wieder da. Auf der A1. Passiert Ezra.«

Wo willst du hin?, denkt Cox. Zum Flughafen?

»Die Polizei soll einen Heli losschicken.«

»Schon unterwegs.«

Zu ihrer Rechten erstrecken sich Parkanlagen, dahinter das in der Morgensonne flirrende Meer, links ein Arrangement wolkenspiegelnder Glaspaläste. Weiter voraus Jaffa mit dem schlanken Turm der Petruskirche, über Jahrhunderte erster Willkommensgruß des Heiligen Landes an seefahrende Pilger.

Cox hält sich links, folgt dem Zubringer. Die Autobahnpolizei klinkt sich ein, über Funk hört sie die Stimmen aus den Streifenwagen.

»Also, ich weiß nicht. Da sind jede Menge, die infrage kommen.«

»Guck mal, der.«

»Der doch nicht. Der ist rot.«

»Wo seid ihr?«, will Cox wissen.

»Unmittelbar vor Zomet Ganot.«

Autobahnkreuz A1/A4.

»Dann müsstet ihr ihn sehen können«, sagt die Frau aus der Zentrale, nur dass Sehen nicht gleichbedeutend ist mit Erkennen.

»Ich seh nur einen Haufen Blech.«

»Und der da? Vier Wagen vor uns. Der dunkelgraue Pajero.«

Dunkelgrau? Schon besser.

»Arbeitet euch ran«, sagt Cox, während sie sich in die Kurve legt. »Ich will wissen, wer drinsitzt.«

Die Streifenwagen lassen die Sirenen heulen. Cox sieht das Problem vor ihrem geistigen Auge. Fahrer, die pflichtschuldigst versuchen, Platz zu machen, rechts blockiert von einer geschlossenen Wand aus Lastwagen, links der Lavastrom des Berufsverkehrs, während sie 500 Meter weiter vorn von der A4 reindrängen. Es dürfte leichter sein, das Rote Meer zu teilen.

Der Helikopter meldet sich.

»Wir sehen ihn. Fliegen drauf zu. Die Frontscheibe spiegelt, aber da sitzen zwei Männer drin.«

»Geht's präziser?«

»Der Fahrer hat 'ne Mütze auf.«

»Schirmmütze?«

»Ja. Verdeckt sein Gesicht. Der andere –«

Zentrale: »Das Signal ist weg.«

Cox nähert sich der Auffahrt, Bremsleuchten, Stau, die Luft bleiern von Abgasen. Palmen ragen wie riesige, umgedrehte Staubwedel aus der Mittelbepflanzung. Schlängelt sich zwischen den Schritttempo fahrenden Autos hindurch in der Hoffnung, dass Hagen wieder auftaucht, beschleunigt und schießt über den Randstreifen auf die A1.

»Stoppt den Pajero. Egal, wie.«

Rast über den Seitenstreifen die Blechlawine entlang, dem Autobahnkreuz entgegen, unter der A4 hindurch. Vorbei an einem der Streifenwagen, dem es gelungen ist, sich mit Blaulicht und Sirengeheul ebenfalls auf die Standspur vorzuarbeiten. Sieht den Pajero Fahrt aufnehmen, wo der Verkehr wieder zu fließen beginnt, überholt ihn, drosselt das Tempo, stellt sich quer. Der Pajero kommt mit quietschenden Reifen zum Stehen, neben ihm stoppt der Streifenwagen und bringt den Verkehr so richtig zum Erliegen.

Beamte springen nach draußen. Nähern sich dem verdächtigen Fahrzeug von allen Seiten, die Waffen im Anschlag.

Im Pajero erstarren sie vor Schreck.

Kein Wunder.

Der Mann mit der Schirmmütze ist eine Frau, der Beifahrer ihr dem Herzstillstand naher Ehemann. Auf dem Rücksitz zanken sich drei Enkel um einen batteriebetriebenen Yoda mit Laserschwert. Drückt man einen Knopf im Rücken, leuchtet das Schwert rot auf, macht *sssssssssss*, und eine Stimme quäkt abwechselnd »Ein junger Jedi du jetzt bist« und »Möge die Macht mit dir sein«.

Mit uns ist sie definitiv nicht, denkt Cox.

Hagen gähnt. Keine weltbewegenden Nachrichten. Kerstin stellt sich tot (wozu braucht er auch eine Schneiderin), die üblichen Blitzticker, dies und das, eine SMS seines lokalen Netzanbieters, die er löscht, ohne sie geöffnet zu haben.

Schaltet das Handy wieder aus. Akku schonen. Viel hat das Aufladen am Frühstückstisch nicht gebracht, und er will gleich noch die Redaktion anrufen, bevor sie im American Colony sind.

»Jemand Hunger?«, fragt Lukoschik.

Björklund lacht trocken auf. »Nach *dem* Frühstück?«

»Durst?«

»Auch nicht.«

»Hinter dem Flughafen ist 'ne Tankstelle«, insistiert Lukoschik. »Ich fahr gerne raus, wenn jemand was will.«

Björklund sieht ihn an.

»Gib schon zu, dass du vergessen hast zu tanken.«

Lukoschik lacht. »Da bin ich wohl aufgeflogen.«

Also nehmen sie die nächste Abfahrt, vertreten sich die Beine, und Hagen geht ein Stück beiseite, um nachzudenken, womit er sie in Hamburg anfüttern könnte.

Seine Gedanken wandern zu Scharon.

Zur nationalreligiösen Rechten, die ihn mit Todesdrohungen überzog, ohne dass je etwas passierte.

Weil du *Massel* hattest, denkt Hagen.

Wenn man nämlich den Dokumenten Glauben schenken darf, schwebte der Premier 2005 fortlaufend in Lebensgefahr. Seine alten Weggefährten, geeint im Glauben an Eretz Israel, nahmen den abtrünnig Gewordenen ins Visier. Scharfmacher und Brandstifter, von denen etliche festgenommen wurden, nur dass die Beweise nicht reichten. Die Vernehmungsprotokolle jedenfalls sind der blanke Hohn. *Jede* Frage haben die Vernommenen mit Sprüchen aus der Thora quittiert, ohne das Geringste preiszugeben – und dem mächtigsten Sicherheitsapparat des Nahen Ostens damit seine Ohnmacht vor Augen geführt. Dank der CDs kennt Hagen jetzt Dutzende Namen radikaler Rabbis, militanter Siedlerführer und verkappter Killer, die während der Scharon-Ära von der Jewish Division observiert wurden und wahrscheinlich immer noch werden. Eingeteilt in Kategorien von gemäßigt bis ultraextremistisch. Von unentschlossen bis hochgefährlich.

Es sind Protokolle aus dem Innern einer hermetisch verkapselten Glaubensgemeinschaft. Verfasst von Leuten, die inmitten der Gemeinschaft leben, gesegnet mit dem in solchen Kreisen üblichen Kinderreichtum, vertieft ins Studium der Thora.

Fromme Ideologen.

Nach außen hin.

Tatsächlich V-Leute des Schin Bet.

Verdeckte Ermittler, deren Legenden über Jahre hinweg sorgfältig gepflegt wurden. Flögen sie auf, Din Rodef und Din Moser gelangten schneller zur Anwendung, als sie laufen könnten.

Anders gesagt, wer im Besitz der CDs ist, kann der Jewish Division das Leben ganz schön schwer machen. So gesehen hat der Schin Bet noch richtiggehend Glück gehabt, dass Silberman nicht mit den Nationalreligiösen ins Bett gestiegen ist. Hagen jedenfalls wird keinen verdeckten Ermittler bloßstellen, das Material reicht auch so für einen hübsch aufschlussreichen Artikel über die Jewish Division. In Hamburg dürften sie sich mittlerweile fragen, ob der Deal stattgefunden hat, ein Lebenszeichen wäre angezeigt. Dass Silberman mit den 25 000 Dollar durchgebrannt ist, muss er ihnen ja nicht auf die Nase binden. Hat die Redaktion den Kauf erst bewilligt, spielt es ohnehin keine Rolle mehr, unter welchen Umständen der Junkie an das Geld gelangt ist, also schaltet Hagen das iPhone wieder ein.

Der Flügelschlag des Schmetterlings –

Wenn es stimmt, dass ein Schmetterling einen Orkan auslösen kann, vollzieht sich der Moment, in dem Hagen einmal zu oft mit den Flügeln schlägt, genau jetzt:

09:22 Uhr. Auf der A1 von Tel Aviv nach Jerusalem.

Einfach, indem er dem Redaktionsleiter erzählt, was er gefunden hat.

Und der ist eigenartig nervös, unterbricht ihn ständig mit »Mhm, mhm« und »Ja, ja« und zeigt an *Targeting* erwartungsgemäß null Interesse. Hagen legt mit der Jewish Division nach, »ein jüdischer Geheimdienst, der Juden überwacht«, verkauft in zupackender Rhetorik die

Brisanz des Themas, weist eindringlich darauf hin, dass die fanatischen Nationalreligiösen noch viel schlimmer seien als gedacht, dass ein Riss durch Israel gehe, und wieder nur dieses »Mhm, ja, ja«.

Und dann kommt's.

»Tom, ich hatte heute Morgen ein Gespräch«, gerade als er prominente Namen nennt, die auf der Observierungsliste stehen, Rabbi Dov Lior, Rabbi Benjamin Kahn, Siedlerführerin Daniella Weiss, auch Mutter der Hügeljugend genannt –

»Ich sagte, ich hatte ein Gespräch.«

Hagen schweigt. Man muss kein Genie sein, um sich den Inhalt des Gesprächs denken zu können.

»Die Ausgangslage hat sich geändert, Tom. Wenn auf den CDs nicht irgendwas zu finden ist, das die Welt aus den Angeln hebt, wird es keinen Ankauf geben.«

»Aber die Jewish Division –«

»Ist nicht wirklich heiß.«

»Nicht heiß?«

»Wir haben schon vergangenes Jahr darüber berichtet.«

»Habt ihr nicht. Das hätte ich gelesen.«

»War ein kleiner Artikel.«

»Aber diese Typen werden weiter überwacht! Da ticken Zeitbomben, und du willst mir erzählen, das sei *nicht heiß*?«

»Tom –«

»Was ist los, verdammt? Vor zwei Tagen wart ihr noch im Boot.«

»Ja, sicher.« Der Redaktionsleiter seufzt. »Und seitdem sind zwei Nächte vergangen, und Leute, die mein Gehalt bezahlen, hatten Gelegenheit, über die Sache zu schlafen.«

Um mir auch diese Chance kaputt zu machen, denkt Hagen bitter.

»Liegt es an mir?«

»Nein.«

Das ist glatt gelogen. Und es überdehnt sein Durchhaltevermögen. Etwas zerspringt in seinem Kopf mit hellem Knall, unter seinen Füßen klafft der Boden auseinander. Was sich da gerade abzeichnet, ist eine Katastrophe. Sein persönlicher Untergang. Die Redaktion macht einen Rückzieher? Ist ja toll! Dann wollen sie als Nächstes ihr Geld wiederhaben.

Aber es gibt kein Geld mehr.

»Natürlich hast du es ein bisschen schwerer«, räumt der Redaktionschef ein. »Aber sie sind nicht grundsätzlich gegen dich. Ich meine, wenn du uns eine *echte* Sensation liefern würdest –«

»Du willst eine Sensation?«

»Ich will dir helfen.«

»Einen Scheiß willst du.«

»Finde was, und wir sind im Geschäft.«

Hagen versucht die Panik runterzukämpfen. »Ich *habe* was gefunden!«

»Dann finde in Herrgotts Namen was Neues!« Jetzt wird der andere sauer. »Irgendwas, das keiner auf dem Schirm hat, dass Netanjahu ein Alien ist, was weiß denn ich. Bring uns sein Raumschiff. Mann, Tom, deine Daten sind fünf Jahre alt, Israel hat Stress mit Iran, wen interessieren die Überwachungsprotokolle einiger vernagelter Siedler?«

»Das sind nicht *einige vernagelte Siedler*«, schnappt Hagen. »Sie sind das Kernproblem. Als Scharon Gaza räumen ließ –«

»Scharon ist ein lebender Leichnam.«

Stimmt.

Ariel Scharon, ausgestellt in einer Galerie.

Und plötzlich, noch treibend auf einer See aus Schlaf, die bevölkert ist von den monströsesten Auswüchsen seiner Fantasie, erblickt Hagen den alten Premier in seinem Krankenhausbett, und er ist nicht länger eine Imitation aus Wachs, sondern öffnet die Augen und schaut seinem Besucher direkt ins Gesicht.

Die fleischigen Lippen zittern.

Formen Worte.

Hagen beugt sich herab, lauscht der heiseren, kaum zu verstehenden Stimme. Scharon flüstert ihm etwas zu, die Vision verfestigt sich zur Option, eine Idee nimmt Gestalt an, und er hört sich sagen:

»Du bekommst deine Sensation.«

»Gut. Das Geld kannst du uns einstweilen –«

»Du bekommst sie jetzt.«

»Ich dachte, du hast nichts außer der Division.«

»Falsch, du hast mich ja nicht ausreden lassen. Da ist noch was auf den CDs. Etwas, für das jeder mit Kusshand 25 000 Kröten abdrücken wird.« Er lässt eine kleine Kunstpause verstreichen. »Wenn nicht ihr, dann eben ein anderer.«

Vorübergehend hört er den Mann in Hamburg nur atmen.

Und denken.

»Schieß los.«

Und wieder ist es Hagen, als spalte er sich in zwei Personen auf. Gleichsam unbeteiligt hört er sich reden, verblüfft über die Dreistigkeit seines Vortrags und noch erstaunter, wie plausibel und rund alles klingt, was er da zusammenimprovisiert. Steht kurz davor, einzugreifen und sich zur Ordnung zu rufen, weil er eine Grenze überschreitet, die für ihn bislang tabu war, deren Verletzung er nicht mal ansatzweise erwogen hat, doch das Knacken in seinem Kopf, der Druck – wie Sandsäcke gehen seine Prinzipien über Bord. Unaufgeregt umreißt er das Produkt seiner Fantasie. Klar und präzise. Ist geradezu von den Socken, wie sich die Einzelheiten aufs Schönste ineinanderfügen, und das Schweigen, das folgt, lässt keinen Zweifel daran, dass er Eindruck geschunden hat.

»Bist du sicher?«, fragt der Redaktionsleiter nach einer Weile.

»So sicher, wie man nach Sichtung der Dokumente nur sein kann.«

»Ich muss mir das ansehen.«

»Kein Problem.«

»Danach entscheiden wir, ob –«

»Fehlanzeige. Entweder ich bezahle Silberman bis heute Mittag, oder er lässt den Handel platzen.«

Gespenstisch. Wie ein Routinier bedient er sich aus einem Setzkasten voller Lügen.

Doch es muss sein.

Er kann keinen weiteren Rückschlag mehr verkraften.

»Jetzt oder nie.«

Heikel für den anderen, das ist ihm klar. Sitzt auf einem Stuhl, der nicht seiner ist. Aber Hagen weiß auch, dass sich das Risiko in Grenzen hält. Der Redaktionschef ist ein guter Mann. Eine Fehlentscheidung würden sie ihm durchgehen lassen, nur wird es Hagen gar nicht so weit kommen lassen. Wird dafür Sorge tragen, dass der Schwindel niemals auffliegt.

»Wie schnell kannst du uns das Material liefern?«

»Nach Zahlung?« Hagen überlegt. Wie lange wird er brauchen? »Gib mir 24 Stunden zur Aufbereitung.«

»Beeil dich.«

»Du wirst entzückt sein.«

»Ich werde entzückt sein, wenn du lieferst.«

Am Ende des Gesprächs bekommt er, was er braucht, um das Schicksal eine weitere Weile lang zu betrügen.

Der Handel steht. Und damit die Frage im Raum, wie um alles in der Welt er *das* bloß deichseln soll.

Er schaut aufs Display. Akku fast wieder alle.

Schaltet das iPhone aus.

»Wie bitte?«

»Was erzählt der da?«

»Völliger Blödsinn!«

»Unmöglich.«

Ortungszentrale, entgleiste Gesichtszüge, nachdem sie Hagens Telefonat mit angehört haben. Kurz war der Journalist wieder auf Sendung, im Umfeld einer Tankstelle mit Rastplatz, wenige Kilometer hinter dem Ben Gurion International Airport.

Ben-Tov steht kurz davor, die Fassung zu verlieren.

»Das ist doch komplett hirnrissig!«

Ist es das?, denkt Perlman. Es *klingt* so. Aber was hat nicht alles schon hirnrissig geklungen, bis es sich als zutreffend erwies.

»Signal verloren«, sagt die Frau an den Monitoren.

»Was?«

»Er ist weg.«

Zum Verrücktwerden. Im Moment, da Hagen sichtbar wurde, hat der Helikopter Kurs auf die Tankstelle genommen, sind Streifenwagen vom benachbarten Autobahnrevier losgebrettert. Jetzt suchen sie das Gelände ab, Zapfsäulenbereich, Terminal, Restaurant, Multistore, Picknickareal, Toiletten, Parkplätze für Pkw und Schwerlaster. Im Ländlichen stehen die Sendemasten weniger dicht, Hagen kann sich in einem Radius mehrerer Hundert Meter aufhalten, fast ein Quadratkilometer Fläche, den sie durchkämmen müssen.

Voller Autos.

Voller Menschen.

Den Kerl zu verlieren, scheint zur Gewohnheit zu werden.

»Okay.« Ben-Tov löst sich aus seiner Starre. »Ric, schalten Sie die Kommandeure zusammen, ich verständige den Direktor. Das betrifft alle.«

Der Direktor scheint zu meditieren.

Die oberste Instanz des Schin Bet hält die Augen geschlossen, während sie der Aufzeichnung des Telefonats lauschen. Mit am Tisch sitzen Perlman, Ben-Tov und ein leitender Analyst. Über Monitore zugeschaltet sind die Leiter Nord und Süd, außerdem Reuben Dreyfus, Kopf der Jewish Division, sowie Tal Adler, einer seiner Rakasim.

Cox nimmt via iPad an der Besprechung teil. Sichtlich frustriert hockt sie auf einer Bank im Picknickareal.

Dreyfus ist geladen.

»Wie war das? Ich traue meinen Ohren nicht!«

Nach allem, was Hagen geäußert hat, droht Dutzenden seiner Leute im radikalen Siedlermilieu das Aus, sollten die CDs in falsche Hände geraten – wo sie im Grunde ja schon sind.

»Das Arschloch läuft mit einer Liste meiner Agenten durch die Gegend? Identitäten, die wir über Jahre mühsam aufgebaut haben? Unsere wichtigsten Informanten?«

»Stand 2006«, sagt Ben-Tov.

»Stand Auszug aus Ägypten wäre schlimm genug.«

»Noch ist ja nichts pass –«

»Nichts *passiert*? Gehen Sie sich mit dem Lappen durchs Gesicht, Eli. Das ist ein verdammtes Desaster!«

Potenziell jedenfalls, das wissen alle hier am Tisch. So ziemlich das Übelste, was dir als Agent widerfahren kann, ist, enttarnt zu werden. Nicht nur zerstört es deine Informationskette, es stürzt dich zudem in unmittelbare Lebensgefahr. Manch einer hat sich schon im Kofferraum, auf dem Grund des Mittelmeeres, in einem Industriefleischwolf oder verbuddelt im Negev wiedergefunden.

»Diese Gefährdungslage ist uns klar, Reuben.« Der Direktor öffnet die Augen. »Fokussieren wir das andere Problem.«

Scharon.

»Nie und nimmer.« Der Leiter Süd schüttelt energisch den Kopf.

»Hagen spricht von Beweisen«, wirft Ben-Tov ein.

»Was sollen das für Beweise sein? Gut, er ist im Besitz eines Teils unserer Datenkorrespondenz. Nichts, was für die Öffentlichkeit bestimmt wäre, aber das ist die Gebrauchsanleitung für unsere Kaffeemaschine auch nicht, ich meine, wir sind der gottverdammte Geheimdienst! *Innerhalb* des Schin Bet haben eine Menge Leute Zugriffsrechte auf die Daten, Esther Weinstein konnte sie einfach so runterladen, und sie war niemand von Bedeutung –«

»Bradley Manning war auch niemand von Bedeutung«, unterbricht ihn Cox. »Trotzdem verfügte er über eine Top-Secret-Autorisierung.«

»War Weinstein für Top Secret zugelassen?«, will Adler wissen.

»Sie war Nachrichtenanalyst«, sagt Perlman. »Genau wie Manning. Sie kann *alles* runtergeladen haben.«

»Langsam.« Der Leiter Nord hebt die Hände. »Dieser Hagen skizziert eine Verschwörung. In unseren Reihen. Würden sich solche Leute in stinknormalen E-Mails austauschen? Hätte nicht längst jemand auf diese Mails stoßen müssen?«

»Unsere Datenverarbeitung ist ein Müllschlucker«, sagt Ben-Tov. »Was man reinwirft, guckt sich nie wieder einer an.«

Perlman: »Bis jemand den Dreck zurück an die Oberfläche pumpt.«

Tal Adler: »Wenn eine Null wie Weinstein die Pumpe bedienen konnte, dürfte Hagen nichts Nennenswertes in der Hand haben. Oder?«

»Reden Sie's nicht klein, Tal.«

»Ich sage nur, realistisch betrachtet –«

Ben-Tov: »Realistisch betrachtet zeigen Hagens Kenntnisse über *Targeting* und die Jewish Division, dass er im Besitz echter Dokumente ist. Oder sehe ich das falsch, Reuben?«

»Nein.« Der Leiter der Jewish Division zieht eine finstere Miene. »Er nennt Agenten beim Namen. Zitiert aus den Abhörprotokollen von Daniella Weiss. Kennt Benjamin Kahns Berichte an uns. Alleine, was er in Hebron an Schaden anrichten könnte –«

»*Wenn* er es veröffentlicht«, beschwichtigt der Leiter Nord. »Wer sagt, dass er das tut?«

»Die Erfahrung, Mann!«

»Seine Redaktion schien nicht so begeistert zu sein.«

»Begeistert genug, um ihm 25 000 Dollar für den Ankauf zu spendieren.«

»Ich bitte Sie, Reuben! Das sind keine Zocker.«

»Nein, schlimmer. Es sind *Journalisten*.«

»Trotzdem, im Ernst. Warum sollte eine deutsche Zeitung israelische Agenten ans Messer liefern? Sie hören doch: Weder haben die Interesse an illegalen Tötungen noch an der Jewish Division. Erst bei Scharon wurden sie hellhörig.«

Der Direktor schaut Perlman an.

»Was wissen wir über diesen Hagen, Ric?«

»Nur, was das Netz weiß.« Perlman öffnet eine Mappe. »War mal ein gefragter Reporter. Toprenommee. Berichte aus dem Inneren der Hölle, bis 2008. In Afghanistan setzt er das Leben seiner Mitarbeiter aufs Spiel, während einer Geiselbefreiung, gegen den strikten Willen seiner Redaktion. Seine Assistentin stirbt im Kreuzfeuer, die Geiseln gehen drauf, Ende der Karriere. Ab da wird's schwierig, was über ihn zu finden. Etwa, als versuche man Ikarus' Flugschreiber zu bergen. Offenbar erleidet Hagen einen Totalabsturz. Längere Zeit kein Lebenszeichen, dann wieder sporadisch Artikel im Netz. Seit 2010 schreibt er als Auslandskorrespondent für ein drittklassiges Online-Magazin.«

»Haben die ihm das Geld gegeben? Waren die das vorhin am Telefon?«

»Nein. Sein alter Arbeitgeber.«

»Den er also belügt. Über Silberman.«

»Ja.«

»Klang verzweifelt, finden Sie nicht?«

»Sehr verzweifelt.«

»Also wird er die Daten an Gott weiß wen verkaufen«, konstatiert der Direktor. »Sofern die in Hamburg sie nicht wollen.«

»Die Scharon-Story wollen sie«, sagt Perlman.

»Nein.« Der Leiter Nord schüttelt den Kopf. »Sie wollen erst sehen, was er hat.«

Ben-Tov: »Wenn er hat, was er sagt, werden sie ihm die Füße ölen. Das wäre dann der dickste Hund seit John F. Kennedy.«

»Das *kann* nicht von Weinstein stammen«, insistiert der Leiter Süd. »Er muss über andere Quellen verfügen.«

»Sehen Sie der Tatsache ins Auge –«

»Wie bitte schön soll –«

Hunde jagen ihre Schwänze.

Der Direktor folgt der Diskussion eine Weile, dann sagt er: »Es interessiert mich einen Kehricht, was Sie für möglich halten. Ich will, dass Sie *alles* für möglich halten. Definitiv sind Hagens Daten echt, soweit es *Targeting* und die Division betrifft. Woher auch immer seine Erkenntnisse stammen, und sei es aus dem Kaffeesatz – wir müssen in Betracht ziehen, dass was dran ist. Inklusive der schäbigen Konsequenzen.«

Etwas Eisiges kriecht durch den Raum. Die Gewissheit des Verrats. Sie schauen einander an, und in allen Blicken spiegelt sich die gleiche Frage.

»Wer ist der Maulwurf?«, bringt Dreyfus es auf den Punkt.

»Sofern wir mit einem auskommen«, sagt Ben-Tov.

»Eine fünfte Kolonne.« Dem Leiter Nord schnürt die Bestürzung fast die Stimme ab.

Eine Kolonne, die nie aufgeflogen ist.

Schlimmer noch, deren Wirken von Erfolg gekrönt war.

»Ja«, nickt Perlman. »Wenn das alles zutrifft, waren wir 2005 in einen Staatsstreich verwickelt.«

»Immer langsam«, murmelt Adler.

Der Direktor steht auf.

»Hagen sagt, er braucht 24 Stunden, um seine Daten aufzubereiten? Gut. Dann ist er bis dahin ihr bester Wächter. Er wird sein Kapital hüten wie seinen Augapfel. Binnen dieser Frist will ich den Scheißkerl hier sitzen haben. Wir bilden ein Team, Zentralkommando und Jewish Division, übergreifend, unter der Ägide von Ben-Tov, mit Perlman und Dreyfus als operativen Leitern. Eli, Sie betrauen ein Heer fleißiger

Wühlmäuse damit, unsere interne Korrespondenz aus der fraglichen Zeit zu sichten, ich will eine Liste aller Leute, die damals mit Scharon zu tun hatten, und so weiter und so weiter, Sie kennen ja Ihre Aufgaben.«

Perlman versucht in Cox' Gesicht zu lesen.

Ihr Monitor wird schwarz.

Shoshana Cox und Tal Adler. Na, das kann heiter werden.

Erwartungsgemäß vergehen keine zehn Minuten, bis sie ihn anruft.

»Ich arbeite nicht mit Adler.«

»Das haben Sie nicht zu entscheiden.«

»Wie groß ist das beschissene Team, Ric? Drei, vier Dutzend Leute?«

»Minimum.«

»Dann sollte es kein Problem sein, uns auseinanderzuhalten.«

»Shana –«

»Ich arbeite nicht mit dem Wichser.«

Perlman seufzt. »Ihr beide habt die Hoheit im Feld, also werden Sie sich verdammt noch mal mit ihm arrangieren.«

»So wie damals?«

Ein bisschen her, die Geschichte.

2007: Cox, frischgebackene Rakeset, spürt ein paar Typen aus Jerusalem nach, ultrarechts. Sind in ein Munitionsdepot der Streitkräfte eingestiegen und haben eine mittlere Wagenladung Semtex entwendet, nur lässt sich der Bruch nicht beweisen. Sie infiltrieren das Umfeld der Gruppe. Erfahren, dass der geklaute Kram in Etappen nach Itamar verschoben werden soll, eine Enklave militanter Siedler südöstlich von Nablus. Wofür streng genommen die Jewish Division zuständig wäre, da aber die Spur nach Westjerusalem führt, kreuzen sich die Zuständigkeiten, Zentralkommando und Division bilden ein übergreifendes Team, geführt von zwei Rakasim.

Tal Adler und Shoshana Cox.

Mittlerweile haben sie herausgefunden, wo der Sprengstoff lagert. Sie könnten die Bande verhaften, aber dann kämen die Empfänger ungeschoren davon. Und die sind im Zweifel wichtiger. Semtex und Siedler, da schellen im Schin Bet alle Alarmglocken, also lassen sie zu, dass das Zeug auf den Weg gebracht wird, während Adler den Transport observieren und zuschlagen soll, sobald sie in Itamar ihre schönen Geschenke auspacken.

Nur dass die nie dort ankommen.

Das Semtex geht verloren.

Irgendwie gelingt es den Schmugglern, Adler in die Irre zu führen. Sein Team folgt dem falschen Wagen, und natürlich können sie danach in Itamar nicht mal den Dorftrottel verhaften. Was Cox' erster großer Fischzug hätte werden können, endet als peinliche Farce, am Ende müssen sie auch noch die Bande aus Jerusalem laufen lassen.

Kein Semtex, keine Anklage.

Perlman weiß, wie sehr sie Adler dafür hasst.

»Und jetzt ist der Idiot wieder dabei«, schimpft sie. »Ich denk, ich seh nicht richtig.«

»Es war sein einziger Fehler in all den Jahren.«

»Besser, es wär sein *letzter* gewesen.«

»Dreyfus hält große Stücke auf ihn. Und der ist *kein* Idiot.«

Nein, das kann man wirklich nicht behaupten. Tatsächlich ist Dreyfus ähnlich wie Perlman jemand, in dem man sich täuscht. Eine gut aussehende Vollglatze Anfang 50, schlank, dunkle Augen mit mädchenhaft langen Wimpern und gepflegtem Dreitagebart. Sein Auftritt während der Konferenz war untypisch, meist spricht er mit schmeichelnder, einlullender Stimme.

Doch Dreyfus ist ein harter Hund.

Er kennt Gusch Emunim und das Milieu der Nationalreligiösen wie seine Westentasche. Vor fünf Jahren, als noch *er* die Nummer zwei in der Division war, ist ihm sein bislang größter Coup gelungen, nämlich eine lebende Legende zur Zusammenarbeit zu bewegen: Rabbi Benjamin Kahn, Weggefährte von Rabbi Mosche Levinger, Rabbi Yoel Ben-Nun, Rabbi Chayim Druckman, Uri Elitzur, Elyakim Haetzni und wie die großen Alten alle heißen, die greise Generation religiöser Siedlerführer der ersten Stunde. Kahn ist eine Autorität über die Grenzen Hebrons und Kiryat Arbas hinaus. Er propagiert die Ankunft des Messias, hat jedoch (bis auf ein einziges Mal, und das liegt Jahrzehnte zurück) nie durch Gewalt oder Anstiftung zur Gewalt von sich reden gemacht. Ein Prediger mit scharfer Zunge, vehement für Eretz Israel und ebenso entschieden gegen jedes Blutvergießen. Einer, der sich nicht scheut, im eigenen Lager anzuecken.

Kahn ist eine graue Eminenz.

Und zugleich der bestgetarnte Außenagent der Jewish Division.

Niemand bei Gusch Emunim käme im Traum auf die Idee, dass der verehrungswürdige Rabbi die Radikalen bespitzelt und den Staat fleißig mit Hinweisen versorgt.

Eine Bombe im Auto eines palästinensischen Bürgermeisters –

Der Mann behielt seine Beine.

Ein geplanter Angriff der Hügeljugend auf einen arabischen Schulbus –

Die Waffen wurden konfisziert.

Dank Kahn haben sie Anschläge auf palästinensische Olivenhaine und israelische Militäreinrichtungen verhindert, und natürlich hat auch Dreyfus Grund, ihm zu danken.

Für den Karriereschub.

Nein, Dreyfus ist beileibe kein Idiot –

»Und er weiß, wem er vertraut«, schließt Perlman. »Wir müssen zusammenhalten, Shana. Fatal genug, wenn wir tatsächlich Maulwürfe im Garten haben.«

Cox schnaubt unwillig ins Telefon.

»War das ein Ja?«

»Nja.«

»Schön. Irgendwelche Ideen bezüglich Hagen?«

»Sein Handy ist aus.«

»Fein beobachtet«, spottet er. »Jetzt wo Sie's sagen –«

»Und zwar nicht, weil er sich überwacht fühlt, hätte er sonst so viel gequasselt? Warum also schaltet er es ein und gleich nach dem Telefonat wieder aus? Ich meine, er braucht sein Handy. Der Mann ist Journalist.«

»Kein Saft mehr?«

»Genau.«

Perlman überlegt. »Und wo wollte er hin?«

»Zum Flughafen jedenfalls nicht.«

»Nein, er war dran vorbei.«

»Mitten auf der A1 – die Wahrscheinlichkeit spricht für Jerusalem.«

»Die Wahrscheinlichkeit spricht auch für grüne Männchen.«

»Wetten?«

»Ich wette nur auf Pferde. Deren Verhalten ist wenigstens vorhersehbar.«

»Feigling.« Er hört das Plockern des Windes in ihrem Telefon, als sie über den Rastplatz geht. »Ich verrat Ihnen was, Ric. Bevor ich hier festwachse, fahre ich mit ein paar Leuten nach Jerusalem. Wissen Sie, was Louis Pasteur über Wahrscheinlichkeit sagt?«

»Sie werden nicht umhinkommen, es mir zu verraten.«

»Wahrscheinlichkeit liebt den vorbereiteten Verstand.«

»Oh.«

»Ich geh mich vorbereiten.«

Pasteur. Du lieber Himmel. Seine Gedanken wandern zurück zu

dem Mädchen, das den Marder an die Wand knallt. Im Bellini Spaghetti isst. Sich weigert, auf einer *verfickten* Gala ein *verficktes* Abendkleid zu tragen.

»Angeberin«, murmelt er.

Was für eine bedrückende Situation.

Irgendwo im Tausende Menschen umfassenden Riesenapparat des israelischen Inlandsgeheimdienstes, dem vielleicht besten Geheimdienst der Welt, haben sich Phantome eingenistet.

Wenn das stimmt, denkt er, dann wird es hier noch richtig lustig.

Ich stehe wenige Jahre vor der Pensionierung. Ich dachte eigentlich, ich hätte alles schon erlebt.

So kann man sich irren.

Jerusalem

Inga schrumpft.

Sie läuft zwischen belustigten Soldaten auf und ab, ihr Blick ist starr und verstört. Beständig wird sie kleiner, verwandelt sich unter Gejohle in ein deformiertes, quiekendes Etwas, kaum noch als Mensch erkennbar, wird über den Hof getrieben wie eine Ratte.

Was ist passiert?

Hatten sie nicht eben noch Sex?

Schweißtreibenden, guten Sex, bis Hagen begann, sie zu hart ranzunehmen, seine Finger in ihre Bauchdecke versenkte, sie der Länge nach aufriss und zerstörte.

Aus purer Lust.

Ihr Leib, ein Schlachtfeld. Körperteile im Raum verstreut.

Danach ist er eine Weile im Hochland unterwegs, zusammen mit Björklund, nur dass der kein bisschen wie Björklund aussieht und die Kamera unentwegt auf ihn gerichtet hält. Inselgleich schweben Felsbrocken am Himmel, schwarzrote Wolken türmen sich übereinander, das Ganze steuert unmissverständlich auf einen Weltuntergang zu, so viel ist klar, und Hagen empfindet siedende Scham. Warum? Auf geheimnisvolle Weise scheint er an der apokalyptischen Entwicklung Schuld zu tragen, aber was hat er getan? Er kann sich an nichts erinnern. Noch während er grübelt, landet etwas Raumschiffartiges neben ihm (vielleicht auch ein gigantischer Helikopter), und eine körperlose Stimme erklärt im Tonfall eines Reiseleiters, dies sei der Moment, da der König zurückkehren werde und Hagens Arbeit an diesem Ort beendet sei.

Und er solle schleunigst die Redaktion anrufen.

Zurück im Camp.

Telefoniert, doch am anderen Ende ist nur Stille.

Inga kommt ihm in den Sinn.

Betritt die Baracke, in der sie untergebracht waren, das brütend heiße, dämmrige Zimmer. Leer. Nichts scheint hier vorgefallen zu sein, keine Spuren eines Gemetzels.

Ist sie tot? Oder könnte sich all das Schreckliche, das er ihr angetan hat, nur in seiner Fantasie abgespielt haben?

Geht wieder nach draußen.

Und erblickt sie auf dem Hof.

Ein winselndes, auf stockartigen Extremitäten umherirrendes Spott-gebilde.

Seine Schuld.

Alles ist seine Schuld.

Er springt hinzu, bringt sie vor den Soldaten in Sicherheit, die im selben Moment das Interesse verlieren und sich für irgendeinen Einsatz rüsten, begleitet von pathetischer Musik. Filmmusik, genau, sie sind in einem Film, und am Himmel ist auch schon wieder allerhand los, Flugmaschinen, Raketen, fliegende Menschen, Blitz und Krawall. Also läuft er aus dem Camp in die Ebene hinaus, Inga auf dem Arm. Inzwischen ist sie kaum noch größer als eine Handpuppe, nein, sie *ist* eine Handpuppe und im nächsten Moment etwas vollkommen anderes mit ekelhaft vielen Beinen, sodass er es fallen lässt. Das Ding plumpst in den Sand und starrt ihn aus roten Augen an. Beginnt auf eigenartige, gedehnte Weise zu singen, mit einer Stimme, die von weit her zu kommen scheint, kriecht auf ihn zu, ohne dass er sich bewegen kann, nur jaulen wie ein Hund, laut und durchdringend –

Fährt hoch, aufgeschreckt von seinem eigenen Geheul, während das Spinnenmonster weitersingt, mehr Sprechgesang als Melodie, und sein Herz einen unpassenden Takt dazu hämmert.

»Verdammt«, murmelt er.

Schwingt die Beine aus dem Bett.

Braucht eine Weile, um sich zu orientieren. Vor ihm eine wuchtige Sitzgruppe, Holzmöbel, orientalische Teppiche. Licht, das durch einen Spalt zwischen nicht ganz zugezogenen Gardinen fällt. Sein Mund fühlt sich trocken an. Als er schluckt, ist es, als würge er Klebstoff herunter.

Wie lange hat er nicht mehr von Inga geträumt?

Ein Jahr?

Erstaunlich, aber in den Monaten gleich nach der Katastrophe blieb er von Albträumen verschont. Als hätte er eine Firewall im Kopf. Erst später begann Inga ihn heimzusuchen, dann jedoch mit Regelmäßigkeit. Nicht selten folgte die Dramaturgie einem ähnlich surrealen Drehbuch wie jetzt, nie träumte er direkt von den Ereignissen am Berghang. Sein Hirn verschlüsselte das Thema auf vielerlei Weise, dafür verfolgte ihn tagsüber ihr Blick, als sei ihr Foto auf seine Stirn genagelt. So wie sie ihn angesehen hatte in jener Nacht im Camp Kunduz, als er ihr anbot, bei der Befreiung mit dabei zu sein. *Bullshit*, sie *nötigte*! Sie plagte ihn als Bild gewordener Tinnitus und trieb ihn langsam, aber sicher in den Wahnsinn. Als einziger Besucher eines Kinos, Schädel fixiert, Lider auseinandergezwungen wie die des Alex DeLarge in *Clockwork Orange*, musste er ihren Blick ertragen, ohne dass der Vorführer eine Pause einlegte, also sprang er über seinen Schatten und ließ sich einen Therapeuten empfehlen.

Der Therapeut erklärte ihm, Akzeptanz sei der einzig gangbare Weg. »Verstehen Sie? Lassen Sie es zu.«

Was prima klang. Etwa so, als gäbe man einem Ertrinkenden den Rat, sich treiben zu lassen.

Danach ging er nicht mehr zu den Sitzungen.

Vielmehr erwog er, sich selbst aus der Welt zu entfernen.

Er ging die Optionen durch. Vom Hochhaus zu springen, verabscheute er in gleicher Weise wie die Vorstellung, sich vor einen Zug zu werfen oder zu ertränken. Sowenig er an ein Leben nach dem Tod glaubte, so gleichgültig hätte es ihm sein können. Stattdessen wurde er geschmäcklerisch wie eine Diva. Flirtete mit der Ästhetik der Methode. Das Planspiel des eigenen Todes nahm Züge eines Hobbys an, bis er schließlich befand, solange man ein Hobby habe, wenn auch nur ein kleines fieses, sei die Zeit vielleicht noch nicht gekommen.

Das rettete ihn.

Denn unerwartet befreiten ihn die Albträume von ihrem Blick. Nicht sofort zwar. Doch mit den Wochen verblasste er, bis er ihn überhaupt nicht mehr sah. Dann hörten auch die Träume auf.

Alles hat sein Verfallsdatum, dachte er.

Falsch, denkt er jetzt. Es wird nie aufhören. Schuld hat kein Verfallsdatum, sie ist ein Zustand.

Schaut an sich herunter. Voll bekleidet. Rappelt sich hoch, geht über kühle, ockergelbe Fliesen, öffnet Vorhänge und Glastür, tritt hinaus auf die Terrasse, und der Gesang wird lauter.

Adhan. Das weiche Rezitativ eines Muezzins.

Aus einem Lautsprecher, angebracht an einem Minarett.

Ashhadu an la ilaha illa allah –

Hagen schaut hinaus auf den arabischen Teil Jerusalems, rote Dächer, Palmen, Zypressen, Wohnblocks. Gleich hinter dem American Colony Turm und Kuppel einer Moschee, beschienen von einer bedenklich tief stehenden Sonne.

Weil es schon nach fünf ist, wie ein Blick auf die Uhr verrät.

Er hört den Aufruf zum *Asr*, zum Nachmittagsgebet.

Zu dumm.

So lange hat er gar nicht schlafen wollen. Morgen, spätestens übermorgen muss er etwas liefern, das die Skeptiker in Hamburg überzeugt. Schon im Auto hat er mit der Arbeit begonnen, volle Konzentration, und Björklund und Lukoschik haben ihre Unterhaltung rücksichtsvoll gedämpft. Aber was willst du machen, wenn dir 24 Stunden ohne Schlaf in den Klamotten hängen? Das sachte Schaukeln des Wagens, Schnurren des Sechszylinders, alles lullte ihn ein, immer wieder sackte er weg. Zu riskant, er durfte in dieser Sache nicht den kleinsten Fehler machen, also würdigte er die Reize des Hotels, als sie dort vorfuhren, kaum eines Blickes. Lukoschik hatte ein Zimmer im dritten Stock für ihn organisiert, er selbst und Björklund bewohnten nebeneinanderliegende Räume eins drunter. Sie nahmen ihre Schlüssel im Empfang, und schon im Fahrstuhl sagte Lukoschik:

»Völliger Blödsinn, ihr habt euch so lange nicht gesehen. *Ich* nehme das Zimmer im Dritten.«

»Das ist wirklich nicht –«

»Doch.« Grinste. »Vielleicht wollt ihr ja kuscheln.«

Eindeutig nicht, aber die Idee, Zimmer an Zimmer zu hausen, entfaltete ihren nostalgischen Reiz. Es nährte die Illusion, alles könne wieder so werden wie in den guten alten Zeiten. Natürlich ein Trugschluss. Die alten Zeiten waren nie gut, sie werden nur immer besser, je schlechter man sich dran erinnert. Andererseits minderte es das Gefühl der Einsamkeit, Björklund in der Nähe zu wissen, und schon darum gefiel ihm die Idee. Die Räume verfügten über aneinandergrenzende Terrassen, es gab eine Verbindungstür, und was ist Freundschaft anderes als eine Tür, die zwar manchmal knarrt, aber nie ganz verschlossen ist?

Schlüsseltausch.

Danach verabschiedete sich Hagen aufs Zimmer, prachtvolles Zimmer, das fiel ihm noch auf, nicht einschlafen, nur dösen –

Sechs Stunden sind daraus geworden.

– La ilaha illa allah!

Der Muezzin verstummt.

Und du, sagt er sich, machst dich jetzt mal nicht fertig. Dann dauert das Ganze eben länger. Müssen sie sich halt gedulden in Hamburg, heute Abend will er mit Björklund und Lukoschik auf die Rolle gehen. Er braucht eine Pause, und im Grunde weiß er ja, wie er es anfangen muss.

Zwei Stunden bleiben ihm.

Die wird er nutzen. Sich der Vorzüge bedienen, die es mit sich bringt, wie eine autarke kleine Redaktion zu reisen. Sein Laptop steckt voller nützlicher Programme, mit denen man Nachrichten nicht nur bearbeiten kann, viel besser noch:

Man kann sie erfinden.

Es geht leichter, als er dachte.

Den morgigen Tag für die Feinarbeit, doch das Wesentliche ist geschafft, und es sieht gar nicht übel aus. Das Ganze ins Hebräische zu transferieren, wird die Hilfe eines Einheimischen erfordern, sprich, er wird jemanden bezahlen müssen (auch fürs Schweigen), lohnend investiertes Geld.

Hagen zieht ein frisches Hemd an.

Kann zufrieden sein.

Oder?

So zufrieden wie jemand, der die Kuh schlachtet, die er selbst für heilig erklärt hat. Vor langer Zeit in einem anderen Leben. Von dem hat er sich heute früh auf der A1 verabschiedet. Jetzt führt der Weg wieder bergauf, steinig zwar, aber wenigstens *ist* da ein Weg. Sinnlos, in die Vergangenheit zu blicken. Oder? Der innere Zensor hat Redeverbot, schon gar nicht darf er sich mit Begriffen wie Medienethik kommen, also tut er es auch nicht. Überhaupt, Vergangenheit, vollkommen überbewertet. Was ist Vergangenheit anderes als ein Geisteszustand? Schnittmenge aller Erinnerungen, mehrheitsfähige Version, *das* ist Vergangenheit. Keiner ihrer Momente beweisbar. Bloße Einbildung, ein Traum. Ändere die Gegenwart, und du schaffst eine neue Version. Mach vergessen, dass sie dich verabscheut haben, Vergessenes ist nicht passiert, Comeback nur ein anderes Wort dafür, nie weg gewesen zu sein. Bin ich erst zurückgekehrt, interessiert bald keinen mehr, von woher.

Nur ich muss es dann noch vergessen.

Und auch das wird irgendwann gelingen.

Schlägt sich Rasierwasser ins Gesicht.

Oder?

Schluss mit Oder. Wir müssen alle sehen, wo wir bleiben. Wir sind zu Gast in einem Haus voller Träume. Gegen einen auflagenstarken Traum ist noch jede wahre Geschichte verblasst, schreib die Wahrheit um, und du erhältst die Wirklichkeit deiner Wahl.

Der Mann im Spiegel nickt dazu.

Er schaut noch unausgeschlafener drein als seine Entsprechung vom Vormittag, und die war schon kein Aushängeschild für Frische, dafür ist etwas verloren Geglaubtes in seinen Blick zurückgekehrt: Glanz. Augen, die nicht länger nach innen schauen, sondern Kommendes spiegeln. Auch Unsicherheit, Reste von Zweifeln, sicher. Das ist okay. Ein paar Zweifel sollte er sich bewahren, für die Zeit, wenn er wieder den schnurgeraden Weg geht. Bis dahin –

Der Mann ihm gegenüber hat die Schultern hochgezogen.

Hagen lässt sie fallen.

Entspann dich.

Und das American Colony ist nun wirklich eine einzige Offerte, sich zu entspannen.

Allein der Innenhof.

Eine Oase, überschattet von Maulbeerbäumen, mit einer murmelnden Fontäne im Zentrum, die sich gefällig in ein Hexagon voller Goldfische ergießt. Efeu rankt die Wände hinauf, auf schmiedeeisernen Stühlen sitzen gut gekleidete Menschen beim Aperitif. Als Hagen frisch rasiert und duftend dort einläuft, phosphoresziert der Himmel, Restlicht eines für November bemerkenswert warmen und sonnigen Tages, und er kann sie vor sich sehen, Winston Churchill, Lawrence von Arabien, Marc Chagall, Alec Guinness, Peter O'Toole, Bob Dylan, alle, die in diesem Hof ihre Drinks eingenommen haben, dankbar für ein wenig Stille inmitten Jerusalems dissonanter Vielstimmigkeit. Peter Ustinov hat hier einen Baum gepflanzt, John le Carré einen Roman geschrieben, Richard Gere Schutz vor weiblichen Fans gesucht.

Die verschwiegene Eleganz des American Colony ist legendär.

Auch weil es neutral ist. Seit über hundert Jahren hat die alte Pascharesidenz keinen jüdischen oder arabischen Besitzer mehr gehabt. Die Betreiber, Amerikaner und Europäer, waren im Verlauf einer wechselvollen Vergangenheit klug genug, sich auf niemandes Seite zu schlagen, wozu sie durchaus Gelegenheit gehabt hätten. Bis 1917 gehörten Grund und Boden zum Osmanischen Reich, wurden britisches Mandatsgebiet, fielen nach dem Zweiten Weltkrieg an Jordanien, schließlich an Israel, und selbst das ist nur die halbe Wahrheit. Die Grüne Linie – jene viel beschworene Grenze vor '67 – verläuft 200 Meter westlich des Hotels, womit das American Colony nach internationaler Rechtsauffassung in Palästina liegt. All dem verdankt es den Ruf einer *zona aequabila*, in der Araber und Israelis Geheimgespräche führen können und die internationale Diplomatie gedeiht. Mehr als einmal sind in den hiesigen Konferenzräumen aus Feinden Gegner, in den Restaurants Partner und an der Bar Freunde geworden, umsorgt von dienstbaren Geistern aller Konfessionen. Hier haben Rabin und Arafat bei türkischem Mokka, palästinensischem Bier und französischem Käse die Grundlagen der Oslo-Verträge ausgehandelt, andere Auftragsmorde erörtert, Martini in der Hand, ganz wie im Kino.

Das American Colony *ist* Kino.

Hagen schaut sich um.

War das gerade Tony Blair? Als Sondergesandter des Nahostquartetts unterhält der Expremier hier ein Büro. Vertrauter Anblick, ihn zu später Stunde durch die Kellerbar geistern zu sehen, eigentlich wundert man sich im American Colony über gar nichts mehr.

Wie bitte?

Angelina Jolie treibt ihre sieben Kinder durch den Spa?

Gehen wir halt in den Palmengarten.

Es war nicht Tony Blair. Heute ist Prominenz Mangelware. Keine Schauspieler, Politiker, kein Geheimdienst. Geheimdienstler würden Hagen auffallen mit ihrer zur Schau getragenen Unauffälligkeit. Dafür deutsche Kollegen, gruppiert um Björklunds und Lukoschiks Tisch.

Small Talk.

Themensurfen.

Hagen tritt hinzu. Herzliche Begrüßung. Den Älteren kennt er seit Jahren, die junge Kollegin hat er nie zuvor gesehen.

Sie ihn offenbar auch nicht.

Tom Hagen? Aha.

Ungeachtet dessen sind alle nett zu ihm, äußerst nett sogar, bis sich das Interesse auf CBS-Frontfrau Lara Logan verlagert, die den Hof durch ihr bloßes Erscheinen in Besitz nimmt, ein Superstar der Frontberichterstattung, und das nicht erst, seit sie auf dem Tahrir-Platz beinahe Opfer einer Massenvergewaltigung geworden wäre. Ohne Zweifel gehört Logan zu den Besten ihrer Zunft, sie sieht hinreißend aus, und ihre Geschichte ist geeignet, einem Schauer über den Rücken zu jagen.

Der geborene Mittelpunkt.

Was tut sie hier, wo sich doch alle nach Syrien orientieren?

Und was tust *du* hier, Junge?

Hagen denkt an Afghanistan. Nicht 2008.

Winter 2001.

Dort sind sie sich begegnet, als Logan noch weniger populär war und er glaubte, leichtes Spiel mit ihr zu haben. Eine dieser Lara-Croft-Typen, wie sie plötzlich in den Krisengebieten auftauchten, Tanktop, Shorts, sehr selbstbewusst und ohne jede Furcht. Beide waren sie nach den Anschlägen von 9/11 hergekommen, um über Shah Massouds Nordallianz zu berichten, und Logan mochte ihn. Doch, schon.

Das war's dann aber auch.

Vielleicht, denkt er, wenn ich zu ihr rübergehe, wird sie sich erinnern.

Hey, Tom! Na, so was!

An den kraftstrotzenden, gut gelaunten Typ, dessen kometenhafte Karriere gerade ihren Anfang genommen hatte.

Klar doch, Tom!

Zögert.

Hätte Inga eine zweite Lara Logan werden können?

Tom? Äh – tut mir leid, aber –

Was soll's. Er dreht ihr den Rücken zu und widmet sich seinem alkoholfreien Bier.

Sie essen im Askadinya, einem arabischen Restaurant unweit des American Colony, das jede Menge historisches Jerusalemer Flair atmet, gebaut um einen wie versteinert wirkenden Baum. Es ist dunkel geworden, der Weg dorthin stockfinster. Ostjerusalem halt, ein infrastruktureller Grenzfall. Der Mangel an Straßenbeleuchtung, erklärt ihnen Lukoschik, trage mit dazu bei, dass das Askadinya immer noch als Geheimtipp gelte, weswegen man hier vorwiegend Touristen antreffe, die nicht in Touristenrestaurants gingen, das Taboulé jedenfalls ist gut und die Weinkarte voller schwerer Franzosen und Italiener. Mit am Tisch sitzt Lukoschiks Fixer, ein pensionierter Literaturprofessor, der den Kontakt zu Gilad Shalits Familie hergestellt hat.

»Ich dachte, Shalit lebt in einer Siedlung«, sagt Hagen, der sich als Einziger mit Mineralwasser begnügt.

»Nein, Nordisrael.« Der Professor lächelt. »Wie kommen Sie darauf, er lebe in einer Siedlung?«

Ja, wieso? Vielleicht, weil die Armee mehr und mehr von Religiösen durchsetzt ist? Und fast alle Nationalreligiösen stammen aus Siedlungen.

»Tja, die Armee«, sagt der Professor vergnügt. »Vordergründig ein

Überbleibsel unserer einst so egalitären Gesellschaft, darum wirkt sie auch so schön konsensbildend.«

»Und tatsächlich?«, fragt Lukoschik.

»Nun ja. Andere Länder können es sich erlauben, hier und da einen Krieg zu verlieren. Israel konnte das nie. Der Wehrdienst war keine Frage der Ideologie, sondern schlicht der Notwendigkeit. Seit geraumer Zeit wankt dieser Konsens, ich will nicht sagen, er bröckelt, aber die Frage wird laut, wen oder was die Armee repräsentiert.«

Björklund stopft Fladenbrot in sich hinein. »Wenn es in Israel irgendwas gibt, worauf sich alle verständigen können, dann doch wohl die Armee. Oder?«

»Wie man's nimmt. *Warum* geht einer zur Armee?« Der Professor schaut in die Runde, als habe er drei seiner Studenten vor sich. »Früher lag es auf der Hand: Hier wir, überall Feinde. Der Konsens hieß Verteidigung. Aber Zahal ist längst keine Verteidigungsarmee mehr, sie ist eine Besatzungs- und Angriffsmacht. Was *nicht* alle eint. Wenn Sie heute einen israelischen Durchschnittsjugendlichen fragen, urban, säkular, halbwegs gebildet, kann er sich zum Wehrdienst tausend Alternativen vorstellen. Umgekehrt begeistern sich nationalreligiöse Jugendliche zusehends für den Dienst an der Waffe, und warum?«

»Weil es ihnen nicht einfach um Israel geht«, sagt Lukoschik. »Sondern um das *ganze* Land.«

»Eretz Israel!«, nickt der Professor. »Das Land der Bibel. Wir sind eine vielschichtige Gesellschaft. Die Welt übersieht das gern, dabei würden die meisten von uns den Spuk lieber heute als morgen beenden und die besetzten Gebiete räumen, wenn man uns nur garantierte, dass nicht gleich von allen Seiten Raketen rübergeflogen kommen.«

»Aber genau das ist euer Dilemma«, sagt Hagen. »Ihr habt Angst vor dem Frieden. Angst vor einem zweiten Gaza.«

»Wundert Sie das?«

»Nicht, solange Netanjahu die Angst schürt.«

»Inzwischen ist Zahal der größere Angstflüsterer. Schauen Sie, demografisch machen die nationalreligiösen Siedler gerade mal ein bis zwei Prozent der Gesamtbevölkerung aus. Nur spiegelt die Armee dieses Verhältnis längst nicht mehr wieder. Zunehmend entstammen die Rekruten tieffrommen Siedlerkreisen. Soldaten aus dem Kernland, in der Westbank stationiert, werden von Siedlerfamilien umworben, am Sabbat zum Essen eingeladen, allmählich umgedreht −«

Björklund schüttelt den Kopf. »Eine komplette Armee soll sich von einer religiösen Minderheit einfach so umdrehen lassen?«

»Natürlich finden Sie auch in der Westbank siedlungskritische Soldaten, aber die bekommen den Druck der religiösen Lobby zu spüren. Immer mehr hohe Offiziere hängen nationalreligiösen Ideologien an. 2008 in Gaza sprachen Militärrabbiner vom Heiligen Krieg! Verstehen Sie? Volk und Armee sind nicht länger identisch. Zahal mag mehrheitlich säkular sein, sie wird zur Geisel der Eretz-Israel-Aktivisten, und für die ist jedes territoriale Zugeständnis an die Palästinenser gleichzusetzen mit Verrat an Gott, Frieden ergo unmöglich. Ich will niemanden ängstigen, aber einige in der Armee sehnen Armageddon durchaus herbei.«

»Gretchenfrage.« Lukoschik füllt die Gläser nach. »Angenommen, Netanjahu würde plötzlich einen Entkopplungsplan aus dem Hut zaubern. So wie Scharon. Vollständiger Rückzug aus Judäa und Samaria –«

»Dann wäre er vorher von Außerirdischen entführt und ausgetauscht worden«, sagt Björklund.

»In der Tat.« Der Professor ist sichtlich amüsiert. »Das könnte nicht unser Bibi sein.«

»*Rein* hypothetisch.«

»Wozu gleich die ganze Westbank?«, kocht Hagen die Vision runter. »Sagen wir, Rückzug aus zehn, 20 Siedlungen.«

»Gut, spielen wir's durch: Scharon hat damals die erforderlichen Knöpfe gedrückt, und die Räumung fand statt. Mit breiter Rückendeckung. Was, wenn Bibi heute dasselbe versuchen würde? Auch er hätte die Mehrheit hinter sich. Ich bin nur nicht sicher, ob sich die Knöpfe noch drücken ließen.«

»Heißt im Klartext?«

Der Professor lächelt. »Sagen Sie es mir.«

»Zahal würde ihm die Gefolgschaft verweigern?«

»Jetzt katastrophiert ihr«, sagt Björklund. »Wir sind in Israel, nicht in der Dritten Welt.«

»Exakt das hat Rabin auch gesagt, als man ihm nahelegte, eine kugelsichere Weste zu tragen.«

»Sie meinen tatsächlich, die Armee würde – putschen?«

»*Die* Armee gibt es nicht mehr.« Der Professor schnuppert genießerisch an seinem Barolo. »Entscheidend ist, welche Kräfte sich durchsetzen.«

»In zwei Jahren sind Wahlen«, sagt Björklund. »Da wissen wir mehr.«

»Würde Netanjahu abgewählt –«, sinniert Lukoschik.

»Wird er nicht«, sagt der Professor heiter. »Bestenfalls gewinnen die Linken an Einfluss, schlimmstenfalls wird er von rechts überholt. So oder so, die Zeit der Revolutionen ist vorüber. Wir haben es uns in der Angst gemütlich gemacht, sie ist der Konsens unserer Tage. – *Le'chájim,* meine Herren.«

Ein Professor bleibt ein Professor. Alles sehr anregend und aufschlussreich, doch gegen elf kommt Hagen die Politik zu den Ohren heraus. Er begleicht gegen Lukoschiks Protest die Rechnung (irgendwie muss er sich schließlich für die Einladung ins American Colony revanchieren) und schlägt vor, in die Heleni HaMalka Street umzuziehen.

Ins Hataklit.

»Geht ihr zwei mal alleine«, sagt Lukoschik leise. »Mein alter Professor hat noch einen schweren Roten zu Hause. Er braucht meine volle Unterstützung.« Grinst entschuldigend.

Auch das ist Hagen recht.

Er mag Lukoschik, aber die Aussicht, nur mit Björklund einen draufzumachen, gefällt ihm besser.

Und das Hataklit ist die perfekte Adresse, um Spaß zu haben.

Urig, schummrig, im besten Sinne nostalgisch. Ein paar Vinyl-Freaks bringen hier ihre gigantische Plattensammlung zu Gehör, samt Knistern, Knacken und hüpfender Nadel. Aus Rahmen und Rähmchen schauen dir fünf Jahrzehnte Musikprominenz ins frisch gezapfte Goldstar, die Mädchen hinter der Theke sind freundlich und unkompliziert, die davor im Allgemeinen auch. Das Vinyl eint Generationen. Kann sein, dass Hagen einen Drink nehmen wird, EINEN (oder vielleicht lieber nicht), ganz sicher werden sie sich amüsieren, später noch ins Uganda umziehen, wo zu elektronischen Klängen Taybeh fließt, palästinensisches Bier.

Es kommt anders.

Im Hataklit bleiben sie hängen. Noch ist ihr wieder geknüpftes Verhältnis nicht ganz frei von Verknotungen, irgendwann werden sie den Blick in den Abgrund riskieren müssen. Hagen fürchtet die Séance, in der sie Inga heraufbeschwören, zugleich sehnt er den Moment herbei. Und *natürlich* wäre heute die passende Gelegenheit, doch die Entscheidung wird ihnen abgenommen. Trotz der kühlen Witterung sind Tische rausgestellt, an einem davon zwei Frauen Mitte zwanzig, ihnen gegenüber die einzigen freien Plätze.

Man kommt ins Gespräch.

Irina und Tonja.

Sie führen eine Unterhaltung von der Art, bei der es um nichts geht als die Unterhaltung selbst, Themen als Transportmittel für den Flirt.

Irina studiert Sozialpädagogik, Tonja stöckelt mit mäßigem Erfolg einer Modelkarriere hinterher. Ihre Familien stammen aus der Ukraine, erzählen sie, eingewandert, als beide noch Mädchen waren. Für Irinas Englisch könnte man eine glatte Eins vergeben, wäre es nicht so kantig vom Akzent ihrer Heimat, Tonja kommt nach eigenem Bekunden besser mit Hebräisch zurecht. Als Folge redet Irina mehr, zudem scheint sie über das größere Repertoire an Themen zu gebieten. Von nichts versteht sie wirklich viel, dafür von allem ein bisschen. Eine Weile fachsimpeln sie über Schallplatten, entdecken gemeinsame musikalische Vorlieben, dann kommt Hagen mit dem Frontberichterstatter raus, traditionell der Turbo im Anbahnungstalk.

»Kriegsreporter?«, fragt Irina erwartungsgemäß fasziniert.

»Nicht *Kriegs*reporter.« Björklund schüttelt den Kopf. »Vom Krieg hab ich die Schnauze voll.«

»Schließe mich an«, sagt Hagen, und das macht es noch viel interessanter, weil darin mitschwingt, dass er alles, aber wirklich schon *alles* gesehen hat.

Irina zieht an ihrer Zigarette. »Kann man jemals *nicht* vom Krieg die Schnauze voll haben?«

»Im Gegenteil. Man wird süchtig.«

»Nach Krieg?«, staunt Tonja.

»Nach Menschen, die nicht aufgeben«, sagt Hagen. »*Das* ist der eigentliche Trip.«

»Ich kann nicht –« Tonja lächelt ungläubig. »– vorstellen.«

»Doch, kein Spruch«, nickt Björklund. »Du *wirst* süchtig.«

»Und was machst du, wenn du auf den Horrortrip kommst?«, fragt Irina und leckt sich die Lippen.

Kluges Kind, denkt Hagen.

»Dann hast du die letzte Ausfahrt verpasst«, sagt er.

»Genau.« Björklund kippt ein halbes Bier und stellt es ab. »Ich hab die vorletzte genommen. Mit quietschenden Reifen.«

»Was war der Grund?«

Schwupp, sind sie im freien Fall über Afghanistan. Stürzen den Bergen von Taloqan entgegen.

Wird *das* jetzt die Therapiesitzung?

Mit zwei angeschickerten Ukrainerinnen am Tisch, die coole Storys hören wollen?

»Na ja –« Björklund zögert. »Es ist so: Du siehst die schrecklichsten Dinge, fährst nach Hause und denkst, das war's jetzt aber. Guckst Fußball, gehst mit deiner Freundin essen, spielst mit den Kindern, je nachdem. Der ganze banale Scheiß. Wovon du geträumt hast, während dir alles um die Ohren flog, irgendwo in Darfur, Südossetien, im Irak. Bis dir aufgeht, dass du zwar glänzende Reportagen ablieferst, im Privaten aber der Totalversager bist. De facto gar nicht anwesend. Deine Frau moniert, der Entsafter sei kaputt, deine Tochter quält sich mit dem ersten Liebeskummer, dein Kumpel macht sich Gedanken, ob er seine nächste Karre mit oder ohne Schiebedach bestellen soll – alles Dinge, die dich eigentlich gut draufbringen müssten, weil sie dir zeigen, dass es noch was anderes gibt als Tragödien. Stattdessen denkst du: Was soll *der ganze Mist?* Was ist dieser Quark gegen das, was *ich* erlebt habe? Du bekommst ein echtes Kommunikationsproblem. Und die anderen merken das. Schön, sagen sie, dann erzähl uns von *deinem* Mist. Lass mich teilhaben, sagt deine Frau tapfer und setzt sich mit steifem Rückgrat auf die Couchkante, in Fluchtposition.« Björklund macht eine Pause, leert sein Bier. »Also versucht du's. Und sie will es nicht hören. Weil sie es nicht aushält. Du schaltest den Fernseher ein, und irgendwo brennt wieder mal die Hütte – Invasion, Bürgerkrieg, Tsunami, Terroranschlag, was weiß ich. Krieg halt. Der dunkle Sog.«

»Dein Zuhause«, sagt Hagen.

»Dein *eigentliches* Zuhause. Also was machst du?«

»Koffer packen«, sagt Tonja.

Hagen nickt. »Das Krisengebiet ist der beschissenste Ort der Welt, aber es ist der einzige Ort, an den du noch gehörst. Prima für deinen Auftraggeber. Ein besseres Werkzeug kann er sich gar nicht wünschen, so eine extrem gut geölte Maschine, die unter den aberwitzigsten Umständen noch funktioniert, und *natürlich* ist jeder am liebsten dort, wo er am besten funktioniert. Dort zu sein, trägt dir die meiste Anerkennung ein. So viel, dass du immer höhere Risiken eingehst, und –« Wie auf Schienen treibt es ihn der Nacht entgegen, die er so gern vergessen würde. »– irgendwann verlierst du jedes Maß aus den Augen und –«

»Baust Scheiße«, sagt Irina in hoffnungsvoller Erwartung.

»Und die anderen steinigen dich dafür«, fährt Björklund dazwischen, bevor Hagen etwas erwidern kann. »Und vergessen, dass sie bis jetzt nur Glück gehabt haben. Als Krisenjournalist bewegst du dich im entgrenzten Raum, alle Normen sind aufgehoben. Irgendwann wurde mir klar, dass ich der Versuchung nur darum so lange widerstanden hatte, weil sie bis dahin einfach noch nicht stark genug gewesen war.« Er zuckt die Achseln. »Und ich wollte nicht erleben, wie sich das ändert. Plötzlich verspürte ich wieder ein Bedürfnis nach Entsaftern und

Scheißschiebedächern – und danach, eine alte Freundschaft in Ordnung zu bringen.«

»Auch wenn der alte Freund Scheiße gebaut hat«, sagt Hagen leise.

»Ganz gewaltige sogar.« Björklund lächelt. »Aber vielleicht ist er ja klüger geworden.«

Allgewaltiger!, denkt Hagen. Krister!

Was für eine Ansprache.

Irinas Augen glänzen, heften sich auf ihn. Zunehmend kommt sie ihm vor wie ein Raubtier, das umso hungriger wird, je mehr Brocken man ihm hinwirft.

»Ich will so ein Video sehen, das du gedreht hast. Eins aus der Hölle.«

»Willst du nicht.«

»Du glaubst, ich halte das nicht aus?«

Hagen zuckt die Achseln. Schaltet sein Handy ein, erstmals seit heute Vormittag. Inzwischen zeigt der Akku wieder volle Ladung. Sucht ein Video heraus und spielt es ab, eine Straßenkreuzung in Pakistan, ein Esel vor einem zweirädrigen Karren. Männer türmen Kartons auf die Ladefläche, höher und höher, bis der Karren nach hinten wegkippt und der Esel ratlos in der Luft hängt.

Die Männer wälzen sich vor Lachen.

Cox gammelt mit zwei Agenten in einem sicheren Haus in der Ha-Measef Street herum und starrt den Fernseher an.

Irgendein Spielfilm.

Ein Seeungeheuer, das New York angreift.

Potthässliches Vieh. Gott, ist es hässlich! Sieht aus wie King Kong als Fledermaus. Hat komisches Krabbelzeugs mit an Land geschleppt, das in U-Bahn-Schächten Jagd auf Menschen macht.

Wackelkamera.

Maulwürfe im Schin Bet – weit bedrohlicher als die knochige Kreatur da, *piep*, Anruf aus der Zentrale:

»Hagen ist wieder aufgetaucht.«

Cox springt auf. »Wo?«

»100 Meter im Umkreis der Heleni HaMalka.«

Hier in Jerusalem! Sie *wusste* es. Wählt im Hinauslaufen eine Nummer, mobilisiert Großkontingente Polizei, um die Gegend zu durchkämmen, »Wir sind in zehn Minuten bei euch«, draußen springen die Agenten in den Wagen.

Startet ihre BMW, braust los.

Heleni HaMalka. Das kleine Szeneviertel unterhalb Mea Schearims.

Hübsche Klubs und Kneipen.

Viele Kneipen, *viele* Menschen, und Hagen hat die stille SMS noch nicht geöffnet.

Wir kriegen dich, denkt sie. Wir kriegen dich auch so.

Sie lachen, kichern und gackern, aber erwartungsgemäß ist Irina nicht zufriedengestellt.

»Was war *dein* Horrortrip, Tom?«, flüstert sie.

Er erwidert ihren Blick.

»Zu kompliziert. Jetzt gerade.«

Sie sieht ihn weiter an, und ihre Augen schreiben eine Einladung, es ihr später zu verraten.

Nach entsprechenden Lockerungsübungen.

»Gut, wenn kann umkehren«, sagt Tonja versonnen. »Irgendwann zu spät.« Ihre Augen ruhen traurig auf ihrem leeren Glas. »Kommt Punkt, dann geht nicht mehr. Dann bist du wie Rakete abgefeuert. Du weißt, du fliegst und explodierst. Keine Chance.« Sie zwinkert, lacht und breitet die Arme aus. »Also genieß Fliegen! Oder? Solange geht.«

Was gewissermaßen das Signal zum Aufbruch ist. Weil in der Wohnung, die sich Tonja und Irina teilen, auch ein gut gefüllter Kühlschrank steht, oder um es mit Marcello Mastroianni auszudrücken: Ein Flirt ohne tiefere Absicht ist so sinnvoll wie ein Fahrplan ohne Eisenbahn.

Und betreffs des Fahrplans ist die Haltestelle nicht weit.

»Ecke Shlomtsiyon HaMalka, Shim'on Ben Shetach«, verkündet Tonja über die Schulter, als sie gezahlt haben und die Heleni HaMalka hinunterschlendern. »Fünf Minuten laufen.«

Hakt sich bei Irina unter.

Die beiden tauschen ein paar Sätze auf Russisch aus, lachen. Gehen hüftschwingend vor ihnen her.

Überqueren die Yafo Street.

Björklund zieht Hagen am Ärmel. Wartet, bis ein paar Meter Abstand zwischen ihnen und den Mädchen liegen.

»Lass uns ins Uganda gehen.«

Hagen runzelt die Stirn. Den ganzen Abend über hat er seine Widerstandskraft an Mineralwasser trainiert, er will sie nicht auch noch an den zwei Ukrainerinnen stählen.

Björklund zeigt auf Irina. »Die studiert ebenso wenig Sozialpädagogik wie du Hauswirtschaftslehre.«

»Soll heißen?«

»Das sind Nutten.«

»Quatsch.«

Oder? Auch hierzulande ist die Prostitution fest in Händen der russischen Mafia. Sie locken die Mädchen mit klangvollen Jobangeboten aus ihren ukrainischen, weißrussischen, rumänischen und bulgarischen Kleinstädten ins Gelobte Land, wo sie dann in Bordellen arbeiten und alle Natascha heißen.

»Die sind zu selbstbewusst für Nutten.«

»Vielleicht sind sie das Connoisseur-Programm.«

»Keine Nutte sitzt stundenlang mit potenziellen Freiern vor dem Hataklit und verschwendet Zeit, in der sie Geld verdienen könnte.«

»Hm.«

»Und ohne gesagt zu haben, wie die Dinge liegen. Was, wenn wir keinen Bock auf bezahlte Liebe haben und abhauen? Zwei Stunden Akquise für die Katz. Du irrst dich, Krister.«

Björklund zuckt die Achseln.

1:15 Uhr.

Sideways Bar, Darna, Hataklit, Uganda, Rashale, Hazaazua, Café Hilel, Burgers Bar, Crossroads, Artel Jazz Club, Hess, Heleny, Leonidas, Village Green, Eldad Vezehu, Adom, Joy –

Und alle brechend voll.

Cox und ihre Leute haben sich zu den Polizisten gesellt, durchstreifen die Kneipen. In solchen Momenten empfindet sie es als Vorteil, einen Meter neunzig groß zu sein. Man sieht über die Köpfe hinweg, Hataklit zum Beispiel: Cox scannt den Raum auf einen Blick, wäre er hier, sie würde ihn binnen Sekunden entdecken –

Ist er nicht.

Nächster Laden. Uganda. Drängt sich zwischen munter plappernden, Bier trinkenden Jugendlichen hindurch, fängt die Blicke der Typen ein, sieht sie ihre altbewährten Strategien durchgehen, nichts finden, wie man so eine Riesenlady angräbt –

»Signal verlagert sich nach Süden.«

»Bewegt er sich?«

»Schwer zu sagen.«

Weil die Mastenpeilung nur zeigt, *ob* man sich im Senderadius aufhält, nicht *wo*.

»Jetzt ist er zweifach eingeloggt – Heleni HaMalka verschwindet – neuer Sendekreis kommt hinzu – südöstlich. Ja, er scheint sich zu bewegen.«

»Schnell?«

»Moment – Signal bleibt konstant – nein, eher langsam.«

Zu Fuß.

Cox verlässt das Uganda und marschiert zurück auf die Heleni HaMalka, wirft einen Blick auf den Stadtplan in ihrem Smartphone. Die GPS-Ortung zeigt ihre Position an.

»Welche Straßen?«

»Yafo, Shlomtsiyon HaMalka, Koresh.«

Nicht gerade ermutigend. Auch dort jede Menge Kneipen, die bis in die Morgenstunden geöffnet haben. Sie überquert die Yafo, die das Viertel um die Heleni HaMalka nach Süden begrenzt, springt vor einer herannahenden Straßenbahn über die Gleise zu ihrer Maschine und fährt die Koresh hoch.

Mit etwas Glück erwischt sie Hagen, bevor er im nächsten Tresengewühl verschwindet.

Sie spazieren die abschüssige Shlomtsiyon HaMalka mit ihren hübschen hellen Sandsteinhäusern herunter. Tagsüber ist die Straße belebt, jetzt liegen die Geschäfte und Cafés im Dunkeln, und die Zweige der Bäume zeichnen tiefschwarze Muster in den gestirnten Himmel.

Niemand außer ihnen ist noch unterwegs.

Oder doch? Ein Stück hinter sich glaubt Hagen Schritte zu vernehmen.

Schließt zu den Mädchen auf.

»Seit wann wohnt ihr beide schon zusammen?«

»Paar Jahre«, sagt Irina.

»Und das klappt? Ich meine, mit Männern?«

»Siehst doch, klappt«, grinst Tonja. »Du Mann, kommst mit.«

»Ich rede von festen Beziehungen.«

»Geht so«, sagt Irina. »Männer tun sich schwer mit zwei hormongesteuerten Weibern in einer WG, die ihren eigenen Kopf haben und eigenes Geld verdienen.«

»Und was machst du, um Geld zu verdienen?«

Neben dem Studium. *Falls* du studierst.

»Zu kompliziert.« Sie lächelt. »Jetzt gerade.«

Was ihm wohl sagen soll, die Frage sei so lange hinreichend beantwortet, wie er nicht selbst mit Details aus seinem offenbar verfehlten Leben aufwartet.

Wieder klingen Schritte auf, diesmal näher.

Hagen dreht sich um.

Niemand. Nur Björklund, der seine notorisch skeptische Miene vor sich herträgt. Zur Rechten öffnet sich ein kleiner Platz, eingerahmt von Jahrhundertwendebauten und bestanden mit Akazien. Alles sehr gepflegt, Modell kostspielige Wohngegend. Die Mädchen steuern auf ein Eckhaus mit Türmchen zu.

»Hier wohnt ihr?«

»Sieht teurer aus, als es ist«, sagt Irina und stößt die Eingangstür auf.

Klar, denkt Hagen. Sieht voll nach Sozialpädagogik aus.

Sollte Björklund recht behalten?

Dann nehmen wir halt einen Drink und verschwinden wieder. *Love for sale* ist nicht Hagens Programm. Weniger aus moralischen Gründen, er will einfach nicht dafür bezahlen müssen.

Und auch nicht dafür bezahlt *werden.*

Damaskus.

Als er jetzt daran zurückdenkt, während sie sich im Fahrstuhl drängen, muss er beinahe lachen.

Vielleicht ist er ja klüger geworden –

Verdammt, Krister. Bin ich das? Gerade baue ich schon wieder Scheiße, aber nur noch dieses eine Mal. Ich schwör's dir. Ich will nur raus aus dem Teufelskreis, sieh es mir nach, du bist erprobt in Nachsicht. Ich gelobe, wenn ich erst wieder Fuß gefasst hab –

»Macht's euch bequem.«

Sitzlandschaft, Liegewiese, offene Küche, geschmackvoll gesetztes Licht. Der Platz, den Tonja und Irina ihr Zuhause nennen, ist ein Loft. Selbst die Badewanne steht frei. Bodentiefe verglaste Rundbögen blicken auf einen umlaufenden Balkon.

Das hier sind bestimmt 180 Quadratmeter.

Und alles darin ist teuer.

Irina fördert Gläser und eine Flasche Champagner zutage, Tonja lässt Wasser in die Wanne laufen. Im nächsten Moment strömt der verträumte Alternative-Pop von Efrat Gosh durch den Riesenraum, Klavier, kühle Melancholie.

Sie werfen sich auf die Sitzpolster, streifen die Schuhe ab.

Blödeln rum.

Irina küsst Hagen. Aus dem Augenwinkel sieht er Björklund unbeholfen mit Tonja im Clinch, die sein Hemd aufknöpft. Wahrscheinlich denkt er immer noch, dass er im Morgengrauen die Rechnung präsentiert bekommt. Hagen lässt die Hände über Irinas Körper gleiten.

»Bist du sicher, dass du das willst?«, hört er sich sagen.

»Ich bin sicher, dass ich kriege, was ich will«, flüstert sie in sein Ohr.

»Auch dich.«

»Und was willst du, wenn das hier vorbei ist?«

»Keine Ahnung –« Sie schaut ihn an, ratlos, lacht laut auf. »Nein, nicht wirklich, oder? Ist nicht wahr. Du hältst uns für –«

»Tu ich nicht.«

»Sondern?«

»Für Mädchen, die zwei wildfremde Typen mit nach Hause nehmen.«

»Red nicht um den heißen Brei herum.« Sie grinst spöttisch. »Wer hat hier Schiss vor wem?«

Er lächelt. Zieht ihren Kopf zu sich heran, lässt ihre Zunge auf Erkundung gehen. Irina presst sich an ihn, öffnet seinen Gürtel. Er greift unter ihr Shirt, streift es ihr über die Schultern. Ihre Brustwarzen, dunkel und hart. Nimmt sie zwischen Daumen und Zeigefinger, massiert sie sanft.

Irina stöhnt, drückt ihn ins Kissen.

Beugt sich über ihn.

Massen von Haar, das ihm entgegenfällt –

Krachen, ein brutaler Knall.

Hagen springt auf, Björklund (sediert durch Barolo, Goldstar und Tonja) kommt verzögert auf die Beine und geht gleich wieder zu Boden. Männer dringen durch die aufgetretene Tür ins Loft. Tonja stiebt kreischend Richtung Balkon, halb nackt, eine der dunkel gekleideten Gestalten auf den Fersen. Eine andere kommt mit Riesenschritten auf Hagen zu, beide Hände ausgestreckt. Instinktiv positioniert er sich vor Irina, fängt den ersten Schlag mit den Unterarmen ab, wird vom zweiten herumgewirbelt und zurück in die Kissen befördert.

Setzt sich auf.

Was um alles in der Welt –

Blut schießt aus seiner Nase, eine hellrote Fontäne. Übergangslos hat jemand sie per Fernbedienung in ein völlig anderes Programm verfrachtet, einen vollkommen anderen Film.

Einen Scheißfilm, so viel ist klar.

»Hey!«, schreit er. »Aufhören.«

Arme umschließen ihn von hinten. Er windet sich, versucht freizukommen. Fragt sich, wer die Kerle sind. Russische Zuhälter? An ihm vorbei fliegt Irina durch den Raum, landet auf dem Bauch, hastet wie ein flüchtendes Tier auf allen vieren zum Küchenblock, während Tonja die Balkontür aufreißt, einen gellenden Hilfeschrei in die Nacht schickt, zurückgezerrt und hochgehoben wird. Um sich schlägt, strampelt. Sich mit der Verbissenheit einer Katze wehrt und den Typen, der sie gepackt hält, in die Hand beißt.

»Ahhh!« Schmerz klingt in allen Sprachen gleich.

Dann brüllt er: »*Hatichat hara! Ben zona*!«, was eindeutig *nicht* russisch klingt, prügelt auf sie ein und zerrt sie zur Badewanne.

»*Njet, njet, njet!*«, schreit Tonja.

Hagen lässt beide Ellbogen nach hinten schnellen, der Klammergriff lockert sich. Er dreht sich um, starrt in Augen, die durch Löcher in einer Skimaske zurückstarren, und rammt dem anderen die Stirn gegen das Nasenbein. Fährt herum, fängt Björklunds paralysierten Blick auf, der am Boden liegt, den Lauf einer Pistole mit Schalldämpfer an der Schläfe.

Erhält einen Schlag in den Solarplexus.

Was zu viel ist, ist zu viel.

Seine Eingeweide verdichten sich zu einem Knoten der Pein. Er würgt, schnappt nach Luft, fällt auf die Knie. Die Welt ist nur noch Schmerz. Wie durch einen Schleier sieht er Irina hinter dem Küchenblock, die Augen angstgeweitet, ein Riesenmesser in der heftig zitternden Rechten, das sie drohend vor sich hält.

»*Ne podchodi blische*«, weint sie. »*Tolko poprobuj podojti!*«

Ihr Verfolger stoppt.

Zieht eine Waffe.

Plopp.

»Nein!«, schreit Hagen. »Nein.«

Irinas Gesicht nimmt einen Ausdruck der Ratlosigkeit an. Erstaunlich wenig Blut dringt aus dem Loch in ihrer Stirn, stattdessen quillt etwas Weißliches heraus. Einen Moment sieht sie verdattert zu, wie das Messer ihren Fingern entgleitet, kippt nach hinten weg.

»Oh Gott, was macht ihr denn, ihr Irren? Hört auf, hört –«

Hände drücken ihn nieder. Sein Schreien mischt sich mit dem Tonjas, der es gelungen ist, sich ihrem Peiniger zu entwinden. Er flucht, setzt ihr nach, fängt sie wieder ein. Schleift sie an den Haaren zur Badewanne und hebt sie wie eine Puppe über den Rand.

»*Njet! Njet! Nj* –«

Gurgeln, Spritzen. Tonjas Finger krallen sich um den Badewannenrand, mit aller Macht stemmt sie sich gegen ihr Verhängnis. Der Maskierte drückt sie unter Wasser, und jetzt schlägt sie noch heftiger um sich, tritt mit den Beinen aus, fährt in der Luft Fahrrad.

»Lasst sie«, fleht Hagen. »Bitte lasst sie doch in Ruhe.«

Tonjas Strampeln wird hektischer, unkoordiniert. Bloße Reflexe eines Organismus, der sich verzweifelt gegen das in die Lungen eindringende Wasser wehrt. Efrat Goshs versöhnliche Chansonstimme treibt durchs Loft und liefert den Soundtrack zu ihrem Todeskampf. Hilflos muss Hagen mit ansehen, wie ihre Bewegungen schwächer werden, ihre Finger abgleiten, nur noch ihre Füße zucken –

Dann nichts mehr.

Alles ist entsetzlich schnell gegangen.

Eine Minute? Zwei?

Maximal.

Björklund liegt immer noch im Schwitzkasten, die Pistole an der Schläfe, einer der Männer zwingt seine Linke in ausgestreckte Position und hält etwas an seinen kleinen Finger.

Eine scharfkantige Zange.

Ein stählernes Tier kurz vor dem Zubeißen.

Der dritte Mann, dem Hagen das Nasenbein gebrochen hat, kommt ins Blickfeld und funkelt ihn hasserfüllt an.

Nummer vier geht vor ihm in die Hocke.

»Schnell, wir haben wenig Zeit.« Sein Englisch ist gefärbt vom hebräischen Akzent. »Und ich stelle Fragen ungern zweimal. Ist das klar?«

»Ja«, stößt Hagen hervor. »Klar!«

»Wo sind die CDs?«

CDs? Er braucht einen Moment, um zu begreifen, wovon der andere redet, reflexartig entfährt ihm: »Welche CDs?«

Und das ist schon der erste Fehler.

Ein Knacken ist zu hören, als die Zange zubeißt und Björklunds kleinen Finger über dem Mittelknöchel abtrennt. Der Fotograf heult auf. Windet sich wie unter Stromstößen, versucht freizukommen.

»Im Hotel«, schreit Hagen. »In unserem Hotel.«

Starrt voller Entsetzen auf das herabgefallene Fingerglied. Wie ein toter Wurm liegt es auf dem Parkett. Ein Wurm mit einem blutigen Maul.

»American Colony?«

»Ja!«

»Wo dort?«

»Im Safe, SAFE! Zimmersafe.«

Björklund wird kalkweiß, sein Körper erschlafft. Die Zange legt sich um seinen Ringfinger.

»Tun Sie Ihrem Freund da den Gefallen und antworten Sie schnell und präzise. Wer weiß noch von den CDs?«

»Er. Ich. Die Redaktion in Hamburg.«

»Sonst niemand?«

»Nein.«

»Haben Sie das Material auf einem anderen Datenträger gespeichert?«

»Auf meinem Computer.«

»Wo ist der?«

»Auch im Safe.«

Der andere nickt, senkt den Kopf. Gibt dem Typ mit der malträtierten Nase ein Zeichen, der eine Nummer wählt, schnell und eindringlich in sein Handy spricht. Sieht Hagen wieder an.

Augen in einem Gesicht aus schwarzer Wolle.

»Was Sie Ihrem Redakteur da erzählt haben, können Sie nicht nur von den CDs haben. Wer ist Ihr Informant?«

»Pini Silberman«, stöhnt Björklund von hinten.

»Das wissen wir«, sagt der Mann, ohne sich zu ihm umzudrehen. »Unerheblich. Silberman ist tot. Sie müssen mit noch jemandem gesprochen haben.«

Hagens Gedanken rasen.

»Ich hab mit niemandem –«

Knack. Björklunds Schrei fährt ihm durch Mark und Bein, neues Blut sprenkelt den Fußboden.

»Tom!«, heult Björklund. »Wovon redet der? Was hast du getan?«

Hagen wird schlecht.

»Ich hoffe, Ihr Freund ist nicht zufällig Gitarrist. Zum letzten Mal, mit wem haben Sie gesprochen?«

»Ich schwöre –«, keucht er.

»Yael Kahn? Haben Sie mit Yael Kahn gesprochen?«

»Ich –« Würgt, hustet. »Bitte tun Sie ihm nicht weh! Ich kenne keine Yael Kahn, ich *schwöre* –«

»Yossi Backenroth?«

»Wer?« Seine Gedanken rasen. »Warten Sie. Ich hab mit allen möglichen Leuten gesprochen, aber nicht über die CDs, falls da ein – ein Yossi –«

»Backenroth.«

»– dabei war, hat er sich mir nicht –«

Und wieder ein anderer Film.

Neue Leute.

Geschrei.

Jemand ist hinzugekommen, bullige Figuren stürmen das Loft. Der Maskierte, der Hagen festgehalten hat, stürzt wie mit der Axt gefällt zu Boden, Björklund nutzt die Verwirrung, packt mit seiner unversehrten

Rechten die Zange, entreißt sie dem Folterer und rammt sie ihm mit einer weit ausholenden Bewegung ins Auge.

Hagen springt auf.

Schüsse fallen. Keine Schalldämpfer diesmal, das müssen die anderen sein. Der Mann, der ihn verhört hat, reißt seine Waffe hoch, feuert –

Plopp, plopp –

»Krister! Zum Balkon!«

Im Türbereich drängen sich die Kämpfenden, dort ist kein Rauskommen. Hagen stürmt zu den offenen Flügeltüren, vorbei an der Badewanne, aus der Tonjas nackte Füße ragen, dreht sich um.

»Krister, komm!«

Der Schwede scheint ihn nicht zu hören.

»Krister!«

Björklunds Lippen öffnen sich. Er wirkt verwundert, scheint etwas sagen zu wollen, bringt aber nur ein gedehntes »Aaah« heraus. Sein Blick wird glasig. Langsam dreht er sich um seine Achse, und das Einschussloch in seinem Rücken ist zu sehen.

»Oh nein!«

Bricht zusammen.

Hagen stürzt hinzu, schlittert auf den Knien heran.

»Krister, nein! Steh auf, du musst –«

Björklund starrt mit leeren Augen an die Zimmerdecke. Aus dem Pulk der Kämpfenden löst sich einer der Maskierten.

Legt auf ihn an.

Mit einem Satz ist Hagen wieder auf den Beinen, an der Tür und auf dem Balkon. Rennt in der Dunkelheit an Buchsbäumen entlang, hört die Schritte des anderen hinter sich, biegt um eine Ecke, wo eine metallene Leiter aufs Dach führt, packt die Sprossen, beginnt zu klettern.

Unter ihm hebt sein Verfolger die Waffe.

Hagen rollt über die Kante –

Das Ploppen des Schalldämpfers –

Verfehlt. Läuft in der Dunkelheit über das Flachdach, links vor sich den Turm, der das Gebäude überragt. Vom Balkon sind Stimmen zu hören, dann das *Dong Dong* von Füßen auf der Metallleiter. Im Turm eine Tür, rüttelt an der Klinke, verschlossen, drückt sich ins Mauerwerk.

Wagt nicht zu atmen.

Von hier kann er den Schemen des Verfolgers erkennen. Der Mann hält seine Pistole gezückt, schaut sich um, während er langsam in Hagens Richtung kommt. Offenbar ohne ihn zu sehen, die Nacht lässt ihn mit der Mauer verschmelzen, aber lange wird die Tarnung nicht Bestand haben.

Und jetzt erscheint ein zweiter Kopf über der Dachkante.

Die beiden wechseln ein paar Brocken auf Hebräisch.

So leise wie möglich schiebt Hagen sich am Mauerwerk entlang. Erreicht die Ecke, quetscht sich daran vorbei außer Sichtweite. Findet sich auf einem schmalen Sims, unter sich die Straße, gut und gerne zehn Meter tief, er würde sich die Beine brechen und was sonst nicht alles. Besser aufs Dach des Nachbargebäudes. Nur rund drei Meter, einziges Problem:

Das Dach ist geschrägt.

Egal, dahinten kommen größere Probleme.

Er hört sie nicht mehr, hegt aber keinen Zweifel, dass sie so gut wie bei ihm sind.

Springt.

Der Krach, mit dem er aufkommt, dürfte einige Leute aus dem Schlaf hochfahren lassen. Hagen fällt auf den Hintern und beginnt sofort zu rutschen. Am Turm wird einer der Verfolger sichtbar, ruft dem anderen etwas zu, dann springt auch er. Schneller und schneller geht es abwärts. Wie eine Katze versucht Hagen auf dem glatten Dach Halt zu finden, immer noch viel zu hoch über der Straße, doch da ist nichts, nicht mal eine verdammte Dachrinne. Er wird zerschmettert werden. Sieht den anderen auf dem Rücken liegend heransausen, geht über die Kante, macht sich auf das Schlimmste gefasst –

Der Aufprall presst die Luft aus seinen Lungen.

Jeder Knochen tut ihm weh, als er sich aufrappelt, doch zerschmettert ist er nicht. Auf einem Balkon gelandet. Umklammert das Gestänge der Brüstung, schaut in die schwarze Krone eines Baums, der aus der Straße wächst, auf das unter ihm liegende Pflaster.

Vier Meter? Bestimmt.

Neben ihm knallt der andere auf den Balkon, und das gibt den Ausschlag.

Hagen setzt über die Brüstung.

Irgendwann mal hat er diesen Kurs bei der Bundeswehr gemacht, wie man richtig fällt, erste Regel: Der Statistik vertrauen, wonach du meist aufrecht landest, uraltes Repertoire der Evolution. Zweite Regel: seitwärts oder vorwärts abrollen, um in einer fließenden Bewegung wieder auf die Beine zu kommen. Dass er im Herzen Jerusalems auf die uralten Tricks zurückgreifen muss, hätte er sich kaum träumen lassen, jetzt zahlt sich das Training aus. Krümmt den Körper zur Kugel im Moment, da seine Füße den Boden berühren, rollt herum, ist schon wieder oben, die Gasse wie ausgestorben. Umso bedrohlicher der Soundtrack. Autos, die plötzlich heranrasen, zum Stehen kommen, der Aufprall, als der andere auf dem Gehweg landet – *die* anderen, das sind *zwei*, ganz sicher! – das Stakkato ihrer Schritte –

Hagen nimmt die Beine in die Hand.

Schlittert um die nächste Ecke, legt alle Kraft in diesen Sprint, hinein in eine Schneise, eng, lichtlos, voller Gerümpel, vorbei an überquellenden, stinkenden Müllcontainern und gestapelten Bierkästen, reißt einen davon um, Getöse, als zentnerweise Glas zu Bruch geht, offenbar ist er ins Hinterland der Gastronomie geraten, hört die Verfolger heranlärmen –

Cox starrt fassungslos in die Wohnung.

Mit ihren 30 Jahren hat sie mehr Schlimmes gesehen, als ein Mensch überhaupt je sehen sollte. Was Schläger und Besoffene anrichten, in ihren Familien, untereinander, an Unbeteiligten. Damit ist sie aufgewachsen, und der Bekanntschaft Perlmans verdankt sie Einblicke in die verschlungenen Wege der menschlichen Anatomie. Das Werk palästinensischer Gürtelbomber in Tel Aviv, Jerusalem und Aschdod, die Hinterlassenschaften israelischer Kampfhubschrauber und Merkavas in Gaza, Nablus und Ramallah, muslimische und jüdische Körper – sobald das Innere nach außen drängt, ist kein Unterschied mehr feststellbar. Gesichter, die unter dem Ansturm umherschießender Nägel und Kugellager zerhackt, Menschen, die von der Wucht der Explosion in Ansammlungen menschlicher Teile verwandelt werden, das hat auf grausige Weise etwas Völkerverbindendes, hier wie dort die gleichen Irren, die sich jeder als Einziger für normal halten.

Was sie hier zu sehen bekommt, ist anders.

Schlicht noch –

BÖSER.

Sie öffnet sich, lässt die Eindrücke wirken. Spürt dem Ausbruch der Gewalt nach, unter dem sich diese makellose Luxuslandschaft in ein Panorama des Grauens verwandelt hat. Mit unheimlicher Kaltblütigkeit wurde hier gefoltert und gemordet. Blut ist in hohem Bogen über den sandhellen, teuer aussehenden Teppichboden gespritzt und hat Bilder geschaffen, die sich gerahmt in jeder Galerie gut machen würden. Tote dazwischen wie drapiert, eine Installation. Cox steigt über einen wie gekreuzigt daliegenden Mann hinweg. Seine Kehle klafft auseinander, ein zweiter, roter Mund, der sie obszön anlächelt. Neben ihm ist ein

Muskelprotz in sich zusammengesackt, sein T-Shirt getränkt von Blut aus mehreren Einschusslöchern. Verrenkt über der Lehne eines Sessels hängt jemand mit Skimaske. Als Cox auf ihn herabschaut, schaut sie in ein verwüstetes Loch, wo sein linkes Auge war.

Was für eine Sauerei, denkt sie.

Geht weiter. Die Terrassentür steht offen, davor der nächste Tote. Rückenlage. Eine hämoglobinrote Lache arbeitet sich unter ihm hervor, aber da ist noch was an ihm –

Genauer gesagt, *nicht* an ihm.

Zwei Finger fehlen. Frisch amputiert.

Cox betrachtet ihn. Mit seinen langen Haaren und dem blonden Bart sieht er aus wie ein gealterter Hippie. Ein Hippie, der ihr irgendwie vertraut vorkommt. Und auch wieder nicht. Nur eine Kleinigkeit, ein unbedeutendes Detail erinnert sie an –

Wen? Was?

Blendet es aus. Geht weiter zur Badewanne und starrt auf das ertrunkene Mädchen darin.

Ihr Kopf ist zur Seite gedreht, der Mund leicht geöffnet.

In ihrem linken Nasenloch schimmert eine Luftblase.

Schimmert wie eine Perle.

Als könne man sie behutsam, mit spitzen Fingern, herausnehmen und in einer kleinen, gepolsterten Dose verstauen.

»Hinter dem Küchenblock«, ruft einer der Polizisten.

Noch ein Mädchen. Der Schuss hat das Entsetzen in ihren Augen eingefroren. Cox reißt sich los, wendet den Blick zur Sitzgruppe und sieht einen der Beamten einen abgetrennten Finger mit einer Zange in ein Tütchen verfrachten.

»Liegen lassen«, weist ihn sein Kollege zurecht. »Nichts anfassen.«

Frische Luft, schreien ihre Lungen.

Ein Gerüst versperrt den Weg, schmerzhaft rempelt er daran vorbei, schürft sich die Haut vom Ellbogen, die Schneise öffnet sich –

Fußgängerzone.

Verrammelte Geschäfte.

Weiter, scharf abbiegen, Lichter, plötzlich ist er wieder auf der Yafo mit ihren Kneipen. Hetzt zwischen Nachtschwärmern hindurch, verschnauft einen Moment, dreht sich um –

Ein Mann kommt aus der Fußgängerzone gelaufen.

Starrt zu ihm herüber, ohne Skimaske jetzt, aber kein Zweifel –

Beginnt wieder zu laufen, in die Heleni HaMalka hinein, getrieben vom Turbo seiner Angst. Immer noch sitzen sie vor dem Hataklit, keine Stunde her, dass er selbst hier –

Diashow.

Björklunds lebloser Blick.

Irina mit einem Loch in der Stirn, durch das Gehirn statt Blut dringt, bevor sie hinter den Küchenblock kippt.

Tonjas strampelnde Beine.

Wie konnte es dazu kommen? Was hat diesen jähen Einbruch von Gewalt verursacht, dass er jetzt um sein Überleben rennen muss und alle anderen tot sind?

Mit wem haben Sie gesprochen?

Wo sind die CDs?

VERDAMMTE CDs, er hat jetzt keine Zeit, darüber nachzudenken, schlängelt sich zwischen geparkten Autos und Motorrädern hindurch, Pubs, Musik, Lachen bleiben zurück, Stille, bis auf das *Klack, Klack, Klack* –

Sie hängen immer noch an seinen Fersen.

Terrasse. Durchatmen.

Der Straßenzug pulsiert vom Licht der Einsatzfahrzeuge. Unten tragen sie den einzigen Überlebenden nach draußen, nicht vernehmungsfähig, schieben ihn auf der Trage in den Krankenwagen. Über eine Viertelstunde haben sie Hagen rund um die Shlomtsiyon HaMalka gesucht, während die Kneipen nacheinander schlossen. In geparkte Autos geschaut, gemutmaßt, er könne in einer Privatwohnung sein, aber was sollten sie tun? Das ganze Viertel aus dem Bett klingeln?

Dann, vor zehn Minuten, Polizeinotruf.

Einer im Haus gegenüber, schon im Bett gelegen, aufgestanden, in die Küche, was trinken. Sieht, wie im Loft gegenüber gekämpft wird, ein Mann zu Boden stürzt, ein anderer aufs Dach flieht, Verfolger auf den Fersen, zu dunkel, um Gesichter zu erkennen. Greift zum Hörer. Sie rasen hin, finden *das* hier, Beamte aufs Dach, horchen. In einiger Entfernung brechen sich Schritte an Hauswänden. Das Kommando schwärmt aus, null Peilung. Die Schritte reißen ab.

War Hagen hier?

Womöglich hat er nichts mit alledem zu tun, doch Cox' Bauch belehrt sie eines Besseren.

(Wir haben dich mal wieder denkbar knapp verpasst.)

Er *muss* in der Nähe sein.

Klack, Klack, Klack –
Links. Weniger Menschen, kaum Verkehr.
Eine Kreuzung.
Die erleuchtete Leere eines Busses, Ampel auf Rot.
Hagen passt den Moment ab und spurtet los, als das Fahrzeug fast den Überweg erreicht hat, schafft es haarscharf am Kühler vorbei. Der Fahrer hupt zornig. Hagen sieht ihn hinter der Panoramascheibe seines Cockpits schimpfen und gestikulieren, aber das Manöver hat ihn den Blicken für die Dauer einiger Sekunden entzogen.
Zeit, Atem zu holen und die Möglichkeiten abzuschätzen.
Es gibt nur eine.
Die nächstbeste Straße.
Läuft hinein, einen nicht enden wollenden Gebäudeklotz entlang, könnte ein Ministerium sein, eine Schule oder ein Gefängnis, Gärten, Baustelle, ein sandiger Parkplatz –
Sackgasse.

»Signal verlagert sich.«
Die Zentrale reißt Cox zurück in die Gegenwart. Sie läuft von der Terrasse zurück ins Loft. »Wohin?«
»Nördlich. Sendekreis Heleni HaMalka.«
Und als sie fast zur Tür raus ist, steht es ihr plötzlich klar vor Augen. Die Bilder aus der Tiefgarage. Der Mann mit der Schirmmütze, dessen Gesicht nicht zu erkennen war, aber schaut man genau hin –
Eine einzelne, lange Strähne.
Und wo eine einzelne, lange Strähne rauslugt, sind im Allgemeinen noch mehr solcher Strähnen zu finden.
Langes, blondes Haar.
Sie marschiert zurück in die Wohnung, kniet sich neben den Althippie und beginnt, seine Jacke zu durchwühlen. Fördert die Brieftasche zutage, klappt sie auf. Bargeld, Führerschein, Visitenkarten –
Krister Björklund, entnimmt sie der Mastercard.
Ein Schwede.
Verdammt!
Zückt ihr Handy. Scrollt durch die Liste der Gäste, die heute früh im Hilton ausgecheckt haben. Dutzende, die Japaner nicht mitgerechnet. Zum Verrücktwerden! Wie um alles in der Welt hätten sie denn auf einen Skandinavier kommen sollen? Nach einem *Deutschen* haben sie gesucht. Reflexartig sind sie davon ausgegangen, dass auch der andere auf dem Video ein Deutscher sein müsste, stattdessen –

Da! *Krister Björklund.*

Cox fleddert seine Brieftasche, streicht Quittungen glatt, fächert die Visitenkarten auf, liest:

THE AMERICAN COLONY HOTEL
1 Louis Vincent Street, Jerusalem, Israel

Springt auf, Rundruf, während sie wieder nach draußen rennt: »Tom Hagen wohnt im American Colony Hotel. Das Zimmer ist auf ihn gebucht oder auf einen Krister Björklund. Ja! – Björk – lund! Wer am nächsten dran ist.«

»Signal verlagert sich weiter nach Norden.«

Wo liegt noch gleich das American Colony? Im Nordosten. Keine anderthalb Kilometer Luftlinie entfernt.

Will Hagen zurück ins Hotel?

Sie hastet die Treppe hinab, trommelt ihre Leute zusammen.

Keine Sackgasse. T-Kreuzung.

Rechts, links?

Rechts.

Nach einer Weile hat er nur noch sein eigenes Keuchen im Ohr, wie eine überstrapazierte Dampfmaschine klingt er. Seine Füße hämmern den Rhythmus der Flucht, werfen ferne Echos –

Nein, das ist kein Echo.

Das sind die Verfolger. Immer noch.

Kurz bleibt er stehen, lauscht.

Ein Läufer. Nur einer noch. Weniger nah als vorhin, offenbar zeigt sein Tempo Wirkung, jedoch verteilt das Gassengewirr den Schall auf trügerische Weise, sodass sich die Position unmöglich bestimmen lässt. Er könnte vor Hagen sein, hinter ihm.

Könnte überall sein.

Was eine andere Frage aufwirft:

Wo zum Teufel ist er hier überhaupt?

Selbst im Finstern – und gerade wird es stockfinster, nicht mal Straßenlaternen brennen – lässt sich der heruntergekommene Zustand des Viertels schwerlich übersehen. Triste Fassaden, die Häuser geduckt und aneinandergekauert. Offen liegende Leitungen ziehen sich die Wände entlang, verlaufen unter vergitterten Balkonen und Vorbauten, die bedrohlich in die Straße hineinragen, nur wenig vertrauenerweckend abgestützt. Ganze Mauerabschnitte sind mit Wallpapers zugepflastert, streifig heruntergerissen, die klobigen Kästen der Klimaanlagen exponiert und windschief, als habe man das Bild bewusst noch mehr verschandeln wollen. Zwischen Müllcontainern stapelt sich der Sperrmüll. Aufkommender Nachtwind bauscht fahle Wäschefetzen an durchhängenden Leinen, erweckt lange, weiße Hemden zum Leben, als wollten sie sich losreißen und Hagen auf seiner wilden Flucht begleiten. Er verlangsamt sein Tempo, schleicht durch Gassen, die immer enger werden, bis sie noch das letzte Quäntchen Licht aufsaugen, Gassen, die bei aller Schäbigkeit seltsam pittoresk wirken –

Ein baumbestandenes Plätzchen.

Als er sich umdreht, steht er vor einem Hutgeschäft, schwarze Hüte in allen Formen und Größen.

Schlagartig wird ihm bewusst, wo er ist.

Mea Schearim!

Ein altes, litauisches Schtetl, verpflanzt nach Jerusalem, Heimat der Ultraorthodoxen, hermetisch abgeschlossene Parallelwelt und nach Meinung vieler Israelis *die Geisterbahn um die Ecke*. Hier hat Hagen zu anderen Zeiten schon singende und tanzende Männer, Frauen und Kinder israelische Flaggen verbrennen sehen, sie lehnen den zionistischen Staat ab, von dem sie leben.

Jetzt liegt das Viertel wie ausgestorben da.

Nirgendwo ein Licht.

Man könnte sich vorstellen, der einzige Bewohner zu sein.

Nein, nicht der einzige.

Immer noch hört er die Verfolger. Ein gutes Stück entfernt, von da, wo er gekommen ist. Es scheinen mehr geworden zu sein. Erheblich mehr. Ein Auto hält mit quietschenden Bremsen.

Hagen lässt den Blick über den Platz wandern.

Von gegenüber nähern sich Schritte.

Ein Einzelner.

Drückt sich in den nächsten Hauseingang, kneift die Augen zusammen. Die Schritte stoppen. Häuser und Bäume verschmelzen zu einer Kulisse der Schatten, in deren Tiefen noch Dunkleres nistet. Wenn der andere ihn gehört hat, wird er sich fragen, wo Hagen abgeblieben ist, ebenso genarrt von den akustischen Verhältnissen.

Rührt sich nicht.

Ein Duell des Wartens.

Auch aus anderer Richtung erklingen jetzt Autos. Schnell unterwegs, dem Vernehmen nach. Hagen ruft sich den Stadtplan ins Gedächtnis. Mea Schearim liegt westlich der A60, Sderot Hayim Barlev, die schnelle Nord-Süd-Verbindung zwischen dem jüdischen und dem arabischen Teil der Stadt.

Keine tausend Meter bis zum American Colony.

Etwas tut sich auf der gegenüberliegenden Seite. Jemand löst sich aus der Dunkelheit. Geht bis zur Platzmitte. Blickt um sich. Jetzt, da er beschlossen hat, sich zu zeigen, ist Hagen im Vorteil –

(Toll. Und was machst du aus deinem VORTEIL?)

– oder täuscht er sich? Wittert er eine Bedrohung, die gar nicht existiert, weil es sich um einen harmlosen Nachtspaziergänger handelt? Der Rabbi. *Oioioi,* stickig im Zimmer. Geh mal Luft schnappen.

Er *muss* ins Hotel.

Braucht sein restliches Geld, die im Safe gelassenen Kreditkarten, seinen Computer, die CDs.

Muss rausfinden, worum es hier geht.

Was Sie Ihrem Redakteur da erzählt haben, können Sie nicht nur von den CDs haben.

Verdammt richtig, Arschloch.

Ich habe es nämlich ERFUNDEN.

Aber wie konntest DU davon wissen? Wieso hattest du Kenntnis vom Wortlaut eines Gesprächs, das ich per Handy von einer Autobahnraststätte aus geführt habe?

Weil ich abgehört wurde.

So einfach, so lächerlich einfach.

Abgehört und geortet.

Und wenn sie mich orten können, dann wissen sie auch jetzt –

In Panik fingert er nach seinem iPhone, schaltet es aus, und es rutscht ihm aus der Hand, schlägt auf den Boden –

Die Gestalt wirbelt herum.

»Signal erloschen.« Die leidenschaftslose Stimme der Zentrale.

»Bleibt dran.« Cox fährt die Shlomtsiyon HaMalka hinauf Richtung Yafo. »Vielleicht ist das nur eine Störung.«

»Kein Signal.«

»Okay, an alle! Hagen ist möglicherweise auf dem Weg ins American Colony. Wir konzentrieren uns auf das Hotel.«

Er flieht, schießt es ihr durch den Kopf.

Ja, ohne Zweifel. Hagen flieht. Hat *er* das Gemetzel angerichtet? Schwer vorstellbar. Eher dürfte er derjenige sein, der übers Dach abgehauen ist, was den Schluss nahelegt, dass nicht nur Schin Bet und Polizei hinter ihm her sind.

Noch jemand klebt an seinen Fersen.

Jemand, der Mädchen ertränkt und Finger abschneidet.

Immer noch kein Signal.

Sie biegt auf die Yafo ein.

Die Gestalt kommt in Hagens Richtung. Etwas Langes, Schmales ist ihrer Hand entwachsen.

Verdammt! Einer der Killer.

Hagen drückt sich tiefer in den Hauseingang. Spürt die hölzerne Eingangstür schmerzhaft im Kreuz. Jeder Knochen tut ihm weh, sein ganzer Körper fühlt sich an, als wäre ein Panzer darüber hinweggerollt, nach all den Stürzen und Misshandlungen. Wo ihn der Faustschlag im Gesicht getroffen hat, scheint jemand eine Schraubzwinge angesetzt zu haben. Er ist kein großartiger Kämpfer, blickt zurück auf die obligatorischen Schulhofprügeleien, ein paar Kurse in Selbstverteidigung, Judo, Karate, wovon er das meiste vergessen hat, oder sagen wir, es schlummert in ihm – doch plötzlich staut sich seine Wut zu einer gewaltigen Woge.

Er geht in die Knie, spannt die Muskeln an.

Der Killer ist jetzt auf seiner Seite des Platzes, verschwindet aus dem Blickfeld. Nur ein gelegentliches Knirschen verrät, wo er entlangschleicht, offenbar klappert er die Hauseingänge ab.

Kommt näher –

Näher –

Keine fünf – vier – drei Meter mehr entfernt –

Lass alle Illusionen fahren, denkt Hagen, der hat dir schneller einen Schuss verpasst, als du ihm an die Gurgel gehen kannst.

Die Schritte stoppen.

Poltern und Scheppern! Auf der gegenüberliegenden Seite hat sein Schutzengel eingegriffen, vielleicht auch nur eine Katze im Bemühen, die allzu flinke Maus zu erwischen. Was immer sie dabei umgerissen hat, der Verfolger *muss* darauf reagieren.

Sich umdrehen.

Jetzt oder nie.

Hagen stürmt hervor, sieht den anderen mit dem Rücken zu sich, dem Lärm nachspürend. Wirft sich gegen ihn, umschließt den Hinterkopf mit der Rechten und schlägt ihn mit aller Macht gegen die Hauswand, umklammert das Handgelenk mit der Pistole. Der Mann geht in die Knie, doch statt hinzufallen, rammt er ihm den Ellbogen in die Seite. Hagen stöhnt auf. Wie ein Affe klammert er sich an seinen Gegner, ohne die Hand loszulassen. Der Killer versucht, ihn abzuschütteln, gerät aus dem Gleichgewicht, gemeinsam schlagen sie hin, rollen herum. Die Waffe schlittert davon. Jetzt ist der andere oben, verzerrte Züge in der Dunkelheit. Presst ihm mit dem Unterarm die Luft ab. Hagen fühlt seine Augen aus den Höhlen treten, das Blut staut sich in seinen Schläfen. Verzweifelt ringt er nach Atem, langt aus und drückt dem Kerl seine Finger in die Augen. Der Killer brüllt gepeinigt auf, der Druck lässt nach. Hagen greift in sein Haar, zieht seinen Kopf nach hinten, kommt frei, prügelt auf das dunkle Gesicht ein.

»*Ma kore po?*«

Über ihnen flammen Lichter auf, Fensterläden schlagen.

Einen Moment ist er abgelenkt, bunte Blitze.

Der Killer hechtet zu der Waffe.

»*Sheket! Ani kore lamishtara!*«

Auch anderswo geht Licht an, kein Wunder bei dem Mordsspektakel, das sie veranstalten, wenn es das mal nicht trifft, *Mords*spektakel!, begleitet von der Frage, wer am Ende wen umgebracht haben wird.

(Du mich jedenfalls nicht.)

(DU NICHT!)

(Du bringst niemanden mehr um.)

Er setzt dem Kerl nach, der den Pistolengriff schon gepackt hält, schlingt den Arm um seine Kehle.

Reißt ihn auf den Rücken und drückt zu.

Drückt.

Drückt, so fest er kann.

Die Waffe poltert zu Boden.

Der Killer windet sich. Rollt auf den Bauch, zieht Hagen mit, stemmt sich hoch. Kommt auf die Beine und versucht, seinen Plagegeist gegen die Hauswand zu drücken. Hagen lässt nicht locker. Um keinen Preis der Welt wird er locker lassen. Wieder und wieder wirft sich sein Gegner rücklings gegen die Mauer, um ihn zu zerquetschen, schlägt nach hinten, krallt sich in sein Haar, seine Kleidung.

Hagen nimmt den zweiten Arm zur Hilfe. Legt alle Kraft in seinen Griff, zieht die Schlinge enger.

Der Killer wankt.

Fällt auf die Knie.

Auf der gegenüberliegenden Seite des Platzes wird eine Tür geöffnet, jemand schreit Unverständliches.

(Nicht loslassen. Nicht loslassen. NICHT –)

Im Würgegriff stirbt der Gegner.

Stirbt entsetzlich langsam.

Wehrt sich verzweifelt, kein sauberer Tod wie im Kino, kein knackendes Genick. Hagen wüsste gar nicht, wie das geht, jemandem das Genick zu brechen, überhaupt ist ihm schleierhaft, welche Kraft ihn befähigt, das hier zu Ende zu bringen. Wut und Angst setzen Reserven frei, die seine Gene aus dämmriger Zeit codiert haben müssen, als Menschen noch eine jagende und gejagte Spezies unter vielen waren, eine Tierart am Rand des Erwachens. Er hört das Röcheln des Sterbenden, riecht, wie er sich einnässt, das ganze entwürdigende Programm, denkt an Tonja, an ihr erbarmungswürdiges Ertrinken, drückt zu und fühlt den großen Körper endlich erschlaffen.

»Ma ata ose? Ma ze tzarich lihiot?«

Männer in langen weißen Hemden kommen über den Platz gerannt, aus dem Fenster über ihm erklingt eine Wortkanonade.

Mea Schearim reibt sich die Augen.

Nummern werden gewählt, Ordnungskräfte herbeigerufen.

Hagen lässt den Toten zu Boden plumpsen.

Hebt die Waffe auf und richtet sie auf die heraneilenden, bärtigen Männer.

»Keinen Schritt«, keucht er.

Sie bleiben stehen, ratlos, plötzlich verängstigt. Ohne sie aus den Augen zu lassen, geht er in die Knie und tastet den Toten ab, greift in seine Kleidung, findet eine Brieftasche, einen Schlüsselbund, ein weiteres Magazin mit Munition, verstaut alles in seiner Jacke. Springt auf die Männer zu, schreit sie an, unartikuliert, wie ein Tier –

Erschrocken weichen sie zurück.

– macht kehrt und schlägt sich in die nächste Gasse.

Niemand folgt ihm.

Er orientiert sich am Geräusch der Autos, die Häuser Mea Schearims enden, und plötzlich liegt die erleuchtete, vierspurige Sderot Hayim Barlev vor ihm wie eine Grenze zu einer anderen Welt – einer Welt, in der Björklund noch lebt, mit Lukoschik an der Bar sitzt, den Mann hinterm Tresen um den Schlaf bringt, in der sie ihn johlend begrüßen und fragen, wo er jetzt herkommt.

Hagen schaut auf die Uhr. Viertel nach zwei.

Taumelt unter eine Straßenlaterne, fischt die Brieftasche des Toten hervor, öffnet sie. Starrt auf den Ausweis.

Auch ohne Hebräisch lesen zu können, weiß er, was das ist.

Es wird immer albtraumhafter.

Der Kerl war Polizist.

Schon darum ist das American Colony Geheimniskrämern lieb und teuer, weil diese wunderbar konspirative Ruhe über allem liegt.

Jetzt nicht mehr.

Beamte und Mitarbeiter des Schin Bet bevölkern die Lobby, der Nachtportier starrt konsterniert in seinen Computer. Cox hat das Hotel in Rekordzeit erreicht, zeitgleich mit den Agenten und Einsatzfahrzeugen der Polizei, die sich auf dem malerischen Innenhof unmalerisch verteilen.

Der Portier schiebt Schlüssel über den Tresen.

»Herr Krister Björklund hat die Nummer 206«, sagt er, um Würde bemüht. »Hier hätten wir Herrn Thomas Hagen, 315.« Gemessenen Schrittes kommt er hinter seiner Theke hervor. »Welches der Zimmer darf ich Ihnen als Erstes –«

»Beide«, sagt Cox.

Der Mann zwinkert, mit der Unmöglichkeit seiner Verdopplung befasst.

»Ich könnte –«

Cox vertraut ihn einem Agenten zur Befragung an und stapft mitsamt Gefolge Richtung Treppen.

Hagen hält sich im Schatten. Das Hotel liegt hinter einer spaliergesäumten Mauer, dichte Vegetation säumt die Straße.

Niemand unterwegs.

Er schleicht entlang der Mauer bis zur Zufahrt und lugt um die Ecke. Die Gebäude gruppieren sich um eine Plaza, illuminiert von Laternen, und dort ist einiges los. Polizeifahrzeuge parken wild durcheinander. Beamte und zivil Gekleidete laufen umher.

Einer bleibt stehen und schaut in seine Richtung.

Hagen zuckt zurück.

Was, wenn die schon auf ihn warten?

(Dumme Frage, natürlich warten sie. Du hast ihnen verraten, wo die CDs versteckt sind, einer hat es brühwarm ins Telefon getratscht.)

Sie sind hier.

Er zieht sich zurück, denkt fieberhaft nach. Durchs Haupthaus gelangt man zu den Zimmern, das kann er jetzt vergessen. Ruft sich den Blick von seiner Terrasse in Erinnerung. Die Aussicht geht nach Norden. Den Zimmerschlüssel trägt er bei sich (alte Angewohnheit, *immer* den Schlüssel mitnehmen), vielleicht gelangt er ja hintenrum rein. Durch das Spalier oberhalb der Mauer kann er in den dunklen, mit Bäumen und Sträuchern bestandenen Gartenstreifen blicken. Ein Plan nimmt Gestalt an. Er schwingt sich auf das Mauersims, greift in die Gitterstäbe, setzt seine Füße in die Verstrebungen. Klettert hoch, grätscht über den Rand und springt auf die andere Seite.

Landet federnd im Gras.

Hat ihn jemand beobachtet? Wachpersonal, nachtaktive Gärtner?

Lauscht. Nichts.

Läuft zum Ende des Haupthauses und späht daran vorbei. Da liegt der Außenpool, abgedeckt um diese Jahreszeit, nur notdürftig beleuchtet. Ein Stück weiter grenzt die Rückfront an den zweigeschossigen Flügel, in dem sein Zimmer liegt, gleich neben dem Björklunds. Einen Moment verharrt er im Schutz der Wand und taxiert das Gebäude, späht hinauf zu den Terrassen.

(Idiotisch, was du hier machst.)

(Die waren längst in deinem Zimmer.)

Und kurz verlässt ihn der Mut. Natürlich. Sie haben den Safe geknackt und jemanden dagelassen, um ihn gebührend in Empfang zu nehmen, falls er hier aufkreuzt.

(Riskier's. Was willst du sonst tun?)

Eben. Hat er eine Wahl?

Lautlos huscht er die Rückfront entlang zur Feuerleiter. Unmittelbar neben seiner Terrasse kommt sie aus, und er ist keineswegs wehrlos. In seinem Gürtel steckt die Waffe des toten Killers, sein Schießtraining bei der Bundeswehr ist ihm in lebhafter Erinnerung. Er will die Erfahrung des Tötens kein weiteres Mal machen, doch wenn sie ihn da oben in die Enge treiben –

Er greift in die Sprossen.

Beginnt zu klettern, schaut rüber zum Haupthaus.

Auf einem der Balkone steht jemand, die Hände um die Brüstung gelegt.

Hagen zögert. Hält inne. Die Leiter ist unbeleuchtet, kaum vorstellbar, dass ihn der Mann auf die Distanz sehen kann, dafür sieht Hagen ihn umso deutlicher. Warmes, gelbes Licht dringt aus dem dahinterliegenden Zimmer und setzt ihn bühnenreif in Szene.

Er trägt eine Polizeiuniform.

Wenig beruhigend. Vor kaum einer Viertelstunde hat Hagen einen Polizisten umgebracht.

Nachdem der *ihn* umbringen wollte.

Der Mann spricht in ein Funkgerät. Rätselhaft. Wenn sie seinetwegen hier sind (und das ist so sicher wie der Ruf des Muezzins), was tut er dann in dem Zimmer dort oben?

Und plötzlich geht ihm ein Licht auf.

Das dort oben *ist* sein Zimmer.

Lukoschik hat mit ihm getauscht, offenbar ohne die Rezeption davon zu unterrichten.

Er sollte in dem Balkonzimmer wohnen.

Folgerichtig suchen sie dort nach den CDs.

(Zeit! Das verschafft dir Zeit, und wenn es nur Minuten sind.)

Zügig klettert er weiter.

Cox sieht zu, wie die Beamten das Zimmer durchwühlen.

Klamotten, Hygieneartikel, Bücher.

Ein Diktafon. Dies und das.

Schließlich haben sie den Portier dann doch hochkommen und in beiden Zimmern die Tresore öffnen lassen. Leer. Trotzdem ist sie guten Mutes. Dem Augenschein nach hat Hagen noch seinen gesamten Krempel hier. Sollte er den Mördern aus der Shlomtsiyon HaMalka entronnen sein, besteht eine gewisse Wahrscheinlichkeit, dass er demnächst hier angeschlichen kommt.

Wir sollten uns unsichtbar machen, denkt Cox.

Im Funkgerät eines der Polizisten rauscht es.

Kurzer Dialog.

»Hagen ist in Mea Schearim gesehen worden.«

»Wann?«

»Keine Viertelstunde her. Es hat einen Kampf gegeben. Lärm. Anwohner sind runter auf die Straße, wo er sie mit einer Waffe bedrohte und das Weite suchte.«

»Mit einer Waffe?«

»Ja. Offenbar hat er jemanden getötet.«

(Beeilung. Beeilung!)

(Irgendwann werden sie ihren Irrtum bemerken. Die Gästeliste durchgehen, der Wahrheit auf die Spur kommen.)

Er zieht sich über das verschnörkelte Eisengeländer, sieht sein Zimmer im Dunkeln liegen. Bambusgestelle trennen die Terrasse von der Björklunds, durch die Matten schimmert Licht.

Dort sind sie schon.

Bei ihm noch nicht.

Oder? Im Film warten die Bösen gerne im Dunkeln.

Mit zitternden Fingern fummelt er den Schlüssel aus seiner Jacke, leise klackend dreht er sich im Schloss.

Lautlos schwingt die Tür auf.

Niemand.

Mit wenigen Schritten ist Hagen am Safe und öffnet ihn. Alles noch da. Laptop, CDs, Geld, Kreditkarten, seine privaten Schlüssel. Den Koffer kann er vergessen, packt alles in seinen Rucksack, stopft Unterwäsche mit hinein, T-Shirts, so viel reingeht. Stülpt sich die Kappe über und schleicht zurück auf die Terrasse.

Der Polizist ist vom Balkon verschwunden.

»Hagen?« Cox schüttelt ungläubig den Kopf. »Jemanden getötet?«

»Und zwar nicht mit besagter Waffe«, erklärt der Beamte.

»Wie dann?«

»Im Moment sieht es so aus, als sei das Opfer erstickt.«

»Und wer *ist* das Opfer?«

»Wissen sie noch nicht.«

Es wird immer abstruser. Hagen kämpft mit jemandem. Tötet ihn und flieht mit einer Waffe. Die er aber nicht benutzt hat. Eindeutig spart es Zeit, seinen Gegner zu erschießen, statt ihm auf schweißtreibende Weise die Luft abzuschnüren. Hat Hagen ihm die Waffe abgenommen, *nachdem* er ihn erdrosselt hatte?

Ist der Tote einer der Killer?

Vertieft in Fragen geht sie zur Tür und rasselt um ein Haar mit einem Mann zusammen. Wie angewachsen steht er plötzlich vor ihr und starrt in die verwüsteten Räumlichkeiten.

»Und Sie sind?«, fragt Cox.

Sein Unterkiefer bebt. Er schüttelt den Kopf, ein hilfloses Negieren des Unabänderlichen.

»Was machen Sie in meinem Zimmer?«

Cox starrt zurück. »Ihr Zimmer?«

Er will an ihr vorbei. Sie hält ihn an der Schulter fest.

»*Ihr* Zimmer?«

Denn wenn das *sein* Zimmer ist – das Zimmer eines Mannes, den sie nie zuvor gesehen hat, auch nicht auf einem Fahndungsfoto –

Wo ist dann Hagens Zimmer?

Hagen zieht sich hoch.

Über das Spalier. Auf die Straße.

Verfällt in lockeren Trab.

Irgendwohin.

Tel Aviv

Dank fortgeschrittener Technik und Splitscreen muss sich für die hastig angesetzte Nachtkonferenz um 4:00 morgens niemand ins Büro bequemen, sondern allenfalls aus dem Bett.

Selbst das verweigert Perlman.

Da er physisch nirgendwo erwartet wird, wirft er einen Morgenrock über, brüht Kaffee auf und macht es sich auf der Matratze wieder bequem. Der Bildschirm an der Wand ihm gegenüber zeigt eine Galerie konsternierter Gesichter.

»Hagen und Lukoschik hatten die Zimmer getauscht.« Cox, aus dem American Colony zugeschaltet. »Und vergessen, die Rezeption darüber zu informieren.«

»Waren Sie zwischenzeitlich im richtigen Zimmer?«, fragt er.

»Ja. Da hatte schon jemand rumgewühlt.«

»Irgendeine Idee, wer?«

»Möglicherweise Hagen selbst. Safe leer, Schränke und Schubladen offen. Kann sein, dass er Verschiedenes mitgenommen hat.«

»Mitgenommen?«, staunt Dreyfus. »Wann denn?«

»Keine Ahnung.« Cox bleckt aggressiv die Zähne. »Vielleicht, während wir in den falschen Zimmern suchten?«

»*Wie bitte?*«

»Bleiben Sie geschmeidig. Von Lukoschik konnten wir unmöglich wissen. Ebenso wenig von dem Zimmertausch.«

»Und dieser Lukoschik ist Hagens Komplize?«

»Glaub ich nicht.«

»Sie *glauben*.« Dreyfus rollt die Augen. »Hör ich da Berge rumpeln, die Ihr Glaube versetzt? Oder nur, dass Sie's nicht wissen?«

Cox' Miene verfinstert sich noch mehr. »Kommen Sie doch rüber und reden Sie selbst mit ihm.«

»Worauf Sie sich verlassen können.«

»Ruhig«, mahnt Ben-Tov. »Alle kühlen sich jetzt mal ab.«

Die Nerven liegen blank. Hagen hat einen Anschlag extremistischer Siedler erwähnt, was mehr als nur eine Ohrfeige für Dreyfus' Verein wäre. Es würde die komplette Jewish Division infrage stellen.

Wegen fortgesetzter Inkompetenz.

»Lukoschik wusste von Silbermans Angebot«, fährt Cox ruhiger fort. »Seine Redaktion wollte da nicht ran, offenbar hat Björklund den Deal dann zu Hagen rübergeschanzt. Die beiden waren das Dream-Team, bevor Hagen in Taloqan seine Karriere beerdigte. Nach dem

Essen im Askadinya trennten sie sich, Lukoschik begleitete seinen Fixer nach Hause, wo sie eine Flasche Wein niedermachten, und fuhr zurück ins American Colony. Ach ja – er steht unter Schock. Vor einer halben Stunde konnten wir dann Juri Powetkin, den einzigen Überlebenden aus der Shlomtsiyon HaMalka, befragen. Eines der toten Mädchen ist die Tochter von Dmitri Gussinski, das andere ihre Cousine.«

»Gussinski?« Ben-Tov runzelt die Stirn. »Der Spekulant?«

Vor 15 Jahren eingewandert. Kam schon stinkreich an, wurde mit Waffengeschäften, Zockereien am Aktienmarkt und (nicht nachgewiesener) Prostitution noch reicher. Diverse Sozialprojekte und wohltätige Stiftungen, beste Kontakte in Regierungskreise. Die arrivierte Mafia, von Amts wegen mit einem großen Schild an der Tür: BITTE NICHT STÖREN.

Auch das noch. Druck von Regierungsfreunden.

»Um die Mädchen schwirrten beständig Bodyguards herum«, fährt Cox fort. »Logierten im Haus nebenan. Irina muss es gelungen sein, den Panic Button zu drücken. Die Jungs rannten rüber und fanden vier Typen mit Skimasken damit befasst, Hagen und Björklund durch die Mangel zu drehen. Tonjas Füße ragten aus der Wanne, von Irina war nichts zu sehen. Sie schlossen messerscharf, dass die Maskierten die Bösen seien, es kam zum Kampf. Nicht alles hat Juri in der Hektik mitbekommen, er meint, Björklund habe einen der Maskenmänner erledigt, bevor es ihm an den Kragen ging, alle anderen starben oder flohen.«

Perlman balanciert die Kaffeetasse zum Mund.

»Dieses Treffen, Hagen, Björklund und die Mädchen –« Bläst in die heiße Flüssigkeit. »Wissen wir, ob die verabredet waren?«

»Lukoschik sagt nein.«

»Woraus schließt er das?«

»Er meint, der Entschluss, ins Hataklit zu gehen, sei spontan gefallen. Im Hataklit wiederum sagten sie, Tonja und Irina hätten öfter vorbeigeschaut, um Typen klarzumachen.«

»Also eine Zufallsbekanntschaft.«

»Offenbar.«

»Dann konnte niemand wissen, wo sie hingehen«, sinniert Dreyfus. »Und dennoch spüren diese Skimasken sie auf. Während wir im Dunkeln tappen. Wisst ihr, wie das für mich klingt?«

Sie wissen es. Es klingt, als seien sie, während sie Hagen überwachten, selbst überwacht worden.

»Herrgott«, stößt Ben-Tov hervor. »Die haben uns *abgehört*?«

519

Grabesstille. Das muss erst mal sacken.

»Was zum Teufel wollen die?«, grübelt Ben-Tov.

»Liegt das nicht auf der Hand?«, sagt Perlman. »Sie wollen, was wir auch wollen.«

»Die CDs«, sagt Adler. »Und zwar *vor* uns.«

Ben-Tov sieht aus, als sei der Blitz in ihn gefahren.

»Nicht nur das. Die wollen auch Hagen *vor* uns! Warum? Was könnte er ausplaudern? Wo im Schin Bet die Maulwürfe sitzen?«

»Wenn die Maulwürfe für das Killerkommando verantwortlich sind«, sagt Cox, »hat er jedenfalls ein gewaltiges Problem. Dann hat er den Schin Bet gleich zweimal auf den Fersen.«

»Wir müssen das Team noch mal durchleuchten«, schnaubt Dreyfus. »Einer aus unserem Kreis –«

»Ich bitte Sie«, sagt Ben-Tov. »Das sind alles Vertrauenspersonen.«

»Am Arsch, Eli.« Dreyfus verliert die Fassung. »*Jeder* im Schin Bet sollte eine Vertrauensperson sein. Und? Einige sind es offenbar nicht. Vielleicht sind *Sie* ja der Maulwurf.«

»Bleiben Sie konstruktiv.«

»Vielleicht bin *ich* es. Gefällt Ihnen das besser?«

»Vielleicht ist es ja Tal«, spottet Cox. »Blind genug für einen Maulwurf wäre er.«

»Ach, Shana.« Ein müdes Grinsen verzerrt Adlers grobe Züge. »Schön, wieder mit dir zu arbeiten.«

»Ich hab noch was«, sagt sie, ohne auf den Rakas einzugehen. »Die tote Skimaske konnten wir identifizieren. Ehemaliger Zahal-Leutnant. Seit vier Jahren bei einer privaten Sicherheitsfirma tätig.«

»Kennen wir die?«, fragt Ben-Tov.

»ZPS. *Zionist Protection Services.*«

»Nie gehört.«

»Wir legen sie unters Mikroskop«, verspricht Perlman.

»Da Sie doch immer so großartige Eingebungen haben«, sagt Dreyfus an Cox' Adresse gewandt. »Was wird unser Freund Hagen als Nächstes tun, sofern er noch lebt?«

»Auf alle Fälle sein Handy ausgeschaltet lassen.«

»Er hat also begriffen, dass wir ihn abhören?«

»Todsicher.«

Womit wir ihn endgültig verloren hätten, denkt Perlman. Und jetzt hat er zu allem Überfluss auch noch jemanden umgebracht und läuft mit einer Waffe durch die Gegend.

»Was wissen wir über den Toten in Mea Schearim?«

»Nichts. Keine Papiere, leeres Schulterhalfter. Er trug eine Skimaske bei sich. Das sagt uns zumindest, auf wessen Seite er stand.«

Wie man's auch dreht und wendet, Hagens Geschichte gewinnt an Wahrscheinlichkeit. Als wir ihn abhörten, denkt Perlman, hat die andere Fraktion hochinteressiert mitgehört. Und sich voller Entsetzen gefragt, ob sein Wissen reicht, um sie auffliegen zu lassen.

Andere Fraktion?

WIR! Die gehören zu *uns.* Sitzen in denselben Büros. Wissen über jeden unserer Schritte Bescheid.

Und wir haben nicht den blassesten Schimmer, wer *sie* sind.

1982

Hebron

Benjamin hat sich gehen lassen.

Äußerst unklug.

Als er mit Leah und der Jüngsten einen Abstecher in die Altstadt unternahm – entlang der Shuhada-Straße mit ihren Läden und Marktständen, um die fortschreitende Restaurierung Beit Romanos in Augenschein zu nehmen, misstrauisch beäugt von arabischen Händlern und Passanten, und eins das andere gab, seine Tochter einen Stein aufnahm, ihn auf einen arabischen Jungen schleuderte und schrie:

»Dreck! Abschaum! Frieden wird es in Hebron erst geben, bis der Letzte von euch verschwunden ist!«

und der Vater des getroffenen Jungen über die Straße stürmte, wutentbrannt, ein Messer in der Rechten, jedenfalls sah es aus wie eines – da schoss Benjamin zur Warnung in die Luft, gelenkt von der Notwendigkeit, seine Tochter zu schützen, und gut, vielleicht hat er nicht hoch genug geschossen, Luft ist ja überall und ein weiter Begriff, jedenfalls heulte der Mann plötzlich auf, ließ die Waffe fallen und hielt sich stöhnend die blutende Schulter.

Klar, dass die israelischen Soldaten, die da patrouillierten, Benjamin erst mal verhaften mussten. Auch, weil das Messer im Herabfallen beträchtlich an Fläche gewann und sich als zusammengerollte Zeitung entpuppte.

Was glaubt man im Moment der Gefahr nicht alles zu sehen.

Jetzt also wird ihm der Prozess gemacht.

Und das ärgert ihn maßlos.

Weniger, weil er fürchtet, den Araber ernsthaft verletzt zu haben, als vielmehr, weil Wildwestmanieren eigentlich Mosche Levingers Programm sind. Beschimpfen, zuschlagen, schießen. Tatsächlich dürfte der notorisch aufgebrachte Mosche nie ein anderes Buch in der Hand gehalten haben als die Thora, wie sonst ließe sich sein wenig nuancierter Ausdrucksstil erklären? Vielen Tiefreligiösen gelten die Werke weltlicher Autoren als Konvolut an Unanständigkeiten, auch Benjamin hat lange Zeit alles gemieden, was nicht der Glaubenspflege diente, allerdings nur, um emotionale Distanz zu den Helden seiner Kindheit herzustellen.

Seit er nicht mehr korrumpierbar ist, liest er umso mehr.

Sieht fern.

Beschäftigt sich mit den Massenmedien.

Hält sich wissenschaftlich auf dem Laufenden, kultiviert seinen Intellekt. Verunsichert Linke und Liberale durch Allgemeinwissen statt durch rüde Polemik, ein Radikaler, der Sun Tsu und Oscar Wilde zitiert. Zwar die Erlösung des Landes predigt, ohne sich jedoch an Ausschreitungen zu beteiligen.

Einer, mit dem man reden kann.

Das unterscheidet ihn von Levinger, auch wenn sie in ihren Zielen übereinstimmen, und Benjamin legt Wert darauf, dass das so bleibt. Levinger ist der von der Kette gelassene Hund, der Mann fürs Grobe. Asketisch, furchtlos, eine lebende Legende, mit locker sitzender Waffe und radikal undiplomatischer Art. Bestens geeignet, Benjamin in umso vorteilhafteres Licht zu setzen. Jede neue Schandtat des rabiaten Rabbis liefert ihm eine Steilvorlage, um sich öffentlich von Gewalt zu distanzieren, schon darum wäre ihm lieber gewesen, seine Tochter hätte den Stein nicht geworfen – ungeachtet dessen, dass sie recht hatte: Die Befreiung Hebrons wird erst abgeschlossen sein, wenn der letzte Araber die Stadt verlassen hat. Doch könnte der Vorfall seinem Image nachhaltig schaden. Sobald er nämlich wegen Körperverletzung vorbestraft ist, werden sie ihn nicht mehr in Ruhe lassen, sondern beginnen, ihn zu observieren und ihm auf die Finger zu sehen.

Das war das erste und das letzte Mal, schwört er sich.

Reiß dich gefälligst zusammen. Denk an Sun Tsu.

Die Kunst des Krieges.

Großartiges Buch.

Seit er den chinesischen Feldherrn für sich entdeckt hat, ist er hingerissen von der Eleganz seiner Ausführungen, mehr noch, er fühlt sich verstanden, regelrecht porträtiert.

Wenn du nicht stark bist, sei klug.

Bin ich stark? Nein, ich bin ein Krüppel.

Die größte Verwundbarkeit ist die Unwissenheit.

Soll heißen, je besser ich mich in Andersdenkende hineinversetzen kann, desto siegreicher werde ich sein, doch dafür muss ich mich in ihrer Welt auskennen.

Der Höhepunkt aller militärischen Entfaltung findet sich im Formlosen.

Anders gesagt, lerne deinen Gegner einzuschätzen, ohne für ihn sichtbar zu sein, damit er *dich* nicht einschätzen kann.

Wenn du etwas vorhast, gib dir den Anschein, es nicht vorzuhaben.
Die Kunst der Täuschung und vielleicht schwierigste Herausforderung: Nicht unentwegt zu fordern, was das Herz will: dass nämlich Hebron wieder durch und durch jüdisch wird. So viele Häuser und Straßen, in denen Juden gelebt haben vor dem Massaker von 1929. Beit Hadassah immerhin ist ein Anfang, ein prachtvolles, synagogenartiges Gebäude aus dem späten 19. Jahrhundert, lange Wohnort jüdischer Familien und Rabbis, bis eine arabische Schule dort einzog, und nach dem Sechstagekrieg stand der Komplex dann leer. Stünde er immer noch, hätte nicht Mosche Levingers rührige Frau die Initiative ergriffen.

Bei Nacht und Nebel.
Schleicht sich in die Stadt, zusammen mit neun weiteren Frauen und 40 Kindern, trotz strikten Verbots seitens der Regierung. Kümmert sie nicht. Unbemerkt klettern sie in die verwahrloste Ruine und weigern sich von Stund an, sie wieder zu verlassen. Jerusalem in heller Not. Begin traut sich nicht, Frauen und Kinder mit militärischer Gewalt evakuieren zu lassen, wieder greift der alte Trick: In der Illegalität verharren, bis sie dich legalisieren. Die Gruppe muss dafür einiges durchmachen, von Hygiene kann in dem ungeheizten, rattenbefallenen Bau kaum die Rede sein, der Herr prüft sein Volk, Hunger, Hepatitis, endlich knickt Begin ein, und in Hebron leben wieder Juden.
So macht man das.
Man handelt, und man zahlt den Preis.
Ein Jahr nach dem Husarenstück wird die winzige Enklave in der Araberstadt immerhin stillschweigend geduldet. Frauen und Kinder dürfen in Beit Hadassah bleiben, allerdings ohne ihre Männer. Begin scheut den letzten Schritt, was ein eigenartiges Ritual in Gang setzt. Immer freitagabends, nach dem Gebet in der Höhle der Patriarchen, ziehen Dutzende aufgekratzte Talmudschüler nach Hebron, machen die dunklen Moslemgassen unsicher, werfen Steine gegen Fensterläden, versammeln sich vor Beit Hadassah, singen und tanzen zur Freude der Frauen und kehren zurück nach Kiryat Arba. Eine Weile geht das so, bis eines Abends Publikum anderer Art auf den Dächern kauert, Araber mit Gewehren und Handgranaten. Diesmal endet die Tanzveranstaltung in einem Blutbad. Die Angreifer entkommen in die Kasba und müssen feststellen, dass sie ihrer Sache den denkbar schlechtesten Dienst erwiesen haben. Nicht nur, dass sämtliche arabischen Bürgermeister Hebrons umgehend in den Libanon ausgewiesen und eine

Reihe Häuser gesprengt werden, Begin nimmt das Attentat zum Anlass, den wilden Siedlern endlich auch offiziell seinen Segen zu geben, und die Männer dürfen nach Beit Hadassah nachkommen.

Pioniertaten fordern Opfer.

Aber sie ebnen den Weg.

In rascher Folge gestattet Jerusalem nun den Ausbau weiterer Siedlungen in Hebrons Altstadt, das einstige jüdische Viertel Avraham Avinu wird mitsamt Synagoge restauriert, Beit Romano, ein Gebäude aus dem 19. Jahrhundert, instand gesetzt, ein Rabbi nimmt in den Mauern Thorastudien auf, bald wird dort eine richtige Jeschiwa entstehen –

Und warum?

Weil wir standhaft geblieben sind, denkt Benjamin.

Dennoch schmerzt jeder Tropfen jüdischen Blutes, der für Eretz Israel vergossen wurde.

Und es droht, blutig zu bleiben.

Gerade mal 150 Juden leben derzeit im Herzen Hebrons.

Unter 45 000 Muslimen.

Die Zusammenstöße nehmen überhand. Seit Levingers Frau Beit Hadassah zurückerobert hat, gibt es mehr Tote und Verwundete denn je, Steine, Brandbomben und Handgranaten fliegen israelischen Militärpatrouillen entgegen, beschädigen jüdische Wohnhäuser, im ganzen Land ist die arabische Bevölkerung außer sich.

Benjamin versteht sie.

Doch, im Ernst.

Wie man halt Menschen versteht, wenn man in der Lage ist, sich in ihr Denken hineinzuversetzen.

Er kann den Zorn der Araber über die Provokationen der Siedler in jeder Sekunde nachvollziehen. Es ist ja keineswegs so, dass er Menschen verletzt oder ermordet sehen möchte. Er hasst die Araber nicht. Sähe er nur die geringste Möglichkeit, Eretz Israel ohne Blutvergießen zu errichten, er würde alles dafür geben. Ihm ist bewusst, dass ihre listenreiche Rückkehr nach Hebron dem ohnehin angeschlagenen Friedensprozess empfindliche Treffer versetzt hat, die Rücksichtslosigkeit der Besatzungssoldaten jede Koexistenz zunichtemacht, Polizeipräsenz nicht automatisch Recht bedeutet, der palästinensische Terror zunehmend auf das Konto der Messianisten geht, Gusch Emunim den Staat gefährdet, was bei oberflächlicher Betrachtung alles nur noch schlimmer macht.

Aber eben nur bei oberflächlicher Betrachtung.

Tatsächlich wird alles besser, weil am Ende dieser schmerzlichen Prozesse die Ankunft des Messias steht.

Immerwährender Friede.

Immerwährendes Glück.

Für die *gesamte* Menschheit!

Die Frage ist nicht, ob es zur Erlösung kommt, nur wie. Ob also der Weg des fortgesetzten Kleinkriegs sie beschleunigt oder eher in die Länge zieht. Die jüdische Renaissance sei wichtiger als jede Demokratie, hat Levinger kürzlich gesagt, aber vielleicht unterschätzt er ja die Möglichkeiten der Demokratie, eine Theokratie zu errichten.

Über all dies denkt Benjamin nach.

Und er will beim Nachdenken nicht gestört werden.

Keine Aussetzer mehr. Keine Prügeleien und Schießereien, das ganze Levinger-Programm: tabu. Mit dem einen Fleck auf der Weste wird er leben müssen, doch es gibt Waschmittel.

Über die Sache wird bald Gras gewachsen sein.

Danach sehen wir weiter.

Kfar Malal

»Vier Generationen«, zwitschert Rachel vergnügt. »Ist das nicht wunderbar? Wir sind zusammen die Geschichte Israels.«

»Mit all ihren Auswüchsen«, gibt Phoebe trocken zurück.

»Ach, Kind. Darüber können wir uns heute Abend noch echauffieren.«

Phoebe hebt eine Braue.

»Du willst mich heute Abend nicht mit Leah streiten hören.«

Wenn nämlich Benjamin, seine Frau und ihre aufreibenden Kinder eintreffen und die Atmosphäre verfrömmeln.

»Vielleicht kommt sie ja nicht mit«, gibt Rachel einer tief empfundenen Hoffnung Ausdruck.

»Mach dir da mal keine Illusionen.« Phoebe verstaut die St.-Peter-Fische im Kühlschrank, wo bereits akuter Platzmangel herrscht. Gefüllte Weinblätter, Hummus, Taboulé, Zhoug, Mashi, Oliven und eingelegte Gurken in Servierschälchen bilden den Unterbau für Platten mit Früchten und Käse. »Zur Bekundung ihrer Abscheu setzt sie sich sogar mit uns an einen Tisch.«

Was Leah angeht, sind die Familienverhältnisse, um es mal so zu nennen, passiv suboptimal.

Soll heißen, Funkstille.

Während der letzten Jahre hat sich der Kontakt auf gelegentliche Besuche Benjamins in Kfar Malal und noch gelegentlichere Treffen mit Jehuda beschränkt, sporadisches Aufkeimen einer Verbundenheit, die nicht darüber hinwegtäuschen kann, dass die Nervenbahnen nach Hebron praktisch abgestorben sind.

Nur, Rachel wird 80.

Also werden sie in wenigen Stunden gemeinsam den alten Hof in Kfar Malal bevölkern und versuchen, nicht über Religion und Politik zu sprechen. Was sicherlich das Klügste ist, allerdings die Frage aufwirft, worüber sie dann reden sollen.

»Tataa! Der Wein!«

Uri, in Begleitung einer auf Wischmopp frisierten Anastasia, betritt die Küche und wuchtet zwei Kartons auf den Tisch.

»Weiß und rot. Vergreift euch nicht gleich dran.«

Rachel zieht eine der Flaschen heraus und begutachtet das Etikett.

»Kenne ich nicht.«

»Wurde mir empfohlen. Ist koscher.«

»Koscher.« Die alte Frau schüttelt den Kopf. »So ein Zinnober. Und nur wegen Leah.«

»Vergebene Liebesmüh«, konstatiert Phoebe und wickelt Schabbat-Brote aus dem Papier. »Leahs Vorstellungen davon, was koscher ist, hätten selbst Moses in Bedrängnis gebracht.«

»Hauptsache, er schmeckt.« Rachel stellt die Flasche weg und schickt interessierte Blicke in Anastasias Richtung. »Was ist passiert, Kind? Siehst aus, als wär auf deinem Kopf ein Tier verendet.«

»Ich find's toll«, verkündet Miriam, die Tüten mit Gemüse und Fleisch hereinträgt, doch der Schaden ist bereits angerichtet. Anastasias Mundwinkel streben nach unten.

»Das trägt man in Beverly Hills«, sagt sie.

Womit Rachel nun gar nichts anfangen kann.

»Habt ihr auch an meine Leber gedacht?«

»Ja.« Miriam legt mit spitzen Fingern ein blutgerändertes Päckchen auf den Tisch. »Da. Ihh!«

»Kalbsleber ist nicht ihh«, belehrt Rachel ihre Enkelin. »Sondern was ganz Feines. Schön mit gedünsteten Äpfeln, reichlich gebratenen Zwiebeln und Kartoffelbrei.«

Und ordentlich versetzt mit Erinnerungen, denkt Jehuda, als er den Raum betritt, Yael auf dem Arm.

Erinnerungen an Berlin.

»Na, magst du Leber?«, sagt er zu Yael. »Feine Leber?«

»Ihh«, macht Yael.

Er lacht, obwohl er sich fühlt wie in einer Zeitschleife. Wie Ijon Tichy aus Lems *Sterntagebüchern*, der sich in Gravitationsanomalien unentwegt selbst begegnet. Seit Rachel die Familie aufgenommen hat, lebt er in einem einzigen Déjà-vu. Hier ist er groß geworden, sogar mit Phoebe hat er noch eine Weile in Kfar Malal gewohnt. Wie jung sie damals waren! Jeder Tag führte sie an Kreuzungen mit tausend Wegweisern. Tausend Möglichkeiten zu wählen, und heute?

Sind wir schon froh, wenn mehr als eine Richtung angeschlagen steht.

Das heißt, es sind schon noch jede Menge Richtungen angeschlagen, nur können wir anders als früher, wenn wir falsch abgebogen waren, nicht mehr so einfach zurück.

Yael hingegen, die kleine Yael, weiß noch gar nicht, was es bedeutet, wählen zu dürfen.

Oder zu müssen.

Rachel jedenfalls freut sich, das sonst leere Haus voller Menschen zu haben. Und Jehuda freut sich, dass sie sich freut, das war's dann aber auch mit der Freude. Man sollte erwarten, an einem Ort wie diesem von wohligen Empfindungen umspült zu werden, Flashbacks an Sommertage, Tiere und Feldarbeit. Stattdessen, wenn er nachts in seinem früheren Zimmer liegt und Phoebe neben ihm leise seufzt, empfindet er ein Gefühl tiefer Bestürzung. Als hätte es die Zeit im Sinai gar nicht gegeben. Als sei er nach Jahren des Träumens erwacht, nur um festzustellen, dass er nie weg war, dass es immer nur Kfar Malal und diesen Hof gegeben hat.

Blödsinn natürlich, aber es macht ihm zu schaffen.

Phoebe sagt: »Miriam, gibst du mir mal das Messer? Das kleine bitte.«

Jehuda sieht zu, wie sie Chilischoten in schmale Streifen schneidet, und wundert sich.

Seine Frau.

War es gestern, als er dachte, na, mal sehen, wie lange *das* hält, andere Väter haben auch hübsche Töchter?

Drei Jahrzehnte hat es schon gehalten. Wahrscheinlich die letzte Frau, mit der er je schlafen wird. Selten, immer seltener, bis es ganz aufhört. Dinge enden. Gelegenheiten verstreichen und ergeben sich kein weiteres Mal. Die Kreuzungen werden weniger, der letzte Pfeil weist in die Dunkelheit, und du erkennst:

Das war mein Leben.

Eine Schlangenlinie, zwar abenteuerlich gewunden, dennoch so und nicht anders. Schon darum ist die Jugend um so vieles reicher: In der Vorausschau lebst du jedes mögliche Leben.

Zurückblickend hast du nur eines gelebt, und wählen zu können, erweist sich als Illusion.

Gedanken an Endgültigkeit, du lieber Himmel!

Wischt sie weg. Auch mit 54 kann man sich fühlen wie 25. Oder? Na ja, vielleicht drei Stunden am Tag. Auf jeden Fall reicht es, um noch einmal ganz von vorne anzufangen.

Das Leben liegt hinter uns, stimmt.

Das Leben liegt vor uns.

Stimmt auch.

Er sieht Phoebe lachen. Das Wichtigste überhaupt. In den vergangenen Wochen hat er sich wirklich Sorgen um sie gemacht. Wegen Katzenbach. Sie steigerte sich in die Vorstellung hinein, einen fürchterlichen Fehler begangen zu haben, da konnte er sie noch so oft daran erinnern, dass sie drei Menschen das Leben gerettet hatte. Ohne Unterlass quälte sie sich mit der Frage, was sie hätte sagen und tun können, um auch den Alten zu retten, schlimmer noch, dass letztlich sie es war, die ihn in seinem Entschluss bestärkt hatte, indem sie ihn nötigte, in seiner Vergangenheit rumzuwühlen.

Sie fühlt sich schuldig, stattdessen sollte sie sich von Katzenbach verraten fühlen.

Der alte Idiot.

Doch allmählich geht es ihr besser.

Ihr Geist gesundet.

Jehuda nimmt ein Stück Apfel von der Arbeitsfläche, hält es Yael hin, und die kleine Sonne geht auf. Er ist entzückt. Dieses Kind liebt er über alles. Und das ist gut so, denn wie weit Anastasias Liebe reicht, dessen ist er sich mitunter nicht ganz sicher.

Ein anderes, leidiges Thema.

Irgendwann werden wir auf diese Tage zurückblicken und sagen, es war eine schwierige Zeit.

Aber danach wurde alles umso schöner.

Erst mal jedoch wird alles nur schrecklicher.

Einfach, weil Leah eine schreckliche Person ist.

Wohlgemerkt, es geht nicht um Religiosität. Bis auf den Hebron-Zweig sind die Kahns ein toleranter Haufen, und natürlich empfindet Rachel ordentlich Mutterstolz, dass Benjamin es zu einem bekannten

Rabbi gebracht hat, einer angesehenen Persönlichkeit. Soll jeder im Übrigen glauben, woran er will. Wer sagt denn, dass sie als Atheistin den Kelch der Erkenntnis geleert hat, vielleicht wird sie bald tatsächlich vor einem höheren Wesen stehen, das die Brauen runzelt (sofern vorhanden) und donnert:

»Rachel, oh Rachel! So viele Chancen. Ins Heilige Land hab ich dich geschickt, und was bist du geworden? Gottlos. Tut mir leid, das Paradies muss man vorbestellen.«

Und das, während vor ihren Augen die frohlockenden Überreste palästinensischer Selbstmordattentäter unter der Himmelspforte hindurchdefilieren, weil Gott, wie sich herausstellt, gar nicht der Gott der Juden und Christen, sondern der Muslime ist.

All das weiß man nicht.

Nur Leah –

Die WEISS es!

»Und darum verstehe ich nicht, dass ihr Jamit einfach aufgegeben habt«, sagt sie nach dem erschöpfenden Abendessen in die Runde. »So habt ihr Eretz Israel verraten.«

Sitzordnung:

Rachel, *nicht* am Kopfende (»Jubilarsplatz? Spinnt ihr? Das ist ja, wie im offenen Sarg zu sitzen«), neben ihr Jehuda, Phoebe, Miriam, Uri, Anastasia. Gegenüber Vera Shneorov, zwei weitere Witwen aus dem Moschaw, Benjamin, Leah und zu Rachels Erleichterung nur zwei ihrer fünf Kinder, die sowieso längst keine Kinder mehr sind, sondern zwischen 20 und 30, eigene Familien haben und wenig Interesse, einer unziemlich lebenden alten Schachtel noch viele glückliche Jahre zu wünschen. Rachel stellt sich die ganze Bande in einen Sack gestopft vor, zugebunden und im Toten Meer versenkt.

Nein, besser im Mittelmeer.

Im Toten Meer würden sie ja nicht untergehen.

Ausgenommen natürlich Benjamin, ihr armer Junge mit seinem verkrüppelten Fuß. Dem verzeiht sie sogar, dass seine Kinder andere Kinder anspucken und mit Steinen bewerfen.

»Jehuda und Phoebe haben gar nichts aufgegeben«, faucht sie Leah an, und ihre Augen leuchten wie blaue Seen in einem Gebirge aus Falten. »Sie haben gekämpft, solange es Sinn machte.«

»Sinn macht nur die Erlösung des Landes.«

»Sinn machte ein Friedensvertrag mit Ägypten«, sagt Jehuda. »Glaub bloß nicht, wir hätten das leicht genommen.«

Leah stopft Blinzes in sich hinein.

»Dieser Katzenbach«, nuschelt sie. »Der ringt mir Respekt ab.«

Phoebes Lider verengen sich. »Sag mal, spinnst du?«

Leah reißt in gespielter Verwunderung die Augen auf.

»Ach, du hast es noch gar nicht begriffen?«

»Ich *war* in dem Haus.«

»Du hast es trotzdem nicht begriffen. Er wollte die Heiligkeit Israels nicht beschädigen, und das –«

»Ich habe mehr begriffen, als mir lieb war.«

»– kann man von euch nicht gerade behaupten.«

»Katzenbachs Entscheidung hatte mit der Heiligkeit Israels einen Dreck zu tun. Außerdem will ich darüber nicht reden.«

»Wir haben sehr gekämpft für den Erhalt von –«

»Ihr seid uns auf die Nerven gegangen, du blöde Kuh! Ihr habt uns in Misskredit gebracht.«

»Bitte.« Benjamin hebt die Hände.

Leah lacht laut auf. »In Misskredit? Hör dich mal reden.«

»Wir wollen uns doch nicht streiten.«

»Worüber auch«, schaltet sich Anastasia ein. »Der Sinai gehört nicht zum biblischen Land. Oder?«

Leah beugt sich vor, eine Grimasse falscher Herzlichkeit.

»Und woher willst du das wissen, *Schätzchen*?« Sagt Schätzchen mit ihrer Kinderstimme.

»Ich bin ja nicht blöd.«

»Nein, du bist ordinär.«

»Das reicht jetzt, Leah«, sagt Uri.

»Huh, habt ihr meinen neuen Nagellack gesehen?« Leah fuchtelt mit den Händen in der Luft herum. »Huh, meinen Lidschatten? Ich trage die Haare wie eine amerikanische Diiiiva, oooh –«

»Leah.« Benjamin zieht ihre Arme auf die Tischplatte. »Genug.«

Betretenes Schweigen.

»Ich habe Arik angerufen«, sagt Vera Shneorov und stochert in ihrem Nachtisch herum. »Das war, als sie sich in Camp David an den Händen hielten. Ich habe zu ihm gesagt, trau ihnen nicht. Trau keinem Araber, und wenn er dich noch so freundlich anlächelt.«

»Da habt ihr's«, sagt Leah.

»Aber er hat mir erklärt, dass es das kleinere Übel ist. Er sagte, es gibt Menschen, denen glaubst du selbst dann, wenn du weißt, dass du an ihrer Stelle lügen würdest. Und Sadat sei so ein Mensch. Ich antwortete, ganz schön mutig, ihm zu vertrauen. Er sagte, ganz schön feige, die Chance in den Wind zu schlagen, nur um Vorurteile zu pflegen.«

Sie schiebt den Teller von sich weg.

»Ich weiß nicht. Vielleicht war es ein Fehler, diesen Vertrag zu unterzeichnen. War es das? Es nicht zu tun, wäre in jedem Fall der größere Fehler gewesen.«

»Tut mir leid«, sagt Benjamin zu Jehuda auf der Veranda.

In der Küche tragen Phoebe und Leah schweigend Geschirr aneinander vorbei, Uri und Miriam waschen ab. Anastasia hat sich in den ersten Stock zu Yael gelegt, die sonst schlaflos durchs Haus geistern würde, aber da geistert schon Schalom, zu viel Spuk für eine Nacht. Seine Präsenz durchweht die Zimmer und Flure, wartet in Rachels Bett, die sich mit Vera und den Witwen bei Portwein und Gebäck wach hält.

Rachel hat nie wieder geheiratet.

Schaloms Tod war die erste Tragödie in ihrem Leben, die sie ohne ihn bewältigen musste, und das erschien ihr unmöglich, also ließ sie ihn leben. Wer immer ihr in den Jahren darauf den Hof machte, den schickte nicht sie nach Hause, sondern er.

Erst wenn Rachel tot ist, wird auch Schalom gestorben sein.

»Was tut dir leid, Ben?«

»Leah«, sagt Benjamin. »Sie meint es nicht böse, sie ist einfach nur – von unserer Sache durchdrungen.«

»Durchdrungen«, echot Jehuda.

»Wir tragen eine tiefe Sehnsucht in uns, Jehuda. Das kann nicht jeder verstehen. Muss er ja auch nicht. Aber Jamit, den Sinai aufzugeben, das hat uns schon sehr getroffen –«

Jehuda lacht sarkastisch.

»Na, was meinst du, wie es *uns* getroffen hat.«

»Ich weiß. Aber warum sind wir hier? Warum sind wir in diesem Land? Warum nicht in –« Benjamins Hände öffnen sich, greifen eine Möglichkeit aus der Nachtluft heraus. – »Alaska?«

»Da wären wir ja fast gelandet.«

Gab schließlich unzählige Pläne, wo eine jüdische Heimstätte entstehen könnte. Argentinien stand zur Diskussion, Kanada, British Guiana, sogar Japan. Als Übergangslösung schlug Roosevelts Innenminister Ende der Dreißiger Sitka, Alaska, vor.

»Und Herzl wollte uns in Uganda ansiedeln«, nickt Benjamin. »Was für ein himmelschreiender Unsinn. Wo soll man denn leben, wenn nicht in seiner Heimat? Und diese Heimat ist uns '67 auf dem Silbertablett serviert worden.«

»Ben, das kenne ich rauf und runter.«

»Das *ganze* Land. Glaubst du denn, das war Zufall?«

»Es war Glück.«

»Nein, es war Gottes Geschenk an uns. *Darum* dürfen wir diese Gebiete nicht aus der Hand geben, kein Politiker der Welt kann sich über Gott stellen und sagen –«

»Es geht um Frieden, Ben. Um Frieden.«

»Was du Frieden nennst, sind Kompromisse.«

»Damit nicht noch mehr Menschen sterben müssen.«

»Ja, so kann man argumentieren, aber dann werden wir auf ewig in Kompromissen gefangen sein. Ohne je in den Zustand der Erlösung zu gelangen.«

»Es war jedenfalls nicht sonderlich erlösend, uns in Jamit deine Studenten aufzuhalsen.«

»Das geschah aus Solidarität.«

»Ja, klar«, höhnt Jehuda. »Dieser Junge, Ofer –«

»Ein guter Junge.«

»Ich habe dem guten Jungen eine gescheuert, und ganz zu Recht. Stimmt, er war sehr an uns interessiert. Vor allem an Miriam.«

»Ofer ist jung, ungestüm –«

»Ihr seid alle ein bisschen ungestüm.« Jehuda schüttelt den Kopf. »Ben, erklär mir das bitte. Wen oder was repräsentierst du? Ich komm da einfach nicht mehr mit. Dieser Irre, dieser Levinger mit seiner Blut-und-Boden-Polemik, der meint, eure Erlösung sei einen Krieg wert, wenn der auf diesen Araber geschossen hätte, okay, aber du? Herrgott, du bist mein Bruder, du – du – schießt doch nicht auf Menschen!«

»Es war Notwehr«, seufzt Benjamin.

»*Deine* Tochter hat angefangen.«

»Nein, so kannst du das nicht betrachten.«

»Nicht? Entschuldige mal. Sie hat einen Stein geworfen auf einen Jungen, der ihr nicht das Geringste –«

»Verdammt, Jehuda!«, zischt Benjamin in unterdrückter Wut. »Reicht es denn nicht, dass jeder auf der Welt meint, sich darüber verbreiten zu müssen, wer im Nahen Osten *angefangen* hat? Wir sind nicht aggressiv, selbst Levinger hat kein Problem mit den Arabern.«

»Darum hat er auch einen erschossen vor zwei Jahren.«

»Das war falsch. Aber sie müssen endlich begreifen, dass Hebron eine *jüdische* Stadt ist, dann können wir Tür an Tür –«

»Wie bitte? Levinger will 50 000 Siedler nach Hebron locken!«

»Weil wir ein Recht haben, dort zu leben.«

»Und das soll friedlich verlaufen?«

»Aber *sie* attackieren doch *uns.* Nicht nur in Hebron. Sogar in Kiryat Arba leiden wir unter ihren Übergriffen.«

»Weil ihr sie provoziert.«

»Das bringt nichts, Jehuda. Du müsstest dir selbst ein Bild machen.«

»Ihr schürt einen Terror, der das ganze Land in den Abgrund reißt. Mann, Ben, es geht nicht darum, wer in Hebron wen bespuckt oder mit Steinen bewirft, ihr gefährdet *Israel.*«

»Aber nein –«

»Und *dein* Levinger nimmt das in Kauf.«

»Er ist nicht *mein* Levinger. Warum willst du das nicht verstehen? Wenn es nun eine allerletzte Schlacht erfordert, um –«

»Ben.« Jehuda legt eine Hand auf die seines Bruders. »Sag mir einfach, dass es nicht wieder vorkommt.«

»Was?«

»Dass du nicht noch mal auf jemanden schießt.«

Benjamin schaut ihn an.

Dann lächelt er. Hebt eine Hand wie zum Schwur.

»Und das heißt jetzt?«, fragt Jehuda.

»Ganz bestimmt nicht.«

»Mutter hat sich das Thema heute Abend verkniffen, aber du kannst dir vorstellen, wie sie das mitnimmt.«

»Ich werde nicht wie Levinger, keine Angst.«

»Hm.«

»Du kennst mich. Wir sind Brüder.«

Jehuda weiß, das sollte ihn beruhigen, aber er fühlt Befangenheit.

Kenne ich dich?

Gib auf ihn acht, hat Rachel ihm vor Jahrzehnten eingeschärft, und eine Weile hat er das auch. Er und Arik haben den Schwächeren in ihre Mitte genommen, sich romantisch zum Triumvirat verschworen. Wer Benjamin etwas zuleide tun wollte, musste erst an Arik und Jehuda vorbei, und wenn er an ihnen vorbei war, hatten sich seine bösen Absichten gemeinhin in Kopfschmerzen verloren.

Wann sind wir uns entglitten?, denkt er. Hätte ich besser auf dich achten sollen? Hätte ich es überhaupt gekonnt?

»Sie werden dich anklagen.«

»Nein.« Benjamin schüttelt den Kopf. »Wahrscheinlich nicht.«

»Weil es Notwehr war?«

»Weil es Notwehr war.«

Wie auch anders. Als Levinger vor zwei Jahren einen palästinensischen Ladenbesitzer erschossen hat, ging er dafür nicht mal ins Gefängnis.

Benjamin legt Jehuda einen Arm um die Schulter.

»Ich will doch nur, dass alle glücklich sind«, sagt er leise. »Jeder auf seine Art. Ich weiß, ihr habt genügend andere Sorgen. Es tut mir leid, was Phoebe durchmachen musste, jetzt auch noch euer Umzug – und du sorgst dich um Uri, stimmt's?«

Jehuda starrt hinaus in die Nacht.

Unruhen im Westjordanland, Terror aus dem Libanon. Arik versucht seit Wochen, Begin für einen Schlag gegen die PLO-Milizen im libanesischen Grenzland zu gewinnen.

Uri in Uniform.

Sein Sohn wäre einer von denen, die dort einmarschieren müssten.

»Komm mit rein«, sagt er. »Die anderen vermissen uns.«

Tel Aviv

Am Abend des 3. Juni geht Shlomo Argov ins Londoner Dorchester Hotel zu einem Bankett.

Argov ist, was man eine schillernde Persönlichkeit nennt, kultiviert, charismatisch, überzeugend. Als er mit 21 in New York Politische Wissenschaften studiert, hat er bereits eine komplette militärische Karriere hinter sich, inklusive ehrenvolle Verwundung in der Schlacht um Safed, doch seine wahre Begabung liegt in der Diplomatie. Erste Stationen führen ihn nach Ghana und Nigeria, zurück nach New York, er wird Botschafter in Mexiko, in den Niederlanden, übernimmt schließlich die Botschaft in Großbritannien.

Die Königsdisziplin, gleich nach Washington.

In diesem Frühjahr braucht die Militärmacht Israel ihre Diplomaten dringender denn je. Arafat hat den mühsam vermittelten Waffenstillstand einseitig aufgekündigt, baut seine Machtbasis im Libanon rasant aus und exportiert die Gewalt – er selbst nennt es Befreiungskampf – nun in ganz großem Stil. Ein Pandämonium terroristischer Splittergruppen stürzt Israels Norden ins Chaos. Begin bombardiert palästinensische Stützpunkte, die PLO antwortet mit Granaten und Katjuscha-Raketen. Der gordische Knoten, den es zu zerschlagen gälte, wäre Arafats Hauptquartier, doch dafür müsste Zahal bis Beirut vorrücken, und das hieße, einen Krieg vom Zaun zu brechen, der zwangsläufig in eine Konfrontation mit Arafats Protektor Syrien münden würde. Unerfreulich, aber immer wahrscheinlicher – sah man Scharon nicht erst im Januar die libanesische Christenhochburg Dschunieh besuchen und sich dort mit Bachir Gemayel und seinen Falangisten treffen? Gemayel, heißt es, habe dem Verteidigungsminister ein korrumpierend opulentes Festmahl aufgetischt und ihm den Einmarsch in den Libanon so richtig schmackhaft gemacht. Im geteilten Beirut (im Westen die Muslime, im Osten die Christen, mehr Straßensperren als Hunde) sei Scharon sodann mit einer Chuzpe durch die Gassen spaziert, als müsse man sich um die PLO schon keine Gedanken mehr machen, um dem Christenführer anschließend zu versichern, wenn es *so weit sei*, würde Zahal über die Küstenstraße auf die Hauptstadt vorstoßen.

Eine Militäraktion bezweifelt niemand mehr, die Frage ist, wann genau Israel der Geduldsfaden reißen wird und ob es dann bei einer begrenzten Strafexpedition bleibt. Begin wiegelt ab, andererseits ist bekannt, dass Arik nichts lieber täte, als Bachir Gemayel zu präsidialen Weihen zu verhelfen, und was er da in Beirut von sich gegeben hat, klingt auch nicht gerade, als plane er nur eine Stippvisite.

Die Diplomatie hat alle Hände voll zu tun.

Unbedingter Gewaltlosigkeit verpflichtet, zielt auch Shlomo Argovs *raison d'être* darauf ab, eine Eskalation um jeden Preis zu verhindern, doch als er den Ort des Banketts verlässt und zu seinem Wagen geht, will es eine bizarre Fügung des Schicksal, dass ausgerechnet er sie in Gang setzt.

Drei Männer greifen ihn an.

Eröffnen aus kürzester Distanz das Feuer, schießen ihm in den Kopf.

Argov bricht zusammen.

Sein Leibwächter streckt einen der Angreifer nieder, die anderen fliehen, werden gefasst, das Unheil nimmt seinen Lauf. Begin ruft das Kabinett zu einer Dringlichkeitssitzung zusammen. Arik weilt gerade in Rumänien, kann so schnell nicht dazukommen, also findet die erste Runde ohne ihn statt. Auf der Tagesordnung steht jeglicher Terror gegen jüdische Ziele in Israel und in der Welt, und *ex usu* ist die PLO als Drahtzieher des Attentats schnell ausgemacht.

Nur dass sie es diesmal gar nicht war.

Jedenfalls nicht direkt.

Tatsächlich ist Arafat Jahre zuvor ein Mitstreiter von der Fahne gegangen, Abu Nidal, dem die PLO zu weich geworden war. Jetzt mordet die ANO, die Abu Nidal Organization, auf eigene Faust. Sie ideologisch einzuordnen, fällt schwerer als das junge Universum zu erklären, weil die ANO praktisch jeden gut bezahlten Auftrag annimmt, auch wenn sie offiziell die harte palästinensische Linie repräsentiert. Jüngster Klient ist der Muchabarat, der irakische Geheimdienst, der das Attentat in Auftrag gegeben hat, aber weil die PLO reif ist, schaut keiner so genau hin. Generalstabschef Eitan markiert eine Handvoll Ziele im Libanon, darunter palästinensische Waffenlager in der Nähe von Beirut, Begin verfügt deren Bombardierung und außerdem die Vorbereitung einer Bodenoffensive für den Fall, dass Arafat danach noch nicht bedient ist.

Wie es der Zufall will, liegt der Plan für diese Offensive fix und fertig in der Schublade.

Schritt 1: Vorstoß über die libanesische Grenze.

Schritt 2: Die Terroristen 40 Kilometer weit ins Landesinnere zurückdrängen, sodass ihre Artillerie die israelischen Ziele nicht mehr erreichen kann.

Schritt 3: Zerstörung der PLO-Infrastrukturen im südlichen Libanon, in der Bekaa-Ebene und im Großraum Beirut.

Schritt 4: Die Syrer vertreiben, ohne dass es zur direkten militärischen Konfrontation mit ihren Truppen kommt.

Schritt 5: Kooperation mit Gemayels christlichen Milizen im Norden zur Schaffung stabiler politischer Verhältnisse.

Gezeichnet: Ariel Scharon.

Ariks Invasionspläne aus dem Vorjahr, nach der Vermittlung des Waffenstillstands durch die USA auf Eis gelegt.

Wo sie sich schön frisch gehalten haben.

Jetzt werden sie wieder hervorgeholt.

Denn erwartungsgemäß zerstören die Bomber nicht nur die von Eitan anvisierten Ziele, sie töten auch Zivilisten. Und *natürlich* will Arafat dafür Vergeltung. Die Flugzeuge sind noch nicht wieder am Boden, da liegen israelische Wohngebiete entlang der Grenze schon unter Beschuss, und Arik erläutert dem Kabinett, was zu tun ist. Dafür braucht er eine Wandkarte, einen Diaprojektor und 15 Minuten, während derer atemlose Stille herrscht.

Alles klingt plausibel.

Bis ins Detail durchdacht.

Vor allem hübsch einfach.

»Was den Namen der Operation betrifft, dachten wir an *Frieden für Galiläa*«, beendet Arik seinen Vortrag. »Startschuss morgen, später Vormittag, sagen wir, um elf.«

»*Frieden für Galiläa* ist gut«, befindet Begin.

»Dann sollten wir den Plan zur Abstimmung stellen. Oder?«

Begin nickt, die Sache scheint so gut wie beschlossen.

Das heißt –

»Herr Scharon, mir ist da einiges unklar.«

Arik runzelt die Brauen. Mordechai Zipori hat sich zu Wort gemeldet. Interessant. Ausgerechnet der Kommunikationsminister scheint ein Kommunikationsproblem zu haben.

»Was ist Ihnen unklar, Herr Zipori?«

»Sie wollen die Terroristen 40 Kilometer weit zurückwerfen.«

»So ist es.«

»Entschuldigung, aber das scheint mir doch stark vereinfacht.« Zipori steht auf und tritt vor die Wandkarte. »Wie weit genau werden unsere Truppen vorstoßen?«

»Wie ich schon sagte, 40 –«

»Ich meine, wie weit werden sie vorstoßen *müssen*?«

Ariks Miene verfinstert sich. Er kennt Zipori. Brigadegeneral der Reserve, ehemaliger Panzerkommandeur. Kennt ihn noch aus dem Sechstagekrieg, wo Zipori unter ihm gedient hat.

Was will der Idiot?

»Ganz einfach.« Zipori macht eine kreisende Handbewegung über der Grenzregion zu Syrien. »So wie Sie das Terroristenproblem in den syrischen Bergen darstellen, heißt das schlicht, dass wir die Syrer angreifen werden. Und ich glaube, das ist nicht in Ordnung.«

»Augenblick.« Begin schüttelt den Kopf. »Das hatte ich doch schon klargestellt. Es wird keinen Angriff auf syrische Truppen geben.«

Zipori lächelt.

»Bei allem Respekt, Herr Ministerpräsident, aber formelle Entscheidungen spielen hier keine Rolle. Was der Verteidigungsminister darlegt, erfordert, tiefer ins Land vorzustoßen als 40 Kilometer. Es wird zwangsläufig zu Gefechten mit den Syrern kommen.«

»Die Frage ist doch immer, wer anfängt. Und wir werden nicht diejenigen sein.«

»Und wenn die Syrer als Erste schießen?«

»Müssen wir natürlich reagieren.«

»Also läuft es auf Gefechte hinaus. So oder so.«

Eine Weile sagt niemand etwas.

Die Stille beginnt ungemütlich zu werden.

Endlich springt Generalstabschef Eitan auf und eilt neben Zipori an die Karte. Sein Zeigefinger beschreibt eine Linie.

»Schauen Sie! 40 Kilometer, ausgehend von unserer nördlichsten Ortschaft, Metulla, da schaffen wir es spielend bis fast nach Karun Pond, ohne die Syrer überhaupt zu Gesicht zu bekommen.«

»Und an der Küste gelangen wir bis Sidon«, ergänzt Arik, wie von einem Bann befreit. »42 Kilometer, na schön. Und wo stehen die syrischen Truppen?« Markiert nacheinander einige Gebiete. »Hier, hier und hier.«

»Kein Problem«, bekräftigt Eitan.

»Stopp.« Der stellvertretende Ministerpräsident. Auch der noch. Was ist denn auf einmal los? »Da kommen wir Beirut ganz schön nahe.«

»Beirut lassen wir aus dem Spiel«, sagt Arik.

»Keine entsprechenden Pläne?«

»Um Himmels willen, nein. Die Stadt ist voller ausländischer Botschaften, wir wollen doch niemandem auf die Füße treten. Entsprechend der Strategie, die das Kabinett verabschiedet hat, dient *Frieden für Galiläa* ausschließlich dazu, die Terroristen zurückzudrängen, keinesfalls, Beirut einzunehmen oder die Syrer anzugreifen. Noch mal, wir sprechen von 40 Kilometern.«

»Und wie lange soll das Ganze dauern?«

»Je nachdem, wie sich die Dinge entwickeln. Fassen wir zur Sicherheit mal 24 Stunden ins Auge.«

»Nicht mehr?«

»Die 40 Kilometer werden wir in zwölf zurückgelegt haben.«

»Also eine Sache von ein, zwei Tagen?«

»So ist es.«

Zipori geht langsam zurück an seinen Platz.

»Ich bin nicht überzeugt«, sagt er, während er seinen Stuhl heranzieht. »Nie im Leben kommen Sie mit zwei Tagen hin, und es *wird* Zusammenstöße mit den Syrern geben. Inklusive aller schäbigen Konsequenzen.«

Ganz wie du meinst, denkt Arik.

Und jetzt halt endlich die Schnauze.

Begin blickt in die Runde.

»Tja. Noch Fragen? Nicht? Gut. Stimmen wir ab.«

Libanon

Uri lehnt im offenen Kommandostand des Merkava Mark 1 und sucht die Umgebung nach verdächtigen Bewegungen ab.

Das ist genauso absurd, wie es klingt.

Es bewegt sich nämlich alles.

Vor drei Tagen hat Scharon das vorgeschobene Kommandozentrum im nördlichen Sektor besucht, mit Eitan und den Divisionskommandeuren die finale Strategie besprochen, danach setzten sich die Verbände entlang der Nordgrenze in Bewegung: Panzereinheiten, leichte Pionierbataillone und Infanterie.

Pünktlich um 11:00 Uhr, nach Plan.

Wie muss man sich den Einmarsch vorstellen?

Schreiende Truppen, um sich ballernd? Im Sekundentakt feuernde Panzer, ein Land wird überrollt, geschändet, in Brand gesetzt?

Nichts davon.

Was Uris Einheit angeht, beginnt die Invasion als Landpartie.

Sie haben sich gegenseitig auf dem Gefechtsturm fotografiert, bevor sie losgefahren sind, vier Mann Besatzung zwischen 19 und 22 und alle *sooooo* ein Rohr, wie Fahrer Gidon die seichten Gewässer ihrer Fantasien auslotet, breitbeinig auf der Hauptkanone posierend und grinsend, als ginge es in den Urlaub. Tatsächlich ist Uri als Einziger verheiratet und Vater. Chaim, ihr Kommandant, hat eine Freundin, Schütze Janusch durfte übungshalber schon etliche Projektile abfeuern, ist aber bislang bei keiner Frau zum Schuss gekommen, was die Prognose zulässt, dass er Leben ausgelöscht haben wird, bevor er welches zeugt.

Der 6. Juni ist ein ausnehmend schöner Tag, kaum eine Wolke steht am Himmel.

Und der Libanon?

Ein Traum.

Die Kolonne aus Panzern zuckelt die Küstenstraße entlang, zur Linken das türkisblaue Meer, bizarre Klippen im Wechsel mit einladenden Stränden, rechts Plantagen und Gehöfte, die sich in sanft ansteigendem Hügelland verlieren, ferne, in der Sonne leuchtende Dörfer.

Uri und Chaim stehen im offenen Turmkorb und berauschen sich an der aromenreichen Luft.

Sie haben mit sofortigen Angriffen gerechnet, immerhin ist das hier Fatah-Land, doch vorerst deutet nichts darauf hin, dass überhaupt jemand den Gebrauch einer Waffe in Erwägung zieht. Ein paar Bauern und Kinder, in sicherer Entfernung. Laufen weg, als die Kolonne sich nähert. Hier und da Leute auf den Feldern, die hochblicken, erstarren.

Ansonsten alles wie ausgestorben.

Was sie beunruhigen sollte.

Tut es aber nicht.

Sie sind vier Jungs, unerwartet schnell kommen sie voran, die Merkavas machen ordentlich Lärm. Niemand ist auf der Straße unterwegs außer ihnen. Sie sind die Herren der Lage, die Herren der Welt, die Sonne scheint ihnen ins Gesicht. Irgendwie klasse. Wenn das so weitergeht, denkt Uri, werden wir bis Tyrus knackebraun sein. Um die Hafenstadt herum liegt eine Reihe palästinensischer Flüchtlingslager, Al-Bass, Burj Al-Shamali, Rashidiyeh, spätestens dort dürfte der idyllische Teil ihrer Reise zu Ende sein. Die Lager sind Brutstätten des Terrors, nur kann man dummerweise nicht einfach eine fette Bombe draufwerfen, weil sich die Fedajin auf eine Überzahl ziviler Bewohner verdünnen, also muss man reingehen und sie gezielt eliminieren.

Oder reinfahren.

Aber das ist ja das Schöne am Panzer.

Er ist wie ein stählerner Uterus, in seinem Innern bist du unangreifbar. Und Merkavas, das kommt noch hinzu, sind israelische Innovationsware, nicht irgendein Larifari aus zusammengeschweißten französischen, deutschen und britischen Komponenten. Hier sitzt der Antriebsstrang im vorderen Teil der Wanne, ist der Turm bewusst schmal gehalten und mit stark abschüssigen Platten gepanzert, Neuerungen zum Schutz der Besatzung, die ihnen erst mal einer nachmachen soll.

In einem Merkava kannst du auf den Feind scheißen.

In einem Merkava.

Wenn Kopf und Oberkörper herausschauen, muss der andere nur gut zielen können.

In diesem Fall zielt er eher mäßig.

Wer immer *er* ist, in welchem Fenster er lehnt, auf welchem Dach er liegt, die Kugel streift Uris Helm mit einem seltsam trockenen Geräusch, dann sieht er, wie im Kommandostand des vorausfahrenden Panzers jemand in sich zusammensackt.

»Runter«, schreit er.

Weitere Geschosse schlagen gegen den Stahl des Turms, erzeugen tiefe, glockenartige Klänge. Chaim und Uri tauchen unverzüglich ab, blicken in fragende Gesichter.

»Was ist los?«, will Janusch wissen.

»Sie eröffnen das Feuer.«

»Von wo?«

Wenn man das wüsste.

Der Panzer vor ihnen fährt weiter, im Turmstand ist niemand mehr zu sehen. Chaim deutet hoch zur Luke.

»Uri, Janusch, an die Maschinengewehre. Ich versuche, die Scheißkerle ausfindig zu machen.«

Sie zwängen sich zurück ins Freie, ziehen den Kopf zwischen die

Schultern, verschanzen sich hinter ihren 7,62-mm-Geschützen und feuern wie besessen drauflos. Zwischen Zedern und Pinien, vielleicht 500 Meter entfernt, kauern sich einige Dutzend Häuser um ein Puppenstubenminarett, Gehöfte verteilen sich in der Umgebung, von wo genau der Beschuss kommt, ist nicht auszumachen. Von Idylle keine Spur mehr. Das Knattern der MGs dröhnt in ihren Ohren, Munition wird durchgeschleust, weiter rumpeln sie die Straße entlang, als etwas heranheult und der Turm des Merkavas vor ihnen in einer sonnengelben Wolke verschwindet.

Scheiße, denkt Uri.

Und dann hat er nicht mehr viel Zeit zum Denken.

Der getroffene Panzer stoppt.

Gidon bremst ab.

Jetzt, wo sie stehen, sind sie so einfach zu treffen wie Enten auf einem Dorfteich, und schon prasseln Salven wie Platzregen auf die Stahlplatten ein, nackter Wahnsinn, hier oben zu bleiben.

Chaim sucht die Umgebung mit dem Periskop ab.

»Nicht nachlassen! Volles Rohr.«

Chaim ist der Boss, also halten sie weiter drauf, die MGs rotzen die Geschosse nur so raus, während sie durch die Vergrößerungsoptik ihre Umgebung absuchen. Deutlich ist zu erkennen, wie die Salven Bäume und Buschwerk zerfetzen, Hausfassaden perforieren und Scheiben durchschlagen, nur Angreifer sind keine auszumachen. Auch der nachfolgende Panzer kommt zum Stehen, nimmt den Hang unter Feuer, wahllos wird auf alles geschossen, was drüben Deckung verspricht, dann heult und zischt es wieder, und eine zweite Feuerwolke breitet sich über die Flanke des brennenden Panzers aus.

»Oh nein!«, schreit Janusch. »Nein!«

Wenn Menschen Angst haben, bekommt ihre Stimmlage etwas Schrilles, und Janusch klingt gerade wie ein Kakadu. Wahrscheinlich fragt er sich, wann die Mörserschützen ihn aufs Korn nehmen und grillen.

»Entspann dich.« Chaim schaut durch das Periskop.

»Entspannen? Spinnst du?«

»Ich hab sie.«

Gibt die Position durch, und jetzt sehen sie es. Ein Haus im Schatten gewaltiger Kiefern, hinter wucherndem Buschwerk kaum auszumachen. Mündungsfeuer aus den Fenstern im obersten Stockwerk. Schemen, die über das abgeplattete Dach laufen, zwischen herabhängenden Zweigen verschwinden.

»Mörser bereit machen«, sagt Chaim.

Uris Aufgabe.

Und leider riskant.

Ein Hoch auf die Vorzüge des Merkavas, aber wie sie den Mörser angebracht haben, ist wirklich suboptimal. Rechts außen am Turm, man muss sich schon ein ziemliches Stück rauslehnen, um das Ding zu laden. Genau der Moment, wo sie dich praktisch schutzlos erwischen, also kommt Uri dem Befehl mit äußerster Schnelligkeit nach.

»Feuer!«

Die Granate begibt sich auf ihre parabolische Bahn.

Sie warten.

Ein Teil des obersten Stockwerks verschwindet in einer Wolke aus Mörtel und Rauch. Vom Dach aus schießen sie zurück, bringen etwas Großes in Position. Uri lädt nach, als eine neue Geschossgarbe den Turm erreicht, hört das Pfeifen der Querschläger, Januschs überschnappenden Schrei, sieht ihn nach hinten kippen.

»Meine Schulter!«

»Janusch hat's erwischt«, schreit er nach unten.

Gidon langt hoch, zerrt den Verletzten ins Innere. Uri sieht mit halbem Auge, wie Janusch vor mannshoch gestapelter Munition zu Boden sinkt, bringt den Mörser erneut in Position.

Treffer.

Eine Blüte der Zerstörung.

»Reicht nicht«, sagt Chaim.

Der Panzer hinter ihnen setzt zurück und fährt mit hoher Geschwindigkeit davon. Vielleicht sucht er das Weite oder nur eine bessere Position. Im brennenden Gefährt vor ihnen öffnet sich die Heckklappe, zwei Männer stürzen heraus, rennen aus Leibeskräften die Straße entlang zu einer Baumgruppe. Einer reißt plötzlich die Arme hoch, stolpert, überschlägt sich und bleibt regungslos liegen.

»M117«, sagt Chaim.

Uri lässt sich nach unten rutschen, springt über den stöhnenden Janusch hinweg, wuchtet eine der M117-APAM-Granaten aus ihrer Verankerung, vollgepackt mit Submunition. Hinterlässt beim Aufprall eine Riesensauerei, sofern sie dazu kommen, das Baby abzuschießen, aber Uri – wissen wir ja schon – ist schnell und geschickt.

Lädt die Zugrohrkanone im Rekordtempo.

Sooooo ein Rohr, wie Gidon noch vor wenigen Stunden lachte.

Scheißterroristen!

Ich weiß ja nicht, wie *ihr* bestückt seid, aber wetten, wir haben den Längeren?

WETTEN?

Wollen doch mal sehen, wer hier wen fickt.

Das Rohr schwenkt auf die Gebäude im Hang ein. Von dort wird etwas in ihre Richtung gefeuert, der Blitz des Abschusses lässt nichts Gutes ahnen – »Kopf runter!« –, dann donnert und dröhnt es, das Rohr hat gehustet, und was mal ein Haus war mit Bäumen und Sträuchern drum herum, vergeht in einer Wand aus Schwärze und Glut.

Uri hält den Atem an.

Sie warten.

Kein Einschlag. Das gegnerische Geschoss ist vorbeigeflogen.

Oder was auch immer.

»Oh Scheiße«, wimmert Janusch im Innern. »Oh, tut das weh.«

»Was hat er denn?«, will Uri wissen.

»Steckschuss«, ruft Gidon nach oben. »Kein Malheur.«

Soll heißen, das war's für dich. Glückwunsch, Janusch. Für dich ist der Einsatz gelaufen. Da hast du doch glatt jede Menge Chancen, einen wegzustecken, bevor sie dir die Eier abschießen.

Er hangelt sich zurück ins Freie.

»Und? Wie sieht's aus?«

»Erledigt, würde ich sagen.« Chaim macht eine Kopfbewegung zu dem brennenden Panzer. »Helfen wir den anderen.«

Das war vor drei Tagen.

Womit das Ende der Operation *Frieden für Galiläa* überfällig und außerdem nicht in Sicht ist.

Dabei schien zu Anfang alles so einfach.

Regelrecht sinnstiftend.

Der westliche und zentrale Sektor des Südlibanon ist Fatah-Land, Gebiet, auf dem das immer unübersichtlicher werdende Konglomerat aus PLO-Gruppierungen die Kontrolle ausübt. Im Osten, wo der Libanon an Syrien grenzt, erstreckt sich die Bekaa-Hochebene, dort lagern die syrischen Verbände.

»Der Plan sieht vor, dass die Westdivision – das sind wir – die palästinensischen Flüchtlingslager bei Tyrus und der Hafenstadt Sidon auf dem Landweg erobert«, hat ihnen der Divisionskommandeur vor dem Marschbefehl erklärt, »während die zweite Division Sidon vom Meer her in die Zange nimmt. Division drei wird im Osten unterhalb der Bekaa-Ebene das Land durchkämmen und bei Sidon zu uns stoßen, Division vier durchquert die Ebene Richtung Norden und bezieht einige Kilometer vor den syrischen Stellungen Position.«

»Und was macht Division vier, wenn sie dort Position bezogen hat?«, wollte Uri wissen.

»Sie hält die Syrer davon ab, einzugreifen.«

Klar. Die syrischen Einheiten sehen zu, wie Zahal der PLO das Kreuz bricht, aber weil Syrer und Israelis einander nicht wehtun wollen, bleibt jeder brav an seinem Platz.

Vor drei Tagen klang das noch plausibel. Ohnehin bekommt man als einfacher Soldat nicht alles mit, auch nicht, dass Scharon eine fünfte Division losgeschickt hat, die sich im Norden zwischen die palästinensischen und syrischen Stellungen mogeln, Assads Truppen kampflos auf ihr Territorium zurückdrängen und PLO-Kämpfer daran hindern soll, nach Syrien zu entwischen. Das haben sie erst gestern Abend erfahren, während der Lagebesprechung am Strand.

»So bleibt den Terroristen nur der Weg nach Beirut«, schloss der Bataillonskommandant. »Wir treiben sie zusammen wie Vieh.«

Und dann? Was haben sie davon, die Terroristen in Beirut zusammenzutreiben, wenn die Stadt nicht angetastet werden darf?

Oder sollte sich da was geändert haben?

Was weiß man schon.

Überhaupt, was will man denn wissen, außer ob der Baum da drüben, dessen Krone der Wind in hübsch tänzerisches Wogen versetzt, einem Heckenschützen als Deckung dient.

Alles bewegt sich.

Jede Bewegung ist verdächtig.

Auf alles müsste man vorsorglich schießen.

Und mitunter, wenn die Dämmerung hereinbricht, tun sie das auch. Durchqueren Ortschaften, Olivenhaine, Obstgärten, und schießen.

Auf irgendwas.

Janusch wurde ersetzt durch einen fast identisch aussehenden Mordechai, 20 Jahre alt, der in dem stählernen Ungetüm genauso deplatziert wirkt wie sie alle, ausgenommen vielleicht Chaim. Der Kommandant beweist Nerven. Eiskalter Hund. Fast könnte man meinen, er hätte den Ernstfall schon vorher geprobt, aber vielleicht glaubt er sich auch immer noch in einer Simulation oder denkt, der Libanon sei von Schädlingen befallen und er der Kammerjäger. Wie auch immer, nach dem ersten Scharmützel war es mit der Ruhe vorbei. Bei Tyrus wurde ihre Division in mörderische Gefechte verwickelt, eines ihrer Bataillone von Fedajin mit Panzerabwehrgranaten aufgemischt, während die Luftwaffe ganze Arbeit leistete, palästinensische Munitionsdepots zerstörte und Arafats südliche Stützpunkte in Schutt und Asche legte.

Der erste Tag hat die PLO in Schockstarre versetzt.

Seitdem organisieren sich ihre Kämpfer neu. In der offenen Auseinandersetzung haben sie dem israelischen Vormarsch nichts entgegenzusetzen, ohnehin werden sie ihn nicht stoppen können, aber wenigstens können sie Zahal das Leben so schwer wie möglich machen, indem sie Hinterhalte legen. Die Taktik entspricht ihrem Verständnis von Sieg. Es geht nicht darum, den Feind zu schlagen, sondern zu zeigen, dass sie sich von der größten Militärmaschinerie des Nahen Ostens nicht den Schneid abkaufen lassen.

Es geht um Ehre, um David gegen Goliath.

Um Propaganda.

Der Partisanentaktik folgend, haben sie sich völlig mit der Zivilbevölkerung verfilzt. Sie wissen, dass die Welt sehr genau hinschaut. Israel kann es sich nicht erlauben, in den Lagern Tabula rasa zu machen, also müssen die Soldaten jedes Mal aufs Neue langwierige, kräftezehrende Häuserkämpfe bestehen. Werden von Dächern aufs Korn genommen, aus Fenstern mit Granaten beworfen, aus Hohlwegen mit Panzerfäusten beschossen und in Minenfallen gelockt.

In zähem Ringen haben sie Tyrus schließlich eingenommen, unter großen Verlusten dann auch Sidon.

First we take Manhattan, than we take Berlin –

Hören Musik.

Leonard Cohen aus blechernen Boxen.

Der Merkava rumpelt eine unbefestigte Straße hinauf, rötlicher Schotter, zerklüftete Hügel, grünbraun bepelzt, dickichtartige, enigmatische Vegetation. Gidon stellt fest, dass sie von den 40 Kilometern, die sie in den Libanon vorstoßen sollten, jetzt schon 75 zurückgelegt haben. Lacht. Weitere 15, und sie stünden vor Beirut. Aus irgendeinem Grund ist ihr Bataillon ins Landesinnere beordert worden, ein Tross aus fünf Merkavas schiebt sich wie eine Gesellschaft urweltlicher Raupen voran, durchquert Dörfer, jederzeit auf Angriffe gefasst, doch nicht mal die Hunde bellen noch bei ihrem Herannahen.

Kein Wunder. Die Hunde liegen erschossen in geronnenen Lachen.

Hier hat schon jemand aufgeräumt.

Als sie über die Kuppe sind, sehen sie eine Art Villenkomplex, umstellt von Panzern und Geländewagen, im Hintergrund auf einem künstlichen Plateau drei Helikopter.

Laute Musik dröhnt ihnen entgegen.

Arabisches Zeugs.

Aber die Panzer sind Merkavas, ganz klar.

Uri wirft Chaim einen Blick zu.

»Das werden sie ja wohl sein, oder?«

»Wenn sie's nicht wären, hätten wir längst ein Problem.«

Die Order lautet, sich mit Einheiten der zweiten Division hier zu treffen und auf weitere Anweisungen zu warten, was immer das zu bedeuten hat. Mit Blick auf die halb nackt in Liegestühlen hängenden, Coke trinkenden Soldaten, die einen gewaltigen Außenpool umlagern, bedeutet es vorerst, dass sich die zweite Division die Eier schaukelt. Die Sonne brennt aufdringlich herab, vom frischen Seewind, der die Fahrt entlang der Küste trotz voller Montur erträglich machte, ist hier oben wenig zu spüren.

Uri zögert. Nimmt den schweren Helm ab.

Ein Sergeant kommt ihnen entgegen, hebt die Hand, spreizt Zeige- und Mittelfinger zum Victory-Zeichen.

»Party, Jungs!«

»Wo ist euer Kommandant?«

»Weiß nicht. Habt ihr Weiber dabei?«

Natürlich nicht.

Aber Mädchen in Bikinis würden das Bild zweifellos abrunden.

Waren denn keine hier?

Doch, schon, in der Villa seien Frauen gewesen, erzählt ihnen Benny, der Kommandant des Bataillons, das seit gestern Abend hier campiert. Auf ihrem Weg über Nabathieh, Jbah und Beit al-Dine hätten sie eine Reihe idyllisch anmutender Widerstandsnester ausgehoben, auch das pittoreske Landleben sei vom Terror infiltriert, Dörfer und private Anwesen. Damit erzählt er ihnen nichts Neues, aber sie müssen zugeben, eine Adresse wie die hier haben sie noch nicht vor die Kanone bekommen.

»Ganz schön klasse, was?«

Benny, nur mit Sonnenbrille und Unterhose angetan, dümpelt auf einem knallgrünen Gummikrokodil in kitschig türkisfarbenem Wasser. Uri und Chaim lassen die Beine reinbaumeln.

»Was ist mit den Frauen geschehen?«, fragt Chaim.

»Weggebracht.« Benny deutet in Richtung der Helikopter. »Hätte ich sie hierlassen sollen?«

»Ja. Hättest du.«

Einer von Bennys Männern. Kommt mit Drinks aus dem Haus, verteilt Portionsflaschen Schweppes Bitter Lemon.

»Nicht wirklich, Amos.«

»Doch. Die mit dem Muttermal über der Lippe – Mann, Mann.«
Benny zieht die Sonnenbrille ein Stück herunter und schaut Chaim
und Uri vielsagend über den Rand an.

Libellen stehen über dem Wasser.

Zedern überschatten die Liegestühle, Zweige zittern in kaum wahrnehmbaren Brisen.

Auf winzigen Wellen funkelt und blitzt es.

Alles in allem dürften an die 100 Soldaten hier sein, aber der Geräuschpegel hält sich in Grenzen. Die Männer sind zu faul zum Reden.
Uri nuckelt an seiner Flasche, stützt sich auf den Ellbogen und kneift
die Lider gegen die Nachmittagssonne zusammen.

»Und die Männer?«

»Die überlebenden?«

»Ja.«

»Sind bei den Frauen und Kindern.«

Sie fragen nicht weiter nach, was mit den Toten passiert ist.

»Im Unabhängigkeitskrieg hatten sie übrigens Pilotinnen«, sinniert
Benny und spritzt Wasser auf seine Brust. Die Aussage hängt unkommentiert in der Luft.

»Einige von diesen PLO-Ärschen sind richtig reich«, fügt er hinzu.

»Das war ein Stützpunkt der PLO?«

»Mhm. Dachte erst, die Fedajin hätten den Laden hier übernommen, aber der Besitzer gehört selbst dazu. Betreibt einen blühenden
Export-Import für Früchte und Gewürze. Rasend reich. Bei uns denken immer alle, Palästinenser leben im Dreck, verstecken ihre Frauen
unter Massen von Stoff und wickeln sich Handtücher um die Birne.
Aber ich sag dir was.« Benny hebt einen Finger. »Wir werden uns wundern. Wir sind blind vor Verachtung, das ist unser Problem. Irgendwann wachen wir auf und stellen fest, dass wir sie die ganze Zeit unterschätzt haben.«

»Kann ich im Augenblick nicht feststellen«, konstatiert Chaim.

»Nicht?« Benny wendet den Kopf. »Wie viele Tote bei euch?«
Chaim zögert. »Und ihr?«

»Ein paar Dutzend. Bis jetzt.«

»Okay.« Macht eine Pause. »Wir auch.«

»Verwundete?«

»Hundert. – Nein, mehr. – Hundertfünfzig?«

»Bis jetzt«, fügt Uri gähnend hinzu.

»*Frieden für Galiläa.*« Benny schiebt seine Brille wieder den Nasenrücken hinauf. »Ich würd ja nichts sagen, wenn nicht alle so rührend

überzeugt gewesen wären, dass wir hier ohne einen einzigen Toten wieder rausgehen.«

»Und die im Osten? Hast du was von denen gehört?«

»Im Osten?« Benny lacht. »Sie kloppen sich mit den Syrern im Osten. Gut, was?«

»Ich denke, es sollte kein –«

»Onkel Arik hat die Syrer umzingelt, was glaubt ihr denn? Dass die sich auf die Knie werfen? Sie haben Boden-Luft-Raketen rangeschafft und Verstärkung in Marsch gesetzt.« Lässt sich ins Wasser gleiten, taucht unter und kommt prustend wieder zum Vorschein. »Man munkelt übrigens, Begin habe Assad einen Brief geschrieben. Er wolle keinen Krieg. Hat er gestern auch vor der Knesset gesagt. Der Witz ist nur, da hatten sie sich schon längst in der Wolle. In Jessin. Darum hängen wir auch hier rum, wenn du mich fragst.«

Weil sie in Jerusalem nicht wissen, wie sie weiter vorgehen sollen. Denn die eigentliche Aufgabe dürfte erfüllt sein. Die 40-Kilometer-Zonen sind gesäubert, die PLO-Einheiten dort ausgeschaltet oder handlungsunfähig gemacht.

Im Grunde könnten sie den Rückzug antreten.

»Nur dass unsere Verbände acht Kilometer südlich der Straße Beirut–Damaskus stehen«, sagt Benny. »Die Syrer rechnen mit einem Frontalangriff, sie wissen, dass wir sie aus dem Land treiben wollen, aber unsere Rechnung, sie würden angesichts unserer großmächtigen Präsenz den Schwanz einziehen, scheint nicht aufzugehen. Wenn sie jetzt noch Boden-Luft-Raketen vom Typ Sam-6 in Stellung bringen, wird es jedenfalls, na, ich würde sagen, fast ein bisschen brenzlig.«

Was wird Begin da tun?, fragt sich Uri.

Besser gefragt, wozu wird Arik den Premier drängen?

Er versucht, den Dicken einzuschätzen.

Und im Gegensatz zu seinen Kameraden kann er das sogar. Arik ist der älteste Freund seines Vaters. Einer seiner besten. In den vergangenen Jahren ist der Kontakt zwar etwas eingeschlafen, aber in Uris Kindheit war Arik oft bei ihnen zu Hause.

Ganz klar, denkt er, Arik wird versuchen, im Kabinett die Zustimmung für einen Angriff zu erwirken. Er wird die Bekaa-Ebene mit Luftschlägen überziehen wollen, um die syrischen Raketenstellungen auszuschalten, und die Syrer werden alles daransetzen, sie zu schützen.

Soll heißen, israelische F-4 Phantoms gegen syrische MIGs.

Merkavas gegen T-72-Panzer.

Mann gegen Mann.

Krieg.

Was bedeutet, dass Israel jetzt an zwei Fronten kämpfen muss: einer palästinensischen und einer syrischen.

»Gibt's keinen Alkohol im Haus?«, will Chaim wissen.

»Nichts dergleichen gefunden«, sagt Amos.

»Ich vermisse ein Bier. Mann, ich sag's euch. Das wär's jetzt. Ein schönes, kaltes, beschlagenes Bier.«

Uri vermisst Yael.

Er vermisst auch Anastasia, aber auf eine ertappte, beschämte Art.

Weil er vermisst, was es nicht gibt.

Anderthalb Länder von zu Hause entfernt muss er sich eingestehen, eine Person herbeizusehnen, von der er dachte, sie geheiratet zu haben, um festzustellen, dass sie nie existiert hat. Anastasia ist eine Oberfläche, die dazu einlädt, Wünsche auf sie zu projizieren.

Wie eine Kinoleinwand.

Sie zeigt dir alles, aber dahinter ist nichts.

Oder vielleicht doch. Ein Wesen mit dem Selbstbezug einer Katze. Anastasia interessiert sich immerhin für Anastasia.

Und mit etwas Glück für ihre Tochter.

Er weiß, würden sie nach Tel Aviv ziehen, in eine schicke Gegend, wo sie sich in den richtigen Läden blicken lassen und das richtige Zeug kaufen könnte, ihre Ehe ließe sich schönreden. Sex haben sie ja, und nicht mal schlechten, wenn auch seit Yaels Geburt deutlich seltener.

Aber Tel Aviv –

Wie bitte schön sollen sie sich Tel Aviv leisten?

Abgesehen davon, dass er gerne auf dem Land wohnt. Und wahrscheinlich, seien wir mal ehrlich, würde auch Tel Aviv nichts ändern. Die Seifenblase würde nur ein bisschen später platzen.

Es sind solche Gedanken, die ihn forttreiben von der bizarren Poolparty, wo halbe Kinder unter Anleitung Erwachsener fremde Kühlschränke plündern. Er wandert zwischen den Trakten des Anwesens hindurch, ein kleines Stück in die Natur hinein, seine Waffe im Anschlag. Laut Benny ist die Umgebung sauber, aber man kann nie wissen.

Ein Pfad führt hinauf zu einem Schuppen.

Von dort muss man eine großartige Aussicht haben.

Und tatsächlich, das Tal öffnet sich und gibt den Blick frei auf das ferne Meer, wo ein Streifen Dunst die Grenze zwischen Wasser und Himmel aufzulösen beginnt.

Uri schaut eine Weile hinaus.

Duftmoleküle wehen heran, Kiefernnadeln, Blüten, trockene Erde.

Und etwas, das den Eindruck verdirbt.

Süßlich penetrant.

Ein Tierkadaver, ist sein erster Gedanke. Irgendwo hier in den Büschen muss ein Tier verendet sein.

Die erschossenen Hunde kommen ihm in den Sinn. Er geht ein paar Schritte zurück und sein Blick fällt auf den Schuppen.

Unschlüssig steht er davor.

Betritt ihn.

Starrt auf den Mann, der im Halbdunkel auf dem Rücken liegt und zurückstarrt, im Gegensatz zu Uri mit keinerlei Erkenntnisgewinn mehr.

Seine Brust ist dunkel verfärbt.

Die Fliegen summen ihm ein monotones Lied.

»Wie kommst du eigentlich mit alldem hier klar?«, fragt er Chaim später, als sie auf der Terrasse sitzen und Ravioli aus der Dose löffeln.

»Was meinst du? Physisch?«

»Nein, nein.« Uri lässt den Finger an der Schläfe kreisen. »Hier.«

Chaim kaut eine Weile.

»Wie schon? Einigermaßen.«

»Hast du 'n Trick?«

»Trick nicht direkt. Ich sage mir, es ist alles nur inszeniert. Ist es ja auch, in gewisser Weise.«

»Und das reicht dir als Schutz?«

»Bislang hat's gereicht.« Chaim spießt eine Teigtasche auf, schiebt sie sich in den Mund. Tomatensaft läuft ihm übers Kinn. »Und du? Wie kommst du damit klar?«

»Na ja. Ich sag mir, so ist eben Krieg.«

»Hm.«

»In etwa so, wie ein Arzt in der Notaufnahme die ganze Sauerei unmittelbar zu sehen bekommt. Und dann noch drin rumschnippelt. Ohne kotzen zu müssen. Weil es halt Teil deines Berufs ist, solche Dinge zu sehen und zu riechen. Die Schreie zu hören.«

»Das Sterben mit anzusehen«, nickt Gidon.

»Das Leiden.«

»Ich denke, es läuft über Akzeptanz«, sagt Mordechai. »Keinen Widerstand aufbauen. Solange du versuchst, irgendetwas nicht zu sehen, siehst du es erst recht. Versteht ihr? Darum drehen so viele durch. Weil sie dagegen ankämpfen.« Er stellt seine leere Dose weg. »Und glaubt mir, ich hatte echt Schiss – zerfetzte Körper, Tote, all das –«

»Ich auch«, sagt Uri. »Dass es mich in den Schlaf verfolgt, aber komischerweise –«

»Schmecken dir sogar diese Scheißnudeln.«

Gelächter.

»Wisst ihr was?«, nuschelt Gidon mit vollem Mund. »Der Tod wird ganz schnell gewöhnlich.«

»Banal«, nickt Mordechai.

»Ich frag mich eher, ob das alles hier Sinn macht.«

Chaim hebt die Brauen. »Ob *was* Sinn macht?«

»Na, das.« Gidon breitet die Arme aus, umfasst, was man vom Libanon sieht. »Der Einsatz und so.«

»Warum fragst du dich das?«

»Du etwa nicht?«

Chaim wischt sich mit dem Ärmel über den Mund. »Ich interessiere mich nicht für Politik.«

»Aber du vertrittst sie.«

»Mein Gewehr vertritt sie. Mein Panzer vertritt sie. Ich bin nur der Typ, der abdrückt.«

»Und du fragst dich gar nicht, wofür du das machst?«, wundert sich Mordechai.

»Na, für Israel.«

»Ich meine, fragst du dich nie, ob es richtig ist?«

»Wozu? Solange ich funktioniere, überlebe ich. Fange ich an, Fragen zu stellen, funktioniere ich nicht. Soll ich mich ernsthaft daran abarbeiten, warum ich an diesem 9. Juni in einer Villa im Libanon sitze und Ravioli esse? Was Herr Begin und Herr Scharon sich dabei gedacht haben? Warum ich mit einem Sturmgewehr in der Hand durch die Häuser von Menschen latsche, die ich nicht kenne und von denen ich nicht weiß, ob sie noch leben, und falls sie tot sind, ob *ich* sie erschossen habe? Und falls ja, ob es *richtig* war? – Ich kämpfe für dich, du kämpfst für mich. Wir vier in unserem Panzer, jeder für den anderen. Ende der Sinndiskussion. Wenn ich einen von euch verliere, wenn ich nicht verhindern kann, dass er abkratzt – dann, Leute, und *nur dann*, bin ich im Arsch.«

Lehnt sich zurück, verschränkt die Arme hinter dem Kopf und schließt die Augen. Die untergehende Sonne vergoldet sein Gesicht.

Solange ich funktioniere –

Und was, wenn ich irgendwann nicht mehr funktioniere?, denkt Uri. Was geschieht dann mit mir?

Und mit einem Mal ist die Angst da. Angst, dass der Arzt in der Not-aufnahme nicht mehr funktionieren könnte. Dass sein innerer Schutz zusammenbricht.

Was dann geschieht, daran mag er nicht denken.

Kfar Malal, August

Phoebe schnuppert an Auberginen, Zucchini, Mangos und Papaya.

»Hm. Tja. Keine Ahnung. Riech du mal.«

»Riecht doch gut.«

»Findest du?«

»Riecht, wie es riechen sollte. Oder?«

»Also, ich weiß nicht. Nein.«

Jehuda kann sich nicht erinnern, sie je so wählerisch erlebt zu haben. Wie eine Katze schleicht sie über die Marktstände, lässt sich hier und dort nieder, verschmäht das meiste dessen, was feilgeboten wird, packt das Erstandene mit leuchtenden Augen in ihre Tasche. Fast glaubt er, sie vor Befriedigung schnurren zu hören.

Die heiligste Handlung einer Mutter, deren Junge aus dem Krieg zu-rückkehrt?

Na?

Sie kocht ihm sein Leibgericht.

Überhaupt, kochen –

Den ganzen Sommer über hat Phoebe den Bienenstock, wie Rachel ihr Zusammensein in Kfar Malal nennt, bis zum Platzen gemästet, mit der manischen Besessenheit, die sie jedes Mal an den Tag legt, wenn sie die Wirklichkeit nicht zu nah an sich heranlassen will. Hat kontempla-tive Erfüllung gefunden beim Zerkleinern von Gemüse, Parieren von Fleisch, Reduzieren von Saucen. Über Rezeptbüchern meditiert, all ihr Sinnen auf den perfekten Garpunkt gelenkt, um möglichst nicht über Uri nachdenken zu müssen, der da in einem Panzer durch den Libanon rollt. Hat ihren Jungen durch Kochen herbeizuzaubern versucht, jedes Gericht eine Generalprobe für den Tag seiner Heimkehr, auch wenn es nur ein kurzer Urlaub sein wird und er Mitte der Woche schon wieder zurückmuss.

»Ich kann ihm auch noch seinen Aprikosenquark machen.«

Seinen fast ehrfürchtig ausgesprochen, als habe Uri den Aprikosen-quark als solchen erfunden.

»Was immer du willst«, sagt Jehuda.

»Was immer *er* will.«

Aprikosen also. Halali, zur Jagd! Nicht lange, und einige Händler hier werden sich fragen, was jetzt mit ihren Aprikosen nicht in Ordnung war.

Das Beste ist gerade gut genug.

Recht hat sie.

»Wann kommt denn nun dein Vertrag?«, fragt Phoebe auf der Rückfahrt, endlich zum Themenwechsel bereit.

»Irgendwann in den nächsten Tagen.«

»Die lassen sich aber ganz schön Zeit.«

Die, damit ist die Staatliche Wasserversorgung gemeint. Wo sie Jehuda bereits im Frühjahr zugesichert haben, dass er das Bewässerungsmanagement in Gaza übernehmen wird.

»Kein Problem. Ich hab gestern mit dem Dezernenten telefoniert. Er meint, es gäbe einen Wechsel in der Führungsebene.«

»Und das bedeutet?«

»Nichts. Sie müssen halt warten, bis die neuen Briefköpfe fertig sind. Andererseits«, er lächelt ihr zu, »weiß man ja nie.«

»Drück dich klar aus, Licht meines Lebens.«

»Also, sie wollen Nordgaza zentralisieren. Das heißt, die Siedlungen dort werden nicht separat verwaltet, sondern alle einem einzigen Management unterstellt. In der Gesamtheit ist das zwar immer noch nicht Jamit, aber weit mehr als nur Elei Sinai.« Er macht eine Pause, kostet es aus. »Und mich haben sie dafür vorgeschlagen.«

»Aber das wäre ja fantastisch!«

»Und vor allem reine Formsache. Die oberste Heeresleitung mischt sich in derartige Personalbelange nicht ein. Wie gesagt, es wird einfach ein paar Tage länger dauern.«

»Weißt du schon, wer den Laden übernimmt?«

»Nein.« Er zuckt die Achseln. »Vielleicht dürfen sie aber auch noch nicht darüber reden.«

Phoebe macht Anstalten etwas zu sagen, zögert.

»Raus damit«, ermutigt Jehuda sie.

»Und wenn es nicht klappt?«

»Es wird klappen.« Er lacht. »Es *muss* klappen.«

Schon, weil es keine Alternative mehr gibt. Die Posten, die Netafim ihm bis zur Jahresmitte warmgehalten hatte, mussten besetzt werden. Also hat Jehuda vergangene Woche dort abgesagt.

Weil er weiß, dass es keine Probleme geben wird. Er ist der einzige

Anwärter. Die Verträge sind ausformuliert, sie müssen nur noch auf die richtigen Bögen gedruckt werden.

Dann wird eine Menge Arbeit auf ihn zukommen.

»Ist doch toll«, sagt Uri.

Sie sitzen zusammen um Rachels Küchentisch, pappsatt. Uri hat Unmengen Lamm-Schawarma in Tahinisauce verdrückt, gebutterten Blumenkohl, gefüllte Auberginen, Kartoffelbrei, gelbe und grüne Tomaten auf geröstetem Fladenbrot, und natürlich

Aprikosenquark.

In kompanietauglichen Mengen.

»Was ist toll?«, fragt Yael.

»Opa wird richtig viel Geld verdienen«, sagt Anastasia.

Hat sich ordentlich aufgebrezelt, Kim Wilde ist jetzt ihr großes Vorbild, und das heißt, die Brauen zu Balken gebürstet, dunkelroter Lippenstift, Kajal, Kajal. Außerdem trägt sie die Haare blondiert. Ein knappes, geringeltes Shirt gewährt Einblicke in ihren Bauchnabel, die knallengen Jeans sind über weinroten Pumps aufgekrempelt. In ihrer Gesamtheit passt sie nach Kfar Malal, als hätte sie ein Ufo dort abgesetzt, und ihrem Verhalten nach scheint sie auch nichts mehr zu hoffen, als dass es sie schnellstmöglich wieder dort abholt.

Uri weiß, dass die Pose ihrer zur Unendlichkeit tendierenden Bedürftigkeit entspringt, ein großstädtisches Leben zu führen, aber man muss sagen, das alles steht ihr beunruhigend gut.

Sie straft ihn ab.

Mit immer neuen Outfits und Make-ups reibt sie ihm unter die Nase, was sie ersehnt: in schicke Restaurants zu gehen, die Strandpromenade entlangzuflanieren und Geld auszugeben. Und dass er ihr all das nicht bieten kann. Bekundet ihr Missfallen darüber, in einer Siedlung leben zu müssen, ob nun Kfar Malal oder demnächst Elei Sinai, schon in Jamit habe es ihr nicht wirklich gefallen, und wenn sie so darüber nachdenke, sei ihr die Räumung doch ziemlich zupassgekommen.

Umso verdrießlicher, jetzt von einer Spießigkeit in die nächste geworfen zu werden.

Und vielleicht, denkt Uri, hat sie ja recht.

Wir sind jung, was scheren uns die Verheißungen der Bibel? Nicht das Geringste, es geht um niedrige Kosten und meine väterlicherseits vererbte Liebe zum Ländlichen, aber gilt es diese Nabelschnur nicht endlich zu kappen?

Vielleicht sollten wir uns das mit Elei Sinai noch mal überlegen.

Er ist anfällig, unser Uri.

Oh ja, er fängt sich in Anastasias schlicht gebauten Fallen, denn so impertinent sie sich durch den Tag nörgelt, ist sie im Bett alles andere als zurückhaltend. Während der kurzen Zeit, die er jetzt hier ist, hat sie Register gezogen, von denen er gar nicht wusste, dass sie so was draufhat. Sein Verstand sagt ihm, dass ihr einfach nur klar geworden ist, wo bei ihm die Knöpfe sitzen, und es schaudert ihn, sich selbst im Verhaltensradius eines Höhlenmenschen herummarschieren zu sehen – als würden sie den Rest ihrer Tage mit dem Studium des Kamasutra zubringen, wenn er ihr nur eine Wohnung in Tel Aviv spendiert.

Er fragt sich, ob Anastasia überhaupt zur Liebe fähig ist, doch die Illusion heißt mit zweitem Namen Hoffnung. Nach Wochen im Libanon ist er ausgehungert, er sehnt sich nach Zärtlichkeit, und sie füttert ihn mit Hingabe und Lust.

»Was macht Opa denn mit so viel Geld?«, hakt Yael nach.

»Er baut uns schöne Häuser«, sagt Phoebe. »Eines für uns und Miriam, und eines für euch.«

»Toll. Wo denn?«

Als hätten sie's ihr nicht schon tausendmal erzählt, nur, Yael ist vier. Sie hat sich zwar gemerkt, wo, denkt aber jedes Mal, Opa baut noch ein paar neue dazu.

»Ganz nah am Meer«, sagt Jehuda, und sein Blick schwimmt in Liebe. »Wir ziehen wieder zurück ans Meer, süßer Schatz. Da bring ich dir Surfen bei. Wir gehen jeden Tag an den Strand.«

Und da schaut die Kleine doch tatsächlich aus großen Augen ihre Mutter an und fragt:

»Freust du dich?«

Natürlich ist ein Abstecher nach Gaza fällig.

Die Fahrt bis zum Kontrollpunkt dauert eine gute Dreiviertelstunde, nur Jehuda, Phoebe und Uri. Anastasia ist mit Yael zum Arzt, Miriam in der Schule, der geeignete Moment, eine wahre Kipplasterladung Sorgen auf Uri niedergehen zu lassen.

Etwa, er könne sich eine Kugel einfangen oder zu Tode kommen, wenn sein Merkava in Brand gerät.

(Mütterlicher Ratschlag: Lehn dich beim Laden des Mörsers nicht so weit raus. Replik: Schon mal auf einem Schiff in den Mastkorb geklettert, ohne die Kabine zu verlassen?

Mütterlicher Ratschlag: Hau durch die Heckklappe ab, sobald du Feuer und Rauch siehst. Replik: Wir haben ein Löschsystem an Bord, das sichert uns größere Überlebenschancen, als wenn wir rausrennen und abgeknallt werden wie die Feldhasen.

Mütterlicher Ratschlag: Gib nicht den Helden. Replik: So wie wir unter Beschuss liegen, hab ich nicht mal Zeit, den Feigling zu geben.)

Zwei Welten, keine Schnittmenge.

Phoebe redet blühenden Unsinn, Uri begeht den Kardinalfehler, zu argumentieren, statt einsichtig zu nicken, und wenn sie ihm vorschlagen würde, die Hauptkanone des Merkava mit Geranien zu bepflanzen. Noch während sie den Grenzübergang Erez erreichen, hinter dem sich der Gazastreifen erstreckt wie ein nachlässig hingeworfenes Handtuch, plappern sie aneinander vorbei. Durchqueren einen der Checkpoints, der Israelis vorbehalten ist. Die Soldaten grüßen freundlich, winken sie durch.

»Mach dir keine Gedanken«, sagt Uri, als sie über die funkelnagelneue Straße nach Elei Sinai dahingleiten. »Ich glaube wirklich, das Schlimmste ist überstanden.«

Und es gibt ja auch Anlass zur Hoffnung.

Zwei Tage nach der denkwürdigen Party, als sie auf Gummikrokodilen durch Chlorwasser dümpelten, hat Syrien einer Waffenruhe zugestimmt. Was wenig daran ändert, dass man sich besser nicht über den Weg laufen sollte, doch wenigstens scheinen sie um *diesen* Krieg herumgekommen zu sein. Fatah-Land ist umstellt, der Süden unter Kontrolle, der Vormarsch im Osten verläuft seit Inkrafttreten des Waffenstillstands kampflos, dafür dauern die Auseinandersetzungen an der Westfront an.

Das Problem sind Arafat und rund 15 000 PLO-Kämpfer unter Waffen, die sich im Großraum Beirut verschanzt haben.

Sitzen dort fest, isoliert von der Außenwelt.

Leisten erbitterten Widerstand.

Nie werde er Beirut aufgeben, hat der Palästinenserführer der Presse erklärt, niemals den Libanon verlassen.

Inzwischen ist die Stadt von israelischen Truppen umzingelt, und Arik erhöht den Druck auf die Widerständler. Unverändert gilt seine Zusicherung, nicht direkt in Beirut einzumarschieren, was zu grotesken Szenen führt. Etwa, als Begin im Fernsehen damit zitiert wird, man werde in der libanesischen Hauptstadt nicht einen einzigen israelischen Soldaten finden, während die Live-Schaltung gleich mehrere Armeetransporter voller Zahal-Soldaten zeigt, die munter durch Ostbeirut rumpeln.

Es gibt Anlass zur Hoffnung und zur Empörung.

Arik versucht Gemayel zu motivieren, aufseiten von Zahal in die Kämpfe einzugreifen, in Israel werden die aktuellen Opferzahlen veröffentlicht.

Mehr als 300 Todesopfer, über 1000 Verletzte.

Arik argumentiert, die PLO halte sich nicht an die Waffenruhe. Zu weiteren Kämpfen gäbe es gar keine Alternative. Seine Gegner werfen ihm vor, das Widerstandsgebaren eingekesselter Milizionäre lasse sich beim besten Willen nicht als Bruch der Waffenruhe bezeichnen. Was immer zutreffen mag, Fakt ist, dass Arik sich die meisten Genehmigungen für seine Aktionen im Nachhinein einholt, womit sich der Kreis seiner Freunde täglich verringert.

Arik, König Israels.

Sie sägen an seinem Thron.

Am 26. Juni, als die Syrer ihre letzten Stellungen geräumt haben und Beirut vollständig umzingelt ist, gehen in Tel Aviv Tausende auf die Straße und protestieren gegen einen Krieg, der sich zusehends zur Privatfehde ihres Verteidigungsministers entwickelt. Kein Tag vergeht ohne Proteste, während sich die Belagerung Beiruts dahinzieht.

Woche um Woche.

»Die Leute protestieren ganz zu Recht«, sagt Phoebe düster. »Dieser unselige Krieg wird noch böse enden.«

»He, sag so was nicht.« Uri runzelt die Stirn. »Ich muss in drei Tagen wieder dahin zurück.«

Sie lächelt, legt schnell eine Hand auf seinen Unterarm.

»Entschuldige. Natürlich wird alles gut ausgehen. Ich bin halt nur manchmal ein bisschen – ach, vergiss es.«

Jehuda schaut sie an und weiß, was sie denkt.

Der Zwischenfall mit Katzenbach hat Phoebe in vielerlei Hinsicht verändert, vielleicht gärt der Gedanke aber auch schon länger in ihr und quillt nun endlich an die Oberfläche.

Sie denkt: Hätten wir bloß nie auf Arik gehört.

Dieser verdammte Dreckskerl hat uns ins Paradies geholt.

Und uns dann daraus vertrieben.

Katzenbach hat er auf dem Gewissen, meinen Seelenfrieden, dieses ganze Elend ist allein seine Schuld.

Sogar zweimal hat er uns vertrieben, um genau zu sein. Fortgelockt vom See Genezareth, rausgeworfen aus dem Sinai. Leichtfertig Menschen verführt, um sie mit ebenso leichter Hand fallen zu lassen, und jetzt gefährdet er das Leben meines Sohnes, weil er im Libanon seinen Willen durchsetzen will. Das erträgt sie nicht, und auch nicht, dass Jehuda seinen alten Freund immer wieder verteidigt. Sie meiden das Thema, doch das Gift zirkuliert bereits in der Blutbahn der Familie, Phoebe gibt es an Miriam weiter und sogar an ihre Enkelin. Als Arik im vergangenen Jahr zu Besuch war und Yael quiekend vor Vergnügen auf seinem dicken Bauch rumturnte, hat Phoebe ihr hinterher eingeschärft, Distanz zu wahren.

Nun ist Distanz kein Wort, das Kinder verstehen.

»Onkel Arik ist ein schlechter Mensch« aber schon.

»Ich find ihn nett.«

»Ja, er ist nett. Er verspricht dir alles, Schatz. Aber er hält nichts. Und das darf man nicht. Man darf nie ein Versprechen brechen, hörst du? Und Onkel Arik bricht alle.«

Bis Anastasia ihr die Kleine wegnahm.

»Erzähl ihr keinen Quatsch. Ich finde Arik schwer in Ordnung.«

»*Du?* Na, das ist ja mal 'ne Referenz.«

So viel zu diesem Verhältnis.

»Hey, ist ja fast alles schon fertig!«, staunt Uri.

»Gefällt es dir?«

Jehuda strahlt. Elei Sinai strahlt auch. So sauber und steril, als hätte eben erst jemand die Folie von den Häusern gezogen. Eine Ansammlung pieksauberer Eigenheimklone mit roten Dächern, Vorgärten, Zierbepflanzung und Treibhäusern in der Peripherie.

Nun, es ist nicht Jamit.

Es sind nicht die Mars-Chroniken.

Während Jamit nie über sich hinauswachsen konnte, versucht es Elei Sinai erst gar nicht. Kein kühner Entwurf, keine Neuerfindung des siedelnden Menschen. Kein Aufbruch. Wenn dieses ganz und gar makellose Dorf die Zukunft symbolisiert, dann ist die Zukunft ein Wartezimmer.

Jehuda zeigt Uri Treibhäuser, Verpackungsanlagen, Wasser- und Elektrizitätswerk, sie gehen den knappen Kilometer runter zum Strand, wo man den verlorenen Traum noch am ehesten weiterträumen kann. Sicher, Gaza hat was, aber gegen die schimmernde Makellosigkeit der Wüste wirkt der Landstrich doch eher wie ein fehlgeschlagenes Begrünungsexperiment. Der Sand durchsetzt mit fahlen Grasflicken, eine räudige Art der Vegetation, aus der neben kümmerlichen Bäumchen nur Laternenpfähle und Hochspannungsmasten herausstechen. Graue, verödet daliegende Straßen erinnern an Filme, in denen die Mensch-

heit von einer plötzlichen Krankheit dahingerafft wurde. Dem trotzi-
gen Gegenentwurf, einem knallbunten Spielplatz mit gelben, blauen
und roten Rutschen, wohnt stille Verzweiflung inne.

Alles ist brandneu und sieht schon verlassen aus, bevor überhaupt jemand eingezogen ist.

Uri bewundert pflichtschuldigst sein Haus, es grenzt an das seiner
Eltern, beide identisch bis auf den Dachziegel, die komplette Straße
sieht so aus. Gepflegte, rotweiße Monotonie. Er wird aufpassen müssen, mit dem Schlüssel nicht in verkehrten Schlössern herumzufuhr-
werken.

»Nehmt Anastasia nächste Woche mal mit«, sagt er und hofft beinahe, dass sie es nicht tun werden.

»Oh, Anastasia war vergangene Woche hier«, sagt Jehuda. »Hat sie's
dir nicht erzählt? Sie kann's kaum erwarten.«

Uri fixiert seinen Vater, versucht Anflüge von Ironie auszumachen,
doch er meint das tatsächlich todernst.

Kann's kaum erwarten –

Na, wenn sie dir diesen Eindruck vermittelt hat, ist sie ja noch eine
viel größere Schauspielerin, als ich dachte.

Für Yael wird es natürlich das Himmelreich sein.

Anastasia?

Die wird es hassen.

Klar kann sie es kaum erwarten, denkt er.

Von hier wegzukommen.

Und dann ist er auch schon wieder fort.

Zurück in den Libanon.

Phoebe zerdrückt ein paar Tränen, jeder Abschied nach Uris kurzen Heimaturlauben fällt ihr schwerer, reißt eine größere Lücke, die
sich immer weniger füllen lässt, da kann sie noch so besessen Kräuter
schneiden, Gemüse hacken, Farcen rühren und Filets marinieren. Unter ihren emsig flatternden Händen verwandelt sich Rachels bäuerli-
che Küche zusehends in eine Art Opiumhöhle, nur dass Phoebe sich
am chemischen Zusammenwirken von Grundnahrungsmitteln, Gewürzen und Hitze berauscht, ihre Sinne mit Schmordüften von Fleisch,
simmernden Fischen und exotischen Reduktionen benebelt. Ihre Expe-
rimentiersucht sprengt alle Grenzen, sie scheint sich der Aufgabe ver-
schrieben zu haben, das kulinarische Erbe der Einwanderer in einen
großen Zyklus zu überführen, die Einflüsse des Russischen, Ukrainischen, Arabischen, Senegalesischen, Französischen, Italienischen, Eng-

lischen, Amerikanischen und Deutschen zu etwas identitätsstiftend Israelischem zu verdichten, ein Hebräisch der Töpfe und Tiegel, ein zum Scheitern verurteiltes Unterfangen, und genau darin liegt Phoebes Motivation, in der Unmöglichkeit.

Man kann über Sisyphos sagen, was man will, aber er muss sich niemals Gedanken machen, was er mit sich anfängt, nachdem er den Brocken zur Spitze gerollt hat.

Und Phoebe will nicht über Uri nachdenken.

Sie will nicht erreichbar sein für *die* Nachricht.

Immerhin ist ihre Methode im Resultat erfreulicher, als würde sie sich unter Bergen von Kissen vergraben.

Für alle.

Sie wuchten ordentlich Kilos auf ihre Hüften, und Jehuda macht die völlig neue und irritierende Erfahrung, dass sein Bauch, wenn er im Bett auf der Seite liegt, Lakenberührung vermeldet.

Nicht gut, denkt er.

Irgendwas läuft hier schief.

Auch ihm ist schmerzlich bewusst, dass ihr Land sich im Krieg befindet. Wieder einmal. Und dass der Mythos von der Unbesiegbarkeit der israelischen Armee am bloßen Anblick von Uri zerschellen muss. Er sieht gut aus in seiner Uniform, ist durchtrainiert, fix im Kopf.

Aber doch nur ein Junge.

Ein verletzbarer, auf nichts vorbereiteter Junge.

Dieser verdammte Krieg *muss* ein Ende finden.

Jehuda ist nicht blind, er sieht, was zwischen seinem Sohn und dessen Frau los ist, beziehungsweise nicht los ist, aber das lässt sich alles hinbiegen, und wenn sie sich trennen, werden sie sich eben trennen. Jehuda und Phoebe lieben ihre Enkelin über alles. Sie werden für Yael da sein, sollten Anastasia und Uri zu sehr mit sich selbst beschäftigt sein.

Wichtig ist jetzt nur, dass er gesund heimkehrt.

So leben sie in Erwartung einer Nachricht, von der sie hoffen, dass sie niemals eintrifft.

Und dann kommt sie doch.

Nur mit völlig unerwartetem Inhalt.

»Ja, also, es geht um den – äh – gewissermaßen neu ausgeschriebenen Posten für das Bewässerungsmanagement in Nordgaza – also für die Siedlungen, für alle Siedlungen zusammen –«

Der Dezernatsleiter zählt die Namen auf, er tut, als erzähle er Jehuda etwas völlig Neues, bis der ihm dazwischenfährt:

»Ich weiß. Weiß ich doch alles.«

Nein, sagt er sich im selben Moment, weißt du nicht.

Gewissermaßen neu ausgeschrieben?

»Was meinen Sie überhaupt mit gewissermaßen neu ausgeschrieben?«

»Nun, Sie sollten ja ursprünglich für Elei Sinai zuständig sein.«

»Genau.«

»Dann spielte der Zentralisierungsgedanke hinein.«

»Und die Umbesetzungen in der Führungsspitze.«

»Ja.« Der Dezernent klingt erleichtert, als seien sie sich in irgendwas einig geworden. »Und sie wissen ja, wie so was geht, wer als Kapitän neu an Bord geht, der will natürlich auch die Route bestimmen –«

Kapitän? Route?

Was redet der da für einen Mist?

»Ich dachte, die mischen sich nicht in laufende Verträge ein.«

»Wir haben keinen laufenden Vertrag mit Ihnen.«

Jehuda stutzt.

»Doch. Ich bin designierter Leiter des Wassermanagements für die Nordsiedlungen. Fehlt nur, dass alle unterschreiben.«

»Designiert? Nein.«

Jetzt wird ihm wirklich mulmig zumute. Er fühlt seine Fingerspitzen kalt werden, sein Atem geht flacher.

»Sie sagten, es gibt keinen Konkurrenten.«

»Gab es auch nicht.«

»Gab?«

»Jetzt schon.«

»Oh. Nun gut. Also stehen wir praktisch im Wettbewerb.«

»Nein.«

Was nur im ersten Moment beruhigend klingt.

Im zweiten klingt es nach Katastrophe.

»Und was heißt das jetzt?«

»Es heißt, dass ich Ihnen leider mitteilen muss – also, um es kurz zu machen, auf Druck von oben wird jemand anderer mit der Aufgabe betraut.« Pause. Endlose Pause. Universen entstehen, vergehen. »Jemand mit sehr viel Erfahrung. Aus Galiläa.«

Unter Jehuda klafft der Boden auseinander.

Unmöglich. Das muss ein Irrtum sein.

»Aber ich habe sämtliche anderen Angebote, die ich hatte, abgesagt. Auf Ihre Versicherung hin –«

»Es tut mir leid, wirklich.« Der Dezernent ist hörbar am Boden zerstört, seine Stimme ein einziges Bedauern. »Niemand konnte diese Entwicklung voraussehen. Die neue Geschäftsführerin will es so. Wir haben ihr alle Verträge vorgelegt, ihr gesagt, dass wir großes Vertrauen in Sie setzen, ich war nie im Zweifel, dass sie zustimmen würde. Im Gegenteil, wo sie doch höchst erfolgreich zusammengearbeitet haben –«

»Moment mal.« Jehuda schwant Böses. »Zusammengearbeitet?«

»Ja, sicher. Mir sind leider die Hände –«

»Wir reden von Alison Titelmann?«

»Ja. Alison Titelmann.«

Da kommt sie also aus der Ecke, die Vergangenheit. Mit heimtückischem Grinsen. Ist ihm vorausgeeilt, um ihm aufzulauern.

Jehuda lässt den Hörer sinken.

»Ich habe keine Alternativen«, sagt er schwach.

Die Stimme im Hörer quasselt weiter, irgendwas von *sämtliche Posten vergeben* und *leider keine Idee*.

»Was sagten Sie?«

»Dass im Moment nichts anderes vakant ist. Und für die Positionen, die frei wären, sind Sie überqualifiziert.«

»Alison – ich meine, Alison Titelmann hat explizit gesagt, dass Sie *mich* nicht will?«

»Ja?«

»Warum?«

»Ach.« Der andere windet sich. »Ich weiß ja nicht, was sie damit meint, *wir* hatten immer einen ausgezeichneten Eindruck von Ihnen, Jehuda, aber Alison findet, sie wären – nun ja, unkalkulierbar – unzuverlässig –«

»Unzuverlässig.«

»Ja. Sie hätten sie nicht zufriedengestellt.«

2011

Aschdod, 6. November

Im West Boutique Hotel Aschdod bekommst du ein koscheres Frühstück vom Besten, wenn du rausgehst, glitzert das Meer in deinen Augen, und du fällst mit der Nase direkt in den feinsten weißen Sand.

Auch die Zimmer: hoher Wohlfühlfaktor.

Vorausgesetzt, du stehst auf modernes Design.

Dann hast du Spaß.

Dann gefällt dir die schicke Lobby, und du liebst es, deinen Gutenachtdrink in der stylishen Bar zu nehmen, wo an jedem Tisch eine andere Sprache gesprochen wird. Kosmopolitisches Publikum, passend zur wichtigsten Industriehafenstadt Israels. Die Frachtterminals rangieren noch vor Haifa, aus schneeweißen Luxuslinern ergießt sich Tourismus in Invasionsstärke ins Land.

Quirlig auch die Marina, Aschdods Yachthafen.

Oder besuchen Sie die Ruinen von Chastel Béroard. Kreuzfahrerflair, zwölftes Jahrhundert. Da war Aschdod schon zweieinhalbtausend Jahre alt. Hochburg der Philister, die hier im heidnischen Tempel die Bundeslade zur Schau stellten, die sie den Israeliten geklaut hatten.

Willkommen auf dem Giwat Jona.

Jona?

Genau, Grabstätte jenes Jona, der dem von Gott gesandten Riesenfisch so schwer im Magen lag, dass er ihm drei Tage später wieder hochkam, geläutert und unverdaut.

Aschdod mit seinen luftigen Parks und der mediterranen Architektur.

Viel zu erleben.

Und alles geht Hagen am Arsch vorbei.

Weder will er an den Strand noch in den Speisesaal, nicht an die Bar oder sonstigen Vergnügungen nachgehen. Als ihn der Weckruf aus seinen zähen Fantasien reißt, Morgenlicht durch seine geschlossenen Lider dringt und sich die Bruchteile der Erinnerung zum Ganzen fügen, will er nur wissen, wie sein Leben im Verlauf einer einzigen Nacht von einer gefühlten in eine tatsächliche Katastrophe abgleiten konnte.

Öffnet die Augen.

09:00 Uhr.

Vier Stunden hat er sich zugestanden, weil er wusste, ohne Ruhe würde er bald zusammenbrechen. Vier Stunden, während derer er sich in bedrohlich surrealen Visionen gewälzt hat, schweißnass, mit hochtourigem Herzschlag, sodass er jetzt einen Moment braucht, um den zerebralen vom erlebten Albtraum zu separieren – was ist tatsächlich passiert, welche Fäden hat sein Unterbewusstes im Schlaf weitergesponnen.

Er sieht sich mit seinem Rucksack die Sderot Hayim Barlev entlanglaufen, verwirrt und ratlos, was er als Nächstes tun soll.

Fahren ist besser als laufen.

Taxi anhalten.

Auf dem Beifahrersitz dann gleich mehrere Eingebungen.

1. Raus aus Jerusalem!

2. Bloß nicht nach Tel Aviv, wo die Sache mit den CDs ihren Anfang genommen hat (und ihn der allwissende Feind am ehesten suchen dürfte, wenn er ihn hier nicht mehr vorfindet).

3. Autark werden, wozu gehört, öffentliche Verkehrsmittel zu meiden, sprich: a. Auto klauen, b. Auto kaufen, c. Leihwagen (a. als hätten wir nicht Ärger genug, b. wovon bitte?, also c.).

Zum Ben Gurion International Airport. Früh um halb vier sind Leihwagen sonst nirgendwo zu haben, Sixt-Schalter, Suzuki Alto, bar im Voraus für eine Woche.

Wohin jetzt?

Die nächste größere Stadt wäre Aschdod. Dass er nach Aschdod fährt, werden sie nicht vermuten, oder sagen wir, er könnte überall sein, warum also ausgerechnet in Aschdod.

Airport-WLAN, Google-Suche:

Hotels Aschdod

Gleich im ersten angerufen, auch wenn es teuer ist, egal. Er will ja nicht seinen Lebensabend hier verbringen, nur bleiben, bis sich die Wogen geglättet haben.

(Dafür musst du erst mal wissen, was sie auftürmt.)

Halb fünf, Rezeption, Formular ausfüllen. Siebter Stock. Kein Auge für die imposante Lichtorgie des Frachthafens, das sehnsuchtsvolle Blinken der Schiffe weit draußen. Abtauchen im eigenen Meer.

Im Ozean des Vergessens.

Jetzt treibt er wieder zur Oberfläche, hockt auf der Bettkante.

Wankt ins Bad.

Jetzt sieht er sich im Spiegel. Einen verstört wirkenden, deutlich älteren Mann als gestern, der die Begegnung mit sich zum Anlass nimmt, in Tränen auszubrechen. Er klammert sich ans Waschbecken, während die Erinnerung über ihn kommt wie der einstürzende Himmel, heult noch unter der Dusche, aber es hat sein Gutes. Der Anfall schwemmt die Hilflosigkeit aus ihm heraus, spült seine Hirnwindungen durch, nimmt den Druck von seiner Brust. Er ruft den Zimmerservice an, ordert Kaffee, Saft und Sandwiches, auch wenn er keinerlei Hunger verspürt.

Er muss essen. Bei Kräften bleiben.

Denken und handeln.

Nach der ersten Tasse Kaffee ist er so weit, sich der Analyse zu widmen.

Was ist passiert?

Was *genau*, abgesehen davon, dass Björklund und die beiden Mädchen tot sind *(deinetwegen, alles deinetwegen!)*, und er einen Mann umgebracht hat, vor allem aber:

Warum ist es passiert?

Er rekapituliert das Verhör in Tonjas und Irinas Wohnung:

Wo sind die CDs?

Schon mal aufschlussreich. Sie wussten, dass er bei Silberman eingekauft hatte.

Silberman ist tot.

Rätselhaft und wenig geeignet, die Stimmung aufzuhellen.

Was Sie Ihrem Redakteur da am Telefon erzählt haben, können Sie nicht nur von den CDs haben.

Gleich vier Aussagen in einer: Erstens, wir haben dich abgehört und geortet. Zweitens, wir kennen den Inhalt der CDs gut genug, um drittens anzunehmen, dass dein sogenannter Knüller einer anderen Quelle entstammen muss, weshalb wir dir viertens ein Killerkommando auf den Hals geschickt haben, um herauszufinden, welcher.

Das Ganze ausgewertet in Frage und Antwort:

Frage: Wer kennt die Daten des Schin Bet am besten?

Antwort: Der Schin Bet.

Frage: Wer hat die Macht, Handys abzuhören und zu orten?

Antwort: Der Schin Bet.

Frage: Warum sollte der Schin Bet eine erfundene Geschichte zum Anlass nehmen, Menschen zu ermorden und zu foltern, um jede weitere Verbreitung zu verhindern?

Antwort: Weil die Erfindung –

Keine ist.

Targeting war Thema während des Telefonats, die Jewish Division, was Silbermans Zeug eben hergab. Sicher alarmierend, speziell bei der Jewish Division dürften sie alles andere als begeistert sein. Aber schickt man deswegen gleich Killer, die auch vor Unbeteiligten nicht haltmachen?

Hör auf zu schreien.

Nicht?

Plopp, plopp.

Fakt ist –

Er hat die verdammte WAHRHEIT erfunden! Jemand fühlt sich ertappt. Jemand, der nicht sicher sein kann, ob vielleicht *doch* etwas Belastendes auf den CDs ist, definitiv aber weiß, dass ihn bestimmte *Personen* belasten können.

Mit wem haben Sie gesprochen?

Yael Kahn?

Yossi Backenroth?

Namen, die sich Hagen eingebrannt haben, weil sie seine einzige Spur darstellen.

Eine Spur zu – wem?

Was hat er sich da bloß eingebrockt? Wenn der Schin Bet wirklich für all das verantwortlich ist, was er sich am Telefon zusammenfabuliert hat, selbst wenn es nur *Kräfte* im Schin Bet sind, kann er sich hier und jetzt einsargen lassen.

Kein Wunder, dass die Amok laufen. Sich fragen, ob in den Untiefen ihrer Datenspeicher etwas schlummert, das sie übersehen haben. Sie wissen ja nicht, was genau Weinstein runtergeladen hat, und die geheimdienstliche Korrespondenz aus Jahren können sie nicht eben mal so sichten. Sie brauchen die CDS, um Klarheit zu erlangen, Verräterisches zu beseitigen und den Urheber des Ärgers am besten gleich mit.

DA IST NICHTS, würde Hagen ihnen am liebsten zurufen.

Alles Lüge!

Und sie würden stoisch weiterfragen:

Mit wem haben Sie gesprochen?

Mit wem haben Sie gesprochen?

Mit wem haben Sie gesprochen?

Denn wenn da nichts ist, dann musst du mit jemandem gesprochen *haben*, oder wie sonst kannst du davon wissen?

Sind sie außer Gefahr?

Dustin Hoffman, Laurence Olivier, Loch im Zahn. Nur diesmal ohne Drehbuchautor, um den Erfordernissen Hollywoods nach einem Happy End gerecht zu werden.

Und wer hilft dem Schin Bet, wenn er ihn braucht?

Die Polizei.

Wem kannst du also trauen?

Niemandem. Womit sich jeder Versuch, Israel auf offiziellem Weg zu verlassen, fürs Erste erledigt hat.

Die beiden Namen sind alles, was er hat.

Tel Aviv

Cox' Handy klingelt.

Vier Stunden hat sie geschlafen. Steht im Fahrstuhl, auf dem Weg in ihr Büro, als der Kommissar anruft, der die Ermittlungen im Fall Silberman leitet. Inzwischen weiß sie, der Mann ist gut. Hat Zeugen aufgetrieben, die vorgestern Abend zwei Typen aus einem Wagen steigen und zu Silbermans Haus gehen sahen.

Auch die Beschreibung des Wagens passt.

Hagen und Björklund haben Silbermans Sofa platt gesessen.

Aber warum?

Wollten sie sich für die nette Prügelei bedanken, über die sich Cox unentwegt den Kopf zerbricht, so widersinnig erscheint sie ihr. Die Scharon-Story ist eine Bombe. Doppelter Geburtstag für jeden Journalisten, auch wenn Hagen befürchten muss, dass derzeit alles auf seinen Todestag hinausläuft. Dachte Silberman ernsthaft, Hagen würde einen solchen Knüller nicht mit Kusshand ankaufen?

Gut, Junkies leiden unter Hirnzersetzung.

Trotzdem –

Da verläuft ein Bruch durch die Geschichte.

Und jetzt erzählt ihr der Kommissar zutiefst niedergeschlagen, wer der Tote aus Mea Schearim ist.

Kein Wunder, dass ihn *das* frustriert.

»Ein *Polizist*?«

»Ja. Morddezernat Jerusalem.«

Perlman seufzt. »Dann Caesar, falle.«

»Von wem ist das wieder?«

»Shakespeare. *Auch du, mein Sohn Brutus? Dann Caesar, falle!*« Er fährt sich über die Augen und sieht plötzlich sehr alt aus. »Also ist auch die Polizei infiltriert.«

»Vielleicht waren wir uns einfach zu sicher.«

»Was meinen Sie?«

»Dass *uns* so was nicht passieren kann. Dem allmächtigen, unantastbaren Schin Bet. *Fuck,* Ric! Hochverrat ist nur eine Frage des Zeitpunkts. Und wenn der ideale Zeitpunkt nicht Ende 2005 war, wann dann?«

Perlman presst die Lippen aufeinander.

»Ich hab aber auch was, um Sie aufzumuntern.«

»Raus damit.«

»Der Polizist und der Maskierte aus der Wohnung der Russenmädchen kannten sich. Vom Militär. Dieselbe Einheit.«

»Ach was!« Perlman strafft sich. Die Nachricht wirkt sichtlich belebend auf ihn. »Und wo war diese Einheit stationiert?«

»In Hebron. Während der Zweiten Intifada.«

Hebron.

Auch das noch. Der Albtraum schlechthin. Ein Ort, wie Hase und Igel ihn erfunden haben könnten:

– also, jetzt passt mal auf, Hebron steht unter britischem Mandat, und das heißt ja wohl ganz klar, dass wir Juden hier –

Nichts da, Hebron gehört den Muslimen.

Ach ja?

Bis zum Ersten Weltkrieg regierte hier Ibrahim Pascha und –

Ja, aber schaut mal ins 15. Jahrhundert, da leben Hunderte Juden in Hebron, und die haben –

Schon mal vom Sieg von Hattin gehört?

Hattin?

Genau, Hattin. 1187! Das hat *unser* Saladin Hebron erobert, wodurch –

Moment mal! *Zurück*erobert! Von den Christen, die –

Christen?

Öhm –

Äh –

Egal. 683 geriet Hebron unter muslimische Herrschaft –

Und war vorher jüdisch. David ist hier zum König gesalbt worden, und der war ja wohl israelitisch, und Hebron wurde – das könnt ihr nachlesen – Judas Erben von Gott vermacht, und im Erzvätergrab sind Abraham, Sarah, Isaak, Rebecca, Jakob und Leah begraben, und die sind uns heilig –

Uns auch! Uns auch!

Und warum wird Hebron dann so oft in der Bibel erwähnt?

Und wer war in Hebron, *bevor* die Bibel geschrieben wurde?

Na, *ihr* bestimmt nicht –

Aber vor 3000 Jahren –

Aber vor 5000 Jahren –

Man kann froh sein, dass nicht noch ein paar Neandertaler aufkreuzen und Ansprüche geltend machen.

»Was wissen wir über diese Einheit?«, fragt Perlman.

»Ganz normale Brigade«, sagt Cox. »Alles vertreten von säkular bis religiös und ultranationalistisch. *Das Schweigen brechen* – die kommen von dort, aber auch ein paar echte Hardliner.«

»Interessant.«

Lange Zeit besaßen Israels Bürger kaum eine Vorstellung davon, was genau Zahal in den besetzten Gebieten tat, und auch die in Hebron stationierten Einheiten operierten in einem schwarzen Loch. Bis Veteranen die Organisation *Das Schweigen brechen* gründeten und die Öffentlichkeit damit schockierten, welche Befehle die Soldaten in der Erzväterstadt oft auszuführen hatten – Granaten in palästinensische Häuser schießen, Araber als menschliche Schutzschilde nehmen, ihre Autos mit Panzern zerstören, ihren Privatbesitz plündern. Alles nur, um die paar jüdischen Enklaven in der Altstadt zu schützen, die ihrerseits regelmäßig unter Beschuss lagen. Beiderseits stehen sich die Radikalen in unversöhnlichem Hass gegenüber – mit dem Unterschied, dass das Gros der fast 200 000 palästinensischen Einwohner Hebrons friedlich, jeder einzelne der 800 Altstadtsiedler hingegen radikal und gewaltbereit ist. Während Zahal-Soldaten Araber, die Siedler angreifen, unverzüglich zu bekämpfen haben, müssen sie tatenlos zusehen, wenn Siedler auf Araber losgehen, sie in ihren Häusern bedrohen, ihre Kinder anspucken, schlagen und beschimpfen. Dürfen lediglich ihren Kommandeur in Kenntnis setzen, der ruft die israelische Polizei, die erfahrungsgemäß auch nicht viel tut. Über die Hauswände ziehen sich Graffiti, PALÄS-TINENSER RAUS!, ARABER IN DIE GASKAMMER, signiert mit Davidsternen, ein ziemlich einzigartiges Biotop. Niemanden, der hier stationiert war, lassen solche Dinge unberührt. Manche werden zu Anklägern, andere zeigen sich für die Ideologie der Hardliner umso empfänglicher.

Der Polizist in Mea Schearim, der Maskierte aus der Wohnung der Gussinski-Mädchen –

Beide haben in diesem Milieu Dienst getan.

Eine Spur?

Vielleicht. Auf jeden Fall geeignet, die Schockstarre zu durchbrechen, die Israels mächtigsten Sicherheitsapparat befallen hat. Nicht, dass sie hier untätig wären. Die Auswertung der Korrespondenz schreitet voran, nur zu Scharon will sich nichts finden. Jede Menge Drohungen zwar, eingegangen im Vorfeld der Gaza-Abkopplung, aber nicht *solche* Mails.

Und dennoch scheint alles zu stimmen.

Eine Zahal-Kompanie. Stationiert in Hebron. Von dort führt eine Spur zu ZPS. *Zionist Protection Services.*

Perlman greift zum Hörer.

»Das ist gut«, sagt er. »Jetzt bekommt Dreyfus mal richtig was zu tun.«

Aschdod

Yael Kahn

bildet im Netz Populationen. Schülerinnen auf Twitter und Facebook, Einträge von der Hausfrau über die Lehrerin bis zur Entwicklungsmanagerin. Kaum eine Variante, die nicht vertreten wäre. Kahn ist so geläufig wie Meier, Yael rangiert ohnehin unter den beliebtesten Mädchennamen. Die bekannteste Yael Kahn lebt in London, ausgewandert aus Protest gegen die Okkupation der Westbank. Eine Menschenrechtsaktivistin, die Israels Oberen gern auf die Füße tritt, möglicherweise interessant.

Yossi Backenroth

macht sich rar. Viele Yossis, wenige Backenroths, in der Kopplung nur zwei. Der eine ein Offizier der Luftstreitkräfte, pensioniert, der im Netz nach alten Kameraden sucht. Der zweite ein Arzt in der Neurologie des Hadassah Hospitals, Jerusalem, Ein Kerem.

Israels renommiertestes Krankenhaus.

Jung, dem Bild nach zu urteilen.

Hagen seufzt. Nimmt sich die Telefonverzeichnisse vor, Jerusalem, Tel Aviv. Kein weiterer Yossi Backenroth, nur eine noch gewaltigere Flut Yael Kahns. Da braucht er gar nicht erst anzufangen, also mit Gebrüll auf die Backenroths. Herausfinden, ob einer von ihnen eine Yael Kahn kennt, die dürfte es dann sein, womit umgekehrt auch die Identität des richtigen Yossi feststünde.

Der Offizier hat eine Festnetznummer auf der Website hinterlassen, vielleicht greifen alte Kameraden lieber zum Hörer, als E-Mails zu schreiben. Eine Frau reicht Hagen weiter. Er gibt an, eine Bekannte ausfindig machen zu wollen, leider verfüge er über keinerlei Kontaktdaten, habe sie jedoch öfter von einem Yossi Backenroth erzählen hören.

Der Offizier ist des Englischen nur bedingt mächtig.

Yael?

Sicher doch! Mit Yael kann er dienen.

Nach drei Anläufen klärt sich, dass seine Yael nicht Kahn heißt und nie so geheißen hat. Backenroth, zum Zweiten: Auch der Arzt ist mit einem privaten Eintrag vertreten, aber vielleicht wäre es sinnvoller, im Krankenhaus anzurufen, also wählt er das Hadassah an und lässt sich in die Neurologie durchstellen.

Die Schwester bittet ihn zu warten.

Ein Arzt übernimmt das Gespräch.

»Dr. Backenroth?« Ungute Stille. »Yossi ist leider nicht zu sprechen.«

»Wann kann ich ihn erreichen?«

»In welcher Beziehung stehen Sie zueinander?«

»Privat. Yossi bat mich, ihn anzurufen, wenn ich in Israel bin. Dr. Hagen, Thomas Hagen, ich bin Internist. Aus Hamburg.«

Wieder eine Pause. »Es tut mir sehr leid. Yossi ist gestern Abend verstorben.«

»Wie bitte?«

Es klingt angemessen entsetzt, schon weil er angemessen entsetzt *ist*. Noch ein Toter? Bloßer Zufall? Oder waren die Jungs mit den Skimasken wieder im Einsatz?

»Was ist geschehen?«

»Ich weiß nicht, ob ich Ihnen das sagen darf.«

»War er krank?«

»Nein. – Oder doch. Haben Sie seine Privatnummer?«

»Ja.« Liest den Eintrag aus dem Telefonverzeichnis vor.

»Vielleicht verrät man Ihnen da mehr.«

»Können Sie mir denn gar nichts sagen? Ich möchte die Familie ungern belästigen.«

Der Arzt zögert.

»Es könnte ein Unfall gewesen sein.«

Und plötzlich hat Hagen eine Eingebung. Glaubt sich zu erinnern – doch, da war eine Yael – eine dienstliche Webseite mit Vita und Foto – gut aussehend, das ist ihm haften geblieben –

Erregung überkommt ihn, wie jedes Mal, wenn Dinge sich ineinanderfügen. Gibt den Namen erneut ein, diesmal mit Dr.-Titel.

Scrollt und klickt sich durch.

Da ist sie.

Dr. Yael Kahn, Ärztin im Chaim Sheba Medical Center, Region Tel HaShomer, Ramat Gan, bei Tel Aviv. Im größten Hospital des Landes, und Dr. Kahn ist –

Neurologin.

Zufall?

Dann sind Äpfel, die nach unten fallen, auch Zufall.

Er wählt die Station an. Eine Ärztin teilt ihm mit, Dr. Kahn sei noch in Urlaub.

»Wissen Sie, wann sie zurückkommt?«

»Ich glaube – warten Sie mal –« Geraschel. Anachronistisch. Wer raschelt denn heute noch, wo jede Information per Mausklick zu haben ist. »Oh, ich sehe, sie hat morgen schon wieder Dienst. Wenn Sie es ab acht Uhr früh versuchen –«

»Morgen? Zu dumm.«

»Kann ich was ausrichten?«

»Ach, sie kennt mich vom Studium. Dr. Hagen. Thomas Hagen. Ich war als Austauschstudent in Tel Aviv. Schade. Morgen fliege ich wieder ab –«

»Ich bestelle gern Grüße.«

»Das wäre nett, wobei – vielleicht hab ich ja noch eine Chance. Sie wissen nicht zufällig, wann genau sie zurückkehrt?«

»Da müsste ich – einen Moment bitte.«

Schickt ihn in die Warteschleife. Er surft ein paar Runden auf dahinplätschernden Keyboardklängen, dann:

»Hören Sie? Vielleicht schaut sie heute Nachmittag rein, zwischen 16 und 17 Uhr. Ihr Flieger landet irgendwann um die späte Mittagszeit.«

»Flieger?« Hagen überlegt. »Dann kann ich sie abholen. Yael würde sich freuen. Wo kommt sie her?«

»Aus London.«

»Ben Gurion Airport?«

»Ja, aber fragen Sie mich nicht nach der Flugnummer.« Sie lacht. »Die müssen Sie schon selbst rausfinden.«

Hagen bedankt sich, seine Finger schnellen über die Tastatur.

Ben Gurion International Airport, Arrival, Flüge aus London –

Austrian Airlines, 14:55.

British Airways, 15:00.

Lufthansa, 15:15.

EasyJet, 16:00.
Swiss International, El Al, beide 16:10.
Iberia, 16:40.
Wenn sie nachmittags im Krankenhaus sein will, kommen nur die ersten drei in Betracht. British Airways fliegt 4h 50min, Lufthansa 7h mit Zwischenstopp in Paris, da hätte sie sehr früh aufstehen müssen, gleiches gilt für Austrian Airlines, 6h 55min, mit Halt in Wien.
Natürlich wird niemand ihm verraten, in welchem Flieger sie sitzt.
Datenschutzbestimmungen.
Bleibt *Trial and error.*

Ben Gurion International Airport

Um 14:45 ist er im Terminal 3, Bereich Ankunft.
Die *Greeters Hall.*
Alleine, es bis hierher geschafft zu haben, stärkt seine Zuversicht. Oft werden Fahrzeuge schon an den Einfahrtswegen zum Flughafen kontrolliert, möglich, dass sein Konterfei im Umlauf ist, und eine Baseballkappe Tarnung zu nennen, nun ja.
Doch niemand hat ihn kontrolliert.
Jetzt steht der Suzuki in einem der beiden Kurzzeitparkhäuser, und die Waffe steckt in seinem Hosenbund unter der Jacke. Der Rucksack drückt von hinten dagegen. Hagen hat nichts im Hotel gelassen, auch wenn er kaum annimmt, dass sie ihn dort so schnell aufspüren. Mit im Rucksack sind drei Prepaid-Handys, die er in einem Elektronik-Fachmarkt in Aschdod erstanden hat, da er das iPhone nicht länger benutzen kann.
Prepaids zu orten ist praktisch unmöglich.
Er schlendert durch die Säulenhalle. Bloß nicht unauffällig wirken wollen. Jede Menge Sicherheitskräfte sind hier unterwegs. Und die haben dich im Blick. Stell ein Gepäckstück ab, geh davon, schon stürzt sich einer, der aussieht, als wolle er Oma abholen, auf das herrenlose Teil, während andere dich in die Mangel nehmen.
(Könntet ihr durch meine Jacke gucken, drei von euch würden längst auf mir sitzen.)
Er schaut hoch zur Anzeigetafel. Als Resident dürfte Dr. Kahn den schnellen Check-out nutzen. Alles Weitere hängt von der Gepäckausgabe ab, dumm nur, dass British Airways und Austrian Airlines fast gleichzeitig landen und die Passagiere aus unterschiedlichen Ga-

tes kommen. Er wird hin- und herpendeln müssen, und genau dabei könnte sie ihm durch die Lappen gehen.

Besser, sich zu entscheiden.

Austrian Airlines, British Airways.

Jahrelang haben Wissenschaftler die Existenz des Riesenkalmars mit der Wahrscheinlichkeit gleichgesetzt, dass der Storch die Kinder bringt, und dann gab es ihn doch, den vielarmigen Schleimbeutel. Und wahrscheinlich gibt es tausend Gründe, warum es Yael Kahn an Bord der Austrian Airlines verschlagen haben könnte, trotz sieben Stunden Flugzeit und Zwischenstopp. Aber nur ein Grund fällt ihm ein, warum sie *nicht* in der British-Airways-Maschine sitzen sollte.

Weil die voll war.

15:00 Uhr.

Vertrauen wir darauf, dass sie eine Reservierung hatte, denkt er. Dann müsste sie jetzt, in diesen Minuten –

British Airways 2350 – gelandet, sagt die Anzeigentafel.

Er postiert sich vor den Ausgängen, doch eine Viertelstunde verstreicht, ohne dass Kahn erscheint.

Lufthansa 577 – gelandet.

Lufthansa?

Ach, richtig! Die 15:15-Maschine. Wieder ein anderer Ausgang. Allmählich wird es eng. Zehn Minuten kann er hier noch investieren, danach steigt das Risiko, sie zu verpassen, wenn sie Lufthansa geflogen ist. Er entfaltet den Ausdruck mit ihrem Bild, studiert es zum x-ten Male –

Diese Frau wird er erkennen.

15:24.

Der Strom der Passagiere versiegt. Kaum jemand kommt jetzt noch heraus, dafür ist bereits die nächste Landung angezeigt. Hagen flucht. Sollte sie etwa doch in der Austrian Airlines –

Im selben Moment sieht er sie.

Schlank, hochgewachsen, dunkelbraunes Haar. Gesichtszüge, die man fast indianisch nennen könnte.

Dr. Yael Kahn, wie sie leibt und lebt.

Sie zieht einen Rollkoffer hinter sich her, über ihrer Schulter spannt sich der Trageriemen einer Tasche. Blazer, Jeans, Turnschuhe. Legeres Erscheinungsbild, zügiger Schritt.

Hagen geht auf sie zu. Legt seine Worte zurecht.

Was soll er sagen?

Entschuldigen Sie, Dr. Yael Kahn? Ich weiß nicht so recht, wo ich anfangen soll –

Schon scheiße. Ich weiß nicht so recht. Wer bin ich überhaupt?

Dr. Yael Kahn? Ich habe Ihnen eine wichtige Mitteilung zu machen, falls Sie eine Minute Ihrer Zeit –

Dr. Yael Kahn? Stellen Sie jetzt keine Fragen, hören Sie mir einfach nur zu. Sie sind in Gefahr –

Dr. Yael –

Zwei Männer nehmen sie unversehens in die Mitte. Präsentieren irgendwelche Ausweise. Sichtlich verwundert schaut sie von einem zum anderen, geht aber zusammen mit beiden weiter.

Mist.

Hagen folgt ihnen in einigem Abstand.

Auf die Rolltreppe zu Ebene 1.

Zu den Kurzzeitparkhäusern.

Einvernehmlich sagen ihm Augen und Bauch, dass die Ärztin das Abholkommando nicht auf dem Schirm hatte. Die Typen tragen offene Hemden, Windjacken und Jeans. Sehen x-beliebig aus, könnten ihre älteren Brüder sein, Agenten, Polizisten in Zivil, Kollegen aus der Klinik, nur dass sich Brüder und Kollegen nicht ausweisen.

Soll er sie ansprechen?

Eine Brücke kreuzt das Zufahrtssystem und leitet vom Hauptgebäude ins linke der Parkhäuser über. Die Männer scheinen es eilig zu haben. Kahn wirkt zwischen ihnen zusehends fremdbestimmt, wie an sie gefesselt und mitgezerrt. Sie durchwandern die Betonwüste des Parkdecks. Einer der Männer nimmt ihr den Rollkoffer aus der Hand. Sie versucht, die Hoheit darüber zurückzuerlangen, keine Chance. Hagen hält sich im Hintergrund, schon weil die Typen jetzt nervös werden und nach allen Seiten Blicke werfen.

Wo steht *sein* Wagen noch gleich?

Im Nachbarparkhaus.

(Wenn du Kontakt zu ihr aufnehmen willst, musst du dich beeilen.)

Und es sieht sehr danach aus, als wollten die Kerle genau das verhindern.

Sie gehen schneller, nehmen Kahn enger in die Zange.

Merken sie, dass er ihnen folgt?

Vorsichtshalber sucht Hagen Deckung zwischen den Autos. Die Gruppe erreicht einen Volkswagen-Kleintransporter, und jetzt wird die Frau panisch. Versucht sich erneut des Rollkoffers zu bemächtigen. Das Deck liegt verödet da, einer der Männer öffnet die Schiebetür, stößt Kahn ins Innere, springt mit hinein.

Der andere hastet zum Fahrerhaus.

Rote Lichter flammen auf, als der Transporter rückwärts aus der Lücke schießt und losbraust.

Die wollen sie entführen!

Die nehmen ihm seine einzige Hoffnung, Licht ins Dunkel zu bringen.

Krister. Tonja, Irina –

In Hagen beginnt es zu lodern, zu fauchen, die Wut frisst alle Angst. Sein altes Ich übernimmt. Er hat aus dem inneren Kreis der Hölle berichtet, Somalia, Darfur, Irak, im Sperrfeuer gelegen, an vorderster Front.

Sich NIE den Schneid abkaufen lassen.

(Ihr wollt mich vor euch hertreiben?)

(Ich zeige euch, wer hier wen jagt!)

Zeit, die Kontrolle zurückzuerlangen.

Er schätzt die Lage ab. Der Transporter muss zur Parkhausrückseite, daran entlang bis zum nächsten Längskorridor, dort abbiegen, zurück in seine Richtung, allerdings ein gutes Stück entfernt –

(Wenn ich nur schnell genug bin –)

Und dann?

(Was willst du tun? Ein fahrendes Auto mit der bloßen Hand stoppen?)

(Egal. Irgendwas WERDE ich tun!)

Rennt los. Quer zwischen den Blechreihen hindurch, stößt sich an Rückspiegeln, Kotflügeln, ein paar blaue Flecken mehr in seiner Kollektion, weicht den dahinschleichenden Parkplatzsuchern aus, nächste Reihe, den Transporter im Blick, der immer noch parallel zu ihm fährt, ein bizarres Rennen, das er nur verlieren kann.

NEIN!

Läuft schneller.

Der Wagen erreicht den Korridor, biegt darauf ein. Nimmt Fahrt auf, kommt jetzt in seine Richtung, er rennt, rennt wie von Sinnen. Auf lange Distanz mag seine Kondition gelitten haben, Suff, Zigaretten, mangelndes Training, aber im Sprint, Herrschaften, befeuert von SOLCHER WUT,

ist er eine Medaille wert, wartet bloß ab –

(Noch mal, was willst du tun?)

– stürzt zwischen zwei S-Klassen hindurch, eng, hofft auf Smart und Mini, wenige Meter noch, seitlich nähert sich in hohem Tempo der Transporter, beide ziehen sie ihre Geraden in diesem Koordinatensystem –

(WAS willst du tun?)

– und im selben Moment weiß er, was er tun wird. Greift unter Rucksack und Jacke, zerrt die Waffe aus dem Hosenbund. Schlittert und stolpert auf die Fahrbahn, kaum imstande, seinen Lauf zu bremsen. Feuert neben den Fahrer in die Windschutzscheibe, zwei, drei Male. Erschrockene Augen verschwinden hinter einem blitzartig entstehenden Craquelé, der Mann versucht auszuweichen, schlingert heran –

Hagen katapultiert sich aus dem Weg.

Der Wagen kracht gegen einen Pfeiler.

»Jaaa! Jahaaaaa!«

Läuft zu dem gestrandeten Transporter, sieht den Fahrer nach draußen kippen und sich den Kopf halten.

Reißt die Seitentüre auf.

Kahn und der andere rappeln sich gerade hoch. Fast komisch, wie sie ihn in einträchtiger Verblüffung anstarren. Als wäre er der hinabgestiegene Messias mit dem Gesicht von Bart Simpson.

»Kommen Sie!«, schreit er. »Keine Fragen.«

Englisch, ein Segen der Verständigung. Sie springt auf. Zögert, dreht sich zu ihrem Entführer um und tritt ihm herzhaft gegen das Brustbein. Der Mann ächzt und knickt ein.

»Los, los, los!«

Das Parkhaus ist videoüberwacht, sie müssen hier weg, bevor die Security anrückt, und am Ben Gurion dürfte sie schneller zur Stelle sein, als Kirk »Beam me up, Scotty« sagen kann. Die Ärztin springt aus dem Wagen, Hagen steckt die Pistole weg.

»Zum Treppenschacht!«

»Wo ist der?«

Interessante Frage.

»Planänderung. Rampe runter.«

Keine *wirklich* gute Idee, dort kommen ihnen Autos entgegen, dafür aber der schnellste Weg. Die Ohren dröhnen ihm vom Hupen, dann sind sie im Erdgeschoss. Menschen drängen aus dem G-Level des Terminals herein. Er fasst Kahn am Arm und dirigiert sie in den Pulk.

»Nicht weiterrennen. Zügig, aber normal.«

Sie nickt, fragt nicht. Vielleicht ist er ja ein Böser, aber gerade hat er sie vor den anderen Bösen gerettet. Hagen nimmt seine Baseballkappe ab und steckt sie weg.

»Ziehen Sie Ihren Blazer aus. Schnell.«

Sie gehorcht wortlos, legt sich das Kleidungsstück über den Arm. Jetzt sehen sie wenigstens *ein bisschen* anders aus als vorhin.

Auf den Monitoren der Sicherheitskräfte.

»Und nun?«

»Parkhaus 2. Da steht mein Wagen.«

»Wer sind Sie eigentlich?«

»Später. Legen Sie Ihren Arm um mich.«

»Ihre Flirtmethoden sind mir suspekt.«

»Tun Sie so, als hätte ich Ihnen einen Witz erzählt.«

»Ist ja wohl auch einer. Oder?«

Laut auflachend schmiegt sie sich an ihn. Wie ein blendend gelauntes Ehepaar streben sie dem Nachbarparkhaus entgegen. Einer der Automaten wird frei, Hagen entrichtet seinen Obolus, das Gerät spuckt seine Karte wieder aus.

»Wo steht Ihr Wagen?«

»Nicht weit.«

Ganz im Gegenteil, nah geparkt, Kleingeld griffbereit. Dafür, dass er nicht die mindeste Ahnung hatte, was auf ihn zukommen würde, ist er gut vorbereitet. Sie steigen in den Suzuki, er setzt zurück, während er denkt: Das hier kann nicht gut gehen. *Kann* einfach nicht. Zu leicht. Gleich werden sie von allen Seiten herangesprungen kommen, Befehle brüllen, Gewehre auf uns richten.

Vor der Ausfahrt ist Stau.

Der Tross schiebt sich voran, auf und nieder fährt die Schranke und portioniert ihn wie eine Salami. Mit jedem Auto, das sie absäbelt, kommen sie der Freiheit ein Stück näher.

Er zwingt sich zur Ruhe.

Schiebt die Karte in den Schlitz.

Die Schranke öffnet sich.

Lenkt den Wagen auf den Zubringer zur Autobahn.

Ist auf der Autobahn.

»Haben Sie ein Handy?«

»Ja.« Sie greift in die Innentasche ihres Blazers.

»Machen Sie es aus.«

»Warum?«

»Tun Sie es einfach.«

»Scheiße!« Yael Kahn schlägt mit der flachen Hand auf die Beifahrerkonsole. »Scheiße, Scheiße! Können Sie mir endlich mal verraten, was hier los ist?«

»*Ich?*« Hagen starrt auf die Fahrbahn. »Ich dachte eigentlich, das könnten *Sie* mir sagen.«

Tel Aviv – Aschdod

Ein Hoch auf den guten alten Steckbrief. Vor allem, wenn er per Lichtfaser verschickt wird.

»Hagen ist in Aschdod abgestiegen.«

Cox ist schon unterwegs. »Wo?«

»West Boutique Hotel. Sie haben ihn erkannt. Zimmer 704.«

Endlich kommt Bewegung in die Sache. Vorhin die Meldung, Hagen habe am Flughafen einen Suzuki gemietet, jetzt diese frohe Botschaft.

Sie mobilisiert ihre Kohorten.

Fragt sich, wie lange er diesmal auf dem Radar bleiben wird.

Vielleicht sollten wir die Strategie ändern, denkt sie. Ihn locken, zur Zusammenarbeit ermuntern, statt ihm mit hängender Zunge hinterherzurennen. Er muss begreifen, dass es besser ist, Kontakt mit den Guten aufzunehmen, als sich von den Bösen erwischen zu lassen. Im Moment wird er kaum einen Unterschied sehen. Falls er es war, der dem Toten in Mea Schearim seine Papiere entwendet hat, weiß er jetzt beispielsweise, dass unter den Bösen auch Polizisten sind.

Wem soll er noch trauen?

Wir trauen uns ja selbst nicht. Und so richtig die Guten sind wir auch nicht, denkt sie weiter, während sie den Lift zur Tiefgarage nimmt.

Wir wollen ihn schließlich verhaften.

Dennoch, es muss einen Weg geben, an ihn ranzukommen.

Dieser Deal mit Pini Silberman –

Die Schlägerei im Parkhaus –

Silbermans Flucht –

Irgendwo dort könnte der Schlüssel liegen.

Sagt Yael Kahn ihm, was los ist?

Also, Tom, folgendermaßen: Der Moshe und der Aaron sind schwer angepisst, nachdem du deinem Redakteur gegenüber hast durchblicken lassen, du wüsstest bla bla – und mich haben die auf dem Kieker, weil –

Wäre auch zu schön gewesen.

Sie sagt: »Ich habe nicht die leiseste Ahnung.«

»Sie lassen sich von zwei Typen willig ins Schlepp nehmen –«

»*Willig?*«

»– beinahe entführen und erzählen mir, Sie hätten keine *Ahnung?*«

»Ich hab aber keine.«

Wusch, wusch, doppelhalsige Laternenmasten, Verkehrsschilder, überholen, überholt werden.

Ben-Gurion-Autobahnkreuz.

Die gordische Verknotung der Zubringer, kaum vom Gas, A4 nach Aschdod.

Braune, platte Landschaft.

Platte, braune Landschaft.

Strommasten zur Auflockerung.

Nichts, was von einem konstruktiven Gespräch ablenken sollte, doch Kahn beharrt auf ihrer Ahnungslosigkeit, und Hagen ist zu lange Journalist, als dass ihm entginge, wenn jemand lügt.

So kommen wir nicht weiter, denkt er.

»Wer ist Yossi Backenroth?«

Ihre Kinnlade klappt herunter. Da hat er ja schon mal was gelockert, und sei es nur das Kiefergelenk.

»Sie kennen ihn?«

»Wir – haben mal zusammengearbeitet.«

»Noch Kontakt?«

»Nein.« Sie schüttelt den Kopf. »Als ich vor sechs Jahren ins Tel HaShomer gewechselt bin –«

»Vom Hadassah?«

»Ja.«

Interessant. »Sie waren Kollegen? In der Neurologie?«

»Jetzt reicht's aber langsam.«

»Ich kann Sie auch gern zurück ins Parkhaus bringen, wenn Ihnen meine Gesellschaft nicht zusagt. Möchten Sie Ihr Leben in einem Kleintransporter beschließen?«

»Was soll das, Sie verdammter Idiot? Was ist mit Yossi?«

»Nichts. Er ist tot.«

Schlagartig ändert sich die Atmosphäre. Sie wird noch blasser, als sie ohnehin schon ist. Starrt vor sich hin.

»Viel wollten die mir nicht verraten«, sagt Hagen. »Eigentlich nur, dass er einen Unfall hatte.« Schaut sie an, lässt einen Moment verstreichen. »Oder auch nicht.«

»Oder auch nicht?«, echot sie schwach.

»Na ja, überlegen Sie mal. Sie wurden in ein Auto gezerrt, und ich glaube nicht, dass die Ihnen nur die Vorzüge der Innenraumbelüftung demonstrieren wollten. Meiner Meinung nach hätten Sie am Ende des Tages auch einen Unfall gehabt. Also spucken sie schon aus, was Sie mit Yossi verbindet. Abgesehen von dem, was jeder nachlesen kann.«

Kahns will etwas sagen, stockt.

Ihre Augen weiten sich. Sie schlägt eine Hand vor den Mund. Gerät sichtlich aus der Fassung. Hagen will ins Lenkrad beißen, wenn ihr nicht gerade etwas so Elementares aufgegangen ist, dass sie ihm in drei Sätzen das ganze deprimierende Ausmaß seiner Probleme darlegen könnte, nur dass ihr der Schock zu tief in der Kehle sitzt.

»Was ist?«, fragt er.

Sie spreizt alle Finger. Schließt die Augen. Schüttelt den Kopf, als versuche sie aufzuwachen.

»Frau Kahn. Reden Sie mit mir.«

»Nein.« Ballt die Hände zu Fäusten. »Das kann nicht wahr sein. Nicht nach so langer Zeit.«

»Was kann nicht wahr sein? Lassen Sie mich teilhaben.«

»Teilhaben?«

Sie wendet ihm ihr Gesicht zu. Hagen hat schon vor Wohnzimmerwänden gestanden, die weniger weiß waren.

»Warum sollte ich Sie an *irgendwas* teilhaben lassen?«

»Warum? Ich bin der Typ, der Ihnen das Leben –«

»Ach ja?« Sie lacht schrill. »Vielleicht sind Sie aber auch die Traufe nach dem Regen. Das größere Problem.«

»Sie werden mir wohl vertrauen müssen.«

»Vertrauen Sie mir denn?«

»Nein.«

»Großartig. Ich weiß weder Ihren Namen noch wo wir hinfahren.«

»Tom Hagen. In mein Hotel nach Aschdod.«

»Und? *Wer sind Sie?*«

»Journalist. Bis gestern Abend noch guter Dinge. In Jerusalem unterwegs, eine Story in Arbeit. Über Ariel Scharon. Dann werden wir überfallen, sie foltern meinen Freund –«

»Sie?«

»Erschießen ihn –«

»Wer sind *sie*?«

»Ich – weiß – es – nicht!«, schreit er. »Alles, was ich weiß, ist, dass die *Ihren* Namen genannt haben! Yael Kahn. Und den von Yossi Backenroth, weil sie der Meinung waren, wir hätten miteinander gesprochen, dabei wusste ich nicht mal, dass Sie und irgendein Yossi Backenroth überhaupt *existieren*.«

Kahn sieht jetzt richtig fertig aus. Kein Zweifel, in ihrem Kopf schieben sich Puzzlesteine ineinander, und was sie da zu sehen bekommt, lässt sie um ihr Leben fürchten, auch das steht ihr ins Gesicht geschrieben.

Hagen kennt den Ausdruck nur zu gut.

Todesangst.

»Ich muss erst –«, stammelt sie. »Ich kann jetzt nicht –«

»Doch«, schnauzt er. »Offen gesagt, mir sind Ihre Befindlichkeiten egal. Was hatten oder haben Sie mit Ariel Scharon zu schaffen?«

»Lecken Sie mich am Arsch.«

Die folgenden zehn Minuten ist kein Wort aus ihr herauszubekommen. Dann scheint sie sich gefasst zu haben.

»Ich bin in dem Team, das ihn betreut.«

»Wen? Scharon?«

Sie nickt. »Vor sechs Jahren war ich im Hadassah angestellt. Ich und Yossi. Als Assistenzärzte in der Neurologie. Arik kam –« Stockt. »Also, Scharon, er hatte diesen leichten Schlaganfall, deswegen war er bei uns, und zwei Wochen später noch mal, als er die Hirnblutung erlitt.«

Eine Ackerlandschaft zieht vorbei. Lange, aneinandergereihte Streifen, braun, dunkelbraun, tiefgrün, ocker. Wie ein riesiges Kunstwerk liegen sie in der Ebene.

»Hatten Sie direkt mit ihm zu tun?«

»Nicht direkt. Nachdem er ins Koma fiel, wurde er wie wild operiert. Schädeldecke geöffnet, Luftröhrenschnitt, Absaugen von Flüssigkeit, Teilamputation des Dickdarms, Tage und Wochen ging das so. Manches war notwendig, anderes irrwitziger Aktionismus. Währenddessen wechselte ich ins Tel HaShomer, kleiner Karrieresprung, außerdem hatte ich schon länger keine Lust mehr, jeden Tag nach Jerusalem zu fahren. Yossi blieb im Hadassah, unsere Wege trennten sich. – Jedenfalls erwartete ich nicht, Scharon wieder zu begegnen.«

»Und dann?«

»Wurde er zu uns verlegt. Kam in den Flügel für Langzeit-Komapatienten.«

»Und dort betreuen Sie ihn bis heute?«

»Ich und ein paar andere.«

Schornsteine, Silos, schwarz gegen den dräuenden Wolkenhimmel. Container wie Klötzchen übereinandergestapelt. Kräne, Schiffssilhouetten, dahinter der graue Streifen des Meeres. Sie passieren den Hafen von Aschdod, biegen auf die HaTayelet ein, die Strandstraße.

»Und das ist alles?«

»Damals wurden Fragen laut. Warum sie Scharon nach seinem ersten Anfall so schnell entlassen hatten. Er sollte ja operiert werden, zwei Wochen später. Am Herzen.«

»Wozu das?«

»Weil er ein offenes Foramen ovale hatte, möglicherweise die Quelle der Embolie. Aber statt ihn im Krankenhaus zu behalten, ließen sie ihn auf seine Ranch fahren. Dort stand ihm kein leitender Arzt zur Seite, auch das wurde bemängelt. Lediglich eine Pflegekraft erschien zweimal täglich und spritzte ihm Clexanc, um ihn zu antikoagulieren –«

»Bitte so, dass ich's verstehe.«

»Blutverdünner. Damit sich bis zur OP keine Gerinnsel mehr bilden konnten. Das Problem mit Blutverdünnern –«

Was immer das Problem mit Blutverdünnern ist, es rauscht an Hagen vorbei.

Weil er weiß, was das Problem mit Polizeifahrzeugen ist.

Vor allem, wenn sie vor seinem Hotel parken.

Schon von Weitem kann er sie sehen.

Zufall?

Soll er mit seinem Mietwagen, dessen Kennzeichen sie nach der Auswertung der Flughafenvideos längst ermittelt haben dürften, dort vorfahren, in die Rezeption latschen und fragen, ob sie ihn auf der Buchungsliste schon gefunden haben?

Ganz sicher nicht.

Vor ihm rundet sich die Straße zu einem palmenbestandenen Kreisverkehr, Fügung des Schicksals. Er fährt eine 180-Grad-Kurve und wieder zurück.

»Warum wenden wir?«

»Das Zimmermädchen hat gewechselt.«

»Hä?«

»Das neue trägt Uniform. Hören Sie zu, wir –« Er überlegt fieberhaft. »Wir werden einen anderen Wagen brauchen. Was ist mit Ihrem?«

(Saudumme Idee, Tom. Was, wenn sie auch ihr Kennzeichen in die Fahndung gegeben haben?)

»Ich besitze kein Auto.«

»Gut, dann –«

»Kein eigenes. Wir teilen uns einen Mini.«

»Wer ist die andere Hälfte von dem Wir?«

»Alena. Meine Mitbewohnerin.«

»Sie leben zu zweit?«

»Ja, stellen Sie sich vor.« Sie funkelt ihn an. »Wir wollten die Wohnung haben. Für einen zu teuer, für zwei groß genug. Wollen Sie auch wissen, ob wir miteinander schlafen?«

Hagen schaut in den Rückspiegel. Eines der Polizeifahrzeuge hat den Vorplatz des West Boutique Hotels verlassen und fährt ihnen hinterher. Das macht ihn nervös, aber jetzt aufs Gas zu drücken, wäre das Verkehrteste, was er tun könnte.

»Auf wen ist der Wagen zugelassen?«, fragt er.

»Alena.«

»Rufen Sie sie an.«

»Keine Ahnung, ob sie damit unterw –«

»Mir egal. Sagen Sie ihr, sie bräuchten den Wagen. Heulen Sie ihr was vor, keine Ahnung. Sie soll ihn bereitstellen, und zwar *nicht* vorm Haus. Ein paar Ecken weiter.«

»Dafür muss ich mein Handy anmachen.«

Hagen langt in den Rucksack auf der Rückbank und gibt ihr eines der Prepaid-Handys. Kahn rollt die Augen und wählt eine Nummer.

»Wo wohnen Sie überhaupt?«, fragt er.

»Tel Aviv. Moshe Hess 21, Ecke Rehov Idelson. Ziemlich genau zwischen – Hi, Alena! Ich bin's.«

Hagen zieht seine Aufmerksamkeit von ihr ab und behält das Polizeifahrzeug im Auge. Es holt auf. Sie erreichen eine Kreuzung, und die Ampel springt auf Rot. Nur noch ein alter Opel zwischen ihnen und den Polizisten.

»Prima«, hört er Kahn sagen. »Was? – Nein, was soll sein? – Ich klinge komisch? Quatsch.«

Lacht. Hagen starrt auf die Ampel.

»Alles klar«, zwitschert sie. »Dann weiß ich ja, wo er steht. Also bis später vielleicht.«

Drückt Alena weg.

»Sie *klingen* komisch.«

»Ich hab ja auch allen Grund dazu.«

Erstmals tut sie ihm leid. Auch wenn sie auf ominöse Weise für Björklunds Martyrium mitverantwortlich ist, wären ein paar aufmunternde Worte angezeigt, also sagt er: »Nicht hängen lassen, Doc. Sie halten sich gut. So geübt im Improvisieren, wie wir beide schon sind, fällt Ihnen sicher was ein, wo wir fürs Erste unterkommen.«

»Meine Wohnung –«

»Dürfte demnächst Besuch erhalten. Weiter.«

»Ein anderes Hotel.«

»Vergessen Sie's. Wir sollten überhaupt versuchen, Städte zu meiden.«

Während er die Ampel hypnotisiert und denkt: Grün.

Grün.

Biegt rechts ab.

Auch der Opel und der Streifenwagen biegen rechts ab.

Steigt aufs Gas. Wird in den Sitz gepresst, so plötzlich beschleunigt er. Kahn gibt ein erschrockenes Japsen von sich.

»Was soll *das denn* jetzt?«

Genau das scheinen sie sich im Polizeifahrzeug auch zu fragen. Sein Überraschungsspurt hat sie wertvolle Sekunden gekostet, jetzt sieht er im Rückspiegel, wie sie sich an dem Opel vorbeizudrängen versuchen, was nicht klappt, weil rechts alles zugeparkt ist und ihnen auf der Gegenfahrbahn ein Lieferwagen entgegenkommt.

Als die Sirene losheult, klingt sie richtiggehend frustriert.

»Sind Sie verrückt?« Kahn schüttelt entgeistert den Kopf, schaut hinter sich. »Was soll das werden? Miami Vice?«

»Halten Sie die Klappe.«

Sein Blick irrt zwischen Rückspiegel und Fahrbahn hin und her. Noch haben sie das Glück auf ihrer Seite. Der Streifenwagen ist zurückgefallen, nur wenige Fahrzeuge vor ihnen, die er umkurvt wie Dave Ryding in seinen besten Slalomtagen. Unter Missachtung aller Verkehrsleitlinien schlingert er in den Rechtsabbieger, findet sich auf einem Boulevard, Palmen, weiter voraus ein Knotenpunkt, an dem mehrere Straßen zusammenlaufen, stark befahren, die Strandpromenade gerät in Sicht –

Von dort quengelt eine zweite Polizeisirene heran.

Zangentaktik, denkt er. Die einen haben uns aus den Augen verloren, dürften sich aber schnell wieder rangearbeitet haben, die anderen müssten uns jeden Moment sehen.

Und der Verkehr wird dichter. Regelrecht zäh.

Dann sieht er den Taxistand.

»Da!«

»Was?«

»Wenn ich anhalte, springen Sie raus. Gleich ins erste Taxi.«

Stellt den Suzuki quer, würgt den Motor ab und blockiert im Nu beide Fahrspuren. Langt nach hinten, sein Rucksack. Hastet ins Freie, sieht Kahn zu dem Wagen mit dem gelben Dachschild laufen, rennt ihr hinterher, während ein wütendes Hupkonzert einsetzt, mit den Sirenen als Solisten.

Sekunden später sitzen sie nebeneinander im Fond.

Der Fahrer dreht sich träge zu ihnen herum.

»Tel Aviv«, sagt Kahn.

Was ihn sichtlich freut. Hübsche, gut bezahlte 30 Kilometer. Dass es ihr Suzuki ist, der wenige Meter weiter die Verkehrsschlagader zum Platzen bringt, hat er offenbar nicht mitbekommen. Hagen lässt sich tiefer in den Sitz rutschen. Dank seines anarchischen Parkmanövers stecken die Verfolger hoffnungslos fest.

(Können sie gesehen haben, wo wir hingelaufen sind?)
(Beim besten Willen nicht.)

Im selben Moment kommt der andere Streifenwagen vom Strand hoch und brettert mit hysterischem *Uuuiiiuuuiiiiuuuiiiiii* an ihnen vorbei.

Das Taxi wendet, fährt Richtung Meer. Minuten später durchqueren sie das Industriegebiet mit seinen Tankstellen, Fabrikationshallen und Supermärkten. Schilder weisen zur Autobahn.

Aschdod bleibt hinter ihnen zurück.

Kahn legt den Kopf in den Nacken und schließt die Augen. Flüstert etwas auf Hebräisch. Hagen wendet ihr den Kopf zu.

»Was?«

»Warum?«, murmelt sie. »Nach so langer Zeit.«

»Was meinen Sie?«

»Nichts.«

»Wie bitte? Die haben ihn entwischen lassen?«

Cox dachte eigentlich, sie würde sich nicht aufregen.

»Diese blöden Bullen haben ihn *entwischen* lassen?«

Wäre Hagen wie üblich vom Erdboden verschluckt gewesen, hätte sie ein zitronensaures Lächeln aufgesetzt und gesagt:

Seht ihr?

Wusst ich's doch.

Stattdessen kommt er aufs Hotel ZUGEFAHREN, während zwei Polizisten ihn SEHEN. Ihm folgen. Ohne Himmel und Hölle zu mobilisieren, ohne Rundruf an alle, und Cox derweil oben in Hagens Zimmer, die BMW unten, dann plötzlich das Gejammer über Funk, *Er haut ab!*, wilde Aufregung, alle rasen los und finden ein –

»– verficktes scheißquergestelltes Auto! Leer!«

Wie eine Naturgewalt tobt sie über den Vorplatz des West Boutique Hotels. Vor ihren Augen schrumpft der Einsatzleiter zu einem Nichts, zur Sprachlosigkeit verdammt.

»Diese affenhirnigen Schwanzlutscher, warum haben die nicht, als sie ihn sahen, sofort –«

Weil sie ihn im Alleingang kassieren wollten. Das alte Lied. Fleißkärtchen einfahren. Sahen sich schon bekränzt von Lorbeer durchs Revier schreiten.

»Und dann bringt der so eine verkackte James-Bond-Nummer und hängt die beiden Arschlöcher ab! *Fuck! Lech tizdayen!*«

Sie weiß, sie erleidet einen bedenklichen Rückfall ins Vokabular ihrer vorperlmanschen Lebensphase, doch sie kann einfach nicht aufhören. Hagen hat sich in Luft aufgelöst, aber vorher hat er ihnen noch eine lange Nase gemacht.

Huhu, ihr Deppen!

»Und überhaupt hatte ich gesagt, *Zivilfahrzeuge*, ZIVILFAHR –«

Perlman meldet sich. Fragt, wie's läuft.

Cox kotzt ergiebig ins Telefon.

»Okay, da werden ein paar Leute schwer begeistert sein. Kommen Sie zurück, es gibt Neuigkeiten.«

»Gute?«

»Was ist schon gut? Das Sauriersterben war gut für die Säuger. Im Moment scheinen wir die Saurier zu sein.«

Es hat zu regnen begonnen, die Straße überzieht sich mit mattem Glanz. Niemand sagt etwas. Hagen beschließt, Kahn ein Weilchen in Ruhe zu lassen, er braucht selbst eine Pause, um seine wild umherflatternden Gedanken einzufangen. Erst auf halber Strecke nach Tel Aviv findet sie ihre Sprache wieder. Fischt das Prepaid-Handy aus ihrem Blazer und wählt ein weiteres Mal Alenas Nummer.

»War jemand da und hat nach mir gefragt? – Irgendjemand?«

Hagen fällt auf, dass die beiden Englisch miteinander reden. Schon vorhin haben sie das getan.

»Okay. – Du musst mir was versprechen, Alena. Ich erklär dir alles später, aber egal, wer nach mir fragt, selbst wenn er eine Uniform trägt – *du weißt nicht, wo ich bin.* – Nein, ich hab keine Bank überfallen. Du hast nichts von mir gehört. Und schon gar nicht erzählst du, dass ich mit dem Auto unterwegs bin.«

Hört eine Weile zu, von Fragen bestürmt.

»Versprich's mir einfach«, sagt sie und gibt eine Wunschliste durch, vorwiegend Klamotten und Kosmetik.

»Verlier keine Zeit, ja? Pack alles in meine kleine Reisetasche und stell sie hinten in den Wagen. Ich hab dich lieb.«

»Warum reden Sie Englisch mit ihr?«, will Hagen wissen.

»Alena ist Australierin. Noch nicht lange in Israel. Ich wollte nicht, dass sie irgendwas missversteht.«

Sie wird ohnehin nichts kapieren, denkt er. Hauptsache, sie tut, was man ihr sagt.

Kahn gibt ihm das Handy zurück.

»Efrat«, sagt sie.

»Was ist mit Efrat?«

»Sie wollten doch wissen, wo wir unterkommen können. Wir fahren nach Efrat.«

Eine halbe Stunde nach der Schlappe in Aschdod wird Cox mit wachsender Verwunderung Zeuge, wie Hagen im Parkhaus des Ben Gurion International Airport auf einen Kleintransporter schießt, ihn gegen einen Pfeiler krachen lässt und mit der Insassin stiften geht.

»Wo sind sie hin?«

»Entkommen«, spuckt Ben-Tov das Mantra des Scheiterns in den Raum.

Sie schauen sich den Zusammenschnitt der Parkdeckkameras an. Zuvor hat man die Frau zwischen zwei Männern gesehen. Eingekeilt. Auch wie sie im Laderaum verschwand, geschah eher unfreiwillig. Andere Blickwinkel zeigen Hagen, der sich nähert, Kappe in die Stirn gezogen, plötzlich losspurtet und sich ein Wettrennen mit dem Wagen liefert.

»Der haut sie raus«, sagt Cox. »Ganz klar. Das ist eine Rettungsaktion.«

»Den Fahrer haben wir«, sagt Perlman. »Liegt mit Gehirnerschütterung im Krankenhaus.«

Cox sieht den zweiten Mann benommen aus dem Laderaum steigen und das Weite suchen.

»Und der?«

»Noch flüchtig.«

»Was sind das für Leute?«

»Über die Frau wissen wir nichts. Der Fahrer betreibt einen privaten Shuttle-Service. Sach- und Personentransporte. Behauptet, der andere habe ihn angeheuert, um seine böse Gattin am Flughafen abzuholen.« Perlman lächelt. »Die im Ruch stand, fremdzugehen, was sich, als sie dem Flieger entstieg, in den Augen des Ehemannes bestätigt habe. Daher das rüde Umgehen mit der Dame.«

»Glauben wir das?«

»Nicht mal unter Hypnose«, schnaubt Ben-Tov. »Der verarscht uns.«

»Was wir natürlich nicht –«

»Beweisen können«, ergänzt Perlman.

»Die Polizei wird ihn wohl laufen lassen müssen.«

»So gut wie sicher. Dafür wissen wir ein paar Dinge über ihn.«

»Lassen Sie mich raten«, sagt Cox. »Er arbeitet bei ZPS.«

»Nein.«

Cox mutmaßt weiter: »War in Hebron stationiert.«

»Nein.«

»Nicht? Schade.«

»Besser.« Perlman wippt gut gelaunt auf den Fersen. »Er ist der Schwager des toten Polizisten.«

Im Westflügel des Zentralkommandos liegen die Büros der Jewish Division. Dreyfus und Adler sind anwesend, also treffen sie sich dort, zumal Perlman behauptet, in der Division kochten sie besseren Kaffee.

Cox kann keinen Unterschied feststellen.

Dafür wirkt Dreyfus entspannter als die letzten beiden Male. Weniger angriffslustig, fast höflich.

Vielleicht mag er ja auch einfach keine Videokonferenzen.

»Tut mir leid, dass ich Sie so hart angegangen bin, Cox. Aber Sie sehen ja, was los ist. Maulwürfe im Garten, dieser Journalist spielt Katz und Maus mit uns, wir stehen kurz davor, uns lahmzulegen vor lauter internen Ermittlungen –«

»Wegen Selbstbespitzelung geschlossen«, frotzelt Adler.

Neben dem eleganten Dreyfus wirkt er mit seinen affenartig behaarten Unterarmen und dem unmodischen Schnurrbart wie der sprichwörtliche Mann fürs Grobe.

Sie ziehen Stühle heran, setzen sich.

Perlman gießt Kaffee ein.

»Irre ich mich, Reuben, oder waren Sie es, der nach stärkeren Lampen rief, um uns alle zu durchleuchten?«

»Ja, aber was bringt's?« Dreyfus schüttelt den Kopf. »Wer es schafft, uns über Jahre zu infiltrieren, ohne dass wir ihm auf die Schliche kommen, an dessen Vita hinterlassen unsere Routinechecks keinen Kratzer, und dezidierte Überprüfungen – bei Hunderten, Tausenden Mitarbeitern – na ja. Wer fängt an?«

Perlman erzählt die Neuigkeiten.

»Ein Spinnennetz«, resümiert Dreyfus. »Ehemalige Soldaten, aktive Polizisten, Geheimdienstler, jetzt auch ein Taxi-Service –«

»Und einer der Fäden endet im betulichen Hebron.«

Adler strafft sich.

»Das können wir bestätigen. Wir haben uns mal diese ZPS zur Brust genommen. *Zionist Protection Services.* Personenschutz für Geschäftsleute, Politiker, bisschen B-Prominenz, aber das Brot-und-Butter-Geschäft machen sie in den thoratreuen Siedlungen. Bewachen Rathäuser, Gemeindezentren, Kindergärten, Produktionsanlagen, und jetzt kommt's: Praktisch die komplette Gründungsmannschaft setzt sich aus

Mitgliedern einer Einheit zusammen, die zwischen 2001 und 2004 zum Schutz der Altstadtsiedler nach Hebron abkommandiert war.«

Interessant, denkt Cox.

Eine Hebron-Connection.

»Würde zu dem passen, was Hagen behauptet«, sagt sie.

»Kaum vorstellbar, dass die ZPS *das* geplant hat«, sagt Dreyfus.

»Nein, die ist nur der Gorilla«, pflichtet Perlman ihm bei. »Aber es grenzt die Suche nach dem Kopf ein.«

»Es muss mehrere Köpfe geben«, sagt Dreyfus. »Angenommen, die Initiatoren sitzen in der Westbank. Dann haben sie im Schin Bet mindestens eine höherrangige Kontaktperson. Jemand, der Informationen in Echtzeit weiterleitet und operative Prozesse manipuliert. Dieser Jemand hat Zugriff auf Daten, Kontrollzentren, Manpower, wir reden also von einem kompletten Team, das sich über unsere Struktur verteilt: im Zentralkommando –«

»In der Jewish Division«, wirft Cox ein.

»Auch da, ja.«

»Der Hauptdatenspeicher liegt in eurem Teil des Gartens«, sagt Adler.

Cox rollt die Augen. »Weiß ich, Tal –«

»Die Skimaskentypen hatten ihre Informationen von dort«, insistiert er. »Da kann man nicht einfach mithören, ohne autorisiert zu sein, das brauche ich dir hoffentlich nicht zu erklären. Jemand im Zentralkommando muss den Kanal geöffnet haben.«

Sie funkelt ihn an. »Und? Mal wieder Sprengstoff abgefangen?«

Adler zwinkert verwirrt. »Was soll das jetzt, Shana?«

»Ich frag nur.«

»Mir ist jedenfalls keiner durch die Lappen gegangen, der praktisch schon auf mich zurollte.«

»Wenn du hier stänkern willst –«

»Bleibt friedlich.« Perlman gießt sich Kaffee nach. »Oder ihr seid beide draußen.«

Cox bläht die Nüstern.

»Shana?«

»'kay. Tut mir leid, Tal.«

»Mir auch.« Adler lächelt, um Entspannung bemüht.

»War nicht so gemeint.«

»Kein Problem. Wir sind alle nur Menschen.«

»Ich erwarte minütlich den Bericht aus dem Department für Personenschutz«, sagt Perlman. »Wer 2005 für Scharon abgestellt war. Das Hadassah schickt eine Personalaufstellung.«

»Sehr gut.« Erstmals seit Anbruch der Krise verfällt Dreyfus wieder in seine sanfte Sprechweise. »Wir finden unsererseits raus, wo die ZPS zur fraglichen Zeit in Erscheinung getreten ist. Außerdem denke ich, es wird Zeit, Benjamin Kahn einzuschalten.«

»Hätte der nicht schon Laut gegeben, wenn er was wüsste?«

Dreyfus zuckt die Achseln. »Ende 2005 war er noch nicht an Bord. Wusste er von dem Anschlag? Schwer zu sagen. Weiß er was über Irre, die Mädchen in Badewannen ertränken? Er könnte es rausfinden. Das Problem ist, Kahn baut ab. Nicht geistig, aber seine Kräfte schwinden. Krebs im fortgeschrittenen Stadium. Bis vor einem Jahr hörte er in Hebron die Mäuse furzen, während der letzten Monate konnten wir nur eingeschränkt mit ihm arbeiten. Vieles geht an ihm vorbei. Aber wenn ich ihn drauf ansetze –«

»Sie vertrauen ihm?«

»Ich vertraue der Empirik. Kahn hat schon zu oft seine Haut für uns riskiert. Die Frage ist, ob er will.«

»Ach.« Perlman hebt die Brauen. »Sie haben nichts in der Hand, um ihn«, macht eine vage Geste, »zu motivieren?«

»In der Hand?« Jetzt muss Dreyfus lachen. »Gegen einen Sterbenden mit einer dementen Frau, die's auch nicht mehr lange machen wird? Das wissen Sie doch selbst, Ric, dass es so nicht funktioniert. Entweder Kahn macht freiwillig mit. Oder Sie können ihn motivieren, bis Ihnen die Brille von der Nase rostet.«

Die Ärztin wohnt zwischen Innenstadt und Kerem HaTeimanim, einem hübsch restaurierten, vorwiegend von jemenitischen Juden bewohnten Viertel, wenige Laufminuten vom Meer entfernt. Beliebte Mittelstandslage. Wie vereinbart hat Alena den Wagen zwei Straßenzüge weiter abgestellt. Nachdem sie den Taxifahrer entlohnt haben, ruft Kahn eine Miriam an. Längeres Gespräch, diesmal versteht Hagen kein Wort. Sie fahren los, Kahn lenkt den Mini auf die A1 nach Jerusalem.

Es wird dunkel.

Der Regen fällt dichter.

»Wer ist Miriam?«

»Meine Tante. Kennen Sie Efrat?«

»Nein.«

»Eine Siedlung südlich von Jerusalem. Siebeneinhalbtausend Einwohner. Schätze, die Nacht über sind wir da sicher, bevor sie anfangen, sich meine Verwandten vorzuknöpfen.«

Hagen denkt einen Moment nach.

»Hören Sie, ich will Ihre Familie nicht in Gefahr –«

»Irgendwann werden die ohnehin dort aufkreuzen. Hauptsache, wir sind dann wieder weg.«

Starrt geradeaus. Gut so, Konzentration ist gefordert. Die Lichter der Autos ziehen rote und weiße Streifen auf dem nassen Asphalt. Immer dichter fällt jetzt der Regen, die Scheibenwischer schuften auf höchster Stufe, Spritzwasser erschwert die Sicht. Dennoch empfindet Hagen die Fahrt beinahe als entspannend, lässt man außer Acht, dass sie zum Entspanntsein so viel Grund haben wie Moskitos im Netz einer ausgehungerten Kreuzspinne.

Er betrachtet sie.

Ihre Nase hat einen winzigen Höcker.

Gleich unterhalb der Wurzel.

Eine kleine, zierliche Hakennase, die Hagen zunehmend fasziniert. Ohne den Höcker wäre Kahns Physiognomie zu perfekt, vielleicht ziehen ihn aber auch einfach nur Dinge an, in denen irgendwas nicht stimmt.

»Jetzt reden Sie auch schon von *Sie* und von *Denen*«, sagt er.

»Ihre Paranoia färbt eben ab.«

»Ich glaube eher, Sie wissen, wer *Die* sind.«

»Geben Sie mir noch mal das Handy.«

Wieder telefoniert sie eine Weile, mit einer Hand lenkend. Äußert Laute des Entsetzens und der Betroffenheit.

»Wer war das?«

»Jemand im Hadassah Hospital«, sagt sie tonlos. »Zu manchen hab ich noch Kontakt. Ich weiß jetzt, was mit Yossi passiert ist.«

Der Anruf hat sie hörbar mitgenommen.

Er wartet.

»Gestern Abend –« Ihre Stimme bebt, gleich fließen Tränen, denkt er, doch sie bebt vor unterdrückter Wut. Erzählt: Gestern Abend, das Essen steht bereit, doch Yossi kommt nicht nach Hause. Ruft auch nicht an. Seine Frau sorgt sich. In dem Beruf kann es immer mal spät werden, daran ist nichts Ungewöhnliches, wohl aber, kein Lebenszeichen auszusenden, wenn man längst mit der Familie am Tisch sitzen sollte. Aber Yossi ist über das Thema Lebenszeichen schon raus, weil er nämlich tot in einer Bahnhofstoilette liegt.

Heroin. Intravenös.

Genug, um einen Elefanten aus der Welt zu ballern.

»Yossi war drogenabhängig?«

»Wenn, dann wurde er es, nachdem ich weg war.«

»Sie haben nichts gemerkt?«

»Was hätte ich denn merken sollen?«, fährt sie ihn an. »Ärzte haben Zugang zu Drogen wie Kinder zu Süßigkeiten. Nie auszuschließen, dass der liebe Onkel Doktor heimlich drückt oder sich was durch die Nase zieht. Vielleicht hat Yossi Verschiedenes nicht verkraftet – aber er wusste, wie man Drogen dosiert.«

»Selbstmord?«

Sie schüttelt den Kopf. »Er *liebte* seine Familie.«

»Vor sechs Jahren.«

»Nach dem, was ich vorhin gehört habe, war da alles in bester Ordnung.«

»Also, wer hat ihm den Schuss gesetzt?«

Kahn schweigt, Hagen spielt es durch. Yossi Backenroth verschwindet auf dem Nachhauseweg. Geht die Straße runter, vielleicht zu seinem Auto. Ein Volkswagen-Kleintransporter saust heran, hält neben ihm. Hände zerren ihn ins Innere, wo man ihm Fragen stellt, etwa:

Hast du mit Tom Hagen gesprochen?

Mit wem?

Tom – Hagen.

Ich kennen keinen – aaaaahhhh!

Ohne ihn allerdings seiner Finger zu berauben. Der Folterknecht wird ihm andere Instrumente gezeigt haben. Die Ermittler sollen glauben, der gute Yossi habe sich am Medikamentenschrank zu großzügig bedient, als er die Nadel in seine Vene jagte.

Wie hätten sie es wohl bei Kahn aussehen lassen?

»Na schön«, seufzt er. »Ich denke, wir sind lange genug umeinander rumgeschlichen. Schluss mit dem Versteckspiel.«

»Gut«, sagt sie.

Keine Ich-hab-nicht-die-leisteste-Ahnung-Masche mehr.

»Gut?«

»Sie fangen an.«

»Moment. Ich hab schon –«

»Nichts haben Sie. Kryptische Halbsätze von sich gegeben, Freund gefoltert, irgendeine Reportage. Also, da Sie so viel Wert auf strukturierte Schilderungen legen – ich bin ganz Ohr.«

Die Wischerblätter teilen das Rote Meer. Kommen kaum nach. Schier unerschöpflich ist dieser Regen, löst alle Konturen auf, zersplittert das Rot der Rückleuchten und Weiß der Scheinwerfer in kaleidoskopische Fragmente, spült jeden Sinn davon.

(Genauso hat mein Leben in den letzten Jahren ausgesehen.)

594

(Und jetzt sieht es wieder so aus.)

(Keine 24 Stunden, nachdem ich glaubte, es würde besser.)

Also erzählt er ihr von seinem Treffen mit Björklund, von Anat Kamm und Uri Blau, Weinsteins Solidarisierungs-Downloads, Pini Silberman. Dem Deal in der Tiefgarage. Wie er die CDs nach Verwertbarem durchkämmt und seiner Redaktion die Ausbeute präsentiert hat, gestern Vormittag auf einem Rastplatz, nicht ahnend, dass er abgehört wird: Geheimdaten über *Targeting*, die Jewish Division, Namen von Überwachten und Überwachern, und dann der Clou –

Pada dada – dadaa, dadaa –

Immer noch hört er sich sprechen, getragen von den Aufwinden seiner Fantasie:

»– E-Mails und Dokumente, die keinen Zweifel daran lassen, dass Scharons Hirnblutung, sein zweiter Schlaganfall, nicht aus heiterem Himmel kam. Es war ein Anschlag. Er wurde mit voller Absicht falsch behandelt, Ziel war es, ihn aus dem Weg zu schaffen. Es gab eine Verschwörung, und die Dokumente beweisen, dass der Schin Bet davon wusste, mehr noch, dass er möglicherweise beteiligt war. Verstehst du? Ariel Scharon liegt im Koma als Ergebnis eines *Attentats*!«

Sein iPhone.

Geschwätzig wie die Nachbarsfrau im Fenster.

Und weiter erzählt er, wie er mit Björklund und Lukoschik losgezogen ist, von Tonja und Irina und was dann passierte, und wie er in Mea Schearim den Polizisten getötet hat.

In Notwehr.

Nur eines erzählt er nicht:

Dass die ganze Scharon-Geschichte erlogen ist. Dass er, bevor sie ins Askadinya gingen, schon einen Gutteil Dokumente am Rechner hergestellt hatte, richtig echt wirken sie. Sinistre Hirne tauschen darin verklausulierte Bemerkungen aus, allzu dick auftragen darf er auch nicht, aber es reicht, um sich am Hinterkopf zu kratzen. Und bei alledem spielt die Jewish Division eine maßgebende Rolle, schließlich, wer hätte mehr Interesse an Scharons Tod haben können als die militanten nationalreligiösen Siedler?

Kahn sagt erst mal gar nichts.

Belässt den Blick auf der Fahrbahn.

Straßenschilder tauchen im Scheinwerferlicht auf, weiße Schrift verflüssigt auf grünem Grund. Sie setzt den Blinker, fährt von der Autobahn ab auf die Schnellstraße 38, nur Hügel und Bäume, keine Straßenbeleuchtung mehr.

Es wird stockfinster, das Ganze bekommt etwas von einer Tauchfahrt.

In tiefste Abgründe.

Endlich, weiter vorne, wieder vereinzelt Lichter.

»Herzlichen Glückwunsch«, sagt sie voller Sarkasmus. »Sie haben Yossi Backenroth auf dem Gewissen. Ihren Freund. Die Russinnen. Mich vielleicht auch.«

»Ich wollte doch nur die –« Das Wort sperrt sich, setzt sich quer.

»– Wahrheit ans Licht bringen.«

Wartet auf den Blitz, der ihn jede Sekunde treffen muss.

Mal im Ernst: Das kann ihm da oben doch keiner durchgehen lassen! Aber da oben ist niemand.

Zumindest niemand, den's interessiert.

Kahn fährt rechts ran, macht den Motor aus. Vor einer schwarzen Wand aus Vegetation stehen sie da, während der Regen aufs Dach trommelt. Hin und wieder rauscht ein Auto vorbei.

»Tut mir leid«, flüstert sie.

»Ja. Mir auch.«

»So viele Jahre ist das jetzt her, und ich weiß immer noch nicht, wo die überall ihre Kontaktleute haben. Aber dass mindestens einer beim Schin Bet sitzt, war mir schon klar.«

»Wer sind *Die*?«

»Typen wie Jigal Amir und sein Bruder. Die Rabin-Mörder. Nur viel organisierter. Die hier haben *richtig* Macht, und offenbar infiltrieren sie auch die Polizei.«

»Frau Kahn! Was ist damals –«

»Yael.«

»Wovor haben die Angst, Yael? Was kannst du – was hätte Yossi mir erzählen können, dass die zu solchen Mitteln greifen?«

Sie schweigt eine Weile.

Dann sagt sie: »Yossi hätte dir mehr erzählen können.«

»Was, Yael? Was hätte er mir erzählen können?«

»Alles.« Sie sieht ihn an. Im Dunkeln ist ihr Gesicht kaum zu erkennen. »Er war der Attentäter.«

1982

Libanon, September

Nirgendwo sehnen so viele Gläubige den Messias herbei wie im Nahen Osten. Und kaum einer macht sich ein konkretes Bild von seiner Ankunft, geschweige denn von ihm selbst.

Bis auf die christlichen Maroniten Beiruts.

Die wissen sogar, auf welcher Seite er den Scheitel trägt.

Bachir Gemayel trägt ihn links.

Wohin man den Blick wendet, begegnet man seiner ikonenhaften Überhöhung. Gemalt oder gedruckt prangt er an Hauswänden, Bauzäunen, in Schaufenstern, auf Fahnen und Wimpeln, die wie Wäscheleinen über die Straßen gezogen sind. Schaut von Bussen, Autotüren, Kaffeetassen, T-Shirts, Mützen, Buttons, Kugelschreibern, Bibeln in einen Libanon aller Libanesen, frei von Repression, Gewalt und Hass. Ein Erlöser fürwahr. Das *Wimpy* auf der Hamra Street verscherbelt Tee und Cappuccino aus Pappbechern mit Gemayels Konterfei darauf, Messias *to go,* wer ein Kruzifix um den Hals hängen hat, hängt Bachirs Bildnis daneben, in erotisch-religiöser Verzückung rücken sie ihr Idol gar in die Nähe des Gekreuzigten, eine Koinzidenz, die sich auf fatale Weise erfüllt.

Denn Jesus von Nazareth ist tot.

Und Bachir von Beirut jetzt auch.

Alles war umsonst.

Wochenlang hat Zahal Westbeirut in die Zange genommen, palästinensische Stellungen beschossen und bombardiert, ein Viertel nach dem anderen unter Kontrolle gebracht, Arafats Aktionsradius Meter um Meter verkleinert, bis er und sein Gefolge auf engstem Raum eingekesselt waren, praktisch handlungsunfähig.

Und mit jeder Bombe, jeder Granate –

Taten sie ihm den allergrößten Gefallen.

Stilisierten ihn zum heroischen Führer des palästinensischen Volkes, ohne dass er selbst sonderlich viel dafür tun musste. Nur erschüttert in Mikrofone sprechen, in Kameras gucken, und den Rest besorgten *Newsweek*, CNN und BBC. Abend für Abend. Bei Chips und Bier flimmerte das palästinensische Elend in westliche Wohnzimmer, qualmende Schuttberge hier, trauernde Witwen da, Kinder mit blutigen Verbänden. Das Narrativ der Vertreibung, Besatzung und Unterdrückung in immer neuer Dokumentation. Ein kleiner Mann mit schwarz-weißer Kufiya, den Tränen nah. Sieht so ein Terrorist aus? Folgt nur seinem zitternden, anklagenden Zeigefinger, schaut auf die Trümmer, verkohlten Autowracks, übernächtigten Ärzteteams, das soll eine Operation zum Schutz des israelischen Nordens sein? Jede Legitimation für diesen Krieg ist im Bombenhagel verloren gegangen, schaut auf all das und FRAGT EUCH, wer die wahren Terroristen sind!

Nun, es funktioniert.

Selbst in Israel fragen sie sich das.

Denn der Tod macht alle gleich, die Palästinenser in den zertrümmerten Straßen Beiruts ebenso wie die israelischen Soldaten, die in Särgen heimkehren. Arik verheizt sie alle.

In *seinem* Krieg.

Der Rückhalt bröckelt.

In Jerusalem und Tel Aviv skandieren sie zu Hunderttausenden die Namen der Brandstifter, Menachem Begin, Ariel Scharon, Rafael Eitan. Die Soldaten fühlen sich verschaukelt, Offiziere verweigern den Einmarsch, werden entlassen. Nicht zum ersten Mal gerät Israels Gesellschaft in die Blutgrätsche, jetzt aber opponieren Hunderttausende gegen einen laufenden Krieg, weil sie es nicht ertragen, das Ansehen ihres Landes ruiniert zu sehen, und Arafat?

Kann sich kaum beklagen.

Was tut Israel nicht alles für seine Popularisierung. Nie erfuhr der Pate so viel Aufmerksamkeit, es scheint, als könne die Öffentlichkeit gar nicht genug von ihm kriegen. In Arafats Tränensäcken sammelt sich das ganze Leid des Nahen Ostens, zur besten Sendezeit. Linke, Friedensbewegte und Intellektuelle von Berlin bis Washington machen keinen Hehl aus ihrer Sympathie, es ist *die* Chance für ihn, den Stallgeruch des Untergrunds loszuwerden, und was könnte ihn mehr erfreuen, als dass der gewaltige Beliebtheitsschub fast komplett auf Kosten seines Erzfeindes Ariel Scharon geht.

Der Bulldozer hat den Bogen überspannt.

Und zurück kann er nicht mehr.

Keiner weiß das besser als Scharon selbst, er muss jetzt irgendwie die Kurve kriegen, eine Entscheidung herbeizwingen.

Und das tut er.

Die Entscheidung fällt am 12. August.

Am schwarzen Donnerstag, wie Arafat ihn nennen wird.

Bombardements wie lange nicht mehr, zahlreiche Häuser und Bunker samt Insassen in Brand geschossen, weltweiter Protest, Amerikas Präsident stinksauer, die Knesset in Aufruhr. Begin, dem Reagans sonore Entrüstung noch im Kleinhirn nachhallt, entzieht seinem Verteidigungsminister prompt die Befugnis, Luftangriffe anzuordnen, ein nie da gewesenes Debakel, Kronprinz im freien Fall, der Gemaßregelte bombt verbissen weiter –

Und das Unerwartete geschieht.

Arafat, der einst geschworen hat, den Libanon nur tot oder gar nicht zu verlassen, gibt auf.

Zum Schutz seines Volkes.

Willigt ein, in Begleitung seiner verbliebenen Kämpfer und unter den Augen einer multinationalen Friedenstruppe nach Tunesien umzuziehen. Und während er noch packt, geschieht das zweite Wunder, als das libanesische Parlament Bachir Gemayel zum Staatspräsidenten ausruft, Ariks Traumprinz. Er hat gepokert und gewonnen, nichts steht dem Friedensvertrag jetzt noch im Wege, bis auf –

Habib Schartouni.

Keiner, dessen Name man sich merken müsste, wäre es ihm nicht gelungen, 50 Kilo Sprengstoff ins Hauptquartier der Falangisten zu schmuggeln und zur Detonation zu bringen, als Gemayel dort gerade eine Dankesrede hält.

Eine Woche vor der Amtseinführung.

Zwei Tage ist das her.

Die Christen, allen voran die Falangisten, stehen unter Schock.

Dann schreien sie nach Rache.

Nur, Rache an wem?

Die Frage taucht auf und verschwindet gleich wieder, zur Überwindung seiner Ohnmacht kann man sich auch am Nächstbesten rächen, und einige prädestinierte Sündenböcke sitzen immer noch in Westbeirut – ein letzter Rest palästinensischen Widerstands, der die Stimme seines Herrn bislang nicht gehört hat.

Sitzt in den Lagern Sabra und Schatila.

Voller Angst.

»Runter! RPG!«

Die Granate verfehlt sie um mehrere Meter und reißt hinter ihnen den Asphalt auf, ohne weiteren Schaden anzurichten.

»Daneben.«

»Wo kam das her?«

Uri justiert den Feldstecher.

»Schätze, von dem dreistöckigen Gebäude hinten links.«

»Wenn sie weiter so toll zielen, können wir uns fast die Mühe sparen, zurückzuschießen.« Chaim nickt Mordechai zu. »Gib ihnen trotzdem eine Antwort.«

»Kann aber nicht *genau* sehen, wo's herkam«, sagt Uri.

»Du weißt doch, wo die Sniper sitzen.«

»Und wenn noch Zivilisten drin sind?«

»Da ist kein Zivilist mehr –«

»Warte.« Im Feldstecher blitzt es mehrmals kurz hintereinander auf. »Okay. Oberstes Stockwerk, zweites Fenster rechts.«

Mordechai kneift ein Auge zusammen, justiert den Mörser und feuert. Uri kann sehen, wie ein Stück Mauerwerk pulverisiert wird.

»Knapp daneben.«

»Egal. Die sind längst woanders.«

Ihr Merkava thront auf einem Erdhaufen, keine 50 Meter vom Flüchtlingslager Schatila entfernt. Der künstlich aufgeschüttete Hügel hat in etwa die Höhe der Mauer, die das Lager umgibt, sodass sie darüber hinweg- und ein Stück hineinschauen können. Der Blick verliert sich in einem Gewirr schmuckloser Häuser und verwinkelter Gassen, die Bebauung scheint keinem Plan zu folgen, alles dicht an dicht gesetzt. Ein paar Hinterhöfe können sie einsehen, hier und da einen Hohlweg, das war's. Das meiste dessen, was in den Gassen vonstattengeht, bleibt ihnen verborgen.

Uri lässt den Feldstecher sinken.

Nicht zum ersten Mal in diesem Krieg sieht er ein palästinensisches Flüchtlingslager, und jedes Mal denkt er dasselbe.

Diese Lager sind richtige kleine Städte.

Und das lässt sie noch unzulänglicher, noch trostloser erscheinen, als reihten sich da Zelte aneinander.

Ein Zeltlager ist Camping, mehr kann man darin beim besten Willen nicht erkennen. Befestigte Lager hingegen strahlen etwas bedrückend Endgültiges aus, ganz besonders im Nahen Osten, wo ein verlässlicher Waffenstillstand mehr gilt als ein unsicherer Frieden. Status, Heimat, alles provisorisch. Übergangslösung als Selbstzweck. Lager wie Sabra und Schatila lassen Wohlstand und Charme echter Städte vermissen, weisen indes alle Merkmale von Urbanität auf: ein- bis mehrgeschossige Häuser, Haupt- und Seitenstraßen, öffentliche Plätze, Geschäfte, Moscheen, Hospitäler, Schulen. Ähnlich den südafrikanischen Cape Flats, die zu elend sind, als dass man sie Stadtviertel nennen möchte, andererseits zu nützlich, um ihnen mit Bulldozern zu Leibe zu rücken, weil geeignet, Teile der Gesellschaft einfach verschwinden zu lassen, scheinen auch Sabra und Schatila zu ewigem Fortbestand verdammt.

Was gibt es Dauerhafteres als Provisorien?

Nirgendwo wird das Schicksalhafte des Flüchtlingsdaseins deutlicher als hier. Der Flüchtling kommt nie an und nicht zurück, also wird er in der Heimatlosigkeit heimisch.

Den ganzen Tag über, seit sie vor den Lagern Stellung bezogen haben, ist es ruhig gewesen. Angeblich hat am Morgen eine Delegation Lagerinsassen versucht, bis zum israelischen Oberkommando vorzudringen, um zu erwirken, dass die Lager von Racheakten verschont bleiben. Dadrin wissen sie sehr genau, dass die Christen palästinensische Freischärler für Gemayels Ermordung verantwortlich machen, und auch, dass die christlichen Falange-Milizionäre alttestamentarische Grundsätze pflegen.

Auge um Auge ist ihnen der liebste.

Selbst wenn sie dafür um Ecken gucken müssen.

Um nämlich von Habib Schartouni bis zu den Flüchtlingen in den palästinensischen Lagern zu gelangen, muss man schon in Parabeln und Spiralen gucken können. Schartouni ist Christ. Beschämend genug, aber es kommt noch dicker. Seine zornige Rechtfertigung, Gemayel habe den Libanon an Israel ausverkaufen wollen, kann nicht verbergen, dass er selbst kaum in der Lage gewesen wäre, derartige Mengen Sprengstoff zu besorgen. Hangelt man sich nun am Verbindungsfaden dieses Makramees weiter, landet man folgerichtig bei einem mächtigen Verbündeten.

Und der sitzt im Nachbarland.

Syriens militärischer Geheimdienst. Bekannt dafür, mithilfe gedungener Killer schon manchem Abweichler und Oppositionellen den Weg in die politikfreie Zone gewiesen zu haben.

Gemayel, so viel ist klar, hätte Assads Leute endgültig vor die Tür gesetzt. Er hätte ihnen nicht länger gestattet, die Wirtschaft seines Landes zu schröpfen, Milliardengeschäfte alleine im illegalen Drogenhandel, den sie über den Libanon abzuwickeln pflegten.

Syrien also.

Arafats großer Gönner und Schutzpatron der PLO.

Womit sich, wenn man nur will, der Kreis zu den Palästinensern schließt. Zu 6000 Menschen in zwei Lagern, die an Gemayels Tod nicht die geringste Schuld tragen.

Egal.

Die Falangisten nehmen jeden Sündenbock mit Kusshand.

So ist die kleine Delegation, wie man munkelt, auch nicht weit gekommen, zwei wurden bereits mit durchgeschnittenen Kehlen aufgefunden. Mit ein Grund, dass die verbliebenen Widerständler eisernen Willens sind, Zahal und Falangisten den Zugang zu den Lagern zu verwehren. Sie haben sich in leer stehenden Gebäuden verschanzt, verschießen die letzten Reste ihrer Munition, verfeuern, was ihnen an Granaten geblieben ist, auf den Ring aus Panzern.

Allerdings plant Zahal gar nicht, reinzugehen.

Scharons Krieg hat Israels Image in der Welt hinreichend ramponiert, jetzt auch noch die Autonomie der Christen zu untergraben würde auf bloße Okkupation hinauslaufen. Operation *Frieden für Galiläa* ist abgeschlossen, Arafat und seine Terroristen verlassen das Land, Sabra und Schatila sind für Israels Sicherheit nicht von Belang.

Sollen sich andere drum kümmern.

So hat Arik das Kabinett wissen lassen, man werde in Beirut einmarschieren, um Chaos und Anarchie zu verhindern, Sabra und Schatila allerdings nicht antasten.

Und dabei vergessen zu erzählen, dass er die Lager den Christen überlassen wird.

Den auf Rache sinnenden Falange-Milizen.

Jetzt lautet der Deal so: Die Falangisten gehen in die Lager, um die letzten Widerständler zu entwaffnen, alle Befehlsgewalt liegt bei Zahal, die ihrerseits das Gebiet abriegelt, die Aktion überwacht, logistische Unterstützung liefert und sich ansonsten raushält. Der vor Ort zuständige General Amos Jaron höchstpersönlich hat dem Falangistenchef die Stellungen der Scharfschützen in den Lagern gezeigt und ihm die Bedingungen genannt:

»Erstens, Ihre Leute bleiben in Kontakt mit unseren Beobachtern. Sie stellen dafür einen Offizier bereit. Zweitens, keine zivilen Opfer, keine Racheakte an der Bevölkerung.«

Der Falangistenchef versichert, seine Leute wollten nur die Drahtzieher des Anschlags auf Gemayel ausfindig machen.

Hat Jaron da etwas in den Ohren? Weiß er noch nicht, dass zwischen Gemayels Mörder und dem palästinensischen Widerstand keinerlei Zusammenhang besteht? Er nimmt die Bemerkung unkommentiert hin, postiert Einheiten mit Ferngläsern auf umliegenden Hochhäusern, auch ein Verbindungsoffizier der Falangisten ist darunter, ruft Generalstabschef Eitan an.

»Die Vorbereitungen sind abgeschlossen.«

Eitan schaut auf die Uhr. 11:00 vormittags.

»Gut. Wie sieht's in den Lagern aus?«

»Relativ ruhig. Hin und wieder schießen sie. Unsere Leute sind nicht ernsthaft in Gefahr. Heute Nachmittag gehen die Falangisten rein, dann sollte sich das Problem schnell erledigt haben.«

Eitan lässt den Hörer sinken, dreht sich zu Arik um:

»Die Sache ist so gut wie gelaufen.«

Der seinerseits Begins Nummer wählt und sagt:

»Der Kampf ist zu Ende.«

Und erneut vergisst, dem Premier mitzuteilen, wen sie mit der Lösung des letzten Problems betraut haben.

Da sind sie nun.

Im inneren Überwachungskreis, Dutzende Merkavas im Abstand von je 100 Metern ums Lagergelände postiert. Seltsamer Anblick. Wie sie da auf ihren Erdhügeln thronen, geht etwas Museales von den graugrünen Stahlkolossen aus, als gemahnten sie an einen Krieg, der Jahre zurückliegt.

Und tatsächlich geht hier etwas zu Ende.

Nur weiß Uri nicht genau, was.

Ist es nur der Krieg?

Immer noch wird aus den Lagern geschossen, doch man spürt, dass denen da drinnen die Luft ausgeht.

Er wirft einen Blick über die Schulter.

Keine 200 Meter hinter ihnen ragt die provisorische Kommandozentrale von Zahal in den Himmel, ein fünfgeschossiger Klotz, auf dessen Dach sich die Beobachter häuslich eingerichtet haben. Auch die Nachbardächer sind von Einheiten besetzt. Zweiter und dritter Kreis. Ihre behelmten Köpfe lugen über die Dachumfriedung. Mitunter nehmen die Fedajin einen dieser Aussichtspunkte ins Visier, ohne nennenswerte Treffer zu erzielen, die Gegenschläge erfolgen prompt und legen wieder irgendetwas in Schutt und Asche, das gerade im Weg stand.

»Ob die da oben alles sehen können?«, fragt sich Uri laut.

»Du meinst, in den Lagern?«

»Ja.«

Chaim legt den Zeigefinger an die Nasenwurzel.

»Weißt du, ich erinnere mich an eine Aufnahme von Venedig«, sagt er. »Kennst du Venedig?«

»Nein. Würd gern mal hin.«

»Das Bild war vom Campanile aus fotografiert. Ist, glaube ich, der höchste Punkt da. Und soll ich dir was sagen? Du konntest keinen einzigen Kanal sehen.«

»Wie?«

»Bis auf den großen natürlich. Den schon, aber die kleinen – Fehlanzeige.«

»Wegen der Enge?«

»Genau. Weil die Gassen so eng sind. Man sah nur Dächer.«

Wenn das so ist, fragt sich Uri, was beobachten sie dann da? Im Zweifel sehen wir hier unten mehr.

Motorenlärm klingt auf.

»Sie kommen«, sagt Chaim.

Und tatsächlich, sie rumpeln von Osten heran, Kettenfahrzeuge, Jeeps und Pritschenwagen, beklebt mit Kreuzen, Gemayel-Plakaten und Konterfeis bärtiger Milizionäre, Kontrastbelichtungen, die sie allesamt aussehen lassen wie Zwillingsbrüder Che Guevaras. Die Kolonne verteilt sich auf dem Gelände vor dem Lagereingang, der wenig mehr ist als eine klaffende Schneise im Mauerwerk der Umfriedung, dahinter das triste Durcheinander der Häuser und Baracken. Männer in grünen Militäranzügen springen heraus, laden Ausrüstung und Waffen ab. Viele tragen Kreuze um den Hals und Äxte im Gürtel, manche schleifen Messer, andere nehme ihre Gewehre auseinander, ölen sie, setzen sie sorgfältig wieder zusammen, führen die Magazine ein. Uri sieht einen Milizenführer eine Fahne in den Boden rammen, stilisierte Zeder auf weißem Grund, das Symbol der Revolution, ein anderer pflanzt ein grob gezimmertes Kreuz daneben, sie wirken auf ihn wie römische Standartenführer.

Der Beschuss hat aufgehört.

Alle paar Minuten treffen jetzt neue Verbände der christlichen Falange-Milizen ein. Was auch die PLO-Kämpfer im Lager registrieren dürften, sie wissen also, was als Nächstes auf sie zukommt, und lassen ab von den israelischen Stellungen.

Wappnen sich.

»He! Macht mal Platz.«

Gidon und Mordechai klettern aus dem Innern des Merkava nach oben. Gemeinsam hocken und stehen sie auf ihrem Panzer und sehen den Falangisten bei den Vorbereitungen zu.

Uri kann es kaum erwarten, dass die Aktion zu Ende geht.

Er will einfach nur nach Hause.

Bald ist es überstanden.

Für jeden auf seine Weise.

Gegen sechs erhalten sie die Information, dass es losgeht.

Ihr Panzer ist der Letzte in der Reihe. Wie eine Torwache flankieren sie den Durchgang, sodass die rund 150 Falangisten direkt an ihnen vorbei durch die Schneise gehen und das dahinterliegende Gelände betreten. So weit das Auge reicht, ist dort niemand auszumachen, nicht mal ein Hund, aber es reicht ja auch nicht besonders weit.

Die Bewohner bleiben im Schutz ihrer Häuser. Wahrscheinlich beten sie, dass die Christen sich an den PLO-Kämpfern schadlos halten und sie unbehelligt lassen.

Trügerische Ruhe liegt über Sabra und Schatila.

Totenruhe.

Auf Zahal-Einheiten wird jetzt gar nicht mehr gefeuert, doch Uri schätzt, dass die Waffenpause von kurzer Dauer ist. Bald müssten die Sniper, wie er es einschätzt, auf die Eindringlinge zu schießen beginnen, und im selben Moment geht es auch schon los, blitzt Mündungsfeuer auf, stieben die Falangisten auseinander, suchen Schutz.

Also laden sie ihre Kanone, den Mörser, und geben den christlichen Milizen Feuerschutz, die sich entlang der Hausfassaden weiter voranpirschen. Eine Weile wird aus allen Rohren geballert, die Häuserschluchten hallen wider vom Geschützdonner, wie ein Tischtennisball wird der Lärm in ihrem Rücken zwischen der kuwaitischen Botschaft und dem Akka-Hospital hin- und hergeworfen, dann geraten die Christen außer Sichtweite, und sie haben von einem Moment auf den anderen nichts mehr zu tun.

Sie können nicht sehen, wohin sich die Falangisten verteilen, wer sie unmittelbar bedroht.

Sie können nur noch warten.

Im Lager wird geschossen. Kurze, trockene Salven.

Gegen 19:00 Uhr empfängt Chaim zwischen allerlei Rauschen in seinem Funkgerät merkwürdige Gesprächsfetzen.

»– s – achen wir mit – ünfzig Frauen, die wir zusa – getrieben haben?«

Jemand antwortet:

»Das ist das – zte Mal – – ie mich frag – – issen genau, was zu tu –«

»Hä«, macht Chaim.

Setzt einen Rundruf ab.

»Habt ihr das auch gehört? Die treiben die Frauen zusammen.«

»Verstanden.« Jemand schaltet sich ein. »Gebe ich weiter.« Einer der Adjutanten Jarons. »Sieht oder hört sonst noch jemand was?«

»Nein. Nur das Schießen.«

»Und Schreien«, ergänzt der Kommandant im Panzer neben ihnen über die Funk-Zusammenschaltung.

Stimmt. Auch Uri kann es jetzt hören. Heiseres Brüllen, und Laute ganz anderer Art, Furcht einflößend, durchdringend, schrill.

Gequältes Singen, fast eine Melodie.

»Was ist denn da los?«, will er wissen.

Chaim zuckt die Achseln.

»Keine Ahnung, sie sagen, dass –«

Er stockt. Das Geschrei wird lauter, scheint sich über die Hauptstraße des Lagers zu nähern, von der sie nur das erste, kurze Stück überblicken. Menschen geraten ins Bild, einheitlich grau in der hereinbrechenden Dämmerung, flatternde Gestalten –

»Frauen«, sagt Mordechai mit hängendem Kiefer. »Das sind ja tatsächlich alles Frauen.«

Sie branden heran, eine regelrechte Stampede, fegen durch die Schneise, schneller, als die Zahal-Wachposten ihnen entgegentreten und sie hindern können, das Lager zu verlassen, krallen sich in den Ärmeln der Soldaten fest, fallen vor ihnen auf die Knie, recken die Hände zum Himmel.

»Die Christen«, hört Uri auf Arabisch, immer wieder »die Christen, die Christen –«

Die Christen, was?

»Sie erschießen unsere Kinder! Die Christen erschießen unsere Kinder! Unsere Männer! Sie bringen uns auf Lastwagen weg, sie erschießen unsere Männer und Kinder.«

»Gehen Sie zurück!«, schreit einer der Soldaten die Frauen an.

»Sie erschießen unsere Kinder!«

»Zurück, sagte ich!«

Ebenso gut könnte er in den Sturm schreien.

Zwischen Chaims Brauen entsteht eine steile Falte.

»Das schau ich mir nicht länger mit an.«

Setzt einen erneuten Funkspruch ab, ist offenbar nicht der Einzige, der sich wundert. Fragen rauschen durch den Äther, während die Fußtruppen alle Hände voll zu tun haben, die Frauen zu beruhigen und deren Wortschwall in verständliche Bahnen zu leiten.

»Alles okay«, kommt endlich der Bescheid.

»Was heißt, alles okay?«

»Nicht drum kümmern. Wir haben das im Griff.«

»Ich kann aber nicht erkennen, dass hier irgendjemand was im Griff hat. Was tun die Falangisten dadrinnen, verdammt?«

»Hören Sie auf, Fragen zu stellen. Jeder ist informiert. Es ist okay, ja?«

Chaim lässt das Funkgerät sinken.

»Na dann«, sagt er, Ratlosigkeit im Blick.

Von den umliegenden Dächern erschallt ein gedämpftes Wumm-wumm, mehrfach hintereinander, in kurzen Intervallen. Klingt nach 81-mm-Mörsern. Chaims Gesicht beginnt zu leuchten. Auch Morde-chais und Gidons Züge erstrahlen in gespenstischem Flackern. Uri legt den Kopf in den Nacken und sieht Dutzende Phosphor-Leuchtraketen am Himmel aufsteigen, kalte, kleine Sonnen, die über dem Lager irr-lichtern und den Falange-Milizen den Weg weisen, zu was und wem auch immer.

Die echte Sonne versinkt, es wird rasch dunkel über Beirut.

Nur über Sabra und Schatila nicht.

Die ganze Nacht hindurch nicht.

Kurz vor zwölf werden sie abgelöst. Begeben sich zu einem der Ge-fechtsstände hinter der Panzerlinie, wo Getränke und Snacks bereit-stehen und Zelte mit Feldbetten aufgeschlagen sind, aber an Schlaf ist nicht zu denken. Alle paar Sekunden wummern die Mörser auf den Dä-chern, das Hornissengebrumm schwerer Versorgungsflugzeuge mischt sich hinein, die ihrerseits Leuchtbomben abwerfen.

Der Himmel sieht aus, als feierten Zombies Silvester.

Pausenlos wird geschossen.

Geschrien.

Uri weiß, dass er diesen Soundtrack für den Rest seines Lebens im Ohr haben wird, trinkt Tee und sagt sich, so ist eben Krieg. Versucht es aus der Perspektive des Diensthabenden in der Notaufnahme zu sehen: Nichts an sich heranlassen. Zur Kenntnis nehmen, was geschieht, tun, was erforderlich ist.

Sie essen eine Kleinigkeit.

Quatschen mit den Besatzungen anderer Panzer.

Offiziere gesellen sich hinzu, steigen von den höher gelegenen Beob-achtungsposten zu ihnen herab, und die bis dahin zäh vor sich hin blub-bernde Gerüchteküche beginnt endlich so richtig zu brodeln.

»Die drehen durch dadrin«, sagt ein Leutnant zu Chaim. »Wetzen die Messer. Mann, die wollen's echt wissen.«

»Die Falangisten?«

»Klar.«

»Es gab aber doch eine Vereinbarung, die Zivilisten in Ruhe zu lassen.«

»Ja, und wenn du ins Rote Meer baden gehst, kriegst du von den Haien eine schriftliche Zusage, dich nicht zu beißen.«

»Wundert euch das?«, brummt ein Feldwebel. »Hat doch jeder gewusst, wie die drauf sind. Rachsüchtige Hunde.«

»Und was genau tun sie?«, will Uri wissen, bemüht, das Heraustrop-
fen von Sauce aus einem riesigen Fladenbrot durch Drehen und Wenden beim Abbeißen zu verhindern. Vergebens. Dick und weiß klatscht
sie ihm auf die Uniform.

Der Kommandant des Merkavas neben ihnen senkt seine Stimme.

»Einer der Milizenführer soll durchgegeben haben, sie hätten 300 Zivilisten und Terroristen getötet.«

»Was ist denn das für ein Schwachsinn?«

»Kein Schwachsinn«, sagt der Leutnant. »Die Nachricht ist vor einer
Stunde an uns durchgegeben worden. Ich glaube, das Oberkommando
hat sie sogar an Eitan weitergeleitet.«

»Dann muss Eitan diesen Irrsinn stoppen.«

»Wissen wir denn, ob's stimmt?« Der Feldwebel zuckt die Achseln.
»Vielleicht geben sie nur an.«

»Die Frauen vorhin –«

»Die waren in Panik. Wir haben sie zurückgeschickt.«

»Wie bitte?«

»Ja.«

»Ihr habt sie wieder da reingeschickt?«

»Was hätten wir denn machen sollen? Wir mischen uns nicht ein.«

»Ihr habt doch gewusst, dass –«

»Keiner weiß alles«, sagt der Leutnant. »Vorhin hieß es, Drori –«
Oberbefehlshaber des Nordkommandos »– habe mitbekommen, die
Falangisten würden *schmutzige Aufräumarbeit* machen. Sie würden
die Leute gar nicht erst auffordern, ihre Häuser zu verlassen, sondern
ohne Vorwarnung Granaten reinwerfen und das Feuer eröffnen, wenn
sie rausgerannt kämen. Er soll Jaron angewiesen haben, die Operation
zu stoppen, und Jaron habe das auch brav an die Milizenführer in den
Lagern weitergegeben.« Er lächelt. »Bald ist alles vorbei.«

Vielleicht, denkt Uri.

Was an Geräuschen aus den Lagern dringt, hört sich nicht so an, als
wäre da was gestoppt worden.

Chaim schaut düster in seinen Tee.

Kippt den letzten Schluck herunter.

»Macht, was ihr wollt. Ich geh schlafen.«

Früh am nächsten Morgen lungern sie wieder auf ihrem Panzer herum.

Eitan, erfahren sie, habe auf Zeitungsanfragen erklärt, mit dem Einmarsch in Beirut einer Katastrophe zuvorgekommen zu sein. Zahal hätte Panik und Anarchie verhindert und die öffentliche Ordnung wiederhergestellt. Alles sei ruhig und unter Kontrolle.

Soso, unter Kontrolle.

Warum hört man dann immer noch Schüsse und Explosionen?

Unentwegt justieren sie ihre Feldstecher, aber die wenigen Höfe und Straßen, die sie einsehen können, bleiben menschenleer. Dafür steigt weiter hinten Rauch auf. Eines der hohen Gebäude, das den Widerständlern gestern noch als Schießstand diente, steht in Flammen.

Die PLO-Kämpfer müssten längst entwaffnet sein.

Andererseits, die Typen sind zäh. Schon möglich, dass es einigen bis jetzt gelungen ist, die christlichen Milizionäre auf Distanz zu halten.

»He!«

Uri wendet den Kopf. Leute mit Kameras bewegen sich auf den Eingang zu. Einer hat *Newsweek* auf der Jacke stehen. Soldaten laufen ihnen hinterher, schneiden ihnen den Weg ab.

»Bleiben Sie weg vom Eingang.«

Der vorderste Kameramann geht um die Soldaten herum, als seien sie nur eine hölzerne Barriere. Ehe sie sich's versehen, hat er die Lagerschwelle überschritten. Ein anderer hält den Soldaten sein Mikro unter die Nase, versucht, ein paar O-Töne einzufangen. Sie schieben ihn weg. Aus dem Hintergrund lösen sich Falangisten, die nicht mit in die Lager gegangen sind, nehmen die Verfolgung des *Newsweek*-Mannes auf, versuchen, ihn am Ärmel festzuhalten. Er reißt sich los, weitere Korrespondenten dringen ein, auch israelische, wie Uri jetzt erkennen kann. Verschwinden außer Sichtweite, bis nur noch das wütende Schimpfen der Milizionäre zu hören ist.

»Uri. Da.«

Chaim deutet in die Wüste aus Baracken, die sich vor ihren Augen erstreckt. Uri folgt dem ausgestreckten Zeigefinger des Kommandanten. Zuerst weiß er nicht, wo er hinschauen soll, dann fängt sich sein Blick in einem der Hinterhöfe.

Der Hof füllt sich mit Menschen.

Nimmt den Feldstecher hoch.

Frauen. Kinder.

Acht, zehn. Nein, jetzt sind es zwölf. Mit erhobenen Händen verlassen sie eine schäbige Wellblechbaracke und reihen sich entlang der Rückwand auf. Christliche Milizionäre folgen ihnen, treiben sie nach draußen, gestikulierend, Gewehre schwenkend.

Eine der Frauen ist schwanger, wenn Uri sich nicht täuscht.

Hochschwanger sogar.

Fetzen von Gelächter wehen heran.

Uri sieht zu, wie die Gefangenen sich langsam mit dem Gesicht zur Mauer drehen. Ein kleiner Junge kommt der Aufforderung nicht nach, wird von einem der Milizionäre an der Schulter herumgerissen.

»Was soll denn dieser Blödsinn«, murmelt er. »Warum kümmern die sich nicht um –«

Als die Luft das Gewehrknattern zu ihnen heranträgt, liegen die Frauen und Kinder bereits am Boden. Übereinandergefallen wie Marionetten, deren Fäden man durchtrennt hat.

Uri braucht einen Moment, bis er begreift, was er da gesehen hat.

»Was machen die denn da?«, hört er Gidons entsetzte Stimme.

»Die haben sie erschossen«, sagt Chaim. »Die sind verrückt.«

Unfähig, den Feldstecher zu senken, sieht Uri die Falangisten wieder in der Baracke verschwinden. Ohne die Toten eines Blickes zu würdigen. Ohne etwas mitzunehmen. Sie haben einfach eben mal ein Dutzend Zivilisten erschossen.

Chaim hängt sich ans Funkgerät.

»Was? – Nein, ich werde *nicht* mit Ihnen sprechen. Ich verlange, dass Sie mir den Bataillonskommandanten geben. Augenblicklich!«

Es dauert.

Als sie den Kommandanten endlich in der Leitung haben, klingt er hörbar genervt.

»Ich weiß«, sagt er knapp.

»Sie wissen –«

»Was glauben Sie denn? Dass Sie der Einzige mit solchen Schauergeschichten sind?«

»Aber das ist nicht irgendeine *Schauer*geschichte.«

»Halten Sie sich da raus.«

»Das ist gerade vor unseren Augen passiert. Kaltblütiger Mord. An Frauen und Kindern. Die hatten nicht die mindeste Chance.«

»Ja, übel, wirklich übel. Aber wir greifen nicht ein.«

»Wir können doch nicht tatenlos zusehen –«

»Hören Sie, es ist ausgemacht, dass wir die Lager erst betreten, wenn die Falangisten fertig sind. Solange ich keine anderslautenden Befehle erhalte, kann ich nichts machen.«

Und das war's.

»Soll ich euch was sagen?« Chaim sieht kopfschüttelnd zu den Baracken hinüber. »Das ist ein Massaker. Die richten ein Blutbad unter der Zivilbevölkerung an.«

Gegen elf beobachten sie eine Gruppe Milizionäre, die singend den Durchgang passiert und in Richtung des gegenüberliegenden Akka-Hospitals marschiert. Das Krankenhaus ist eines von zweien, die der Behandlung von Flüchtlingen dienen, das andere liegt mitten in Sabra. Sie betreten die Klinik.

Minuten später wird ein Pulk europäischer Ärzte und Pfleger hinaus auf den Vorplatz getrieben, Norweger, Deutsche, Engländer und Franzosen, die hier unentgeltlich helfen, die Hände über den Kopf erhoben wie Schwerverbrecher. Zahal-Soldaten nehmen sie in Empfang und beginnen, ihre Pässe zu kontrollieren. Währenddessen verlassen die Falangisten das Hospital und begeben sich zurück aufs Lagergelände, sichtlich guter Dinge.

Limousinen treffen ein.

Ausländische Diplomaten.

Wortgefechte entwickeln sich.

Die Landesvertreter lassen nicht locker, Offiziere eilen herbei, es wird viel geschrien und telefoniert, dann dürfen die Ärzte zurück in die Klinik. Uri sieht, dass sich ihnen der Militärkorrespondent von *Haaretz* in Begleitung seines Fotografen anschließt, und denkt:

Jetzt hat das Versteckspiel ein Ende.

Wenig später kommen die beiden eiligen Schrittes wieder zum Vorschein und streben ihrem Fahrzeug entgegen.

Sie müssen an Chaims Merkava vorbei.

»Alles okay dadrin?«, ruft Uri nach unten.

Der Korrespondent wendet ihm im Vorbeigehen sein Gesicht zu. Auf den ersten Blick erscheint es ausdruckslos, ebenso wie seine Stimme, aber Uri bemerkt die Aufgewühltheit dahinter.

»Sie haben die palästinensischen Krankenpfleger erschossen. Eine Schwester vergewaltigt. Dann auch erschossen.«

Er geht weiter, besinnt sich und kommt ein paar Meter zu ihnen zurück.

»Und Sie? Haben Sie was gesehen?«

»Nein«, sagt Chaim schnell.

»Sie müssen doch was gesehen haben.«

»Ich darf Ihnen nichts erzählen.«

Der Korrespondent schaut angewidert zu ihnen hinauf.

»So? Dann will *ich* Ihnen was erzählen. Vielleicht interessiert es Sie ja. Wir waren hinten in Sabra, bevor uns die Falangisten entdeckt und rausgeworfen haben. Viel konnte ich nicht sehen, aber ich hörte jemanden rufen: Da ist ein alter Mann, er fragt, ob er das Lager verlassen dürfe. Und jemand antwortete: Erschieß ihn. Danach knallte es einmal. Wir sind weitergeschlichen, und plötzlich ratterte es fast eine Minute am Stück, da wurden ganze Magazine verfeuert. Und danach schrie jemand: Macht die Schwangeren kalt. Alle! Die bringen Terroristen zur Welt. Und die Bälger auch. Alles zukünftige Terroristen. Erschießt sie, erschießt sie.« Er schaut Uri direkt an. »Sie sind also sicher, dass Sie nichts gesehen haben?«

Uri fühlt, wie ihm die Luft wegbleibt.

»Ich darf nicht mit Ihnen reden«, sagt Chaim.

»Von den Falangisten, die uns am Schlafittchen genommen haben, wollte ich wissen, was sie da tun. Einer antwortete: Wir schlachten sie. Wir machen sie fertig, und Zahal hält sich raus.«

Chaim schüttelt den Kopf. »Reden Sie mit dem Oberkommando.«

»Hab ich. So ergiebig wie Tiefseefischen in einer Pfütze.«

»Wir dürfen nicht mit –«

»Ich rufe jetzt Zipori an. Den Kommunikationsminister. Wenn Sie hier dem Treiben dieser Schweine kein Ende setzen, tut es hoffentlich die Regierung.«

Erst mal offenbar nicht. Gegen Mittag rumpelt ein alter Lastwagen über die Lagerhauptstraße auf den Durchgang zu, die Pritsche voller Frauen und Kinder.

Die Soldaten schicken ihn zurück.

Es ist heiß, bestimmt 30 Grad. Sie liegen auf ihrem Merkava, lesen und hören Musik.

Was sollen sie tun?

Immer wieder erhalten sie dieselbe Ansage, mal über Funk, mal von den Offizieren, die das Geschehen am Lagereingang überwachen.

»Wir greifen nicht ein.«

»Wir haben mit einem Korrespondenten gesprochen.«

»Das solltet ihr nicht.«

»Er bestätigt, was wir gesehen haben.«

»Ihr habt einen tragischen Vorfall beobachtet, der sich nicht wiederholen wird. Nach allem, was wir erfahren, gehen die Falangisten absprachegemäß vor. Fast der komplette Widerstand ist ausgeschaltet.« Fügt hinzu: »Seid mal froh, dass ihr es nicht tun müsst.«

Am Gefechtsstand herrscht Hochkonjunktur für Erfrischungsgetränke. Immer wieder erscheinen verschwitzte Gruppen von Falangisten, lassen sich von Zahal mit Wasser und Coke versorgen, essen einen Happen und gehen zurück in die Lager.

Am späten Nachmittag erhascht Uri einen Blick auf einen Bulldozer, der am Lagereingang vorbeifährt.

Über den Rand der riesigen Schaufel baumeln Arme und Beine.

Er vertieft sich in sein Buch.

Leuchtraketen über den Lagern.

Um Mitternacht sitzen sie in fast gleicher Besetzung wie am Vorabend im Versorgungszelt zusammen und verdrücken gewaltige Portionen Spaghetti Bolognese und Götterspeise.

»Ich glaube fast, das war's«, sagt der Leutnant.

»Wieso?«

»Eitan und Drori haben sich mit den Falange-Kommandeuren getroffen. Drori meinte wohl, die Christen hätten einen guten Job gemacht, aber jetzt wäre Schluss. Um fünf sollen sie raus sein. Die Amerikaner haben interveniert.«

»Ah.« Gidon lacht in die Runde. »Reagan hat CNN geguckt.«

»Ich sag euch was«, nuschelt der Feldwebel, den Mund voller Nudeln. »Was immer dadrin passiert ist, werden sie uns in die Schuhe schieben. Scheißegal, ob wir dabei waren oder nur zugesehen haben.«

»Ist denn was passiert?«, fragt ein Unteroffizier neben ihnen.

Chaim lässt düster den Löffel gegen seine Götterspeise klatschen.

»Wir hätten mit dem Journalisten reden sollen«, sagt er.

»Nein.« Uri schüttelt den Kopf, auch wenn er dasselbe denkt. »Du hast richtig entschieden.«

»Ich will nicht wissen, wie viele Gelegenheiten in den vergangenen 48 Stunden ungenutzt verstrichen sind, die Sauerei zu beenden.«

»Was heißt denn Sauerei?«, mischt sich der Unteroffizier wieder ein. »Das ist überhaupt noch nicht klar. Erst mal ging es darum, die PLO-Leute auszuschalten. Und das ist offenbar geschehen.«

»Dagegen sagt ja auch keiner was.«

»Also regt euch ab.«

»Ich reg mich auf, solange es mir passt, du Pimpf«, sagt Chaim.

»Dachte, du interessierst dich nicht für Politik«, bemerkt Mordechai und kratzt die Reste aus seinem Teller.

»Was?«

»Du hast gesagt, du stellst dir keine Fragen.«

»Blödsinn.«

»Hast du gesagt.«

»Das ist was anderes hier.«

Ja, denkt Uri. Aber was ist so anders? Welchen Unterschied macht es, eine wehrlose Frau oder einen Mann mit einer RPG zu erschießen? Im Resultat. Gibt es im Krieg überhaupt eine Grenze, die man überschreiten kann? Ist der Krieg nicht an sich schon die Grenze? Wenn ich's genau bedenke, weiß ich nicht, wie viele Leute ich in den zurückliegenden Monaten getötet habe.

Einfach, indem ich die Kanone mit M117 APAM gefüttert habe.

»Wie auch immer.« Der Leutnant balanciert ein Löffelchen erregt zitternder Götterspeise zu seinem Mund. »Fakt ist, dass der amerikanische Sonderbotschafter in Beirut bei seinem israelischen Amtskollegen auf dem Schoß gesessen hat. Es heißt sogar, das PLO-Büro in Zypern habe über die Tunesier auf Washington eingewirkt, den Einsatz zu beenden, weil in den Lagern Gräueltaten verübt würden.«

»Ach, du lieber Himmel.«

»Jedenfalls, in fünf Stunden haben wir Ruhe.«

Ein paar Stunden Schlaf.

Erstaunlich. Uri kann schlafen.

Als er um sechs wieder auf dem Rücken des Panzers steht, sind die Falangisten immer noch da. Unter Gejohle und Luftschüssen treiben sie einen nicht enden wollenden Zug Frauen, Kinder und Alte aus dem Lager, schreien die verstörten, apathischen Menschen an, stoßen sie mit Kolbenschlägen vor sich her, verladen sie auf Kettenfahrzeuge. Einigen hängt die Kleidung in Fetzen vom Oberkörper herab, halb nackt und zitternd kauern sie auf der Pritsche.

Sie bluten.

Nein, denkt Uri, das ist doch nicht möglich.

Schaut genauer hin, aber kein Zweifel: Die Falangisten haben ihnen mit ihren Messern Kreuze in die Haut geritzt.

Das Symbol des barmherzigen Gottes.

Und wir haben zugesehen.

Wir haben nichts unternommen.

Die Kettenfahrzeuge setzen sich in Bewegung, entfernen sich Richtung Fußballstadion. Gott weiß, wohin sie die Leute bringen. Weitere Lastwagen rollen heran, rumpeln leer durch den Lagereingang und kommen voller Menschen wieder heraus, Bulldozer fahren hinein, es scheint so etwas wie das große Aufräumen begonnen zu haben, während der Strom der Frauen, Kinder und Greise nicht abreißen will.

Da müssen Hunderte sein, denkt Uri.

Tausende.

Ein unbeschreibliches Chaos, denn mittlerweile wimmelt es auf dem

Vorplatz von Medienteams, Israeli Television, BBC, CNN, *Newsweek*, France 2 und wer nicht alles. Zwischen den Korrespondenten machen sich UNO-Beobachter bereit, in die Lager zu gehen, werden von den christlichen Milizionären daran gehindert, hier und da kommt es zu Handgemengen, jenseits der Mauer kracht die Schaufel eines Bulldozers in eine Hauswand und reißt sie ein, als sei sie aus Pappe.

Ein Wagen kommt in hoher Geschwindigkeit herangesaust.

Hält mit kreischenden Bremsen vor dem Zug der Gefangenen.

Ein Mann springt heraus.

»Das ist Jaron«, ruft Chaim verwundert.

Brigadegeneral und Divisionskommandeur Amos Jaron höchstpersönlich, na, so was. Verantwortlich für diesen Sektor Beiruts und alles, was darin vonstattengeht. Amos Jaron, der die Falangisten auf Eitans und Droris Geheiß in die Lager lassen musste, ohne eingreifen zu dürfen. Hebt ein Megafon an die Lippen, und als er spricht, bebt seine Stimme vor unterdrückter Wut:

»Stop the shooting! This is an order! Stop it! Immediately! Everybody, go home! Go home now! Stop the shooting!«

Uri geht, das Gewehr in der Armbeuge, zusammen mit den anderen durch die Schneise.

Er hat Angst.

Es heißt, Jaron habe den Falangistenchef in Grund und Boden geschrien, ihm die Hölle auf Erden versprochen, wenn er seine Milizen nicht unverzüglich aus den Lagern abziehe, die PLO-Terroristen seien lange erledigt, getötet oder gefangen genommen, von seinen *eigenen* Leuten wisse er das, jetzt sollten sie gefälligst seinen Befehlen nachkommen und das Feld räumen, oder er kenne sich nicht mehr.

Da endlich sind sie verschwunden.

Und die Frauen, Kinder und alten Leute kehren ins Lager zurück.

Mit ihnen gehen, nunmehr ungehindert, Korrespondenten, Fotografen, Kameraleute, UNO-Beobachter, Ärzte ohne Grenzen, Mitarbeiter des Roten Kreuzes und Zahal-Soldaten, verteilen sich in den Straßen und Gassen, um sich ein Bild zu machen, der Welt zu berichten und humanitäre Hilfe zu leisten.

Humanitäre Hilfe, denkt Uri erbittert. Humanitär wäre es gewesen, die Falangisten gar nicht erst reinzulassen.

Seine Kehle verengt sich, plötzlicher Brechreiz macht ihm zu schaffen. Die Kräfte der Zersetzung arbeiten schnell, wie immer siegen am Ende die Bakterien.

Sein Blick jagt hin und her.

Das Erste, was ihm auffällt, sind die gewaltigen Anhäufungen von Schutt. Nicht zum ersten Mal sieht er solche Trümmerhaufen, auch in anderen Lagern haben Bombardements und Granatgefechte für massive Zerstörungen gesorgt. Doch das hier unterscheidet sich von allem, was er bislang erlebt hat. Eine Präsenz lauert in den Ruinen, die ihn erschaudern lässt, uralt, elementar. Legt sich wie eine Klammer um seine Brust, presst ihm den Atem ab, schnürt seine Eingeweide zu einem schmerzhaften Knoten. Sosehr ihn der Leichengeruch ekelt, erfüllt ihn diese Präsenz mit nacktem Entsetzen, der Hass, der Vernichtungswille, nachdem schon kein Widerstand mehr geleistet wurde.

Das pure Böse.

Er sieht einen Mann, der zwischen zwei teilweise zerstörten Häusern Gräber schaufelt. Wie ein Besessener stößt er den Spaten ins Erdreich, umgeben von Leichen, eine noch zusammengekauert auf dem Handkarren, mit dem er sie geborgen hat.

Uri schaut weg, sein Blick saugt sich an einem Haufen Gestein fest.

Bulldozerspuren führen dorthin.

Noch während sein Verstand sich weigert, die Informationen zusammenzufügen, hat sein Unbewusstes schon einige der gestaltlosen Brocken als das identifiziert, was sie tatsächlich sind, Hände und Füße, ganze Gliedmaßen, überzogen von Zementstaub –

Gesichter.

Erschrocken wendet er sich abermals ab.

Aber in Sabra und Schatila gibt es keine Richtung mehr, in die man blicken kann, ohne Schaden zu nehmen. Je tiefer sie in die Lager eindringen, desto mehr Leichen entdecken sie. Zu Dutzenden liegen sie in den Hinterhöfen. Männer, ganz offensichtlich nicht im Kampf getötet, sondern hingerichtet. Kinder, die Köpfe vom Rumpf getrennt, tote Säuglinge. Frauen, gefoltert und geschändet, bevor man ihnen die Kehlen durchschnitt. Verrenkte Leiber in Massengräbern, die nicht mehr rechtzeitig zugeschüttet werden konnten.

Weil die Mörder abziehen mussten.

Vielleicht hielten sie es aber auch nicht für nötig.

Chaim geht wortlos neben ihm her, totenblass.

Sagt kein einziges Wort.

Das alles ist mit nichts vergleichbar, was sie aus den Gefechten der letzten Monate kennen. Sie haben weiß Gott viele Tote gesehen, doch immer war es zuvor darum gegangen, wer wen als Ersten zur Strecke bringt, und irgendwann wurde der Tod, wie Gidon festgestellt hat, banal.

Das hier hingegen –

Sie helfen den Menschen, geben ihnen Wasser zu trinken, Brot zu essen. Jetzt, da sie nach Sabra mit seinen mehrgeschossigen Häusern und breiteren Straßen vorstoßen, begegnen ihnen immer mehr Überlebende. Frauen in langen, schwarzen Gewändern irren umher, klagende Schatten ihrer selbst, suchen nach Angehörigen und Freunden.

Graben mit bloßen Händen im Schutt.

Laute erreichen Uris Ohr, die eher an verwundete Tiere erinnern als an menschliche Wesen.

Er versucht, sie zu bloßen Geräuschen zu reduzieren.

Schallwellen.

Sagt sich, du bist in der Notaufnahme, bist in der Notaufnahme, sein Mantra, du bist in der Notaufnahme, in der Notaufnahme, doch in der Notaufnahme wird gerade gestreikt.

Was hat das hier mit *Frieden für Galiläa* zu tun?, fragt er sich.

Jemand singt.

Eine heitere Melodie, der erste versöhnliche Klang überhaupt, den er wahrnimmt, seit sie das Lager betreten haben. Der klare Sopran einer Frau schlängelt sich heran, wie ein Lichtstrahl berührt die schlichte Tonfolge sein Herz und weckt seine Neugier.

Er dreht den Kopf, versucht die Sängerin auszumachen.

Die Stimme kommt aus einer der Gassen, die von der Hauptstraße abzweigen, wenig mehr als eine im Schatten liegende Schlucht voller Andeutungen.

Uri zögert.

Dann geht er hinein.

Nach wenigen Metern ist der Durchgang versperrt.

Männer, Halbwüchsige. Ihre Leiber türmen sich übereinander, der menschliche Wall macht die Gasse unpassierbar.

Er blendet sie aus, lauscht. Hört die Stimme aus dem Hauseingang rechts von ihm. Etwas Entrücktes und zugleich Lockendes liegt in dem Timbre, und in Uri gehen alle Alarmsignale los.

Mach, dass du hier rauskommst, sagt er sich.

Aber da dringt er schon in das Haus ein, passiert den Vorraum, seine Hände teilen den Perlenvorhang zum Nebenraum, leise klackern die Schnüre, dahinter die junge, singende Frau.

Sein Blick fällt in ihre wahnsinnigen Augen.

Auf das, was sie in ihren Armen hält.

In Uris Kopf wird eine Kerze ausgeblasen.

Dunkelheit legt sich über ihn, stygische Schwärze. Nur die Frau ist noch zu sehen, für alle Zeiten in ihm eingebrannt. Von nun an wird sie ihn jede Sekunde seines Lebens begleiten, nie mehr wird er einschlafen oder aufwachen, ohne ihr Lied zu hören, falls er überhaupt je wieder wird schlafen können.

Er weiß es ganz einfach. So wird es sein.

Sein Körper wird dieses Lager verlassen.

Sein Geist bleibt für immer hier.

Gaza, Elei Sinai, November

Phoebe wandelt durch Amaryllis.

Die Luft im Treibhaus ist warm, es riecht nach Erde. Keine Blüte durchbricht das Grün der Blätterteppiche. Sie haben so ziemlich jede Sorte hier angepflanzt, weiße, rosa, orange, gestreifte, gesprenkelte, geränderte und tiefdunkelrote Amaryllis, welch verschwenderische Pracht, würden sich alle Kelche gleichzeitig öffnen, womit dann allerdings auch Phoebes und Jehudas Kapital verschwendet wäre. Blühen sollen sie erst in Amerika, pünktlich zur Adventszeit.

Und bis dahin dauert es mindestens ein Jahr.

Noch sind die Amaryllis viele Monate davon entfernt, überhaupt verschickt zu werden.

Ritterstern, wie Dror Katzenbach sagen würde.

Katzenbach, der Phoebe immer mal wieder über die Schulter schaut.

Im August etwa, als Jehuda ihr eröffnete, arbeitslos geworden zu sein, ausgebootet von Alison Titelmann, dieser elenden Schlampe. Ein Schock, aber heilsam. Phoebes von Küchengerüchen narkotisierter Verstand begann wieder zu arbeiten. Ihr Sohn war im Krieg, Jehuda stand ohne Alternative da, ihre journalistische Nebentätigkeit gab zu wenig her, um die Familie zu ernähren. Sie konnte die Realität nicht länger ausblenden, und da gerade mal wieder Katzenbach zu Besuch in ihrem Kopf war, sagte sie:

»Egal. Dann pflanzen wir eben Amaryllis.«

»Amaryllis?« Jehuda stierte sie verständnislos an.

»Ja.«

»Warum denn ausgerechnet Amaryllis?«

»Weil ich Amaryllis mag. Und weil mir jemand erzählt hat, in Südgaza, unten in Ganei-Tal, würden sie die Zwiebeln für den amerikanischen Markt züchten und ein Bombengeschäft damit machen.«

Und weil ich es jemandem versprochen habe.

Katzenbach.

Als ich versuchte, ihn und die Geiseln zu retten. Spontane Eingebung. Hab ihm erzählt, Jehuda und ich planten, ins Amaryllis-Geschäft einzusteigen. Was nicht stimmte. Nie haben wir darüber gesprochen, aber vielleicht ist die Idee ja tatsächlich gut. Verbunden mit der Hoffnung, das alte Gespenst damit zufriedenzustellen, auf dass es sich verdünnisiere.

Ich bin nämlich *nicht* schuld an deinem Tod, Dror.

Also verzieh dich.

»Die Aufzuchtbedingungen in Gaza sind ideal«, sagte sie. »Der sandige Untergrund, das Klima.«

»Amaryllis«, sinnierte Jehuda.

Der Gedanke verzahnte sich mit seinem enzyklopädischen Wissen, er wälzte Fachbücher, telefonierte mit Kollegen, kritzelte einen Block voll, skizzierte Bewässerungsanlagen, Pumpensysteme und Treibhäuser, machte Rechnungen auf: »Wir werden ganz schön investieren müssen. Amarylliszwiebeln brauchen zwei bis drei Jahre zum Wachsen, gut, das ließe sich abkürzen. Wenn wir die Böden im Winter aufheizen und im Sommer kühlen, geht's schneller. Zu Anfang ein Treibhaus, mehr ist nicht drin, und wir müssen sehen, wer uns das Geld gibt. Leitungssysteme, Wärmepumpe, Luftbehandlungsgeräte im Dach, Zerstäuber –«

Sie hörte entzückt zu.

»– ist, wenn die Sache einmal läuft, mit jeder Zwiebel ein Dollar zu verdienen, und pro Treibhaus würde ich sagen, 50 000 bis 80 000 Zwiebeln, vielleicht schaffen wir es ja auch, mit zweien zu beginnen –«

Es war seine Tatkraft, die sie entzückte. Sein Optimismus.

Dass er sich nie beklagte.

Nie sagte: Geht nicht.

Minuten nach dem niederschmetternden Anruf war er schon wieder der Alte, zornig zwar, aber umso entschlossener, sich nicht unterkriegen zu lassen. Dessen bewusst, dass sie das alleine hinbekommen mussten. Alison saß in der Verwaltung zu hoch oben, um sich an ihr vorbei auf einen anderen Posten zu mogeln, es war offensichtlich, dass sie ihn loswerden wollte.

Netafim bedauerte. Kommendes Jahr vielleicht. Sobald etwas frei würde. Jetzt leider –

Und Arik, der Ich-greif-mal-zum-Hörer-und-regel-das-Arik?

Viel zu sehr damit beschäftigt, sich selbst zu retten.

Aus seiner Lüge, Assads Truppen unter keinen Umständen anzugrei-

fen und nicht in Beirut einzumarschieren, ist eine Staatskrise hervorgegangen. Ein begrenzter Akt der Selbstverteidigung mündete in einen
drei Monate währenden Zweifrontenkrieg, seine Zusicherung, Israel zu
schützen, in ein Martyrium, das Israelis zu Hunderten tötete. Arik hat
seine Motive verschleiert, dem Kabinett die Unwahrheit gesagt, es drauf
ankommen lassen und dabei etwas Wesentliches vergessen:
Mit einer Lüge kommst du weiter.
Immer weiter.
Aber nie zurück.
Jetzt bringt ihn die Lüge zu Fall, da kann er noch so oft betonen,
Sabra und Schatila den Falangisten überlassen zu haben, um keinen israelischen Soldaten zu gefährden, und dass er die Aktion sofort nach
Bekanntwerden des Massakers abgebrochen habe. Da kann sein Premier noch so entschieden jede Regierungsverantwortung von sich weisen. Eine halbe Million Menschen, Tel Aviv, Platz der Könige Israels,
rasend vor Scham und Wut, gelangt zu anderen Schlüssen. Im Kabinett muss er sich als Mörder titulieren lassen, eine Untersuchungskommission hat die Arbeit aufgenommen, lädt Abgeordnete, Generäle, Geheimdienstler vor, so ziemlich das Letzte, wofür Arik jetzt einen Kopf
haben dürfte, ist ein Personalstreit auf Kommunalebene, auch wenn da
gerade sein ältester Freund vom Hof gejagt wird.
Arik hat keine Zeit für alte Freunde. Er sucht händeringend neue.
Solche, die ihm aus dem Schlamassel heraushelfen. Jehuda ist gar nicht
erst zu ihm vorgedrungen.
Was der seinem *alten Freund* natürlich (mal wieder!) nachsieht.
»Weißt du, in Ariks Lage –«
Und in welcher Lage sind wir?, denkt Phoebe.
Sie geht in die Hocke, vergewissert sich, dass kein stehendes Wasser
die Zwiebeln verfaulen lässt. In 30 Zentimeter Tiefe temperiert eines
von Jehudas genialen Rohrleitungssystemen den Boden. Bis März werden sie die Zwiebeln warmhalten müssen, wie schon Katzenbach an jenem schrecklichen Tag sagte: *Unter 14 Grad wachsen sie nicht.*
Verschwinde aus meinem Kopf, denkt sie, und er verschwindet.
Immer seltener kommt er jetzt.
Überhaupt beschäftigt sie manches seltener als früher. Etwa, was Alison sich dabei gedacht hat, Jehuda in die Wüste zu schicken. Phoebe
mochte die Frau nie sonderlich, aber als Nachbarn kamen sie klar, und
an Jehudas Arbeit gab es nun wirklich nichts auszusetzen. Unzuverlässig! In welcher Beziehung? Etwas Persönliches war da im Spiel, selbst
der Gedanke, Alison habe Jehuda verübelt, gewissen Begehrlichkeiten

nicht nachgekommen zu sein, ist ihr schon gekommen, andererseits, was bringt es, sich darüber Gedanken zu machen.

Anderes beschäftigt sie umso mehr.

Die Heimkehr ihres Sohnes, körperlich unversehrt, dennoch ist der arme Uri nicht wiederzuerkennen. Macht nächtelang kein Auge zu, hockt beim Essen apathisch am Tisch, zeigt ohne erkennbaren Grund Anzeichen von Todesangst, quält sich zu seinem Stützpunkt, wo er irgendwie funktioniert, dafür zu Hause gar nicht mehr. Je emsiger sie versucht, der Ursache seiner Verzweiflung auf den Grund zu gehen, desto mehr kapselt er sich ein, spricht nur noch von Bildern, die ihn verfolgen.

Es *muss* mit dem Einsatz in Beirut zu tun haben.

Ariks unseliger Krieg.

Oh, wie Phoebe ihn inzwischen hasst!

Ihn und Anastasia, die Uri verlassen hat.

Vor drei Wochen.

»Tut mir ja leid, aber ich kann deine mies gelaunte Fresse nicht mehr sehen. Nein, Quatsch, tut mir nicht leid. Du redest kein Wort mehr mit mir, lässt dich nicht anfassen, kommst und gehst, wann es dir passt, einfach so. Ich finde gar nicht mehr statt. Ich brezel mich auf, geb die Verständnisvolle, bereit, mir deine Kriegsscheiße anzuhören, aber jeder Goldfisch quatscht mehr als du. Das ist nicht auszuhalten. Ich bin mit einem gottverdammten Psycho verheiratet!«

Während ihre Klamotten wie vielfarbige Vögel aus Schubladen und Schränken flatterten –

»Weißt du was? Du bist krank. Ich kann das nicht, Uri.«

– in Koffern und Taschen verschwanden –

»Ich halte das einfach nicht aus!«

– er das Schauspiel mit einem gewissen Interesse und zugleich wie aus großer Distanz verfolgte –

Was weißt DU denn vom Aushalten?

– und Yael weinend danebenstand, Anastasia hatte nämlich nicht vor, sie mitzunehmen. Sie sagte auch nicht: *Ist dir klar, wie unser Kind sich vor dir ängstigt?*, oder was sonst darauf hätte schließen lassen, dass sie außer sich noch jemand Geschädigten wahrnahm.

»– sowieso ein Fehler, wir hätten nie heiraten dürfen. Das hat nie gepasst. Schon mit dir in dieses Kaff zu ziehen.«

Schleppte ihre Koffer aus dem Schafzimmer in die Diele, und Uri fühlte Yael sein Bein umschlingen und ihr tränennasses Gesicht im Stoff seiner Hose vergraben. Hob die Hand, unfähig, sie zu berühren.

»Alles falsch. Alles Mist! Ich hätte nie schwanger werden dürfen.«

Begriff Yael, was ihre Mutter da sagte?

Uri saß eingesperrt im Panzer seines Körpers und versuchte darunter zu leiden, wie alles in die Brüche ging, doch er fühlte nichts. Die entsetzlichste aller je gemachten Erfahrungen. So gesehen fühlte er doch noch was, die einzige Empfindung, die ihm geblieben war:

Angst und Entsetzen.

Als er hörte, wie draußen der Motor angelassen wurde, saß er auf der Bettkante. Yael stand vor ihm und flehte darum, von ihm wahrgenommen zu werden, doch sein nie ruhendes Erinnerungsvermögen ließ ihn die Szene aus Sabra und Schatila in Endlosschleife sehen, die singende, wahnsinnig gewordene Frau und das, was sie im Arm hielt.

»Papa?«

Gleich zwischen Stirnknochen und Hirnrinde hatte sie sich eingenistet und ließ sich durch nichts vertreiben.

»Papa, Papa! Warum ist Mama böse?«

Er starrte sie an und stellte sich vor, ihr den Schädel einzuschlagen.

Sabra und Schatila sind seine neue Gegenwart. Sein Körper hat das Lager wieder verlassen, seine Seele ist dort geblieben. Er hat jeden Zeitsinn verloren, so irritierend, dass die Bilder nicht verblassen wollen. Was beim Blick auf den Kalender in die Vergangenheit entrückt, findet in seinem Kopf immer wieder aufs Neue statt, in diesem Moment, diesem Moment, diesem Moment, diesem Moment –

Flutet sein Ich.

Löscht ihn aus.

Unter dem Ansturm der Bilder erodiert der Uri von einst, seine Person wird zersetzt, ein anderer angsteinflößender Uri tritt zutage, geplagt von Gewaltfantasien. Wahrscheinlich ganz gut, dass Anastasia weg ist, er würde ihr womöglich was antun.

Er hat schreckliche Angst, Yael zu verletzen.

Die Angst frisst ihn auf, sodass er in manchen Momenten die singende Frau um ihren Wahnsinn beneidet, weit ist er nicht mehr davon entfernt, das ist mal klar, sofern es ihm nicht gelingt, die Bilder loszuwerden, nur –

WIE?

Wie soll es mit seinem Leben bloß weitergehen?

Vielleicht, wenn er sich die Augen herausrisse –

Aber Unsinn, was er sieht, bedarf ja keiner Augen. Es würde nicht das Geringste ändern, also geht er runter zum Strand und schreit gegen den Wind an, schreit seine Qualen hinaus, versucht, den Angstflüsterer in seinem Kopf zu übertönen, doch auch das bringt nicht viel.

Auf dem Stützpunkt registrieren sie seine Wesensveränderung. Er funktioniert, allerdings eher wie eine fehlprogrammierte Maschine – mal im Leerlauf, völlig apathisch, mal kurz vor dem Heißlaufen, sodass er bei seinen Vorgesetzten Ängste vor einer Kurzschlussreaktion schürt. Sie verlangen, dass er zum Militärpsychologen geht, aber Uri schämt sich, will nicht zum Psychologen, denn das käme dem Eingeständnis gleich, nicht mehr alle Tassen im Schrank zu haben.

Sie drohen ihm mit der Suspendierung.

Er weigert sich.

Also geht Phoebe zum Psychologen.

Telefoniert mit der Betreuungsstelle des Negev-Stützpunktes und vereinbart einen Termin. Sie wird einiges an Argumenten in die Waagschale werfen müssen, um Uri von einer Therapie zu überzeugen, alle bisherigen Vorstöße hat er mit der Bemerkung quittiert, sie selbst hätte nach Katzenbachs Tod eher auf die Couch gehört als er jetzt, zugleich spürt sie, wie zerrissen er in der Sache ist. Seine Scham wetteifert mit seinem Bedürfnis nach Hilfe, also hat Phoebe beschlossen, die Dinge für ihn in die Hand zu nehmen. Im klimatisierten Büro des Militärpsychologen erzählt sie, was sie weiß und zu wissen glaubt, und während sie sich reden hört, ist ihr, als liefere sie eine präzise Beschreibung von Edvard Munchs *Schrei*.

»Was meinen Sie? Kommt Ihnen das bekannt vor?«

»Natürlich.«

»Oh, gut!«, ruft sie erleichtert. »Was ist sein Problem? Woran leidet er?«

»PTBS.«

»Nie gehört.«

»Posttraumatische Belastungsstörung. Neuer Begriff, alter Hut. Im Ersten Weltkrieg nannte man es *bomb-shell disease*. Bei den Deutschen hießen solche Leute Kriegszitterer.«

»Das klingt beschissen.«

»Ja, nach verschrecktem Kaninchen. Im Zweiten Weltkrieg versuchte man es positiver auszudrücken. *Bomb happiness*.« Der Psychologe lacht. »Auch nett, was?«

Phoebe schüttelt nachdenklich den Kopf.

»Ich glaube nicht, dass Uri Angst vor Waffen hat. Er ängstigt sich vor Bildern. Szenen, die ihn verfolgen.«

»Hat er Ihnen davon erzählt?«

»Er redet nicht darüber. Aber es muss in Beirut passiert sein. Etwas so Grauenvolles, dass es ihn nicht mehr loslässt.«

»Klingt nach dissoziativer Störung.«

»Nach – was?«

»Sekündlich nehmen wir eine Unzahl von Reizen auf, die wir als eine Art Film erleben, homogen und chronologisch. Tatsächlich sind Homogenität und Chronologie eine Illusion. Erst unser Hirn verschmilzt die Teileindrücke zu einem Ganzen. Das macht es hervorragend, aber manchmal passiert etwas Merkwürdiges. Ein Eindruck verweigert sich jeder zeitlichen und inhaltlichen Einordnung. Man nennt das Dissoziation. Was immer Uri erlebt hat, konnte sein Hirn nicht in den laufenden Film einarbeiten, also verblassen diese Szenen auch nicht mit der Zeit. Sie stechen auf verstörende Weise heraus und quälen ihn. Je mehr er sich bemüht, sie zu vergessen, desto stärker drängen sie in den Vordergrund.«

Das klingt schon wieder so, dass Phoebe der Mut sinkt.

»Wie kann er sie dann je vergessen?«

»Er kann lernen, damit zu leben, Frau Kahn. Schicken Sie ihn her.«

Uri reagiert sauer, das war zu erwarten. Wenn schon sein soziales Umfeld in Elei Sinai den Bach runtergeht, will er sich wenigstens in der Armee das Gefühl erhalten, gebraucht zu werden. Die geregelten Abläufe dort erzeugen die Illusion von Normalität, nichts fürchtet er mehr, als vor einem *Hauptmann,* und wenn der tausend Psychologiediplome an der Wand hängen hat, seine seelische Invalidität zu offenbaren.

Phoebe macht ihm klar, dass er kurz davor steht, beurlaubt zu werden, und dann hat es sich sowieso mit Normalität. Das endlich führt Uri seine Alternativlosigkeit vor Augen, also findet er sich widerstrebend zur Therapiesitzung ein.

Wo er zu seinem Erstaunen feststellt, wie leicht es ihm fällt, die Wahnsinnige in dem zerstörten Haus und das, was sie im Arm hielt, heraufzubeschwören.

Der Psychologe nickt, als sei er dabei gewesen.

»Diese Szene also bedrängt Sie?«

»Ja.«

»Dann hören Sie auf, dagegen anzukämpfen.«

»Wie soll ich denn sonst damit fertigwerden?«

»Sie können nur gegen etwas kämpfen, das von außen kommt.«

»So war's ja auch.«

»Eben. *So war's.* Die Vorgänge im Flüchtlingslager sind Geschichte.

Die Frau sitzt da nicht mehr. Würden Sie hinfahren, es sähe komplett anders aus. Wer also produziert die Bilder jetzt?«

»Mein Kopf.«

»Das heißt, Sie kämpfen gegen sich selbst.«

Uri schweigt.

»Ein Boxer, der versucht, sich selbst auf die Matte zu schicken. *Der* Kampf ist nicht zu gewinnen. Was haben Sie in Beirut gesehen?«

Blinzelt verwirrt. Hat der Typ eben nicht zugehört?

»Das wissen Sie doch«, sagt er aggressiv. »Was ich gerade erzählt habe.«

»Nein. Sie haben Häuser, Straßen und Steine gesehen. Menschen und Kleidungsstücke. Wolken am Himmel. Gerüche haben auf sie eingewirkt, Lärm. Aber da lärmten keine Teufel, sondern Jeeps und Bulldozer. Nichts, was für sich gesehen bedrohlich wäre. Das Grauen entsteht erst aus dem Zusammenspiel. Dekonstruieren Sie die Szene, und Sie erhalten die Bausteine des täglichen Lebens. Darum erinnert Sie so vieles daran. Die Fassadenfarbe eines Hauses kann reichen, Sie in die Flucht zu schlagen. Was wollen Sie tun? Vor allem davonlaufen?«

Uri schüttelt den Kopf.

»Dann widerstehen Sie dem Impuls.«

»Wie denn?«, fragte er mit Jammerstimme.

»Einfach indem Sie registrieren, was Sie gerade fühlen.«

»Ich fühle nichts.«

»Profaner als Emotionen, Uri. Kälte, Hitze. Süß, sauer, scharf. Das ist der erste Schritt zurück ins Fühlen. Im Klartext, ich will, dass Sie Ihre Scheiße riechen.«

Tief im Abgrund, in dem er sitzt, findet Uri an der Art und Weise Gefallen, wie der Mann ihn behandelt.

Wenigstens nicht wie einen Irren.

Nervt ihn nicht mit übertriebener Rücksichtnahme und Alles-wird-gut-Geblubber, sondern appelliert an seinen Verstand. Damit kann er was anfangen, also geht er nach drei Tagen wieder hin.

»Empfinden Sie eigentlich Scham, Uri?«

»Scham – ja.«

»Sie brauchen sich nicht zu schämen.«

»Finden Sie?« Starrt auf seine Füße. »Ich gebe doch eine jämmerliche Figur ab. Meine Frau hat mich verlassen. Mein Kind hat Angst vor mir. In Beirut war ich schon zu nichts zu gebrauchen, ich meine – warum passiert *mir* so was?«

»Sie glauben, ihre psychische Labilität sei schuld?«

»Ich weiß nicht.«

»Kein guter Soldat und so. Schlappschwanz.«

Uri zuckt die Achseln.

»Nein.« Der Psychologe beugt sich vor. »Sie haben nicht versagt, Uri. Sie haben nichts falsch gemacht, Sie sind *das Opfer*. Was meinen Sie, wie oft ich noch ganz andere Kaliber hier sitzen habe. Heulende Muskelberge. Scharfschützen, erprobt im Töten, und plötzlich bricht etwas in ihr Leben ein, und sie verfallen in Angst und Panik und erzählen mir, ihre Gedanken würden sie jagen –«

»Genau!« Uri springt auf, beginnt im Raum herumzugehen. »Nur noch Angst und diese überscharfen Bilder. Alles andere scheint abgeschaltet, ich – ich bin nicht mehr ich selbst!«

»Doch. Sie sind, der Sie immer waren.«

»Ich *weiß* doch, wie ich vorher war. Ich erinnere mich daran, bloß –«

»Sie kommen nicht an Ihre Gefühle ran.«

»Weil keine mehr da sind.«

»Große Worte, Uri. Denken Sie nach. Ist Panik kein Gefühl?«

»Ja. Danke. Toll.«

Setzt sich, sackt wieder in sich zusammen. Der Psychologe legt den Finger an die Lippen und betrachtet ihn eine Weile.

»Gut, ich erkläre Ihnen jetzt mal was. Sie sind ein Höhlenmensch.«

»Besser als das, was ich gerade bin.«

»Sie spazieren so trallala durch die Steinzeit, und plötzlich steht ein Säbelzahntiger vor Ihnen. Wie reagieren Sie?«

»Ich hau ab.«

»Weil?«

»Alles andere Wahnsinn wäre.«

»Weil Sie nicht anders *können*. Mut, Selbstbewusstsein, Kampfgeist? Dann hätte der Tiger am Ende des Tages gut gegessen. Sinn für Ästhetik, oh, was für ein schöner Tiger? Das dürfte dann Ihre letzte Empfindung gewesen sein. Nein, Sie sollen rennen, Uri! Schneller, als Sie je dachten, rennen zu können. Zwecks dessen werden bestimmte organische Funktionen und Emotionen abgeschaltet oder runtergefahren, um an anderer Stelle die erforderlichen Kräfte freizusetzen. Panik erzeugt Stress, Ihr Körper schüttet Adrenalin aus, nur noch Ihre für Gefahr zuständigen Rezeptoren sind in Funktion. Physische Beschränkungen werden aufgehoben, Sie verwandeln sich in eine Fluchtmaschine. Selbst Schmerz empfinden Sie keinen mehr, wie Sie da über scharfkantiges Geröll wetzen. Sie hängen den Tiger ab, beruhigen sich, langsam normalisiert sich alles wieder, ein uralter Überlebenstrick der Evolution. – Vor so einem Säbelzahntiger standen Sie in Beirut. Nur dass etwas schiefging. Die Gefahr zog vorüber, aber Sie fanden nicht aus dem Stress-Modus raus, wie die Natur es eigentlich vorsieht. Bis heute läuft das Panikprogramm weiter. Als Folge können Sie keine ausgewogene Gefühlslage herstellen und werden von Angst regiert.«

Uri denkt darüber nach.

»Ich hatte in Sabra und Schatila nie das Gefühl, mich unmittelbar in Gefahr zu befinden.«

»Sie setzen Gefahr gleich mit physischer Bedrohung. *Natürlich* waren Sie in Gefahr. Ihre Seele war in Gefahr. Was haben Sie getan, um sich zu schützen?«

»Alles. Deckung gesucht, als Erster geschossen –«

»Um Ihren Geist zu schützen.«

Uri stockt. Rückblickend erscheint es ihm fast peinlich, aber dann erzählt er seinem Gegenüber doch von dem Trick mit der Notaufnahme.

Der Psychologe hebt anerkennend die Brauen.

»Gar nicht schlecht.«

»Ich weiß nicht.« Uri schüttelt den Kopf. »Ich meine, was hat es gebracht? Ich sitze hier.«

»Ebenso gut hätten Sie damit durchkommen können.«

(Ja, wäre ich nicht in dieses Lager gegangen.)

(Ich bin aber reingegangen.)

Auch das bringt ihn zunehmend um den Verstand. Dass er sich geistig immer wieder an den Punkt zurückversetzt, bevor er die Gasse betrat, und sich vorstellt, er hätte es nicht getan.

(Dann wäre ich jetzt ein glücklicher Mensch.)

Der Psychologe schüttelt den Kopf. »Das bringt nichts.«

»Was?«

»Sie *sind* da reingegangen.«

»Woher wissen –«

»Weil Sie es auf der Stirn stehen hatten. Was geschehen ist, ist geschehen. Akzeptieren Sie's, sonst landen Sie in der Hölle.«

»Was ist die Hölle?«

»Kreislaufgedanken. Ewiges Leiden. Wollen Sie wissen, warum Ihr Bild von der Notaufnahme gar nicht so schlecht war?«

»Warum?«

»Weil es Sinn ergab. Innerhalb Ihres Weltbildes. Was, glauben Sie, ist das wichtigste Merkmal eines Weltbildes?«

»Toleranz?«

»Eine wünschenswerte Eigenschaft. Nein, entscheidend ist, dass alles darin einen Platz und einen Namen hat. Wie in einem Setzkasten. So können Sie die Dinge beschreiben, zuordnen, gewichten und ihnen Sinn verleihen. Im Libanon haben Sie etwas Vertrautes bemüht, um das Grauen zu zähmen, die Notaufnahme nämlich. Andere denken vielleicht an ihren Partner, dem nichts geschehen darf, weshalb man diesen Krieg gewinnen muss. So ergeben die schrecklichsten Bilder noch Sinn. Das Vertraute hilft, emotional außen vor zu bleiben. Manche reden sich ein, sie spielen in einem Hollywoodfilm mit, alles nur Kunstblut, andere tun so, als säßen sie in der Geisterbahn, und dann gibt es noch den schönen Trick, sich zu sagen, das sind keine Menschen, das sind *Ziele* – bis etwas kommt, das die innere Abwehr durchbricht.«

»Beirut.« Uri bringt das Wort kaum über die Lippen, so trocken sind sein Mundraum und sein Hals.

Der Psychologe schweigt, lässt ihn nachdenken.

»Da brach alles in mir zusammen«, flüstert Uri. »Das war völlig – das war so – so –«

»Sinnlos?«

»Ja.«

»Das ist es. Das Sinnlose überfordert uns, Uri. Was Sie in Sabra und Schatila erblickten, lag außerhalb Ihrer Vorstellung von Menschlichkeit. Es war mit Ihrem Weltbild nicht in Übereinstimmung zu bringen. Das Sinnlose hat keinen Namen, darum sprechen wir vom namenlosen Grauen. Chaos. Sie können es nicht benennen, nicht einordnen, also können Sie auch nicht beschreiben, was es mit Ihnen macht. Was denken Sie, warum so viele Überlebende des Holocaust nie über ihre Erlebnisse sprachen? Weil sie nicht reden wollten?«

»Sie konnten nicht.«

»Jetzt wissen Sie schon mal, warum *Sie* es nicht können.« Der Psychologe lächelt. »Aber Sie haben etwas, was viele dieser Menschen nicht hatten. Hilfe.«

Uri schweigt eine Weile. Dann sagte er:

»Glauben Sie an die Existenz des Bösen?«

»Nein. Was wir das Böse nennen, ist nur die Summe des Sinnlosen, das wir nicht in Worte fassen können.«

»Mehr nicht?«

»Mehr nicht.«

»Ich bin also nicht von – Dämonen befallen? Vom Bösen? Ich werde niemandem etwas antun?«

»Nein. Sie sind nur verwundet. Tief in Ihrer Seele. Posttraumatische Belastungsstörung. PTBS.«

»PTBS.« Uri schüttelt den Kopf, reibt sich über die Augen. »So eine Scheiße.«

Der Psychiater lächelt.

»Machen Sie sich nichts draus. Sie sind in guter Gesellschaft. Der ganze Nahe Osten leidet an einer posttraumatischen Belastungsstörung.«

Hoffnung –

Er weiß, dass Phoebe Hoffnung schöpft, weil er zur Therapie geht, und ja, der Hauptmann versteht sein Handwerk. Etliches leuchtet Uri jetzt ein. Er lernt eine Menge über sich selbst, wartet darauf, dass der Effekt der Erkenntnis sich in Gesundung niederschlägt, stattdessen sieht er nur umso klarer, dass etwas in ihm zerstört wurde, irreparabel, für alle Zeiten.

Der Hauptmann sagt, ruhig Blut.

»Geduld, Uri. Akzeptanz und Geduld.«

Also sitzt Uri in seinem rot-weißen Reihenhausklon und übt sich voller Ungeduld in Geduld. Ein absurdes Ein-Mann-Theater ohne Publikum. Als Jehuda ihm vorschlägt, bei einem Bewässerungsprojekt zu assistieren, ist das so offensichtlich gut gemeint, dass er sich erst recht wie der Insasse einer Geschlossenen vorkommt, den man mit Beschäftigungstherapien ruhigstellen will. Er schlägt Phoebes Einladungen zum Essen aus, ernährt sich von Dosen und Tiefkühlkost, verbringt die Nächte auf dem Stützpunkt. Je mehr er über die Mechanismen der Psyche lernt, desto mehr frustriert es ihn, keine Fortschritte zu machen. Unvermindert fluten die Bilder aus Sabra und Schatila sein Ich, und die Zermürbung seiner Person schreitet voran.

Miriam kommt ihn auf dem Stützpunkt besuchen.

»Na, ich dachte mir, wenn du hier glücklicher bist, komme ich eben dahin, wo du glücklich bist«, sagt sie.

Sie sitzen im Mannschaftsheim, essen Hotdogs und trinken Coke.

»Ich will dich mit dem Scheiß nicht belasten, Miri.«

»Du bist mein Bruder.« Sie verteilt Senf auf ihrem Hotdog. Dicke gelbe Stränge, die Uri an Würmer erinnern. Würmer in leeren Augenhöhlen. »Soll ich so tun, als ginge es dir gut? *Das* würde mich belasten.«

Er lächelt. Das wenigstens schafft er inzwischen wieder, und sei es nur, um seine Umwelt in dem Gefühl zu wiegen, es ginge ihm besser.

»Und was macht meine Kleine?«

Phoebe und Jehuda haben Yael zu sich genommen.

»Och, die ist munter. Manchmal zu munter.« Miriam setzt ihr Glas an die Lippen. Was gleich neue Fantasien in ihm freisetzt. Schlüge er jetzt mit der flachen Hand gegen den Glasboden, würde es ihr die Schneidezähne rausbrechen.

»Schön«, sagt er.

»Sie vermisst dich.«

Das schmerzt ihn zutiefst. Immerhin, auch Verlustschmerz kann er wieder empfinden. Eine Art dumpfen Amputationsschmerz. Langsam kehren seine Empfindungen zurück, da hatte der Hauptmann schon recht.

Nur keine guten.

Miriam erzählt weiter von zu Hause, drückt seine Hand.

»Ich komm dich morgen wieder besuchen, okay?«

»Gerne.«

Gibt ihm einen Kuss, Uri versucht ihn zu fühlen. Die Zuwendung wird in ihre Informationen zerlegt und zerstört. Er ist ein schwarzes Loch, das sich selbst und alles, was hineingelangt, absorbiert. Nicht mehr Teil dieser Welt, entfremdet und heimatlos. Was er sieht, erscheint ihm unwirklich, grell, bunt, künstlich, krankhaft harmlos und freundlich. Tatsächlich wird die Welt beherrscht vom Chaos. Das Gute ist eine Illusion, Menschlichkeit ein Konstrukt, nichts ergibt Sinn.

Nur eine Wirklichkeit hat Bestand.

Sabra und Schatila.

Wenigstens weiß er jetzt, wie er den Dämon in seinem Kopf, der die Bilder produziert, besiegen kann. In dieser Hinsicht hatte der Hauptmann nämlich unrecht. Man *kann* sich selbst besiegen, kann verlieren und dennoch gewinnen, dank der Armee. Sie gibt dir alles. Man bekommt Depressionen und gleich auch die Waffe, um sie abzustellen.

Bei der nächsten Sitzung versichert er dem Hauptmann, es gehe ihm besser, erheblich besser, doch, ganz erstaunlich.

Dann fährt er raus in den Negev.

Denkt an seine Familie, voller Trauer und Scham, sieht die singende Frau den Kopf heben und ihn willkommen heißen.

Wir leben, solange wir es ertragen, denkt er. Mehr ist uns nicht gegeben. Du wolltest wissen, wie es mit deinem Leben weitergeht, und hier ist die Antwort.

Packt sein Sturmgewehr.

»Es tut mir so leid«, flüstert er.

Schiebt sich den Lauf in den Mund und drückt ab.

2011

Tel Aviv

Um 19:00 Uhr fördert die Auswertung der Flughafenvideos die Identität der Frau zutage, die Hagen so beherzt aus dem VW-Transporter befreit hat.

»Yael Kahn, 33 Jahre alt, Neurologin am Tel HaShomer.« Perlman mit Cox und Ben-Tov auf dem Weg zur Jewish Division. »Geboren im Sinai, aufgewachsen in Gaza, zum Studium der Medizin nach Tel Aviv, bis Frühjahr 2006 Assistenzärztin in der neurologischen Abteilung des Hadassah, Jerusalem.«

Sie durcheilen das Gewirr der Korridore, vorbei an verglasten Büros voll emsig sammelnder und puzzelnder Informationsjunkies. Eigenartig, sich vorzustellen, dass Israels Sicherheit an der synaptischen Verschaltung dieser Menschen hängt.

»Lag Scharon nicht in der Neurologie?«

»Treffend diagnostiziert, Dr. Ben-Tov.« Perlman drückt ihnen im Gehen je einen Ausdruck in die Hand. »Kahns Lebenslauf. Nachdem wir ihren Namen eingaben, wurde unser Netz mitteilsam, plopp, fiel gleich eine ganze Akte raus, angelegt vom Department für Personenschutz.«

»Kahn hatte mit Scharon zu tun?«

»Ja. Das Department hat Akten über das gesamte Hadassah geführt, vom Oberarzt bis zur Laborratte, aber Kahn wurde gesondert gecheckt. Wie übrigens alle behandelnden Ärzte.«

Ben-Tov studiert den Ausdruck. »Hier steht, die Überprüfung erfolgte am 21. Dezember.«

»Da war er doch schon wieder draußen«, meint Cox sich zu erinnern. Perlman nickt. »Sie ist nachträglich hinzugezogen worden.«

»Kennen wir den Grund?«

»Noch nicht. Vielleicht wissen sie in der Division mehr. Ich hab ihnen Kahns Daten vorab rübergeschickt.«

Ihre Schritte scharren durchs Treppenhaus, Glastüren öffnen sich wie von Geisterhand. Sie durcheilen den Trakt der Tüftler, in dem Apparate gebaut werden, die Q vor Neid erblassen ließen. Das berühmte Mobiltelefon wurde hier präpariert, das der Unheil stiftenden Karriere Yahiah Ayyashs ein Ende setzte. Kein anderer brachte Menschen mit solcher Überzeugungskraft dazu, sich in vollbesetzten Bussen in die Luft zu jagen, wie Ingenieur und Sprengstoffmagier Ayyash. Selten telefonierte er, ein paar fernmündliche Minuten mit seinem Vater waren alles, was er ersehnte, also schmuggelten sie besagtes Handy in sein Versteck, und als Ayyashs ranging und eine ferne Maschine seine Stimme identifizierte, hatte er nicht väterlichen Trost am Ohr, sondern vier fingergliedlange Päckchen Semtex.

Eine präzise, saubere Operation, wie Geheimdienste sie lieben.

»Gut, füllen wir unseren Setzkasten«, sagt Ben-Tov. »Laut Hagen ist Scharon einem Anschlag der religiösen Rechten zum Opfer gefallen. Jetzt versuchen die, eine Ärztin aus seinem damaligen Team zu entführen.«

Perlman schwenkt in den Gang zu den Räumen der Jewish Division ein, bleibt plötzlich stehen. »Vielleicht ist *sie* ja Hagens Quelle.«

Sie schauen sich an.

»Möglich.« Ben-Tov. »Hagen passt sie am Flughafen ab. Wie sah das für euch aus? Wusste er, was die vorhaben?«

»Nein.« Cox. »Er hat improvisiert.«

Perlman: »Die anderen aber auch, würde ich sagen. Wie die da hinter sich aufräumen, kommt mir doch sehr überhastet vor.«

»Wundert euch das?«, fragt Cox. »Die haben im Traum nicht damit gerechnet, dass ihnen einer auf die Schliche kommt. Wie auch? Wir waren ja ahnungslos. Hat je einer erwogen, Scharon Hirnschlag könne was anderes gewesen sein als – nun ja –«

»Ein Hirnschlag.«

»Eben. Dann hören sie Hagens Telefonat ab.«

»Geraten in Panik.«

»Gehen die Risiken durch.«

»Und Yael Kahn ist ein Risiko.«

»Und auf und davon.« Ben-Tovs Kiefer mahlen. »Schon zwei, die wir finden müssen, bevor die anderen sie in die Finger kriegen. Ist Kahn zur Fahndung ausgeschrieben?«

Perlman hebt eine Braue. »Ist der Schin Bet ein Geheimdienst?«

»Wir überwachen die Wohnung«, sagt Cox.

Der Kommandant schaut düster drein. Kratzt sich am Ohr, weist mit dem Kopf zum Ende des Ganges.

»Bevor wir da reingehen, sollten wir diesen Arschlöchern einen Namen geben.«

»Wem?«, fragt Cox. »Adler und Dreyfus?«

»Den *anderen*. Verschwörer, Maulwürfe, fünfte Kolonne! Wir können die nicht ewig so nennen.«

»Ein Name.« Perlman spitzt die Lippen. »Das wird ihnen schmeicheln.«

»Müssen sie ja nicht erfahren.«

»*Qué será*, Eli. Wenn *ich* der Maulwurf bin –«

»Zu spät, ich bin verkabelt.« Cox grinst. »Sie wissen's schon.«

Ben-Tov explodiert. »Das ist nicht witzig, ihr Idioten! Wenn Hagens Behauptungen zutreffen, hat der Schin Bet innerhalb von zehn Jahren *zwei* Ministerpräsidenten verloren. Kapiert ihr das? *Zwei!*«

Sie starren sich an.

»Also gut.« Perlman greift in die Luft, fischt einen Namen heraus. »Wie wär's mit – *Samael*?«

»Ein Engel?«, fragt Ben-Tov verständnislos nach.

»Ein abtrünniger Engel«, merkt Cox an. »Rebell gegen Gott, Anführer der Teufel und Dämonen.«

Bravo. Das Blitzbildungswunder vom Busbahnhof Tel Aviv.

»Warum nicht?« Perlman scheint seine Freude dran zu haben. »Dämonen. Geister. Höhere Wesen. Auf der Metaebene sind wir damit schon mal ganz weit vorne.«

»Jetzt müssen wir den Geist nur noch enttarnen.«

»Sie haben nicht doch ein paar übersinnliche Fähigkeiten, Shana?«

»Moment.« Cox kneift die Augen zusammen. »Verdammt, ja! Ich sehe ihn. Es ist derselbe, der Lady Di umgebracht hat. Er trägt eine Mütze – einen Matrosenanzug – einen Schnabel –«

»Ihr geht mir dermaßen auf den Sack«, sagt Ben-Tov und lässt sie stehen.

Westjordanland, Efrat

Die Siedlung liegt über mehrere Hügel verteilt. Schmucke, gleichförmige Häuser staffeln sich die Hänge hinauf, als hätte eine Maschine sie produziert und aneinandergereiht. Nordamerikanischer Lebensstandard, durchwunden von gepflasterten Straßen. Geschäfte, Synagogen, großzügig angelegte Parks. Vor drei Jahrzehnten aus dem Boden gestampft und schon getränkt von Geschichte.

König David, heißt es, habe in Efrat seine Flegeljahre verbracht.

Sagt der andere David.

Rabbi David Cantor, Miriams Mann.

Hagen mag ihn sofort. Locken wie Stahlwolle, silbern durchsetzt, schief sitzende Kippa, langer Rücken, kurze Beine, sodass sich jedes Hemd, wie oft er es auch in die Hose stecken mag, unweigerlich wieder herausarbeiten muss.

»Efrata«, erklärt er Hagen auf dem Weg zur Küche, »könnte der noch ältere Name für Bethlehem gewesen sein. Je nachdem, wie man den Tanach liest: *So starb Rahel und wurde begraben auf dem Wege nach Efrata, das nun Bethlehem heißt.* Genesis 35, 16–20. Und im Buch Micha heißt es: *Du, Bethlehem Efrata, die du klein bist unter den Städten in Juda, aus dir soll mir der kommen, der in Israel Herr sei, dessen Ausgang von Anfang und von Ewigkeit her gewesen ist.* Der Messias also. So viel biblisches Flair, bloß, wir sind nicht Bethlehem. Wir liegen *unterhalb* Bethlehems. Und da gibt es nun Historiker, die sagen, dieses verheißungsvolle Efrata sei gar nicht Bethlehem gewesen, sondern eine Siedlung südlich davon, und zwar genau – hier!« Er grinst. »Die haben bei uns frei trinken.«

»Also wird der Messias im Nachbarhaus geboren.«

»Bei den Grünbergs?« David schickt einen skeptischen Blick nach nebenan. »Das würde meinen Glauben in den Grundfesten erschüttern.«

»Wo ist Miriam?«, fragt Yael.

»Oben bei Shira.« David öffnet den Kühlschrank. »Tja, Geschichte. Gott schreibt sie, die Historiker schreiben sie passend. Will jemand ein Bier? Oder lieber Rotwein?«

Hagen schaut sich um. Kurios. Ein Haushalt wie zusammengewürfelt, kunterbuntes Chaos, kaum ein freier Flecken. Design und Modisches interessieren David und Miriam offenbar noch weniger als der Herpes von Paris Hilton. Auch wenn er in dem Tohuwabohu verrückt würde, gefällt es ihm. Schon genug Menschen leben in Katalogen.

Eine Frau mit Kurzhaarschnitt und Smiley-Gesicht kommt die Treppe herunter, schüttelt ihm die Hand.

»Sie sind der Reporter?«

»Nein, er ist auch Historiker«, sagt David vergnügt und verteilt Gläser auf dem Küchentisch. »Einer der besseren. Von der Sorte, die *dabei* sind, wenn es passiert.«

»Darum schreiben wir nicht zwangläufig die Wahrheit.« Hagen quält sich ein Lächeln ab.

Nanu, was war das denn?

Der Versuch einer Beichte?

»Wahrheit, Unwahrheit –« David zuckt die Achseln. »Aus beidem erschaffen Sie die Wirklichkeit, nur darauf kommt's an. Glauben Sie mir. In dieser Gegend hält einen die Wirklichkeit dermaßen auf Trab, dass einem die Wahrheit völlig abhandenkommt.«

Und Hagen denkt: Da hast du verdammt recht.

Besser könnte man unsere augenblickliche Lage nicht analysieren.

»Ihr seht hungrig aus«, stellt Miriam fest. »Wie wär's mit Käsebrot? Ich kann euch auch Latkes machen.«

Yael lässt sich auf einen der Küchenstühle fallen.

»Irgendwas«, sagte sie.

Oben schlägt eine Tür. Getrappel auf den Stufen. Shira stattet ihnen einen Kurzbesuch ab, die jüngere der beiden Töchter.

Noch minderjährig. 16.

Hagen fängt ihren Blick auf und weiß, sie treibt sich an Plätzen herum, wo man ihr das nicht unbedingt ins Gedächtnis ruft. Er sieht so was einfach. Dieser feuchte Glanz in den Augen, den nur die Erfahrung schafft. Als sie stürmisch ihre Cousine begrüßt, ist sie kurz noch mal Kind. Lädt sich den Teller voll, plappert drauflos. Muss einen Aufsatz schreiben, Biologie, Wirbellose, *iiiih*. Geht arschwackelnd hoch auf ihr Zimmer, wieder im Jugend-forscht-Modus.

Ihr Hintern sagt: An meine Wäsche lass ich dich nicht, alter Sack, aber du sollst sehen, was dir entgeht.

Miriam blickt ihr mit liebevoller Verzweiflung hinterher.

»Ofra lebt in einer WG in Jerusalem«, sagt sie, und das klingt auch nicht rasend begeistert.

»Was studiert sie denn?«, heuchelt Hagen Interesse.

»Informatik.«

»Tolle Sache, Informatik.« Davids Augen funkeln. »Ofra hat im Computer die perfekte Spiegelung ihres Ichs gefunden. Man kann darin ein Ja erschaffen, das zu größten Teilen aus Neins besteht. Stellen Sie sich das vor! Das fasziniert sie ungemein. Es dient ihr als Beweis, dass Frauen doch logisch denken können.«

»David«, sagt Miriam gedehnt.

Es kling wie »Platz!«.

Von oben dringt Musik herab.

»Also.« Ihr Blick wandert zu Yael. »Was ist los?«

Yael dehnt den Moment. Holt Luft, tief Luft, als habe sie nur diesen einen Atemzug, um alles rauszulassen.

Ungefähr so klingt es dann auch. Atemlos hetzt sie durch das Drama des heutigen Tages, als wäre sie wieder mittendrin, und in gewisser Weise ist sie das.

David und Miriam unterbrechen sie kein einziges Mal.

Erst als sie endet, sagt Miriam leise: »Großer Gott, Yael.«

Nimmt sie in den Arm und hält sie eine Weile einfach nur fest, wiegt sie wie ein kleines Kind.

»Hm.« David verschränkt mit gerunzelten Brauen die Finger. »Aber das ist nicht die ganze Geschichte. Oder?«

Schaut Hagen an, und der nimmt den Faden auf und gibt Teil zwei zum Besten, fast schon Routine: Björklund, Silberman, Übergabe, Abhöraktion, das Gemetzel in der Wohnung der Ukrainerinnen. Und verschweigt ein weiteres Mal, dass Menschen sterben mussten, weil er in seinem Hochmut alles erfunden hat. Übers Limit gegangen ist wie in Afghanistan. Würgt an der Wahrheit, verspürt das Bedürfnis zu beichten, vielleicht, weil etwas an Davids Art zuzuhören die Wahrheit geradezu einfordert.

Behält sie trotzdem für sich.

Brütende Stille.

Schließlich schüttelt Miriam wie in Trance den Kopf.

»Du hast also – du wusstest, dass Arik – dass sie ein Attentat auf ihn planten –«

»Ich hab's rausgefunden«, flüstert Yael. »Leider zu spät.«

Miriam schüttelt weiter den Kopf, als hindere sie ein Defekt im Halswirbel, damit aufzuhören.

»Warum hast du nie was gesagt?«

Yael seufzt.

Ein Stoßseufzer von ganz tief unten, über Jahre angestaut.

»Arik – ich meine, Scharon wurde bis zur OP mit Clexane therapiert. Was die Gefahr einer Embolie zwar herabsetzt, zugleich aber das Risiko einer Hirnblutung erhöht. Hinterher hagelte es Kritik. Man hätte ihm nur Aspirin geben sollen, aber im Hadassah meinten sie, es verantworten zu können. Und wahrscheinlich wäre auch gar nichts passiert, wenn – nicht –« So flüssig ihre vorherige Schilderung, so stockend dieser Vortrag. Wie ein Motor, den man immer aufs Neue starten muss. »Jemand sollte zu ihm nach Hause fahren und ihm das Zeug spritzen. Die Wahl fiel auf Yossi. Zweimal täglich ging er von da ab zur Medikamentenausgabe, quittierte den Erhalt, wurde vom Sicherheitsdienst zu Scharons Farm gefahren –« Sie setzt eine Flasche Wasser an die Lippen, trinkt wie eine Verdurstende. »Wir teilten uns ein Büro, Yossi und ich, aber es geschah kaum, dass wir zusammen drinhockten. Die meiste Zeit ist man auf der Station unterwegs, jeder von uns konnte unbeobachtet tun und lassen, was er wollte. – Bis ich eines Morgens zu früh komme. Außerplanmäßig. Yossi steht im Zimmer, so versunken, dass er mich nicht hört – und ich sehe, dass er irgendwelche Arzneien vertauscht, und – es waren natürlich nicht *irgendwelche* Arzneien –«

»Sondern die für Scharon«, sagt David leise. »Er hat sie gegen was anderes ausgetauscht, das ihn krank machte.«

»Die ganze Zeit über.« Yael nickt. »Dann entdeckte er mich.«

Hagen ist danach, laut loszulachen.

Unfassbar!

Wann hat je ein Lügner den Nagel so sehr auf den Kopf getroffen?

Yael fährt fort. »Er beschwor mich, nicht gleich loszurennen. Man setze ihn unter Druck. Also versprach ich –« Ringt die Hände. »Himmel, ich wusste doch nicht, was ich davon zu halten hatte! Ich wollte ihm wenigstens die Chance geben, es zu erklären. – Kurze Zeit später rief mich ein Typ an. Nannte sich Schimon. Du hast zwei Möglichkeiten, sagte er. Vergiss, was du gesehen hast, dann – Ihr wisst doch noch, wie schnell damals das Geld von der SELA überwiesen wurde? In voller Höhe.«

Miriam schaut Yael mit einer Mischung aus Mitleid und Entsetzen an.

»*Dafür?*«

»Vergiss alles, und wir helfen deiner Familie. Rede, und wir tun ihr weh.« Sie schluckt. »Er wusste über jeden von uns Bescheid. Wenn du jetzt losgehst, sagte er, und die Katze aus dem Sack lässt, können wir das vielleicht nicht verhindern. Aber was danach folgt, wirst *du* nicht verhindern können. – Und am Ende kriegen wir dich.«

»Und womit haben die Yossi unter Druck gesetzt?«

»Mit *seiner* Familie.«

»Entsetzlich«, flüstert Miriam.

»Was hätte ich machen sollen?« Tränen laufen über Yaels Wangen, wischt sie trotzig beiseite. »Euer Leben in Gefahr bringen? Meines? Leckt mich, hab ich gedacht. Um Scharon ist es nicht schade, ihr wisst, wie sehr ich ihn gehasst habe –«

»Hast du nicht«, sagt David. »Nur Phoebes Vorstellung von ihm.«

»*Du* warst ebenso wenig ein Fan von ihm!«

»Nein, aber wenn ich gleich jedermanns Tod wollte, dessen Fan ich nicht bin, wäre ich in Gedanken ein Massenmörder.«

»Armes Kind«, sagt Miriam. »Arme Yael.«

»Schon gut.« Yael deutet mit dem Kopf auf Hagen. »Ihn dürft ihr auch bemitleiden. Ohne Tom würde ich Yossi jetzt Gesellschaft leisten.«

Miriam schaut schuldbewusst in Hagens Richtung.

»Natürlich. Entschuldigen Sie, dass wir –«

Er hört nur mit halbem Ohr hin. Eine Bemerkung dreht Loopings in seinem Kopf.

– *wusste über jeden von uns Bescheid* –

»Wir müssen weiter«, sagt er. »So schnell es geht.«

»Ja.« David nickt. »Das sehe ich auch so.«

»Wie bitte?« Miriam rundet empört die Brauen: »Auf keinen Fall. Ich werde niemanden wegschicken.«

»Darum geht's nicht«, sagt Hagen. »Die Typen scheinen immer noch bestens organisiert zu sein. Putschisten im wichtigsten Sicherheitsapparat des Landes, mit Zugriff auf das komplette Überwachungsinstrumentarium. Jede Tür, hinter die wir gekrochen sein könnten, werden sie in den nächsten paar Stunden eintreten –«

»Aber Yael kann doch keinen von denen identifizieren.«

»Das konnte Yossi auch nicht. Überlegen Sie mal: Warum haben die beiden sechs Jahre lang überlebt?«

»Weil die Dreckskerle sicher sein konnten, dass sie dichthalten.«

»Nein.« Hagen schüttelt den Kopf. »Weil niemand wusste, dass es *überhaupt* einen Anschlag gegeben hatte. Sie würden dichthalten, stimmt, hauptsächlich aber, weil kein Mensch sie je *fragen* würde. – Und plötzlich erscheine ich auf der Bildfläche. Im Besitz von Beweisen, dass Scharon kaltgestellt wurde. Was genau sind das für Dokumente? Sie wissen es nicht. Tauchen Yossi und Yael namentlich darin auf? Können sie sich weiterhin auf das Schweigen der beiden verlassen? Was, wenn jemand sie in die Mangel nimmt und verhört? Es spielt keine Rolle, ob sie jemanden identifizieren können, alleine, das Attentat zu *bestätigen*, würde eine unkontrollierbare Kettenreaktion in Gang setzen.« Hagen beugt sich vor. »Versteht ihr? Wir bringen uns alle in Gefahr, wenn wir länger hierblieben. Wir brauchen ein Versteck, an dem uns keiner vermutet.«

Eine Weile herrscht Schweigen.

Schließlich steht David auf.

»Ein Versteck, an dem euch keiner vermutet? Der Mensch wächst an seinen Aufgaben. Gebt mir ein paar Minuten.«

Tel Aviv

In der Jewish Division erleben sie eine Überraschung.

»Kahns Familie haben wir bereits auf dem Schirm, seit die Division gegründet wurde«, klärt Adler sie auf.

»Aktivisten?«, fragt Perlman.

»Ja und nein.« Adler schiebt Schnellhefter rüber. Dreyfus ist auf dem Weg nach Kiryat Arba, sie sitzen in kleiner Runde beisammen. »Eltern und Großeltern wurden '76 im Sinai ansässig. '82 zogen sie nach Gaza. Yael war vier, als ihr Vater sich das Leben nahm, Kriegstrauma. Da hatte ihre Mutter die Familie schon verlassen. Lebt in New York, millionenschwer verheiratet, null Kontakt. Yael ist bei den Großeltern aufgewachsen.«

Ben-Tov blättert. »Eretz-Israel-Aktivisten?«

»Ganz im Gegenteil. *Quality-of-life*, mit Religion nichts am Hut. Dann gibt's da noch eine Tante in Efrat, verheiratet mit einem Rabbi, unideologisch und pflegeleicht. Gäben wir die Westbank auf, sie würden ohne zu murren ins Kernland ziehen.«

»Und Yael selbst? Extremistische Tendenzen?«

»Nichts, wovon wir wüssten.«

»Warum überwacht die Division solche Leute?«, wundert sich Perlman. »Habt ihr sonst nichts zu tun?«

Adler lehnt sich zurück.

»Es gibt noch ein Familienmitglied.«

Grinst wie Sylvester, dem Tweetys rechter Flügel aus dem Maul hängt. Wartet, dass sie von selbst drauf kommen. Perlman wirft die Stirn in Falten, dann leuchten seine Augen auf.

»*Benjamin* Kahn?«

»Yaels Großonkel«, nickt Adler. »Seinetwegen haben wir die Familie im Auge behalten, bis er sich auf unsere Seite schlug. Ben hat seinerseits fünf Kinder. Durchweg stramme Gusch-Emunim-Gefolgsleute, zweite Generation, verheiratet, eigene Kinder. Wüssten die, dass ihr Vater kollaboriert, sie würden sich entleiben.«

»Oder ihn.«

»Reuben ist auf dem Weg zu Ben. Sie treffen sich in einer Stunde.«

»Wo?«

»Kiryat Arba. Reuben gilt dort als Freund der Familie. Unternehmer und Aktivist. Er setzt sich eine Kippa auf und preist die Erlösung des Landes, das können wir hier alle ganz vorzüglich. – Habt *ihr* was über Yaels Freundeskreis?«

»Im Augenblick wissen wir nur, dass sie in einer WG lebt«, sagt Perlman. »Mit einer Freundin.«

»Wo sie bislang nicht erschienen ist«, sagt Cox. »Wir checken ihren privaten Kreis, ihre Kollegen –«

»Wo würde sie am ehesten unterkriechen?«, fragt Ben-Tov.

»Bei den Großeltern?«, schlägt Perlman vor.

»Dafür müsste sie auf den Friedhof fahren«, sagt Adler.

»Gut, ihr von der Division klappert Yaels Familie ab«, sagt Ben-Tov. »Das ist euer Revier.« Schaut in die Runde. »Vielleicht entpuppt sich die gute Yael ja als Glücksfee. Wo sie ist, dürfte Hagen nicht weit sein.«

Efrat

Der Regen hat aufgehört. Zwischen den abziehenden Wolkenmassen starren vereinzelt Sterne zur Erde, sichere Verstecke, unerreichbar weit weg.

Jede Lösung scheint unerreichbar weit weg.

Hagen steht im durchnässten Garten der Cantors und lässt den Blick über die geschwungene Scherenschnittlandschaft Judäas gleiten. Auf einigen der Kuppen verteilen sich Lichter, andere sprenkeln einen Talabschnitt weiter im Süden.

Der Rest liegt in völliger Schwärze.

»Unprogrammierter Raum.« David tritt neben ihn, eine Zigarette zwischen den Fingern. »Ofra nennt es so. Das Dunkel. Sie stellt sich die Landschaft als das Innere eines Computers vor. Die Siedlungen im Westen, Elazar, Neve Daniel, die arabischen Dörfer – dort drüben können Sie übrigens Wadi Nis sehen –, alles Ansammlungen von Daten. Dazwischen: unprogrammierter Raum.«

»Bis die Sonne wieder Tatsachen schafft.«

»Gewissermaßen.«

»Spannende Vorstellung.«

»Finden Sie? Ich weiß nicht. Mädchen sollten von anderen Dingen träumen.«

»Sie werden doch am Ende nicht altmodisch sein, David?«

»Keineswegs. Nur klug. Ich versuche, nicht aus der Mode zu geraten, indem ich gar nicht erst in Mode *komme*.« Lacht. »Na, vielleicht haben Sie recht. Früher träumten junge Mädchen von schönen Toden. War sicher romantischer, aber auch nicht so toll. Jetzt träumen sie davon, die Zukunft zu programmieren.«

Hagen stellt sich vor, wie jemand eine Maus bewegt und mit dem Cursor über das Westjordanland fährt.

Siedlungen anklickt.

Delete – Delete –

Oder arabische Dörfer, je nachdem.

Ein Windstoß fährt in den Garten und entlockt dem Baum am Ende des Grundstücks vielstimmiges Seufzen. David bläst Rauch in die Nacht.

»Reden wir Tacheles, Tom. Sie müssen verschwinden. Verwandte fallen durchs Raster. Ich dachte zwar kurz an Yaels Großonkel Benjamin, er ist sehr einflussreich, aber –«

Etwas arbeitet in Hagen.

»Benjamin Kahn?«, fragt er aufs Geratewohl.

David hebt die Brauen. »Sie kennen ihn?«

»Sein Name taucht in den Daten der Jewish Division auf.«

»Ah!« David lächelt. »Tja. Der alte Ben. Brennt für Eretz Israel. Aber die Militanten hat er auf dem Kieker.«

»Lebt er nicht in Hebron?«, entsinnt sich Hagen.

»Kiryat Arba.«

»Dann dürfte er die radikale Szene gut kennen.«

»Anzunehmen.« Zuckt die Achseln. »Wir haben wenig Kontakt.«

»Und Yael?«

»Die hatte nie Kontakt. Allenfalls als Kind.«

Hagen nagt an seiner Unterlippe. »Ich muss Ihnen nicht erzählen, wer am meisten von Scharons Aus profitierte.«

»Die militanten Messianisten«, sagt David ohne zu zögern.

»Genau. Wenn wir uns also vorstellen, dass sie die Institutionen durchsetzt haben – sogar den Geheimdienst –«

»Und jetzt soll Ben die Hintermänner ausfindig machen?«

»Er hat Verbindungen.«

»Ja, aber ob sein Einfluss reicht, Yael zu beschützen – wie auch immer. Ich habe mit einem Freund gesprochen. Er wird in einer Stunde hier sein, früher geht's nicht. Er bringt euch an einen sicheren Ort.«

»Und wohin?«

David betrachtet seine Zigarette. »Ich sollte damit aufhören. Oder? Mein Gott! Raucher und ihr langweiliges Ich-sollte-damit-aufhören. Nein, sollte ich nicht!« Nimmt einen Zug, schließt genießerisch die Augen, lässt den Rauch in einem fast rituell anmutenden Akt durch die Mundwinkel entweichen. »Nablus.«

»Was?«

»Er bringt euch nach Nablus.«

Hagen verschlägt es die Sprache. Nablus. Arabische Hochburg im Westjordanland, mehr noch, *das* Terroristenmutterschiff während der zweiten Intifada.

Was hat der Rabbi bloß für Freunde?

»Gute«, sagt David amüsiert. »Was dachten Sie denn? Dass Siedler und Araber grundsätzlich auf Kriegsfuß stehen?«

»Sie werden mir meine Verwunderung nachsehen –«

»Darin bin ich Weltmeister.«

»Aber groß ist die Liebe bekanntlich nicht.«

»Bekanntlich. Was ist Ihnen denn über uns bekannt?«

»Na ja –«

»Außer, was in Fernsehdebatten gesagt wird, dass wir dem Frieden im Wege stehen.«

»Israel war nie mein Spezialgebiet.«

»Dann wird es Zeit für ein bisschen Nachhilfe. Vier bis fünf Prozent aller Israelis leben in Siedlungen. Ein Prozent davon gilt als fanatisch und gewaltbereit. Die anderen sind friedliebende Leute, weniger als die Hälfte ist ideologisch motiviert –«

»So wie Sie.«

»Was bringt Sie zu der Annahme, ich sei Ideologe?«

»Gibt es unideologische Rabbis?«

»Ach so.« Er lacht. »Stimmt, ich mag den Mythos. Aber genau das ist er: ein Mythos. Wenn die Regierung sagt, wir lösen Efrat auf, ziehen wir weg.«

»Widerstandslos?«

»Wir sind keine Anarchisten.«

»Aber Sie würden es nicht für richtig halten.«

»Nein.«

»Warum nicht? Selbst nach israelischer Rechtsauffassung sind die meisten Siedlungen illegal.«

David saugt den Rest Leben aus seiner Zigarette.

Schnippt den Stummel über den Zaun.

»Ich erzähl Ihnen mal was, Tom. Vergangenes Jahr rückte die Armee hier mit einem Haufen Sachverständiger an. Bauingenieure, Architekten – Wussten Sie, dass die Autorität im Westjordanland nicht von der Regierung ausgeht, sondern vom Militär?«

»Ja.«

»Die Armee regelt alles. Auch den Bau der Trennanlage. Seit Jahren werkeln sie an dem hässlichen Ding rum, letztes Jahr kamen sie in unsere Gegend. Das Problem ist, selbst bei großzügiger Auslegung der Grünen Linie können nicht alle Siedlungen eingefasst werden. Entsprechend stolz verkündeten sie, Efrat komme auf israelische Seite, dabei war uns das gar nicht so wichtig. Dann zeigten sie uns, wo der Zaun verlaufen sollte.« David zeigt runter ins Tal. »Sehen Sie die Straße dort unten?«

Hagen sieht sie. Ein schmales, unwesentlich helleres Band, das den unprogrammierten Raum durchschneidet. Auf der anderen Seite glimmen die Lichter von Wadi Nis.

»Entlang dieser Route war er geplant. Ein Desaster für unsere arabischen Nachbarn, der Zaun hätte sie von ihren Feldern abgeschnitten. Das konnten wir nicht zulassen. Wir fallen uns vielleicht nicht allmorgendlich um den Hals, aber während der Intifada haben sie uns vor Terroristen gewarnt, und wir leisten medizinische Hilfe, wenn sie welche brauchen. Wir schätzen einander. Also haben wir uns zusammengetan und gemeinsam gegen den Verlauf geklagt.«

»Mit welchem Ergebnis?«

»Der Zaun wurde umgeleitet.«

»Und Ihr Freund in Nablus? Was ist das für eine herzerwärmende Geschichte?«

»Meine Schwiegereltern waren mit Arabern befreundet, Fatima und Yousef al-Sakakini. Yousefs Bruder produzierte in Nablus Tahini, sein Sohn Mansour übernahm den Laden. Heute besitzt er mehrere Sesammühlen, na, und ich handele eben ein bisschen mit Linsen, Kichererbsen, auch Sesam – der alte Yousef knüpfte den Kontakt, Mansour und ich wurden Geschäftspartner.«

Hagen denkt einen Moment darüber nach.

»Um eine Jüdin in Nablus zu verstecken, muss man mehr sein als nur ein Geschäftspartner, oder?«

»Sagen wir, ich hab was bei ihm gut.« David lächelt. »Sie werden das öfter im Westjordanland finden, Tom. Koexistenzen, kleine Freundschaften. Wird gern übersehen. Weil alle immer nur nach der großen Formel suchen: Zwei-Staaten-Lösung, gemeinsamer Staat, begrenzte palästinensische Autonomie, mitsamt dem leidigen Für und Wider. Meiner Meinung nach würde ein palästinensischer Staat im Westjordanland mehr Probleme schaffen als lösen, aber ich kann mich irren. Nur eines weiß ich sicher: Was richtig und falsch ist, beantwortet keine Formel. Vor dem individuellen Schicksal versagt jeder große Entwurf. Und der Witz ist, es gab nie was anderes. Das Kategorische, Ideologische existiert nur in den Köpfen. *Die* Israelis, *die* Palästinenser, *die* Siedler, *die* Terroristen, *die* Säkularen, *die* Religiösen. – Übrigens das Problem mit der Israel-Kritik in Ihrem Land, Tom.«

Hagen schaut ihn an. »Was meinen Sie?«

»Ihr seht alles vor dem Hintergrund eurer Geschichte. Die ist euch lästig. Uns ist inzwischen lästig, dass sie euch lästig ist. Wir können es schon nicht mehr hören, eure ständige Selbstgeißelung: Kollektivschuld über Generationen hinaus, der ganze Quatsch, und andererseits dieser verlogene Man-darf-ja-nichts-gegen-Israel-sagen-sonst-ist-man-gleich-Antisemit-Käse. Doch, man darf! Wir *wollen* Kritik. Aber wir wollen, dass ihr *genau hinschaut*. Dass ihr differenziert. Seht, wer wir *tatsächlich* sind. So wie *wir* aufhören müssen, überall Gegner zu wittern, unser lieb gewordener Opfermythos. Niemand darf auf ein Volk, eine Ethnie, herabblicken und sagen: So sind die! Mag sein, am Ende räumen wir das Westjordanland – aber vorher sollten wir uns die Mühe gemacht haben, die *Menschen* darin zu sehen. In all ihrer Unterschiedlichkeit. Die Welt mit dem Blick des jeweils anderen zu betrachten. Die Lösung wohnt *in den Menschen*.«

Hagen betrachtet ihn. »Wissen Sie was, David?«

»Was denn?«

»Sie sind zu gut für diesen Planeten.«

»Ja, das höre ich öfter.«

»Man kann nicht jedem gerecht werden.«

»Nein. Aber wir können versuchen, einander zu *sehen*.«

»Viel Glück.«

»Wünschen Sie das Yael.« David zögert. »Ganz ehrlich, Tom, was sind Ihre Absichten? Wollen Sie die Daten immer noch veröffentlichen?«

Hagen lacht freudlos. »Was bleibt mir anderes übrig?«

»Hm.«

»Die werden erst aufhören, mich zu jagen, wenn sie keinen Grund mehr dazu sehen. Wenn alles veröffentlicht ist, können sie mich ebenso gut in Ruhe lassen.«

Das hat er sich im Hotel überlegt. Aus der Nummer kommt er jetzt nicht mehr raus. Sie würden ihm nicht glauben, dass er alles erfunden hat, sollten sie ihn in die Finger kriegen (oder erst, nachdem sie ihn zu Tode gefoltert hätten, blasser Trost), nein – er *muss* es zu Ende bringen! Noch ein paar Dokumente fälschen, für den nötigen Feinschliff sorgen.

Dann ab in die Medien.

Und das wird gar nicht so einfach sein. Weil es nämlich nicht reicht, ein paar Zeilen im Netz zu posten. *Sehr* schnell *sehr viel* Öffentlichkeit herstellen, das ist der Weg.

Hamburg? Ohnehin sein Auftraggeber, vor dem er 25 Riesen rechtfertigen muss.

Er wird also Hamburg die Daten mailen –

Hamburg wird die Daten prüfen.

Prüfen.

Prüfen.
Prüfen.
Er wird hübsch portioniert in israelischer Erde liegen, vielleicht auch im Hafenbecken von Haifa, während sie immer noch prüfen. Was wäre die Alternative? Hiesige Medien? *Haaretz* zum Beispiel. Deren Interesse dürfte exorbitant groß sein, ihre Vorsicht noch größer. Hagen sieht sie die Daten prüfen, während eine Kneifzange ihn seiner Finger beraubt, wer bleibt? Julian Assange, WikiLeaks, die Lösung *par excellence*. Weltweites Aufsehen auf einen Schlag, leider verbunden mit einem kleinen, einem großen und einem Problem von der Größe eines verdammten Dinosauriers:

Klein: WikiLeaks veröffentlicht nur anonym, sprich, kein journalistisches Comeback.

Groß: Hamburg will das Geld zurück.

Dinosaurier: WikiLeaks veröffentlicht grundsätzlich in der Reihenfolge des Eingangs, und da geht gewaltig viel ein, und hinzu kommt, dass sie die Eingänge PRÜFEN, was also immer er tut, zuvor muss er es schaffen, dieses Land zu verlassen.

David nickt. »Ihnen ist klar, dass Yael in noch größeren Schwierigkeiten steckt? Für Sie mag das Ganze mit der Veröffentlichung erledigt sein, meine Nichte werden sie weiter jagen. Sie ist eine Zeugin. Würde sie aussagen –«

»Ja«, sagt Hagen zerknirscht. »Ich weiß.«

Das bedrückt ihn. Aber vielleicht kann er ja was gutmachen.

»Ich verspreche, ich pass auf sie auf«, sagt er. »Wir müssen beide raus aus Israel, dann sehen wir weiter.«

»Sie wollen, dass ich Yael Ihrem Schutz anvertraue?«

»Ja.«

»Das dachte ich mir.« David seufzt. »Nun, Mansour und ich haben uns Gedanken gemacht. Da ihr in Nablus kaum euren dauerhaften Wohnsitz einrichten werdet, hat er einen Plan entwickelt, euch außer Landes zu bringen.«

Hagen horcht auf.

»Und wie soll der aussehen?«

»Das wird er euch selbst erzählen. Lassen Sie ihm die Freude.«

Tel Aviv

Das Fitnessstudio des Zentralkommandos ist gut besucht.

Cox liegt, Kopf nach unten, Fingerspitzen an den Schläfen, auf der Schrägbank und absolviert Sit-ups. Die Muskelstränge ihres Sixpacks poppen auf, wann immer sie sich hochbiegt, linker Ellbogen an rechtes Knie, rechter Ellbogen an linkes Knie. Ein makellos definiertes vaskuläres Relief, aber sie ist unzufrieden.

Zwei Kilos zu viel. Ein Ärgernis, das in der landschaftlichen Schönheit ihres Körpers keine sichtbaren Spuren hinterlässt, dennoch müssen sie runter. Sie verdanken sich den Kochkünsten eines Mannes, von dem sie inzwischen keinen Salzstreuer mehr entgegennehmen würde.

Oder vielleicht doch.

Um ihm das Ding an den Kopf zu werfen.

Seit vier Wochen ist Cox wieder solo.

Dabei schien sie endlich das große Los gezogen zu haben: Polizeioffizier, zwei Meter Scheitelhöhe, *richtig* gut aussehend, witziger Typ, Meister in der Zubereitung von Pastasaucen und etlichem mehr, was (zu) gut schmeckt, Titanensex.

Drei Jahre waren sie zusammen.

Glücklich, jeder auf seine Weise.

Sie mit ihm, er mit ihr und außerdem mit einer eins sechzig großen Stenotypistin und – wenn die keine Zeit hatte – einer Ermittlerin aus dem Drogendezernat, und das alles VOM BESCHISSENEN ERSTEN TAG IHRER BEZIEHUNG AN!

Rechter Ellbogen, linkes Knie –

Jede dieser Fettzellen muss verbrannt, jede in ihr abgelagerte Erinnerung an ihn getilgt werden. Mit jedem Tropfen Salzwasser, den sie ausschwitzt, wird sie ihn abtrainieren, sich von ihm reinigen, ihn ungeschehen machen. Cox ist erwachsen geworden. Sie haut Männer, die ihr wehtun, nicht mehr zu Matsche. Der Sport kanalisiert ihre Emotionen, reduziert das Leid auf ein erträgliches Maß. Wäre sie von Rache getrieben, der Dreckskerl würde schnell bitterböse Erfahrungen machen. Dafür müsste sie nicht mal sonderlich viel nachdenken. Zwei Stunden Verstandesarbeit auf unterster Stufe, der Aufgabe gewidmet, sein Privatleben und seine Karriere zu zerstören, und er bekäme binnen weniger Wochen kein Bein mehr auf die Erde.

Aber Auge um Auge macht nicht glücklich.

Nur blind.

Linker Ellbogen, rechtes Knie –

Sie wird noch eine Weile dran zu knabbern haben, doch wenigstens zehrt die Wut sie nicht mehr innerlich auf. Das wilde Mädchen vom Busbahnhof, dessen Intelligenz und Körperkraft sich früher oder später gegen die Gesellschaft gerichtet hätten, hat gelernt, Verantwortung zu übernehmen. Rückblickend erscheint ihr die alte Shoshana – dumpf, grobschlächtig, ihren Gefühlen ausgeliefert – wie eine Puppe, der sie entschlüpft ist, oder seien wir ehrlich, immer noch entschlüpft, aber sie hat schon ein gehöriges Stück geschafft.

Irgendwann werde ich frei sein, denkt sie.

Richtig frei.

Hoffentlich nicht gleichbedeutend mit einsam.

Soll sie auf Frauen umsteigen? Ohnehin laufen die Lesben ihr hinterher wie Gollum seinem *Schaaaatz*, nur gibt es da ein Problem: Sosehr sie auch irgendwelchen unausgelebten Neigungen nachspürt, kann sie nichts dergleichen in sich entdecken.

Cox ist nicht lesbisch.

Rechter Ellbogen, linkes Knie –

Pause, hängen lassen.

Es rauscht in ihren Ohren. Sie stellt sich vor, wie zusätzliches Blut aus Unterkörper und Thorax in ihr Hirn geschwemmt wird und den Fluss ihres Denkens beschleunigt. Viskose, rätselhafte Ströme, die durch die Lichtlosigkeit ihres Schädels blubbern, sich auf gewundenen Bahnen kreuzen, vereinigen, Fragen und Beobachtungen zu Mutmaßungen zusammenführen.

Was einem so alles in den Kopf kommt.

Tal Adler.

Ihre verkorkste Zusammenarbeit vor sechs Jahren.

Wie er es vermasselt hat.

Der stete Fluss des Blutes lockert festsitzende Gedanken, spült sie hinweg, legt Erkenntnisse frei –

Cox schwingt sich hoch und geht zur Butterfly-Maschine, platziert sich breitbeinig auf dem schmalen Sitz. Drückt Po und Rücken fest gegen die weiche Lehne. Umfasst die Griffstangen, führt sie vor der Brust zusammen, zieht die üppig aufgeschichteten Stapel der Gewichte in die Höhe.

Falsch, Shoshana. Adler hat es damals nicht einfach vermasselt.

Er hat es –

ABSICHTLICH vermasselt.

Sie verharrt, schockiert von dieser Möglichkeit.

Hält die Gewichte in der Schwebe.

Wäre das denkbar?

Führt die Arme langsam auseinander. Der Gedanke pocht, pulsiert in ihr, leuchtet unheilvoll. Was müsste ein Agent der nationalreligiösen Rechten, bei der Division eingeschleust und in gehobener Position, die ihm Zugang zu praktisch allen Ressourcen und Informationen verschafft – was müsste der tun, um seine Vorgesetzten dauerhaft zu täuschen?

Erfolge verbuchen. Verhaftungen durchführen.

Dafür sorgen, dass seine Arbeit nicht in Zweifel gezogen wird.

Und die richtig bösen Jungs schützen.

Hier und da darf es nach Fehler aussehen. Jeder macht Fehler. Im Wesentlichen aber muss er den Geheimdienst durch Desinformation in die Irre führen. Von der wahren Bedrohung ablenken. Ihn auf die Strauchdiebe hetzen, damit die gefährlichen Typen bei Tee und Gebäck ihre Welteroberungspläne verfeinern können.

Tal Adler – ein Maulwurf?

Das wäre allerdings Wahnsinn.

»Das *ist* Wahnsinn«, sagt Perlman.

Wie zu erwarten trifft sie ihn im Büro an. Immer häufiger verbringt er seine Abende hier. Armer Ric, denkt sie. Hast dein Zuhause auch nur, um beim Schlafen nicht nass zu werden.

»Einer muss es sein«, beharrt sie.

»Warum Adler?«

»Warum nicht Adler?«

»Ich weiß, Sie haben was gegen ihn –«

»Ich hab was *Konkretes* gegen ihn! Die Schädlinge hocken nicht unter der Türritze. Sie exponieren sich, da hat Dreyfus völlig recht. Hier geht's um fanatische Siedler, Scharons Abkopplungspläne, Hebron – mindestens einer *muss* eine leitende Position in der Division innehaben.«

Perlman nimmt seine Goldrandbrille ab.

Zieht ein Tüchlein aus der Innentasche seines Jacketts.

Beginnt sie zu putzen.

Die Nummer schon wieder.

Cox läuft auf und ab. Sieht ihn Zeit schinden.

»Ich glaube, sie ist jetzt durchsichtig«, sagt sie.

Er steckt das Tüchlein ohne Eile wieder weg und rückt die Brille auf dem Nasenrücken zurecht.

»Wollen *Sie* Dreyfus erklären, Adler sei ein Verräter?«

»Wenn's sein muss.«

»Und wenn Sie mit Ihrem Verdacht gegen die Wand fahren?«

»Sind Sie mein Airbag.«

Ihre Chuzpe entlockt ihm ein Stirnrunzeln. »Ich blas mich aber nicht gern auf, Shana. Vor allem nicht bei einer so dürftigen Beweislage.«

»Beweise lassen sich finden.«

»Wo?«

»In Adlers Vita. Fall für Fall, den er bearbeitet hat.«

»Shana, das *geht* nicht!« Er ist jetzt fast ein bisschen zornig. »Es gibt eine Abteilung für interne Ermittlungen. Wenn Sie einen Verdacht haben, informieren Sie die.«

»Den überforderten Haufen, der gerade versucht, 3000 Leute auf links zu drehen?«

»Ohne Rückendeckung werden wir niemanden ausschnüffeln.«

»Ich soll also nicht mit Dreyfus reden?«

»Sie haben nichts, um mit ihm zu reden.«

Cox versucht ihre Wut zu zügeln. Schlägt die geballte Faust in ihre Handfläche. Sieht, wie es auch in Perlman arbeitet.

»Dann tun Sie was anderes für mich.«

»Ich höre.«

»Wenn Adler und sein Team Kahns Freundes- und Familienkreis abklappern, bin ich mit meinen Leuten dabei.«

Perlman seufzt. »Befragungen in den besetzten Gebieten –«

»– sind Sache der Jewish Division. Weiß ich. Aber diesmal arbeiten wir übergreifend.«

»Im selben Sandkasten. Jeder mit seinen Förmchen.«

»Ric, bitte!« Sie stützt sich auf seinen Schreibtisch, beugt sich vor. »Sie *kennen* mich. Verfügen Sie es. Reden Sie mit Dreyfus.«

»Ich soll Katz und Hund losschicken?«

Da ist er nun wirklich nicht begeistert.

Ganz und gar nicht.

Aber, wie schon gesagt, es arbeitet in ihm. Als seine Hand mechanisch zur Brille fährt, weiß sie, in wenigen Minuten wird sie ihn so weit haben.

2000

Jerusalem

Yael tanzt vor einer Wand aus Licht.

Lebendiges Licht, flüssiges Licht, Explosionen von Licht zum düster treibenden Technobeat.

Das Tanktop klebt ihr am Körper, sie badet in Farben und elektronischen Klangschwaden, reckt beide Arme wie zum Gruß an den deutschen DJ auf der Kanzel, der heute hier auflegt.

Sven Väth, Contact.

Sirrende Trancebögen über Bassdrum und HiHat.

Clicks & Cuts.

Gutes Zeug, das einen davonträgt.

Auf der Videowand blitzen stroboskopartig Galaxien auf, wie Positionsleuchten eines landenden Raumschiffs durchpflügen Deckenspots den riesigen Raum.

Bumm, bumm, bumm –

Vier Uhr früh.

Lichtgewitter in ihrem Kopf.

Sie hat ein bisschen Ecstasy eingeworfen, reines MDMA, tanzt gegen das miese Gefühl an, das sich in ihr ausbreitet, versucht, es auszuschwitzen, und weiß, morgen wird es umso schlimmer sein.

Na, wenn schon.

Jetzt gerade wird es deutlich besser.

MDMA, Wodka-Red Bull und 150 bpm tun das ihre, um eine Dosis Glück zu erzeugen, die länger vorhält, als der Laden hier aufhat. Und es wird noch eine ganze Weile dauern, bis er schließt. Die Tanzfläche ist rappelvoll, Mädchen mit fliegenden Haaren in knallengen Kleidern und bauchfreien Tops, muskulöse Typen, die Oberarme tätowiert, das Haar soldatisch kurz gestutzt. Eines dieser Testosteronpakete tanzt sich gerade zu Yael vor. Schlängelt sich heran, während die rituelle Anbetung der Turntables in die nächste Runde geht. Ekstatisch wogt die Menge unter einer gigantischen LED-Röhre, durch die man vielleicht in ein anderes Universum gelänge, könnte man nur hoch genug springen.

Haoman 17.

Einer der großartigsten Klubs der Welt.

Und das in Jerusalem, Leute.

Soll noch einer sagen, Tel Aviv feiert, Jerusalem betet. Hier performen die besten DJs der Welt. Offer Nissim, der Mann, der wie eine Frau aussieht, die wie ein Mann aussieht, und der Madonna remixt wie kein Zweiter, Paul van Dyk, Laurent Garnier, Paul Oakenfold, DJ BaGo, Nachwuchs wie Eli Amsalevski und Samantha Ronson. Gut, unterm Strich wird in Tel Aviv immer noch mehr Party gemacht als am Ölberg.

Aber such da mal einen Klub wie das Haoman 17.

Sprich, der Ausflug lohnt sich. Zum Ende des Sabbats ganz besonders, aber auch unter der Woche, wenn tags drauf nicht gleich wichtige Vorlesungen anstehen.

Nur um den Abend zu *starten* –

Da eignet sich Tel Aviv besser!

Also haben sie's auch heute so gehalten, Yael, Liz, Moria, Itzik und Schlomi, das Dream-Team.

Bewährte Konstellation.

Haben im Ashkara gegessen, Baba Ganoush, Taboulé und natürlich Hummus, köstlich mit Pinienkernen. Du brauchst eine Grundlage, bevor du es krachen lässt. Sind ins Ha'Minzar am Carmel-Markt gewechselt, unangestrengter Laden, weil nicht im Mindesten glamourös, Kneipenflair, viel Holz, viel Bier, genau das Richtige, um die zweite Runde einzuläuten und ein bisschen zu quatschen. Klar gibt es auch in Jerusalem nette Kneipen, aber da kann es dir schnell passieren, dass du auf eine Gruppe junger Armeeangehöriger stößt, die dir im vollen Drillich Diskussionen aufnötigen, auf die du gerade nicht die geringste Lust verspürst. Vor allem Rekruten entwickeln einen fast schon paranoiden Rechtfertigungszwang, sie setzen dir auseinander, dass die israelische Armee die fairste der Welt ist, wer sonst warnt seine Feinde auf Flugblättern, wo er zu bomben gedenkt, und kannst du dir vorstellen, wie es ist, in Orten voller zorniger Palästinenser auf Patrouille zu gehen und von bloßen Blicken gelyncht zu werden?

Sicher können sie das.

Sie haben schließlich alle ihren Wehrdienst geleistet.

Nur, *ihr* Wehrdienst ist zu Ende.

Jetzt denken sie über anderes nach, Ausbildung, Studium, Geld, Job, Reisen, Kinder. Worüber man halt so nachdenkt im permanenten Ausnahmezustand, wie Yael kürzlich gewitzelt hat, morgens um sieben im Jerusalemer Burger King, Pierre Koenig Street. Besagte Soldaten am Nebentisch sowie eine Handvoll amerikanischer Austauschstudenten, die schwer angetrunken hereingestromert kamen und von ihnen wissen wollten, wie man Spaß haben könne in ständiger Gefahr, von irgendeinem Arsch in den Tod gerissen zu werden.

Immer dieselbe Leier, und Yael sagte:

Ausnahmezustand?

Ich zeig euch, was Ausnahmezustand ist.

Kommt mit ins Haoman 17, beste Sound- und Lichtanlage des ganzen Nahen Ostens, eine Nacht lang Hardcore, Acid, Trance und Tribal House, bei schönstem Wetter unter freiem Himmel, es endet und endet nicht, du tanzt und tanzt und tanzt und tanzt –

DAS ist Ausnahmezustand.

Also erzählt mir nichts von Gefahr, Selbstmordattentätern und vergeigten Friedensgesprächen.

Nicht heute.

Aber genau das taten sie natürlich, Frieden, bla bla – Camp David – bla bla – Chance vertan, bla bla –

Und die Soldaten wickelten mit frustrierten Blicken ihre Burger aus dem Papier und schimpften, die geplatzten Verhandlungen im Juli seien ja wohl nicht Israel anzulasten. Habe Ehud Barak nicht beispiellose Offerten gemacht? Als erster israelischer Premier der Teilung Jerusalems zugestimmt? Arafat den Palästinenserstaat sozusagen auf dem Silbertablett gereicht, und der Herr *Friedensnobelpreisträger* lässt die Verhandlungen platzen, weil er die Souveränität über den Tempelberg nicht teilen will?

Und sie sagten: Ja, klar.

Jaaaa –

Und die Soldaten steigerten sich in ihren Frust hinein und erklärten ihnen, dass Arafat sich zu sehr in seiner Opferrolle gefalle, um sie aufgeben zu wollen, stinkreich sei er mit dem Terror geworden, der hätte Camp David auch vor die Wand fahren lassen, wenn Barak ihm den ganzen verdammten Tempelberg *geschenkt* hätte, dann wäre er eben auf dem uneingeschränkten Rückkehrrecht für palästinensische Flüchtlinge und ihre Nachnachnachfahren herumgeritten, irgendwas hätte der schon gefunden, um nicht unter Beweis stellen zu müssen, dass er in Friedenszeiten einen Staat managen kann, der intrigante Drecksack, *er selbst* sei das Problem der Palästinenser und nicht Israel, und was sich da seit Monaten ankündige, sei nichts Geringeres als eine zweite Intifada, da kannst du mal drauf wetten! Und die Austauschstudenten, noch ganz kirre von den Frühnachrichten, wo über den jüngsten Hisbollah-Anschlag an der israelisch-libanesischen Grenze berichtet wurde, sprachen Yael mit karierten Blicken ihre Bewunderung dafür aus, in SO einem Land leben zu können.

Unter DIESEM Druck!

Ja, wie sie denn da schlafen könne?

Indem ich mich ins Bett lege und das Licht ausmache, ihr Vollpfosten.

Gott, kann einen das ermüden!

Darum haben sie das Vorprogramm in Tel Aviv absolviert, wo du größere Chancen hast, von derlei verschont zu bleiben. Haben Bier getrunken, sich übers Studium unterhalten, Kino, Literatur, Mode und das Tel Aviver Konzert der Red Hot Chili Peppers, und es war immer noch zu früh, um nach Jerusalem zu fahren, also schauten sie kurz im Riff Raff vorbei und ließen sich von durchgeknallten Kunststudenten und einem schwulen Pärchen volllabern, das verträumt den Achtzigern nachhing, als im Koloa, Tel Avivs Königsadresse für New Wave, die Party niemals endete, als noch *richtig* gefeiert wurde, das seien noch Zeiten gewesen! Heute hingegen, in dieser depressiven Stimmung –

Und Yael dachte, mag sein.

Als im Koloa die Post abging, war ich zehn.

Und als sie gerade zahlen wollten, kamen diese Journalisten an ihren Tisch.

Lichtgewitter. Der Puls der Bassdrum.

180 bpm, Happy Hardcore.

Wir hätten nicht mit denen reden sollen, denkt Yael, während sich das Testosteronpaket rantanzt. Ein Hüne. Rasierter Schädel, beeindruckendes Muskelspiel. Der geborene Held. Sie kann ihn förmlich sehen im klaustrophobischen Gassengewirr irgendeines Flüchtlingslagers, Sturmgewehr im Anschlag. Einer, dem sie das Grinsen schon aus dem Gesicht schießen müssen.

Yael stellt sich vor, wie er auf ihr liegt.

Dann, wie sie auf ihm sitzt.

Unglaublich, mit welcher Leichtigkeit und Eleganz sich der Koloss bewegt.

Die wildesten Tänzer?

Soldaten und Polizisten. Beiderlei Geschlechts. Im Ernst. Tagsüber Kampfmaschine, nachts Tanzmaschine.

Auf Droge?

Logisch.

Wie sonst sollen sie fertig werden mit dem Druck? In den Clubs können sie Dampf ablassen, und das MDMA hilft ihnen, die enervierenden Patrouillengänge und Strafeinsätze gegen Terroristen zu vergessen, die immer öfter fällig werden. Der eigentliche Grund, warum sie so wild tanzen und so guten Sex haben, ist, dass sie gegen die Angst anfeiern, ihren ständigen Begleiter, da es in diesem Land keine klaren Frontverläufe mehr gibt. Ich hier, Feind da? Vergiss es. Der Terror dieser Tage ist wie Krebs, er kommt von innen. Kann überall ausbrechen. Unvermutet. Heftig. Wo du als Israeli gehst und stehst, jeder Moment könnte dein letzter sein, da hatten die besoffenen Amis schon recht.

Ganz besonders, wenn du Uniform trägst.

Helden?

Noch mal, vergiss es! Der Koloss da mag im Einsatz grinsen, aber nur so lange, bis ihm das Entsetzen die Gesichtsmuskeln verzerrt.

Sie taxiert ihn.

Schätzt schon, dass er was eingeworfen hat.

Na, dann passen wir ja wunderbar zusammen.

Im Augenblick ist sie gut drauf, aber sie weiß, das hält nicht ewig vor, und noch mehr Pillen wird sie nicht schlucken. Yael ist kein Junkie. Einige finden, sie tendiere zur Hemmungslosigkeit, tatsächlich lebt sie äußerst kontrolliert. Heute wird sie sich nur noch eine Droge gönnen.

Ihn.

Um die Journalisten und das, was sie aufgewühlt haben, zu vergessen.

Dabei waren die eigentlich ganz nett. Führten eine Studie durch für irgendein deutsches Institut, das die Stimmungslage junger Israelis untersuchte. Vernünftige Fragen. Nicht der übliche Sermon zur Siedlungspolitik oder ob sie die Araber hassen. Fragen zum Alltag, und wie sie ihre persönliche Zukunft einschätzen.

POSITIV natürlich!

Jeder von ihnen ist guter Dinge. Wie auch anders? Sie studieren Medizin, in wenigen Jahren werden sie gefragte Chirurgen, Anästhesisten und Internisten sein. Vorausgesetzt, sie lernen fleißig.

»Und Kinder? Wer von euch will Kinder?«

Moria will am liebsten vier.

Liz irgendwann eines, aber erst mal Karriere machen.

Sieht Itzik genauso.

Schlomi findet, man kann Kinder haben *und* Karriere machen.

»Klar«, sagt Liz. »Du machst Karriere, und deine Frau hat die Blagen am Hacken. Super.«

Sie diskutieren ein bisschen über Gleichberechtigung.

In der Armee, zum Beispiel.

»Wo hätten wir denn da Gleichberechtigung?«, will Moria wissen.

»Ich bitte dich.« Itzik schüttelt den Kopf. »Wenn es *eine* Institution in Israel gibt, die für Chancengleichheit steht, dann ja wohl die Armee.«

»Weil Kranführer Juristen kommandieren?«

»Weil sie das beste Ausbildungssystem der Welt hat«, erklärt Itzik den Journalisten. »Chemiker, IT-Entwickler, Pilot, Journalist, ich meine, es gibt keine bessere Journalistenschmiede als das Armeeradio. Du kannst in die Politik gehen, zum Geheimdienst –«

»Es bis zur Sekretärin bringen«, höhnt Moria. »Stimmt.«

Itzik verdreht die Augen. »Entschuldige mal, Mo, meine Schwester ist beim militärischen Abschirmdienst, Auswertung von Funkverkehr, und sie *kommandiert* die Truppe.«

»Wusste ich ja noch gar nicht.«

»Dann höre hin und lerne.«

»Und bislang ist ihr noch keiner an die Wäsche gegangen?«

»Doch, aber mit dem ist sie inzwischen verheiratet.«

»In der Armee kommen ständig Beziehungen zustande«, sagt Schlomi achselzuckend. »Bleibt doch nicht aus.«

»Von wegen, *fuck the Palestineans*«, grinst Liz.

»He, das ist echt peinlich«, sagt Moria, muss aber lachen. »Willst du dich damit abgedruckt sehen?«

»Mo gibt die Heilige«, amüsiert sich Itzik.

»Tu ich nicht.« Moria beugt sich zu den beiden Deutschen vor. »Aber es ist nun mal so, dass die Armee immer religiöser wird. Versteht ihr? Problem Nummer eins, nationalreligiöse Männer weigern sich zusehends, mit Frauen zu trainieren. Huh, eine Frau! Ich erblinde. Ich könnte Haut sehen. Sündig, sündig! Zweitens, religiöse Offiziere haben es nicht so gerne, wenn Frauen befördert werden. Gar nicht gerne.«

»Aber die Religiösen sind doch in der Minderzahl, oder nicht?«, fragt der Journalist.

»Ja. Problem Nummer drei.«

»Wieso Problem?«

»Weil die Nichtreligiösen ihre Munition nicht halten können.«

»Jetzt hör aber mal auf!«, erregt sich Itzik. »Du tust gerade so, als sei der Wehrdienst eine einzige Gang Bang Party.«

»Du hattest ja auch nicht ständig die Griffel deiner Ausbilder am Hintern«, springt Yael Moria zur Seite.

»Ihr übertreibt.«

»Hey, gibt's 'ne 24-Stunden-Hotline für Soldatinnen, die sich belästigt fühlen, oder nicht? Und da ist ständig besetzt.«

»Ich kenne jede Menge Soldatinnen, die es drauf anlegen.«

»Ach du Scheiße, Itzik.«

»Jetzt sag *ich* euch mal was«, erklärt Schlomi den Journalisten. »Erstens, seit zwei Jahren haben wir eine umfassende Gesetzgebung gegen sexuelle Belästigung in der Armee. Die war auch fällig, da hat Moria ganz Recht, Zahal ist schon ein ziemlich chauvinistischer Haufen. Eine andere Direktive, ganz neu, verbietet es Soldatinnen, ihre Uniformhosen tiefer zu tragen als vorgesehen. Noch Fragen?«

Abgesehen davon sind sie sich einig, dass die Armee der verbliebene Eckpfeiler des israelischen Selbstvertrauens ist.

Okay, neben Justiz und Polizei.

Die Politik ist es ganz sicher nicht.

Das war der Moment, an dem sie das Gespräch hätten abbrechen sollen. Als die Stimmung noch schwerelos war. Wenn du einmal mit Politik anfängst, hörst du nicht mehr auf.

Und die Quintessenz ist, dass sie keinem Politiker zutrauen, den Nahostkonflikt in den Griff zu bekommen.

Oder überhaupt einen Konflikt.

Schlomi: »Weltweit geht die Wirtschaft in den Keller, die Emerging Economics sind auf Talfahrt, der Nasdaq-Börsenindex ist um 50 Prozent eingebrochen. Wir haben die schwerste Rezession in der Geschichte Israels, explodierendes Haushaltsdefizit, Langzeitarbeitslosigkeit, negatives Wachstum beim Bruttosozialprodukt, Sozialhilfe wird zusammengestrichen, und was hörst du aus der Knesset? Gestammel.«

Schlomi in seinem Element. Hat sich neben Medizin noch ein paar Semester Ökonomie aufgehalst.

»Keiner von denen hat einen Plan, versteht ihr? Netanjahu hatte keinen, Barak hat keinen. Sie erhöhen die Steuern, kürzen die Transferzahlungen, bauen die staatliche Verwaltung ab, mehr fällt ihnen nicht ein. Israel war mal ein Land für alle. Jetzt wird den Reichen Zucker in den Arsch geblasen, und die Armen werden noch ärmer.«

Der Journalist mit dem Diktafon wechselt die Kassette.

»Aber eure persönliche Zukunft seht ihr positiv, richtig?«

»Meine persönliche Zukunft ist, was ich draus mache.« Liz grinst. »Und ich bin *guuuut*!«

»Und wo findet diese Zukunft statt? In Israel?«

»London.«

»London?«

»Am liebsten. *Well, well!* Ich finde London cool.«

»Und warum nicht Tel Aviv? Oder Jerusalem?«

Mit der Frage tun sie sich schwer, dabei ist sie gar nicht schwer zu beantworten. Sie müssten nur ehrlich sein.

»Kommt immer drauf an, wo du die besten Arbeitsbedingungen vorfindest«, meint Moria.

»Klar.« Liz nickt. »Als Arzt steht dir die Welt offen.«

»Und Israel ist ein kleines Land.« Schlomi. »Wir produzieren eine Menge Akademiker, Ärzte, Forscher, IT-Spezialisten, aber kriegen wir hier auch alle vernünftige Jobs? Ich meine, acht Millionen Menschen! Mehr sind's nicht. So viele Stellen in Krankenhäusern sind nicht zu besetzen, und der Bedarf an Praxen –«

»Red nicht um den heißen Brei rum«, unterbricht ihn Yael.

»Wieso? Was red ich denn?«

»Es geht doch nicht darum, ob einer von uns hier eine Stelle kriegt.«

»Sondern?«

»Dass der Zug abgefahren ist. Kein Frieden, keine Lösung in Sicht. Keinerlei Perspektive. Niemand hat eine Idee. Scheiß auf die Angebote, klar kriegst du einen Job. *Wir* haben eine Zukunft, die Frage ist, ob *dieses Land* eine Zukunft hat! Ob wir hier wirklich alt werden wollen.«

Itzik will.

Die anderen –

Jetzt wird so richtig am Lack gekratzt, und natürlich haken die Journalisten nach. Nun kommen sie doch, die Fragen, wie es sich lebt in einem Klima fortgesetzter Bedrohung, umgeben von Feinden, unterwandert von Selbstmordattentätern.

»Scheiße lebt es sich«, konstatiert Yael. »Was denn sonst?«

»Und es gibt keinen Politiker, der das ändern –«

»Wenn wir Politikern vertrauen, haben wir bald kein Land mehr«, sagt Itzik. »Sie geben es weg, und wofür?«

Oslo sei aber doch ein mutiger Schritt gewesen.

»Und was ist dabei rausgekommen?«, fragt Liz.

»Immerhin ein Friedensabkommen.«

Yael muss schallend lachen. Fühlt ihre Stimmung kippen und kann nichts dagegen machen.

»Von welchem Frieden redet ihr? Wir haben ja nicht mal Frieden im eigenen Land. Wenn Rabin noch leben würde, okay, dann hätten wir Frieden. Der hätte das hinbekommen. Aber so?«

Alle nicken. Bei Rabin sind sie sich einig, sogar Itzik, und der steht ziemlich weit rechts.

»Ihr habt eine Demokratie«, sagt der Journalist. »Die einzige funktionierende Demokratie im Nahen Osten, und da soll es nicht möglich sein, Verbesserungen zu erkämpfen?«

Erkämpfen. Wie hübsch.

»Ja, wir haben eine Demokratie«, sagt Yael.

»Also könnt ihr Einfluss nehmen und –«

»Eine Demokratie, in der Premierminister erschossen werden.«

Schweigen. Weniger, dass jemand über den Einwand erschrocken wäre, es hat eher den Charakter einer Gedenkminute.

»Was wollt ihr hören?«, schnauzt Yael die Journalisten an. »Wie treu wir zu unserem Land stehen? Kämpferische Israelis, die sich nichts gefallen lassen? Wackere Zionisten? Meine Generation wurde von vorne bis hinten beschissen, das kannst du schreiben. Wir hatten nie eine Wahl. Wir sind mit der Arschkarte auf die Welt gekommen.« Lässt die flache Hand auf die Tischplatte klatschen, steht auf. »Ich weiß ja nicht, was ihr macht. Ich fahr jetzt nach Jerusalem.«

Tanzen. Auf Tuchfühlung.

Das Testosteronpaket heißt Elior. Überraschend kindliche Stimme, fast schon rührend, aber die Ausbeulung in seiner Hose spricht dafür, dass man mit ihm eine Menge Erwachsenenspaß haben kann.

Sie tanzen, bis im Haoman 17 das Rausschmeißerlicht angeht.

Stolpern durch Konfettischnipsel, herumkollernde Flaschen und Plastikmüll nach draußen.

Autsch! Hell.

Nehmen ein Sherut, ein Sammeltaxi, die ganze Truppe. Im Höllentempo brettert der Wagen zurück nach Tel Aviv, als wolle es der aufsteigenden Sonne entkommen.

Oh, Elior ist gut. Noch besser als erwartet. Es ist wunderbar mit ihm, und sie genießt jede Sekunde, denn sie weiß, den Nachmittag und den Abend wird sie am Boden eines Lochs verbringen.

Das ist einfach so, wenn man zu depressiven Schüben neigt.

Also fliegt sie, so lange sie kann.

Gaza, Elei Sinai

Jehuda begutachtet die Arbeiten am fünften Gewächshaus.

Beziehungsweise, er begutachtet den Stillstand der Arbeiten am fünften Gewächshaus. Entlang der Baustelle stapeln sich Stahl-Aluminium-Streben und Hunderte originalverpackter S3-Kunststoffplatten, flattern Folien im Wind, liegt Werkzeug im Dreck herum.

»Wo sind die Monteure?«, fragt er Ilias verwundert.

»Nicht gekommen.«

»Hat wenigstens mal einer angerufen?«

»Du weißt doch, wie die sind.« Der Vorarbeiter zuckt die Achseln. »Palästinenser halt.«

Als wäre er nicht selber einer, aber Jehuda ist klar, was er meint. Das alles erinnert an den Ausbruch der Intifada Ende der Achtziger. Einmal mehr sind die Araber im Gazastreifen hin und her gerissen. Opponieren gegen die Besatzung, zugleich sind sie froh um jeden Job, den ihnen die Siedler geben, so wie hier die Arbeitslosigkeit grassiert. Man arrangiert sich, kommt sich näher, und plötzlich bleiben sie weg.

Weil sie Angst haben.

Und zwar nicht vor den Siedlern. Sie ängstigen sich vor ihrer Führung, die mal wieder zur Jagd auf Kollaborateure bläst, und wie schnell wird man zum Kollaborateur! Sag einem Juden die Uhrzeit, schon bist du einer. Davon, ins Kahn'sche Gewächshaus zu fahren und dir dort dein Einkommen zu sichern, wollen wir gar nicht erst anfangen.

Jetzt ist wieder etwas im Gange.

Seit über einem Jahr erzittert Israel unter immer neuen Schockwellen der Gewalt, werden Siedler attackiert, fliegen Busse in die Luft, detonieren Bomben auf Märkten und in Cafés. Arafat wird nicht müde, die Anschläge zu verurteilen und fleißig Terroristen einzubuchten, nur sind die immer verdächtig schnell wieder draußen und tauchen ab in den Untergrund. In Jerusalem kommen sie kaum noch damit nach, den Palästinenserpräsidenten an seinen Friedensnobelpreis zu erinnern, der seinerseits feststellt, Israel verschleppe die Abkommen, wen wundere es, dass sich der Frust in Gewalt entlade.

»Vielleicht solltest du endlich auf jüdische Arbeitskräfte umschwenken«, sagt Ilias und lächelt. »Abgesehen von mir natürlich.«

»Du kennst meine Einstellung.«

»Ja, ich kenne deine Einstellung. Aber im Moment bringt sie dich nicht weiter als bis hierhin.«

Hält die Hand so hoch, wie die Umfriedung des Fundaments reicht, auf dem das Treibhaus längst hätte entstehen sollen.

30 Zentimeter.

Und leider muss Jehuda ihm recht geben. Auch wenn arabische Arbeiter nur die Hälfte dessen kosten, was Juden verlangen. Auch wenn er es als seine Pflicht ansieht, den Menschen in der Region zu helfen. Die meisten hier leben in bitterer Armut, betreiben eine archaische Form des Ackerbaus, die kaum genug abwirft, um sie und ihre Familien über Wasser zu halten. Die Korrumpierbarkeit der Autonomiebehörde, der Zank zwischen Hamas und Fatah, die ständigen Zusammenstöße mit Israels Sicherheitskräften, all das trägt wenig dazu bei, im Gazastreifen eine funktionierende Wirtschaft in Gang zu setzen.

Wir siedeln auf diesem Gebiet, denkt Jehuda.

Wir tragen Verantwortung.

Sein Blick wandert über die verödete Baustelle.

Eigentlich bräuchten sie gar kein fünftes Gewächshaus. Mit den bestehenden vier kämen sie prima hin. Jahr für Jahr reifen darin eine halbe Million Zwiebeln heran für den Export nach Amerika. Der Ertrag würde reichen, ihn, Phoebe und die acht Angestellten zu versorgen, die den kleinen Betrieb am Laufen halten.

Wären da nicht Miriam und Yael.

Gut, Miriam ist verheiratet, in Efrat, einer Siedlung südöstlich von Jerusalem. Mit einem Rabbi. Einem sehr liberalen, sehr aufgeschlossenen Rabbi. Glückliche Familie, zwei Kinder, allerdings chronisch klamm.

Und Yael?

Mag biologisch ihre Enkelin sein, de facto haben sie das Mädchen großgezogen. Während seine leibliche Mutter in Tel Aviv neuen Wirtstieren nachstieg, taten sie in Elei Sinai alles, um der Kleinen die Eltern zu ersetzen. Nach geschickter Heirat und noch geschickterer Scheidung ist Anastasia jetzt in der Lage und sogar willens, ihren Anteil beizusteuern, nur dass Yael sich schon kratzen muss, wenn bloß Anastasias Name fällt. Sie verachtet ihre Mutter, also finanzieren er und Phoebe Yaels Studium und ermöglichen es ihr, in einem hübschen Appartement zu wohnen statt einer von intelligenten Pizzaresten besiedelten Studenten-WG.

So viel zum fünften Gewächshaus.

Die Intifada ist im kollektiven Gedächtnis Elei Sinais abgelegt wie ein Stapel unerfreulicher Fotos in einem Pappkarton. Man weiß, was drauf ist, aber solange man den Karton nicht öffnet, muss man sich nicht damit befassen.

Damals wurde hier geschossen.

Einige Siedler postierten sich mit Scharfschützengewehren am Ortsrand und feuerten wahllos in Gruppen Jugendlicher, die Steine warfen. Bei Fahrten ins Umland, zum Checkpoint oder zum Meer schossen sie aus gepanzerten Geländewagen auf alles, was ihnen bedrohlich erschien, es herrschten Sitten wie im Wilden Westen.

»Man schießt nicht auf Menschen«, sagte Jehuda damals.

»Sie greifen uns an.«

»Mit Steinen.«

»Wir müssen uns verteidigen, oder willst du, dass sie in dein Haus eindringen, deine Frau vergewaltigen, euch alle umbringen und den Ort niederbrennen?«

Dialoge wie aus einem B-Movie.

»Mensch, sie werfen *Steine*.«

»Hätten sie Waffen, würden sie uns töten.«

»Sie haben aber keine.«

»Noch nicht.«

»Außerdem, wenn jemand Steine wirft, heißt das nicht automatisch, dass er dich umbringen will.«

Avi Farhan, Jehudas Freund und Siedlerführer aus Jamit, sah das genauso und mahnte zur Besonnenheit, doch sie antworteten nur:

»Träumt weiter.«

Es wurde ein Albtraum. Die wenigsten Siedler befürworteten das Großwildjägergetue, doch der Schock über den Hass, der ihnen seitens der Palästinenser entgegenschlug, saß tief. Für die Kahns bedeutete der Aufstand fast das Ende. Zwei Jahre hatte es gedauert, bis das Amaryllisgeschäft Gewinn abwarf. Sie hatten Arbeiter eingestellt, ihre Schulden beglichen, ein zweites und drittes Treibhaus gebaut, und als die Sache endlich ins Rollen kam, passierte die Sache in Dschabalia –

Und ihre Angestellten blieben zu Hause.

Dabei wären die meisten gern weiterhin gekommen, doch sie wurden zerrieben zwischen der PLO alias Fatah alias PA und der Hamas, die in ihrem Kampf gegen Kollaboration eine geradezu infernalische Besessenheit an den Tag legte. Was darin Ausdruck fand, dass Hamas-Führer zum Streik aufriefen und Ladenbesitzern, die trotzdem öffneten, drohten, ihre Geschäfte abzufackeln und ihnen die Kehlen durchzuschneiden, woraufhin die PLO verkündete, alle Geschäfte abfackeln zu wollen, die schlossen, mit gleichen Nebenwirkungen für ihre Betreiber. Je mehr die Hamas an Einfluss gewann und die Intifada zum Vehikel ihres Machtkampfs degenerierte, desto mehr empfahl es sich, um jeden Israeli einen kilometerweiten Bogen zu machen, also mussten die Kahns sehen, wie sie zurechtkamen. Miriam half nach Kräften, Yael war noch zu klein und von Anastasia keine Unterstützung zu erwarten, sah man davon ab, dass ihr bloßer Anblick genügt hätte, Phoebe zur Axt greifen zu lassen.

Genau zwei Menschen machte sie für Uris Tod verantwortlich.

Erstens Anastasia.

Und zehnmal mehr noch –
Ariel Scharon.

Jahre hatte sie gebraucht, um halbwegs mit dem Verlust leben zu können, und als die dunkelsten Wolken gerade aufbrachen, trieb die Intifada sie und Jehuda fast in den Ruin. Nur dank der beispiellosen Solidarität in Elei Sinai schafften sie es über die Krise hinweg, die Verhältnisse normalisierten sich, die Palästinenser erschienen wieder zur Arbeit. Vielleicht hätten sie spätestens jetzt auf Juden oder asiatische Gastarbeiter umsteigen sollen, doch die Zurückgekehrten hatten in den Wirren des Aufstands mehr verloren als gewonnen, Opfer, die durchweg traurige Geschichten zu erzählen hatten.

Wie hätten die Kahns anders gekonnt, als sie wieder einzustellen?

»Ich hab dir prophezeit, dass dir das Gleiche noch mal blühen kann«, sagt Ilias ungerührt. »Du hättest auf mich hören sollen.«

»Warum bist *du* überhaupt noch hier?«

Der alte Palästinenser lacht.

»Weil du halt diese dumme, aber gottgefällige Einstellung hast.«

»Gar keine Angst?«

»Vor denen?« Ilias schaut in Richtung Gaza-Stadt und spuckt aus. »Die haben keine Macht über mich.«

Weil er keine Familie hat, mit der sie ihn erpressen können. Ilias wohnt allein. Seine Frau ist gestorben, sein ältester Sohn lebt in Nablus, seine Töchter sind in Ägypten verheiratet.

Seine Familie sind die Kahns.

Als er damals zu ihnen kam, hatte er nichts, und sie halfen ihm auf die Beine. Dafür hielt er ihnen während der Intifada die Treue. Ein Palästinenser, ein Freund. Warum nicht? So wie Schalom Kahn einst mit Tufik as-Azuri befreundet war, dem Tabakhändler aus Tel Aviv. Gemeinsam tranken sie Kaffee im Bistro eines pensionierten englischen Offiziers, drei, die unterschiedlicher nicht hätten sein können, doch sie fanden Vergnügen aneinander. Über alle Differenzen hinweg einte sie vieles.

Zum Schluss eine Bombe.

»Du glaubst also, es gibt eine neue Intifada?«

»*Inschallah.*« Ilias spreizt vielsagend die Finger. »Ich hörte, ein paar Hamas-Leute hätten sich mit Barghuti getroffen.«

Marwan Barghuti, neuer Hoffnungsträger der Fatah und enger Vertrauter Arafats. Als erklärter Feind der Korruption zugleich Arafats ärgster Rivale, dessen Geheimdienste eine mafiöse Bereicherungsstruktur aufgebaut haben. Allgemein ist bekannt, dass Barghuti den vollständigen Rückzug Israels aus den besetzten Gebieten und den Abbau sämtlicher Siedlungen fordert.

Weniger klar ist, wie weit er dafür gehen würde.

»Ziemlich weit. Er soll die Hamas ermuntert haben, einen neuen Aufstand zu starten.«

»Versteh ich nicht.«

»Was gibt's daran nicht zu verstehen?«

»Warum lässt sich die Fatah mit der Hamas ein?«

Als stärkste Fraktion der PLO dominiert die Fatah die PA, die Palästinensische Autonomiebehörde. Arafat selbst hat die Hamas zerschlagen und ihre Führer eingebuchtet, ein Signal an Israel, seht her, wir halten unseren Teil der Verpflichtung ein (und entledigen uns bei der Gelegenheit gleich der unliebsamen Konkurrenz).

»Die Hamas kann ihnen nützlich sein, Jehuda. Die PA will ja nicht selbst als Urheber des Aufstands dastehen. Also päppeln sie die Gottesfürchtigen wieder auf und schicken sie vor.«

»Es gibt aber keinen konkreten Grund für einen Aufstand.«

»Das ist Grund genug.«

»Sie brauchen einen Anlass.«

»Sie werden einen finden. Denk an den Lastwagenfahrer in Dschabalia. Israel wird ihnen einen Anlass liefern, glaub mir.«

Und vorsorglich zieht sich der Großteil der Palästinenser, die im israelischen Kernland oder in den Siedlungen arbeiten, schon mal zurück.

Wie Vögel.

Du siehst den Schwarm aufsteigen, davonfliegen, fragst dich, was los ist, und wenig später, wenn das verheerende Erdbeben durchzieht, begreifst du, was los war.

Sie haben es gewusst.

»Ich will dich ja nicht ängstigen«, sagt Ilias. »Aber du solltest ein paar bewaffnete Wachen aufstellen.«

Jehuda findet Phoebe in Gewächshaus zwei, wo sie erdige Knollen nach Größe in schwarze Plastikkisten sortiert.

»Sind heute alle erschienen?«

Sie hebt die Brauen.

»Soweit ich es überblicken kann, ja. Warum?«

Jehuda muss lächeln. Unnachahmlich, wie sie die Brauen hochzieht. In zwei Wochen wird Phoebe 70, doch dieses Brauenhochziehen hat immer noch die gleiche verführerische Wirkung auf ihn wie damals in Kfar Malal vor 52 Jahren.

»Alles okay?« Sie versucht sein Lächeln zu deuten.

»Ja.« Er macht eine Kopfbewegung nach draußen. »Die Monteure haben uns versetzt.«

»Schon wieder.«

»Ilias meint, das ist erst der Anfang.«

Phoebe schaut auf die Zwiebel, die sie in ihrer Hand hält, und wirft sie in die nächststehende Kiste.

»Erst der Anfang. Seit ich denken kann, höre ich diesen Scheiß. Wir leben in einem ständigen Anfang, findest du nicht? Nichts in diesem Land wird ordentlich zu Ende gebracht.« Seufzt. »Komm. Ich mache uns einen Kaffee. Wir müssen noch mal die Liste durchgehen.«

Ihr Zuhause liegt in fußläufiger Distanz, doch sie nehmen den Wagen, um der Arbeit nicht zu lange fernzubleiben. Machen es sich auf der Veranda bequem, essen Blätterteigtaschen, trinken arabischen Mokka und blicken hinaus auf ihren kleinen, liebevoll bepflanzten Garten. Der in Jamit war größer, richtig viel Fläche hatten sie am See Genezareth zur Verfügung, aber da waren sie auch noch besser bei Kräften. Eine jüngere Phoebe züchtete dort Kräuter, Gemüse und Früchte, ein agilerer Jehuda fand nach der Arbeit Zeit, Kilometer um Kilometer an Bewässerungsschläuchen zu verlegen, eine ziemliche Plackerei.

Es ist okay so. Der Wind flüstert in den Fächern einer mächtigen Dattelpalme, die das Ende des Gartens überschattet, und Jehuda denkt an den Tag zurück, als er sie in Jamit aus dem Dünensand grub.

Damals war sie ein Schössling.

Jetzt ragt sie über das Dach hinaus.

»Also«, Phoebe bringt ihre Lesebrille in Position, »angeschrieben haben wir bisher –«

Sie gehen die Namen durch, überlegen, ob sie jemanden vergessen haben. Tatsächlich fallen ihnen noch welche ein. Sie schreiben die restlichen Einladungskarten und stecken sie in Umschläge.

»Das war's dann aber. Oder?«

»Schätze schon.« Jehuda streckt die Beine, grinst. »Oh Phoebe! Ist das nicht Wahnsinn? Dein Siebzigster!«

»Ja. Zum Kotzen.«

»Ach komm. Warum feierst du ihn dann?«

»Ich feiere ihn nicht. Ich will nur einen Abend lang alle sagen hören, ich sähe jünger aus.«

»Du *siehst* jünger aus. Mindestens zehn Jahre.«

»15.«

»Okay. Wir laden zu Deinem Fünfundfünfzigsten ein.«

»Nein, das fliegt auf.« Sie lacht. »Spätestens, wenn ich keine Puste mehr habe, um die Kerzen auszublasen. – Apropos, sollen wir wirklich einen Caterer buchen?«

»Klar.«

»Ich meine nur, das wird schrecklich teuer.«

»Na und?«

»Ich kann doch ebenso gut selbst kochen.«

»Phoebe! Es ist dein Siebzigster!«

»Dieses Getue um Alter.« Sie schüttelt den Kopf. »Als wär ich eine Flasche Bordeaux.«

»Du stellst dich nicht für 40 Leute in die Küche.«

»Und wenn ich nur eine Suppe –«

»Glaub mir, die können auch Suppen.«

Klingt wie eine ganz normale Vorbesprechung.

Aber tatsächlich ist hier gar nichts normal. Denn jahrelang hat Phoebe ihren Geburtstag ignoriert. Zu nah an Uris Todestag. Noch als Jehuda vorschlug, wenigstens zu ihrem Sechzigsten eine Feier zu organisieren, ist sie ihm fast ins Gesicht gesprungen, wie er an Feiern denken könne, also hat er nie wieder davon gesprochen.

Jetzt kam sie selbst mit der Idee. Und er wird alles tun, um ihr den Tag unvergesslich zu machen.

»Du wirst es lieben«, sagt er.

»Ach, ich.« Sie lächelt, und Jehuda sieht mit Unbehagen, wie sich Wehmut in dieses Lächeln mischt. »Das ist nicht wichtig. Hauptsache, Uri hätte es gefallen.«

Nicht schon wieder, denkt er.

»Weißt du –« Ihr Blick irrt ab. »Was mich angeht, wozu feiern? Wegen Uri hab ich's all die Jahre nicht getan, und jetzt tue ich es, weil ich denke, er würde es so wollen. Es ist sein Fest.«

Uri.

Wie sehr haben sie gelitten.

Wie sehr fehlt er ihnen.

Wie sehr steht er *zwischen* ihnen.

Die Toten verhängen einen Bann über die Lebenden. Es war diese Einsicht, die Jehuda schließlich dazu brachte, wieder Sonnenwärme auf der Haut zu spüren und sich bewusst zu machen, dass er lebte. Leben *wollte*. Nie würde er aufhören zu trauern, doch langsam, ganz langsam fand er zu sich zurück. Phoebe, das begreift er jetzt, wird nie zu sich zurückfinden. Sie könnte die Tatsache ihres Daseins feiern, stattdessen widmet sie die Party einem Geist.

Er versucht, ihren Blick zurückzuholen. »Du tust es für dich«, sagt er sanft. »Uri ist bei uns. Er ist immer bei uns, aber das ist *dein* Tag. Du hast jedes Recht, ihn zu genießen.«

»Er war zu jung«, sagt sie leise. »Er sollte nicht tot sein.«

Wer sollte schon tot sein, Herrgott?

Frustriert schaut er auf seine altersfleckigen Hände. Der natürliche Verfall. Das große, letzte Geheimnis.

Empfindet Eifersucht.

Auf einen Toten.

Ich bin 72. Mein Sterben hat begonnen, ein, zwei Jahrzehnte noch, aber machen wir uns nichts vor, dies ist die letzte Phase unseres Zusammenlebens. Ich wünschte so sehr, wir könnten einander nah sein in der Zeit, die uns bleibt. Uns fühlen. Ich sehe dich altern, ein eigenartiger und wunderbarer Vorgang, aber gegen Uris Tod wird alles belanglos. Dies hier ist *unsere* Gegenwart! Lass sie uns auskosten, diesen, den nächsten, den übernächsten Moment, wir haben doch nur dieses eine Leben, das große Geschenk, lass uns einander mit Liebe dabei zusehen, wie wir runzlig und durchscheinend werden, Abschied nehmen.

Wir sind doch das Wichtigste füreinander.

Komm zurück, Phoebe! Die Verstorbenen berauben uns. Sie sind wie Vampire. In dem Maße, wie wir ihnen Macht über uns einräumen, werden wir zu Toten in unserem eigenen Leben.

Doch Phoebe wird Uri nicht loslassen. Sie kann es nicht. Konnte nie loslassen. Gestrandet im Gestern. Ihre Gegenwart hält der Vergangenheit nicht stand, so wie ihre Zukunft der Gegenwart nicht standhalten wird, und am Ende wird sie nur noch aus Erinnerung bestehen.

»Morgen fahre ich nach Tel Aviv«, sagt er betont fröhlich und geheimnisvoll. »Und da werde ich Dinge mit Leuten besprechen, von denen du keine Ahnung hast.«

Ihr Blick findet zu ihm zurück. »Wetten, du triffst dich mit Yael.«

»Wetten, das geht dich gar nichts an.«

Jetzt endlich lacht sie, fährt durch sein Haar, und Jehuda fühlt sich wieder leichter werden.

»Wie lange bleibst du weg?«, fragt sie.

»Den ganzen Tag. Ich hau schon früh ab. Lasse dich schlafen, okay?«

»Klingt spannend.«

»Bild dir bloß nichts ein. Zuallererst muss ich wegen des ausgefallenen Luftbehandlungsgeräts in die Stadt.« Er grinst, nimmt sich noch eine Blätterteigrolle und steht auf. »Aber natürlich nicht nur.«

Nein, er wird sich mit Yael treffen, raus zu Miriam und David fahren, alles im Dienste ihres Geburtstags – und er wird einen Verrat begehen, von dem Phoebe unter keinen Umständen erfahren darf.

Er wird frühstücken. Auf der Schikmim-Ranch.

Mit Arik.

Frieden

Arik, in der Vergangenheit mal Phönix, mal Asche, ist Anfang der Achtziger reif für den Kehrbesen.

Die Untersuchungskommission erklärt ihn für mitschuldig am Massaker von Sabra und Schatila, im Likud entsinnen sie sich der Regel, wonach man sich nie zwischen einen Freund und ein Exekutionskommando stellen sollte, lassen ihn fallen, er tritt zurück.

Aus Arik, König von Israel, wird Arik, König der Straße.

Wie eine One-Man-Band tingelt er über die Dörfer und sucht Rückhalt in der erzkonservativen Provinz und bei den Religiösen. Begin verfällt derweil in Depressionen und nimmt seinen Hut, Jitzchak Schamir rückt nach, händeringend bemüht, Israels Wirtschaft vor dem Absturz zu bewahren, was ihm so gründlich misslingt, dass er nur in Rotation mit Schimon Peres und dessen Arbeitspartei regieren darf. Arik nutzt die verfahrene Lage, in der Asche regt sich was, ein kleiner Phönix wird Minister für Industrie und Handel.

Schlechte Zeiten sind gute Zeiten für Hardliner.

Und gerade werden die Zeiten so richtig mies.

Nach Ariks Beirut-Abenteuer sind etliche neue Akteure auf der Nahostbühne erschienen. Die Amal-Miliz, schiitisch, religiös und gut bei Kasse, weil von Syrien gesponsert, treibt im Libanon schon länger ihr Unwesen. Präsident ist Amin Gemayel geworden, Bruder des ermordeten Bachir, kaum mehr als die B-Besetzung. Weder gelingt es ihm, Frieden mit Israel zu schaffen, noch die immer unübersichtlicher werdende Schar verfeindeter Bürgerkriegsparteien an einen Tisch zu bringen. Vor allem die Schiiten finden sich in Gemayels Kabinett nicht hinreichend vertreten, was Tür und Tor öffnet für die Gründung einer weiteren schiitischen Organisation, Hisbollah, »Partei Gottes« – finanziert vom Iran und noch viel religiöser.

Überhaupt spielt Religion jetzt die entscheidende Rolle.

In Hebron ziehen Nacht und Nebel übers Land, unbemerkt von Schin Bet und Zahal halten Fedajin und Geistliche dort konspirative Treffen ab, mauscheln in Gaza weiter und rufen die Hamas ins Leben.

SEHR religiös.

Israel ist von Gläubigen umzingelt, und dass mit den Vollstreckern göttlichen Willens schlecht zu verhandeln ist, lehrt der Blick in die eigenen Reihen. Gottes Soldat schaut dich an und sagt:

Im Ernst, ich hab nichts gegen dich. *Ich* würde dir das Land ja geben.

Nur, es ist *seines.*

Ich darf also nicht, du verstehst –

Und schießt dich über den Haufen.

Arik bereitet seine Wiederauferstehung vor.

Nachdem nun nicht mehr überall Steckbriefe mit seinem Konterfei herumhängen, geht er in bewährter Manier daran, Stühle anzusägen, indem er Peres Nachgiebigkeit gegenüber Arabern und Amerikanern vorwirft und Schamir bezichtigt, Peres die Stiefel zu lecken. Die fortgesetzte Stänkerei ist bloße Taktik, sie dient dazu, ihm eine machtvolle Basis im Likud zu schaffen, rechts von rechts, und tatsächlich zahlt sich die Mühsal seiner Landpartie aus. Keine Bar-Mizwa-Feier oder Hochzeit, auf der er in den Jahren der Verbannung nicht vorbeigeschaut hätte, sein Lager gedeiht auf dem Fundament etlicher neuer Freundschaften. Auf der Schikmim-Farm zischen und brutzeln Lilys Töpfe und Pfannen, ständig kommen Gäste zum Essen, das *Ranchforum,* eine Entourage hochkarätiger Berater, hält Arik auf dem Laufenden, und der entwickelt völlig neue Qualitäten:

Leise reden und zuhören.

Keine Wutausbrüche mehr, kein Anderen-über-den-Mund-Fahren. Der runderneuerte Arik dieser Tage lässt sich durch nichts aus der Ruhe bringen, ist die Gelassenheit in Person, und wenn er mal Kontra gibt, dann mit dem Lächeln eines Buddhas, sanft und verständig im Ton.

Dafür in der Sache umso härter.

Denn sein Ziel steht fest, und er verfolgt es Tag und Nacht mit geradezu manischer Besessenheit:

VERTEIDIGUNGSMINISTER!

Arik will sein Amt zurück.

Dann allerdings geschieht etwas, das die persönlichen Ambitionen aller Beteiligten fürs Erste in den Hintergrund rückt.

Dezember 1987, auf einer Straße in Nordgaza.

Bremsversagen.

Oder was immer die Ursache ist, jedenfalls verliert der Fahrer eines israelischen Militärlasters im Flüchtlingslager Dschabalia die Kontrolle und brettert nacheinander in zwei palästinensische Autos.

Vier Kinder sterben.

Vier Funken, die das Pulverfass zum Explodieren bringen.

Die Leichen sind kaum unter der Erde, da werden Zahal-Stützpunkte von aufgebrachten Massen regelrecht überrannt, sammeln sich in Gaza-Stadt Tausende Jugendliche. In Hebron, Dschenin, Nablus, Ramallah, überall strömen sie zusammen. Eine komplette Generation, die nichts anderes kennt als Besatzung und Repression. Ihre Heimat ist steiniges Terrain, musst dich nur bücken, schon kannst du einem israelischen Soldaten eine harte Zeit bereiten, ganz ohne Knarre und Panzerfaust.

Es hagelt Steine.

David gegen Goliath, wie im Alten Testament.

Sie gehen nieder auf Panzer, Patrouillen und Siedler, Steine gegen die Okkupation, die elenden Zustände in den Lagern, gegen Ungleichheit und Arbeitslosigkeit, gegen die Unerträglichkeit des Seins. Was als ziviler Ungehorsam beginnt, entwickelt sich zur blutigen Intifada. Die Welt horcht auf, Sympathien sind schnell verteilt, mit wem sympathisierst du, wenn junge, unterdrückte Menschen ihrem Zorn auf eine übermächtige Armee durch Steinwürfe Luft machen? Erstmals nimmt der Westen in vollem Ausmaß die Lebensumstände in den besetzten Gebieten wahr, und auch in Israel macht sich Nachdenklichkeit breit.

Soldaten legen ihre Waffen nieder.

Die Linke fordert ein Ende der Besatzung.

Die UN machen Druck.

Schamir, heißt es, solle endlich in Verhandlungen mit der PLO treten, die von Tunesien aus in stiller Freude zusieht, wie ihr Erzfeind sich die Augen reibt.

Dachtet, ihr seid uns los.

Von wegen. Unsere Aktivisten sitzen im Westjordanland, im Gaza-Streifen, sie sind in den Flüchtlingslagern groß geworden. Wir sind nicht länger ein Haufen Milizionäre, die man von Land zu Land treiben kann.

Wir sind das palästinensische Volk.

Und ihr seid der Buhmann beider Hemisphären.

Als wollten sie ihrem unkleidsamen Ruf gerecht werden, geben die Zahal-Soldaten im Krieg der Steine ein immer katastrophaleres Bild ab. Brechen Kindern und Jugendlichen Hände, Arme und Beine, um sie am Werfen zu hindern, prügeln mit Knüppeln auf sie ein, nehmen sie mit Gummigeschossen und scharfer Munition aufs Korn, zerstören Häuser und Olivenhaine, schließen Schulen, Universitäten und Kindergärten. Gaza kollabiert, der Bildungsbetrieb kommt zum Erliegen. In den Lagergassen steht das Tränengas, wer Ausgangssperren missachtet, wird erschossen.

Der Geist erwacht in seiner Flasche.

Und entweicht mit Macht.

Der religiöse Widerstand reißt die Intifada an sich: Hamas, Islamischer Dschihad. Jetzt wird es richtig unangenehm, während die UN darauf beharren, nur Arafat könne den Wahnsinn beenden, also nehmt ENDLICH Kontakt auf!

Und plötzlich klingt das nach einer ziemlich guten Idee.

Es *ist* eine gute Idee.

Und das Zauberwort heißt –

Oslo.

Arik schäumt vor Wut, er hat geschworen, Arafat nie die Hand zu geben, nie mit der PLO zu reden, nur dass er gar nicht gefragt wird. 1992 übernimmt die Arbeitspartei das Ruder, neuer Premier wird Jitzchak Rabin, und der mag sich die Hände hinterher vielleicht gewaschen haben, aber er trifft sich mit Arafat zu Friedensgesprächen und drückt ihm zwecks dessen auch die Rechte. Die Gespräche münden in die Oslo-Verträge, bejubelt von der überwältigenden Mehrheit aller Israelis und Palästinenser. PLO und Israel erkennen einander an, Arafat gelobt feierlich, jeglichen Terror gegen Israel zu unterbinden, in einer Prinzipienerklärung fallen Jericho und Teile des Gazastreifens unter palästinensische Selbstverwaltung. Die PA erlangt Hoheitsrechte über jene Flecken des Westjordanlands, auf denen sich das Gros der palästinensischen Bevölkerung drängt, Israel behält die Kontrolle über den großen Rest mitsamt aller Siedlungen. In Aussicht gestellt wird der sukzessive Abzug der Truppen aus weiteren Gebieten, über das Siedlungsthema und Jerusalem wird man zu reden haben, am Ende aller Überlegungen steht die Fata Morgana eines palästinensischen Staats.

Rabin und Arafat avancieren zu Helden des ausgehenden Jahrhunderts, Friedensnobelpreise werden herumgereicht.

Im Abseits nörgeln die Hardliner.

Auf israelischer Seite wettert Ariks Rechtsaußen-Fraktion gegen die Anerkennung der PLO, Gusch Emunim ist für Abkommen ohnedies nicht empfänglich.

Auf palästinensischer Seite verweigert die Hamas die Anerkennung Israels und wettert gegen die PA.

Aus ihrer Sicht sogar verständlich.

Denn diese PA, die Palästinensische Autonomiebehörde, eine aus den

Oslo-Gesprächen hervorgegangene Quasiregierung, bemäntelt nur notdürftig Arafats Alleinherrscheranspruch. Parlamentarische Demokratie? Gut gelacht. De facto bildet die PA jetzt Arafats Hofstaat, er ist König aller Palästinenser, und das Erste, was der König tut, ist, mit der Hamas aufzuräumen. Ihre Militanten werden entwaffnet, ihre Führer inhaftiert, ganz wie der König es versprochen hat. Arafats Ansehen wächst, er steht im Blitzlichtgewitter der Weltpresse, was kann ihm Besseres passieren?

Oder Schlechteres.

Anders gefragt: Wer braucht in Friedenszeiten jemanden, der bewaffnet ins Bett geht?

Aber vielleicht hätte Arafat sogar gelernt, ohne Knarre zu schlafen – hätte nicht eine halb automatische Beretta 84F dem Traum von Oslo ein jähes Ende gesetzt.

Tel Aviv

Der Mann sieht müde aus, denkt Yael.

Ach was, müde. Erschöpft, ausgelaugt. Fix und fertig. Innerhalb kürzester Zeit um Jahre gealtert, als habe er seine Kraft einem aussichtslosen Ringen geopfert, aber wie soll man sich auch fühlen in seiner Lage? Was fühlst du, wenn ein Mob über Monate deine Vernichtung fordert, dich einen Verräter nennt, Fanatiker dein Haus belagern, kabbalistische Todesflüche über dich verhängen, radikale Prediger unverhohlen dazu aufrufen, dich zur Strecke zu bringen, sozusagen als heilige Pflicht.

Da steht er nun auf dem Podium, von der Hetze gezeichnet.

Und singen kann er auch nicht.

Aber er singt.

Seine sonore Stimme verirrt sich in die falsche Oktave, als er das Friedenslied intoniert, doch sie wird getragen von einem Chor aus zigtausend Kehlen. Möglich, dass er am Ende seiner Kräfte ist, ein geschlagener Mann sieht anders aus, und die Menge, die auf dem Platz der Könige Israels in Tel Aviv zusammengeströmt ist, um ihn als ihren Helden zu feiern, zeigt ihm, dass er gewonnen hat.

Wie viele mögen hier versammelt sein?

100000? 150000?

Bedarf es noch eines Beweises, dass die überwältigende Mehrheit Israels hinter ihm steht?

»Erlauben Sie mir –« Er holt Atem, räuspert sich. »Erlauben Sie mir zu sagen, dass ich tief bewegt bin.«

Schon das reicht ihnen zum frenetischen Zwischenapplaus. Spruchbänder werden gereckt. Die Hauswände werfen seine Stimme zurück, er selbst dürfte am meisten überrascht sein, wie kraftvoll sie klingt nach dem Spießrutenlauf der letzten Monate.

»Jedem Einzelnen möchte ich danken, der heute gekommen ist, um gegen Gewalt und für den Frieden zu demonstrieren. Diese Regierung, der ich zusammen mit meinem Freund Schimon Peres vorstehe, hat beschlossen, dem Frieden eine Chance zu geben – einem Frieden, der die meisten Probleme Israels lösen wird.«

Seine Worte steigen in die Nacht empor, erlangen unter dem freien, nächtlichen Himmel universelle Bedeutung.

»Gewalt unterhöhlt die Basis der israelischen Demokratie. Sie muss verurteilt und isoliert werden. Das ist nicht der Weg des Staates Israel.«

Sie jubeln ihm zu. Schwenken ihre Transparente. Zentimeter um Zentimeter, den seine Gegner versucht haben, ihn zu beugen, richten sie ihn wieder auf, und Yael denkt, das ist wohl gerade der glücklichste Moment seines Lebens.

Was empfindet er nach all der Schikane?

Genugtuung?

Nein. Nicht der Typ für Genugtuung. Sein Elixier ist die Hoffnung. Die treibt ihn voran. Er gibt sie an andere weiter, scheint endlos davon zu haben. Sie hört zu, wie er ehemaligen Feinden dankt, das israelische Volk für seinen Friedenswillen lobt, den Spagat wagt und sogar Jassir Arafat als Partner auf dem Weg in eine friedliche Koexistenz würdigt, wie er die Menschen darauf einschwört, einen schmerzlichen Weg zu gehen, weil es für Israel nie einen Weg ohne Schmerzen gab.

»Aber der Weg des Friedens ist dem des Krieges vorzuziehen. Ich sage das zu Ihnen als jemand, der Soldat war und den Schmerz der Familien israelischer Soldaten sieht. Für sie, für unsere Kinder, für unsere Enkel möchte ich, dass diese Regierung jede Gelegenheit ergreift, um den Frieden zu fördern und zu erreichen. Selbst mit Syrien wird es möglich sein, Frieden zu schaffen.«

Und auch das glauben sie ihm aufs Wort. An diesem Abend könnte er diplomatische Beziehungen mit der Hölle in Aussicht stellen, sie würden begeistert nicken.

»Unsere Kundgebung hier ist eine Botschaft an das israelische Volk«, schließt er. »An die jüdischen Menschen überall auf der Welt, an die vielen Menschen in der arabischen Welt, an die ganze Welt, dass die Israelis den Frieden wollen und ihn unterstützen. Dafür danke ich Ihnen.«

Dann singen sie auf dem Podium – er, die Parteifreunde, seine Frau.

Nie hat er in der Öffentlichkeit gesungen. Er könne nicht singen, stimmt, aber jetzt will man ihn singen hören, wie er an diesem kühlen Novemberabend seinen Text vom Papier abliest, und das Volk auf dem Platz fällt mit ein, beschwört in einem beinahe sakralen Akt die magische Formel für eine bessere Welt.

Er lächelt, winkt in die Menge, wendet sich ab.

Vorsicht, denkt sie.

Nicht zum Parkplatz, nicht.

Nein!

Zu spät, er steigt bereits die Stufen hinter der Bühne herab, sie wird Zeuge, wie die Menschen ihn in ihrer Begeisterung fast erdrücken, von seiner Frau trennen, die auf der Treppe zurückbleibt. Das Bad in der Menge tut ihm sichtlich gut, er schüttelt Hände, steuert auf den silbernen, gepanzerten Cadillac zu, wo sein Fahrer wartet, den Schlag öffnet, Peres an seiner Seite. Sicherheitsleute schirmen ihn ab. Journalisten hoffen auf ein paar Worte ins Mikro, Fans, die es bis auf den Parkplatz geschafft haben, gehen auf Tuchfühlung. Mit einem Fuß bereits im Wagen, registriert er das Ausbleiben seiner Frau, verharrt im Moment, als der Mann links hinter ihm seine Beretta hebt, geladen mit stahlummantelten Geschossen, selbst den Namen des Attentäters kennt sie, Jigal Amir, Talmudschüler, Jurastudent, sein Bruder hat die Geschosse so präpariert, dass sie größtmögliche Zerstörungen anrichten, all das weiß sie, ohne eingreifen zu können, Kameras blitzen, dann Mündungsfeuer, er hört den Knall, dreht sich verblüfft zu Amir um, es blitzt, knallt, blitzt, jetzt liegen die Personenschützer über ihm, wird der Attentäter überwältigt, jemand ruft: »He! Das war doch nur ein Scherz!« –

War es nicht.

Yael windet sich, stöhnt, sitzt mit in dem Cadillac, der dahinrast, über rote Ampeln, ins Ichilov Hospital, viertel vor zehn, zehn vor zehn, auch die Minuten rasen dahin, während Blut und Leben aus ihm herausfließen, er öffnet die Augen und sieht sie an.

»Und wie läuft's mit dem Studium, Yael?«

Sie nimmt seine Hand, unfähig, ein Wort zu sagen.

»Du darfst jetzt nur an dich denken«, flüstert er. »Mit mir wird das nichts mehr. Denk an dich, hörst du?«

»Ich –« Tränen schießen ihr in die Augen. »Ich weiß aber nicht, was ich tun soll.«

Er lächelt. »Das weiß jetzt keiner mehr, Kind.«

Szenewechsel, OP-Tisch, Ärzte, die versuchen, das Unmögliche zu vollbringen, doch das Resultat steckt schon im Wort. Der Zeiger der

Uhr über der Tür des Operationssaals rückt vor, zittert und stockt, als wolle er sich der winzigen Distanz bis zur vollen Stunde verweigern, die letzte Minute nicht vollenden.

Springt endlich auf elf.

Jitzchak Rabin ist tot.

Seit fünf Jahren.

Yael erwacht.

Springt aus dem Bett, reißt die Vorhänge auf, kneift die Lider zusammen.

Grell.

Blendend weiß liegt eine dünne Wolkendecke über Tel Aviv, wie hinterleuchtetes Milchglas. Ein Endzeithimmel. Schmerzt in ihren Augen, dafür vertreibt er die Bilder.

Duschen.

Dampfend heiß, bis sich Wasser mit Schweiß vermischt.

Abfrottieren, CD einlegen, *Monica Sex, Al HaRizpa*. Jaheli Sobol singt von Trennungsleid und Verlassenwerden, egal, was er singt, alles besser als dieser Scheißtraum. In den Laken räkelt sich ein tätowierter Muskelberg, hebt seinen kahlen Schädel, stemmt sich hoch und blinzelt.

»Wie viel Uhr is 'n?«

Elior mit seiner Kinderstimme.

»Weiß nicht. Zeit, um deine Klamotten einzusammeln und was Sinnvolles zu tun.«

Elior kippt wieder um.

»Was Sinnvolles? Ich dachte, wir hätten was Sinnvolles getan.«

»Wir haben was Lustvolles getan.« Yael küsst ihn auf die Glatze. »Jetzt machst du dich nützlich, gehst runter in die Bäckerei und holst uns frisch gepressten Granatapfelsaft und Bagels.«

Er murrt, will sie ins Bett zerren, da weitermachen, wo sie vor Stunden erschöpft aufgehört haben.

»Vergiss es.«

»Okay. Also was Sinnvolles.«

Zieht sich an, verschwindet, und sofort steigen die Bilder des Traums wieder in ihr hoch.

Mist.

Sie hatte so sehr gehofft, ihn los zu sein.

Doch ihr innerer Filmvorführer hat die Rolle ein weiteres Mal eingelegt. Warum? Eine Weile war es schon nicht mehr normal, wie oft sie ihn träumte, und jedes Mal schmückte ihr Hirn ihn mit neuen Erinnerungen aus, die nicht ihre sein konnten. Tatsächlich war sie nie auf diesem Parkplatz, ebenso wenig wie in dem Cadillac. Als es passierte, stand sie wie die meisten anderen vor dem Podium, eine von Unzähligen, die gekommen waren, um Rabin gegen die Schmutzkampagne der religiösen Rechten in Schutz zu nehmen. Die Geschehnisse hinter der Bühne entzogen sich ihren Blicken, aber natürlich sah sie später die Bilder im Fernsehen, immer neue Amateurvideos, von denen keines die Tragödie in allen Details zeigte, also übernahm ihre Fantasie umso bereitwilliger den Rest.

Sie kämmt die nassen Haare zurück.

Betrachtet ihr Gesicht im Spiegel, Züge von Rorschach'scher Ebenmäßigkeit mit hoch liegenden Wangenknochen, große, dunkle Augen unter bogenförmigen Brauen, geschwungene Lippen, kleine, schmale Hakennase.

Das also ist sie.

Yael Kahn, 22 Jahre alt, Studentin der Medizin.

Wirklich?

Wer weiß? Sie hat schon wahre Blickgefechte mit sich ausgefochten. Minutenlang. Darauf gewartet, dass die Frau im Spiegel aufgibt und sich abwendet, während sie weiter hineinstarrt, was beweisen würde, dass sie es *nicht* ist, aber wer wäre sie dann?

Kein Spiegel zeigt, wer du tatsächlich bist.

Jedenfalls hofft sie das. So fremd und abweisend kommt ihr das Wesen in der reflektierenden Fläche vor, dass es ihr unheimlich ist. Vollkommen ausdruckslos. Da heulst du Rotz und Wasser im Traum, man sollte meinen, deine Augen müssten verquollen sein, doch die Phantome der Nacht hinterlassen keinerlei Spuren. Nur das Gefühl, zwischen geträumter und realer Welt verloren gegangen zu sein.

Starrt sich an und erinnert sich an jene Nacht.

An den Schock, den Unglauben.

Die Kerzen.

Ein Meer flackernder Lichter, als hätte um die Ecke ein Kerzenlager Bereitschaft geschoben für den Fall, dass jemand erschossen wird. Irgendwann hatte auch sie eine in der Hand. Träufelte Wachs auf den Asphalt, stellte sie zu den anderen. Hunderte, Tausende brannten da schon und formten ein großes *Warum*.

Warum?

Weil die Polizisten jüdische Fanatiker nicht auf dem Schirm gehabt hatten, trotz aller Warnungen des Schin Bet. Weil Rabins Leibwächter nicht insistierten, als er die kugelsichere Weste ablehnte. Weil der Aufwand, über 100 000 Menschen vor Betreten des Platzes zu filzen, komplett für die Katz war, da jeder nur nach palästinensischen Sprengstoffgürteln tastete, statt sich zum Beispiel eine Beretta im Hosenbund eines Kippa tragenden Juden vorzustellen.

Weil keiner richtig hingehört hatte in den Wochen und Monaten zuvor.

Das war überhaupt das Schlimmste.

Nicht hingehört, als die Nationalreligiösen zur Hetzjagd bliesen, unterstützt vom Likud, der sich im Glanz feierlicher Friedensabkommen zum Anachronismus verkümmern sah und jede Gelegenheit wahrnahm, auf Rabin einzudreschen, allen voran ein konservativer Kronprinz namens Benjamin Netanjahu, genannt Bibi – nur zu bereit, den Mob geifernder Radikaler, die Rabins Tod forderten und ihn in Nazikluft zeigten, noch mehr aufzustacheln: Was der Premier für einen schmählichen Verrat begangen habe! Gespräche mit Jassir Arafat! Verhandlungen mit der PLO! Das Entsetzlichste, Verabscheuungswürdigste, was ein israelischer Politiker tun könne. Gaza-Jericho-Abkommen, *Declaration of principles,* Autonomieversprechen, teilweiser Rückzug aus Gaza, Judäa und Samaria, alles unter den segnenden Händen dieses Hurensohns Bill Clinton, und als sei das Maß an Widerwärtigkeiten noch nicht voll genug, habe er sich mit Arafat den Friedensnobelpreis für seinen Verrat geteilt und dem Monster anlässlich dessen –

DIE HAND GEGEBEN.

Was müsse man als Nächstes befürchten? Die Rückgabe der Golanhöhen, um dem verlogenen Frieden mit Jordanien einen Kniefall vor Syrien folgen zu lassen?

Für den Mob stand fest: Rabin war wie Hitler.

Nein, schlimmer noch. Hitler hatte wenigstens nie einen Hehl daraus gemacht, dass er die Juden hasste.

Aber Rabin –

Man musste ihn bekämpfen.

Mit allen Mitteln.

Also steckte Jigal Amir besagte Beretta in seinen Hosenbund.

Wieder und wieder fragt sich Yael, warum danach so vieles schieflief, und wieder und wieder lautet die Antwort:

Benjamin Netanjahu.

Bibi.

Dabei hätte Peres alle Chancen gehabt, ohnehin betraut mit Rabins restlicher Amtszeit. Sofortige Neuwahlen hätten ihm eine volle weitere gesichert. Wäre ein glatter Durchmarsch geworden, die Volksseele kochte vor Erbitterung, im Likud zogen sie den Kopf ein, vor allem Netanjahu stand kurz davor, geteert und gefedert zu werden, politisch und moralisch erledigt, aber so was von!

Doch Peres vergeudete wertvolle Zeit.

Und die Hamas wusste das Vakuum zu nutzen.

Dem Dschihad verpflichtet, schickte sie ihre Gürtelbomber nach Israel, und die Arbeitspartei verlor an Glaubwürdigkeit. Versöhnungsrhetorik wird nun mal als zynisch empfunden, wenn Sanitäter gerade die Gliedmaßen deiner Freunde und Verwandten einsammeln. Die Stimmung kippte, Auftritt Arik. Klug genug, Rabin nie öffentlich diffamiert zu haben, stand er besser da als die meisten anderen. Im Likud zogen jetzt Jüngere die Strippen, doch immer noch reichte sein Einfluss, dem Zentralkomitee beizubiegen, was für ein blitzgescheiter Bursche Bibi doch sei. Der übte sich in Demut, klopfte bei alten Freunden an, der Nationalreligiösen Partei, Gusch Emunim. Auch die waren vorübergehend in Deckung gegangen, jetzt witterten sie Morgenluft. Papa Scharon war bereits bei ihnen vorstellig geworden, viel musste Bibi gar nicht mehr tun, einfach nur alles versprechen.

Und alles hieß:

Wirklich ALLES!

Oslo rückgängig zu machen, nie einen Fußbreit israelischen Bodens wegzugeben, den Siedlungsbau voranzutreiben.

Während Peres' Vorsprung zusammenschmolz, verkaufte Arik den Likud an die religiösen Extremisten, was soll's, für die Rückkehr an die Macht hätten sie sich auch an Darth Vader verkaufen lassen.

Und Netanjahu wurde Premier.

Der Anfang vom Ende.

Dieser Totengräber des Friedens, denkt Yael, und dann noch zu blöde, wenigstens konsequent konservativ zu sein. Legte die Oslo-Abkommen auf Eis, rangelte sich deswegen mit Clinton, gab klein bei, Kehrtwende, unterzeichnete neue Abkommen, Gusch Emunim sauer, wieder Kehrtwende, alle Glaubwürdigkeit verspielt, Friedensprozess an die Wand gefahren, nach drei Jahren Rumhampelns endlich abgewählt, Arbeitspartei wieder am Drücker, Ehud Barak, der versuchte, den Prozess zu reanimieren, ebenfalls scheiterte, Camp David, diesen Sommer. Nicht Baraks Schuld, *das* hat Arafat im Alleingang in den Sand gesetzt.

Doch das Klima vergiftet hat Netanjahu.

Und Scharon, dem er die Jahre legalisierten Amtsmissbrauchs verdankt.

Arik, der so viel Unheil über die Kahns gebracht hat.

Phoebes Intimfeind.

Und damit der Yaels.

Sie beginnt, ihre Haare zu trocknen. Der Fön heult in ihren Ohren, sodass sie das Telefon erst hört, als sie ihn ausschaltet.

Jehuda! Ihre Verabredung –

»Mist!«

Spurtet los, rutscht beinahe aus, hat die Hand schon auf dem Hörer, als sich der Anrufbeantworter einschaltet:

»Schatz? Bist du da?«

Ihre Finger verharren eine Sekunde in der Schwebe, dann zieht sie die Hand langsam zurück.

»Ich würde gern mit dir essen gehen. Ich möchte, dass du jemanden kennenlernst. Wir sind jetzt ein paar Wochen – ähm – zusammen, und ich glaube, er kann einiges für dich tun. Ich würde auch gerne wissen, wie es an der Uni läuft. Und, ja – also – ich wollte dich nur dran erinnern, falls es dir durchgegangen ist, Phoebe hat nächste Woche Geburtstag, nicht, dass das wirklich *mein* Thema wäre, aber vielleicht willst du ja –«

Yael funkelt den Anrufbeantworter an, als habe er es zu verantworten, wer ihm aufs Band quasselt.

(Blöde Kuh. Wenn irgendjemand weiß, dass Phoebe Geburtstag hat, dann ja wohl ich.)

»Wie auch immer, wir sollten uns über deine Zukunft unterhalten. Die Kontakte meines Bekannten könnten dir sehr von Nutzen sein. Also lass mich nicht so lange warten. Kuss.«

Piep, piep –

Der Köder zappelt im Raum.

Und jetzt soll ich dich fressen?

Fick dich, Anastasia.

Yael löscht die Nachricht, tilgt sie von der Maschine, schlüpft hastig in Jeans und T-Shirt, und im selben Moment fällt ihr ein, dass Sonntag ist.

Ihr Treffen mit Jehuda ist erst *morgen.*

Das heißt, sie kann in aller Ruhe frühstücken. Granatapfelsaft, Bagels, dann ab zur Uni.

Und vorher noch Elior.

2011

Westjordanland

Die Mauer ist nicht überall eine Mauer.

Weitenteils durchschneidet sie das Land als stacheldrahtbewehrter Zaun, gespickt mit Bewegungsmeldern, flankiert von Patrouillenwegen, Gräben, geharktem Erdreich und noch mehr Stacheldraht. Wachtürme und Kameras observieren das Gelände, eine platzraubende Angelegenheit. Wo die erforderliche Breite nicht zur Verfügung steht, pflügt Israels größte Bauinvestition als bis zu acht Meter hohe Stahlbetonbarriere mitten durch Wohngebiete, Felder und Privatgrundstücke, jedes Modul mit einem Loch in der oberen Mitte, das den Eindruck vermittelt, man könne einen Haken einführen und es einfach so herausziehen.

Nicht anzuraten.

Wer immer hier was rausziehen oder drüberklettern will, macht flugs Bekanntschaft mit den schlechtestgelaunten Soldaten des Erdkreises.

Einkassieren, abführen.

Das geht ganz schnell.

Und man muss zugeben, das Ding tut seine Wirkung.

Gleich zweifach: Der Terror ist zurückgegangen, das Kernland hat sich auf wundersame Weise erweitert. Noch bei Baubeginn, mit Blick auf die Grüne Linie, hieß es: Die Grenze bestimmt den Zaun. Der Siedlerrat machte Druck, verlangte, noch mehr Siedlungen müssten eingefasst, noch mehr Palästinenser ausgegrenzt werden –

Jetzt bestimmt der Zaun die Grenze.

Gegen zehn steigen sie in Davids Station Wagon. Efrat liegt innerhalb der Umzäunung, also kann Mansour al-Sakakini nicht einfach vors Haus fahren und Hagen und Yael auf den Rücksitz verfrachten. Sie halten nach Süden, biegen ab. Bagger stehen herum. Der größte Teil des hiesigen Zaunabschnitts ist fertiggestellt, der Checkpoint grell erleuchtet. David geht kaum vom Gas, sein Kennzeichen wird erfasst, das war's. Fünf Kilometer weiter könnte al-Sakakini seinerseits auf israelisches Gebiet wechseln, allerdings müsste er Wartezeiten und Kontrollen in Kauf nehmen, und wenn er wieder reinwill, kann es passieren, dass er noch mal kontrolliert wird.

»Es gibt Übergänge für Israelis und welche für Palästinenser«, erklärt David Hagen. »Der hier ist ausschließlich für uns. Hier können wir frei passieren.«

»Durch seinen Checkpoint kämen Sie nicht?«

»Seitens der palästinensischen Behörden schon. Kein Problem. Aber da streikt die Armee.«

Aus gutem Grund. Israelische Checkpoints leiten dich auf gesicherte Wege, palästinensische nicht. Und die Armee sieht Israelis ungern auf arabischen Straßen herumfahren. Entführung hat sich als Geschäftsmodell von hoher Ergiebigkeit erwiesen, nachdem für Gilad Shalit gleich eine Tausendschaft inhaftierter Palästinenser freikam.

Israel *will* keinen zweiten Gilad Shalit.

Einige Minuten fahren sie auf der unbeleuchteten Straße dahin, vorbei an terrassierten Hängen, Silhouetten von Olivenbäumchen, lichtlosen, arabischen Ortschaften. Freies Feld tut sich auf, steinige Äcker, Trampelpfade, hier und da ein Strommast. Außer ihnen scheint niemand unterwegs zu sein. Wolkenfetzen treiben ostwärts wie große, rätselhafte Tiere, geben den Blick frei auf einen blassen Mond, der sich müht, dem Land Konturen abzuringen. Eine Kreuzung gerät in Sicht. Die Andeutung eines Wagens, Scheinwerfer ausgeschaltet. Ein Mann lehnt daran, stößt sich ab. Kommt näher, während sie aussteigen, umarmt David, streckt ihnen die Hand entgegen.

»Mansour.«

»Tom.«

»Yael.«

»Freut mich.« Mit seiner zurückgekämmten Mähne und der Designerbrille sieht er aus wie ein in die Jahre gekommener Techno-DJ. Ein getrimmter Strich Haare spaltet sein Kinn. »Macht euch keine Sorgen. Ihr seid in Sicherheit. Nichts ist so sicher wie die Westbank bei Nacht.«

Sein Englisch ist schroff, sein Humor schon jetzt kaum zu überbieten.

Der sicherste Platz für eine Jüdin?

Na, die Westbank!

Gleich nach Gaza, hahaha! So schnell kann man sich als Witzbold outen, aber wahrscheinlich hat Mansour sogar recht. Für den Moment jedenfalls. Er nimmt David am Arm, die beiden gehen ein Stück beiseite, reden gedämpft miteinander.

»Was sagen sie?«, will Hagen wissen.

»Keine Ahnung.« Yael zuckt die Achseln. »Mein Arabisch ist noch beschissener als meine Stimmung.«

Abschied. Je weniger Bedeutsames man von sich gibt, desto vorüber-gehender erscheint er, also drückt David Yael nur kurz und sagt in bei-läufigem Ton:

»Meldet euch, ob ihr gut angekommen seid.«

Wie zu Partygästen, bevor sie lallend in ihr Taxi kippen.

»Deinen Wagen bringe ich morgen zurück nach Tel Aviv. Vergiss nicht, mich zu fragen, wo ich ihn abgestellt habe, damit du ihn wieder-findest. Und frag bald. Du kennst ja mein famoses Gedächtnis.«

Umarmt auch Hagen.

»Ich müsste lügen, wollte ich sagen, dass Ihnen meine Sorge in glei-cher Weise gilt wie Yael«, flüstert er. »Miriam und ich sind verrückt vor Angst. Schwören Sie mir, sie keine Sekunde alleine zu lassen.«

»Versprochen.«

»Schwören Sie es!«

Hagen schluckt. »Ich schwör's.«

»Dann alles Gute.« Klopft ihm auf den Rücken, während Mansour ungeduldig mit den Autoschlüsseln klimpert. »Ich vertraue Ihnen, Tom. Ich mache Ihnen keinen Vorwurf. Was Sie da losgetreten haben, trifft uns hart, aber wenn Menschen wie Sie aufhören, nach der Wahrheit zu suchen, trifft uns das am Ende noch härter.«

Da bleibt ihm doch glatt die Luft weg.

(Wenn du wüsstest, du gottverdammter Prediger, wenn du nur den Schimmer einer Ahnung hättest –)

Meinetwegen sind Menschen gestorben! Weil ich glaubte, die Welt in jede mir genehme Richtung lenken zu dürfen. Tom Hagen? Bloß Fin-ger weg von Hagen! Was immer er tut, ob er in die Annalen eingehen oder einfach nur seinen Arsch retten will, er reißt euch mit sich in den Abgrund. Entfernte man ihn rückwirkend aus der Geschichte, sein Ver-schwinden würde ihn mehr als ersetzen.

Er macht sich los, keine Sekunde länger erträgt er die Umarmung. Packt Yaels Reisetasche und seinen Rucksack in Mansours Kofferraum, rutscht neben sie auf die Rückbank.

Mansour fährt an.

Davids winkende Gestalt.

Eins mit der Nacht.

Die weiße Naht des Mittelstreifens.

Eine Weile sagt niemand etwas. Yael starrt vor sich hin. Mansour ist zu höflich, zu fragen, in welcher Art Scheiße sie sitzen, und um land-schaftliche Vorzüge zu erörtern, ist es zu dunkel.

In Hagen tobt die Hölle.

Sein Kopf ist Schauplatz eines Gerichtsprozesses, die Anklageschrift geeignet, selbst den dickfelligsten Pflichtverteidiger in die Flucht zu schlagen. Hernieder fährt der Hammer des Richters, *bumm, bumm*, immer wieder. Inga: Schuldig, Max, Walid und Marianne: Schuldig, Krister: Schuldig, Tonja und Irina: Schuldig, der Mann in Mea Schearim, auch wenn der dem Angeklagten nach dem Leben trachtete –

Schuldig in allen Punkten.

In LETZTER Instanz.

Zugleich räumt ihm das Hohe Gericht eine Chance zur Bewährung ein, wie er jetzt erkennt. Kein Freispruch zwar, aber immerhin ein Weg, das Strafmaß zu mildern.

Seine Aufgabe lautet nun, Yael Kahn zu retten.

Und das wird er nicht verpatzen.

Er wird die Ärztin in Sicherheit bringen, und wenn es das Letzte ist, was er in diesem Leben tut.

»Wie fühlst du dich?«, fragt er.

Sie schaut ihn an. In der Dunkelheit erscheint ihr Gesicht bar jeden Ausdrucks.

»Wie jemand, der auf einer breiten Straße zielsicher in den einzigen Hundehaufen gelatscht ist.«

»Was bist du?«, will Adler wissen. »Meine Gouvernante?«

Sie gehen auf das Haus in Efrat zu, in dem Miriam und David Cantor leben. Der Asphalt glänzt vom Regen. Nachdem sich die Wolkenfront über der Gegend erleichtert hat, zieht sie nach Osten ab und gibt den Blick frei auf die Sterne. Zwei Agenten warten am Wagen, um die Ecke parkt ein Polizeifahrzeug, falls Verhaftungen anstehen.

(Kleine Kompetenzkunde: Agenten dürfen dich erschießen, aber nicht verhaften. Das darf nur die Polizei.)

»Blödsinn, Tal.«

»Was machst du dann hier?«

»Ich dachte, wir versuchen's noch mal miteinander.«

Den Weg von Tel Aviv ist sie ihm hinterhergefahren, erst jetzt kommen sie dazu, ein paar Worte zu wechseln.

»Dachtest *du*?« sagt Adler finster.

»Dein Boss war einverstanden. Welchen Grund hätte Dreyfus, dir eine Aufpasserin an die Seite zu stellen?«

Adler bleibt stehen. In der Dunkelheit abseits der Straßenbeleuchtung erinnert seine vierschrötige Gestalt an einen kleinen Troll.

»Ich führe die Befragung durch«, sagt er.

»'kay.«

»Ist das klar, Shana?«

Sie lächelt mit allem verfügbaren Liebreiz. »Mir war noch nie irgendwas *so* klar.«

»Verarschst du mich?«

»So wie du mich damals?«

Adler starrt sie an.

»Mann, Tal!« Sie rollt die Augen. »Komm runter vom Baum. Ich will das Kriegsbeil begraben. Echt. Wenn du's wieder ausgräbst, deine Sache. Lass uns endlich Frieden schließen.«

Schluckt er das?

Zumindest hakt er nicht weiter nach.

Miriam Cantor ist überrascht, dann besorgt. Bittet sie rein. Was denn mit Yael wäre. Nein, sie habe nichts von ihr gehört, auch nicht erwartet, von ihr zu hören. Ihr Mann? Unterwegs. Einen Besuch machen, in seiner Funktion als Seelsorger.

Adler gibt ihr zu verstehen, sich umsehen zu wollen.

Kein Problem, Frau Cantor zeigt ihnen bereitwillig Haus, Keller, Garten. Ein halbwüchsiges Mädchen gesellt sich hinzu und zuckt – nach ihrer Cousine befragt – die Achseln.

»Nö. Sollte sich mal wieder blicken lassen.«

»Hat Yael Schwierigkeiten?«, fragt Miriam.

»Wir wollen nur ausschließen, dass sie in welche gerät«, räumt Adler diffus ein.

»Welche Art Schwierigkeiten?«

Er drückt ihr seine Karte in die Hand. »Falls Sie sie sehen oder sie sich mit Ihnen in Verbindung setzt, geben Sie uns Bescheid. Schärfen Sie ihr ein, sich unverzüglich bei uns zu melden.«

Sie dreht aufgeregt die Karte zwischen den Fingern.

»Aber worum geht es denn?«

»Um Israels Sicherheit«, sagt Cox. »Wir müssen mit ihr reden. Es gibt Leute, die das verhindern wollen.«

»Was? Dass Yael mit Ihnen redet?«

»Ja, sie könnte zwischen die Fronten –«

Adler wirft ihr einen Blick zu, der besagt, kusch! Halt dich raus.

»Rufen Sie mich an«, wiederholt er mit kalter Freundlichkeit, die keinen Zweifel daran lässt, was ihr blüht, wenn sie es nicht tut. »Und zwar ausschließlich *mich*.«

Zeit. Zeitlos.

Die Nacht scheint Zeit zu nivellieren. Sie durchqueren eine Ortschaft. Kleine elektrische Lagerfeuer, die linker Hand plötzlich abreißen. Unbemerkt hat sich etwas Massiges, Bedrohliches herangeschoben, ein schwarzer Nihilismus mit schnurgerader Kante, die den gestirnten Himmel kappt. Eine Weile läuft die Trennanlage neben der Straße her, und Hagen fragt sich, wer der wahre Gefangene des Zauns ist. Ein Mensch in einer Zelle kommt ihm in den Sinn, der behauptet, sich zu seinem eigenen Schutz eingemauert zu haben.

Mansour bricht das Schweigen.

»David meint, ihr müsst das Land verlassen.«

»Ja«, sagt Hagen. »Und du hättest eine Idee.«

»Ich hab ein bisschen mehr als eine Idee. Ich hab Leute, die euch rausbringen können. Die Frage ist, was ihr bereit seid zu riskieren.«

»Alles«, sagt Yael tonlos.

»Auch zu *investieren*?«

Da muss Hagen nicht lange überlegen. Er ist pleite, und ob Yael willens ist, seine Rechnung mit zu begleichen –

Gut, ohne ihn hätte sie ihr Leben in einem Kleintransporter beschlossen.

Andererseits wäre sie ohne ihn gar nicht erst darin gelandet.

»Von wie viel ist die Rede?«

»10 000.«

»Zusammen?«

»Pro Nase. Aber man kann auf verschiedene Art zahlen.«

»Toll.« Yael rutscht tiefer in ihren Sitz. »VISA? AMEX? Mastercard? Kann ich die Typen leasen? Wie hoch wär die Rate?«

»Leider nur bar.«

»Zu dumm. Gerad heute hab ich keine 10 000 bei mir.«

»Na ja.« Mansour zögert. »Diese Männer –«

»*Was?*« Eine Falte entsteht zwischen ihren Augen. »Ich sag euch gleich, bestimmte Dinge laufen nicht.«

»Ich meine –«

»Wenn sie schwul sind, können sie gerne mit Tom –«

»He«, fährt er auf. »Spinnst du?«

»Beruhigt euch.« Mansour lacht. »Ich wollte sagen, sie kaufen auch Informationen. Versteht ihr? Wissen.«

Hagen versteht sehr gut.

David Cantor hat den Sack geöffnet. Und die Katze ein Stückchen rausschauen lassen.

»Wie sieht deine Idee überhaupt aus?«

Der Araber schweigt einen Moment. Dann sagt er: »Ich möchte, dass eins zwischen uns klar ist. Ich bin kein professioneller Fluchthelfer, ja? Ich bin Geschäftsmann.«

Du kannst der Drache Fuchur sein, wenn du uns rausbringst, denkt Hagen, aber er versteht, was Mansour sagen will: Wir mussten überleben. Die Region hat eine wechselvolle, mit Blut geschriebene Geschichte. Nablus, Dschenin, Ramallah, ihr denkt an Terroristen, wir an Freiheitskämpfer, die es zu verstecken und zu schützen galt: Freunde, Brüder, Familienväter. Jeder Widerstand ist so effektiv wie das Netzwerk, dessen er sich bedient, und die Westbank *ist* das Netzwerk. Niemand im Hochwassergebiet muss sich dafür rechtfertigen, Leute zu kennen, die Gummistiefel verkaufen, niemand in Nablus dafür, Türen zu kennen, hinter denen Pässe und Dinge verscherbelt werden, die dein Leben retten können.

»Du bist vor allem ein Freund«, sagt Hagen. »Wir sind dir dankbar.«

»Kein Problem. David hat viel für mich getan.«

Hagen verzichtet darauf, nachzuhaken. Die Frage wäre vielleicht nicht indiskret, möglicherweise aber die Antwort.

»Wo also könnt ihr hin?« Mansour zeigt in unbestimmt östliche Richtung. »Direkt aus der Westbank führt der einzige Weg nach Jordanien. Über die Allenby-Brücke. Natürlich könnt ihr euch abseits der Brücke über den Jordan schlagen, aber ich kenne niemanden, der das organisiert, und alleine geht ihr in der Wüste verloren.«

»Wie bitte sollen wir über die Allenby-Brücke kommen?«, fragt Hagen.

Der einzige Grenzposten zwischen Westbank und Jordanien ist ein Nadelöhr, israelisch kontrolliert und schwer bewacht. Ausschließlich gedacht für Palästinenser, Ostjerusalemer und Ausländer mit Sondervisa. Keine Maus kommt unbemerkt über die Allenby-Brücke. Sie bräuchten erstens falsche Pässe und zweitens einen Gesichtschirurgen.

»Halb so wild«, sagt Mansour. »Yael sieht mit genügend Mascara durchaus arabisch aus.«

»Ich aber nicht.«

»Du auch. Alec Guinness hat Prinz Faisal gespielt.«

»Die haben Fahndungsfotos«, sagt Yael. »Die werden sehr genau hinschauen.«

»Und wir haben Maskenbildner. Aber natürlich bleibt das Risiko, dass ihr aus dem Wagen müsst und sie euch filzen. Euch ein bisschen *zu* lange ins Gesicht sehen. Außerdem dauert es, die Pässe herzustellen, und ich kann die Preise nicht beeinflussen. Bleibt Variante zwei. Von Eilat nach Akaba. Auf dem Seeweg.«

Natürlich!, denkt Hagen.

Wenn es eine Möglichkeit gibt, dann tief im Süden, wo Israel in eine Spitze mündet. Die grenzt an den Golf von Akaba, einen Ausläufer des Roten Meeres. Drei weitere Länder flankieren das Gewässer, Jordanien, Saudi-Arabien und Ägypten. Wo das israelische Eilat dem jordanischen Seehafen Akaba gegenüberliegt, ist der Golf nur knapp sechs Kilometer breit – eine Route, wie gemacht für Menschenschmuggel.

»Ein Boot wird euch rübersetzen. Im Schutz der Nacht. Die Schleuser sind erfahren. Sie kennen die Routen der Patrouillenboote und machen das nicht zum ersten Mal, trotzdem ist es gefährlich. In Jordanien bringt euch ein Mittelsmann zum Flughafen.«

»Und wann soll das steigen?«

»Ich muss telefonieren. Morgen weiß ich mehr.«

»Wie sollen wir überhaupt von Nablus nach Eilat kommen?«, will Yael wissen. »Dafür müssen wir wieder raus aus dem Westjordanland.«

»Das organisiert David.« Mansour zögert. »Möglich, dass ich den Preis ein bisschen runterhandeln kann. So bedeutend, dass sie es umsonst tun, bin ich nicht. Warum sollten sie einer Jüdin helfen? Die Route dient dazu, Araber vor Juden in Sicherheit zu bringen, alleine *dass* sie es tun, wäre ein unschätzbarer Gefallen.«

Hagen denkt darüber nach.

»Kürzen wir die Sache ab, Mansour. Ich hab keine Zehntausend.«

»Ich hätte sie zur Not«, sagt Yael. »Aber ich komm nicht dran. Definitiv nicht in bar.«

Wieder schweigt der Araber eine Weile.

Hagen fragt sich, wo sie gerade sind. Sein Blick erwandert die Höhenrücken, Anhäufungen von Schwarz. Straßenlaternen beleuchten einander auf den Kuppen. Unverkennbar leben dort oben Israelis. Ihre Enklaven strahlen heller und gleichmäßiger als arabische Ortschaften, die Anordnung der Lichtquellen verrät den Planer am Reißbrett. In der Konturlosigkeit hängen sie am Himmel wie Raumschiffe.

»Es interessiert mich nicht, weswegen man euch sucht«, sagt Mansour. »Das ist eure Sache. Aber ich muss diesen Männern irgendetwas sagen. Sie werden wissen wollen, woran sie mit euch sind. Wer euch jagt. Mit welchen Gegnern sie zu rechnen haben.« Er macht eine Pause. »Und ob deine Informationen es wert sind, Tom.«

»Was hat David dir erzählt?«

»Nichts Inhaltliches. Nur, dass du im Besitz von Daten bist.«

Targeting. Jewish Division.

Nein, das geht nicht. Auf gar keinen Fall! Er *kann* denen keine Daten über die Jewish Division verkaufen, es wäre ein Verbrechen. Er würde Dutzende, Hunderte Agenten ans Messer liefern, Israels Sicherheit gefährden. Dieses Material an Araber zu verkaufen, das wäre – das wäre wie –

Mein Gott, denkt er, ich sinke immer tiefer.

Aber was soll ich tun?

Mein einziges verbliebenes Kapital sind zwei CDs und eine Lüge.

Jerusalem

Sie erwischen Miriams studierende Tochter im Moment, als sie fröhlich schnatternd mit Freunden um die Ecke biegt, den Hausschlüssel schon in der Hand.

Gehen mit ihr hoch.

In dem kaninchenstallgroßen Zimmer, das sie bewohnt, könnte man Yael nicht mal verstecken, wenn man eine Zwischendecke einzöge.

Adler zieht seine übliche Nummer ab.

Freundlich bedrohlich.

Sie treten hinaus in die kühle Nachtluft, gehen zurück zu den Fahrzeugen, während er mit seinen Agenten in Hebron, Kiryat Arba und Gusch Etzion korrespondiert.

»Und?«

»Fehlanzeige.«

Cox ruft das Observationsteam in Kerem HaTeimanim an, das Yaels Wohnung überwacht. Dort tut sich nichts, sie würden sich melden, aber ein bisschen Aktionismus schafft immerhin die Illusion, es täte sich was.

»Zu Hause ist sie nicht«, sagt sie.

Adler reibt sein Kinn. »Hätt mich auch gewundert.«

Fakt ist, sie haben Hagen und Kahn verloren.

Verloren ist gut, denkt Cox. Wir hatten sie nie, und wer sagt überhaupt, dass sie sich verstecken? Vielleicht sind sie den anderen ja längst in die Arme gelaufen. Werden gefangen gehalten.

Sind schon tot.

Ein Film kommt ihr in den Sinn, den sie kürzlich gesehen hat. Über einen Killer mit einer Druckluftflasche. Tommy Lee Jones spielt darin einen Sheriff, der zweieinhalb Stunden lang nur dasitzt oder zu spät kommt.

Am Ende wird er pensioniert.

»Sag mal, Tal – wie kam dir Miriam Cantor eigentlich vor?«

»Was meinst du?« Adler wendet ihr seinen klotzigen Schädel zu. »Ob ich sie glaubwürdig fand?«

»Ja.«

»Du nicht?«

»Weiß nicht. Kann mich irren.«

»Du meinst, sie hat uns was vorgemacht?«

»Ich meine, vielleicht hat sie uns nicht getraut.« Sie schaut ihn an, versucht in seiner Mimik zu lesen. »Vielleicht hat sie uns für die Bösen gehalten.«

»Sind wir ja auch«, sagt Adler.

»So?«

»Wir sind Agenten. Wir jagen Leute. Wir töten Leute.«

»Wir sind die Guten.«

Adler lacht heiser. »Das hast du schön gesagt. Würdest *du* irgendeinem Geheimdienst trauen?«

Ihre Antwort lässt ein bisschen zu lange auf sich warten.

»Siehst du«, sagt er und lässt sie stehen.

Westjordanland, Nablus

Erstaunlich, selbst in der Nacht.

Hagen kennt Bilder und Reportagen aus der Westbank zu Dutzenden, er ist vorbereitet auf das, was er zu sehen bekommt, aber ganz sicher läuft es der Vorstellung der meisten Europäer zuwider.

Besetzte Gebiete, das ruft in den Köpfen ab:

Zerstörte Gebiete.

Armut, Trümmer und Zementstaub. Hinterlassenschaften von Luftangriffen, das Vernichtungswerk israelischer Bulldozer und Panzer. Typisch palästinensisches Elend eben, das sich in Vermummung, Wut und Luftschüssen äußert.

Doch die Westbank ist nicht Gaza. Die Westbank prosperiert. Ein leuchtendes Häusermeer ergießt sich in die Talsenke zwischen den Bergen Ibal und Dschirzim und brandet beidseitig die Hänge hinauf. Hagens Eindruck, als sie sich der Stadt von Westen nähern, ist, dass sie rapide wächst, die Peripherie eine einzige Baustelle. Wohin man schaut, wird Stockwerk auf Stockwerk geschichtet. Mansour steuert eines der Neubaugebiete an und parkt vor einem mehrgeschossigen Quader.

»Ihr habt Glück«, sagt er. »Fast alle Wohnungen sind noch frei. Meine Frau hat die unteren beiden für euch hergerichtet, ich hoffe, Luftmatratzen sind in Ordnung.«

»Kannst du einfach so über die Wohnungen verfügen?«, fragt Yael.

Mansour zuckt die Achseln. »Es ist mein Haus.«

»Das ganze Haus?«

»Das und das nebenan. Dort wohnen wir. Glaub mir, es gibt nichts Besseres, als sein Geld in Immobilien anzulegen.«

Es gibt offenbar nichts Besseres, als Sesampaste herzustellen.

Er schließt auf, im Treppenhaus springt die Beleuchtung an. Es riecht nach Farbe und frischem Verputz. Die Wohnungen liegen benachbart, hier wie dort leere Räume, kahle Wände, an Drahtschlingen baumelnde Glühbirnen, dafür in jedem der provisorischen Schlafzimmer eine Insel der Wohnlichkeit. Mansours Frau hat die Luftmatratzen mit Decken und Gebirgen von Kissen drapiert, Kerzenleuchter hinzugestellt, Wasserflaschen, Teller mit Brot, Oliven und Nüssen. Aus gläsernen Schalen quellen winzige, köstlich aussehende Trauben.

»Kommt ihr so klar?«

Yael schaut sich um.

»Ich weiß nicht, wie ich euch danken soll –«

»Kein Problem.« Mansour grinst. »Bis morgen kannst du dir was überlegen.«

Tel Aviv

Die Desk Officers haben ganze Arbeit geleistet.

Als träufele man Zitronensaft auf Geheimtinte, werden feine und feinste Verbindungslinien zwischen *Zionist Protection Services,* Polizeidienststellen in Jerusalem, ultrarechten Unternehmern, radikalen Jeschiwot, Einheiten der Armee und Gusch Emunim sichtbar. Das Netzwerk spannt sich quer durch die Westbank und reicht bis tief ins Kernland, vor allem aber ein Stück zurück in die Vergangenheit, was Ben-Tov zu der Frage veranlasst:

»Worüber reden wir hier eigentlich? Über eine Neuauflage des Jüdischen Untergrunds?«

Das Schreckgespenst.

Der immer wiederkehrende böse Geist.

Israels Lord Voldemort heißt nicht Mahmud Ahmadinejad, Chalid Maschal, Ahmed al-Dschabari oder Hassan Nasrallah.

Er hört auf den Namen *HaMachteret HaJehudit.*

Jüdischer Untergrund, ein nebulöses Phänomen, das erstmals während der Zeit der großen Mythenbeschwörung nach 1967 in Erscheinung trat. Nichts ist so gedeihlich für Geheimbünde wie eine schöne, in sich plausible Ideologie wider die Staatsdoktrin. Gruppen und Grüppchen sprossen in der Westbank, Hasmonäer, Makkabäer, um der Befreiung des Landes gewaltsam auf die Sprünge zu helfen, im Weg: Araber mit Besitzansprüchen. Ein halbes Dutzend solcher Bewegungen schritt zu Untat und fand Hilfe und geistige Heimat bei Gusch Emunim, die im Schulterschluss mit rechtsnationalen Politikern fleißig an der Besiedlung der eroberten Gebiete werkelten. Mitte der Siebziger drängte dann ein neuer Trieb aus dem ideologiegetränkten Nährboden, TNT, Akronym für »Terror gegen Terror«, in Ostjerusalem brannten arabische Busse, doch so richtig in Fahrt kam der Terror Anfang der Achtziger, als TNT Gesellschaft von den organisierten Siedlern bekam.

Von den Profis.

War der durchschnittliche TNT-Aktivist jung, hitzköpfig und spontan (meist kam er frisch von irgendeiner Jeschiwa, zündelte gern und machte Jerusalem unsicher), erwuchs *diese* Bewegung aus dem fanatisch nationalistischen Establishment: gebürtige Israelis, darunter Ex-Elitesoldaten, die mühelos an Waffen und Sprengstoff gelangten, hohe organisatorische Fähigkeiten ins Spiel brachten und in der kompletten Westbank aktiv wurden. In arabischen Städten detonierten Autobomben. Der Bürgermeister von Nablus verlor beide Beine, sein Amtskollege in Ramallah einen Fuß. Bomben explodierten auf palästinensischen Märkten, etliche Verletzte. 1983 stürmten Maskierte das islamische Kolleg in Hebron, schossen um sich und warfen Handgranaten, doch erst, als auch jüdische Siedlungsgegner angegriffen wurden, klingelte in der Knesset der Wecker.

Juden im Visier von Juden?

War hier ein Jüdischer Untergrund zugange, wie die Presse titelte? Die *Jerusalem Post* jedenfalls sah das Grundgefüge Israels erschüttert, *Al Hamischmar* warf der Polizei Unfähigkeit vor, *Haaretz* bezichtigte die Regierung, die Konfrontation mit der gewaltbereiten Rechten zu scheuen. Der Likud sah lediglich ein paar Verrückte am Werk, was sich änderte, als Männer dabei erwischt wurden, wie sie unter palästinensischen Bussen Bomben installierten, um gleich 250 Araber auf einen Schlag an Allahs Seite zu gesellen. Schon seit geraumer Weile hatte der Schin Bet die Gruppe observiert, ohne ihr etwas nachweisen zu können, nun ertappte man sie auf frischer Tat.

Von wegen, ein paar Verrückte.

Das honorige Umfeld von Gusch Emunim kam zum Vorschein, teils mit besten Kontakten zur Regierung. Der Oberrabbiner von Kiryat Arba. Ehemalige Mitglieder des Gusch-Emunim-Generalsekretariats, Offiziere der Reserve, ausgezeichnete Kriegshelden, der Chef des Komitees zur Wiederbesiedlung Hebrons, und so weiter und so fort, immer höher stach der Eisberg heraus.

Da war er, der Jüdische Untergrund.

Israel rieb sich die Augen.

Das Nest, das sie aushoben, schien bodenlos, in Kiryat Arba wurde ein gewaltiges Waffen- und Sprengstofflager entdeckt. Beweise häuften sich, dass die Gruppe sowohl für das Blutbad am islamischen Kolleg wie auch für die Anschläge in Nablus und Ramallah verantwortlich war. In ihrer Arbeit kam den Ermittlern die schnöde Selbstgefälligkeit der Beschuldigten zur Hilfe (»Ja, ich hatte das Privileg, diesen Mördern die Beine zu kürzen«), und plötzlich schwemmten da ganz dicke Brocken an die Oberfläche.

Die Sache mit dem Tempelberg –

»Was meinen Sie, Ric?«, fragt Ben-Tov.

Perlman schreckt hoch.

»Tut mir leid, ich war einen Augenblick –«

»Ich sagte zu Reuben, bei allem Respekt, aber dass diese fusselbärtigen Irren den israelischen Geheimdienst infiltrieren –«

»Sie hatten 20 Jahre Zeit, dazuzulernen«, gab Perlman zu bedenken.

»Erinnern Sie sich an die Bilder, Ric! Aus dem Gerichtssaal. Diese Typen! Allesamt wie aus dem Katalog für radikale Frömmler.«

»Bärte kann man abrasieren.«

»Langsam«, sagt Dreyfus. »Richtig ist, wir sollten keine voreiligen Schlüsse ziehen. Die Zelle war hervorragend organisiert, aber Busse und Bauwerke in die Luft zu sprengen ist was anderes, als den Schin Bet zu unterwandern. Von einem Anschlag, wie Hagen ihn schildert, ganz zu schweigen.«

Perlman zuckt die Achseln. »Für den Anschlag auf Rabin reichte ein Einzelner mit einer klemmenden Beretta.«

»Amir war kein Siedler.«

»Er hatte Mitwisser und Helfer in den Siedlungen. Spielt aber keine Rolle. Es geht um das, was möglich ist.«

»Jemandem in den Kopf schießen kann jeder Primat«, sagt Ben-Tov.

»Die Medikation eines kranken Ministerpräsidenten so zu manipulieren, dass es niemandem auffällt, dafür braucht es mehr als ein paar Bombenleger.«

Perlman lehnt sich vor.

»Könnte auf Weinsteins Downloads was über den Jüdischen Untergrund sein?«

Dreyfus schürzt die Lippen.

»Möglich. Wir haben nie aufgehört, in die Richtung zu ermitteln. Besonders während der Zweiten Intifada.«

Als die Siedlerwut über den palästinensischen Terror in Rachegelüste umschlug und mysteriöse Angriffe auf arabische Zivilisten nach sich zog. Damals wurden im Schin Bet besorgte Mutmaßungen laut:

Jüdischer Untergrund, *Next Generation?*

»Der Punkt ist, dass keiner unserer Agenten in den Siedlungen während der letzten Jahre eine Reorganisation des Jüdischen Untergrunds beobachten konnte«, sagt Dreyfus. »Und die sind bestens verdrahtet.«

Ich weiß, denkt Perlman.

Einer dieser Agenten zählt zu seinen näheren Bekannten. Vor zehn Jahren wurde er auf eine Frau angesetzt, deren Eltern als Schlüsselfiguren der radikalen Szene galten. Er flirtete mit ihr, machte ihr den Hof, jetzt leben sie in Kiryat Arba und haben drei Kinder. »Lügen ist meine zweite Natur geworden«, hat er Perlman erzählt. »Ich kann nicht mehr anders, nach all den Jahren. Ich belüge meine Frau selbst dann, wenn gar kein Grund vorliegt.«

Bestens verdrahtet –

»Auch mit Maulwürfen?«, fragt Ben-Tov

»Welche meinen Sie?«, lächelt Dreyfus. »Ihre oder unsere?«

Ben-Tov lacht, Perlman lacht mit. Ein bisschen Spannung entlädt sich, während er denkt:

Vielleicht ja mit Tal Adler.

Maulwürfe unter sich.

Cox' Verdacht nagt an ihm. Gerade ist sie mit Adler in der Westbank unterwegs. Er fragt sich, ob er Dreyfus und Ben-Tov davon erzählen sollte. Wäre es nicht angemessen, mit offenen Karten zu spielen, da hier ohnehin niemand mehr sakrosankt ist?

»In Richtung eines Attentats, wie Hagen es beschreibt, haben wir jedenfalls nicht ermittelt«, schließt Dreyfus. »Mag sein, er hat Daten über den Jüdischen Untergrund, *solche* definitiv nicht.«

»Oder die haben verschlüsselt kommuniziert«, wendet Ben-Tov ein.

»Über *unser* Netz?«

»Das sollen die Kryptografen beantworten.«

Dreyfus nickt. »Ich hatte übrigens ein Gespräch mit Benjamin Kahn. Gute Nachricht, schlechte Nachricht.«

Kahn, das Schwergewicht.

Sie schauen ihn erwartungsvoll an.

»Wie es aussieht, hat Ben noch drei Monate zu leben.«

Ben-Tov kratzt seinen Nacken. »Und die gute Nachricht?«

»Das war die gute.«

»Toll.«

»Die schlechte ist, er weiß nichts über unsere Sache. Einen Anschlag auf Scharon hält er für denkbar, Maulwürfe im Schin Bet auch.«

»Er hat keine Idee, *wer* die sind?«

»Leider nein.« Dreyfus schüttelt den Kopf. »Aber er hat versprochen, es herauszufinden – in der Zeit, die ihm noch bleibt.«

Als er Cox auf der Heimfahrt anruft, haben sie sich nicht viel Neues zu berichten. Natürlich kennt sie die Geschichte des Jüdischen Untergrunds.

»Plausibel«, sagt sie.

Was soll sie sonst groß dazu sagen?

Perlman wirft einen Blick auf die Uhr.

Mitternacht. Mal wieder.

Dabei hat er ein schönes Zuhause. Eigentlich. Nur dass da niemand ist. Und seltsam, auch wenn er am Küchentisch sitzt oder im Bett liegt, denkt er immer noch, dass da *niemand ist*. Zunehmend macht ihm die Wohnung den Eindruck, als fühle sie sich in ihrer Selbstgenügsamkeit gestört, wann immer er zur Tür reinkommt, also fährt er ins Molly Bloom's, ein Pub in der HaYarkon Street. Bestellt ein Pint Tuborg. Trinkt alleine an seinem Ecktisch, während Uniformierte das dunkle Land nach Kahn und Hagen absuchen, die Analysten Verdächtigen nachspüren, die eine Überwachung lohnen, denn alle können sie unmöglich observieren, ebenso wenig, wie sie nach Lust und Laune Kommandos in die Siedlungen schicken können. So funktioniert die Arbeit der Jewish Division nicht. Ihre einzige Chance, an Informationen zu gelangen, ist, die Szene in Sicherheit zu wiegen, bis ausreichend Beweise für Verhaftungen vorliegen.

Und dabei müssen sie immer noch darauf achten, dass kein Verdacht auf ihre Agenten fällt, von denen die Radikalen denken, sie wären ihre besten Glaubenskumpel.

Wie viel einfacher war das in den Palästinensergebieten.

Damals, als er anfing.

Nablus etwa. Überall Terroristen. Manchmal verhafteten sie hundert in einer Nacht. Trieben die Männer zusammen, mal vor der Moschee, mal im Schulhof. Setzten einen der Geständigen in ein Auto, versteckten ihn hinter Vorhängen, sodass er rausschauen, aber von draußen nicht erkannt werden konnte. Und los ging's. Die Verhafteten wurden in einer Prozession an ihm vorbeigeführt, er musste nichts weiter tun, als mit dem Finger auf sie zu zeigen und zu sagen:

»Der da ist ein Terrorist. Den haben sie in Syrien im El-Hama-Lager ausgebildet. – Der nicht. – Der ja, er hat ein Waffenlager im Keller, unter der Bodenklappe. – Der war in Jordanien –«

Und so weiter.

Klappte nicht immer, aber erfreulich oft. Schon, weil sie effektiv vorgingen. Jeder im Department für arabische Angelegenheiten bekam sein Gebiet zugeteilt, dessen Dörfer er abklapperte, Straße für Straße, Haus für Haus. Er konnte sich einer Patrouille anschließen oder auf eigene Faust Vertrauen zu den Leuten aufbauen, wenn sie in die Militärverwaltung kamen. Während der Siebziger funktionierte das bestens. Er sagte: Erzähl mir was über dein Dorf, wer lebt da so, wer tut was? Man trank Kaffee zusammen, und wenig später wusstest du, wen du als Kollaborateur rekrutieren konntest und wen nicht. Du wusstest, wer im Dorf was darstellte, wer die Kontakte hatte, um dir Zugang zu Orten zu verschaffen, die du überwachen wolltest. Es war ein Leichtes, Agenten anzuwerben. Nicht, weil sie dich mochten. Du warst Besatzer. Auch wenn du persönlich mit vielen gut auskamst, Besatzer blieb Besatzer. Letztlich verführtest du Menschen zum Verrat, an ihren Freunden, Arbeitskollegen und Familienmitgliedern. Brachtest sie dazu, Dinge für dich zu tun, von denen sie im Traum nicht gedacht hätten, jemals dazu bereit zu sein, mal mit Geld, mal mit Druck, selten durch Überzeugungskraft.

Scheiterte all das, griff Vorgehensweise zwei: Die Nichtgeständigen auf eine Weise zu verhören, dass sie zu dem Schluss gelangten, alles sei besser, als weiter den Harten zu spielen.

Wenig davon funktioniert in den Siedlungen.

Dreyfus ist weiß Gott nicht zu beneiden, denkt Perlman. Wir brauchen mehr Informationen. Warum *Samael* mit solch panischer Brutalität vorgeht. Klar, sie fragen sich, was Hagen gegen sie in der Hand hat, sie müssen das Schlimmste annehmen. Auch von Yael Kahn. Offenbar kann die Ärztin sie belasten, vielleicht enttarnen.

Ihre größte Angst.

Perlman starrt in sein Glas.

Leer.

Er sollte nicht noch eines bestellen. Morgen muss er frisch sein.

Er bestellt noch eines.

Noch eines –

– noch eines –

Falsch!

Die Enttarnung wäre das *Zweitschlimmste*.

Das Schlimmste wäre, zu einem Zeitpunkt aufzufliegen, da eine neue Aktion bevorsteht.

Dann hätten sie tatsächlich Grund zur Panik.

2000

Kiryat Arba

»Arik!« Sie skandieren seinen Namen. »Arik! Arik! Arik!«

Wo immer er in diesen Tagen hinkommt, feiern sie ihn, auch hier in Kiryat Arba, Hochburg der nationalreligiösen Siedler im Herzen Gusch Emunims. Unglaubliches Gedränge herrscht in den Straßen, sie jubeln ihm zu, tanzen vor Freude, Männer mit Bärten und Kippa, kleine Jungs mit Schläfenlocken, Frauen mit Kopftuch.

In Kiryat Arba kann er sich ungeteilten Zuspruchs sicher sein.

Und den braucht er.

Denn Arik will Premierminister werden.

Er ist es dem Land, sich selbst und Lily schuldig, und dazu braucht er die Unterstützung der Religiösen und Siedlerführer.

Wie es scheint, hat er sie.

Jetzt.

Vor zwei Jahren sah das noch anders aus.

Während Netanjahu orientierungslos durch seine Amtszeit taumelte, flirtete Arik mit Ideen, die im religiösen Lager auf wenig Gegenliebe stießen. Sprach von Zugeständnissen an die Araber, lud Arafats Stellvertreter Mahmud Abbas zu sich nach Hause ein und lernte einen nachdenklichen Mann im Anzug kennen, der die Fortsetzung der Friedensgespräche für alternativlos hielt und Mozart liebte.

»Sie auch?«, sagte Arik überrascht.

»Oh ja. Wir haben uns viel zu erzählen.«

Und schon waren sie mittendrin.

»Sehen Sie, das meine ich«, sagte Abbas nach einer Weile des Fachsimpelns. »Wie können wir etwas verändern, bevor wir einander wahrnehmen? Nicht als Feinde, als Menschen. Wenn ein Israeli und ein Palästinenser die Liebe zu solcher Musik teilen, sollten sie dann nicht auch in der Lage sein –«

»Frieden zu schaffen«, ergänzte Arik.

Der griesgrämig dreinschauende Pragmatiker begann ihm sympathisch zu werden. Doch solange Arafat fest im Sattel saß, würden sie mit Abbas nicht weiterkommen. Dennoch hielten sie den Kontakt aufrecht, was bei den Nationalreligiösen für gewaltiges Unbehagen sorgte. Sie riefen Arik seine Worte aus vergangenen Tagen ins Gedächtnis: Alle Araber – auch Abbas! – eine das Bedürfnis, Israel zu zerstören, Terror gehöre zum palästinensischen Volkscharakter, Arafat sei ein Kriegsverbrecher, und dass der Likud jedes Abkommen mit der PLO bekämpfen werde.

Sie fanden, Arik leide unter Gedächtnislücken.

Doch Arik entsinnt sich sehr wohl.

Netanjahu ist gescheitert, Baraks Popularität sinkt auf den Nullpunkt, plötzlich kommt ihm alles wieder in den Sinn. Mehrfach schon haben sich die nationalreligiösen Siedler als brauchbare Verbündete erwiesen, und nichts hassen sie mehr als die Vorstellung, Land für Frieden zu opfern und Jerusalem zu teilen, wie Ehud Barak es fordert.

Fordert?« Benjamin lässt den Blick über die Menge wandern, die sich im Innenhof des Gemeindezentrums drängt. »Wer oder was legitimiert ihn, Derartiges zu fordern? Wer ist denn Ehud Barak? Ein Ausputzer! Ein Lakai der Amerikaner! Einer, der nichts gelernt hat aus dem Scheitern von Oslo, der uns zu Schritten gegen die Thora nötigen will, nur werden wir uns keinen *Millimeter* gegen die Thora bewegen. Juden werden jüdisches Land *nie* abgeben. Sie werden keinen einzigen *Stein* der heiligen Stadt Jerusalem abgeben.«

Er wartet, bis der Applaus verklungen ist.

Auf dem Stuhl neben ihm sitzt Arik mit Kippa.

Schweigt und lächelt.

»Barak ist aus der Not heraus Ministerpräsident geworden, so wie alles, was er tut, aus der Not entsteht. Er will Frieden. Wie originell. Wollen wir etwa keinen Frieden? Doch wie erreicht man Frieden, ohne sein eigenes Fleisch und Blut zu opfern? Aus einer Position der Stärke heraus. Barak aber hat etwas Hilfloses, Verzweifeltes. Und ein Führer, der verzweifelt, muss den Platz frei machen für einen Kämpfer.«

Sein Blick ruht auf Arik.

»Für einen, der wie wir an die Erlösung glaubt, und dass kein Jude das Recht hat, Gottes Land für welche Versprechungen auch immer herzugeben.«

Und Arik denkt:

Von wem redet der? Meint der mich?

Während er fotogen weiterlächelt.

Das passiert ihm in letzter Zeit öfter. Dieses eigenartige Gefühl der Dissoziation, wenn er mit religiösen Siedlerführern zusammensitzt, sie hofiert und sie ihn Freund nennen. Sich Dinge äußern hört wie: »Inzwischen weiß ich, dass es ein Fehler war, unseren Anspruch auf Eretz Israel einzig mit unserem Bedürfnis nach Sicherheit zu begründen, es ist die Bibel, die uns dazu ermächtigt« und Ähnliches mehr.

Immer häufiger drängt es ihn dann zu sagen:

»He, Moment! Bibel? Quatsch! *Natürlich* geht es um Sicherheit. Ausschließlich! Um was denn sonst?«

Aber das sagt er nicht.

Sie sollen ihn schließlich wählen, und Hebron spielt eine Schlüsselrolle. Das Entsetzen, als Netanjahu sich wegen Oslo gezwungen sah, den Großteil der Stadt unter palästinensische Autonomie zu stellen, steckt ihnen noch tief in den Knochen. Zwar blieben die Enklaven im Herzen der Altstadt unter israelischer Kontrolle, Kiryat Arba sowieso, aber eigentlich sah der Plan ja vor, *ganz* Hebron in jüdischen Besitz zu bringen. Ein weiteres Abkommen, das der Ankunft des Messias nicht eben zuträglich ist.

Gut, dass Arik seinerzeit dagegen war.

Das haben sie ihm hier nicht vergessen. Dafür entschuldigen sie sogar seine Treffen mit Abbas – nur was gerade in seinem Kopf vorgeht, würden sie kaum entschuldigen.

Ob es denn wirklich SO schlimm wäre, Jerusalem zu teilen.

Siedlungen aufzugeben.

Kompromisse zu machen.

Benjamin beschwört die Heiligkeit des Landes, Arik denkt an Anwar as-Sadat, den er für seinen Mut bewunderte, an Mahmud Abbas, der so gar nicht ins Klischee vom heimtückischen Palästinenser passen will.

An Kfar Malal.

Jahrzehnte des Kampfes. So viele Tote.

Seine Toten.

Gali, Gur, Lily. Gestorben, ohne dass er ihnen ein Leben in Sicherheit und Frieden bieten konnte. Und auch Uri Kahn ist, wenn man so will, einer *seiner* Toten. Eine Freundschaft ist darüber zerbrochen. Als er Phoebe damals schrieb, wie leid es ihm tue, erhielt er fünf dicht bekritzelte Seiten zurück, aus denen der Hass nur so troff, ein Wunder, dass Jehuda noch Kontakt zu ihm hält.

Wir müssen Wege der Verständigung finden, denkt er. *Ich* muss Wege finden. Es kann doch nicht sein, dass alles, was ich getan, woran ich geglaubt und wofür ich gekämpft habe, ein Land hervorgebracht hat, das so tief gespalten ist, in dem die Menschen unsicherer leben denn je. Ich muss diese Gräben schließen, stattdessen sitze ich hier mit Leuten, die sie immer weiter aufzureißen versuchen.

Für GOTT.

Für ihren GLAUBEN.

Unwillkürlich hebt er die Augen zum Himmel.

Ich weiß ja nicht, ob es dich gibt, denkt er, aber wenn, möchte ich nicht mit dir tauschen.

Sie haben dich zum Sinnbild der Unversöhnlichkeit gemacht.

Schänden dich, missbrauchen dich, begehen die abscheulichsten Verbrechen in deinem Namen.

Ich an deiner Stelle würde nicht mehr AN SIE glauben.

Die Sache mit der Sintflut –

Langsam beginne ich dich zu verstehen.

»– jetzt selbst zu euch sprechen.«

Einen Moment kreisen Ariks Gedanken im leeren Raum.

»Arik?«

Ach ja. Hätte er doch beinahe seinen Einsatz verpasst. Stemmt sich hoch, tritt ans Podium, sieht die Hoffnung in ihren Gesichtern, Inbrunst und Erwartung. Plötzlich fürchtet er, die Stimme könne ihm versagen, doch im nächsten Moment erschallt sie kraftvoll wie eh und je, und er sagt ihnen, was sie hören wollen.

»Nächstes Jahr in Jerusalem!« Aufbrandende Zustimmung. »Und im Jahr darauf. – Und in allen Jahren!«

Ballt die Faust.

»Nichts und niemand wird diese Stadt teilen!«

»Du hast gute Chancen«, sagt Benjamin, als sie allein sind.

Allein heißt, vier von Ariks Bodyguards sichern die Umgebung, zwei gehen voraus, zwei hinterdrein, immer in Sichtweite. Nicht zu vergessen Benjamins Entourage, die ihnen in gebührendem Abstand folgt, wachsame, bärtige Männer mit Handfeuerwaffen.

Man weiß nie, was passieren kann.

»Den Menschen wird klar, dass sie mich brauchen«, sagt Arik. »Auch denen, die mich hassen.«

Weil die Linken mal wieder mit ihrem Latein am Ende sind. Ständig gehen irgendwo Bomben hoch und reißen unschuldige Menschen in den Tod. Im Norden zittern sie vor der Hisbollah, in der Westbank und im Süden vor der Hamas und dem Islamischen Dschihad, und Hebron samt Kiryat Arba ist ein Fall für sich. Hier schutzlos durch die Hügel zu streifen, kann das Letzte sein, was du tust.

Aus dem Tal dringt das Blöken der Schafe zu ihnen empor.

Angenehm unparteiisch.

Drei Kilometer sind sie gefahren, dorthin, wo das Land in zerfurchten Terrassen ansteigt und man endlos durch Weinberge und Olivenhaine wandern kann. Es ist angenehm still hier oben, leichter Wind trägt Aromen von verdorrender Vegetation heran.

»Ich dachte, Arafat hätte die Hamas erledigt«, sagt Benjamin. »Die Gefängnisse sind voll von Hamas-Führern.«

Arik denkt an seine Gespräche mit Abbas.

Aufschlussreich in vielerlei Weise.

»Arafat braucht einen Strohmann«, sagt er.

»Und der Strohmann ist die Hamas?«

»Warum liegt sie denn am Boden? Weil Arafat in Oslo versprochen hat, für Ordnung zu sorgen. Also tut er es eine Weile. Er will ja nicht als schwach oder wortbrüchig dastehen. Aber er gerät in Zugzwang, weil sich die Umsetzung des Abkommens verschleppt, seine eigenen Leute löchern ihn, was für einen Scheißfrieden er da eigentlich ausgehandelt hat, und warum er sich von uns auf der Nase herumtanzen lässt. Also verhilft er der Hamas zurück ins Leben, damit sie weiter Angst und Schrecken verbreitet. So lange, bis wir begreifen, dass ohne ihn nichts läuft und er uns seine Bedingungen diktieren kann. Danach wird er sie spektakulär auf die Matte schicken und als Mann in die Geschichte eingehen, der nicht nur Israel in die Knie gezwungen hat, sondern auch die Terroristen im eigenen Lager.«

»Womit seine Macht unantastbar wäre.«

»Niemand ist unantastbar.«

Benjamin stützt sich schwer auf seinen Stock, während sie zügig weiter bergan schreiten.

»Ihr müsst diesen Mann töten, Arik.«

Sagt es mit einer Beiläufigkeit, als schlage er vor, Arafat eine Weile nicht zu grüßen.

»Glaub mir, ich wollte ihn töten. Damals im Libanon.«

»Die Palästinenser müssen begreifen, dass sie nie gegen uns gewinnen werden. Würden sie unsere historischen Rechte anerkennen, könnten wir ihnen einen Platz zum Leben verschaffen. Du kennst mich. Kein Araber soll leiden! In Jordanien könnten sie –«

»Mach dir nichts vor, Ben.« Arik schüttelt den Kopf. »Die Jordanische Option ist vom Tisch.«

»Es *muss* aber eine Lösung herbeigeführt werden.«

Arik zögert. Sieht Benjamins Hand um den Knauf des Stocks gekrallt, seine weiß hervortretenden Knöchel, den Schweiß auf seiner Stirn.

»Sollen wir umkehren?«

»Nein, wir gehen noch ein Stück.«

Benjamins Hüfte, sein ganzer Gehapparat muss inzwischen so lädiert sein, dass die Wanderung eine Qual für ihn ist, aber verbissen trotzt er seinem Körper das Äußerste ab. Dagegen schnauft Arik wie eine Dampflok neben ihm her.

Na ja, 60 Kilo mehr.

Mindestens.

»Arafat wird sich verkalkulieren, was die Hamas betrifft«, keucht er. »Sie wird ihm über den Kopf wachsen.«

»Dir auch?«

»Nicht, wenn ich Premier bin.«

Benjamin hält endlich inne. »Umso wichtiger, dass du ein Zeichen setzt.«

»Was für ein Zeichen?«

»Du bist in einer komfortablen Situation, Arik. Selbst ohne Gusch Emunim hättest du Chancen, Premier zu werden, aber *mit uns* tust du dich natürlich leichter.«

Arik lauscht den fernen Geräuschen der Zivilisation. Dem Summen der Insekten, Zwitschern der Kiebitze, Rascheln im Gras. Alles hört man hier oben in kristallener Klarheit. Auch die Zwischentöne, die besagen, dass Gusch Emunim sich kein weiteres Mal für dumm verkaufen lassen wird.

Diesmal erwarten sie einen Schwur auf Blut und Leben.

Und Benjamin ist derjenige, der ihn Arik abnimmt.

Seine Bekanntheit steht der von Siedlerführern wie Moshe Levinger, Daniella Weiss, Rabbi Eliezer Waldman oder Rabbi Dov Lior in nichts nach, nur dass ihm auch liberale Gläubige zuhören. Als 1994 ein Besessener namens Baruch Goldstein in die Grotte des Patriarchen eindrang und vier Magazine aus seinem Galil-Sturmgewehr in eine Gruppe betender Palästinenser entlud, verurteilte Benjamin das Massaker aufs Schärfste und stellte sich in einer hitzigen Debatte gegen Levinger und andere Rabbiner, die in Goldsteins Raserei ein gesegnetes Werk sahen.

Er baut Brücken, bringt zerstrittene Lager an einen Tisch.

Keineswegs nur Extremisten folgen seiner Wahlempfehlung.

Arik lächelt.

»Du weißt, wie wichtig ihr mir seid, Ben.«

»Ja, ich weiß. Natürlich kann ich nicht für alle sprechen –«

»Doch. Das kannst du.«

»Dann mach den Menschen unmissverständlich klar, wofür du stehst. Umso mehr kann ich für dich tun.«

»Ich dachte, es wäre klar, wofür ich stehe.«

»Es ist auch klar, wofür *Gott* steht.« Benjamin reckt das Kinn und schaut ihn unter halbgeschlossenen Lidern an. »Aber was steht für Gott, Arik? Ein brennender Dornbusch. Ein geteiltes Meer. Es sind die Symbole, die Geschichte schreiben. Ich muss auch die Skeptiker mobilisieren, die sich damals von dir und Bibi hintergangen fühlten. Liefere ihnen den *sichtbaren* Beweis, dass du es ernst meinst.«

Arik lässt den Blick über die Hügel schweifen. Viele der Siedlungen ringsum sind wenig mehr als eine Handvoll Häuser, mitunter stehen da nur ein paar Caravans. Etwas weiter, in einer Talmulde, sticht ein Minarett gegen das Graugrün der Landschaft ab.

Araber und Juden auf ewig verfilzt.

Du willst ein Zeichen?

Du sollst dein Zeichen haben.

Havat Schikmim, Schikmim-Farm

Tags drauf geht Jehuda neben seinem Freund her und fragt sich, warum er überhaupt noch sein Freund ist.

Er weiß, die vergangenen Jahre waren nicht leicht für Arik. Er musste verkraften, dass Barak Premier wurde, sein Sohn Omri geriet ins Visier der Staatsanwälte, weil er beim Sammeln von Spendengeldern für den väterlichen Wahlkampf das Gesetz verletzt hatte, Baraks Friedenspläne drängten ihn ins Abseits, dann brannte es auf der Schikmim-Farm. Das Dach stürzte ein, der oberste Stock wurde ein Raub der Flammen. Familienfotos, Bilder, die Samuel einst in Kfar Malal gemalt hatte, stapelweise Dokumente aus der Zeit der Staatsgründung, handgeschriebene Widmungen Ben Gurions, wertvolle Bücher –

»Alles ausgelöscht. In einer Nacht. Als habe es sie niemals gegeben.«

»Es gibt sie in deinem Kopf«, sagt Jehuda.

»So viele Erinnerungen«, sinniert Arik. »Stell dir vor, nur die Bibeln haben das Feuer überstanden.«

Ach je, die Bibeln.

Jehuda will gar nicht wissen, was Arik daraus folgert. Vergangenes Jahr, als sie ihn im Fernsehen zu dem Feuer interviewt haben, hat er von einem Zeichen Gottes gesprochen.

Ist Arik am Ende religiös geworden?

Klar. Und der Papst pilgert nach Mekka.

Im frühen Morgenlicht wandern sie eine Anhöhe hinauf. Der schmale, unbefestigte Weg führt durch bräunlich verfärbte Wiesen und wild wuchernde Sträucher. Während der Sommermonate tauchen rote und gelbe Blüten den Hügel in ein Farbenmeer, jetzt ist alles verwelkt. Aus der Ferne schauen ihnen ein paar Rinder zu, verlieren das Interesse und rupfen weiter Gras aus dem Boden.

Vor einem Grab verharren sie.

Im März ist Lily gestorben.

Lungenkrebs.

»Weißt du«, Arik geht schwerfällig in die Hocke und richtet ein paar Blumen, »ich erinnere mich an einen Tag auf der Farm, schon einige Jahre her. Wir saßen zusammen, ein paar Freunde, Lily hatte gekocht, du kennst ja ihre Küche. Und plötzlich sagte sie: Arika, du wirst niemals Premierminister sein. Einfach so. Und ich wurde, na ja, ziemlich sauer. Ich sagte, du weißt ganz genau, wie viel mir daran liegt. Wie kannst du dann so etwas behaupten? Und sie antwortete, hör mal, Arika, dafür hassen sie dich zu sehr – und mit *sie* meinte sie alle außerhalb des Hauses.«

Er lacht wehmütig, verloren in der Erinnerung.

»Sie hatte recht. Wie immer. Was haben sie damals nicht alles über mich geschrieben. Einige meiner engsten Freunde bezeichneten mich in den Medien als Mörder.«

Ja, denkt Jehuda.

Und wieder andere taten es in Briefen.

»Wer so was nie durchgemacht hat, ahnt nicht, was es in einem auslöst«, sagt Arik leise. »Alle waren sich einig. Ich war das Ungeheuer. Also versuchte Lily, mir die Sache auszureden: Bevor *du* Premierminister wirst, sagte sie, müsste sich der Staat in einer solchen Katastrophe befinden, dass es besser ist, wenn es gar nicht erst dazu kommt.«

Langsam, wie unter Schmerzen, richtet er sich auf.

»Und dann hat sie mich doch unterstützt. Mit derselben Vehemenz, mit der sie damals dagegen war. Ich solle mich nicht um *sie* kümmern, nur um meine Kandidatur.« Er schaut Jehuda an, seine Augen sind feucht. »Aber was hätte denn wichtiger sein können als Lily? Keine Sekunde habe ich mir gestattet, zusammenzubrechen. Du kennst mich, ich bin nicht so konstruiert, aufzugeben, hast du mich je kapitulieren sehen?«

»Nein.«

»Du weißt, dass ich nie aufgebe. Du weißt es, Jehuda.«

»Ja«, nickt Jehuda. »Ich weiß.«

Weiß, dass Arik seinen Wahlkampf Lilys wegen beinahe doch aufs Spiel gesetzt hätte. Wie besessen nach Mitteln und Wegen gegen ihren Krebs suchte, um erkennen zu müssen, dass diese Schlacht von keinem General der Welt zu gewinnen war.

Jehuda sieht zu, wie sich der Kondensstreifen eines Flugzeugs am Himmel entformt.

– *müsste sich der Staat in einer solchen Katastrophe befinden –*

»Und? Befinden wir uns in einer Katastrophe?«

Ariks breiter Brustkorb hebt und senkt sich, wie ein Erstickender saugt er die Luft in sich hinein. Das Land gibt ihm Kraft. Wäre er kein Soldat oder Politiker geworden, er säße tagein, tagaus auf dem Traktor.

»Komm«, sagt er. »Gehen wir frühstücken.«

Mittlerweile ist der Dachstuhl fast wiederhergestellt. Ariks Söhne führen die Restaurierung durch, zwei Männer, die unterschiedlicher nicht sein könnten. Gilad, ernst, schlank und still, ist studierter Agrarökonom, religiös und sehr rechts. Seine Meinung gilt Arik viel. Zu viel, wie manche im Likud munkeln, aber das weiß Jehuda besser.

Arik mag ein aufmerksamer Zuhörer sein.

Am Ende macht er, was er will.

Dagegen Omri: groß, bullig, kahl geschoren. Abgebrochenes Studium, Freigeist, bestens bekannt in Tel Avivs Partyszene. Sosehr Gilad Publicity hasst, so sehr geht Omri darin auf, darum leitet er Ariks Wahlkampf. Kennt den Likud wie seine Westentasche, hält die Zügel fest in der Hand. Versucht sich einer als Palastrevolutionär, weiß Omri es sofort, und im selben Moment weiß es Arik. Omri organisiert das Heer der Getreuen und hält die Aufmüpfigen in Schach, kein Wunder, dass sie ihn und sein Team im Likud nur den Hofstaat des Königs nennen. Er ist das Nadelöhr, durch das jeder muss, der Arik in diesen Tagen gegenüberzutreten wünscht.

Lilys Rolle hat Gilads Frau Inbal übernommen. Sie verteilt Blumen im Haus, macht Arik abends einen Drink. Er spielt dann ein wenig mit seinem Enkelkind, und ganz wie zu Lilys Zeiten riecht es in allen Zimmern nach Essen.

Auch das Frühstück ist opulent.

Sie reden über alte Zeiten, den Vorzug des Landlebens, den Handel mit Amaryllis und Wahlversprechen, was jeder dem Markt so zu bieten hat. Eine Stunde lang fahren sie Riesenslalom, man könnte den ganzen Tag so verplaudern, bis es Jehuda zu dumm wird.

»Hattest du eigentlich was Besonderes auf dem Herzen, als du mich zum Frühstück eingeladen hast?«, fragt er und kratzt die letzten Reste Rührei von seinem Teller.

»Ich wollte dich wiedersehen.«

»Nur so?«

Arik zögert. »Vielleicht wollte ich auch einfach nur wissen, ob du es inzwischen wie Phoebe siehst.«

Jehuda führt die Kaffeetasse zum Mund.

Zögert, stellt sie wieder ab.

»Das weißt du doch. Ich hab es nie wie Phoebe gesehen.«

»Menschen ändern sich.«

»Warum sollte ich meine Meinung geändert haben?«

»Wir hatten wenig Kontakt in letzter Zeit.«

»Hm, ja. Es ist aber auch etwas schwierig, unter den gegebenen Umständen Kontakt zu halten.«

»Phoebe weiß also nicht, dass du –«

»Nein.«

Weil sie es nicht verstehen würde. Nicht akzeptieren könnte, dass er der Freund des Mannes geblieben ist, der ihren Sohn auf dem Gewissen hat. Und mitunter denkt Jehuda, dass es auch ihm das Leben erleichtert hätte, auf einen Schuldigen zeigen zu können. Die Jagd nach dem Sündenbock ist immer die einfachste, doch wenn Arik Schuld trägt, dann ebenso Arafat, der Israel herausgefordert hat, Menachem Begin, der den Feldzug genehmigte, Uris Vorgesetzte, jeder Einzelne in der Abfolge der Ereignisse –

Wir tragen Schuld. Phoebe und ich.

Weil wir Uri nicht davon abgehalten haben, nach dem Wehrdienst bei Zahal zu bleiben.

Und Armeen töten. Das wussten wir vorher.

Den Feind wie die eigenen Leute.

Der verdammte Konflikt ist schuld.

»Offen gestanden, Arik, wir machen uns Sorgen«, sagt er. »Unsere palästinensischen Zulieferer sind nicht erschienen, mein Vorarbeiter erzählt mir, in Gaza planten sie eine zweite Intifada. Wie ernst ist das alles?«

Arik verschränkt seine Finger.

»Als Lily damals sagte, die Lage müsse schon katastrophal sein, damit sie mich wählen, hatte sie jedenfalls recht.«

Aha.

»Und was wirst du tun, wenn du gewählt wirst?«

»Definitiv keine Friedensgespräche führen.«

»Warum nicht?«

»Das Problem ist, wir haben keinen Partner auf der anderen Seite. Wir hatten nie einen Partner. Arafat hat zu jeder Zeit falschgespielt.«

»Was ist mit Abbas?«

»Verständiger Mann. Aber er hat nichts zu sagen.«

»Ich dachte, er sei die Nummer zwei in der PLO.«

»In der PLO gibt es keine Nummer zwei. Nur Arafat und einen Haufen Lakaien. – Inbal! Bringst du uns bitte noch Kaffee?«

Jehuda ist pappsatt, muss aber noch einen von Inbals selbst gebackenen Teekuchen essen.

Nach Lilys Originalrezept.

»Bevor ich mit irgendwem rede, werde ich das Land vom Terror kurieren«, sagt Arik kauend. »Für jeden Israeli, der stirbt, wird die Gegenseite den zehnfachen Preis zahlen müssen. Ich werde so lange keine Gespräche führen, wie die PLO nicht in der Lage oder willens ist, noch den allerletzten Bombenleger einzukassieren und in irgendeinem Loch verschimmeln zu lassen, und definitiv rede ich nicht mit Arafat.«

»Sind wir sicher in Elei Sinai?«

»Nein.«

Wenigstens eine ehrliche Antwort.

»Niemand ist sicher, Jehuda. Aber ich stelle die Sicherheit wieder her. Alleine im Gazastreifen haben wir Tausende Soldaten im Einsatz, um euch zu schützen. Notfalls greife ich Rabins alte Idee auf und baue eine Mauer um die Westbank herum, so wie er eine um Gaza gebaut hat, um die Scheißkerle draußen zu halten.«

»Das ist schön. Dann sind eine Menge Siedler zusammen mit den Scheißkerlen auf der verkehrten Seite der Mauer.«

Miriam und David zum Beispiel. In Efrat.

»Dann fasse ich die Siedlungen eben mit ein.«

»Und schaffst neue Staatsgrenzen.«

»Wovon redest du? Die Grüne Linie? Ein Anachronismus. Die Welt wird ohnehin Ausschlag bekommen, wenn ich gewählt werde, mein Image ist unter aller Sau, da kann ich ihm ebenso gut entsprechen. Erst wird gehandelt, über Grenzen reden wir später.« Beißt herzhaft in einen zweiten Teekuchen. »In diesem Zusammenhang würde ich gern deine Meinung über eine Sache hören. Aber es muss unter uns bleiben.«

»Natürlich.«

»Also, gestern war ich in Hebron. Schöne Grüße von Benjamin. Er meint, ich solle ein Zeichen setzen, und da kam mir eine Idee.«

Arik erzählt, sein Plan ist schnell umrissen.

»Ein Besuch auf dem Tempelberg?« Jehuda runzelt die Brauen. Das klingt nicht gut.

Genau genommen klingt es ziemlich genau nach dem Anlass, von dem Ilias gesprochen hat.

»Was hältst du davon?«

»Nichts.«

»Komisch.« Arik kratzt sich das Kinn. »Omri ist auch dagegen.«

»Dann hör auf ihn.«

»Es wäre ein Statement.«

»Auf das die Gegenseite nur wartet.«

»Es wird *so oder so* zu einem Aufstand kommen.«

»He! Muss ich mir Sorgen machen, dass du die Lage eskalieren lässt? Willst du dir von der Hamas bei den Wahlen den roten Teppich ausrollen lassen?«

»Jehuda.« Arik lehnt sich vor, spricht mit Nachdruck wie in ein Mikrofon. »Eine Krankheit vergiftet die Region. Manchmal ist es besser, eine Krankheit ausbrechen zu lassen, um sie zu kurieren. Der Terror wird erst enden, wenn sie einsehen, dass er nichts bewirkt.«

»Er bewirkt aber was. Bei denen, die er trifft.«

»Um den Friedensprozess wieder in Gang zu setzen, muss Arafat von der Bildfläche verschwinden. Lass sie doch eine Revolte lostreten. Dann habe ich jeden Grund, dem Mistkerl die Kehle zuzudrücken.«

»Dann musst du auch Gusch Emunim die Kehle zudrücken.«

»Früher oder später werde ich das tun.«

»Früher oder später? Du schließt gerade wieder einen Pakt mit ihnen.«

»Auf Zeit.«

»Auf Gedeih und Verderb. Du gießt Öl ins Feuer, um Premierminister zu werden.«

»Glaubst du wirklich, ich würde das Leben eines einzigen Israeli aufs Spiel setzen, um an die Macht zu gelangen?«

Plötzlich wirkt Arik verletzt.

Jehuda schweigt, nagt an seiner Unterlippe.

»Ich will an die Macht, ja! *Damit der Terror ein Ende hat!* Wir schlagen uns mit der Hamas und dem Islamischen Dschihad herum, und die wollen uns in *Gottes Namen* vernichten, mit Arafats Beifall. Nicht umsiedeln. *Vernichten!* Zu was könnte ich sie provozieren, was sie nicht ohnehin vorhaben?«

Jehuda legt die Gabel weg. Der Appetit ist ihm vergangen.

Was für eine verkorkste Lage. Wir befinden uns mitten in einem verdammten *Religionskrieg*. Hüben und drüben lassen sie die Gotteskrieger von der Kette.

Ariks Finger gleitet über den Rand der Kaffeetasse.

»Jetzt hör mal zu, Jehuda. So wie die Figuren momentan aufgestellt sind, ist das Spiel nicht zu spielen. Ich bin bereit, Dinge zu verändern, drastischer, als du dir vielleicht vorstellen kannst.« Er hebt den Blick. »Aber dafür muss ich sie verändern *können*. Ich bin der Einzige, der dem Land jetzt helfen kann. Es sei denn, du willst noch mal Bibi.«

»Himmel, nein!«

»Ich *muss* gewählt werden. Verstehst du? Mit allen Mitteln. Ohne Unterstützung der Siedlerführer ist mein Sieg ungewiss, außerdem – bist du selbst Siedler.«

»Aber nicht so einer«, sagt Jehuda perplex.

»Den Unterschied musst du mir bei Gelegenheit erklären.«

»Ich leite meinen Wohnort nicht von Prophezeiungen ab.«

»Aber wohnen tust du da gerne.«

»Schon, aber –«

»Du *bist* Siedler, ganz egal aus welchen Gründen. Und du weißt, ich bin der heilige Schutzpatron der Siedler, aber du weißt auch, dass Siedlungen im Friedensprozess zur Disposition stehen.«

»Ich bin der Letzte, den du daran erinnern musst.«

Brütendes Schweigen.

»He«, grinst Arik. »weißt du noch, wie wir mit unseren Knüppeln durch Kfar Malal gezogen sind? Keiner konnte uns was. Das Triumvirat!«

Jehuda knüllt seine Serviette zusammen.

»Ich will einfach nur, dass meine Familie in Sicherheit leben kann. Versprich, dass du es nicht auf eine Eskalation anlegst.«

»Vertrau mir.«

Jehuda zögert. Arik vertrauen –

»Du bist mein Freund. Oder?« Breitet ergeben die Arme aus. »Wem soll ich vertrauen, wenn nicht dir?«

Doch das Gespräch lässt ihn nicht los, während er über die Schnellstraße nach Tel Aviv fährt.

Als spiele es keine Rolle, *warum* er in seiner Siedlung lebt.

Als bestehe kein Unterschied zwischen ihm und Benjamin.

Wir siedeln in Gaza, weil es rechtens ist.

Ganz genau. Wir haben das *Recht*, hier zu sein, auch wenn der größte Teil der Welt anderer Meinung ist. Weil es nie einen souveränen Staat

Gaza gab, den wir völkerrechtswidrig hätten besetzen können. Das hier ist nicht Syrien oder Jordanien. Nicht der Sinai, den wir zurückgeben mussten, weil er zu Ägypten gehört, nicht der Golan.

Es ist Niemandsland.

Wir hätten Gaza sogar annektieren dürfen. Viel eher jedenfalls als die Golanhöhen. Der Golan war syrisch, aber wem haben wir Gaza abgenommen? Das Westjordanland? Ebenso wenig wie Judäa und Samaria war Gaza je eigenständiges Hoheitsgebiet. Einfach nur besiedeltes Territorium, mal unter osmanischer, mal ägyptischer, britischer und jetzt eben israelischer Herrschaft. Letztlich, was sind souveräne Staaten? Jede Nation existiert, weil jemand in grauer Vorzeit seine Höhle verlassen und die Nachbarhöhle besetzt, die dort lebende Sippe unterjocht, die Stämme der Region geeint, sich zum Herrscher aufgeschwungen, andere Reiche überfallen, dem eigenen Gebiet einverleibt und schließlich den Rechtsstaat ausgerufen hat. Wollten wir sämtliche Territorialansprüche bis zum Anbeginn der Menschheit rückgängig machen, säßen wir bald wieder auf Ästen, also müssen wir uns auf einen Punkt in der Geschichte, auf ein Dokument einigen, ab dem Staaten als souverän anzusehen sind.

Vielleicht die Charta der Vereinten Nationen?

»Alle Mitglieder unterlassen in ihren internationalen Beziehungen jede gegen die *territoriale Unversehrtheit* oder die politische Unabhängigkeit eines Staates gerichtete oder sonst mit den Zielen der Vereinten Nationen unvereinbare Androhung oder Anwendung von Gewalt.«

Aufgesetzt und unterzeichnet 1945.

Ab diesem Zeitpunkt gilt: Finger weg.

Alles danach Erfolgte muss im Einklang mit dem Völkerrecht stehen, und wann hätten die UN je den Gazastreifen oder die Westbank als souveräne Staaten anerkannt?

Nur, Jehuda ist nicht blind.

Er sieht den Bruch, der seine Vorstellungswelt durchläuft, und auch die Konsequenz. Wäre es wirklich Niemandsland, dürfte es keinem gehören. Dann müsste Zahal unverzüglich ihre Siebensachen packen und die PA ihre Zentrale in Gaza-Stadt dichtmachen. Weil bewohntes Land andererseits nicht niemandem gehören kann, muss jemand ermächtigt werden, es zu verwalten, und das könnte nach Jehudas Logik ebenso gut jeder sein, dem es gelänge, Israel den Gazastreifen wieder abzujagen. Sein Recht, hier zu sein, ist ergo das Recht des Stärkeren. Zudem sind kraft Oslo Teile Gazas und der Westbank unter arabische Autonomie gelangt, die Idee eines Palästinenserstaates nimmt wieder Gestalt an, vielleicht wird Frieden erfordern, sich vollständig aus den besetzten Gebieten zurückzuziehen.

Im Rahmen einer politischen Lösung.

Und auch das müsste ich akzeptieren, denkt er, weil ich ja biblische Ansprüche nicht gelten lasse.

Worauf Benjamin antworten würde: Alles richtig, Bruder, aber wie du schon sagst, hat es seit König David keinen souveränen Herrscher mehr über Gaza und Westbank gegeben. Wir verletzen also keine staatliche Souveränität, wenn wir Eretz Israel einfordern.

Wir kehren einfach nur zurück.

Und Jehuda würde sagen: Es gibt nichts zurückzukehren. Sofern wir die Charta der Vereinten Nationen als Stunde null für die Festlegung souveräner Staatsgrenzen betrachten – oder irgendeinen anderen Punkt in der Geschichte –, muss alles Davorliegende aus dem Grundbuch gestrichen werden. Übrigens auch das Römische Reich, lieber Bruder.

Und Benjamin würde sagen: Die Weltgemeinschaft kann Chartas aufsetzen, so viel sie will, sie steht nicht über Gott.

Und Jehuda würde sagen: Beweise, dass es ihn gibt.

Und die Schlange würde sich in den Schwanz beißen, wie so oft.

Nur reden sie nicht mehr miteinander.

Irgendwie tragisch. Sie lieben sich, aber sie haben sich nichts zu erzählen, so viel zum Triumvirat.

Und während er über die Sderot Yerushalayim vorbei an Jaffa Richtung Innenstadt fährt, kommt es ihm vor, als habe die gordische Verknotung der Probleme im Nahen Osten auch sein Denken verknotet.

Tel Aviv

Yael wartet auf ihn. Sitzt in einem Café an der Strandpromenade, ein Glas Earl Grey vor sich, und schaut hinaus aufs Meer.

Über der Bar flimmert ein Fernseher.

Als sie kurz den Kopf wendet, erhascht sie einen Blick auf rollende Panzer, Wüstenpanoramen und Männer mit blutgetränkten Stirnverbänden, die das Siegeszeichen machen.

Eine Dokumentation über den Sechstagekrieg.

Auch das noch.

Sie fragt sich, was alle diese Heldenepen mit ihrem eigenen Leben zu tun haben. Schaut zurück auf den monolithischen Mythos Israel, gefügt aus Gründungsfolklore und Bibelzitaten, umrankt von Pioniergeschichten, und sieht nur alte Filme, vergilbte Fotos und Druckerschwärze, Geschichte, in Archiven verewigt.

Lehrstoff.

Schalom, ihr Urgroßvater, hat am Entstehen einer hebräischen Kultur mitgewirkt. Rachel, hoch in ihren Neunzigern, erzählt, wie Ben Gurion auf dem Weg zur Staatsgründung so dicht an ihr vorbeiging, dass sie die Veränderung des Luftdrucks auf ihrer Haut spüren konnte (sie erzählt allerdings auch, sie spüre das Mondlicht in ihrem Haar). In Jehudas und Phoebes Zeit fielen die historischen Siege, sie können aus eigenem Erleben bezeugen, dass Israel unendlich viel mehr ist als ein Stück Boden, das die Weltgemeinschaft den Juden schlechten Gewissens überlassen hat. Immer ging es nur voran. Selbst ihre Tante Miriam kennt noch die Euphorie des Aufbruchs, Jamit, auch wenn der Traum endete, dafür ist ihre Teenagerzeit geprägt vom Frieden mit Ägypten.

Und wir?, denkt Yael.

Was ist mit meiner Generation? Ihr habt die Siege gefeiert und uns den Hass hinterlassen, und damit sollen wir jetzt zurechtkommen?

Wir kommen aber nicht damit zurecht.

Ich komme nicht damit zurecht.

Bevor wir überhaupt in der Lage waren, Einfluss zu nehmen, wurden wir schon zerrieben zwischen den Kräften, die Israel spalten. Hineingeboren in eine Intifada. Verhärtete Fronten, dann Rabin. Die größte je da gewesene Chance auf Frieden – und ein Irrer katapultiert uns mit drei Schüssen zurück in die ideologische Steinzeit. Seitdem wird es jeden Tag schlimmer, hetzen uns die Betonköpfe aller Fraktionen wie Statisten durch das endlose Drama des Nahostkonflikts.

»Ist der Platz da frei?«

»Nein. Tut mir leid.«

Um sie herum herrscht Hochbetrieb. Es ist Mittagszeit, in dem Laden verkaufen sie köstliche Snacks zu Preisen, die nicht gleich existenzgefährdende Löcher ins Studentenbudget reißen, eine echte Herausforderung, Jehuda seinen Platz frei zu halten.

Endlich sieht sie ihn kommen. Zwischen Skatern und Radfahrern manövriert er heran, eins neunzig, gebräunt, volles Haar. Als er sie erstmals von der Uni abgeholt hat, zog er sofort Blicke auf sich, und Yael war versucht zu sagen:

Der da? Mein Vater.

Anders kann sie Jehuda nicht sehen, aber dann legte sie doch die Familienverhältnisse offen, um die Kommentare ihrer Mitstudentinnen genüsslich an ihn weiterzutratschen.

»*Das* da ist dein Opa? So was sähe mein Vater gern im Spiegel.«

»Kann man den ausleihen?«

»Frag deine Oma mal, ob sie ʼne Woche mit mir tauscht.«

Er kommt herein, Umarmung, bestellt einen Espresso. Phoebe und Jehuda sind Kaffeetrinker. Sie schütten das Zeug in sich rein, dass man sich wundern muss, sie nicht wie Hühner auf Speed durchs Dorf flattern zu sehen. Alte Leute brauchen Starthilfe, pflegt Phoebe zu sagen. Sie findet Yaels Teetrinkerei langweilig, aber sie weiß auch nicht, dass ihre Enkelin sich mit MDMA auf ganz andere Geschwindigkeiten bringt.

Gelegentlich.

»Du siehst verknautscht aus«, sagt Jehuda.

»Besten Dank.«

»Keine Ursache.« Er grinst. »Wie heißt er?«

»Oh. *So* verknautscht?«

Tatsächlich war sie gestern Abend noch mal mit Elior zusammen, Nachschlag, obwohl satt. Bis sie ihn rausgeworfen und es sich in ihrer Depression gemütlich gemacht hat. Darum ist sie so verknautscht. Alle paar Wochen sitzt sie in Dunkelhaft und bedauert ihren Mangel an Idealen. Hat nicht Finger genug, aufzuzählen, wogegen sie ist, aber *wofür* soll man stehen, wenn jedes Vertrauen in die gestaltende Macht des Staates abhandengekommen ist? Wenn eine Lobby Gottesfürchtiger die Politik vor sich hertreibt und dir erzählt, Eretz Israel sei nicht verhandelbar. Sie hasst die Fanatiker, ihr Beharren auf einer Sammlung strittiger Überlieferungen, aus denen sie das Recht ableiten, die Welt in Brand zu setzen. Eine Minderheit, die sich nicht schämt, jede Verständigung ihrer Erlösungspsychose zu opfern. Typen, die »Juden schlagen Juden!« schreien, andererseits kein Problem damit haben, ihren Premier zu ermorden. Sie hasst die rechten Angstmacher um Netanjahu, verachtet die Linken für ihr Versagen, die Pazifisten für ihr zahnloses Gewinsel und Arafat für seine Verlogenheit – zweite historische Chance, gescheitert am Unwillen eines verstockten Greises, der fürchtete, im Frieden nicht mehr gebraucht zu werden.

Wer gibt euch das Recht, mich so zu betrügen?

Welche Optionen bleiben meiner Generation noch, als uns zu radikalisieren oder zu resignieren?

»Und?«, fragt sie. »Wo kommst du her?«

»Von –« Er hält inne, wirft einen Blick auf die Speisekarte. »Vom Caterer. Das Buffet steht, sie liefern alles am Vormittag an.«

Eigenartig, ihr scheint, als habe er etwas anderes sagen wollen.

Von – vom –

»Mit den Jungs bin ich übrigens klar«, sagt sie. »Das Repertoire schaffen sie sich bis zur Party drauf.«

»Großartig.«

In der Tat. Ihre Idee. Und sie ist stolz drauf. Kein Jahrgang an der Uni, der nicht mindestens fünf oder sechs Bands hervorbringt, von denen keine je berühmt werden wird, manche aber richtig gut sind. In einer der besseren spielt Schlomi Bass und singt, und Phoebe hat ein Faible für die Musik der Sechziger.

Also schenken sie ihr eine Live-Band.

»*The sun ain' gonna shine anymore* und *God only knows* können sie schon ganz manierlich«, sagt Yael. »An *Son of a preacher man* versuchen sie sich gerade.«

»Toll.« Ratlosigkeit. »Von wem war das noch gleich?«

»Dusty Springfield.« Sie lacht. »Tu nicht so, als würde dir das was sagen. Das Blöde ist, uns fehlt die Sängerin.«

Jehuda zuckt die Achseln. »Singen halt die Jungs.«

»*He'd kiss and tell me everything?* Vor allen Dingen! Außerdem wird sie *Jackson* hören wollen. Wenn da nicht zwei schwule Cowboys auftreten sollen, brauchen wir eine Frau.«

»Wie wär's mit dir?«

»Ich?« Yael rollt die Augen. »Hysterisches Lachen.«

»Doch.«

»Du willst mich nicht singen hören.«

»Ich hab dich schon etliche Male singen hören und keine bleibenden Schäden davongetragen.«

»Am Gesang erkennst du den Vogel. Ich bin Rabe.«

»Im Ernst. Wir laden ganz gewöhnliche Leute ein. Du kennst doch alle. Die meisten halten schon das Stimmen der Instrumente für Musik, und du singst wirklich akzeptabel.«

Yael seufzt.

Na gut. *Jackson* wird sie vielleicht noch hinkriegen.

»Aber dann bist *du* Johnny Cash.«

»Einverstanden.« Lächelt und betrachtet sie, bis sie sich vorkommt wie unter Glas. »Geht's dir eigentlich gut?«

»Wieso?«, fragt sie vorsichtig.

»Nur so. Du siehst aus, als ob dich was bedrückt.«

»Schlecht geschlafen.«

Streicht eine Strähne beiseite.

Trinkt Tee.

Schindet Zeit, klappt die Speisekarte auf und zu.

Pfeffert sie zornig auf die Tischplatte.

»Ach, ich weiß auch nicht.«

»Was weißt du nicht?«

»Irgendwie – hab ich das Gefühl, so völlig ohne – wie soll ich sagen – klare Standpunkte durchs Leben zu laufen. Kennst du das? Ich meine, hast du einen Schimmer, wovon ich rede?«

»Klare Standpunkte.« Er furcht die Stirn. »Zu was?«

»Zu allem.«

»Siedlungen?«

Wieso denn Siedlungen? Wie kommt er jetzt ausgerechnet auf – Aber klar, auch dazu. In ihrem Hass auf die Bibelschwätzer müsste sie gegen jede Siedlungspolitik sein. Nur sind die meisten Siedler, die sie kennt, freundliche und unideologische Menschen, die niedriger Preise und besserer Lebensqualität halber in den umstrittenen Gebieten leben. Sie spielen sich nicht als Herren auf, fackeln keine palästinensischen Olivenhaine ab, terrorisieren keine arabischen Kinder auf ihrem Weg zur Schule. Auch wenn sich die Herrschaftsverhältnisse in Gaza und Westbank ändern (immerhin eine Entwicklung, die *ihr* Idol Rabin auf den Weg gebracht hat), warum sollten sie nicht dort wohnen bleiben? Die Römer haben Germanien und Britannien besiedelt, Städte sind daraus hervorgegangen, verlangt *ein* Deutscher, Köln niederzureißen, weil es mal römische Kolonie war? Was soll Yael gegen Siedlungen haben, sie ist in Jamit geboren und in Elei Sinai groß geworden, Phoebe und Jehuda sind Siedler, Miriam und David, und sie kennt niemanden, der toleranter und friedliebender wäre als diese ganz und gar wundervollen Menschen.

»Ich weiß einfach nicht, *wofür* ich stehe.«

Jehuda versenkt das Kinn in die Hände.

»Find's raus.«

»Gern. Zeig mir eine arschlochfreie Zone. Nur Scheiße im Angebot.«

»Wahrscheinlich hast du recht.«

»Oh, super«, schnaubt sie. »Von meinem Motivator hätte ich ein klares *Nein, Yael, weil* erwartet.«

»Motivier dich selbst. Du bekommst Standpunkte nicht auf dem Tablett geliefert. In diesem Land ist alles widersprüchlich.«

»Ich bin inkonsequent.« Sie seufzt. »Total.«

»Schnief.«

»Mach dich nur lustig.«

»Besser inkonsequent, als konsequent das Falsche zu tun.«

»Oh Gott. Kalenderweisheiten.«

»Willst du noch eine?« Er grinst. »Keinen Standpunkt zu haben hat Vorteile, man gibt kein Ziel ab.« Zuckt die Achseln. »Ich weiß nur, dass es nicht damit getan ist, sich auf jemandes Seite zu schlagen. Und ich war ziemlich oft inkonsequent.«

»*Du?*«

»Bin's immer noch.«

»Ah.« Da wird sie aber neugierig. »Bei was denn?«

Er sieht sie streng an, während seine Mundwinkel amüsiert zucken. »Du darfst alles fragen, Yael. Nur nicht alles wissen.«

Jerusalem

Warum es kugelsichere Westen nie in Modemagazine schaffen werden?

Man schwitzt wie ein Schwein darunter.

Fünf Kilo Panzerung sind der Tod jedes Deodorants, und wenn du dann auch noch nervös bist und die Sonne auf dich runterknallt, schmorst du im eigenen Saft.

Arik verflucht das Ding.

Es klebt an ihm, zwickt und drückt ihn unter dem dunklen Anzug, immer wieder nimmt er die Sonnenbrille ab, um sich mit dem Taschentuch durchs Gesicht zu fahren und den Schweiß von der Stirn zu wischen. Der Krawattenknoten schnürt ihm die Luft ab, Personenschützer drängen sich um ihn, der Käfig aus Leibern erzeugt zusätzliche Hitze.

Ein Zeichen setzen –

Das hat er jetzt schon getan. Rund 1000 Polizisten sind über die Jerusalemer Altstadt verteilt, die Sicherheitskontrollen an den Zufahrtsstraßen verstärkt worden. Autos mit palästinensischen Kennzeichen, die versuchen, in die Stadt zu gelangen, können gleich wieder umdrehen. Helikopter kreisen über der Szenerie oder stehen mit wummernden Rotoren in der Luft, als wollten sie im nächsten Moment auf Beute herabstoßen, überall lauern Scharfschützen.

Alles, weil Ariel Scharon einen Besuch machen will.

Auf einem gewaltigen Berg Schutt, gebildet aus den Überresten zweier zerstörter Tempel und einer Mauer, den Juden heilig, sowie gekrönt von einem Hochplateau mit zwei Gotteshäusern, den Muslimen heilig.

Die explosivsten 14 Hektar des Planeten.

715

Und wenn einer dort oben nach muslimischer Auffassung nichts verloren hat, dann

ARIEL SCHARON.

Die blanke Provokation!

Moshe Dayan, wie stilvoll dagegen. Nach der Einnahme Ostjerusalems, als israelische Soldaten den Davidstern über den Tempelberg flattern ließen, befahl er, die Flagge unverzüglich wieder einzuholen, und übertrug der Waqf, einer islamischen Stiftung, die Verwaltung über die Anlage, aus Respekt vor dem muslimischen Glauben.

Was will der Bulldozer jetzt hier?

Die Flagge wieder hissen?

»Nein, nein«, erklärt Arik den Fernsehteams, während der Feuchtigkeitsgehalt seines Hemdes ein Stadium erreicht, dass man damit den Boden wischen könnte. »Ich bin hergekommen mit einer Friedensbotschaft. Ich glaube, wir können mit den Palästinensern zusammenleben. Ich bin zur heiligsten Stätte der Juden gekommen, um mir ein Bild davon zu machen, was hier los ist und wie es weitergeht, aber nicht als Provokation.«

Was hier los ist und wie es weitergeht?

Hm. Kryptisch.

Sein Tross wälzt sich weiter über die zum Plateau führende Mughrabi-Brücke, umtobt von Demonstranten, es wird geschrien, gebuht und *Allahu akbar!* gerufen, kaum dass die Ordnungskräfte sie zu bändigen wissen. Ein Höllenlärm, dabei ist Arik doch wie ein Tourist erschienen, kurz vor acht, reguläre Öffnungszeiten, »ein völlig normaler Vorgang«, wie er die Reporter noch wissen lässt, bevor sie sich an den Aufstieg machen.

Normal, nun ja. Die Spaliere schwer bewaffneter Grenzschützer, Polizeifahrzeuge und Krankenwagen, die neben den Sicherheitsschleusen parken – nicht unbedingt das Bild eines sonntäglichen Museumsbesuchs.

»Mörder!«

Arik seufzt, geht schneller.

Will die Sache hinter sich bringen.

Ihm war klar, dass er es mit einer wütenden Menge zu tun bekommen würde, seit Tagen schon wettern palästinensische Verbände gegen die Visite, zu nichts anderem diene sie, als Israels alleinigen Anspruch auf Jerusalem und ganz Palästina zu demonstrieren.

»Mörder! Du tötest den Frieden!«

»Du hast Blut in den Augen!«

»Sabra und Schatila!«

Sabra und Schatila. Großer Gott, die alte Leier. Aber gut, er *wusste* es, nur ohne zu ahnen, dass es ihm körperlich so zusetzen würde.

»Blut und Feuer! Mit Blut und Feuer werden wir al-Aqsa befreien!«

»Schlächter! Bluthund!«

Sie durchschreiten das Mughrabi-Tor, betreten das Plateau, und augenblicklich geht ein Hagel Wurfgeschosse auf die Ordnungskräfte nieder. Einige Hundert Menschen müssen hier oben sein, die jetzt versuchen, zu dem verhassten Besucher vorzudringen. Arik schnauft, eingequetscht zwischen Sicherheitsleuten, Likud-Kollegen und ein paar amerikanischen Gästen. Von hinten sichern ihn sein Sohn Gilad und dessen Freund Roni. Er ist froh, dass die beiden da sind, und hat zugleich Angst um Gilad, mehr als um sich selbst. Tupft erneut Schweiß von Stirn und Oberlippe, während sie schreien, er solle bloß nicht wagen, sich dem Dom und der Moschee zu nähern. Fühlt sich gar nicht gut. Denkt, verdammte Scheiße, ich bin 72, wozu tu ich mir das alles an, aber ich hab es so gewollt, und seien wir ehrlich, ich weiß ganz genau, wofür ich mir das alles antue.

Hier und heute werden die Wahlen entschieden.

Sie nähern sich der al-Aqsa-Moschee.

Jetzt bricht erst recht die Hölle los. Weder hat Arik erwartet, hineinzugelangen, noch mit dem Gedanken gespielt, und so muss er fast lachen, als er sieht, wie sich ausgewachsene Männer wie Hunde vor die Eingänge zu den Heiligtümern werfen und sie blockieren, während zugleich die Wut in ihm hochkocht.

Was soll das? Der Besuch war abgestimmt.

Mit der PA.

Mir der gottverdammten Palästinensischen Autonomiebehörde, sie hat grünes Licht gegeben unter der Voraussetzung, dass er weder den Felsendom noch die al-Aqsa-Moschee betritt.

»Wer will denn in eure dämliche Moschee?«, knurrt er in sich hinein. »Ich bin Jude, ich habe das Recht, jüdische Stätten zu besuchen, wann immer es mir –«

Gilad legt ihm die Hand auf den Unterarm, ein dezenter Hinweis, dass die Mikrofone der Kamerateams allzu nahe sind.

»Wir gehen.«

Höchste Zeit auch, Steine, Plastikstühle und Eimer fliegen durch die Luft, Tränengas wabert über das Plateau. Demonstranten, außer Rand und Band, gehen auf die Polizisten los, die sich hinter mannshohen Plexischilden verschanzen und Gummigeschosse in die Menge feuern.

Aus den Augenwinkeln sieht Arik einen Jungen zu Boden sinken, er regt sich nicht mehr, Soldaten hasten, einen verletzten Kameraden zwischen sich, zum Mughrabi-Tor.

»Mörder! *Allahu akbar*!«

»Haut doch ab nach Mekka!«, platzt es aus einem der Likud-Leute heraus. »Verschwindet aus unserem Land.«

»Arik, König der Schweine!«

»Über den Jordan mit euch!«, schreit der Likud-Mann. »Der Tempelberg muss jüdisch bleiben!«

»Allahu akbar!«

Arik denkt an sein klimatisiertes Auto.

Und als er schon fast dort ist, kann er nicht anders, er dreht sich um und sagt, was er eigentlich nicht hatte sagen wollen, wiederholt die legendär gewordenen Worte Mordechai Gurs, dessen Einheiten damals die Altstadt Jerusalems eroberten:

»Der Tempelberg ist in unseren Händen.«

Oh, das wird zündeln!

Soll es doch.

Sollen sie ihren Zorn entladen, eine zweite Intifada vom Zaun brechen, das wird ihn nur stärker machen, aus vielerlei Gründen ist er auf dieses Plateau gestiegen, hat das Zeichen gesetzt, von dem Benjamin gesprochen hat, eine beeindruckende Demonstration israelischer Stärke abgeliefert, klargestellt, dass Jerusalem nicht zur Disposition steht.

Wartet, bis ich gewählt werde!

DANN RÄUME ICH AUF.

Eskalation

24 Stunden später ist das Déjà-vu perfekt. Kriege der Steine, zum Zweiten. Rund um den Tempelberg bombardieren Demonstranten israelische Sicherheitskräfte mit Wurfgeschossen jeglicher Art. Hinter dem Furor werden Bestrebungen seitens PA und Hamas sichtbar, Ariks Blasphemie vom Vortag zu Elefantengröße aufzublasen. Aller Agitation zum Trotz will die Intifada nämlich nicht so recht in Gang kommen, wie ein Auto, das man nach Jahren aus dem Schuppen holt, legt sie Fehlstart auf Fehlstart hin. Einige der Steinewerfer steigen auf Molotowcocktails um, die Bereitschaftspolizei wechselt ihre Gummigeschosse gegen scharfe Munition aus und tötet vier Palästinenser.

Jetzt kommt Zug in die Sache.

Eine Straßenkreuzung im Gazastreifen, Fatah-Demo, Schusswechsel mit Zahal. Ein Palästinenser und sein Sohn suchen Deckung, ein Kamerateam von France 2 hält drauf. Cut. Nächste Einstellung, der Junge tot im Arm seines schwer verletzten Vaters. Drastisch, verstörend, Fernsehfutter für Nationen. Bei näherem Hinsehen Zweifel: Was ist hier echt, was wurde inszeniert?

Tod in Gaza, Klappe, die nächste?

Bilder schaffen Tatsachen, die Frage kommt zu spät.

Schmach den Besatzern!

Die Eskalation spielt der PA in die Hände, Arbeitsteilung wie folgt: Hamas und Islamischer Dschihad erledigen die Drecksarbeit, Arafat distanziert sich – distanziert sich – distanziert sich – distanziert sich. Bei so viel Distanz müsste er längst am äußeren Rand des Sonnensystems außer Sicht geraten sein, stattdessen hält er in seiner Mukata regelmäßige Gipfeltreffen mit den Führern aller palästinensischer Fraktionen ab, um deren Vorgehen zu koordinieren. Die Nerven liegen blank. Polizisten erschießen während einer friedlichen Kundgebung 13 unbewaffnete Israelis – zwölf davon sind Araber. Der Albtraum, Israels arabische Einwohner könnten sich mit ihren unterdrückten Nachbarn solidarisieren und nach Art einer fünften Kolonne gegen ihre jüdischen Mitbürger wenden, nimmt reale Züge an. Inzwischen wird Ehud Barak schon grün im Gesicht, wenn er nur an diesen Tempelbergbesuch *denkt*, wie konnte er den Irrsinn bloß genehmigen? Keiner vor ihm hat es so rapide vom Hoffnungsträger zum Buhmann gebracht: erst Camp David in den Sand gesetzt, jetzt schafft er es nicht mal, effizient brutal zu sein. Desillusioniert und ratlos, beginnt selbst die Friedensbewegung zu zweifeln, ob Sicherheit noch durch Dialog erreicht werden kann. Das Paradoxe ist, dass die Rechten, gerade, *weil* sie während der letzten Jahre an Sympathie verloren haben, jetzt umso leichter ins Spiel kommen. Wer harte Bandagen anlegt, muss nicht sympathisch sein. Du holst dir keinen Hardliner, um mit ihm zu kuscheln, sondern damit er dir die Bösen vom Leib hält, indem er selbst noch böser ist.

Und durchgreifen können die Rechten. Dafür müssen sie sich kein bisschen ändern. Nicht um Beliebtheit buhlen, keine kühnen Visionen entwickeln.

Nur sie selbst sein.

Konzessionen, Zugeständnisse?

Vergesst es!

Die Bedrohung überschattet alles, also entscheiden sie sich für die nächstbeste Option.

Einen Krieger.

Und wenn es je in Israel einen Krieger gab, dann heißt er Ariel Scharon.

Als Yael an Phoebes Geburtstag den Grenzposten Erez überquert (vorbei an Schlangen wartender Palästinenser, die jeder Einzelne gefilzt werden), kommt sie sich vor wie im Krieg. Überall Militär- und Sanitätsfahrzeuge, Soldaten, die vor Ausrüstung kaum laufen können. Finger liegen um Abzüge, nervöse Blicke springen von Person zu Person. Der Zaun um Gaza, gespickt mit Kameras und ferngesteuerten MGs, vermittelt mehr denn je den Eindruck, als beginne dahinter der leibhaftige Jurassic Park.

Eine Zone tödlicher Gefahr.

Yaels Heimat.

Sie lenkt den Wagen über den Pufferstreifen zwischen Sperranlage und palästinensischem Gebiet, sieht die roten Dächer Elei Sinais vor sich auftauchen, in die Kargheit gewürfelt wie Monopoly-Häuschen.

Wahnsinn.

Doch Yael hat aufgehört, den Wahnsinn infrage zu stellen. Israel mauert sich ein im Status quo. Bloß nichts verändern, keinen Schritt zurück. Die Aufgabe besetzten Terrains kann nur in eine Katastrophe münden. Jeden Fußbreit, den wir weichen, werden sie nachrücken, uns jagen, diesmal geht es gegen Israel selbst, um seine Vernichtung und Auslöschung.

Das ist die Lektion, die *meine* Generation gelernt hat, denkt Yael.

(WAHNSINN, WAHNSINN –)

Na, dann ist es eben Wahnsinn. Noch jeder hier ist am großen Wurf gescheitert, wozu sich Gedanken machen? Hier lebt ihre Familie. Leben Phoebe und Jehuda, und im Westjordanland siedeln Miriam und David mit ihren Kindern. Welcher Feuersturm immer über Israel hinwegfegen wird, für Yael zählt nur noch eines – diese wenigen, ihr alles bedeutenden Menschen in ihren kleinen Welten zu schützen.

Wahnsinn ist eine Insel.

Und Arik auf dem besten Wege, Premier zu werden.

2011

Nablus, 7. November

Hagen reist durch den unprogrammierten Raum.

Die nächtliche Fahrt in Mansours Wagen setzt sich in seinen Träumen fort, ziellos irren sie durch ein Westjordanland, das der Fantasie eines M. C. Escher entsprungen sein könnte. Um ihn herum spannt sich das ins Unendliche ausgreifende Netzwerk der Lichtinseln, träge pulsierend, jenseits aller Erreichbarkeit. Wann immer er sich einem der Zentren nähert, entrückt es oder verschwindet ganz, und er rast eine gekrümmte Mauer entlang, wird beschleunigt wie auf einer Achterbahn und in die nächste Runde geschossen.

Mansours beruhigende Stimme dringt an sein Ohr.

Sie seien in Sicherheit.

Sie?

Stimmt, da war noch jemand – jemand namens –

Yael.

Wo ist Yael?

Noch während er darüber nachdenkt, taucht sie an seiner Seite auf, und etwas von ungeheurer Tragweite wird ihm klar, dass nämlich die Welt nicht um ihn herum ist. Sie ist IN IHM. In seinem Kopf, mit der atemberaubenden Konsequenz, ihr keineswegs ausgeliefert zu sein. Tatsächlich gestaltet er sie, die ganze Zeit schon, ohne es zu merken.

Der unprogrammierte Raum –

Er ist der Programmierer! In seiner Macht liegt es, die Wüste zwischen den Inseln, das formlose Nichts, zu füllen, nach Belieben zu erfinden, wonach ihm der Sinn steht. Unliebsames zu verändern, Schlimmes ungeschehen zu machen. Menschen, die tot sind, zurück ins Leben zu rufen. Krister. Inga. Einfach, indem er sie neu programmiert. *Reset.* Zurück auf Anfang. So simpel. Jedes Problem lässt sich auf diese Weise im Handumdrehen lösen, der gesamte Nahe Osten –

RESET.

Die Erkenntnis löst ein überwältigendes Glücksgefühl in ihm aus, warum ist er nicht schon viel früher auf den Trichter gekommen? Faszinierend. Dran denken heißt, es zu erschaffen. Zack. So läuft das. Weghaben wollen – zack. Wozu noch versuchen, ins Licht zu gelangen, ICH

BIN IM LICHT, und im selben Moment entsteht eine Stadt um ihn herum, eine komplette Stadt, und Björklund grinst sein gastritisches Grinsen.

Krister, zurück! Ach Gott, alter Freund.

Auch die Typen mit den Skimasken sind da, aber jetzt trinken und diskutieren sie, lümmeln auf Sofas herum, wie er sie aus Tonjas und Irinas Wohnung in Erinnerung hat, auch die Mädchen quicklebendig, lediglich das Loch zwischen Irinas Augen irritiert ihn (»Tut mir *sooo* leid«, und sie: »Wieso, ist was?«), aus dem Hirnmasse sickert, seitlich läuft sie entlang ihres Nasenrückens hinab zu den Lippen, ihre Zunge schnellt hervor wie die einer Eidechse, leckt das Zeug weg. Schon enorm, der Innendruck im menschlichen Schädel. Scharon mussten sie ein komplettes Stück Knochen entfernen, um ihn auszugleichen, Hagen wuchtet es beiseite, riesig und sperrig ist es, und der alte Arik steht daneben, schaut zu und lächelt.

»Danke«, sagt er. »Da geht's mir doch gleich viel besser.«

Donnerwetter. Wer hätte gedacht, dass es so einfach ist?

ALLES kann er in Ordnung bringen – *(Tom)* – an mehreren Orten gleichzeitig sein und sein heilendes Werk verrichten, man sollte – man könnte – man *müsste* diese Inseln aus Licht miteinander verschmelzen, sodass Juden und Araber endlich – *(Tom)* – auf einem Fleck zusammen – *(Tohom!)* – später, ich muss das hier zu Ende bringen –

»Tom! Wach auf.«

– achaufwachaufwachaufwachaufwach –

NEIN, ICH MUSS –

Steigt auf wie ein Ballon, nicht jetzt, verdammt!, warum lässt du mich nicht weitermachen, ich stehe *so* kurz davor, alles in Ordnung zu bringen, doch seine wundersame Allmacht ist dahin, die hoffnungsvoll im Entstehen begriffene neue Welt bleibt unter ihm zurück, zersetzt sich in profaner Helligkeit –

Er ist zurück in dem unmöblierten Zimmer.

In einer Wohnung in Nablus.

Auf einer Luftmatratze.

Richtet sich auf, mit schmerzenden Gliedern. Die Fenster werfen Quadrate aus Sonnenlicht auf den blanken Estrich. In einem davon hockt Yael wie eine Schachfigur und schaut ihn an.

»Na? Wieder im Hier und Jetzt?«

Yael –

Gestern Nacht hat sie sich schnell nach nebenan verzogen. Hagen hätte gerne noch mit ihr geredet, aufgekratzt vor Übermüdung, wie er war. Oder mit Mansour, aber der empfahl sich zu seiner Familie. Danach wälzte er sich schlaflos umher, heimgesucht von stroboskopartigen Visionen, ein surreales Durcheinander, von dem ihm schlecht wurde, auf welche Seite er sich auch drehte.

Irgendwann muss er weggedämmert sein.

»Was zum Teufel machst du hier?«, knurrt er.

»Freut mich auch, dich zu sehen. Es ist gleich zwölf.«

»Zwölf?«

»Mittag. Zeit zur rituellen Nahrungsaufnahme. Wir sind eingeladen.«

»Puh.«

»Außerdem hat Mansour Informationen.« Yael macht eine vage Handbewegung in eine unbestimmte Richtung, unbestimmte Zukunft. »Über unseren Transfer.«

Zwölf. Er hat den halben Tag verschlafen. Warum ist er dann immer noch so müde, dass er ihr schnarchend vor die Füße kullern könnte?

»Die Dusche funktioniert übrigens«, sagt sie.

»Dusche?«

»Ich muss dir jetzt nicht erklären, was das ist.«

Weggetreten sitzt er auf seiner Matratze und zupft an seiner Decke. Fährt sich übers Gesicht, um die Müdigkeit wegzuwischen. Wie ein Tuch fällt sie wieder über ihn.

»Nebenhaus, oberstes Stockwerk. Klingeling.« Yael hebt einen Finger. »Hanaan ist sehr nett. Mansours Frau. Sie hat's nicht so mit Händeschütteln, also versuch's gar nicht erst.«

»Mhm. Okay.«

»Soll ich auf dich warten?«

»Nein.« Starrt sie an, irritiert, sie immer noch dort hocken zu sehen. »Verzieh dich. Ich will aufstehen.«

»Prima.«

»Ich hab nichts an.«

»Ich bin Elend gewohnt.«

»Raus.«

»Meine Güte.« Sie springt auf und geht zur Tür. »Ich kannte mal 'n Hassprediger, der war umgänglicher als du. Schlaf nicht ein unter der Dusche.«

Leicht gesagt.

Die Temperaturregelung ist eine hypermoderne Angelegenheit mit Touchscreen, die aussieht, als hätte sie tausend Designerpreise gewonnen. Hagen tippt blinzelnd hierhin und dorthin. Wahrscheinlich ist er einfach zu dämlich, um noch irgendwas bedienen zu können, wo nicht Apple draufsteht. Unversehens stürzt eine Kaskade viel zu heißen Wassers auf ihn hernieder und vernebelt im Nu die Kabine. Zu lange hier drin, und er wird aufgelöst und in den Abfluss gespült werden, aber wenigstens drischt ihm der prasselnde Strahl die Müdigkeit aus den Knochen.

Als er im vierten Stock schellt, öffnet ihm eine Frau in bodenlangem, braunem Kaftan. Die Wölbung ihres Kopftuchs lässt auf rapunzelartige Haarmengen schließen.

»Ich bin Tom«, sagt er. »Danke für die Einladung.«

»Hanaan.« Sie lächelt und schaut ihm in die Augen. »Komm rein. Ich hab nur eine Kleinigkeit gemacht.«

Hagen lässt den Blick wandern.

Aufwändig drapierte Vorhänge, Gold, Brokat, wuchtige Sessel und Sofas. Die Essecke eine würdevolle Gesellschaft dunkler Holzthrone, sich selbst genug. Fenstergroß prangt ein LCD-Fernseher an der Wand, aus der Decke lugen Halogenlämpchen in Reihen, Kreisen und Quadraten. Wenn das hier den palästinensischen Mittelstand repräsentiert, unterscheidet er sich von dem in Bonn-Meckenheim nur durch die Muster der Stoffe und 20 Falten mehr pro Gardine.

»Wir essen in der Küche«, sagt Hanaan.

Die ist gemütlich und unspektakulär, die Kleinigkeit entpuppt sich als Platte von der Größe einer Lkw-Radkappe, getürmt voll mit Reis, Erbsen, Möhren und verlockend duftenden Hähnchenteilen.

»Das wird aufgegessen«, lacht Mansour. »Sonst sind wir gekränkt und müssen euch umbringen.«

Hanaan wirft ihm einen Blick zu, als sei er nicht ganz beieinander. Sagt etwas auf Arabisch, das klingt wie »Du hast schon treffsicherer gescherzt«, und Mansour zieht ein betretenes Gesicht.

»Ihr kennt meinen Hunger nicht«, sagt Hagen und haut rein.

Gott, ist er hungrig.

Und das hier ist *gut*! Womit immer Hanaan würzt, es müsste unter das Gesetz für suchterzeugende Mittel fallen. Er kaut und schlingt. Plötzlich wird ihm bewusst, dass er seine letzte echte Mahlzeit im Askadinya eingenommen hat. Danach nur noch Frühstück in Aschdod und Miriam Cantors Käsebrote.

Mansour kommt zur Sache.

»Morgen Nacht.«

»Was, schon morgen«, staunt Yael.

»Wir haben Glück. Da war sowieso was geplant, unabhängig von uns. Drei Männer, die eine Weile untertauchen müssen. Ihr bekommt den Transfer zum halben Preis, also zehn für beide. Das ist die gute Nachricht. Weniger gut ist, dass sie die Transporte danach eine Weile einstellen – wenn ihr das Boot verpasst, ist der Kanal dicht.«

»Das heißt, wir müssen morgen Nacht in Eilat sein«, sagt Hagen.

»Gegen Mittag fahr ich euch bis kurz vor die Westjordanlandgrenze im Süden. Ein Freund von David holt euch ab, schmuggelt euch über den Checkpoint und bringt euch runter zur Küste.«

»Und dort?«

»Einzelheiten erfahre ich noch.«

Hagen schweigt einen Moment. Ihm ist elend zumute.

»Was ist mit der Bezahlung?«

Yael schaut ihn an und senkt den Blick. Ekelhaft, in der Tat. Er steht kurz davor, Staatsgeheimnisse ihres Landes an Araber zu verscherbeln, aber was kann sie schon sagen. Sie sitzt im Glashaus.

In einem ganzen Glaspalast.

»David hat eine Blitzüberweisung auf mein Konto getätigt«, spricht Mansour die erlösenden Worte. »Ich hole das Geld später ab. Die Summe sollte für euch beide reichen.« Er lächelt. »Ihr müsst nicht zu Verrätern werden.«

Man sieht Tonnen von Yaels Schultern rutschen.

Und Hagen? Hat plötzlich einen Kloß im Hals. Muss aufpassen, nicht die Fassung zu verlieren.

»Ich zahle es zurück«, flüstert er. »Ich zahle alles zurück.«

Hanaan schwenkt die Fleischgabel.

»Nachschlag?«

Sie reden über anderes.

Hanaan, erfahren sie, war drei Jahre an der Londoner Uni. Im Gegensatz zu Mansour spricht sie ein weiches, fast akzentfreies Englisch, wie man es nur im Ausland erwirbt.

»Eigentlich wollte ich Fremdsprachenkorrespondentin werden.« Ihre Augen glänzen. »Ich hatte immer diesen Traum, in der UN zu sitzen. Zu dolmetschen, wie sie die Welt unter sich aufteilen.«

»Dann kamen die Kinder dazwischen«, sagt Mansour.

Und Hagen denkt, eigenartig. Das Universelle mancher Formulierungen. Als würden Kinder ihren von Selbstverwirklichung beschwingten Müttern heimtückisch auflauern, um ihnen im vielversprechendsten Moment höhnisch gackernd *dazwischenzukommen*.

»Trotzdem war's nicht umsonst.« Mansour steht auf und setzt die

Kaffeemaschine in Gang. »Hanaan wird die Korrespondenz mit unseren ausländischen Partnern erledigen. Wenn wir so weit sind, in alle Welt zu exportieren.«

»Ihr wollt das Sesamgeschäft international aufziehen?«, fragt Yael.

»Auch der freie Westen mag Tahini.« Mansour grinst. »Wir werden die Tahini-Weltmacht.«

»Und nebenbei baust du Häuser?«

»Der Konjunkturzug rollt. Wer jetzt nicht aufspringt, läuft ihm hinterher. Ich meine, schaut euch um. Handel, Gehälter, Beschäftigungsquote, alles zieht an.«

Weil sie mit Israel können, erklärt er weiter. Anders als die in Gaza. Solange die Hamas dort quertreibt, bleibt der Gazastreifen abgeriegelt und chancenlos. Handel? Mit wem? Sechs Jahre nach der Entkopplung leben die Gaza-Palästinenser wie eingemauert, blockiert zu Wasser und zu Land. Die Besatzung mag Geschichte sein, von außen wurde eine neue installiert, jetzt gleicht die Gegend einem gut bewachten Zoo. Israels Armee rückt nach Belieben ein, fliegt drüber weg, schießt Häuser und Autos in Brand. Und die Islamisten wissen nichts Besseres, als das Volk (das zunehmend wünscht, sie nie gewählt zu haben) tiefer und tiefer in die Bredouille zu reiten, indem sie ihrerseits Raketen nach Israel schießen und sich für ihren Starrsinn feiern lassen. Vielleicht, weil Allah mit ihnen ist. Vielleicht aber auch nur, weil in dem Schlachtgetöse untergeht, dass sie von Wirtschaft so viel verstehen wie Wale vom Kunstflug.

Dagegen, meint Mansour, stehe das Westjordanland doch ganz gut da.

»Überall neue Bauprojekte, hier, in Dschenin, in Ramallah. Neue Betriebe, Bars, Restaurants –«

»Neue Handelsbeschränkungen«, sagt Hanaan und gießt Wasser nach.

»Und wenn.« Mansour balanciert ein Tablett mit Mokkatassen an den Tisch. »Das geht vorüber.«

»Da ist Mustafa anderer Meinung.«

Ihr Mann runzelt die Stirn. Die Unterhaltung nimmt eine Wendung, die ihm offenbar missbehagt.

»Mustafa ist ein Freund«, erklärt Hanaan. »Er hatte mal 25 000 Hühner, die Eier verkaufte er nach Israel. Aber vor einem Jahr hat die Regierung in Jerusalem verboten, palästinensische Eier ins Kernland zu verkaufen. Seitdem bezieht Israel seine Eier aus der Türkei.«

»Mustafa hat immer noch Hühner«, sagt Mansour.

»Ja. Zwei Dutzend.«

»Man kann nicht alles Israel in die Schuhe schieben«, sagt er, und es klingt merkwürdig aus seinem Mund. »Hätte die PA mehr Ahnung von Finanzen –«

»Du willst sagen, wäre sie nicht so korrupt.«

»Sie gibt das Geld für falsche Dinge aus.«

»Ach, hör doch auf. Die stecken es sich in die Tasche!«

Mansour süßt seinen Kaffee nach.

»Wir haben es jedenfalls richtig gemacht. Oder?«

Weil sie eigenes Geld in die Hand genommen haben. Ihre Häuser sind abgesichert, während die meisten hier auf Pump bauen. Zur Bank laufen und sich das komplette Vorhaben finanzieren lassen. Keiner macht sich Gedanken über die Rückzahlung, wozu auch, da sie in Ramallah das Wirtschaftswunder ausrufen:

Jobs! Kaufkraft! Wachstum! Kredite für alle!

»Tatsächlich ist Palästinas Wirtschaft ein lahmer Hund«, sagt Hanaan. »Ohne ausländische Finanzhilfen läuft gar nichts, und fast alles fließt der Bauwirtschaft zu. Und wer profitiert davon? Unsere Banker und Politiker. Katar baut jetzt eine ganze Stadt im Westjordanland, die haben Hunderte Jobs geschaffen, großartig. Aber was, wenn die Stadt steht? Dann sitzen die Leute in ihren tollen Häusern und stellen fest, dass es sonst keine Arbeit gibt. Weil in andere Branchen nicht investiert wurde. Wer steckt denn Millionen in die Infrastruktur eines Landes, in dem so viel politische Unsicherheit herrscht? Also beginnen sie zu sparen, können die Kredite nicht zurückzahlen, Ende der palästinensischen Kaufkraft, Immobilienkrise, nach dem Motto, was Amerika kann, können wir schon lange, und Israels Handelsbeschränkungen geben uns den Rest. Und solange wir keinen Staat bekommen, wird sich daran auch nichts ändern.«

Mansour räuspert sich. »Hanaan –«

»Was, Hanaan?« Sie schaut Yael an. »Entschuldige, aber so ist es nun mal.«

»Sie hat ja recht«, sagt Mansour, als er sie in seinem Wagen durch die Stadt fährt. »Mag sein, wir brauchen ein Wunder. Aber ganz sicher bekommen wir keines, wenn wir drauf warten.«

Da sie bis morgen Mittag seine Gäste sind, fühlt er sich verpflichtet, sie zu unterhalten, und sie können nicht ständig über Flucht und Todesangst reden. Also fährt er sie hoch zum Universitätsgelände, und sie laufen eine Runde über den Campus.

»Schön«, sagt Yael.

Womit sie untertreibt. Die An-Najah-Nationaluniversität ist schlichtweg beeindruckend. Eine Ansammlung heller Kuben mit großzügigen Freiflächen und Open-Air-Theater, dessen Rundbühne das Tal überblickt. Mansours Schwager lehrt hier Informationstechnologie. Der Campus ist dicht bevölkert (54 Prozent Frauen, sagt Mansour mit der Genugtuung eines Mannes, der ein Vorurteil widerlegt), wenige mit offenem Haar. Die meisten tragen den Hidschab, das Kopf und Schultern bedeckende Tuch, konterkariert von ausdrucksstarkem Make-up, figurbetonten Jeans und Pumps. Eine etwas ambivalente Zurschaustellung weiblichen Selbstbewusstseins, findet Hagen, doch Mansour schüttelt den Kopf.

»Niemand zwingt die Mädchen, Kopftuch zu tragen. Sie können rumlaufen, wie sie wollen.«

»Und kriegen eins auf den Deckel, wenn keiner hinschaut«, sagt Yael.

Mansour lächelt. »Kennst du Nur Dahud?«

»Nein.«

»Die Speed Sisters?«

Yael zuckt ratlos die Schultern.

»Geh mal ins Internet. Speed Sisters aus Ramallah. Der erste Verband von Rennfahrerinnen in Palästina, kein Kopftuch, jede Menge PS. Dahud ist für mich der Star. Sie hat ihren BMW dermaßen hochgezüchtet, dass ich mich gar nicht erst trauen würde, in das Ding einzusteigen. Am Stadtrand von Ramallah kannst du sie trainieren sehen, auf einem Parkplatz direkt an der Mauer. Die israelischen Soldaten lieben sie, die applaudieren wie wild von ihrem Wachturm aus.«

»Lieben eure Konservativen sie auch?«

»Inzwischen sind sie unsere offizielle Mannschaft.« Mansour schließt den Wagen auf, verharrt. »Natürlich waren die Konservativen anfangs nicht begeistert, dass Mädchen Rennen fahren und knallenge Overalls tragen. Aber als sie Pokale gewannen, hat sich das geändert. Was erwartest du, Yael? Unsere Gesellschaft ist im Umbruch. Eure etwa nicht?«

Yael lehnt sich an den Wagen und schaut rüber zur Universität. Hagen fragt sich, was sie wirklich sieht.

»Unsere ist betoniert.«

Mansour nickt. »Soll ich dir sagen, wo die Speed Sisters Probleme bekommen? Wenn sie hier Langstreckenrennen fahren wollen. Keine Chance. Überall Checkpoints.«

Er zeigt ihnen die Altstadt. Nablus gründet auf der *Flavia Neapolis*, einer Römersiedlung aus der Zeit Vespasians, die auf noch älteren Mo-

numenten entstand. Wohin man geht, Geschichte. Der Souk, der Stra-
ßenmarkt, bildet das Herz, ein lebendiger, pulsierender Organismus,
durch dessen Venen und Arterien unablässig Menschen gepumpt werden, ein lautstarker, bunter Strom. Sie folgen labyrinthisch verwinkel-
ten Gassen, gesäumt von Gerbereien, Textil- und Töpferwerkstätten, es
riecht nach Seife und Gewürzen, die seit Generationen hier produziert
werden. Ihr Weg führt sie zur festungsartigen Anlage des Abd-al-Hadi-
Palasts, zu historischen Moscheen und Bädern, zum Uhrturm, den ein
Sultan kurz vor dem Exitus des Osmanischen Reichs zu eigenen Eh-
ren errichten ließ. Ein Ambiente zwischen Aufbruch und Zerstörung,
in dem Baumeister, Eroberer und Erdbeben jeweils ihre Spuren hinterlassen haben.

Über allem liegt eine Atmosphäre der Herzlichkeit.

Durchweht von einem Hauch Bedrohung.

Mansour führt sie eine Gasse hinab, in der ein Lieferwagen parkt
wie an die Wand geklebt. Unter einem lastend niedrigen Durchgang
eine Art Kontor. Metallschränke voller Ordner, wacklige Schreibtische,
Gerümpel. Die gegenüberliegende Wand verschwindet hinter Sesamsäcken. Zwei beleibte Männer schauen bei ihrem Eintreten auf, kurzer
Wortwechsel. Mansours Brüder. Mansour öffnet eine schwere Stahltür,
dahinter geht es abwärts. Stufen, die aussehen, als habe Vespasian sie
schon so vorgefunden.

Kaum Licht dringt nach oben.

»Kommt mit. Ich zeig euch was.«

Yael zögert.

Hagen sieht, wie das Kinderprogramm in ihr hochlädt (nie fremden
Männer folgen, die dir was zeigen wollen). Mehr als das. Nablus, ehemalige Hochburg des Terrors. Kaum anderswo wurde mit größerem Ei-
fer an Bomben gebastelt. In all der pittoresken Beschaulichkeit sind die
Wallpaper mit den Konterfeis von Freiheitskämpfern nicht zu übersehen, im Untergrund brodelt es, und solange keine Bewegung in die verfahrene Lage kommt, wird sich daran wenig ändern. Deutlich steht die
Vorstellung in Yaels Blick, für die Dauer der nächsten Jahre in dem Kel-
lerloch zu hocken, während sie in Jerusalem den Preis für sie aushandeln.

Hagen versteht sie.

Er ist kein ängstlicher Mensch, darf man nicht sein in dem Job, doch
auch ihn beschleicht ein eigenartiges Gefühl.

»Wo bleibt ihr?« Mansour ist schon auf der Treppe.

Würde er sie hinters Licht führen? Was wissen sie schon groß über
ihn? Was weiß David über ihn?

Gut, er hat ihnen geholfen.

Bis jetzt.

Zögerlich folgen sie ihm nach unten.

Hinter ihnen verdunkelt sich der Treppenschacht. Als Hagen über die Schulter schaut, folgt ihnen einer der beiden Brüder mit unbewegter Miene. Raumgreifend. Keine Maus käme an ihm vorbei. Dann stehen sie in einem niedrigen Gewölbe, erleuchtet von einer Deckenfunzel –

– und nun die Kurznachrichten: Fünf Jahre saßen die israelische Ärztin Yael Kahn und der deutsche Journalist Thomas Hagen in einem fensterlosen Keller in Nablus, bis sich die Regierung entschloss –

In der Mitte des Raumes liegt etwas.

Eine massive, mehrere Meter durchmessende, runde Steinscheibe mit einem Loch in der Mitte.

»Das ist das Herz dieses Hauses«, sagt Mansour.

»Ein Mühlstein?«, fragt Hagen

»Der erste, mit dem meine Familie Sesam gemahlen hat. Vor über 150 Jahren.« Mansour streicht beinahe zärtlich über die Oberfläche. »Ich liebe diesen Stein. Er erzählt, woher wir kommen. Wer wir sind. Ruht hier, fest und unerschütterlich. Wenn ich nicht weiterweiß, hole ich mir hier unten Kraft.« Er lächelt. »Muffig, was? Gehen wir wieder nach oben.«

Auch der Bruder lächelt.

»Tee?«

Beschämt treten sie hinaus auf die Gasse. Ein junger Mann kommt ihnen entgegen, die Sackkarre gestapelt voll mit Melonen. Nickt ihnen freundlich zu.

»Nächste Station«, sagt Mansour. »Kontrastprogramm.«

Dafür verlassen sie die Altstadt und fahren die Hauptstraße entlang, auch hier alle Insignien des Aufbruchs.

Dann, wie mit dem Lineal gezogen –

Schlagartig ändert sich der Eindruck. Der nächste Abschnitt wirkt desolat, unverputzte Fassaden, Schlaglöcher, Menschen, deren Lebenstempo eigenartig heruntergefahren scheint. Aggression liegt in der Luft, Ziel- und Perspektivlosigkeit. Nichts hier passt ins Bild der prosperierenden Provinzmetropole.

»*Ein Beit al-Ma'*«, sagt Mansour. »Eines unserer Flüchtlingslager.«

»Flüchtlinge?«, Hagen überlegt. »Aus welcher Zeit?«

»*Nakba.*«

Arabisch für Katastrophe. Entsprechung des israelischen Unabhängigkeitstags. Die einen feiern, die anderen trauern. Tausende palästinensische Araber sind '48 in die jordanisch okkupierte Westbank geflohen.

»Aber das ist ewig her«, sagt Yael. »Die müssen inzwischen uralt sein.«

Doch die meisten hier sind jung.

»Zweite und dritte Generation«, sagt Mansour.

»Und es war in Jahrzehnten nicht möglich, sie zu integrieren?«

»Sie sind anders. Jeder bleibt unter sich. Nur weil sie Araber sind, werden sie nicht bei uns heimisch. Warum besteht denn die PA auf einem unbegrenzten Rückkehrrecht für Flüchtlinge? Weil sie mit ihnen fühlt? Weil die alle so gerne nach Israel wollen? Die schlichte Wahrheit ist, man will sie hier nicht. Und auch ihre Kinder nicht.« Er schaut Yael im Rückspiegel an. »Wir haben beide ein Flüchtlingsproblem. Ihr wollt sie nicht wiederhaben. Wir wären sie gern los. – Ich zeig euch was Erfreulicheres.«

Sie fahren eine gewundene Straße hoch zu Mansours Lieblingsplatz. Die Stadt bleibt unter ihnen zurück, und Hagen fällt ein Gebäude auf, das in Kontrast zum lichten Ensemble der benachbarten Universität steht. Etwas Trostloses haftet ihm an.

Er fragt Mansour danach.

»Das da? Der Knast.«

»Gleich neben der Uni?«, wundert sich Yael.

»Passt doch. Hier wie da lernen sie fürs Leben. Die komplette Hamas ist dort unten eingebuchtet.« Er lacht, aber es schwingt ein unfroher Unterton darin mit. »Und ich hab die mal gewählt.«

»Du?« Hagen ist verblüfft. »Die Hamas?«

Mansour und die Radikalen?

»Unsere Hamas war anders als die in Gaza.«

»Inwiefern?«

»Konstruktiver.«

»Konstruktiv darin, Israel von der Landkarte zu radieren«, sagt Yael trocken. »Da kam ganz schön was rüber.«

Mansour dreht sich zu ihr um.

»Ja, und von euch kam ganz schön was zurück.«

Vielleicht kein gutes Gesprächsthema, denkt Hagen, und versucht das Gespräch auf andere Dinge zu lenken. Im Nu hat er eine absurde Situation geschaffen. Und das nur, weil er Mansour mit dem erklärten Lieblingsthema der Deutschen gekommen ist.

Als hätte er einen Wasserhahn aufgedreht.

Mansour weiß alles.

Er weiß, dass kein Nationalspieler mehr Länderspiele bestritten hat als Lothar Matthäus. Dass Miroslav Klose 2006 Torschützenkönig der Bundesliga war, und zwar:

»Mit 25 Toren in 26 Spielen. Das hat den bestimmt geärgert.«

»Wieso geärgert?«

»Wegen dem *einen* Spiel. *Ein* Spiel! Also, mich hätte das geärgert.«

Weiß, dass Diego de Cunha im April 2007 eines der genialsten Langdistanztore schoss: »Aus über 63 Metern Entfernung! Der Torwart zu weit rausgewagt, sind ja auch alle noch in der anderen Hälfte, und dann fliegt der Ball über ihn hinweg, einfach so über seinen Kopf hinweg.«

Schlägt vor Begeisterung aufs Lenkrad.

Yael schaut aus dem Fenster, als sprächen sie Klingonisch.

Nun ist Hagen in Fußball ein As. Sachkundig flicht er ein, auch Alex Alves hätte mal so ein Superding fabriziert, und zwar –

»2000.« Mansour nickt. »Ich erinnere mich. Das war 2000, da spielte Alves bei Hertha.«

Na dann.

»Woher weißt du das alles?«

Der Araber drosselt das Tempo und steuert den Wagen auf ein künstliches Plateau. »Wenn dich was begeistert, weißt du alles darüber. Du etwa nicht?«

»Doch, schon.«

»Und deutscher Fußball ist der beste Fußball der Welt.«

»Na ja.«

»Doch, ich liebe deutschen Fußball! Auch wenn ihr keine Weltmeisterschaft mehr gewinnt. Aber ihr habt fantastische Spieler –« Sprudelt Namen hervor, bekannte, weniger bekannte, und plötzlich wittert Hagen Morgenluft, verschränkt die Finger und lässt die Knöchel knacken.

»Wie war das gerade zum Schluss?«

»Was?«

»Der letzte, den du genannt hast.«

»Axel Müller.«

»Den gibt's nicht.«

»Klar gibt's den.«

»Du meinst Thomas Müller. Bayern München.«

»Nein, nein.« Mansour öffnet die Tür, sie steigen aus. »Axel Müller. Thomas Müller kenne ich. Den kennt jeder.«

»Es gibt einige Müllers. Gerd Müller, Hansi Müller, Joachim Müller –«

»Axel Müller«, beharrt Mansour.

»Könnt ihr mal ein anderes Programm einstellen?« Yael geht an ihnen vorbei an den Rand des Plateaus.

Mansour tritt neben sie.

Sie lehnen sich aufs Geländer und schauen eine Weile hinaus.

Die Aussicht ist atemberaubend.

Von hier oben lässt sich das komplette Tal überblicken. Sie sehen die Stadt daliegen, ein weißes Schimmern, die fernen Berge im Dunst des Nachmittags. Tief unter ihnen summt, brummt und hupt der Stadtlärm, ohne sie richtig zu erreichen. Dort, wo sie jetzt sind, rauschen nur Bäume und zirpen ein paar Insekten.

Sightseeing in Nablus.

Als wären nicht alle Mächte der Finsternis hinter ihnen her.

Aber der Schub Normalität tut gut.

»Abends, im Sommer, fahren wir oft hier hoch«, sagt Mansour. Lächelt in Erinnerungen. »Hier hab ich Hanaan rumgekriegt.«

Yael hält das Gesicht in den Wind.

»Ich glaube, hier oben kriegt jeder jeden rum.«

»Wunderschön, nicht? Viele kommen her. Du siehst die Sonne untergehen, wir machen ein bisschen Party. Jeder hat was dabei, zu essen, zu trinken. Ihr müsstet das mal erleben.«

»Ja, klar. Ich wär sicher die willkommenste Person des Abends.«

»In meiner Begleitung schon.«

»Nicht ohne meinen Gettoblaster.«

»Gettoblaster!« Mansour lacht. »Manchmal schleppen sie ganze Verstärkeranlagen und Schlagzeuge hier rauf. Dann nehmen wir den Berg auseinander.«

Hagen sieht sie vor sich. Wie ihre Gedanken und Träume ihren Köpfen entsteigen und sich in der kühlen Abendluft verteilen.

»Es ist so friedlich hier oben«, sagt Yael.

»Ja.«

»Als Teenager dachte ich manchmal, dass Frieden nichts Spektakuläres ist. Eigentlich das genaue Gegenteil. Keine Leistung, weil ja nicht viel passiert.« Ihr Blick bekommt etwas Wehmütiges. »Ich dachte, wenn wir alle ein bisschen mehr miteinander rumhingen, uns 'ne Cola teilen, zusammen Musik hören, müssten wir da nicht kapieren, dass wir den Scheiß gar nicht nötig haben? Ich würde sehen, dass du keine Nägel frisst. Du würdest sehen, dass ich kein Öl saufe.« Sie hebt eine Braue. »Du frisst doch keine Nägel?«

Mansour grinst. »Nur, wenn niemand hinsieht.«

Yael schaut weiter hinaus.

»Ich war 17«, sagt sie.

»Als was?«

»Als Rabin starb.«

Zieht die Jacke enger um ihre Schultern und schweigt.

Wir werden uns nach diesem Moment zurücksehnen, denkt Hagen.

Er mag sich nicht ausmalen, unter welchen Umständen.

Tel Aviv

Um 18:00 Uhr hat Perlman ein Gespräch mit einem der Desk Officers. Der Mann kommt ohne Umschweife zur Sache.

»Sagt Ihnen der Name Yossi Backenroth was?«

Perlman runzelt die Stirn. »Wer soll das sein?«

»Er *war*. Mediziner. Vorgestern wurde er in einer Jerusalemer Restauranttoilette aufgefunden. Überdosis.«

»Ein Junkie?«

»Der Obduktionsbericht weist Zweifel auf. Sie meinen, da könnte jemand nachgeholfen haben.«

»Und was hat das mit uns zu tun?«

»Backenroth arbeitete Ende 2005 als Assistenzarzt in der Neurologie des Hadassah Hospitals. Er war ein Kollege von Yael Kahn. Sie teilten sich ein Zimmer.« Der Desk Officer schiebt ihm die Unterlagen rüber. »Und da ist noch was –«

»Interessant«, sinniert Ben-Tov. »Beide in der Neurologie, während Scharon dort in Behandlung war. Und sechs Jahre später löst Backenroth das Ticket nach Nirwana ein –«

»Von *Samael* spendiert.«

»Während seine Kollegin um ein Haar entführt wird.«

»Um wie er in irgendeinem Bahnhofsklo zu enden«, nickt Perlman. »Oder sich zu erhängen. Vor den Zug zu werfen. Was weiß ich, wie sie es aussehen lassen wollten.«

»Sie beseitigen Zeugen, bevor wir sie befragen können.«

»Machen den Dreck weg, den Hagen aufgewirbelt hat.«

Dann erzählt er Ben-Tov, was noch im Bericht des Hadassah steht, und das ist nun wirklich ein dicker Hund.

»Fast eine Antwort!«

»Es gab nur die eine Möglichkeit. Zwei Wochen bis zur OP. Zwei

Wochen, in denen sie Scharons Therapierung manipulieren konnten. Jetzt wissen wir immerhin, *wer* ihm die Medikamente verabreicht hat.«

»Und zwar andere, als er bekommen sollte.«

»Sie wurden ausgetauscht.«

Ben-Tov spielt mit einem Kugelschreiber rum. »Es muss doch einen Medikationsplan geben.«

»Es gibt sogar mehr als das«, sagt Perlman. »Quittungen. Was immer über den Tresen der Medikamentenausgabe ging, wurde vom Empfänger gegengezeichnet.«

»Entweder also steckte die Ausgabekraft mit drin –«

»Unwahrscheinlich.«

»Denke ich auch. Scharons Schlaganfall kam wie aus heiterem Himmel. Die hatten gar keine Zeit, im Hadassah ein Netzwerk zu installieren.«

»Oder die Medikamente wurden ausgetauscht, *nachdem* sie quittiert worden waren.«

»Schon ein Wunder, dass sie überhaupt jemanden vor Ort hatten.«

»Hatten sie vielleicht nicht mal.«

Blitzrekrutierung?

Kein Problem.

Du willst die Mitarbeit eines Mannes erzwingen? Schick ihm eine sexy Agentin auf den Hals. One-Night-Stand, Kamera. Ab morgen, mein wilder Stier, lieferst du Informationen, oder deine Frau bekommt das Fotoalbum ihres Lebens zugespielt. Mossad und Schin Bet beherrschen die Venusfalle virtuos, manch Familienvater fand sich schon vom Geheimdienst rekrutiert, weil sein bester Freund keine Prinzipien kannte. Und was im arabischen Lager funktioniert, klappt bei bibeltreuen Siedlern allzumal. Taillenabwärts enden alle Unterschiede, selbst bei Frauen haut die Sache hin. Sie haben die Trigger einfach nur an anderen Stellen.

Perlman poliert die Goldrandbügel seiner Brille. Ben-Tov betrachtet ihn unter gesenkten Brauen.

»Sonst noch Ärzte, Pfleger, die uns verdächtig erscheinen?«

»Sagen wir mal so – alle anderen von damals leben noch.«

Sprich, nicht auf der *Samael*-Abschussliste.

»Und Sie glauben wirklich, die führen was Neues im Schilde?«

»Ich weiß es nicht.« Setzt die Brille wieder auf. »Ich wüsste es nur gern, bevor es passiert.«

Nablus

Sie lernen Hanaans und Mansours Söhne kennen.

Sieben und zehn.

Der Siebenjährige macht Yael Komplimente und schwärmt von ihren Haaren, ein Don Juan ohne Hintergedanken. Mit dem Älteren kann man vor allem über Fußball reden.

Eigentlich nur über Fußball.

»Das ist eine vorübergehende Phase«, sagt Mansour, als sei er selbst nicht der lebende Gegenbeweis.

Fängt wieder mit Axel Müller an.

Eine halbe Stunde sitzen sie zusammen, während Yael willig das Studienobjekt mimt. Die Gelegenheit, den Jungs eine Jüdin zu präsentieren, die keine Kinder frisst, wollen Hanaan und Mansour nicht verstreichen lassen, ihre Motive sind nobel, Ehrensache für Yael, sich durch die Manege treiben zu lassen. Sie ist ein pädagogischer Glücksfall, ein schönes, seltenes Tier. Lächelt und lacht, geht in die Offensive, fragt die zwei aus, streicht dem Jüngeren übers Haar, spinnt ihn in einen Kokon aus Glück, sodass er noch lange von dieser auf wundersame Weise in ihrem Kreis erschienenen Frau träumen wird, bringt den anderen dazu, sich in Vorahnung seiner Mannwerdung zu produzieren.

Mansour verfrachtet sie ins Bett.

»Nette Jungs«, konstatiert Hagen.

»Ja.« Hanaan schaut den Flur entlang, an dessen Ende das Kinderschlafzimmer liegt. »Sie machen sich ihre eigenen Gedanken. Wir können nur den Boden bereiten.«

»Ihr macht das gut«, sagt Yael.

Hanaan legt die Hände im Schoß ihres Kaftans zusammen. Sie wirkt angespannt. Als traue sie sich selbst nicht über den Weg dafür, Yael unter ihrem Dach zu verstecken.

Eine seltsame Verlegenheit steht im Raum.

»Gut.« Hagen erhebt sich. »Wir wollen nicht länger –«

Hanaan schaut auf.

»Unsere Kinder sollen nicht unsere Fehler wiederholen. Wenn sie schon hassen, was sie noch gar nicht kennen, wie soll es dann je besser werden?« Sie stockt, ringt nach Worten. Ihre Augen heften sich auf Yael. »Dann wäre alles sinnlos gewesen. Das wäre die Hölle. Wir sind zu alt, die Welt zu ändern, aber sie –«

Hagen schreibt im Geiste mit.

Er kann nicht anders.

Er ist Journalist. Der ewige Zeuge.

»Nein, Hanaan.« Yael schüttelt den Kopf. »Auch wir können noch was verändern.«

»Sagt Mansour auch immer.« Hanaan zuckt die Schultern. »Er ist ein solcher Optimist, aber wenn ich mir unsere Politiker ansehe –«

»Das ist keine Frage des Alters. Vorbehalte kannst du noch überwinden, wenn dir Haare und Zähne ausfallen, nur die Hoffnung zu verlieren – das ist es, was dich langsam tötet. Dann hast du alles verloren. Und glaub mir, ich weiß, wovon ich rede.« Yael scheint in sich hineinzuhorchen. »Ich weiß es nur zu gut.«

Sie bleibt noch bei Hanaan.

Hagen zieht sich zurück, um Dokumente zu fälschen. Yael wäre hilfreich, aber dafür müsste er ihr erzählen, was es mit seinen angeblichen Beweisen auf sich hat. Dass nicht der Enthüllungseifer eines investigativen Journalisten sie in ihre prekäre Lage gebracht hat, sondern die Behauptung eines Ertrinkenden, über Wasser gehen zu können.

(Irgendwann wirst du ihr reinen Wein einschenken müssen.)

Aber nicht jetzt.

Mansour hat ihm die Internetbuchse gezeigt, doch Hagen bleibt offline. Kaum vorstellbar, dass jemand ihn detektiert, solange er keine E-Mails öffnet, dennoch. Was die Arbeit natürlich verlangsamt. Er müsste ein paar Fakten recherchieren, überhaupt, was er nicht alles müsste. Sich in Hamburg melden. Denen erklären, dass die Story noch größer wird als gedacht. Auch sein Online-Arbeitgeber dürfte sich wundern, wo sein Korrespondent abgeblieben ist.

Sobald wir in Jordanien sind, denkt er.

Dann werde ich ihr die Wahrheit erzählen.

Und wir schreiben die Story gemeinsam. Es wird keine Rolle mehr spielen, ob meine Daten echt sind, die Fälschungen dienen dann lediglich noch dazu, die 25 000 zu rechtfertigen.

Ich werde etwas viel Besseres haben:

Yael.

Sie ist mein Kapital.

Sie ist meine Wahrheit.

Mansour bringt ihm Fladenbrot, Käse und Oliven. Hagen starrt in den Laptop, bis seine Augen flimmern. Irgendwann wird er müde, rollt sich auf seiner Matratze zusammen und schläft ein.

Spät in der Nacht wird er wach.

Was er da in seiner Benommenheit spürt, ist ihm aus besseren Zeiten so vertraut, dass er zunächst nicht weiter darüber nachdenkt. Dann wird ihm klar, dass jemand zu ihm ins Bett gekrochen ist und sich an ihn schmiegt, und er dreht sich um.

Yael sieht ihn im Dunkeln an.

»Ich hab Angst«, flüstert sie. »Kann ich bei dir bleiben?«

»Ja«, murmelt er. »Klar.«

Atmet ihren Duft ein, fühlt ihre Wärme.

Spürt, wie er hart wird.

Ohne etwas dagegen tun zu können, bloße Biologie, sagt er sich, doch es ist ihm peinlich, sodass er sich schnell auf die andere Seite rollt und die Beine anzieht.

Nicht, dass sie beim Umhertasten –

Im selben Moment hört er ihre gleichmäßigen Atemzüge.

Sie schläft bereits.

2004

Jerusalem

Man muss schon über eine gesegnete Hybris verfügen, um sich selbst als gottgleich zu empfinden, denkt Arik, dem Anfälle von Größenwahn nicht fremd sind. Doch an jenem Tag im Jahre 1979, der ihm gerade in den Sinn kommt, fühlte er sich klein wie eine Maus. Stand da und bestaunte die Vervierfachung eines Mannes, dem es zu wenig war, sich nur einmal in Stein meißeln zu lassen.

Ramses, Geliebter des Amun.

Ramses, Geliebter des Atum.

Ramses, Sonne der Herrscher.

Ramses, Herrscher beider Länder.

Vier sitzende Statuen, je 21 Meter hoch, und alle zeigten Ramses II., für den angeblich die Israeliten schuften mussten, bevor Moses auf göttliches Geheiß den Exodus organisierte.

Felsentempel von Abu Simbel.

Sightseeing auf Einladung Sadats.

»Stell dir vor, ich säße da«, witzelte Arik damals.

»Dann hätten sie die Anlage doppelt so breit fassen müssen«, entgegnete sein Assistent, und sie schütteten sich aus vor Lachen, während der Führer erklärte, Ramses sei ein großer Diplomat gewesen, der erste verbriefte Friedenschluss gehe auf ihn zurück, mit den Hethitern.

Fast 50 Jahre Frieden! Das gefiel Arik.

Sein Blick erwanderte die mächtige Fassade, der Fries der Sonnenaffen, folgte der Ornamentik der Hieroglyphen.

»Was meinst du?«, überlegte er. »Werden sie so was eines Tages auch über mich schreiben?«

Der Assistent ließ sich ziemlich viel Zeit mit der Antwort.

Dann sagte er: »Kommt ganz darauf an, was du tust.«

Kommt ganz darauf an, was du tust –

Nachhall über 25 Jahre, verbunden mit der Frage, ob, was er bis jetzt getan hat, schon ein paar Hieroglyphen wert wäre.

Arik ist sich dessen nicht so sicher.

Und das, obwohl er seit vier Jahren regiert.

Man kann auch nicht gerade behaupten, er hätte in dieser Zeit wenig getan. Ganz im Gegenteil. Die Ereignisse trieben ihn bereits vor sich her, während er noch mitten im Wahlkampf steckte. Über Monate hatte Omris Team seine Wandlung zum altersweisen Landesvater betrieben. Ariel Scharon sollte für den Mainstream wählbar werden, ein Kandidat der Mitte, gestählt durch ein Leben des Kampfes und milde gestimmt durch die Einsichten später Jahre. In den besetzten Gebieten explodierte die Stimmung, Welle um Welle der Gewalt fegte über Israel hinweg, also polierten sie seine frühen Heldentaten auf, Sechstagekrieg, Bezwingung des Terrors im Gazastreifen und wie er im Jom-Kippur-Krieg das Ruder herumgerissen hatte. Der Gepriesene tourte durchs Land, sprach von der Einheit Israels, die ohne Jerusalem und die umstrittenen Gebiete nicht denkbar sei, flocht jedoch anders als früher Vokabeln wie Palästinenserstaat, Friedensinitiative und Zugeständnisse mit hinein, Begriffe, die man im linken Lager gerne hörte.

Der Wahlabend wurde ein glatter Durchmarsch.

62 Prozent aller Stimmen.

Dafür nicht eine Sekunde Verschnaufpause, um den Schreibtisch mit Familienfotos zu dekorieren. Arafat gratulierte zur Wahl, regte an, die Blockade der besetzten Gebiete zu lockern, und ließ zur Unterstreichung seines Vorschlags ein paar Selbstmordattentäter von der Kette. Seiner Natur gemäß drängte es Arik, mit Luftschlägen für klare Verhältnisse zu sorgen, doch um dem sich windenden Etwas, zu dem Israels Wirtschaft verkümmerte, wieder auf die Beine zu helfen, bedurfte es fremder Geldgeber. Traditionell spendabel waren die USA, legten indes Wert auf Zurückhaltung, außerdem hatte auch dort ein Machtwechsel stattgefunden. George W. Bush genoss es sichtlich, Präsident zu sein, Politik interessierte ihn weniger, um nicht zu sagen, sie war ihm lästig. Besonders der Nahe Osten. Schreckliche Gegend. Voll chronisch beleidigter Zionisten und Fanatiker in Betttüchern. Er wollte im Weißen Haus wohnen, beim Sonntagsgottesdienst gefilmt werden, Gesetze gegen die lästerlichen Hinterlassenschaften Clintons verabschieden und ansonsten seine Ruhe haben. Omris Weichzeichnungsinitiative hatte weder bei Amerikanern noch Europäern verfangen, in ihren Augen war Scharon dem Frieden so förderlich wie Brandbeschleuniger. Die Weltpresse kochte den schmählichen Bodensatz seiner Vergangenheit auf, Einheit 101, Sabra und Schatila, Siedlungswahn, Besuch auf dem Tempelberg. Als er in Washington erstmals das Oval Office betrat, schlug ihm die Atmosphäre eines Kühlhauses entgegen.

Was sich schnell änderte.

Zu aller Überraschung verstand er sich bestens mit Bush. Verblüffte den Texaner mit moderaten Tönen. Frieden? Klar doch. Zugeständnisse? Sicher. Palästinenserstaat? Nichts lieber als das. Über alles werde er reden, sobald Arafat der Gewalt ein Ende setze. In den darauffolgenden Monaten hielt er die Füße still, wies Zahal an, Ruhe zu bewahren, und vermied Strafexpeditionen in palästinensische Autonomiegebiete. Bush gelangte seinerseits zum Schluss, Arafat gehe mit amerikanischen Hilfszahlungen nicht ganz so pfleglich um wie gedacht; offenbar floss da mehr Geld in die Anschaffung von Waffen und Sprengstoff als in Schulen und Kindergärten. Mit jedem Anschlag verschob sich sein Bild zu Ariks Gunsten, und auch der Rest der Welt begann den Bulldozer anders wahrzunehmen.

Alle Achtung.

Der Mann konnte ja richtig zurückhaltend sein.

Ganz genau, und je mehr er sich zurückhielt, desto mehr trat Arafats wahres Gesicht zutage. Das war der Plan. Und er ging auf. Das Image des Palästinenserpräsidenten bröckelte, Ariks Mäßigungspolitik schuf Vertrauen, auch weil seine andere Politik, die der gezielten Tötungen, im Getöse der Intifada nicht weiter auffiel. Dafür erwies sie sich als effektiv. *Targeting* ersetzte die Hau-drauf-Aktionen der Vergangenheit, kurzzeitig ebbte der Terror ab, ein amerikanischer Report gelangte zu dem Schluss, nicht Arik, sondern die PA verantworte die Zweite Intifada, jeden Morgen versüßten ihm seine Zustimmungswerte die Fahrt ins Büro.

Dann reihte sich ein junger Mann in die Schlange wartender Teenager vor der Diskothek Dolphinarium.

Tel Aviv, Freitagnacht.

Riesenandrang.

»Gleich wird hier was passieren«, ließ er die Umstehenden mit geheimnisvoller Stimme wissen. »Hier wird richtig was passieren. Gleich, gleich, gleich.«

Und sprengte sich in die Luft.

21 Tote, über 130 Verletzte. Dahinrasende Krankenwagen, zerfetzte Körper unter Plastikplanen, herumliegende Körperteile.

Arik in Bedrängnis.

Was er an dem Abend auf dem Platz vor dem Dolphinarium erblickte, ließ sein Herz aussetzen. Die Westjordanlandausgabe der Hamas hatte den Attentäter geschickt, ihre Führer saßen in Nablus, einem Hornissennest des Terrors. Arik bebte vor Wut und Trauer, dann bezwang er sich und erklärte den Reportern:

»Wir müssen die Lage als Ganzes erfassen. Diese Verantwortung lastet auf meinen Schultern, und ich sage Ihnen, auch Zurückhaltung ist ein Machtmittel.«

Ariel Scharon und Zurückhaltung.

Schon wieder.

Und dabei hätten sie ihm diesmal alles zugestanden. Jedem war klar, dass es übermenschliche Willenskraft erforderte, Nablus nicht von der Erdkugel zu tilgen, doch Arik zeigte sich nur umso entschlossener, der Provokation zu widerstehen. Leitartikel würdigten ihn rund um den Globus, Bush lobte ihn in höchsten Tönen, Joschka Fischer flog nach Ramallah und nahm Arafat in den Schwitzkasten:

»Die Flugzeuge stehen vor den Hangars. Die Bomben sind eingeklinkt. Die Motoren laufen, sie sind angriffsbereit. Das ist Ihre *letzte* Chance, einen Großangriff zu vermeiden! Stoppen Sie den Terror, kehren Sie zu Recht und Ordnung und zum Friedensprozess zurück.«

Arafat, ein Bild der Zerknirschung.

Gelobte, sein Bestes zu tun.

Pizzeria Sbarro, Ecke King George Street, Jaffa Road, eine der belebtesten Fußgängerkreuzungen Jerusalems.

Mittagszeit.

15 Tote und 130 Verletzte.

Schon nach dem Dolphinarium-Massaker hatte die Rechte Vergeltung gefordert, jetzt fiel sie über Arik her. Mochte die Welt ihm tausendmal attestieren, moralisch an Boden gewonnen zu haben, in Israel interessierte das gerade niemanden. Fast täglich rissen Bomben Menschen in den Tod, sie erwarteten jetzt einfach von ihm, das Problem zu lösen. Während Arik noch zögerte, lenkten Dschihadisten zwei Flugzeuge in die Twin Towers, und Bush, bis dahin eine Art Teilzeitpräsident, entflammte für den Krieg gegen den Terror. Er scharte eine abenteuerliche Allianz der Willigen um sich, auch Saudi-Arabien und Ägypten gehörten dazu, und von keinem der beiden wollte sich der mächtigste Mann der Welt belehren lassen, er nehme die Juden nicht hart genug ran. Ariks Hoffnung, die Anschläge vom 11. September würden in Amerika Empathie für Israel erzeugen, zerschlug sich (war das verdammte Nahostproblem nicht gerade *wegen* Israel entstanden?), also setzte Bush ihn nun erst recht unter Druck.

Frieden, und zwar schleunigst.

Auf dem VERHANDLUNGSWEG.

MIT Arafat.

Die Einsamkeit zehrte an Arik. Er hatte gelobt, Israel durch Zurückhaltung sicherer zu machen, stattdessen versank das Land im Chaos, Netanjahu schrie nach dem Militär und hetzte den Likud gegen ihn auf. Wann immer er konnte, verbrachte er die Zeit des Sonnenaufgangs an Lilys Grab, doch keine höhere Stimme sprach zu ihm.

Was sollte er tun?

Der Likud nötigte ihn zum Krieg, Bush zwang ihn an den Verhandlungstisch. Gab er dem einen nach, brachte er den anderen gegen sich auf. In den besetzten Gebieten sprengte der Terror alle Dimensionen, auch linke und säkulare Gruppierungen mischten jetzt mit, aus der Fatah wand sich ein bewaffneter Arm mit dem klangvollen Namen al-Aqsa-Märtyrer-Brigaden, der so agierte, wie es der Name befürchten ließ.

Er *musste* etwas unternehmen, oder seine Wiederwahl stand auf dem Spiel.

Also tat er Verschiedenes zugleich.

Hielt eine denkwürdige Rede in Latrun, gipfelnd in der Aussage: »Israel will den Palästinensern geben, was niemand ihnen je zuvor gegeben hat: die Möglichkeit, einen eigenen Staat zu gründen.«, womit er den Likud an den Rand der Fassungslosigkeit brachte, während er die Armee zugleich gegen Stützpunkte der Terroristen vorrücken ließ. Die blieben ihm nichts schuldig, erschossen den israelischen Tourismusminister, ein Gürtelbomber verwüstete während einer Pessachfeier das Park Hotel in Netanja, Dutzende Tote. Bush ließ Arafat fallen, Arik setzte die »Operation Schutzwall« in Marsch, eine Invasion zur Säuberung des Westjordanlands, und diesmal tat er es auf eine Weise, als wisse er nicht mal, wie man Zurückhaltung buchstabiert. Nacheinander nahmen israelische Truppen Nablus, Dschenin und Ramallah ein, umzingelten Arafat in der Mukata, seinem Palast, und begannen, die Westflanke einzureißen.

Arafat flüchtete in sein Schlafzimmer im Obergeschoss.

Arik ließ Panzer auffahren.

Wann immer der Palästinenserpräsident jetzt aus dem Fenster schaute, blickte er in das Kanonenrohr eines Merkava.

Arik ließ ihn eine Weile schmoren und stellte ihm auch die Zerstörung des Schlafzimmers in Aussicht, falls er nicht umgehend die Mörder des Tourismusministers ausliefere.

Wie sich zeigte, hing Arafat am Leben.

Der Gewalt tat das keinen Abbruch. Immer deutlicher trat zutage, dass die Intifada ihren Anstiftern entglitten war, also kramte Arik Rabins alte Pläne hervor und setzte den Bau einer riesigen Sperranlage in

Gang, um das Westjordanland von Israel abzugrenzen, mit Wehrtürmen und einem Verlauf, der möglichst viele Siedlungen einfasste und möglichst viele Palästinenser ausgrenzte.

Bush winkte mit der Roadmap.

Sein Plan sah vor, die Kampfhandlungen sofort zu beenden und einen neuen palästinensischen Präsidenten zu wählen. Im Gegenzug sollte Israel den Siedlungsbau einfrieren, sämtliche illegale Vorposten räumen und auf einer US-geführten Friedenskonferenz mit seinen Kontrahenten zu einer Übereinkunft gelangen, was die Schaffung des palästinensischen Staates, das Rückkehrrecht der Flüchtlinge und den Status Jerusalems anging.

Und zwar bis 2005!

Arik feilschte mit Bush um die Details.

Der Zaun wuchs.

Überwiegend bauten ihn Palästinenser. Man war froh um jeden Job, auch wenn es das Leben kosten konnte, Geld von Juden anzunehmen.

Likud und Siedlerverbände liefen gegen die Roadmap Sturm.

Arik verkündete in der Knesset, sie anzunehmen.

»Und noch was: Ich denke, dass wir die Idee, an der Besatzung festzuhalten, begraben sollten – und es *ist* eine Besatzung, auch wenn Ihnen das Wort nicht gefällt. 3,5 Millionen Palästinenser unter unserer Herrschaft, das ist in meinen Augen schrecklich, das kann nicht endlos so weitergehen. Wollen Sie für immer in Dschenin, Nablus, Ramallah, Bethlehem bleiben? Ich halte das für falsch.«

Jetzt erklärten ihm Bibi und Gusch Emunim den Krieg.

Doch die Mehrheit der Bevölkerung reagierte anders. Sie hatte die »Operation Schutzwall« gutgeheißen (überfällig nach all dem Leid), sie hieß den Zaun gut (auch wenn ihm der Award für das hässlichste Bauwerk des Nahen Ostens sicher war), sie wollte in Frieden mit den Arabern leben (als Nachbarn), und sie sah, dass ihr Premier nicht nur aus taktischen Gründen in die Mitte gerückt war.

Arik stellte sich für den Frieden gegen die eigenen Leute.

Er meinte es tatsächlich ernst.

Vorübergehend gab ihm das Aufwind. Der Zaun funktionierte, die Gewalt ließ nach, Arafat heuchelte Einsicht und ernannte Mahmud Abbas zum neuen Ministerpräsidenten, Arik und Abbas einigten sich auf die Durchführung der Roadmap. Abbas erwirkte eine Hudna, eine Waffenruhe, die Hudna kam und ging, mit ihr ging Abbas, frustriert, weil von Arafat kaltgestellt, der Terror entflammte aufs Neue, alles auf Anfang, nichts war erreicht. Einmal mehr steckte Arik in der Bredouille, zu allem Überfluss ermittelte die Staatsanwaltschaft gegen Omri und ihn wegen Korruption, die Sache damals mit den Spendengeldern.

Eine Verurteilung würde das Aus bedeuten.

Und *das* drohte nun wirklich zum Problem zu werden.

Kommt ganz darauf an, was du tust.

Sein Assistent vor dem Tempel von Abu Simbel, und Karten auf den Tisch, was hatte er bislang groß getan, außer sich wie ein Tellerjongleur durch die Manege hetzen zu lassen?

Nein, denkt Arik, während er dem Journalisten gegenübersitzt, all dies reicht nicht aus, um in Hieroglyphen verewigt zu werden. Wer in die Geschichte eingehen will, muss größere Fußstapfen hinterlassen.

Und genau das wird er tun.

Heute.

Seit zwei Jahren trägt er sich mit der Idee. Hat vergangenen Dezember erstmals angedeutet, wie weit zu gehen er bereit wäre, und befriedigt registriert, dass es für Fußabdrücke von Kratergröße reichen dürfte.

Es ist eine Taktik, sicher.

Ein Trick. Es wird die Korruptionsvorwürfe schlagartig in den Hintergrund rücken, zugleich ist es mehr als ein Trick. Weit mehr. Mitunter kann er selbst kaum glauben, dass er *das* wirklich will. Und ihm ist klar, dass die Sache nur funktionieren wird, wenn er diesem ersten Schritt weitere Schritte folgen lässt, aber auch dazu ist er bereit. Es gibt 1000 Gründe, so und nicht anders zu verfahren, etwa –

»– die demografische Situation«, erklärt er dem Mann, den er zum Frühstück in den Regierungssitz eingeladen hat. »Würden wir die Besatzung zementieren, hieße das ja nicht nur, auf ewig über ein anderes Volk zu herrschen. Es hätte zur Konsequenz, dass eine jüdische Minderheit über eine arabische Mehrheit regiert. Das wäre Apartheid. Eine Mehrheit zudem, deren Geburtenrate weit über unserer liegt! Betrachten wir Israel und die besetzten Gebiete als *ein* Land, würde sich das Verhältnis von Muslimen und Juden in der Gesamtbevölkerung über die Jahre dramatisch verschieben. Wäre das noch ein jüdischer Staat? Mit einer jüdischen Identität? Könnten wir den Besetzten auf Dauer Rechte verweigern, wie sie für jeden Israeli selbstverständlich sind? Müssen in *einem* Land nicht alle dasselbe Wahlrecht genießen? Und jetzt stellen Sie sich ein Großisrael mit einer muslimischen Mehrheit vor. Wie lange wird es dauern bis zum ersten israelischen Premier, der kein Jude mehr ist?«

Der Journalist macht sich Notizen, und natürlich läuft auch ein Diktiergerät mit. Im Übrigen ist er nicht irgendein Journalist, sondern Joel Marcus, Mitherausgeber von *Haaretz*. Das Blatt gilt nicht eben als Sprachrohr der Rechten, in der Vergangenheit haben sie mit Begeisterung auf Arik eingeprügelt, doch das ändert sich gerade.

Mittlerweile hat er dort eine regelrecht Fangemeinde.

Und *Haaretz* verfügt über Macht.

Hält das höchste journalistische Niveau im Land, ist *die* Stimme der liberalen Mitte, *die* kritische Instanz. Konsequent säkular, vehement gegen jede Besiedlung jenseits der Grünen Linie, und sei es nur, dass da ein vergammelter Wohnwagen rumsteht.

»Im Westjordanland wollen Sie drei Siedlungen räumen?«, fragt Marcus und gießt sich Tee nach. »Richtig?«

»Vier.«

»Na schön, vier.« Der Journalist bläst in die heiße Flüssigkeit. »Offen gestanden, Arik, das klingt alles ein bisschen nach Augenwischerei.«

»Es wäre ein Anfang.«

»Gefolgt von?«

»Schauen wir mal. Das Westjordanland ist komplex. Wichtiger ist im Moment der Gazastreifen.«

An dem sich *Haaretz* mit nie versiegender Inbrunst abarbeitet. Achteinhalbtausend jüdische Siedler unter 1,3 Millionen Palästinensern. Demografischer Wahnsinn. Ein Häufchen Privilegierter, die 40 Prozent des Territoriums bewohnen, ein eigenes Straßennetz nutzen, große Teile der Strände okkupieren und vier Fünftel des Grundwassers verbrauchen, während die Araber zusammengepfercht in Dörfern und Flüchtlingslagern mit durchweg beschissener Infrastruktur dahinvegetieren.

Gaza-Stadt?

Kaum mehr als ein zur Metropole aufgeblasenes Elendsviertel.

»Ja, ja.« Marcus gähnt. »Sie hatten angekündigt, auch da ein bisschen Kosmetik zu betreiben.«

Arik grinst.

»Nehmen Sie doch was von der Orangenmarmelade, Joel.«

Marcus grinst zurück. Bis hierhin das übliche Geplänkel. Andeutungen, Sticheleien, um den anderen aus der Reserve zu locken.

»Also schön, wie viele Siedlungen wollen Sie in Gaza opfern?«

»Alle.«

Marcus friert ein, der Löffel schwebt über dem Marmeladenglas.

»Die völlige Entkopplung«, nickt Arik. »Wir geben den Gazastreifen auf.«

Dass es Unsummen kostet, die paar Siedler zu schützen, sagt er nicht. Es würde das Thema nur banalisieren und den Abzugsgegnern Munition liefern, außerdem ist es nicht *der* Grund.

Marcus findet Sprache und Bewegungsfähigkeit wieder.

»Dafür werden Sie im Likud nie eine Mehrheit bekommen.«

»Abwarten.«

»Sie wollen ganz Gaza –«

»Ja.«

Der Journalist wirkt ratlos. Man kann ihm förmlich dabei zusehen, wie er versucht, sich auf all das einen Reim zu machen.

»Warum tun Sie das, Arik?«

»Warum würden *Sie* es denn tun?«

»Falsche Frage. Ich bin nur ein Zeitungsfritze. Auf mich üben die Amerikaner keinen Druck aus.«

»Es geht nicht um amerikanischen Druck.«

»Ich glaube schon. Sie wollen Ihre Handlungshoheit zurückgewinnen, bevor Bibi behaupten kann, Sie seien eine Marionette George W. Bushs.«

Auch ein Grund, stimmt, und hier gleich noch einer: Der einseitige Abzug dürfte der Weltgemeinschaft vorübergehend den Wind aus den Segeln nehmen. Alles richtig, und trotzdem –

»Noch mal«, sagt Arik »Warum würden *Sie* es tun?«

Da muss Marcus nicht lange überlegen. »Weil es so lange keinen Frieden gibt, wie wir die Besatzung aufrechterhalten.«

»Sehen Sie.«

»Aber wäre eine bilaterale Lösung nicht überzeugender?«

»Mit wem?«

Marcus schweigt.

»Arafat ist kein Verhandlungspartner mehr«, sagt Arik. »Selbst eisenharte Friedensaktivisten meinen inzwischen, dass er jedes Vertrauen verspielt hat. Abbas war die Option meiner Wahl. Pech gehabt. Arafat wird niemanden neben sich dulden, solange er lebt, und vielleicht wird der Scheißkerl ja hundert Jahre alt.«

»Möglich, nachdem Sie Bush versprochen haben, ihn am Leben zu lassen.«

»Glauben Sie mir, wenn ich ein Versprechen bedaure, dann dieses. Wie auch immer, worauf oder auf wen soll ich warten? Wir müssen die Initiative ergreifen. Gaza wird geräumt, im Westjordanland lassen wir ein paar Versuchsballons steigen –«

»Sie wären bereit, auch das Jordantal zu räumen?«

»Nicht die großen Siedlungsblöcke.«

»Aber alles andere.«

»Ich bin zu vielem bereit. Warten wir Gaza ab.«

Marcus schaut ihn mit prüfendem Blick an.

»Wissen Sie, was mich irritiert? Bis jetzt haben Sie nur pragmatische Gründe genannt.«

»Finden Sie?«

»Wie wär's mit bloßer Friedensbereitschaft?«

»Es gibt nichts Pragmatischeres als Frieden.«

»Hm.«

»Er garantiert Sicherheit und Wohlstand«, sagt Arik. »Wir müssen uns ja nicht schluchzend in die Arme fallen, es reicht schon, wenn wir aufhören, einander umzubringen.«

»Nicht, dass Sie mich falsch verstehen«, sagt Marcus. »Falls Sie das wirklich durchziehen, leisten Sie den wichtigsten Beitrag zum Frieden seit Oslo – sofern man es Sie durchziehen *lässt*.«

»Ich bin sicher, die Menschen werden den Abkopplungsplan tragen.«

»Und Sie werden alte Freunde verlieren.«

»Und neue gewinnen.«

Arik lächelt. Auch Marcus lächelt.

»Sie wirken entspannt.«

»Ich *bin* entspannt.«

»Wie leicht fällt Ihnen diese Entscheidung?«

Jahrzehnte spulen sich im Schnelldurchlauf vor Ariks innerem Auge ab. Er sieht sich mit Siedlerführern über Karten gebeugt, bei ihnen zu Hause, auf Familienfesten. Sieht die Hoffnungen und Träume in ihren Augen, das in ihn gesetzte Vertrauen. Denkt an Jehuda Kahn, an Avi Farhan, an all die Freunde, die er verraten wird, ob sie nun den Messias herbeisehnen oder einfach nur ein bisschen Glück.

»Es ist die schwerste meines Lebens«, sagt er.

»Habt ihr das gelesen? Habt ihr *das* gelesen?«

Nein, haben sie noch nicht, weil Phoebe und Jehuda zwar einen Computer besitzen, jedoch selten ins Netz gehen. Sie lesen *Haaretz*, *Ma'ariw* und *Jedi'ot Acharonot* in der gedruckten Ausgabe, aber natürlich hat Marcus sein Interview mit dem Premier gleich online gestellt.

Es macht die Runde wie ein Lauffeuer.

Ariel Scharon gibt Gaza auf.

»Er will euch rauswerfen!«

Yael hastet mit dem Handy am Ohr durch die Flure der Neurologie des Hadassah Hospitals. Die Morgenvisite und zwei Herzkatheteruntersuchungen liegen hinter ihr, jetzt muss sie zur Patientenbesprechung mit dem Oberarzt. Die Arbeit auf der Station hält sie dermaßen auf Trab, dass sie nicht mal dazu kommt, ihren Tee auszutrinken, einsam steht er auf ihrem Schreibtisch und verteilt seine Wärme an die Umgebungsluft, und Zeit, vor dem Computer rumzuhängen und Nachrichten zu checken, hat sie schon gar nicht.

Aber die Patienten haben Zeit.

Ohne Ende. Mehr als ihnen lieb ist.

Sie wissen immer alles als Erste und nehmen jede Gelegenheit wahr, die Ärzte in Gespräche zu verwickeln, so hat Yael davon erfahren.

Und sie ist aufgewühlt.

Zittert vor Empörung.

Arik, der alte Bastard.

»Der ist doch nicht ganz dicht!«, schimpft sie. »Ich meine, was soll das denn? Was hat das mit Sicherheit zu tun, er gibt ein ganzes Stück Land einfach so weg, über das man *verhandeln* müsste.«

Jehuda am anderen Ende der Leitung ist längere Zeit stumm geblieben, jetzt sagt er: »Mach dir keine Sorgen.«

Wieso ich?, denkt Yael. Du und Phoebe, ihr müsstet euch sorgen.

Doch tatsächlich macht sie sich schreckliche Sorgen.

»Was wird denn aus euch?«

»Er blufft.«

»Warum sollte er bluffen?«

»Um die PA aus der Reserve zu locken. Weißt du nicht mehr? Er hat schon mal von Abkopplung gesprochen.«

Stimmt, vergangenes Jahr auf der Herzlija-Konferenz über die Nationale Sicherheit. Als er fast ausgezählt am Boden lag, im Stundentakt Bomben hochgingen, der Immobilienmarkt kollabierte, die Arbeitslosenzahlen durch die Decke schossen, kein Mensch noch nach Israel reiste aus Angst, in mehreren Teilen zurückzukehren.

Als ihn die Staatsanwaltschaft so richtig in der Mangel hatte.

Da war er sehr geheimnisvoll mit der Ankündigung aus der Ecke gekommen, einseitige Maßnahmen zur Wiederherstellung der Sicherheit zu verkünden. Und tatsächlich rückte das Korruptionsthema vorübergehend in den Hintergrund, weil alle auf den Tag hin fieberten, an dem er das Kaninchen aus dem Zylinder zaubern würde. Was er dann sagte, war im Wesentlichen, die Verringerung der Spannungen mit den Palästinensern mache den »äußerst schwierigen Schritt der Umsiedlung einiger Ortschaften notwendig – ich weiß, Sie möchten Namen hören, aber das sollten wir für später aufheben«, womit er das Kaninchen zwar nicht aus dem Hut gezogen, die Öffentlichkeit aber schon mal die Ohren hatte sehen lassen.

Später ist offenbar heute.

»Jetzt *hat* er Namen genannt«, sagt Yael und weicht einem Rollbett aus, das Pfleger aus dem Fahrstuhl in den Flur schieben. Vor ihr öffnet sich ein Foyer. An kleinen Tischen sitzen Menschen in Morgenmänteln, verbunden mit Tropfgestellen, unterhalten sich mit Angehörigen, lesen oder starren vor sich hin. »Er sagt, er wird *ganz Gaza* räumen.«

Euer Zuhause.

Mein Zuhause.

Der Ort, in dem ich groß geworden bin.

»Er will der PA lediglich zeigen, dass er auch ohne ihren guten Willen handlungsfähig ist«, sagt Jehuda. Klingt nicht, als schenke er seinen eigenen Worten Glauben, vielleicht ist aber auch die suboptimale Verbindung schuld.

»Und dann?«

»Nichts dann. Das Ganze ist ein Manöver, um sie an den Verhandlungstisch zurückzubringen.«

»Geh ins Internet. Lies das Interview.«

»Er würde niemals den Gazastreifen räumen, Kind.«

»Ich halte Skepsis für angebracht.«

»Es kann nur ein Bluff sein. Er selbst war es, der uns nach Elei Sinai –«

»Er hat euch auch nach Jamit geholt.«

»Das war was anderes.«

»Inwiefern?«

»Ach, Yael.«

»Ich weiß, Frieden mit Ägypten, gaaanz was anderes!« Sie rollt die Augen. »Scheiß drauf, ob es was anderes war, er hat einmal eure Existenz aufs Spiel gesetzt, er wird es ein weiteres Mal tun. Und diesmal bekommt er *nichts* dafür. Keinen Friedensvertrag. Gar nichts! Die Dschihadisten werden vor Freude Löcher in die Luft ballern und behaupten, er hätte den Schwanz eingekniffen.«

Und außerdem, denkt sie, ist es mir so was von schnurzegal, was er sich dabei denkt, sie verspürt keinerlei Lust, sich mit Ariks Überlegungen auseinanderzusetzen, und wenn sie den verdammten Weltfrieden bedeuten.

Scharon will ihrer Familie wehtun.

Nur daran kann sie denken.

So wie er ihr immer wehgetan hat.

Gaza, Elei Sinai

Jehuda beendet das Gespräch und schaut wie betäubt auf das leere Display seines Handys.

Um ihn herum geht die Arbeit weiter. Nachdem die meisten Palästinenser fortblieben, mussten sie asiatische und philippinische Gastarbeiter einstellen, aber immer noch halten ihnen viele die Treue, auch Ilias, dem es gesundheitlich gar nicht gut geht. Arthritis. Es ist Februar und unverhältnismäßig kühl, er sollte zu Hause im Warmen sitzen, stattdessen kümmert er sich Tag und Nacht um die Treibhäuser und scheint dabei stündlich krummer und langsamer zu werden.

Um die drei Treibhäuser, die noch intakt sind.

Eines haben palästinensische Freischärler letztes Jahr abgefackelt, das andere hat durch Mörserbeschuss Schäden davongetragen, aber wenigstens konnten sie einen Teil der Ernte retten.

Elei Sinai musste manchen Angriff überstehen. Im Oktober 2001 ging es los, als bis an die Zähne bewaffnete Hamas-Attentäter dort eindrangen, sich eine heftige Schießerei mit Bewohnern und Sicherheitskräften lieferten, zwei Jugendliche töteten und 15 Menschen verletzten. Die Reaktion erfolgte prompt. Merkavas legten Polizeiwachen der PA in Schutt und Asche, Bulldozer walzten palästinensische Felder nieder, fünf Araber starben bei einem Angriff mit Panzergranaten, weitere wurden bei Feuergefechten getötet. Wiederum als Antwort nahmen Dschihadisten eine Joggerin aufs Korn – die Frau hatte nur zwei Häuser neben den Kahns gewohnt – und erschossen gleich danach den Mann, der ihr zur Hilfe eilen wollte.

Die Spirale der Vergeltung schraubte sich unerbittlich nach oben, doch jetzt scheint das Schlimmste überstanden.

Oder steht es noch bevor?

Kann es sein, dass Jamit sich wiederholt?

Zwei Luftschlösser, in denen dasselbe Gespenst sein Unwesen treibt?

»Nein«, sagt Jehuda leise zu sich.

Denn das wäre das Ende. Die Intifada hat sie beinahe ruiniert. Als Rachel vergangenes Jahr hochbetagt gestorben ist, mussten sie den Hof in Kfar Malal verkaufen, um die Verluste auszugleichen, der letzte Rückzugsort ist ihnen genommen.

»NEIN«, sagt er noch einmal.

Sein Nein verliert sich unter dem Glasdach.

Die Träume von gestern werden die Albträume von morgen sein.

Nichts hat sich geändert.

2011

Nablus, 8. November

Als er aufwacht, ist der Platz neben ihm leer. Nur ihr Duft hat sich in den Kissen erhalten.

Er ruft Mansour auf dem Handy an.

»Wir sind oben.« Bester Laune. »Komm rauf.«

Was immer Yael und Hanaan noch besprochen haben, zwischen ihnen ist eine behutsame Annäherung zu spüren, die über bloße Höflichkeiten hinausgeht. Mansour kann mit Details aufwarten.

»Morgen um zwei fahren wir los. Davids Freund erwartet uns um drei unterhalb von Schima, wo die 317 auf die 60 stößt. Er bringt euch über den Checkpoint und weiter nach Eilat.« Legt einen Umschlag vor Yael hin. »10 000 Dollar. Zähl nach.«

Yael zögert.

»Wird schon stimmen.«

»Doch, zähl nach.« Mansour lächelt, aber etwas Geschäftsmäßiges schwingt in seiner Stimme mit. »Der Ordnung halber.«

Sie öffnet den Umschlag, lässt die Scheine am Daumen entlanglaufen. »10 000.«

»Euer Ticket in die Freiheit.«

Gegen Mittag kommen die Söhne der al-Sakakinis aus der Schule und erinnern sich des deutschen Fußballexperten. Der Erste, der ihrem Vater das Wasser reichen kann, was sie zu dem Schluss verleitet, er sei ein ebenso erfahrener Spieler.

»Eindeutig nicht«, sagt Hagen.

Sie nötigen ihn aufs Freigelände. Ein großes, brachliegendes Grundstück hinterm Haus. Bis die nächsten Wohnhäuser hier in die Höhe wachsen, nutzen sie das Areal als Sportplatz. Jacken und Schulranzen werden zu Torpfosten geschichtet, Hagen ist es nur recht. Irgendwie muss er die Zeit schließlich totschlagen, und nach zwei weiteren Stunden am Computer kann er sich eine Pause gönnen.

Hanaan ist begeistert.

»Bis morgen haben wir uns so an euch gewöhnt, dass wir euch gar nicht mehr weglassen wollen.«

»Kommst du mit?«, fragt er Yael.

Sie schüttelt den Kopf. Wirkt bedrückt. Kein Interesse, die Fußball-braut zu spielen, also geht er mit den Jungs alleine aufs Feld.

Yael geistert durch die leeren Räume. Von ihrer in seine Wohnung. Streckt sich auf Hagens Luftmatratze aus.

Peinlich, irgendwie.

Was hat sie bloß geritten, in der Nacht zu ihm ins Bett zu kriechen wie ein verängstigtes Kind?

Aber genau das ist sie.

Ein verängstigtes, erwachsenes Kind. Kinder ängstigen sich vor dem Unbekannten, Erwachsene vor ihren Erinnerungen, die intimste Form der Feigheit. Angst ist das Vergrößerungsglas, unter dem jeder Gedanke zu monströser Bedrohlichkeit anschwillt, und seit 2005 fühlt sie sich von Erinnerungen regelrecht eingekesselt. Dabei müsste sie nur mit sich selbst zu der Vereinbarung gelangen, alles sei ganz anders gewesen – wenn man die Zukunft gestalten kann, warum dann nicht auch die Ver-gangenheit?

Schöne Idee.

Funktioniert nur leider nicht.

Ist Hagen von ähnlichen Dämonen geplagt?

Auf seiner Matratze liegend versucht sie, *seiner* Angst nachzuspüren. Was er alles hat durchmachen müssen! Sie selbst wurde in einen Trans-porter gezerrt, schlimm genug, doch niemand hat sie zusammenge-schlagen, sie musste keine Kämpfe auf Leben und Tod ausfechten, kein Freund wurde vor ihre Augen gefoltert und erschossen. Ihr Leiden ist anderer Natur. Mehr wie eine unheilbare Krankheit, die nach Jahren, in denen man sie beherrscht wähnte, mit Macht wieder ausgebrochen ist.

Die Einsamkeit zehrt sie auf.

In ihren Gedanken war sie immer einsam, doch sie hat Freunde, Fa-milie, feiert gegen ihre Depressionen an wie Vincent Price gegen den Roten Tod. Sex, wann sie will, Partnerschaft? Noch ist ihr ein leeres Kissen tags drauf lieber als ein erwartungsvoller Blick. Partnerschaft erfordert, sich zu öffnen, und sie will niemanden in ihre Abgründe schauen lassen.

Alles andere: jederzeit!

Sie braucht ihr soziales Umfeld, ohne Freunde ist sie verloren, und jetzt hat man sie aus der Welt rausgeschnitten wie etwas, das entfernt gehört. Sie vermisst Alena, die vertrauten Gesichter. Die Abende in den Restaurants, Klubs und Kneipen. All das fehlt ihr fürchterlich.

Frustriert dreht sie sich auf die Seite.

Und sieht seinen Laptop dastehen, aufgeklappt wie ein Tier, das gefüttert werden will.

Das weiße Licht am Rand der Tastatur pulsiert.

Wie von selbst wandert ihr Finger auf das Touchpad. Der Bildschirm leuchtet geheimnisvoll auf. Hat er vergessen, den Laptop auszuschalten? Offenbar. Niemand fragt sie nach einem Passwort. Keine Datei ist aufgerufen, ein paar Ordner nur, deren Namen ihr nichts sagen, unten die reich bestückte Symbolleiste –

Keinesfalls wird sie in seinen Dokumenten stöbern. Sie ist keine Zehnjährige, die Weihnachtsgeschenken hinterherschnüffelt, aber vielleicht kann sie mit jemandem mailen. Ein paar Zeilen Korrespondenz würden schon reichen, das Gefühl der Einsamkeit zu mildern.

Sie fährt mit dem Finger auf das Internet-Symbol.

Die Google-Startseite poppt auf.

Tippt yk-doc@t-online in die Suchleiste.

Zwölf neue Nachrichten. Drei von Alena, zwei von Miriam, YOOX, Zalando, Diverses.

Und eine Adresse, die sie nicht kennt.

Das Betreff lässt sie zusammenfahren.

Hab keine Angst. Schimon macht dir einen Vorschlag.

Ihre Finger schweben zitternd über dem Touchpad.

Schimon?

Sie öffnet die Mail.

Yael, es tut mir leid, wie sich die Dinge entwickelt haben. Yossis Tod konnte ich nicht verhindern, jetzt liegt das Kommando wieder bei mir. Ich will nicht, dass dir etwas zustößt, andererseits kann ich nicht zulassen, dass dieser Journalist unsere Organisation gefährdet. Folgerichtig mein Vorschlag: Du hast nichts zu befürchten, wenn du weiter schweigst – und uns Tom Hagen auslieferst. Wir werden auch ihm nichts tun, solange er kooperiert, uns sein Material aushändigt und uns seine Quellen nennt. Wenn du selbst eine der Quellen bist, ändert das nichts an meinem Versprechen. Gib uns Hagen, und wir belästigen dich nie wieder. Nimm dir die erforderliche Zeit, entscheide dich bis heute Abend. Du kannst über diese Adresse jederzeit Kontakt mit mir aufnehmen. Schimon

Die Zeilen flimmern ihr vor den Augen. Ihr erster Impuls ist, den Text zu löschen, denn sie glaubt ihm kein Wort.

Liest ihn erneut.

Wieder und wieder.

Fühlt ihren Widerstand bröckeln.

Und was, wenn er es doch aufrichtig meint und sie die letzte Chance in den Wind schlägt, ihr altes Leben zurückzubekommen?

Tom ausliefern –

Er hat sie gerettet. Aber auch in diese verfluchte Lage gebracht.

Hastig schließt sie ihren Account, klickt das Internet-Fenster weg, klappt den Laptop zu und springt auf.

Ihre Gedanken rasen.

Jerusalem

»Adler hat das Gebäude verlassen«, sagt Sivan. »Ist im Laufschritt zu seinem Wagen und losgebrettert.«

»'tschuldigt mich.«

Cox geht in den Nebenraum und schließt die Tür hinter sich

»Welche Richtung?«

»Norden.«

»Bleib dran. Noy?«

»Hier.«

»Häng dich an Sivan. Wechselt euch ab. Haltet mich auf dem Laufenden.«

Da die jüngste Entwicklung, besser gesagt, Nichtentwicklung sie zur Untätigkeit verdammt, hat Cox eines der Ausbildungsteams übernommen, die angehende Agenten unterweisen, in einem sicheren Jerusalemer Haus. Seit gestern krempeln sie die Welt eines Dutzends Neulinge um, versehen sie mit neuen Polen und neuem Mittelpunkt.

(Bin ich dabei, paranoid zu werden?)

Daran, dass Adler die Zentrale verlassen hat, ist ja erst mal nichts Ungewöhnliches.

Er muss auch von Zeit zu Zeit scheißen gehen.

Essen. Schlafen.

Was immer er tut, seit gestern früh kleben zwei ihrer Jungs an seinen Fersen. Agenten, die sie persönlich ausgebildet hat, treu ergebene, fröhlich wedelnde Golden Retriever, die für ihre Rakeset auch glühende Stöckchen apportieren würden.

Perlman wäre außer sich.

Darum weiß er auch nichts davon.

Die beiden reporten nur ihr, sie kommunizieren miteinander über einen geschlossenen Kreislauf. Cox justiert den Knopf in ihrem Ohr und geht zurück in den Trainingsraum.

»Okay. Wo waren wir? Schmerz. Woran denken wir, während uns jemand die Fingernägel rausreißt?«

Adler arbeitet sich durch den Stadtverkehr.

Rechts, links. Rechts.

Fährt auf die A20.

Bleibt einige Kilometer dort.

Wechselt auf die A5.

Wann immer sein Ford etwas anderes tut, als geradeaus zu fahren, setzen Sivan und Noy eine Meldung ab. Cox hat kein Problem damit, dass ihr jemand ins Ohr quasselt, während sie jungen Menschen lebenswichtige Regeln angedeihen lässt, vielmehr sorgt sie sich, Adler könne das Spiel durchschauen. Was sie hier tun, ist ja nicht ohne. Der Kerl ist Profi, und wenn er das ist, was Cox vermutet, sogar ein verdammter Superprofi. Er wird ein Fahrzeug, das an ihm hängt, erkennen, selbst wenn es mit Tarnlack überzogen ist, also wechseln Sivan und Noy sich in der Verfolgung ab, fallen zurück, schließen auf, überholen. In der Dichte des Autobahnverkehrs kann man gut untertauchen, auf Landstraßen sieht das schon anders aus.

Doch die beiden verstehen was von Observierung.

Und außerdem fährt Adler nicht auf die Landstraße, sondern bei Rosch HaAjin, unmittelbar vor dem Übergang zum Westjordanland, auf das Gelände eines Industrieparks.

(Wo willst du hin? In die besetzten Gebiete?)

Und was wäre daran Besonderes?

Adler arbeitet für die Jewish Division, die besetzten Gebiete sind seine zweite Heimat.

(Bin ich am Ende doch paranoid?)

»Kaffeepause.«

Cox verlässt das Gebäude und tritt auf die Straße.

»Er stoppt«, sagt Noy.

»Macht euch unsichtbar.«

»Ein Wagen kommt aus entgegengesetzter Richtung. Ein Multivan. Abgedunkelte Scheiben.«

»Ich sehe ihn.« Sivan. »Ist auf meiner Höhe. Fährt weiter.«

»Fotografieren«, sagt Cox. »Schickt mir die Bilder.«

»Schon dabei.«

»Der Multivan hält neben Adlers Wagen.« Noy. »Vier Männer steigen aus. – Adler auch.«

Biep – Biep –

Auf Cox' Handy trudeln die Fotos ein. Brave Jungs. Nummernschild gut getroffen, auch die Porträts der Typen, mit denen Adler sich offenbar unterhält, sind allesamt brauchbar. Sie ruft die Zentrale, Blitzabfrage des Kennzeichens.

»Augenblick.«

»Jetzt zeigt er den Männern was auf einer Karte«, lässt Noy sie wissen. »Bilder sind unterwegs.«

Nacheinander erscheinen sie auf ihrem Display. Sieht tatsächlich so aus, als unterweise Adler die anderen, worin auch immer. Sie stehen um ihn herum, während sein Finger in die Karte sticht.

Die Zentrale meldet sich: Firmenfahrzeug, zugelassen auf –

Na, sieh mal an.

ZPS. *Zionist Protection Services.*

Donnerwetter! Was hat der gute Tal denn mit ZPS zu mauscheln?

Cox weist den Koausbilder telefonisch an, ohne sie weiterzumachen, geht zu ihrer BMW und schwingt sich in den Sattel. Das Navi im Lenker weist ihren Standort aus.

Noy: »Sie wechseln die Nummernschilder.«

Gängige Vorgehensweise für Besuche in der Westbank. Israelische Kennzeichen runter, palästinensische drauf. So was hat Cox auch in der Satteltasche.

Sivan sagt: »Beide Wagen verlassen das Industriegebiet. – Passieren den Checkpoint.«

Sie fährt los.

Das sichere Haus liegt in Schrunat HaBucharim, nördliches Jerusalem, keine anderthalb Kilometer bis zur Schnellstraße 404. Wenn er in die besetzten Gebiete fährt, wird sie sich ihm ebenfalls durch die besetzten Gebiete nähern.

(Und wenn er nun legitime Gründe hat, Frau Neunmalklug?)

(Eingeschleust wurde?)

(Was, wenn du einer genehmigten Operation in die Quere kommst?)

Sie zögert.

Zeit, Perlman ins Boot zu holen.

Wählt seine Nummer. Mailbox.

»Ric, melden Sie sich. So bald wie möglich.«

Schickt ihm Noys Bilder zur Überprüfung, versucht es bei Dreyfus. Im Meeting. Ob es dringend sei.

»Ich ruf wieder an.«

Vielleicht besser so. Sie beschattet illegal seinen Goldjungen. Perlman wird ihr den Kopf zurechtrücken. Dreyfus dürfte ihn ihr von den
Schultern reißen, weil sie ihn außen vor gelassen hat, da kann Adler für
9/11 und JFK zusammen verantwortlich sein.

Bei Dreyfus ist Diplomatie gefragt.

Und Cox ist so diplomatisch wie eine Handgranate.

Sie gibt Gas, fährt auf die 404 und passiert unterhalb Ramallahs den
Grenzübergang Qalandia. Die Achse, auf der Adler unterwegs ist, verläuft rund 30 Kilometer oberhalb von ihr, er und das ZPS-Team nähern
sich von links. Um ihn zu erwischen, wo er gerade ist, müsste sie sich
nordwestlich halten. Andere Möglichkeit, nördlich, dann werden sich
ihre Achsen kreuzen, sofern er weiter auf Kurs bleibt.

Nordwesten? Norden?

Va banque.

Norden. Geradeaus.

Westjordanland

Hinter dem Kontrollpunkt fährt sie auf einen Feldweg und wechselt ihr
Kennzeichen aus.

Jetzt ist sie Palästinenserin.

Schlängelt sich durch die Peripherie von Ramallah, die Jungs im Ohr.
Adlers Tross kommt schnell voran, doch Cox ist schneller. Hinter Ramallah dünnt sich der Verkehr aus, in Samarias Hügellandschaft kann
die BMW ihre Muskeln spielen lassen. Nur Weinberge und roterdige
Olivenhaine, dünn besiedeltes Gebiet. Nach zehn Minuten ist sie raus
aus dem Gewühl und holt wie erwartet auf, schießt mit hohem Tempo
die gewundenen Straßen entlang. Kaum anderswo hat man so sehr das
Gefühl, mitten durchs Alte Testament zu fahren. Dörfer ducken sich
ins Tal und klammern sich in die Hänge, türkise Kuppeln, schlanke Mi-
narette, Hügel wie geschichtet aus dünnen Lagen Fels und Vegetation,
kleinste jüdische Siedlungen, oft eben mal drei Wohnwagen und eine
Satellitenschüssel.

Sivan und Noy halten sie auf dem Laufenden.

Zu ihrem Glück fährt der Multivan Adlers Wagen hinterher, so kann
der Rakas die Jungs nicht unmittelbar im Rückspiegel sehen. Weiter
wechseln sie sich ab, lassen andere Wagen zwischen sich und den Tross,
außerdem dürfte Adler kaum damit rechnen, verfolgt zu werden.

Meine Jungs, denkt sie.

Wirft einen Blick aufs Navi. Schätzungsweise noch eine Viertelstunde, bis sich die Achsen kreuzen, da ruft Perlman an.

»Wo sind Sie?«

Cox klärt ihn auf. Beichtet.

»Tut mir leid, ich hätte das mit Ihnen abspre –«

»Geschenkt. Wo ist Adler jetzt?«

»Auf der 505 zwischen Bidya und Hares.«

»Ich habe Ihre Fotos ins System gegeben«, sagt Perlman. »Zwei der Männer arbeiten definitiv für ZPS. Haben Sie eine Idee, wohin die wollen?«

»Nicht die geringste.«

»Das stinkt. Ich melde mich.«

Tel Aviv

»*Was* tut er?« fragt Dreyfus fassungslos.

Perlman hat ihn aus seiner Besprechung geholt, jetzt stehen sie vor dem Konferenzzentrum auf dem Flur.

»Sie haben Adler *nicht* beauftragt, sich mit der ZPS zu treffen?«

»Nein, verdammt! Er kann fahren, wohin ihm beliebt, aber so was hätten wir mit euch abgesprochen.«

»Was könnte sein Ziel sein?«

»Keine Ahnung. Wer hat Ihre Rakeset überhaupt befugt, widerrechtlich einen meiner Männer –«

Dreyfus stockt. Offenbar wird ihm erst jetzt die Trageweite all dessen bewusst.

»Tal – Adler?«, fragt er kraftlos.

»Sieht so aus.«

»Unmöglich. Er – muss einen Grund haben.«

»Ja, das ist auch meine Befürchtung.« Perlman zieht sein Handy hervor. »Ich schlage vor, wir fordern schleunigst einen Helikopter an und statten der fröhlichen Reisegesellschaft einen Besuch ab.«

Westjordanland

Über den Lenker gekauert rast sie dahin. Pflügt durch den Wind, holt auf. Soeben hat Adler Ariel passiert, die *jüdische Hauptstadt Samarias*, wie ihre Bewohner sie nennen. Keine zehn Kilometer südlich davon brettert Cox eine Serpentine herunter, pendelt durch die Haarnadelkurven.

Minuten noch, bis sich ihre Wege kreuzen.

»Komisch.« Sivan. »Die werden schneller.«

»Haben sie euch entdeckt?«

»Kann ich mir nicht vorstellen.«

Ich aber schon, denkt Cox. Wer es schafft, den Schin Bet über Jahre hinters Licht zu führen, muss verdammt ausgeschlafen sein.

Haben sie Adler unterschätzt?

Mist.

Mit 160 Sachen geht sie in die Gerade, linker Hand eine Kleinstadt, übers Tal verteilt. Der Verkehr nimmt zu, ein Schulbus kriecht die Fahrbahn entlang, Mädchen mit Hidschab und bodenlangen Mänteln drängen sich an der Haltestelle. Cox zieht auf die Gegenfahrbahn, schießt an dem Bus vorbei und schert knapp vor einem Lieferwagen wieder ein.

»Shana.« Perlman. »Wo sind Sie?«

Klingt nicht, als sei er noch im Büro.

»Fast an der Tappuah-Kreuzung. Wo sind *Sie*?«

»Im Helikopter.«

»Machen Sie die nicht kirre, Ric. Bitte! Ich will wissen, wohin sie uns führen. Adler ist schon nervös genug, er scheint gemerkt zu haben, dass wir an ihm dran sind.«

»Wir halten uns bereit.«

Die Ortschaft bleibt hinter ihr zurück, wieder desperates Hügelland, steinig durchsetzt, Weiden, struppige Vegetation. Cox lässt den Vierzylinder aufbrüllen, Eselkarren, Schäfer, Ziegen, verwischte Impressionen, S-Kurve, stemmt sich der Fliehkraft entgegen, auf Tuchfühlung mit dem Asphalt, eine letzte Gerade.

»Wir nähern uns der Kreuzung.« Sivan. »Du müsstest Adlers Wagen jede Sekunde sehen.«

»Ich bin dort.«

Zwingt die BMW auf 50 km/h herunter und fährt in den Kreisverkehr ein. Die Tappuah-Kreuzung bildet den Hauptknotenpunkt der oberen Westbank, umgeben von Siedlungen und arabischen Dörfern. Aus ihrer Mitte wächst eine meterhohe Skulptur des neunarmigen Chanukkaleuchters als Symbol der Okkupation, überragt von einem wind- und wettergeschliffenen Wachturm. Blauweiße Flaggen bauschen sich über dem Checkpoint. Sie steuert die Maschine zwischen am Wegesrand geparkte Autos und schaut nach Westen.

Sieht sie kommen.

Mann, geben die Gas! Adlers Wagen voran, der Multivan dichtauf.

(Was müsst ihr nervös sein.)

Gehen mit kaum gedrosselter Geschwindigkeit in die Kurve, umrunden die Verkehrsinsel, der Kontrollpunkt ist offen, keine Soldaten zu sehen, lassen die 505 rechts liegen, die weiter nach Osten führt –

(Nanu. Wo wollt ihr hin?)

Biegen auf die 60 nach Norden ein.

Jetzt sieht Cox auch Sivan, gefolgt von Noy.

»Bleibt hinter mir«, ordnet sie an. »Ich häng mich an ihn dran.«

Perlman schaut aus dem Helikopter auf das gescheckte Land. Selbst aus 500 Meter Höhe lassen sich die planmäßig strukturierten Anlagen der Siedlungen von den organisch gewachsenen arabischen Ortschaften gut unterscheiden. Wie verkapselt die einen, nach allen Seiten ausfransend die anderen.

Neben ihm sitzt Dreyfus, hinter ihnen drängen sich Agenten.

Leute aus dem Zentralkommando, aus der Jewish Division.

Sie kreisen über Ariel.

Alle Versuche, Kontakt zu Adler aufzunehmen, waren vergebens. Cox hat recht. Adler *muss* der Maulwurf sein, zudem teilt Perlman ihre Einschätzung, Adlers verschwiegener Ausflug kann sie zu Kahn oder Hagen führen, auch wenn er sich fragt, was die beiden hierher verschlagen haben könnte. Hat Kahns Sippschaft sie vertraulich an Siedlerfreunde im Norden weitergereicht? Welche Siedlungen finden sich in diesem Teil der Westbank? Die 60 führt nach Nablus und weiter hoch nach Dschenin, arabische Städte. Östlich von Nablus liegt Elon Moreh, eine Gemeinschaft religiöser Juden, danach kommt nicht mehr viel.

Was will Adler im Kernland der PA?

Cox stellt sich die gleiche Frage. Der Tross brettert vor ihr her. Offenbar fühlen sie sich noch immer verfolgt. Der Verkehr wird dichter, ihre BMW ist nicht die einzige Maschine, die unterwegs ist, und die Jungs haben sich außer Sichtweite zurückfallen lassen.

Endlich geht Adler vom Gas.

Sie durchfahren Hawara, die Hügel weichen zurück und geben den Blick frei auf Ackerlandschaften. Die Röhre eines Wachturms. In dieser Gegend wimmelt es von Checkpoints, während der Zweiten Intifada wurden hier Terroristen ausgebildet wie anderswo Betriebswirte. Sie durchfahren Olivenhaine, die Bebauung wird dichter, knallgelbe Taxis am Wegesrand, rechts unvermittelt ein Bild des Elends, Balata, größtes Flüchtlingslager der Westbank, 30 000 Menschen auf engstem Raum.

Adler verlässt die Umgehungsroute.

Wechselt auf einen Zubringer.

Nablus

Hagen geht duschen.

Aus zehn Minuten ist fast eine Stunde geworden. Am Ende haben die Jungs das Spiel abpfeifen müssen, weil Hanaan sie zum Mittagessen rief, sonst wären sie jetzt noch zugange. Die Kickerei hat ihm gutgetan. Ein paar Pässe und Torchancen lang hat er tatsächlich an nichts anderes mehr gedacht, als wie er das Runde ins Eckige kriegt.

Und sie *haben* gewonnen.

Das beschwingt ihn. Er genießt den heißen Wasserstrahl, zieht ein frisches T-Shirt über, kommt Haare frottierend aus dem Bad.

Sieht Yael dastehen.

»Alles okay?«

Sie schaut zur Seite. Ihn an. »Ja, okay.«

»Du hättest mitkommen sollen. Es war super. Wir –«

Sein Blick fällt auf den Laptop.

Zugeklappt.

Ein kurzer Film läuft in ihm ab. Die Jungs drängen. Wollen runter. Er schließt die Datei, hat er auch den Computer ausgeschaltet? Ist sich nicht sicher, aber eines weiß er genau:

Der Laptop war *aufgeklappt*, als er ging.

»Warst du an meinem Computer, Yael?«

Die Art, wie sie herumdruckst, ist ihm Antwort genug.

»Was hast du gemacht?«

»Nichts, ich –« Ihre Hände wedeln. Keine Ecke, in die ihr Blick nicht wandert im Versuch, ihm auszuweichen. »Ich wollte nur kurz in meine Mails schauen und –«

»Du hast deine E-Mails geöffnet?«

»Eine, nur eine –«

Er lässt das Handtuch sinken.

»Mit wem hast du gemailt?«

Sie windet sich. Beißt sich auf die Lippen, augenscheinlich in schwerer Not. Ringt mit sich.

»Yael.«

»Ich verrate dich nicht«, platzt sie heraus. »Ich mach das nicht.«

»Wovon redest du, verdammt?«

»Schimon hat geschrieben. Der Mann, der Yossi für den Anschlag rekrutiert hat. Unsere Familien bedroht hat, ich hab dir von ihm erzählt, und er wollte – er verspricht, mich in Ruhe zu lassen, wenn ich dich ans Messer liefere, aber ich traue ihm nicht, er –«

Das kann nicht wahr sein, denkt er.

»Bist du verrückt? Dieser Typ versucht, uns *umzubringen*, und du öffnest seine E-Mail?«

»Aber – ich hab doch nur –«

»Du hast ihm verraten, wo wir *sind*! Im Moment, als du seine Mail geöffnet hast, konnte er den Laptop orten.« Schaut sich gehetzt um. »Wann war das? Wie lange ist das her?«

»Eine – halbe Stunde –«

Yael sieht schrecklich aus. Es fehlt nicht viel, und sie klatscht als Pfütze auf den Boden. Hagen eilt zu seinem Laptop, schaltet ihn aus und packt ihn in den Rucksack.

Wo ist die Waffe? Schon drin.

CDs, Prepaid-Handys? Auch.

»Tom.« Yael ist den Tränen nahe. »Was machst du?«

»Was du jetzt auch machst. Pack deinen Kram, schnell. Wir müssen von hier verschwinden.«

»W – wohin denn?«

»Was weiß ich, weg. Hast du dein Geld?«

»Brustbeutel.«

»Handy, Portemonnaie, Ausweis?«

Sie starrt ihn an. Macht kehrt und rennt in ihre Wohnung.

»Ric?« Cox hat sich ein Stück zurückfallen lassen, einige Autos sind jetzt zwischen ihr und Adlers Tross. »Wir fahren ins Stadtzentrum. Vor mir liegt der Hussein-Platz.«

Adler hält sich links, Richtung Uni.

»Ich fass es nicht«, murmelt sie.

Biegt in eine Seitenstraße ein. Cox folgt ihm, sieht den Tross weiter vorne eine von Schulkindern überlaufene Bushaltestelle passieren, Kräne geraten in Sicht, ein Neubaugebiet.

Kein Zweifel.

»Die wollen in gar keine Siedlung, Ric.«

Sie sind mitten in Nablus.

Scheiße. SCHEISSE!

(Ruhig, Tom, sie kann doch nichts dafür. Wie hätte sie wissen sollen –)

Okay, sie ist die Unschuld in Öl gemalt.

Und was ändert das?

In höchster Eile stopft er Unterwäsche mit in den Rucksack, wo ist sein Kosmetikbeutel, im Bad, geht ihn holen, sein Blick fällt aus dem Fenster –

Zwei Wagen kommen die Zufahrtsstraße hinab.

Ziemlich schnell.

Und wer sagt, dass sie das sind?

(Ich, dein Bauch.)

Wirft den Rucksack über, marschiert in Yaels Wohnung und sieht sie Handy und Portemonnaie in ihrer Jeans verstauen. Ihre Wäsche liegt noch um die Reisetasche verstreut. Ohne Ansage nimmt er sie an der Hand und zerrt sie nach draußen.

»Warte, Tom! Ich hab noch nicht –«

»Sie sind da.«

Der Schock saugt alle Farbe aus ihrem Gesicht. Sie poltern die Treppe ins Erdgeschoss runter, wo sind sie vorhin vom Kicken reingekommen, wo war gleich noch die Hintertür?

Da!

Adler sorgt sich mächtig, seit er weiß, dass sie verfolgt werden. Mindestens ein Wagen schien ihm suspekt, doch hinter der Kreuzung war er dann verschwunden. Seitdem nichts Auffälliges mehr. Nur dichter werdender Verkehr, Autos, Busse, Schwerlaster, alle auf dem Weg nach Nablus, und auch am Himmel ist nichts auszumachen.

Einer der Motorradfahrer vielleicht?

Wie auch immer.

Ihnen bleibt wenig Zeit.

Sein Ford kommt knirschend zum Stehen, der Van hält hinter ihm. Sie springen aus ihren Fahrzeugen, Adler sondiert die Lage. Ein halbes Dutzend Mehrfamilienhäuser unmittelbar vor der Fertigstellung, Schotter und Sand, wo einmal Grünflächen und Wege entstehen werden, Betonmischmaschinen, Zäune. Dahinter ein Flecken Brachland. Schilderwände auf Stelen, die das nächste Bauvorhaben annoncieren.

Sie gehen auf das Haus zu.

Inzwischen wurde der Computer wieder ausgeschaltet, kein Signal mehr. Macht nichts. Es ist der weiße Klotz vor ihnen. Nachdem Yael nicht widerstehen konnte, die Stille E-Mail zu öffnen, war es ein Leichtes, das Gerät auf den Meter genau zu orten. Nur an Höhen versagt die Peilung, aber fünf Etagen sind schnell durchkämmt.

Wir wissen, wo ihr euch versteckt habt, liebe Kinderchen.

Spielt schön weiter.

Ihr bekommt den Überraschungsbesuch eures Lebens.

Dann erfasst sein Blick das Brachland dahinter, und die Überraschung ist auf seiner Seite.

Zwei laufen da, schon ein gutes Stück entfernt.

Ein Mann mit Rucksack.

Eine Frau.

Laufen um ihr Leben.

»Scheiße!« Zeigt auf die fliehenden Gestalten. Alle kehrt, zurück zu den Wagen, als jemand auf sie zugeflogen kommt, und Adler weiß, er hatte recht mit dem Motorradfahrer.

Cox sieht die Laufenden auf dem Feld, Gesichter nicht zu erkennen, aber sie sind es, und wenn sie noch eine Bestätigung braucht, liefert sie Adler persönlich.

Seine Reaktion lässt keinen Zweifel, wer da abhaut.

Soll sie ihn festnehmen?

Vier gegen eine, und Sivan und Noy entscheidende Meter entfernt?

Das kann Perlman erledigen.

Wichtiger, die zwei Hasen da einzusammeln.

Sie geht auf Kollisionskurs, sieht das Entsetzen in Adlers Augen –

– als die BMW auf ihn zuhält, eine HP4, jetzt weiß er auch, wer draufsitzt, am liebsten würde er das Miststück aus dem Sattel zerren, nur dass ihm nicht mal Zeit bleibt, seine Reflexe in den rettenden Sprung umzusetzen.

Vor ihm spritzen seine Männer auseinander.

Die Irre dreht auf.

Shana, du verdammte –

Touchiert ihn, wirbelt ihn wie einen Kreisel herum und schleudert ihn zu Boden. Adler kommt hart zu Fall, katapultiert sich im nächsten Moment wieder auf die Beine.

»Hinterher!«

Rennt zu seinem Ford, während die anderen in den Multivan springen und die Verfolgung aufnehmen. Zwei weitere Wagen kommen in hoher Geschwindigkeit über die Zufahrtsstraße herunter, Moment mal –

Waren die nicht auf der Autobahn schon an ihnen dran?

»Na, reizend«, knurrt er.

Schin-Bet-Gipfeltreffen in Nablus.

Cox' Maschine hüpft über das brachliegende Feld, mehr Reiten als Fahren.

»Ric, ich hab Hagen und Kahn vor mir.«

»Wo seid ihr?«

»Weiß nicht genau. Zwischen Altstadt und Uni. Sie fliehen zu Fuß.«

Im Rückspiegel sieht sie den Van schaukelnd aufs Brachland einbiegen und eine Menge braunen Dreck aufwirbeln, als er Fahrt aufnimmt.

»Sivan?«

»Hier.«

»Häng dich an den Van.«

»Schon dran.«

»Noy, du blockierst Adler.«

»Zu spät. Ist eben an mir vorbei.«

»Dann fick ihn von hinten, verdammt noch mal!«

Die Fliehenden mühen sich vor ihr ab, ein aussichtsloses Kräftemessen, oder vielleicht doch nicht? Rennen auf einen Bauzaun zu, ein schmaler Spalt darin, wo zwei Elemente unsauber aneinandergrenzen. Könnte ausreichen, um hindurchzugelangen, für das Motorrad hingegen wird es eng.

Zu eng.

Sie bremst ab und lenkt die Maschine gegen eines der Elemente, schiebt es weg. Knirschend bewegt es sich. Zu wenig. Hinter ihr braust der Multivan heran. Wenn sie nicht schleunigst von hier verschwindet, wird sie wie eine Fliege am Zaun zerquetscht, lässt die BMW erneut gegen die Barriere prallen, erweitert den Spalt. Drängt sich hinein. Steckt fest. Hilft mit den Schultern nach, während der Wagen bedrohlich anwächst, dann endlich kommt sie mit einem Ruck frei und schießt auf die andere Seite.

Der Van kachelt gegen den Zaun, setzt mit aufheulendem Motor zurück.

»Er fährt hoch zur Straße.« Sivan.

»Bleib dran.«

Wo ist Hagen, wo Kahn? Überall Betongerippe, Sandhaufen, Container. Das Immobilienwunder der Westbank.

Da sind sie. Laufen einen frisch gepflasterten Weg entlang.

Cox dreht auf.

Hagen keucht.

Warum bloß hat er sich beim Fußball derart verausgabt?

Yael ist eine gute Läuferin, schneller als er, aber sie muss ja auch kein Gepäck mit sich rumschleppen. Nicht dass der Rucksack sonderlich viel wiegt, nur hat er versäumt, ihn ordentlich festzuzurren. Jetzt hämmert er gegen seine Wirbelsäule, nervt eher, als dass es schmerzt, allerdings spielt es eh keine Rolle, wie schnell sie laufen –

Der Biker hat es durch den Zaun geschafft.

Von hinten nähert sich das grimmige, angriffslustige Dröhnen, schwillt an, nicht mehr lange –

»Da!«, keucht Yael, und er sieht, was sie meint.

Eine gerade Kante dort, wo das Baugelände abbricht, die Wiese dahinter ein gutes Stück tiefer.

Drei Meter bestimmt.

Wenn sie es bis dorthin schaffen – und da balancieren sie auch schon auf dem Sims, hoch genug, um sich die Beine zu brechen, egal, der Rasen wird den Aufprall dämpfen –

Cox sieht sie springen.

Zu tief für einen Motorradstunt, sie ist nicht Evel Knievel.

Wendet und fährt das Sims entlang.

Schätzt ihre Möglichkeiten ab.

Unten hasten die beiden durchs Gras, rütteln an einem Gartentor, offensichtlich verschlossen. Überklettern es und verschwinden in einem Fußweg, der zwischen Häuserzeilen hindurchführt, ein Wohngebiet, flankiert von parallel laufenden Straßen.

Die untere liegt näher.

Dann eben so.

Auf der oberen Straße klebt Sivan an dem Van.

Versucht, zu überholen, zwecklos. Einspurig. Kein Bürgersteig, um darauf auszuweichen. Er fragt sich, wo Cox abgeblieben ist. Der Umweg, um vom Brachgelände hoch auf die Straße zu gelangen, hat sie seinem Blick entzogen, auch von den Flüchtigen keine Spur.

Immerhin, im Van dürften sie ebenso ratlos sein.

Sie passieren das Ende der Baustelle. Ein Gebiet zweigeschossiger Häuser schließt sich an.

Zwischen Baustelle und Wohngebiet ein Rasenstreifen.

Unterhalb des Streifens kann er kurz die Parallelstraße sehen, über die sie nach Nablus eingefahren sind.

Und Cox.
In voller Fahrt.

Unmittelbar hinter Noys Wagen kommt sie heraus.
Sofort sieht sie, was los ist.
Noy wird von einem dahinzockelnden Traktor blockiert, davor gewinnt Adler stetig an Abstand. Wann immer Noy ausschert, um sich
ranzuarbeiten, zwingen ihn die entgegenkommenden Fahrzeuge zurück in die Spur.
Da sind Hagen und Kahn ja zu Fuß noch schneller.
Cox wechselt auf den Mittelstreifen.
Zieht an Noy vorbei, was sie in kritische Nähe zum Gegenverkehr
bringt. Jemand hupt lang anhaltend, der Ton wechselt die Frequenz, als
er hinter ihr zurückbleibt und sie durch die schmale Gasse fegt, dann
liegt auch der Traktor hinter ihr.

Adler sieht sie kommen.
Tritt aufs Gas.

Fehler, denkt Hagen, Fehler, Fehler!
Mit schmerzenden Seiten rennt er an Gärten und Hinterhöfen vorbei, Schnapsidee, sich in das Wohngebiet zu schlagen, wer weiß, wo sie
stranden werden, um dann endgültig festzusitzen.
In der Falle.
Andererseits hat er keine bessere Idee, also weiter, was bleibt ihnen
anderes übrig, und da, keine hundert Meter vor sich, sieht er die Straße
den Fußweg schneiden, Autos darauf in stetem Fluss –

Und Cox sieht *ihn*.
Für die Dauer einer Sekunde, zwischen zwei Häusern.
Gleichauf mit der Frau.
Inzwischen hängt sie Adler am Kotflügel wie eine aggressive Wespe,
pendelt hin und her im Bemühen, sich an ihm vorbeizudrängen. Der
Rakas beschleunigt. Nutzt die paar Meter freie Strecke, die sich vor ihm
auftun, und plötzlich, von einem Moment auf den anderen, liegt auch
die Gegenfahrbahn wie leer gefegt da.
Wenn das keine Einladung ist –
Cox dreht auf, und mit triumphierendem Röhren zieht die BMW an
Adlers Ford vorbei.
Seite an Seite rasen sie auf die Kreuzung zu.

Sivan schlägt frustriert auf den Lenker.

Zum Auswachsen! Nicht die mindeste Chance, den Van zu überholen, doch da beschreibt die Straße eine jähe Rechtskurve, schneidet das Wohngebiet, und er begreift, gleich wird sie die Parallelverbindung kreuzen.

Der Wagen vor ihm wird schneller.

Sivan zieht mit.

Warte nur bis zur Kreuzung, denkt er.

Dort kriege ich dich.

Abgehängt! Adler wird in die Armaturen beißen.

Cox fliegt auf die Kreuzung zu, und da gerät Hagen auch schon in Sicht, gefolgt von der Frau –

Was macht er, lieber Himmel?

Lebensmüde?

Läuft ohne innezuhalten auf die Fahrbahn –

– über die Fahrbahnmarkierungen, Bremsen kreischen, Yael schreit ihm hinterher:

»Bist du wahnsinnig?«

»Nein! Komm.«

Weil seine Erinnerung ihm sagt, dass sie gar nicht weit von der historischen Altstadt entfernt sind, da können sie untertauchen im Labyrinth der Gassen und Straßenmärkte, für die Autos jedenfalls ist dort Endstation.

Die Verfolger werden es schwerer haben.

Und plötzlich sieht er das Motorrad heranschießen.

Gleichauf mit dem Wagen –

Verdammt! Wenn sie vermeiden will, dass Kahn ihr geradewegs in die Maschine läuft, muss sie jetzt ausweichen.

Geht nicht.

Adler ist wieder neben ihr, auf der falschen Fahrbahn. Starrt wutentbrannt zu ihr rüber, ohne Augen für das Taxi, das ihm über die Kreuzung entgegenkommt.

Aber Cox sieht es.

Ihr Kopf spult ab, was passieren kann, wird, Mittel der Wahl? Keine Wahl. Verzieht nach rechts, während der wie entfesselt am Lenker kurbelnde Taxifahrer Adlers Ford touchiert, einen Schlag erhält und auf ihre Fahrbahn getragen wird, ohne bremsen zu können. Um Haaresbreite entgeht sie dem heranschlingernden Kühler, holpert auf den Fußweg und hinein in eine Gruppe Passanten, die wie in einer Ballettgroteske davonspringen, vor ihr ergrünt die Welt –

Adler ringt um Kontrolle, schießt über die Kreuzung. Sieht Hagen und die Frau rennen wie die Hasen –

Prasselnd landet die BMW zwischen Büschen und Bäumen.

– stoppt, reißt das Steuer herum.
Tritt aufs Gas.
Hat den Van im Rückspiegel, der sich von oberhalb nähert.

Ampeln springen auf Grün, aus allen Richtungen kommen sie jetzt, kollektive Verwirrung, davonhastende Menschen, kein Zweifel, dass es hier gleich fürchterlich krachen wird, das Taxi setzt zurück, schneidet einem von Süden kommenden Lieferwagen den Weg ab, dessen Fahrer das Steuer verreißt, dem Ford ins Heck rasselt, ihn einen Meter zur Seite schleudert, was den Van zur Vollbremsung zwingt –

Vor Sivans Augen scheint sich das Heck des Vorderfahrzeugs aufzublasen.
Chance = 0.
Sein Kopf titscht gegen die Hupe und zurück, produziert einen abgehackten, nutzlosen Warnton, als er dem anderen ungebremst hinten reinfährt und ihn über die Kreuzung schiebt.

Der Van tut einen Satz und kracht in den Lieferwagen.

Kakofonie. Gequälte Bremsen, malträtiertes Blech.
Ein Wunder, dass wir noch leben, denkt Hagen. Binnen Sekunden ist Chaos auf der Kreuzung ausgebrochen. Immer noch dröhnt und scheppert es, eine Partitur des Kontrollverlusts, als weitere Fahrzeuge ineinanderknallen. Er widersteht der Versuchung, hinter sich zu blicken, erreicht die andere Seite, Yael neben sich, unverletzt.
Alles, was zählt.
Aus einem Streifen verwüsteter Randbepflanzung sprießt ein schwarzer Motorradhelm.
Vor ihnen ein Park.
Sie laufen hinein.

Der Helikopter sinkt tiefer, während Perlman in seinem besten Arabisch mit der Stadtverwaltung konferiert. Alte Seilschaft aus der Zeit nach Oslo, als Israelis und Palästinenser noch getragen waren von Kooperation und gutem Willen. Er kennt die Leute, die jetzt in Nablus das Sagen haben. Erklärt dem Stadtrat, warum sie demnächst wie ein Invasionskommando aus dem Himmel fallen werden, und zwar genau JETZT.

Und dass sie gezwungen sein werden, ein paar Agenten abzusetzen.

»Halten Sie Ihre Polizei zurück. Niemand wird zu Schaden kommen.«

Was sie hier so aus dem Cockpit eines israelischen Kampfhubschraubers noch nicht gehört haben dürften.

Der Stadtrat ist alles andere als glücklich.

Was glaubst du, was ich bin, denkt Perlman.

Cox rappelt sich hoch.

Sie ist übersät mit Blättern und abgerissenen Ästen. Die Büsche haben ihren Sturz abgefedert, was steht als Nächstes zu erwarten? Dass der Mob mit Teer und Federn anrückt? Sie wuchtet ihre Maschine hoch, doch niemand kommt, um sie zu lynchen, alle sind beschäftigt mit der Kettenreaktion, die immer noch vor ihren Augen abläuft. Cox sieht einen Smart an einem Audi verenden, der sich in einen Lkw gebohrt hat. Der Van ist eingekeilt, die Türen stehen offen.

Leer.

Wo sind die Kerle?

Dort laufen sie.

Unter den Bäumen hindurch und in den Park hinein. Raubtiere, die Witterung aufgenommen haben.

Adler dreht wie wild am Zündschlüssel.

»Spring schon an!«

Der Ford röchelt, als verlange er nach seinem Schöpfer. Durch die zersplitterte Seitenscheibe glaubt er den Himmel vibrieren zu hören.

Nein, er vibriert tatsächlich.

Ein Helikopter.

»Du sollst anspringen!«

Dreht und dreht.

»Scheißteil!«

Die Beleidigung wirkt. Hustend tritt der Motor den Dienst an. Adler setzt vor und zurück, gibt Vollgas, es knallt hier, es knallt da. Schiebt sich aus der so entstandenen Lücke, wobei er dem Hintermann die

Stoßstange von der Frontschürze reißt und ein Stück mitschleift, bis sie sich mit lautem Knall löst, über den Asphalt tanzt und einem parkenden Wagen die Seitentür demoliert.

Noy folgt ihm.

Hat den Weg über den Bürgersteig gewählt, verschafft sich hupend Platz, was ihm die übelsten Beschimpfungen einträgt, sei's drum, Herrschaften, heute ist

NICHT

der Tag des Fußgängers, lenkt den Wagen um den Schrottplatz herum, der mal eine Kreuzung war, sieht Adler ein Stück vor sich den Park entlangrumpeln. Der Ford, zerbeult, zerschunden, sondert ein strapaziöses Kreischen ab. Erweckt den Eindruck, als sei er mit knapper Not der Schrottpresse entronnen, aber er fährt.

Das war nicht deine letzte Blessur, denkt Noy.

Es ist kein Park.

Es ist ein innerstädtischer Friedhof, dessen Frieden gerade empfindlich gestört wird. Hagens Laufapparat scheint sich vom Rest des Körpers abgekoppelt zu haben, Herz und Lunge drohen mit Generalstreik. Er keucht wie eine Dampflok. Wie lange ist es her, dass sie Mansours Haus überstürzt verlassen haben. Minuten? Eine Ewigkeit? Skalpelle bohren sich in seine Seiten, lange wird er Yaels Tempo nicht durchhalten. In Gazellensprüngen setzt sie zwischen den dicht gestaffelten Grabsteinen hindurch, Totenruhe sieht anders aus.

Jemand stellt sich ihm in den Weg.

Hagen stößt ihn beiseite.

Long way to Tipperary, wie lange noch bis zur Altstadt? Groß kann der Friedhof nicht sein, andernfalls wäre er ihm von der Spritztour in Erinnerung geblieben.

Er schaut im Laufen hinter sich.

Gestalten nähern sich, schnelles Stakkato. Vier Männer.

Das sind keine aufgebrachten Friedhofbesucher, so viel steht fest. Es knallt wie von Platzpatronen, schießen die etwa auf sie? Er riskiert einen weiteren Blick und sieht das Motorrad, das in wildem Slalom zwischen den aufgebrachten Grabgängern hindurchkurvt.

Jetzt haben sie auch noch den Biker am Hals.

Dann tut der Biker etwas, das Hagen nicht versteht.

Er attackiert die Verfolger.

Einen der Männer erwischt es in vollem Lauf, wie ein Lumpen segelt er zwischen die Gräber. Der Weg gabelt sich. Yael überspringt ein Gitter, läuft weiter zwischen den verwitterten Steinen hindurch, gute Idee! Kein Terrain für Motorradfahrer, und da ist der Friedhof auch schon zu Ende, sie sind auf der Straße, eine Front Fahrzeuge in Lauerstellung, von der Ampel in Schach gehalten, gegenüber Mauern, ausgetretene Stufen, die zu einem Plateau führen.

Der Beginn der Altstadt.

Kreischend wie eine Harpyie schießt ein Auto von der anderen Seite heran, und Hagen erhascht einen Blick auf den Fahrer.

Ja, schaut nur!

Adler lacht triumphierend. Hat sie direkt vor dem Kühler und gleich obendrauf. Tritt das Pedal durch, sein Lachen mischt sich mit dem Jaulen des Getriebes, lahme Kröten, zählt schon mal rückwärts! Ihr seid zu nah, ich bin zu schnell, Ende der Fahnenstange, noch mal kommt ihr mir nicht davon!

Hält auf die beiden zu –

Jemand kracht ihm in die Seite.

Noy schiebt Adlers Wagen quer über die Straße.

Cox fegt aus dem Friedhofstor.

Stellt die Maschine quer, Rundumblick. Auch hier Karambolage, Hagen und Kahn auf der Treppe zur Altstadt.

Nur zu, denkt sie.

Mein Motorrad hat Beine.

Noy lacht seinerseits, und auch nicht schlecht. Sieht mit grimmiger Befriedigung, wie Adler in der Fahrerkabine planlos herumfuchtelt, setzt zurück, gibt Vollgas.

Rumms!

Adlers Beifahrertür zerknittert unter dem Aufprall.

Und noch mal.

Das macht ihm richtiggehend Spaß. Wieder und wieder donnert er in den ramponierten Ford, schiebt ihn genüsslich auf eine Reihe parkender Fahrzeuge zu –

Und Adler denkt, noch zwei, drei solcher Küsse, und ich bin hoffnungslos eingeklemmt.

Ich muss hier raus!

Ein noch heftigerer Stoß schleudert ihn gegen die Tür, schmerzhaft knallt sein Kopf ans Seitenfenster, dann endlich bekommt er seine Waffe zu fassen, richtet sie über den Beifahrersitz auf die Windschutzscheibe des Angreifers und drückt ab.

Noy zuckt, als habe ihn eine glühende Eisenstange getroffen. Eine rote Fontäne spritzt auf seine Jacke, auf die Armaturen.
Er fingert nach dem Automatikknüppel.

Adler reißt die Fahrertür auf, springt nach draußen. Mit wenigen Schritten ist er bei dem anderen, der halb tot im Sitz hängt und ihn mit angstgeweiteten Augen ansieht.
Halb tot?
Arschloch!
Keine halben Sachen.
Schießt ihm zweimal in den Kopf, während von der Kreuzung der Helikopter heranwummert.

Platanen und Ruinen, ein Palast, eine Kaserne? Sind sie in der Welt Vespasians unterwegs, der Kreuzritter, Saladins? Bis hierher hat sie Mansour nicht geführt auf dem gestrigen Sightseeing-Trip.
Eine Mauer grenzt das Plateau nach hinten ab.
Durchbrochen, wo eine Treppe abwärtsführt.
Das dumpfe Hämmern von Rotoren lässt den Himmel widerhallen, hinein mischt sich vertrautes Dröhnen –
Der Biker.
Keine Atempause.

Adler sieht Cox die Treppe hochfahren, im Moment, als der Hubschrauber über dem Park auftaucht, so dicht, dass sich die Baumwipfel nach allen Seiten sträuben.
Wo bleiben bloß seine Männer?
Wie als Antwort tauchen sie im Friedhofstor auf, und da springen auch schon die Ampeln auf Grün, und die Blechherde kommt herangeprescht, um sich an den ineinander verkeilten Fahrzeugen gleich wieder zu stauen.
»Beeilt euch!«, schreit er.
Läuft zur Treppe, weil er weiß, gleich wird es ungemütlich.
Die himmlischen Heerscharen werden über sie kommen.

Perlman sieht ihn laufen. Cox ist schon auf dem Plateau, verschwindet soeben unter einem Dach aus Laub.

Adler und drei Männer hasten ihr hinterher.

»Schießt auf die Beine«, weist er die Agenten an. Zu Dreyfus: »Adler ist Ihr Mann. Wollen Sie das übernehmen?«

Dreyfus hängt bereits mit der Waffe im Seitenfenster.

Über speckige, krumm getretene Stufen springen sie nach unten.

»Wohin?«, keucht Yael.

»Da.«

Drci Kreuzgewölbe öffnen sich vor ihren Augen, blindlings laufen sie ins mittlere hinein. Dunkelheit verschluckt alle Konturen. Wie überbelichtet erstrahlt der Halbkreis am Ende des Ganges, Yael dagegen ein hastender Schatten. Ihre Schritte vervielfachen sich, prasseln über Decken und Wände, dann sind sie raus aus dem Schlund, eine Gasse, abwärts, in Jahrhunderten verwitterte Fassaden. Gras sprießt aus Mauerritzen, Klettergewächse ranken in Balkongittern, schwere, verzierte Türen. Aus offenen Fenstern hängt Bettwäsche, hoch auf den Dächern Wassertanks, gestelzt wie Mondfahrzeuge, unmöglich zu sagen, welche historischen Epochen sich hier mischen, und außerdem –

SO WAS VON EGAL!

– und auch wieder nicht, da sich Hagen unvermittelt die Frage stellt, warum die ganze malerische Pracht mitten am Tag bar aller Menschen ist.

Wie auch das Plateau.

Bar aller Menschen.

Cox flucht, während sie im Sattel stehend die Stufen hinunterholpert. Hunde und Motorräder auf Treppen, da wird nie was draus, kann es nicht EINMAL einfach sein? Warum müssen da gleich drei Scheißbogengänge nebeneinanderliegen, die unter Garantie in völlig verschiedene Richtungen führen, und von Hagen und der Ärztin keine Spur?

Sie zögert.

Für einen der Wege muss sie sich entscheiden.

Rechts.

Wumm – Wumm – Wumm –

Wie eine fette Libelle steht der Helikopter direkt über dem Plateau. Adler dreht sich im Laufen um, sieht einen seiner Leute straucheln, sich am Boden wälzen.

Die schießen auf sie.

(Ihr schießt? An eurer Stelle würde ich Granaten werfen!)

Rennt schneller. Wenn es noch Zweifel gab, dass seine Tarnung aufgeflogen ist, werden sie von den wild ballernden Agenten gerade zersiebt. Nun, damit war zu rechnen. Irgendwie muss er es schaffen, sich abzusetzen, sobald Kahn und Hagen aus dem Verkehr gezogen sind. Mit knapper Not gelangen sie aus dem Kugelhagel in den Schutz der Platanen, die das Plateau überschatten, erreichen die rückwärtige Treppe, immer zwei Stufen auf einmal nehmend – Ratlosigkeit.

Drei Möglichkeiten.

Die BMW ist noch zu hören, aber von wo?

In welchen der Gänge ist Cox gefahren?

Die Gassen spielen einander den Schall zu, wahrscheinlich erklingt er dort am lautesten, wo gar niemand ist.

»Links!«

Agenten springen aus dem Helikopter, Dreyfus hinterher.

Überschaut das Plateau.

Niemand.

»Zur Mauer!«

»Kreisen«, sagt Perlman.

Der Hubschrauber schiebt sich langsam voran. Sein bedrohlicher Schatten wandert über Dächer und Gassen. Jemand ruft an, ein weiterer Bekannter aus besseren Tagen. Der Bürgermeister von Nablus, in heller Aufregung.

»Kein Grund zur Sorge«, versichert ihm Perlman. »Wir jagen nur unsere eigenen Leute.«

»Dafür habt ihr schon einen ansehnlichen Haufen Blech aufgeschichtet. Warum ausgerechnet in Nablus, Allmächtiger?«

»Ich erklär's dir bei einem guten Essen.«

»Ric, das ist kein Spaß. Pausenlos rufen Leute an. Wir sitzen in einem Konzert aus Klingeltönen. Ich hoffe, das geht schnell vorüber. Sag mir, dass ihr in Kürze verschwunden sein werdet.«

»*Inschallah.*«

»Wenn Gott will? Wann hättest du je getan, was Gott will?«

Gute Frage, denkt Perlman.

Wann hätte Gott je getan, was ich will?

Und Hagen kommt die Erleuchtung – klar, so simpel.

Keine Geschäfte, keine Banken, keine Cafés.

Und wo nichts dergleichen ist, haben Einheimische wenig Grund, sich herumzutreiben. Altstadt hin oder her, was sollen sie in ihrem eigenen Museum? Die meisten hier dürften nichts sehnlicher wünschen, als dass die Welt ihre Stadt mit anderen Augen sieht, doch das Problem ist, die Welt sieht sie gar nicht.

Sie haben das perfekte Touristenzentrum.

Nur keine Touristen.

Mal dir Brügge aus.

Die Pyramiden.

Venedig, ganz ohne Touristen. Der Markusplatz, gähnende Leere, übersät von verhungernden Tauben, da niemand mehr kommt, um sie zu füttern.

Treppauf, treppab.

Endlich Menschen. Unter einer Wellblechmarkise ein Greis mit Kufiya auf einem Plastikstuhl, vereinzelt Fußgänger. Immer verwinkelter wird das steinerne Labyrinth, alles hier erscheint rätselhaft, rostige Läden, kunstvoll verschnörkeltes Gitterwerk, die Ornamentik versunkener Weltreiche. Sie gelangen auf einen Burghof, die Wehrgänge unkrautüberwuchert, Leitungen quergespannt, an denen sich palästinensische Flaggen blähen, gegenüber der nächste düstere Durchlass.

Klamme Kühle. Ruhe.

Hagen lässt sich gegen den Stein sinken, Yael geht schwer atmend in die Hocke. Graffiti verunzieren das Gewölbe, die Wände sind zugepflastert mit Plakaten, Porträts junger Männer in martialischen Posen. Aus dem Jenseits blicken sie zu ihnen herüber, Märtyrer, gefallen im Kampf gegen den Zionismus, wie man sie hier sieht.

Wenige Kilometer weiter gelten sie als Terroristen.

»Und jetzt?«

Die Antwort wird ihnen abgenommen. Ein Motorrad nähert sich, das Geprassel laufender Füße.

»Weiter.«

Adlers zusammengeschmolzener Trupp hat sich aufgeteilt, er selbst ist mit einem der Männer auf einen Souk geraten, begrüßt von einem herzhaften *»Welcome to Nablus!«* – ein verhutzelter Alter, fast verschwunden hinter Gebirgen geputzten Salats, dann unversehens dichtes Markttreiben, Stimmengewirr, das Rufen der Händler. Sie schieben sich zwischen den Einkaufenden hindurch, halten Ausschau, versuchen in der Flut von Eindrücken den Überblick zu behalten: vielfarbige Pracht, Orangen, Grapefruit und Zitronen zu Pyramiden gestapelt, Kohl, Auberginen, Chili, Okra und Tomaten, kunstfertig geschichtete Türme aus Konserven, auf denen Preisschildchen balancieren, Arabisch durchsetzt von englischen Wörtern, willkürlich eingestreut – *Sweetcorn, Plums* –, Schalen voll knallbunter Süßigkeiten und Trockenobst. Eine riesige Klimaanlage, die inmitten all der Verlockung ruht wie die Turbine eines abgestürzten Learjets. An tief hängenden Kabeln sprießen kaum isolierte Glühbirnen. Frauen, die Gesichter verhüllt, diskutieren vor einer Wand gestapelter Käfige, in denen übellaunig glotzendes Federvieh seiner Reise in die Suppentöpfe harrt, alles scheint auf diesem Souk vertreten zu sein –

Nur kein Tom Hagen, keine Yael Kahn.

Dafür ganz in der Nähe der Hubschrauber. Das Hacken seiner Rotoren zieht die Blicke der Passanten zum Himmel, noch ist zwischen den Markisen und Blechdächern nichts auszumachen. Adler drängt zur Eile, hofft, der andere seiner Männer, der auf eigene Faust unterwegs ist, möge mehr Glück haben –

Hat er gewissermaßen auch.

Er kann von Glück sagen, dass sie ihm nicht die Beine wegschießen. Perlman blickt aus dem Cockpit auf ihn herab. Von Adler keine Spur, doch wenigstens den da haben sie aufgespürt und bis hierher gejagt.

Jetzt sitzt er in der Falle, im Visier der Agenten.

Zwei seilen sich ab, da der Hubschrauber in den engen Gassen nicht landen kann. Ein paar Marktgänger verfolgen das Schauspiel gebannt, andere ziehen es vor, ihrer Wege zu gehen.

Perlman wartet, bis der ZPS-Mann in Handschellen liegt.

Wendet sich zu dem Piloten.

»Weiter.«

Falsche Entscheidung.

Cox könnte sich ohrfeigen. Die beiden müssen einen anderen Durchgang gewählt haben, und die Strecke mit ihren Treppchen und Hohlwegen zurückzufahren, ist auch keine Lösung. Immerhin weiß sie, wo sie ist. Während der Intifada war sie etliche Male hier, gleich um die Ecke beginnen die Marktstände.

Weiter vorn hört sie den Helikopter.

Er scheint stillzustehen, dann verlagert sich das Geräusch nach Osten.

(Wo seid ihr?)

(Weit könnt ihr in der kurzen Zeit nicht gekommen sein.)

Aufs Geratewohl fährt sie Richtung Souk.

»Bleib unter den Markisen.«

»In der Mitte kommen wir schneller voran.«

Die Gassen beleben sich. Sie gehen an einer offenen Garküche vorbei, wenig mehr als ein Kachelverschlag mit Regalen, die unter Stapeln von Lebensmittelkartons schier zusammenbrechen. Pfannen auf offenem Feuer, Beutel mit Couscous, freundlich einladende Worte, wann sehen sie hier schon Ausländer. Der nächste Hohlweg ist komplett zugebaut. Stände mit DVDs, billigem Schmuck und Uhren, Turnschuhe, T-Shirts mit Spaßmotiven: *Google Startseite, gesucht: Israel,* darunter: *Sorry, no matches found, did you mean Palestine?,* von den Wänden scheppert arabischer Pop. Hoch in der Deckenwölbung winken Kaftane und Mäntel im Gegenlicht, schweben dort wie geisterhafte Manifestationen von Mary Poppins, heimtückisch lauernd, als wollten sie sich im nächsten Moment auf die Passanten stürzen, schon erstaunlich, was einen die von Fluchtimpulsen getriebene Fantasie alles sehen lässt.

Jetzt wird es eng. Richtig eng.

Und das ist gut so. Sie in dem Gewühl ausfindig zu machen, dürfte schwierig werden. Yael zeigt nach rechts, ein Lebensmittelmarkt, über dem die Markisen fast zusammenwachsen.

»Geht es da nicht zum Hussein-Platz?«

Richtig, zum Stadtzentrum mit seinen Taxis und Bussen. Schon einmal sind sie in einem Taxi entkommen, in Aschdod.

Sie drängen sich hinein.

Schritttempo.

Schneller kommt sie hier nicht voran. Mehr und mehr Menschen sind unterwegs, bunte Wimpelketten spannen sich über die Straße. Mit der Kupplung spielend fährt Cox unter Netzen prall voll neonfarbener Fußbälle hindurch. Gummitiere grinsen sie aus aufgerissenen Augen an, pisaschiefe Türme von Plastikspielzeug, Orgien in Babyblau und Rosa, globale Differenzen überbrückender Kitsch.

Kurz gerät der Helikopter in Sicht. Entfernt sich wieder.

Das Gedränge nimmt zu. Spült Cox auf eine Klamottenmeile. Textile Farbenpracht vor verwittertem Stein, schaufensterlose Schaufensterpuppen, die alle so arabisch aussehen wie die junge Grace Kelly, mit Stupsnasen und kornblumenblauen Augen. Eine Phalanx rumpfloser Köpfe, stereotype Mädchengesichter, auf denen Hidschabs in allen Farben und Designs drapiert sind. Leeren Auges starren sie ins Nichts wie enthauptete Feinde, linker Hand ein Gemüsemarkt.

Aha. Hier fängt die Lebensmittelabteilung an.

Adler sieht Hagen.

Kurz erscheint sein Kopf in der Menge, taucht wieder ab

»Da!«

Stößt den ZPS-Mann in die Rippen, streckt den Finger aus, und als hätte er eine unsichtbare Verbindungslinie aufgebaut, gerät Hagen erneut ins Blickfeld, dreht den Kopf –

Schaut dem Mann direkt in die Augen.

Scheiße.

Nur einmal hat er dieses Gesicht gesehen, für den Bruchteil einer Sekunde in einem heranrasenden Ford, doch den kantigen Schädel mit dem Schnurrbart würde er jederzeit wiedererkennen.

»Weg«, sagt er.

Yaels Blick flackert. »Wo?«

»Hinter uns. Nicht umdrehen.«

Er geht schneller, bahnt sich einen Weg, vorbei an einem Gewürzstand, gelbe, braune, rote und ockerfarbene Spitzkegel in offenen Säcken, umbaut von fragiler Souk-Architektur: Kochgeschirr, Küchenrollen, Katzenfutter, Kosmetikartikel, Windeln und etliches mehr, das ganze Konstrukt macht den Eindruck, als reiche ein Nieser, um es in sich zusammenstürzen zu lassen.

Dahinter eine schmale Gasse.

»Sie sind weg«, sagt der ZPS-Mann.

»Sind sie nicht!«

Adler pflügt mit rüder Gewalt durch die Menge, erntet Rippenstöße, teilt seinerseits welche aus. Stimmt, er sieht Hagen nicht mehr.

Aber er weiß, wo er ihn zuletzt gesehen hat.

Und wieder wird es einsam um sie herum. Keine Stände mehr, nur noch das verschwiegene Labyrinth. Vor ihnen steigt der Weg an, offene Türen, das dämmrige Innere einer Moschee, einladend, friedlich. Hagen unterdrückt den Impuls, hineinzulaufen. Alles, wo es hinten nicht wieder rausgeht, kann im Handumdrehen zur Falle werden.

Die Gasse gabelt sich.

V-förmig strahlen Treppenaufgänge ab.

»Links«, stößt Yael hervor im Moment, als er »Rechts« keucht.

»Okay, re –«

»Also gut, links.«

»Da sind sie rein.«

Gleich hinter den Gewürzsäcken und der abenteuerlichen Konstruktion aus Waren, wirklich abenteuerlich. Der ZPS-Mann kriegt die Kurve nicht, bringt Kasserollen und Pfannen, Papierrollen, Seife, Parfums, Pampers, Shampoo, Handmixer und Haartrockner aus ihrem Gleichgewicht des Schreckens. Mit ohrenbetäubendem Lärm prasselt alles auf sie hernieder, ein Karton Aspirin entleert sich in einen Sack Curry, Zahnbürsten bohren sich in gemahlenen Koriander, eine Saftpresse landet in Kurkuma und hüllt sich in eine giftgelbe Wolke. Adler weicht knapp einer Personenwaage aus, die am Boden zerschellt, flucht.

»Idiot! Weiter!«

Der Händler packt ihn an der Jacke und schimpft auf ihn ein.

Adler hält ihm die Waffe unter die Nase.

»Kann ich in Blei zahlen?«

Der Mann lässt ihn los, stolpert zurück.

Cox sieht den Tumult vom anderen Ende der Marktstraße, Menschen, die stehen bleiben.

Adlers viereckiges Brian-Dennehy-Gesicht.

»Das kann ja wohl nicht wahr sein.«

Der Aufstieg endet an einem offenen Tor, dahinter ein Innenhof von immensen Ausmaßen, menschenleer.

Jetzt sitzen sie in der Falle.

»Zurück?«

»Da laufen wir denen in die Arme.«

Also hinein.

Die Anlage wirkt imposant. Pontius Pilatus, denkt Hagen, genauso hat er sich als Kind die Residenz des römischen Statthalters vorgestellt. Quadratisches Atrium, umschlossen von Fassaden. Selbst im Zustand des Verfalls strahlt der Bau imperiale Macht aus. Das Erdgeschoss scheint intakt, massive tragende Konstruktionen, durchsetzt von Rundbögen, über die sich offene Säulengänge ziehen. Zwischen den schlanken Pilastern fehlt streckenweise das Dach. Baumaterial lässt auf Restaurierungsarbeiten schließen, Betonmischer, Sandhaufen, Gerüste.

Seitlich des Tors eine Treppe.

Yael ist schon auf dem Weg nach oben.

»Da sitzen wir erst recht in der Falle«, zischt Hagen.

Sie zeigt auf die Baugerüste, die das torwärts gelegene Obergeschoss einfassen und über die Dachkante hinausragen.

»Von dort kommen wir auf die andere Seite.«

Stimmt, gar keine schlechte Idee, zumal der Helikopter ein beträchtliches Stück entfernt klingt. Wenn über die Dächer, dann jetzt. Er folgt ihr, sie laufen die Balustrade entlang, erster Knick, zweiter Knick, jetzt liegt das Hofportal gegenüber, wenige Schritte noch zum Gerüst. Auf einer Strecke von mehreren Metern ist der Boden eingebrochen, brüchig aussehende Planken überbrücken den zerstörten Teil –

Hagen stoppt, lauscht.

Schritte nähern sich von der Gasse.

»Runter!«

Lässt sich fallen. Die Planken schwingen bedenklich, aber wenigstens sind sie hinter dem Geländer außer Sicht. Eine Spalte klafft im Mauerwerk. Er robbt bäuchlings voran, lugt hindurch. Sieht einen Ausschnitt des Atriums daliegen, dann tauchen der Vierschrötige und ein weiterer Mann unter dem Torbogen auf und betreten den Hof.

Kommen näher.

Verschwinden aus seinem Blickfeld.

Unterhalten sich gedämpft. Hagen schaut Yael fragend an.

»Sie sind uneins«, wispert sie. »Der eine will hier nach uns suchen. Sein Kumpel meint, wir wären in die andere Gasse gelaufen.«

Tja, denkt er.

Wären wir das bloß mal.

Cox passiert den zusammengestürzten Stand, fängt melodiöse Flüche auf. Der Händler erklärt den Umstehenden, der Kerl habe ihm eine Waffe unter die Nase gehalten, springt wild umher im Versuch, die Szene nachzuspielen. Er spricht das Arabisch der Region. Slang, aber Cox versteht ihn.

»Da! Da sind sie rein!«

Ein paar Leute gehen halbherzig in die Gasse, drehen sich auf der Stelle. Gesten der Ratlosigkeit.

Cox fährt an ihnen vorbei.

»Ric, ich hab Adler irgendwo vor mir. Verstärkung wäre gut.«

»Wo sind Sie?«

»Am Souk.«

Perlman löst seinen Blick von den Dächern und ruft Dreyfus, während der Hubschrauber sich auf der Stelle dreht.

»Sind Sie zufällig in der Nähe des Souks?«

»Mittendrin.«

»Cox braucht Unterstützung.«

»Wo ist sie?«

»Shana? Können Sie es genauer beschreiben?«

Schwierig, in dieser Altstadt gibt es kaum Straßennamen. Nur Codierungen alteingesessener Klans, geheime Zeichen des Widerstands.

»Seitlich vom Lebensmittelmarkt. Dort, wo ich abgebogen bin, ist ein Stand in sich zusammengefallen, immer dem Spektakel nach.«

»Wir kommen. Reuben?«

Dreyfus lauscht der Beschreibung.

Sollte kein großes Problem darstellen. So viele Stände werden in den letzten Minuten nicht kollabiert sein. Augenblicklich steht er vor einem Gemischtwarenladen, genauer gesagt, der Ausstülpung eines Gemischtwarenladens. Die Waren ragen bis weit in die Straße hinein, im einzigen offenen Raum hockt der Händler zwischen bis unter die Decke gestapelten Kisten, Körben, Paletten und Säcken.

Dreyfus lächelt ihn an.

»Wo bitte ist der Lebensmittelmarkt?«, fragt er auf Arabisch.

Eine Hand fährt hoch, weist mit schwungvoller Geste den Weg.

Der Vierschrötige und sein Helfer durchkämmen das Erdgeschoss. Sind jetzt direkt unter ihnen. Schulter an Schulter liegen sie auf den Planken, so dicht, dass Hagen Yaels Atem hören kann.

Die Männer reden.

Ich Idiot, schießt es ihm durch den Kopf. Die Waffe in den Rucksack zu packen, statt sie in den Hosenbund zu stecken, wie soll ich jetzt drangelangen, ohne dass sie unten die Ohren spitzen?

Er meint das Wort *Balustrade* herauszuhören.

Sie kommen hoch.

Cox erreicht eine V-Kreuzung, Treppen zu beiden Seiten. Mist! Unentwegt muss man sich entscheiden, wie wär's mal mit Münze werfen?

Vorhin ist sie rechts abgebogen, und das war verkehrt.

Links.

Ein Handy dudelt unter ihnen los.

Der Vierschrötige geht ran.

Spricht nicht viel, sagt nur mehrfach »Ken!«, eines der paar hebräischen Wörter, die Hagen kennt.

»*Ken. Ken!* – Ja. Ja!«

Sein Kumpel stellt eine Frage, der Vierschrötige antwortet, erklärt ihm etwas, stapft auf den Hof und gerät wieder in Sicht. Der andere läuft Richtung Treppe. In fliegender Hast streift Hagen den Rucksack von den Schultern, greift hinein, bekommt die Waffe am Lauf zu fassen. Gleichmäßig verteilt sich das Wummern des Hubschraubers über den Himmel, schwer zu sagen, wo er ist, aber er klingt wieder näher.

Und noch etwas nähert sich.

Das schon vertraute, sonore Organ des Vierzylinders.

Schwillt an –

Dann jagt die Maschine auf den Innenhof.

Cox sieht Adler erstarren.

Seine Waffe hochziehen.

Tief geduckt rast sie auf ihn zu, doch der Rakas hat seine Lektion gelernt. Er hechtet zur Seite und lässt sie ins Leere stoßen. Cox reißt den Lenker herum, nimmt ihn erneut aufs Korn, volles Tempo. Adler strauchelt, springt aus dem Weg. Knapp schießt sie an ihm vorbei, dreht das Motorrad in einem Fächer aus aufspritzendem Sand.

Steht.

Sieht den anderen Mann am Treppenabsatz.

Auf sie anlegen.

Fördert ihre Beretta zutage und feuert in schneller Folge, schickt ein halbes Magazin auf die Reise. Treffer schütteln den Killer durch. Er krümmt sich, kippt mit dem Gesicht voran die Stufen hinab –

Und da ist Adler schon bei ihr und hebelt sie mit der ganzen Wucht seines Gewichts vom Bock.

Cox schlägt auf den Rücken.

Die Waffe entgleitet ihr.

Er kickt sie weg, richtet seine auf ihren Kopf.

»Miststück! Du gottverdammtes Miststück!« Seine Stimme überschlägt sich vor Wut. »Wir lassen uns das von dir nicht kaputt machen, denkst du, wir haben jahrelang –«

Ein Schuss schallt über den Hof.

Adler taumelt.

In seiner Brust klafft ein Loch. Sein Blick wandert zum Tor, und ein eigenartiger Ausdruck tritt in seine Augen.

»Aber –«

Versucht, die Waffe in Anschlag zu bringen. Es knallt ein weiteres Mal, und diesmal sitzt das Loch sauber in der Herzgegend. Der Kiefer des Rakas klappt herunter. Er sieht aus, als wolle er etwas von großer Bedeutung äußern, dreht sich und fällt tot in den Sand.

»Alles okay?«

Dreyfus kommt herübergelaufen.

Sie springt auf, nimmt den Helm ab.

»J – ja«, stammelt sie. »Danke. Danke!«

Der Leiter der Jewish Division starrt auf Adlers Leiche.

»Ich glaube es nicht«, sagt er leise. »Ich glaube es immer noch nicht.«

»Da rein«, flüstert Hagen.

Ein offener Durchgang führt ins Obergeschoss. Der Helikopter nähert sich rasch, sie müssen zusehen, dass sie von der Balustrade verschwinden.

Yael kriecht ihm voraus ins schattige Innere.

Er folgt ihr.

Keine Sekunde zu früh.

Die Rotoren wirbeln Sand und Steine auf, fegen die Atriummitte blank. Noch während die Kufen aufsetzen, springt Perlman nach draußen.

Cox berichtet.

Dreyfus liefert die bittere Schlusspointe.

Schusspointe, denkt sie. Fragt sich, wie es dem Leiter der Jewish Division jetzt geht, doch im Grunde kennt sie die Antwort. Wie soll es schon jemandem gehen, der gerade seinen Kumpel erschießen musste, und wenn der tausendmal ein Verräter war?

Agenten verfrachten die Leichen in den Helikopter, vom Portal klingen Stimmen auf. Polizei stürmt herein. Palästinenser. Schreien rum, ein überfälliger Besuch. Gleich wird es hier richtig lustig werden.

Perlman seufzt.

»Wir regeln mal eben die Kompetenzfrage, dann nehmen wir uns den Komplex vor.«

Hagen taxiert den Raum. Unverputzte Wände, Stahlträger stützen die Decke, eine Metallstiege führt hinab.

Er setzt einen Fuß auf die oberste Sprosse.

Lautes Knacken.

Spannung löst sich im Metall. Auf Katzenpfoten schleichen sie nach unten. Draußen tagt das große Aufgebot, die Flucht übers Dach hat sich erledigt, aber vielleicht gibt es ja einen Hinterausgang. Durch die offenen Rundbögen kann man hinaus in den Hof sehen, allerdings auch von dort zu ihnen hinein. Wenn jetzt einer rüberschaut, sind sie geliefert.

Yael zeigt auf einen Durchbruch.

»Hinterzimmer«, flüstert sie.

Huscht ihm voraus. Im rückwärtigen Teil ist es dämmrig. Kühle Moderluft schlägt ihnen entgegen, Aromen von Verfaultem, feuchter Erde, bakteriellem Wirken. Irgendwo wird ein Tierkadaver zersetzt. Was auf den ersten Blick Schutz verheißt, entpuppt sich auf den zweiten als Gefängnis – lediglich ein paar Scharten zur Belüftung, zu eng, um hindurchzugelangen, zudem in unerreichbarer Höhe.

Hier sitzen sie fest.

Yael umrundet eine Pfütze. Ein schwarzer Spiegel, ein geheimes Tor. Hagen stellt sich vor, hineinzutreten und verschluckt zu werden, um in einer anderen Welt wieder zum Vorschein zu kommen. Ein noch dunklerer Nebenraum saugt seinen Blick in sich hinein, Stufen, verschüttet, führen in ungewisse Tiefe. Sie steigen hinab. Es dauert einige Sekunden, bis sich Hagens Augen ans Zwielicht gewöhnt haben. Er sieht eine Grube klaffen, umstanden von Halogenlampen auf Ständern, um die Szenerie zu beleuchten, wenn hier gearbeitet wird.

Geht bis an den Rand.

Drei Meter, schätzt er. Eher mehr. Kisten voller Tonscherben schälen sich aus der Dunkelheit, buddeln hier Archäologen? Als einzige Verbindung zum Grund dient eine Leiter. Ein hölzerner Laufsteg führt über die Grube hinweg zur rückwärtigen Wand.

Und dort –

Ist eine Tür.

Cox sieht zu, wie Perlman auf die Beamten einredet, Gesten der Besänftigung vollführt.

Plötzlich steht sie alleine da.

Niemand, der etwas von ihr will.

Sie dreht sich um und betritt das Gebäude. Eine Flucht, licht und leer. Gerüste, Verstrebungen, metallene Stiegen, die ins Obergeschoss führen. In einer Ecke stapeln sich Zementsäcke. Allenfalls Ratten würden dahinter Platz finden.

Augenscheinlich ist niemand hier.

Vielleicht oben?

Sie zögert.

Ihr Blick fällt auf den Durchbruch zu den hinteren Räumen.

Yael huscht über den Steg. Zerrt an der Tür, roh zusammengehauene Bohlen, prompt jagt sie sich einen Splitter in den Daumen. Oh, Mist, das tut weh. Zu weh, um den Schmerzenslaut zu unterdrücken, der in die tropfnasse Stille entweicht –

(Ruhig. Cool bleiben.)

Schafft es, die Tür aufzustemmen, verräterisch schürfen die Bohlen über den Boden.

Frische Luft strömt herein.

Na also. Eine Passage erstreckt sich da, niedrig, schnurgerade und lang. Weit hinten fällt Tageslicht auf eiserne, ins Mauerwerk getriebene Sprossen. Ein Geheimgang wie aus dem Bilderbuch.

Sie dreht sich zu Hagen um, reckt den Daumen. Sieht ihn kaum. Die Dunkelheit lässt ihn mit dem Keller verschmelzen.

Dafür zeichnet sich die Silhouette auf der Treppe umso klarer ab.

Cox steigt die Stufen hinab.

Die Frau auf der anderen Seite des Raumes starrt wie paralysiert zu ihr herüber. Sie sollte Perlman rufen, stattdessen hebt sie beide Hände, einem spontanen Impuls folgend, die Frau zu beruhigen, und zeigt ihre leeren Handflächen.

»Schon ganz gut«, sagt eine Männerstimme hinter ihr.

Scheiße.

»Höher mit den Händen.«

Gehorcht. Mann, was ist sie doch für eine dämliche Kuh! Plemplem, Shana? Keine Waffe im Anschlag, Raum nicht gesichert – nur blutige Anfänger machen solche Fehler.

»Ich sage das jetzt nur ein einziges Mal, und auch nur, damit Sie hinterher nicht behaupten können, ich hätte sie nicht gewarnt.« Er flüstert, Sätze wie Windstöße. »Wenn Sie hier irgendwas versuchen, werde ich schießen. Ich werde Sie vielleicht nicht *er*schießen, aber es wird verflucht wehtun, und mindestens werden Sie danach eine Weile nicht gehen können. Nicken Sie, wenn Sie das verstanden haben.«

Cox neigt den Kopf.

»Headset runter. Wegwerfen.«

Sie war schon in besseren Verhandlungslagen, also folgt sie auch dieser Anordnung. Zerrt an dem Kabel, reißt es unter der Motorradmontur heraus und lässt alles zu Boden fallen.

»Waffe rausholen. Fallen lassen.«

Die Beretta schlittert über den Stein.

»Tom Hagen«, sagt sie. »Lernen wir uns endlich mal kennen.«

»Schscht. Sind Sie allein?«

»Draußen –«

»Ich weiß, wer draußen ist.«

»Ja. Ich bin allein.«

»Wie heißen Sie?«

»Shoshana Cox. Agentin des Schin Bet.«

»Ah.« Kurze Pause. »Da lag ich ja gar nicht so verkehrt mit meiner Vermutung. Waren das Ihre Leute, die meinen Freund und mich in Jerusalem überfallen haben?«

»Nein. Wir sind die Guten.«

»Bullshit!« Eine Welle unterdrückten Zorns erreicht sie. »Ihr habt ihn gefoltert und getötet, zwei Mädchen ermordet –«

»Das waren nicht wir.« Wie eine Idiotin steht sie hier, warum bloß hat sie niemanden mitgenommen? »Sie wurden abgehört, Sie blöder Schussel. Wir jagen Sie, stimmt, wir können Sie ja schlecht mit Staatsgeheimnissen rumlaufen lassen, aber ich schwöre, wir haben weder ihrem Freund noch den Mädchen etwas angetan.«

»Wer dann?«

»Die anderen.«

»Welche anderen?«

»Die Sie damit aufgeschreckt haben, Sie hätten Beweise für einen Anschlag auf Scharon.« Fast muss sie lachen. »Die *uns* abhören.«

Also doch. Er hat in ein Wespennest gestochen, und die Wespen haben ihre Stachel ausgefahren. In dieser Sekunde bewahrheiten sich seine schlimmsten Vermutungen.

»Sie meinen – es stimmt?«

»Offenbar.«

Hagen betrachtet sie. Groß, breites Kreuz. Eine Samtschicht aus Haar bedeckt ihren Schädel. Er kennt etliche Männer, mit denen er sich jetzt lieber anlegen würde. Eindringlich ist ihm in Erinnerung, wie sie den Häscher auf dem Friedhof ausgeschaltet, den anderen von der Treppe geschossen, den Vierschrötigen attackiert hat.

Eindeutig war sie nicht auf *deren* Seite.

Ebenso wenig dürfte sie auf unserer sein, denkt er.

Yael balanciert über den Steg zurück.

»Haben dieselben Leute versucht, mich zu entführen?«, fragt sie.

»Ja.«

»Yossi ermordet?«

»Wahrscheinlich. Hören Sie –«

788

»Still.« Hagen überlegt. Sie müssen diese Frau ausschalten. Eine Weile kaltstellen, damit ihnen Zeit zur Flucht bleibt. Sein Blick fällt auf die Enden der Holzleiter, die aus der Grube ragen.

»Steigen Sie da runter.«

»Wie bitte?«

»Sie haben mich verstanden.«

Ausgetrickst zu werden ist schon schlimm genug, das hier ist regelrecht demütigend. Kaum ist sie am Boden angelangt, argwöhnisch verfolgt vom stumpfen Auge des Pistolenlaufs, zieht Kahn die Leiter hoch. Da steht sie nun ohnmächtig im Matsch und muss zusehen, wie die beiden über den Steg auf die andere Seite wechseln.

Und plötzlich wird ihr etwas klar.

Als ginge die liebe Sonne auf.

Sie meinen – es stimmt?

»Sie haben überhaupt keine Daten über Scharon, Hagen.«

Er bleibt stehen. Selbst in der Dunkelheit kann sie sehen, dass der Schuss saß.

»*Darum* ist Silberman mit dem Geld abgehauen«, legt sie nach. »Weil er wusste, dass auf den CDs nichts drauf war, was 25 000 Dollar wert wäre. Nur einer kann Ihnen von dem Anschlag erzählt haben.« Richtet den Finger auf die Ärztin. »Sie.«

Yaels Blick ruht – nein, lastet auf ihm. Wenn sie eines weiß, dann, dass *sie* nicht Hagens Informantin ist. *Er* hat ihr von dem Anschlag erzählt und behauptet, Beweise fänden sich auf den CDs. Sie hat ihm lediglich die Bestätigung geliefert.

Soll er es zugeben? Abstreiten?

»Das reicht jetzt.« Er tritt an den Rand der Grube. »Sorgen Sie dafür, dass die anderen uns in Ruhe lassen.«

»Das kann ich nicht.« Cox schüttelt den Kopf. »Nicht, solange Sie fliehen. Kommen Sie zur Besinnung, Hagen! Die hetzen Sie bis ans Ende der Welt. Helfen Sie uns, die Schweine zu kriegen, und wir vergessen die Sache mit dem Ankauf.«

Er zögert. Verlockend, nicht länger um sein Leben laufen zu müssen, andererseits –

»Verstehen Sie doch! Ich kann Sie nur schützen, wenn Sie kooperieren.«

»Schützen Sie Yael.«

»Dafür muss sie aussagen.« Cox reckt den Hals. »Frau Kahn? Wir handeln etwas aus. Einen Deal.«

»Sie hat nichts auszusagen. Sie war nicht mal in Scharons Nähe.«
Cox macht runde Augen. »Hat Sie Ihnen das erzählt?«
Er schweigt.
»Sie wussten nicht, dass sie Scharons persönliche Krankenschwester war? Dass sie zweimal am Tag zu ihm rausgefahren ist, um ihn medikamentös zu versorgen?«
Das war nicht sie, liegt es ihm auf der Zunge zu sagen, das war Yossi Backenroth.
Aber was weiß er schon?
»Yael?« Er wendet den Kopf.
Yael ist verschwunden.

Einen Moment schien es, als sei sie zu ihm vorgedrungen. Dann wendet er sich ohne ein Wort ab.
»Hagen! Nein! Warten Sie.«
Er zögert.
»Helfen Sie uns. Bitte. Die haben irgendwas vor. Wir müssen wissen, was die planen.«
(Nicht lockerlassen. Wenn du ihn jetzt verlierst –)
»Wie kommen Sie darauf, ich könnte irgendwas wissen?«
»Sie wussten auch über Scharon Bescheid.«
»Gar nichts wusste ich.«
Sie verliert ihn.
»Tom! Können Sie sich Nummern merken?«
Er schweigt.
»Meine Handynummer.« Nennt ihm die Zahlen. »Rufen Sie mich an, wenn Ihnen etwas einfällt. Helfen Sie uns, die zur Strecke –«
Er ist schon weg.

Katakomben durchsetzen Nablus, dass man sich fragt, warum die komplette Stadt nicht längst eine Etage tiefer gestürzt ist. Viele der Gänge und Gewölbe wurden erst während der Intifadas gegraben (der palästinensische Untergrund ist wörtlich zu nehmen), dieser Tunnel dürfte um einiges älter sein. Beinahe romantisch, sich vorzustellen, wer da schon alles durchgeschlichen ist, nur dass Hagen nach Romantik gerade nicht der Sinn steht.
Er läuft bis zum Ende.
Die Sprossen führen ins Licht.
Ein Gitter, zur Seite geschoben –
Ein kleiner, unkrautüberwucherter Innenhof, nur Mauern, keine Tü-

ren. Hermetisch abgeschlossen. Kann nicht sein, denkt er. Yael ist nicht *The invisible Woman.*

Dann sieht er den Schatten, wo zwei Mauerstücke aneinandergrenzen, nein, einander überlappen.

Dahinter ein Spalt.

Quetscht sich hinein.

Cox braucht zwei Anläufe.

Beim dritten Mal gelingt es ihr. Streckt die Arme, federt ab, bekommt die Kante des Stegs zu fassen und zieht sich in einer einzigen, schwungvollen Bewegung nach oben.

Da liegt ihre Waffe.

Ihr Headset.

Nimmt beides an sich, läuft zurück über den Steg und in den Gang hinein.

Das hier ist eindeutig nichts für Klaustrophobiker.

Immer näher rücken die Wände, wie durch einen Geburtskanal kämpft sich Hagen voran. Endlich öffnet sich der Spalt, führt auf eine leere Gasse, die ihm seltsam vertraut erscheint.

Dann fällt es ihm ein.

Sie waren schon einmal hier. Gestern.

Mit Mansour.

Er hält Ausschau nach Yael, nicht wirklich in Erwartung, sie zu sehen. Fragt sich, was das vorhin sollte.

Warum ist sie abgehauen?

Später. Cox macht ihm nicht den Eindruck, als könne man sie lange in einer Grube gefangen halten. Er läuft die Gasse hinab, ruft sich den Weg ins Gedächtnis. Wenn er nicht irrt – links.

Und wieder rechts.

Cox schiebt sich durch den Spalt.

Was waren das bloß für Menschen, die so was gebaut haben? Oder verhält es sich mit Mauern wie mit Erdplatten, und sie bewegen sich mit der Zeit aufeinander zu?

In der Gasse niemand.

Etliche Möglichkeiten, sich davonzumachen.

Sie ist des Lotteriespiels überdrüssig. Man muss wissen, wann man verloren hat. Zuckt die Achseln und tritt den Rückweg an.

Mansours Geburtshaus, das Kontor mit dem Mühlstein im Herzen –
Dort liegt es.
Unter dem Mauerbogen.
Frauen kommen ihm entgegen, mit Einkaufstüten bepackt. Kein Un-
terschied zu gestern. Derselbe schiefergraue Lieferwagen, so dicht an
die Fassade gequetscht, dass kaum eine Hand dazwischenpasst. Auch
hier sitzt ein alter Mann mit Kufiya auf einem Plastikstuhl und scheint
damit zufrieden, den Kindern beim Spielen zuzuschauen.
Ob man solche alten Männer irgendwo bestellen kann? In Katalogen
zur Ausschmückung arabischer Altstädte?
Greis, wetterfest, komplett mit Plastikstuhl zum Aktionspreis von –
Hagens Lippen bewegen sich mechanisch, während er auf den Mau-
erbogen zugeht, murmeln irgendetwas vor sich hin, bis es ihm plötz-
lich auffällt.
Cox' Telefonnummer.
Er drückt die Klinke.
»Hallo?«
Niemand da, doch die Deckenbeleuchtung brennt. Zieht die Tür hin-
ter sich zu, wählt Mansours Nummer.
Und jetzt der Gag: Mansour hat von ihrer wilden Flucht nicht das
Geringste mitbekommen. Er ist in seiner Fabrik und denkt, sie hocken
immer noch gemütlich auf ihren Matratzen.
»Das ist ja entsetzlich!«, sagt er. »Wie konnten die euch finden?«
»Frag mich was Leichteres.« Hagen überlegt. »Wenn bislang keiner
bei euch aufgekreuzt ist, wissen sie offenbar nicht, dass ihr uns helft.«
»Noch nicht.«
»Wir mussten unsere Sachen dalassen.«
»Ich rufe Hanaan an. Sie lässt alles verschwinden.«
»Am besten schnell.«
»Klar. Wo ist Yael?«
»Abhanden gekommen. Ich versuche sie zu erreichen. Hör zu, Man-
sour, ich bin in eurem alten Kontor –«
»Ah! Sehr gut. Ist mein Bruder da?«
»Niemand ist hier.«
»Bleib dort. Ich gebe ihm Bescheid.«

Hagen wählt Yaels Prepaid-Phone-Nummer. Sie geht nicht ran. Die
Tür schwingt auf, und einer von Mansours beleibten Brüdern betritt
das Lager. Der Ausdruck des Wiedererkennens tritt auf sein Gesicht. Er
lächelt. Ja, Mansour habe ihn instruiert.

Und ob er einen Tee wolle.

Tee. Der süße, heiße Trost.

Der Bruder gießt karamellfarbene, dampfende Flüssigkeit in die Gläser, stellt sie auf den wackligen Schreibtisch, während Hagen es wieder und wieder bei Yael versucht.

Endlich erklingt ihre Stimme in der Leitung.

»Gott sei Dank. Wo bist du?«

»In einem Bus.«

Hagen fällt ein Stein vom Herzen, was wenig daran ändert, dass er stocksauer auf sie ist.

»Bus wohin?«

»Weiß nicht. Bin gerannt, und plötzlich stand ich auf diesem Platz, du weißt schon, Hussein-Platz, glaub ich, und da fuhr gerade einer ab. Ich bin einfach reingesprungen.«

Vielleicht gar nicht so schlecht. In einem Bus, ganz gleich, wohin er fährt, dürfte sie sicherer sein, als irrte sie weiter durch die Straßen.

»Warum bist du abgehauen?«

»Warum hast du mich belogen?«

»*Ich dich?* Doch wohl eher umgekehrt.«

Schweigen.

»Du hast mir weisgemacht, Backenroth sei zu Scharon –«

»Ist er ja auch!« Ihre Stimme zittert, vor Angst, Wut, Verzweiflung? »Ich sollte den Pflegedienst übernehmen, aber schon am zweiten Tag wurde ich krank. Durchfall, Erbrechen, die haben mir irgendwas verabreicht. Yossi übernahm, danach war ich raus.«

»Warum wusste Cox nicht davon?«

»Wahrscheinlich, weil sie den Dienstplan damals nicht nachträglich geändert haben.«

»Und das soll ich dir glauben?«

»Mir doch scheißegal, was du glaubst.« Jetzt klingt sie nur noch erbittert. »Ich hab dir vertraut, Tom. Ich hab dir erzählt, was war, kannst du dir vorstellen, wie mich das verfolgt? Dass ich es nicht verhindern konnte? Und jetzt –«

»Yael –«

»Die *jagen* mich, verdammt! Und du verkaufst mich an den Schin Bet?«

»Ich hab dich nicht verkauft.«

»Du warst drauf und dran, dich auf einen Deal einzulassen.«

»Spinnst du? Ich will dich in *Sicherheit* bringen.«

Sie atmet schwer. »Ist es wahr, was die sagt?«

»Wer?«

»Die Agentin. Dass du gar keine Daten hast.«

»Ich hab welche.« Er seufzt. »Aber nicht über Scharon.«

»Woher wusstest du dann –«

»Ich wusste es nicht.« Fährt sich über die Augen, schauderhaft fühlt er sich. Mickrig. »Ich hab's erfunden.«

»Du hast es erfunden?«, wiederholt sie schwach.

»Ja. Und es tut mir leid. Es tut mir unendlich leid, Yael.« Er spürt, wie Tränen hochdrängen, kämpft sie runter. »Krister ist meinetwegen gestorben – die Mädchen – ich hab dich mit reingezogen –«

Die Verbindung bricht ab.

Na super.

Hagen starrt in den neonhellen Lagerraum. Trinkt seinen Tee.

Zwei Minuten später ruft sie wieder an.

»Ich sitze im Bus nach al-Bira«, sagt sie, als hätte der letzte Teil der Unterhaltung nicht stattgefunden.

»Bleib erst mal drin. Vielleicht hat Mansour eine Idee.« Er geht die Möglichkeiten durch. »Ich denke, sein Plan kann immer noch funktionieren.«

»Was hat diese Agentin sonst noch gesagt?«

»Sie will unsere Hilfe.«

Yael senkt die Stimme: »Ich hab was gehört.«

»Wann?«

»Vorhin. Auf der Balustrade. Als der Schnurrbart telefoniert hat. Du weißt schon, direkt unter uns. Er sagte, Absalon habe mit Daniel gesprochen. Die Aktion sei vorgezogen. Auf morgen.«

»Welche Aktion?«

»Weiß ich nicht. Er sagte dann noch, auch für morgen sei ein Start anberaumt, und der Container stehe bereit, nämlich in – warte mal – mir fällt der Ort nicht ein. So ähnlich wie hinter den fünf Samaritern.«

»Hast du eine Ahnung, was er damit meinte?«

»Nicht die geringste, das heißt – ich bin verwirrt. Seit Nablus hab ich das Gefühl, in einer Art Déjà-vu festzustecken.«

»Versuch dich zu erinnern. Was kam dir bekannt vor?«

»Ich weiß es nicht.«

»Alles kann uns helfen.«

»Vielleicht hätte ich der Agentin davon erzählen sollen.«

»Yael.« Er fasst einen Entschluss. »Bleib in dem Bus. Ich melde mich so bald wie möglich wieder.«

»Tom –«

Er wartet.

»Ich weiß, du hast das alles nicht gewollt.«

»Nein.« Nur zu viel riskiert, auf Kosten anderer. Mal wieder.

»Es tut mir leid«, sagt sie. »Wegen vorhin.«

»Hauptsache, du bist in Sicherheit.«

In einem arabischen Bus auf dem Weg in eine arabische Stadt. Ohne Freunde. Sicherheit ist relativ.

»Mein Fehler«, räumt Perlman ein. »Wir hätten den Komplex sofort durchkämmen müssen.«

»Nein.« Cox. »Der Fehler war, ohne Rückendeckung reinzugehen.«

Dreyfus äußert seinen Frust, Adler aufgesessen zu sein.

»Jahrelang. Ohne was zu merken. *Irgend*was.«

»Sind Sie fertig?«, fragt der Direktor.

Sie sitzen im Helikopter. Blitzkonferenz. Zugeschaltet ist die oberste Heeresleitung. Die Komprimierung nimmt dem Direktor einen Teil seiner stimmlichen Modulation, was ganz gut ist in der emotional aufgeladenen Lage.

»Geißeln können Sie sich später. Schauen wir auf die Haben-Seite. Adler ist enttarnt. Wenn ich das richtig sehe, verdanken wir das Ihrer Insubordination, Cox?«

»Ich wünschte, ich hätte mich geirrt.«

»Wir wünschen alle, wir hätten uns geirrt. Unentwegt. Berufskrankheit. Die Interne wird Adlers Umfeld in Atome zerlegen, seine Fälle zerpflücken, Probleme damit, Dreyfus?«

»Nein.«

»Sezieren Sie sein privates Milieu. Wir können davon ausgehen, dass er seit Jahren Aktionen des Jüdischen Untergrunds gedeckt hat.«

»Ja«, sagt Perlman. »Sie sind wieder da.«

Der Direktor schnaubt. »Die waren nie weg. Zecken hängen jahrelang reglos im Baum. Bis jemand drunter hergeht, dessen Blut sie wollen, also wer ist unter dem Baum hindurchgegangen?«

»Im Augenblick wissen wir nur, dass sie die Spuren von 2005 verwischen«, sagt Ben-Tov.

»Nein.« Perlman schüttelt den Kopf. »Die planen was Neues. Die drehen durch. Ihre schlimmste Angst ist, in dieser Phase über die Vergangenheit zu stolpern.«

»Es gibt einige, die unterm Baum durchgehen«, sagt Dreyfus. »Abbas zum Beispiel mit seiner UN-Initiative. Wenn die ihm seinen Beobachterstatus verleihen, kann Bibi sich auf den Kopf stellen, dann muss er Friedensverhandlungen zustimmen. Der internationale Druck wird dann einfach zu groß.«

Und nichts fürchtet die religiöse Rechte mehr als Friedensgespräche.

Rückgabe von Land.

Auflösung von Siedlungen.

»Sie wollen die Entwicklung zurückwerfen«, sinniert Perlman.

»Adler hat was gesagt, bevor Reuben ihn ausschaltete«, mischt Cox sich ein. »*Wir lassen uns das von dir nicht kaputt machen. Denkst du, wir haben jahrelang –*«

»Jahrelang was?«, fragt der Direktor.

»Peng. Tot.«

Denkst du, wir haben jahrelang auf diesen Moment hingearbeitet, damit du es jetzt verdirbst?

Hat Adler das sagen wollen?

»Gut, entwickeln Sie Szenarien. Was planen die, wann, wo, warum? Neuigkeiten aus Nablus?«

»Zweiter Helikopter ist unterwegs«, sagt Ben-Tov.

»Halten Sie bloß die Armee da raus.«

»Um Himmels willen. Wir wollen doch keine dritte Intifada vom Zaun brechen.«

»Sind Sie mit der PA im Reinen, Ric?«

»Sie stellen uns Beamte an die Seite.«

»Die wissen hoffentlich nicht, wen wir –«

»Natürlich nicht.«

Man kann sich auch ein Problem basteln. Arabische Polizisten mit Hagens Steckbrief ausstatten, und dann läuft er denen in die Arme. Die PA würde vor Freude Flickflack schlagen über das Gottesgeschenk. Zwei CDs packevoll mit Schin-Bet-Daten.

»Sie passen auf, dass wir bei unseren Ermittlungen keine Kinder fressen. Das ist alles. Eli, wann trifft die Verstärkung ein?«

»Müsste gleich da sein.«

»Andere Frage«, sagt der Direktor. »Wie sind Hagen und die Ärztin überhaupt nach Nablus gelangt?«

Noch anders gefragt, wer hat ihnen geholfen?

Wären sie in einer Siedlung untergekrochen, niemand hätte sich gewundert. Aber Nablus?

»Das Haus«, sagt Cox. »Ich glaube, ich weiß, in welchem Haus sie sich versteckt hielten. Adler war fast schon an der Tür.«

»Gut.« Perlman reckt die verkrampften Glieder. »Das ist doch immerhin was. Machen wir einen Hausbesuch.«

Hagen trinkt Tee. Jedes Glas scheint süßer als das vorherige. Draußen knattert der Helikopter. Anschwellend, abschwellend. Zieht seine Runden, fast kommt es ihm vor, als wären da zwei.

Endlich meldet sich Mansour, den Umständen entsprechend zufrieden.

»Sie sitzt im richtigen Bus. Noch zweimal umsteigen.«

»Wohin?«

Hagen tigert durch das Lager, während Mansours Bruder mit einem Besucher Backgammon spielt. Reglos wie Eidechsen hängen sie über dem Brett und bedenken ihre Züge. Dem Nervenbündel im Hintergrund schenken sie keine Beachtung.

»Nach Bait Sahur. Wenige Kilometer von Bethlehem. Der Cousin eines meiner Geschäftsfreunde führt dort ein Gästehaus. Ein Christ. Yael wird die Nacht da verbringen, alles ist arrangiert. Soll heißen, wir ändern den Plan geringfügig. Du bleibst, wo du bist. Am Abend bringe ich dir deine Sachen und Bettzeug.«

Hagen schaut sich um.

Er sieht nichts, was einem Bett ähnelt.

»Man schläft ausgezeichnet auf Sesamsäcken«, sagt Mansour in luzider Voraussicht.

»Woher weiß Yael, wie sie in dieses Gästehaus kommt? Oder überhaupt bis Bait Sahur?«

»Weil sie mir wie du ihre Nummer gegeben hat. Ich hab sie angerufen.«

»Geht es ihr gut?«

»Mach dir mal keine Sorgen.«

»Und weiter?«

»Morgen Mittag fahren wir beide zu ihr. Dort rufe ich euch ein Taxi, das bringt euch in die Nähe von Schima, wo euch Davids Freund abholt, über die Grenze ins Kernland und wie vorgesehen nach Eilat schmuggelt.«

Klingt fast zu reibungslos, um wahr zu sein.

»Danke.«

»Dankt mir, wenn's vorbei ist. – Ich muss an die Arbeit. Bis später.«

Mithilfe der palästinensischen Behörden haben sie den Besitzer des Hauses schnell ausfindig gemacht, ein Tahini-Fabrikant namens Mansour al-Sakakini, dem auch das Nebenhaus gehört.

Eine Frau öffnet die Tür. Hidschab, selbstbewusster Blick.

Ihr Mann sei in der Fabrik.

Sie ist freundlich, bittet sie herein, bietet Getränke an. Auf Perlmans Drängen ruft sie al-Sakakini an und gibt den Hörer an ihn weiter. Der Fabrikant zeigt sich besorgt. Nein, er habe nicht bemerkt, dass sich Leute in seinen Wohnungen breitgemacht hätten.

Hanaan al-Sakakini führt sie durchs Nachbarhaus.

Sie durchstreifen die leeren Etagen, Cox kann nichts Auffälliges entdecken. Fast nichts.

»Jemand hat Trauben gegessen.« Sie hält einen Zweig hoch. Fährt mit dem Finger die Stiele entlang, noch feucht. »Vor gar nicht so langer Zeit.«

Frau al-Sakakini ist bestürzt.

»Geht von diesen Leuten eine Gefahr aus?«

»Nein«, beruhigt sie Perlman. »Die werden Sie kaum wiedersehen.«

»Wir haben zwei kleine Kinder.«

»Sie müssen sich wirklich keine Sorgen machen.«

Sie schaut von ihnen zu dem palästinensischen Polizisten, der sie begleitet. »Kann nicht doch jemand eine Weile hierbleiben? Wenigstens, bis mein Mann zurück ist?«

Hagen denkt an Krister.

An die Mädchen.

Unschlüssig dreht er den Zettel zwischen den Fingern, auf den er Cox' Nummer notiert hat. Vorsichtshalber, auch wenn er sie mittlerweile im Schlaf aufsagen könnte. Während der vergangenen Stunden war die Zahlenfolge sozusagen sein *Om mani padme hum.*

Übermorgen werden sie in Jordanien sein.

Von dort weiter nach Deutschland. Dann können die Verrückten sie suchen, bis sie schwarz werden, und wenig später werden sie von sich in der Weltpresse lesen. So gesehen kann es ihm gleich sein, was die planen, aber die Schweine einfach so davonkommen zu lassen –

»Wer?«, grübelt Cox auf dem Weg nach draußen.

»Wer was?«, fragt Perlman.

»Wer hat denen geholfen?«

»Unser Tahini fabrizierender Freund?«

Sie runzelt die Brauen. »Glauben Sie das?«

»Die Frau schien mir ehrlich besorgt, aber wie sind die dann in das leer stehende Haus gelangt? Sich da zu verstecken, darauf sind die doch nicht von alleine gekommen.«

»Vielleicht doch. In den Türen sind noch keine Schlösser.«

»Aber warum Nablus?«

»Vielleicht aus dem schlichten Grund, weil wir sie in einer arabischen Stadt am wenigsten vermuten würden.«

Perlman hält das Gesicht in den Wind.

Wechselt das Thema.

»Wegen Scharon – Sie glauben, Hagen hat gar keine Beweise?«

»Auf den CDs ist jedenfalls nichts. Jede Wette.«

»Also weiß er es von Kahn.«

»Wir müssen rausfinden, welche Rolle sie spielt. Und dieser tote Arzt, Yossi Backenroth. Sie schien Hagen nicht alles verra –«

Ihr Handy schellt.

»Fragen Sie nicht, hören Sie einfach zu«, sagt Hagen.

Sie fängt Perlmans Blick auf. Formt Hagens Namen mit den Lippen.

»Wo sind Sie?«

»Ich entschuldige die Frage als Reflex.«

»Okay.«

»Der Mann, der erschossen wurde – der mit dem Schnurrbart –«

»Ja.«

»Wir haben ihn telefonieren gehört, Yael und ich. Können Sie was mit den Namen Absalon und Daniel anfangen?«

»Nicht direkt.«

»Der Schnurrbart sagte, Absalon habe mit Daniel gesprochen. Die Aktion sei vorgezogen. Keine Ahnung, was er damit meinte. Er sprach von einem für morgen anberaumten Start und einem bereitstehenden Container. Wo das Ganze steigen soll, hat Yael nicht genau verstanden. Hinter den fünf Samaritern.«

»Tom –«

»Machen Sie was draus.« Die Verbindung reißt ab.

Cox steht wie vom Donner gerührt.

»Morgen«, flüstert sie. »Was immer es ist – sie planen es für morgen.«

Westjordanland

Yael steht am Manara Square von al-Bira, Ramallahs Zwillingsstadt, und wartet auf ihren Anschlussbus. Um sie herum tost der Verkehr. Das Zentrum brodelt, Wirtschaftswunder, Kaufkraft, die Fassaden verschwinden hinter Plakaten und Leuchtschriften.

Farbenfroh wird der Aufbruch signalisiert.

Aufbruch in eine weitere Ära der Ungewissheit.

Eine Frau, jung, hübsch, offenes Haar, geht an ihr vorbei und spricht lachend in ihr Handy, und Yael verspürt den absurden Wunsch, mit ihr zu tauschen. Mit einer Palästinenserin, die zu Hause ist auf einer winzigen, schutzlosen Insel namens Autonomie.

Wirklich absurd?

Die Frau wirkt nicht, als wolle *sie* tauschen.

Yael fällt in ein Loch aus Einsamkeit.

(Ich bin eine Gejagte.)

(War es immer.)

(Alle jagen mich, die Vergangenheit, meine Gedanken –)

Nablus, Absalon, Daniel, Absalon, Nablus –

Tel Aviv

– Daniel, Absalon, Container, Start, fünf Samariter –

Wo sollen sie anfangen zu suchen?

Absalon und Daniel sind gängige Vornamen, wie viele Daniels und Absalons gibt es im Siedlermilieu? Dreyfus hat einen Absalon in Allon Schewut anzubieten, den sie überwachen, ohne recht zu wissen, warum eigentlich.

Container: Deutet auf Fracht hin.

Start: Wenn nicht gerade von Raumschiffen, Fesselballons oder Blimps die Rede ist, kommt nur ein Flugzeug in Betracht. Oder Start im übertragenen Sinne? Etwas startet, *jemand* geht an den Start. Sportliche Umschreibung für, lässt was steigen, legt los, kommt in die Gänge.

Auch Computer kann man starten.

Start. *Restart.*

Absalon, Container, Daniel, Start, sollten sie vielleicht nach einer Frachtmaschine Ausschau halten? Bringt sie den Container? Fliegt sie ihn aus? Analysten stürzen sich auf den Ben Gurion International Airport, schlagen sich die Nacht mit Flugplänen, Fracht- und Passagierlisten um die Ohren (Zwischenmeldung: Kein Weiterkommen in Nablus), hinter den fünf Samaritern –

Ganz was Vertracktes.

Bis auf die Landkarte scheint es der ominöse Ort nicht gebracht zu haben, auch das Internet kennt ihn nicht.

Und wer sagt überhaupt, er läge in Israel?

Jüdischer Untergrund –

Als sie das Nest in den Achtzigern aushoben, rechtfertigten die Aktivisten ihr Vorgehen damit, sich für den Terror der Gegenseite revanchiert zu haben, außerdem sei jeder zu bekämpfen, der Eretz Israel infrage stelle und biblisches Land mit heidnischen Bauwerken entweihe.

Letzteres lohnte genaues Hinhören.

Heidnische Bauwerke –

Konnte etwas heidnischer sein als der Felsendom und die al-Aqsa-Moschee, errichtet über dem Westwall des jüdischen Tempels? Wie sollte je ein dritter Tempel entstehen, solange die beiden Blasphemien dort auf dem Plateau prangten?

Kein Tempel, keine Erlösung –

Gleich nach dem Sechstagekrieg hatten die Messianisten in Fantasien zu schwelgen begonnen, die unliebsamen Kuppelbauten durch eine Synagoge zu ersetzen, doch die meisten fantasierten friedlich vor sich hin. Andere hingegen entwickelten Pläne. Vorerst kam nicht mehr dabei rum, als betende Muslime anzugreifen, bis ein Wächter der Waqf, als er seinen turnusmäßigen Rundgang über das Plateau machte, unter sich Wühlmäuse auszumachen glaubte. Er lauschte und gelangte zu dem Schluss, dass die Tiere, um solch ein Spektakel zu veranstalten, zwei Meter groß sein müssten, womit er gar nicht so verkehrt lag. Bewehrt mit Schaufeln und Schießprügeln, hatte sich eine Abordnung Glaubensfanatiker von der Seite in den Tempelberg hineingearbeitet, um ihn sozusagen aus dem Untergrund zu entern. Als die Sicherheitskräfte einschritten, wurden in den Gewölben schon eifrig Gottesdienste abgehalten, und wieder führte die Spur nach Kiryat Arba. Die Talmudschüler und Soldaten, die da buddelten, operierten vom Haus eines Rabbis aus, der solchen Umtrieben allzu bereitwillig seinen Segen gab. Prompt meldete sich Gusch-Emunim-Prominenz zu Wort, Mosche Levinger, Hanat Porat, Eleazar Waldman, die den Modus Operandi der Wühlmäuse zwar abkanzelten, ansonsten aber versicherten, solcherlei frommen Vorhaben (auch weiterhin) jede Unterstützung angedeihen zu lassen.

Mit schönen Grüßen vom Jüdischen Untergrund.

Was habt ihr bloß vor?, denkt Perlman.

WAS?

Nablus

»Wollen Bier?«

Hagen, damit befasst, Sesamsäcken mithilfe von Decken und Kissen in ein Bett umzufunktionieren, schaut Mansours Bruder an.

»Was denn, Alkohol?«, fragt er mit gehobenen Brauen. »Hat der Prophet nicht verboten –«

Der Bruder zuckt die Achseln.

»Ich guter Mensch. Alle meine Familie guter Mensch.« Zeigt mit unbewegter Miene zur Decke, soll heißen, hinauf zu den Stockwerken des Ewigen. »Haben Kredit. Verstehst du?«

Einen ganzen Kühlschrank voller Kredit, wie sich herausstellt.

»Auch eines?«, fragt Hagen zwischen zwei Schlucken.

Bruderherz lächelt bedauernd. »Kredit überzogen.«

»Warte mal.« Hagen zeigt auf den Computer. »Ist es okay, wenn ich im Internet surfe?«

»Okay, okay!«

Solange er nicht seine E-Mail-Adresse eingibt, ist gegen ein bisschen Surfen nichts einzuwenden, also lässt Hagen die Suchmaschine auf Reisen gehen.

Axel Müller.

Die Verbindung ist langsam, aber er hat ja Zeit.

Etliche Müllers. Kein Axel Müller.

»Wusst ich's doch«, murmelt er, und im selben Moment offeriert ihm das System eine Alternative:

Axel Möller, 1988–99, Borussia Dortmund, Eintracht Frankfurt, Juventus Turin. 85 Spiele für den DFB, 29 Tore.

»Hol mich der Teufel!«

Mansour und seine abenteuerliche Aussprache.

2005

Jerusalem

Arik – Lily wartet auf dich!
Er dreht den Aufkleber einmal um, entdeckt nichts Neues und lässt ihn achtlos über den Schreibtisch segeln. Seit Wochen bepflastert eine anonyme Gruppe militanter Abzugsgegner die Hauswände Jerusalems damit. Man kann es als verklausulierte Morddrohung betrachten, Ariks Betroffenheit hält sich in Grenzen. Seit er *Haaretz* vergangenes Jahr gesteckt hat, ganz Gaza und Teile des Westjordanlands räumen zu wollen, sind zu viele offene Drohungen eingegangen, als dass die versteckten noch Eindruck auf ihn machen würden, auch wenn es ihn verletzt, seine tote Frau mit hineingezogen zu sehen.

»Die sollen sich gefälligst an mir schadlos halten«, knurrt er. »Statt Lilys Andenken zu entwürdigen.«

»Darum geht es.« Avi Dichter reicht ihm einen Zettel herüber. »Meine Empfehlung wäre, unverzüglich einen Wachdienst einzurichten.«

Arik überfliegt den Wisch.

Nicht zu fassen.

»Was für eine kranke Bande«, schnaubt er.

Unbekannte kündigen an, Lilys Leichnam aus ihrem Grab auf dem Wildblumenhügel zu rauben, falls er es wagen sollte, die Abkopplung in die Tat umzusetzen.

»Sie müssen das ernst nehmen«, sagt Dichter.

Arik nimmt es todernst.

Seit Rabin kann es sich kein israelischer Politiker leisten, noch die abstruseste Drohung in den Wind zu schlagen. Außerdem ist Dichter nicht irgendwer, sondern Chef des Schin Bet. Während der zweiten Intifada hat er Agenten bis tief in die Autonomiegebiete geschickt, Tausende Kollaborateure angeworben und gegnerische Netzwerke infiltriert. Dichter hält große Stücke auf HUMINT, Erkenntnisbeschaffung aus menschlichen Quellen. Erst mit Hilfe der so gewonnenen Informationen konnten sie *Targeting* zu einem effizienten Modus operandi entwickeln. Lange Zeit wuchsen dem Widerstand nach Art der Hydra für jeden Kopf, den sie abschlugen, zwei neue nach, jetzt liegt das Ungeheuer kopflos am Boden, und das Beste daran:

Der einzige Kopf, den Arik versprechen musste, nie abzuschlagen, hat von selbst die Augen geschlossen. Jassir Arafat ist tot. Gestorben, vergangenen November in Paris, woran auch immer.

»Ohne unser Zutun«, hat Dichter danach versichert. »Da waren wir zur Abwechslung mal unschuldig.«

Arik vertraut ihm. Menschenrechtler bekommen Schnappatmung, wenn Dichters Name fällt, egal, er hat Israel vor noch Schlimmerem bewahrt. Das zählt, außerdem ist er ein Freund des Trennzauns. Gemeinsam haben sie dessen Verlauf festgelegt, auch wenn Arik das Ding eigentlich anwidert, Veras Erzählungen im Ohr, wie sie in Kfar Malal die Drähte durchgeschnitten hat, die das Grundstück der Scheinermanns teilen sollten. Er hasst alles Teilende, besonders Zäune, aber man muss sagen, sie halten Terroristen fern, auch wenn er sich dafür in aller Welt Ohrfeigen einfängt: Verletzung der Grünen Linie, Apartheid – bei der UNO schöpfen sie aus einem nie versiegenden Quell harscher Worte.

»Sonst noch was?«, fragt er gleichmütig. »Androhung von Folter, Ausreißen von Zehennägeln?«

»Das Übliche.«

»Gut.«

»Bis auf –« Dichter zögert. »Ich weiß, Sie hören das nicht gerne, aber es ist mein Job –«

»Mich darauf hinzuweisen, dass Sie die Entkopplung ablehnen.«

Weil Dichter befürchtet, der Abzug werde der Hamas im politisch instabilen Gazastreifen erst recht den Boden bereiten: *Seht her, die Zionisten sind vertrieben! Der heilige Weg der Gewalt hat gefruchtet, ladet die Kalaschnikows durch, Brüder in Allah, füttert die Mörser, bringt die Abschussrampen in Stellung!*

Wahrscheinlich hat er damit sogar recht. Ohne Zweifel wird der Abzug der Hamas Prestige eintragen, zumal gegenüber der von Machtkämpfen erschütterten, bis auf die Knochen korrupten PA.

»Und wir haben keinerlei Zusicherungen erhalten«, sagt Dichter.

»Doch«, erwidert Arik. »Von Abbas.«

Der nach Arafats Tod endlich Vorsitzender der PA sein darf, ohne dass der *Rais* ihm noch dazwischenfunken kann. Vor zwei Wochen war denn auch Versöhnungstreffen im ägyptischen Scharm el-Scheich, Palaver und Tamtam unter Leitung Mubaraks und Abdullahs von Jordanien. Bush saß mit am Tisch und wachte aus zusammengekniffenen Augen darüber, dass sich alle sittsam betrugen und einander ihrer guten Absichten versicherten, und gemessen am Wohlklang der Versprechungen war die Konferenz tatsächlich ein überwältigender Erfolg.

Sie besiegelte das Ende der Intifada.

Mitsamt großen Gesten. Zwei weißhäuptige Mozartfans schüttelten sich über Blumenbuketts die Hände, Arik entließ als Zeichen seines guten Willens ein paar Hundert palästinensische Gefangene, Abbas verurteilte jeden Akt der Gewalt.

Mit Nachdruck!

»Das heißt noch lange nicht, dass er auch mit Nachdruck handeln wird«, sagt Dichter.

»Kann«, korrigiert Arik.

»Was?«

»Handeln *kann*.«

»Wo ist der Unterschied?«

»Im Willen. Es wird Rückschläge geben, sicher. Damit können wir leben. Hauptsache, er *will*.«

»Sie hören meine Worte.«

»Ja, und ich träume davon. Wenn ich mich nachts auf die andere Seite wälze, liegen Sie schon da mit Ihren Bedenken.«

Genau das erschüttert sein Vertrauen in Dichter am Ende dann doch. Oder besser gesagt, es trübt Ariks Gewissheit, dass er für den Job noch der Richtige ist. In Zeiten blutiger Konflikte? Idealbesetzung! Israels Dank wird ihm auf ewig gewiss sein, aber leider steht der Inlandsgeheimdienstchef nicht zu 100 Prozent hinter der Abkopplung, und das macht es unmöglich, ihn langfristig im Amt zu halten.

Also wird Arik ihn ablösen.

Er weiß das Gros der Bevölkerung hinter sich, die Medien sind geschlossen auf seiner Seite. Nie war die Zwei-Staaten-Lösung populärer. Sie entspringt dem innigen Wunsch, einander endlich los zu sein. Drei Viertel der Israelis bringen für die Siedler kein Verständnis mehr auf, haben die Nase voll von Besatzung und demografischer Verfilzung, der Blutzoll war einfach zu hoch: 1558 Tage Intifada, rund 20 000 Anschläge, über 1000 Tote, mehr als 7000 Verletzte, und auch die Palästinenser sind mit dreieinhalbtausend Todesopfern restlos bedient. Beide Völker sehnen Ruhe und Koexistenz herbei, wie üblich sind es die Minderheiten, die alles daransetzen, jedes bisschen Normalität im Keim zu ersticken.

»Diese Typen lieben es, die Welt brennen zu sehen«, sagt Arik. »Ich werde mir von denen nicht mein Handeln diktieren lassen, und schon gar nicht von meiner eigenen Partei. Wozu habe ich mehrere Misstrauensanträge überstanden, die Blockade durch die Nationalreligiöse Partei und die Nationale Einheit, die Siedlerproteste, Bibis Querschüsse –«

»Der übrigens gegen die Entkopplung stimmen wird«, informiert ihn Dichter.

»Ach ja? Wen interessiert's?«

Bibis Herumeiern und Pokern. Mal war er zur Entkopplung bereit, dann wieder dagegen. Jetzt hat er überreizt, und Arik hat gewonnen. Die Abkopplung ist beschlossene Sache.

Dichter schaut versonnen auf seine Hände.

»Ich kümmere mich dann um den Wachdienst.«

»Danke, Awi. Das ist nett von Ihnen.«

Der Geheimdienstchef lächelt und geht hinaus. Arik versucht eine Minute zu meditieren, den Kopf frei zu bekommen, doch seine Gedanken kreisen um Lily.

Grabschänder. Du lieber Himmel!

Er weiß, das kommt von ein paar Durchgeknallten, die meisten Siedler sind friedliebende Leute, aber gerade fragt er sich, ob das ganze Siedlungsabenteuer nicht ein einziger Irrsinn war, der sich hätte vermeiden lassen.

Ich hab keine Angst vor euch, denkt er. Ich hatte nie Angst. Na ja. Fast nie. Damals in Latrun, als uns die Jordanische Legion unter Feuer nahm – da hatte ich welche.

Kurz.

Aber seitdem niemals wieder.

Also legt euch nicht mit mir an.

Beginnt die Räumungsbefehle zu unterschreiben, 20 für den Gazastreifen, vier für die Westbank. Die Entschlossenheit verleiht seinem Namenszug Schwung.

Gaza, Elei Sinai

Jehuda kalkuliert es durch und durch, doch nach jeder neuen Berechnung liest sich das Ergebnis nur umso deprimierender.

Man könnte sagen, sie sind in Schwierigkeiten.

In einer unglücklichen Situation.

In einem vorübergehenden Engpass.

Es gibt viele Umschreibungen für das, was ihnen gerade widerfährt, de facto sind sie im Arsch.

Arik hat Ernst gemacht.

Es kann doch nicht sein, denkt er, dass wir die verfluchte Intifada durchgestanden haben, nur um jetzt ein zweites Jamit zu erleben. Was bleibt uns denn, ich bin 77, Phoebe wird im Herbst 75, alles, was wir besitzen, sind dieses Zuhause und ein paar Brutstätten für Amaryllis, Arik, das kannst du nicht machen!

Die meisten Siedler denken in diesen Tagen so.

Das kannst du nicht machen!

Mit demselben Effekt, als würden sie denken, Sonne, du kannst doch nicht untergehen. Über ein Jahr hat es Arik gekostet, den Prozess in Gang zu setzen, jetzt ist die Abkopplung nicht mehr aufzuhalten. Ebenso gut könnten sie sich einem fahrenden Zug entgegenwerfen.

Und Jehuda hat es gewusst.

Verdammt, er hat es gewusst!

Vor einem Jahr, nachdem *Haaretz* das Interview brachte, hat er Arik angerufen, ob das wirklich sein Ernst sei, er solle bei Leib und Leben schwören, die Wahrheit zu sagen, und Arik fragte zurück:

»Du hast zwei Gewächshäuser verloren?«

»Eines ist niedergebrannt.«

»Und das andere?«

»Wurde beschädigt, aber wenn wir ein bisschen was in die Reparatur stecken, können wir –«

»Bau es nicht wieder auf.«

Gab ihm klar zu verstehen, dass nur ein Putsch ihn von der Ausführung seines Plans abhalten könne, und seltsam: Man hört jemanden reden, präzise in der Formulierung, unzweideutig in der Wortwahl, und fragt sich im Nachhinein, warum man dennoch alles anders abgespeichert hat. Schon im Moment der Lautaufnahme musste ein mentales Filtriersystem in Jehudas Kopf kritische Inhalte ausgesondert haben, bevor sie in Erkenntnis umgesetzt werden konnten. Mit dem Ergebnis, dass er nichts von alledem glaubte. Arik halt. Ein fliegender Fisch, Großmeister des Gesinnungswandels. Der in diesem Augenblick ganz sicher *meinte*, was er sagte – und zu gegebener Zeit ebenso sicher etwas anderes meinen würde.

Wenn er sich nicht mehr zu dem Schritt gezwungen sähe.

Jetzt geht ihm auf, dass Arik von keinerlei Zwang getrieben war. Er koppelt Israel von Gaza ab, nicht weil er muss.

Weil er es *will*.

»Jahrzehntelang war er einer von uns«, schimpft Benjamin in den Medien. »Hat uns gesagt, wie seien die vorderste Verteidigungslinie gegen die arabischen Massen. Wie kann er uns so verraten?«

Falsch, denkt Jehuda.

Er war nie einer von euch.

Von uns, verbessert er sich. Hör endlich auf, Gräben zwischen dir und den Ideologischen zu ziehen, wir leben auf besetztem Gebiet, also werden wir in einen Topf geworfen: ein Haufen Spinner, die sich Israel nicht länger leisten mag. Und stimmt ja auch, bis heute hat der Spaß Milliarden gekostet, alleine, uns hier zu schützen: zwei Soldaten pro Siedler! Während im Kernland die Arbeitsämter verstopfen, werden wir von Steuergeldern alimentiert, als wüsste der Staat nicht, wohin damit, aber wie wär's mal mit der Gegenrechnung? Dass Israel fast zehn Prozent seiner landwirtschaftlichen Güter aus Gaza bezieht, Tomaten, Zitrusfrüchte, Paprika und Kräuter. Stell dir vor, ein Ultraorthodoxer beißt auf eine Blattlaus, was für ein Geschrei, nicht auszudenken. Kann ihm mit Salat aus Gaza nicht passieren. Koscher, Stempel vom Rabbi. Oder Rafiach Jam, Textilfertigung, schicke Fummel für Teenies aus Tel Aviv, trotz Intifada arbeiten dort Dutzende Palästinenser, die heilfroh wären, wenn die Siedler *blieben*. Kauf Blumen, Geranien, Rosen, Amaryllis, und du kaufst den Gazastreifen mit. Kilometer um Kilometer reihen sich hier die Treibhäuser aneinander, wir sind verdammt noch mal ein Wirtschaftsfaktor!

Wieder rechnet er es durch.

Seine Gedanken türmen sich wie eine Pyramide Turner übereinander, jedes Mal, wenn er glaubt, so könnte es gehen, schwingt sich einer zu viel obendrauf und bringt das Ganze zum Einsturz. Und wenn er hundert Mal rechnet, fest steht, sie können die komplette Jahresproduktion vergessen. Die Ernte beginnt im August, zwei Monate dauert sie, aber dann wird Elei Sinai Geschichte sein.

Und die Amaryllis werden verdorren.

Ein Jahr ohne Einkommen.

Natürlich haben sie Anspruch auf Kompensation.

Eigens dafür wurde eine Behörde namens SELA ins Leben gerufen, »Hilfe für die umgesiedelten Bewohner von Gaza und Nord-Samaria«. Das Problem ist, Hunderte hier glauben, wenn sie Gaza aufgeben, falle als Nächstes Jerusalem. Das Pathos der Frömmler ist bühnenreif, sie kennen wie immer keine Zwischentöne. Wenn auf der Straße nach Hebron nur eine Fahrbahn gesperrt ist, geht es gleich schon um die Zukunft des jüdischen Volkes, wie muss man sich da erst den Abzug aus Gaza vorstellen! Schon in der Rückgabe des Sinai erblickten sie den Untergang Israels, doch Jamit fiel, ohne dass sich das Meer der Geschichte nur gekräuselt hätte. Andere Ereignisse schlugen Wellen, erste Intifada, Oslo, Rabins Tod, der Horror der vergangenen fünf Jahre –

Das waren Stürme!

Was sich im August abspielen wird, ist allenfalls ein Sturm im Wasserglas. Arik wird Spuren hinterlassen, die Siedler hinterlassen nur ein bisschen aufgewühlten Sand.

Bis dahin jedoch verursachen sie helle Aufregung, also packt der Premier sie so gut es eben geht in Watte. Er selbst kann sich in Gaza nicht mehr blicken lassen, darum hat er Jonathan Bassi zum Leiter der SELA berufen, einen streng religiösen Kibbuznik und ausgewiesenen Siedlerfreund, der nicht müde wird, sich und sein 30-köpfiges Team als Erbauer neuer Welten zu verkaufen. Üppige Summen sollen fließen zur seelischen und materiellen Wundheilung, ungeschickt nur, dass Bassi allen, die nicht bei der SELA unterschreiben und innerhalb der gesetzten Frist abziehen, drastische Entschädigungskürzungen androht. Damit rückt dieser Paulus verdächtig in die Nähe des Saulus, dessen Willen er vollzieht, und die Religiösen sind umso aufgeschreckter. Alleine der Plan, die Räumung in den Juli zu verlegen: Tischa Baw, Gedenktage zur Zerstörung der Tempel, in der Zeit *dürfen* fromme Juden gar nicht umziehen. Geht's noch dilettantischer? Jetzt ist das Drama auf August verschoben, Vertrauensbildung sieht anders aus, aber viele nehmen das Geld auch darum nicht, weil sie schlicht bezweifeln, dass es je zur Abkopplung kommen wird.

Arik?

Der doch nicht.

Versteckte Kamera, das ist es! Am Tag X springt er mit ausgestreckten Armen hinterm Busch hervor, ruft laut »Verarscht!« und lacht sich eins.

So verstreicht Frist um Frist, Gott ist der Einzige, der Fristen setzen darf, und überhaupt –

»– ist es nicht unsere Entscheidung, uns zu widersetzen. ER befiehlt es! Und Arik will auch, dass wir Widerstand leisten! Er macht das doch nur, um der Welt zu zeigen, dass man jüdische Siedlungen nicht räumen kann.«

Nicht?

Ihr werdet euch wundern.

Jehuda seufzt, reibt sich die Augen. Sein Blick fällt auf den Brief von Bassi, heute Morgen zugestellt, ein einziges Elaborat des Trostes:

Die Abkopplung wird mit schweren seelischen Belastungen verbunden sein. Die SELA tut alles, um Ihnen den Übergang zu erleichtern und Ihren Neuanfang zu begleiten. Die besten Experten des Landes beraten Sie in Fragen der schulischen und beruflichen Ausbildung, medizinischen Versorgung, Jobsuche, Sozialhilfe, in religiösen Dingen –

Es gibt eine Telefonzentrale, stapelweise Informationsbroschüren und eine interaktive Website. Man kann sich mit dem Seelentröster verbinden lassen oder dem Finanzberater, eine Tabelle gibt Aufschluss, wie hoch die Entschädigung für eine durchschnittliche Familie ausfällt. 1000 Dollar pro Quadratmeter Wohnfläche, weitere 50000 für den umliegenden Grund und Boden. Ein Tausender pro Kopf für jedes in Gaza verbrachte Lebensjahr, 5000 für den Umzug, sechs Monate Gehaltsfortzahlung (weil praktisch jeder erst mal arbeitslos sein wird), zwei Jahre mietfreies Wohnen, und als Sahnehäubchen obendrauf den –
SONDERBONUS.
30000 Dollar aufs Konto, wenn man brav dort hinzieht und bleibt, wo die SELA einen hinhaben will. Natürlich kann man auch woandershin, dann allerdings:
KEIN Bonus.
Jehuda rechnet und rechnet. Es führt kein Weg daran vorbei.
Sie brauchen den verdammten Bonus.

Abends sitzen sie bei Nachbarn unter Feigenbäumen. Auf Avi Farhans T-Shirt steht: *Mein Haus ist in Elei Sinai*. Das Spielzeug seiner Enkel verteilt sich im Garten.
»Wisst ihr, was ich mir überlegt habe?«
Streicht über seinen dichten, weißen Bart. Macht's gern spannend, aber man muss sagen, Avis Aktionen sind legendär. Der Marsch damals von Jamit nach Jerusalem, alle Achtung!
»Ich gedenke, die palästinensische Staatsangehörigkeit zu beantragen.«
Jehuda fällt fast das Glas aus der Hand.
»Und was soll das bringen?«
»Na, was wohl? Sie wollen keine Israelis hier? Gut. Werde ich eben Palästinenser.«
»Du spinnst.«
»Wieso? Es leben ja auch Araber in Israel. Haifa, Jaffa.«
»Das ist nicht zu vergleichen.«
»In meinen Augen schon. Und wenn *das* geht, kann ich ebenso gut als Palästinenser in Elei Sinai wohnen bleiben.«
»Willst du auch zum Islam konvertieren?«, spöttelt Phoebe. »Avi *al*-Farhan?«
»Blödsinn.« Farhan rückt seine Kippa zurecht. »Ich sag euch was, einen Monat vor Ausbruch der Intifada hab ich mich mit einem arabischen Kumpel getroffen, unten im Fischrestaurant, und gesagt: Lass uns gemeinsam was Großes aufziehen, Juden und Araber in Gaza. Von

Aschkelon bis nach al-Arisch, ich meine, was für Strände! Das ist besser als die französische Riviera, wir müssen nur Frieden schließen. Einen Frieden der Herzen.«

»Rührend.«

»Und was hat er gesagt?«, will Jehuda wissen.

»Können wir machen, werde Palästinenser. Und ich sagte, dass du dich mal nicht vertust, ich säße schneller im palästinensischen Parlament als du, ich hab viele Freunde in Gaza, du würdest dich wundern.«

»Du würdest vor allem unter palästinensischer Gerichtsbarkeit leben.«

»Na und?«

»Palästinensische Gesetze befolgen müssen.«

»Ich akzeptiere jede demokratische Verfassung.«

»Ohne dass dich ein einziger Soldat beschützt«, sagt Phoebe. »Ich an deiner Stelle hätte einen Heidenbammel.«

»Ich fürchte nur Gott.«

»Außerdem werden sie dich kaum hier wohnen lassen.«

»Warum denn nicht? Ich hab Dokumente, die belegen, dass dies nie arabisches Land war.«

»Wird sie kolossal beeindrucken.«

»Es gehörte der UN.«

»Mann, Avi! Glaubst du ernsthaft, eine palästinensische Regierung in Gaza würde ihre jüdischen Bürger in schmucken Siedlungen wohnen lassen, während die arabischen in Lagern hausen?«

»Ich hätte kein Problem mit Arabern in Elei Sinai.«

»Nein, aber *sie* hätten eines mit dir. Du willst wie ein Palästinenser leben? Glückwunsch. Gerade ist was frei geworden in Dschabalija, pittoreskes Flüchtlingselend. Zieh ein, nette Nachbarn. Musst nur schauen, wie du ohne gesundheitliche Einbußen auf die andere Straßenseite gelangst.«

Farhan lächelt, seine Frau schweigt.

»Abwarten«, sagt er.

»Und wenn sie dich nicht wollen?«

»Ich bleibe bis zum Schluss hier. So oder so. Noch mal gebe ich unser Haus nicht freiwillig auf.«

»Und wir?«, fragt Phoebe später, als sie durch die laue Nacht zu ihrem Haus hinübergehen.

»Wir bleiben ganz bestimmt nicht bis zum Schluss«, knurrt Jehuda. Wie auch?

Sie haben keine Wahl, als den Wisch der SELA zu unterschreiben und darauf zu hoffen, dass die Behörde eine akzeptable Lösung für sie findet. Mitsamt neuen Treibhäusern. Zwei würden ja schon reichen. Yael verdient jetzt eigenes Geld, auch Davids und Miriams Situation hat sich verbessert. Viel brauchen sie nicht, bloß vom Ersparten können sie nicht leben. Da ist nichts. Jahrelang haben sie die Kinder gesponsert, dann hat die Intifada ihre Reserven aufgezehrt: Das Geschäft muss schnellstmöglich wieder anlaufen, andernfalls wird die Kompensation für die Lebenshaltungskosten draufgehen, die überall in Israel um ein Vielfaches höher liegen als in Gaza.

Der Bonus verhindert, dass sie in ein Loch fallen.

Fürs Erste. Die SELA wird sie in ein Hotel der Umgebung verfrachten, für die Dauer weniger Wochen. Weiter in eine Übergangsunterkunft, Fertighaus, Wohnmobil, angemietetes Appartement, irgendwas. Geduldig ausharren, während ihr künftiges Heim fertiggestellt wird, so ist die Umsiedlung geregelt. Wer die SELA-Angebote akzeptiere, sagt Bassi, habe schnell wieder ein festes Dach über dem Kopf, über drei Jahre werde die Entschädigung ausgezahlt, im Klartext, nehmt das Geld, statt um Extrawürste zu feilschen, sonst kann es passieren, dass ihr in fünf Jahren immer noch im Wohnwagen haust.

Klingt vernünftig.

Multipliziert mit den Eigenheiten der Bürokratie bedeutet es, dass Phoebe und Jehuda die achtzig überschritten haben werden, bevor sie überhaupt irgendwo einziehen.

Das ideale Alter für den Neustart.

Aber was sollen sie machen?

In der Woche darauf schaut einer der SELA-Männer bei ihnen vorbei und dämpft schon an der Tür vertraulich die Stimme, er käme –

»– direkt aus dem Amtssitz des Ministerpräsidenten, aber hängen Sie es bitte nicht an die große Glocke. Man möchte, dass in Ihrem Fall schnell Abhilfe geschaffen wird.«

»Arik soll in seinem eigenen Arsch verschwinden«, murmelt Phoebe.

»Wie bitte?«

»Nichts.«

»Also, zurzeit ersteht die SELA in Aschkelon ein hochmodernes Appartementhaus direkt am Strand, eigens für Aussiedler aus Elei Sinai. Weit mehr als eine Übergangslösung.« Der Mann gerät regelrecht ins Schwärmen. Wenn man ihm so zuhört, könnte man glauben, sie zögen ins Empire State Building. »Alles auf höchstem Niveau, großzügige Bäder, Sonnenbalkon –«

»Was ist mit unseren Treibhäusern?«

»Treibhäuser?«

»Wir leben vom Handel mit Amaryllis. Hat der Herr Ministerpräsident vergessen, das zu erwähnen?«

»Na ja, ich habe nicht persönlich mit ihm –« Der Abgesandte blättert durch eine Kladde, die ihre Geheimnisse aber für sich behält. »Da bin ich jetzt – hm – ist ja auch ihre Privatangelegenheit, was Sie mit dem Geld machen, soweit es Ihre berufliche Zukunft –«

»Jetzt passen Sie mal auf, Sie Schlauberger –«

»Phoebe.« Jehuda legt ihr besänftigend die Hand auf den Unterarm.

»Was?«

»Er will nur helfen«, sagt er leise. »Hör ihm doch erst mal zu.«

»Ich hör ja zu.« Phoebe zwingt ein konziliantes Lächeln auf ihr Gesicht. »Ich bin überaus dankbar. Mein Gott, ein Appartementhaus in Aschkelon! Der wilde Traum!«

Der SELA-Mann lächelt zurück. Das verständnisvolle Lächeln eines Irrenarztes.

»Mir ist vollkommen klar, wie Sie sich –«

»Geschenkt. Können wir jetzt die unbedeutende Nebensächlichkeit unseres Broterwerbs klären? Was kostet so ein Scheißschneckenhaus in Aschkelon, ich meine, so ein wunderschönes, schnuckeliges Appartement? Bleibt da genug übrig für zwei Gewächshäuser? Wo wären die? Müssen wir eine Weltreise unternehmen, um hinzugelangen? Erleben wir das noch? Wir sind keine Teenager mehr, wissen Sie, auch wenn jeder uns dafür hält, ich hab's an der Hüfte, gibt's einen Fahrstuhl in dem dämlichen Termitenhügel? Wollen Sie einen Mokka?«

Er wacht von seinem eigenen Herzschlag auf.

Wälzt sich herum. Phoebe liegt nicht mehr neben ihm.

Nein, sie sitzt auf der Veranda. Schaut auf den Garten hinaus, knapp an der Palme aus Jamit vorbei, ein halb ausgetrunkenes Glas Wein neben sich.

»Alles in Ordnung?«, fragt er.

»Klar«, sagt sie, ohne ihn anzusehen.

Er lässt sich neben ihr nieder. Seine Knie knacken.

Die Nacht ist warm.

Wunderschön.

Ein perfekter Vollmond balanciert auf einem dünnen Wolkenband, taucht den Garten verschwenderisch in Licht, versilbert Beete, Sträucher und Palmwedel. Es ist so still, dass sie das Meeresrauschen einen

Kilometer weiter hören können. Ein paar Zikaden haben sich zu einer Art Kammermusik zusammengefunden.

Phoebe fängt leise an zu schniefen.

Jehuda nimmt ihre Hand, knochig und knotig sind ihre Finger mit den Jahren geworden, und plötzlich überkommt ihn das eigenartige Gefühl, er halte die Hand einer Fremden. Kurz erschrickt er, verloren im Traum lange zurückliegender Tage.

Es ist sein eigenes Alter, das er da ertastet.

»Ich will nicht weg«, schluchzt Phoebe.

So viel Unglück liegt in ihren Worten, dass es ihm das Herz zerreißt.

»Nein«, sagt er. »Ich auch nicht.«

Seine Stimme ist brüchig, raspeltrocken. Klingt er immer schon so – greisenhaft?

Jetzt weint sie laut und haltlos wie ein Kind.

»Ich will nicht weg! Bitte, Jehuda! Ich möchte hierbleiben.«

Er steht auf, zieht sie zu sich hoch und schließt sie in seine Arme. Wie klein und dünn sie ist. Als reiche ein Windhauch, um sie von den Füßen zu wehen. Als er sanft über ihren Rücken streicht, gleiten seine Finger über ein Relief aus Rippen.

»Wir schaffen das, Phoebe. Wir werden auch *das* schaffen.«

Sie presst ihren Kopf an seine Brust.

»Wozu denn noch?«, flüstert sie.

»Wozu?« Ach, Phoebe. »Das Leben geht weiter, ich meine – wir sind doch ein Team.«

»Wir sind alt.«

»Na ja. Eben ein altes Team.«

»Alt und vertrocknet«, stößt sie hervor. »Hässlich geworden. Klapprig und nutzlos. Am Ende des Weges.«

»Blödsinn.«

»Kein Blödsinn.«

»Doch, Phoebe.« Er räuspert sich, klärt seine Stimme. Lächelt, was gar nicht so leichtfällt, er könnte Methusalem spielen, so alt fühlt er sich gerade, aber einer muss schließlich Zuversicht verbreiten. »Tatsächlich sind wir im besten Alter für einen Neustart. Wir hatten genügend Zeit, Erfahrung zu sammeln. Jetzt geht's erst richtig los.«

Sie schaut auf und hebt eine Braue.

»Komm mir bloß nicht mit Seniorenromantik. Dieser verlogene Scheiß. Alt werden ist Mist.«

»Alt werden ist Fakt.«

»Scheißfakt!«

»Ein Geschenk.«

»Scheißgeschenk!« Zieht geräuschvoll die Nase hoch.

»Was heißt schon alt«, sagt er mit aller Munterkeit, die er aufzubringen imstande ist. »Du weißt doch, man ist nicht alt –«

»Solange die Kerzen nicht teurer sind als die Geburtstagstorte.«

»Genau.«

Tränen stehen in ihren Augenwinkeln, zugleich muss sie lachen. »Oh Mann! Was tun wir jetzt mit der verkorksten Nacht?«

»Komm wieder ins Bett.«

»Nein.« Sie schüttelt den Kopf. »Liegen können wir noch lange genug.« Sie verschwindet im Haus, kehrt mit der Weinflasche und einem weiteren Glas zurück.

»Wann haben wir uns eigentlich das letzte Mal so richtig besoffen?«

»Puh, keine Ahnung.«

»Gut so. Ein Besäufnis, an das man sich erinnert, war keines.«

Füllt die Gläser auf, und Jehuda empfindet Erleichterung, sie etwas gelöster zu sehen. Er schließt die Augen, hört ihre leisen Schlucke in der Dunkelheit, dann: »Wenn Arik mir über den Weg läuft, bringe ich ihn um.«

Emotionslos, tonlos.

»Für alles, was wir seinetwegen erleiden mussten.« Sie trinkt, stellt das Glas ab. »Ich verspreche dir, Jehuda, ich bringe ihn um.«

Yael weiß nicht, was sie denken, was sie fühlen soll.

Als sie Anfang Juli nach Elei Sinai kommt, um ihren Großeltern beim Kistenpacken zu helfen, ist der Ort bereits zur Hälfte verlassen. Zwischen Bäumen und Straßenlaternen hängen ratlos Transparente: *Wir siedeln für Israel, Wer Gaza verrät, verrät Jerusalem, Für die Palästinenser macht es keinen Unterschied, ob wir in Haifa oder Gaza leben – für uns auch nicht.* Parolen, die in den südlichen Siedlungen zum guten Ton gehören. In Dugit, Nisanit und Elei Sinai, den säkularen Dörfern Nordgazas, wirken sie eher deplatziert. Dafür flattern überall orangefarbene Bänder im Wind, sieht man orange Stirnbänder, Kappen und T-Shirts. Das Orange der Zitrushaine im jüdischen Gaza ist zur Farbe des Widerstands geworden, seit Monaten verteilen Aktivisten landesweit solche Bänder, mit denen man gegen die Evakuierung protestieren kann.

Nützt nur nicht viel.

Dugit ist verlassen, Elei Sinai entleert sich wie ein leckgeschlagenes Schiff. In Nordgaza wird Zahal kein nennenswerter Widerstand entgegenschlagen.

Erst vergangene Woche haben Phoebe und Jehuda ihre Entscheidung, freiwillig zu gehen, öffentlich gemacht. Das Problem ist, sobald die Religiösen spitzkriegen, dass du dich mit Bassis Truppe geeinigt hast, gehen sie dir aus dem Weg, als hätte dir die Lepra die Nase abgefressen. Zerstechen dir die Reifen, schmieren *Verräter* an deine Haustür. Und das ist nur der Anfang. Wartet, bis Benjamin seine Studenten schickt, so wie er es im Sinai getan hat. Täglich sprechen rechtsnationale Politiker von »Juden-Deportation«, geißeln radikale Rabbiner den Abzug als »biblische Sünde« und rufen die Soldaten zur Befehlsverweigerung auf. Es stellt sich die Frage nach der letzten Instanz, wer entscheidet, was richtig, was falsch ist, wie immer lautet die Antwort »Gott!«, und Gott schaut herab auf seine im Glauben entflammte Gemeinschaft und denkt: WAS soll ich?

Ihr seid ja nicht ganz beieinander.

Jetzt, wo raus ist, dass die Kahns bei der SELA unterschrieben haben, regt sich keiner sonderlich darüber auf. Nicht in Elei Sinai. Es führt lediglich dazu, dass auch noch die Letzten ihre Namen unter die Verträge setzen und den Möbelwagen bestellen. Und natürlich ist Yael strikt gegen die Abkopplung, sie trägt ein knalloranges T-Shirt und schimpft in perfekter Zweistimmigkeit mit Phoebe auf die Regierung, ohne das mulmige Gefühl loszuwerden, unter einer Art Narkose zu handeln, als steuere sie mit Hochgeschwindigkeit in die entgegengesetzte Richtung, in die sie eigentlich will.

Wie programmiert.

Aber wer oder was hat sie programmiert?

Irgendwas stimmt da ganz und gar nicht.

Die Entwurzelung ihrer Familie schmerzt sie, zugleich fragt sie sich, wie sie ernsthaft dagegen sein kann, den Haufen psalmodierender Ekstatiker weiter südlich in die Schranken gewiesen zu sehen. Auch in Elei Sinai beruft sich mancher auf Josua 15, Vers 47, überwiegend aber sind die Leute halbwegs bei Verstand. Selbst für Atheisten zu ertragen, nur geh mal nach Nezarim! Prangt inmitten palästinensischen Territoriums wie ein Fettauge auf der Brühe. Völlig isoliert, Wachtürme, bombenfester Beton. Die Panzerung des Busses, der die gesicherte Verbindungsroute abklappert, würde jedem Merkava zur Ehre gereichen, weshalb ihn palästinensische Heckenschützen regelmäßig Materialtests unterziehen. Ein einziges Gefängnis, dieses Nezarim, das an den Witz von dem Irren denken lässt, der in der Wüste Löwen fangen will. Er stellt einen Käfig auf, setzt sich hinein und bildet sich ein, drinnen wär draußen. Vor Jahren hat Zahal Vorsorge getroffen, dass die Orangen- und Olivenhaine niemandem ermöglichen, sich unbemerkt anzuschleichen, indem sie das komplette Umland dem Erdboden gleichmachte, jetzt haben Siedler und Feinde einander über tristes Brachland im Blick. Regelmäßig wird der Ort beschossen, und doch kennt Yael Mütter, die ihre Kinder nirgendwo anders aufwachsen sehen möchten. Ähnlich abgedreht sind sie in Kfar Darom, wo sonst findet man eine Frau wie Hanna Barat? Acht Blagen und eine palästinensische Kugel im Rückgrat, die sie in den Rollstuhl zwingt, was ihr aber nur als Bestätigung dient –

»– erst recht hier zu siedeln! Der Anschlag hat mich bestärkt, Gott hat entschieden, *baruch haschem*!«

Gelobt sei sein Name.

Gelobt sei auch der Name ihres jüngsten Sohnes, Amichai Israel, *Das Volk Israel lebt!* So heißt der Kleine. Wenn er in der Schule zur Tafel muss, kommt immer gleich das ganze Volk nach vorne. Durchgeknallte in Yaels Augen, zugleich tun sie ihr leid. Als eine Kommilitonin sie im Januar mit zu ihren Eltern nach Nezarim nahm, fragten die Yael, wo denn der Unterschied sei: »Elei Sinai haben die Palästinenser genauso überfallen wie uns, ziehen deine Großeltern deswegen weg?«

»Sie *können* nicht weg«, hat Yael geantwortet. »Sie verlören ihre Existenz, wenn sie gingen.«

»Und wir unsere. Wir existieren in Gott.«

Was soll sie sagen? Tatsache ist, ihre Großeltern leben nun mal auf einer 360 Quadratkilometer großen Parzelle inmitten von Nationalisten und Gotteskriegern. Volksfeinden, wie die Bevölkerung sie neuerdings nennt. Da kann Jehuda noch so insistieren, unideologisch zu sein, sogar ein bisschen links, und dass sie vor 23 Jahren nur hergekommen seien, weil sie pleite waren und man nirgendwo für so wenig Geld so angenehm leben konnte und sie, nun ja, ans Meer wollten.

Yael muss sich dumme Fragen gefallen lassen.

Ob ihren Alten nach Jamit nicht klar gewesen sei, dass ihnen das Gleiche in Gaza blühen könnte?

Nein. Wie denn?

Na, besetztes Gebiet!

Ja, mit dem Unterschied, dass ihr Verzicht damals mit Frieden belohnt wurde. Aber der Gazastreifen? Meine Familie nahm Terrain in Besitz, das *nie jemand anderes* Staatsbesitz war. Stellt sie ruhig als Deppen der Nation hin, das *konnten* sie nicht wissen. Nicht, dass Arik ihnen Land geben würde, das er aus freien Stücken wieder abstößt.

Ohne das *Geringste* dafür zu bekommen.

Wie hätte ihnen das klar sein sollen?

Jetzt büßen sie für die Versäumnisse anderer, und am meisten für die politischen Abenteuer Ariel Scharons, der Menschen wie Schachfiguren auf dem Feld seiner Ambitionen verschiebt. Phoebe lässt keine Gelegenheit ungenutzt, Hass in Yaels Blutbahn zu träufeln, sodass sie gar nicht anders kann, als Arik zu verabscheuen, wann immer sie ein Foto ihres toten Vaters in der Hand hält, Phoebe mit leerem Blick in ihrer Küche stehen sieht, oder gerade, da sie Gläser und Geschirr in Zeitungspapier wickelt und in Kisten verstaut.

Sie fühlt sich betrogen, vom Tag ihrer Geburt an.

Betrogen um ihre leiblichen Eltern, um die Chance auf Frieden, und stellvertretend für Phoebe und Jehuda um ein rechtmäßig zugesichertes Zuhause.

Ihr Denken folgt keiner Logik, keiner höheren Überzeugung.

Sie ist nur unendlich

WÜTEND!

Odyssee

Das ist Jehuda auch, zwei Monate später.

Wegen allem.

Beginnend damit, dass sie längst in Aschkelon darüber diskutieren sollten, wo die Bilder hinkommen, statt in einer zugigen Zeltstadt vier Kilometer nördlich des Gazastreifens zu hocken, zusammen mit weiteren 50 Familien aus Elei Sinai. Den Umstand betreffend, dass die alternativ zur Verfügung stehende Notbehausung mehr Not verursacht als lindert, sodass Phoebe jeden Aufenthalt dort kategorisch verweigert. Und weil sich an ihrer Lage so schnell nichts ändern dürfte.

Wusste er's doch.

Ein Dilettantenladen, diese SELA!

»Nein, wusste *ich's* doch«, lässt Phoebe ihn mit der Regelmäßigkeit eines Muezzinrufs wissen. »Schon als die Witzfigur bei uns zur Tür reinkam, *direkt aus dem Regierungssitz*, verlogenes Getue, wir hätten uns nicht darauf einlassen solln, aber nein, ich musste dem Typ ja zuhören, weil er uns *helfen* wollte, schönen Dank auch, als Ergebnis drücken wir uns jetzt in Yad Mordechai rum wie eine Bande Obdachloser, wie Vertriebene leben wir, und kein Ende in Sicht.«

Tatsache – sie hausen in einem Vertriebenenlager.

Dabei ließ sich alles so gut an.

Ende Juli, Vorzugsführung durch besagtes Appartementhaus, und das mussten sie dem SELA-Typen lassen, er hatte kein bisschen übertrieben. Schmuck und luftig, unmittelbar am Meer gelegen, freies Gelände in Sichtweite, das nach Treibhäusern geradezu schrie. Baugenehmigung? Machen Sie sich keine Sorgen. Schnell zugreifen, bevor der Run einsetzt, hier, das Penthouse, Fahrstuhl direkt bis in die Wohnung, hübsche kleine Terrasse, einmalige Gelegenheit –

Selbst Phoebe war glücklich.

Sie unterschrieben für das Penthouse.

Dass sich die Dinge in die falsche Richtung entwickelten, dämmerte ihnen zwei Wochen später, als der offizielle Räumbescheid ins Haus wehte, nebst einem Schreiben der SELA.

Sie lasen es.

Lasen es noch mal.

Ein Irrtum?

Es konnte nur ein Irrtum sein.

Freudig wurde ihnen darin die Bereitstellung einer Übergangsunterkunft in Beer Scheva bestätigt, verbunden mit der Empfehlung, sich zeitnah um die Einlagerung ihrer Möbel zu kümmern.

Beer Scheva?

Was um Himmels willen sollten sie in der Wüste?

Und wieso Übergangsunterkunft?

Wieso Möbel einlagern?

Weil der Gaul der Bürokratie mit Scheuklappen in die falsche Richtung gelaufen und überhaupt nichts klar war. Das Appartementhaus stand nicht mehr zur Debatte. Bassis Behörde hatte den Erwerb eingeleitet, ohne sich an geeigneter Stelle Rückendeckung zu verschaffen, woraufhin ein Beamter des Finanzhofs zu dem Schluss gelangt war, so viel Luxus sprenge jeden Rahmen, halb so edel sei gut genug für die Dorftrottel aus Elei Sinai. Natürlich drückte er es diplomatischer aus, aber jetzt lag der Deal auf Eis.

Und plötzlich fehlten an die 100 Wohnungen.

Das Ganze war hochnotpeinlich, irgendein Schlaukopf entschied, die Leute kurzerhand auf eine Wohnwagensiedlung am Rande Beer Schevas umzuverteilen, dummerweise ohne die Betroffenen über die Gründe in Kenntnis gesetzt zu haben.

Teufel aber auch –

Vergessen zu erwähnen.

Eine Entschuldigung folgte, das Papier nicht wert, auf dem sie stand. Wohl oder übel mussten die Kahns, mit dem Nötigsten bepackt, nach Beer Scheva zockeln, wo sie ein Ungetüm von Caravan erwartete, das

dem Augenschein nach jeden Sandsturm seit der Vertreibung der Israeliten mitgemacht hatte. Unmöglich, die Farbe zu bestimmen. Entlang der Schweißnähte des Wohnwagens sammelte sich Kondenswas-
ser, nachts kühlte die Wüste ab, das Kondensat fand sich zu dicken
Tropfen, die Phoebe ins Gesicht klatschten, kaum dass sie sich in den
Schlaf geheult hatte. Immerhin wussten sie jetzt, warum die Matratzen
klamm waren. Wie als Antithese zur permanenten Feuchtigkeit funktionierte die Toilettenspülung nach dem Zufallsprinzip, und als Phoebe
tags drauf Spiegeleier braten wollte, fiel der Generator aus und war mit
Tritten und guten Worten nicht mehr in Gang zu setzen.

Im Wesentlichen beschrieb dies den Zustand des gesamten Caravan-
Parks.

Unmut und Verzweiflung machten sich unter den Evakuierten breit,
so hatte sich das keiner vorgestellt. Die SELA schwor Stein und Bein,
in Sachen Appartementhaus sei das letzte Wort noch nicht gesprochen,
aber davon wuchsen keine Wohnungen.

Die Verzweiflung schlug in Zorn und Aufruhr um.

Hier würden sie nicht bleiben.

Um keinen Preis.

Jemand regte an, zurück in den Gazastreifen zu ziehen und einige
der verlassenen Häuser zu besetzen.

Nicht die eigenen.

Viel besser. In Schirat HaYam, einer Siedlung des Gusch-Katif-Blocks,
werde der Widerstand organisiert, dort habe ein angesehener Militär-
historiker die »Unabhängige Jüdische Autonomie von Gaza Beach« ausgerufen und eine beeindruckende Streitmacht hinter sich versammelt, es
sei jede Menge Platz da und jeder Unterstützer willkommen.

Also fahren sie nach Schirat HaYam.

Der Weg führt vom Grenzübergang Kissufim über eine gesicherte
Straße zum Meer, dennoch ist der Blick auf das arabische Umland nicht
zu vermeiden. Außerhalb der Siedlungen ist der Gazastreifen ein Trüm-
merfeld, vernarbt von der Intifada, ödes, kaum bebautes Land. Die
Dörfer und Lager trist und grau, Rohbauskelette, die nie jemand fertigstellen wird, dennoch bewohnt, Straßen voller Schlaglöcher und Müll,
Absperrungen, Stacheldraht. Auf ganzen Arealen türmt sich der Schutt,
Stahlrippen krallen sich rostrot in den Himmel, die zerbombten Reste
der palästinensischen Infrastruktur. Eine feine Schicht Betonstaub liegt
über allem, die das Atmen erschwert, kann aber auch sein, dass einem
nur vor lauter Betroffenheit die Luft wegbleibt. Dieser Teil des Nahen
Ostens wurde so gründlich zerschossen wie kein anderer, und inmitten

der Verwüstung recken die Dschihadisten stolz ihre Fäuste und versprechen neues Ungemach.

»An Gewalt wird es nicht fehlen«, hat Ilias traurig zu Jehuda gesagt. »Wenn ihr abgezogen seid, bekommt Scharon seinen Frieden. Und wir bekommen einen Bürgerkrieg.«

Jehuda sieht solche Gegenden nicht zum ersten Mal. Nie zuvor musste er in einer solchen Hucke wie dem Caravan wohnen, doch gerade fragt er sich, wie viele obdachlose Palästinenser mit Kusshand in das Ding einziehen würden.

Elend ist relativ.

Und Schirat HaYam auch nicht gerade eine Augenweide. Fast könnte man den Eindruck gewinnen, die Siedler dort wollten leben wie ihre biblischen Vorfahren.

Dabei ist der Strand mit seinen Schatten spendenden Palmspalieren eigentlich ganz hübsch, das war's dann aber auch. Statt stabiler Häuser notdürftig gekalkte Kästen, Baracken mit Wellblechdächern, unbefestigte Straßen. Ein rostiger Wachturm, auf dem trotzig die israelische Fahne flattert. Als Hauptquartier des Widerstands dient ein verfallen wirkender, bunkerartiger Klotz, das Dach meterhoch vergittert, ein paar Dutzend Jugendliche dahinter, viele in Orange. Sieht aus wie Klein-Guantánamo. Mehr ist von der Streitmacht des Historikers nicht auszumachen, dafür er selbst mit nacktem Oberkörper und in Shorts, ein M-16-Sturmgewehr mit sich herumschleppend.

»Willkommen in der unabhängigen jüdischen Strandrepublik Gaza«, ruft er den Neuankömmlingen zu. »Ein neuer Staat ist geboren, von Tel Katifa bis Rafiach Jam. 2500 Einwohner! Vorgestern habe ich Petitionen an die UN und ans Internationale Rote Kreuz geschickt, ich rechne stündlich mit der formellen Anerkennung, und das mich keiner missversteht, ich will das hier nicht dominieren. Wir sind eine Demokratie. Betrachtet mich als Übergangspräsidenten, bis zu den ersten freien Wahlen.«

Jemand fragt, wie er das mit Zahal zu regeln gedenke.

»Israel kann herzlich gern die Aufnahme diplomatischer Beziehungen beantragen. Bis dahin –«

Verweist auf die Barrieren aus Sperrmüll, NATO-Draht und schwelenden Autoreifen, außerdem seien die Häuser vermint.

Soll heißen?

»Notfalls sprengen wir uns in die Luft.«

Lacht wild. Am Strand bitten ein paar Männer in Gebetsumhängen den Allmächtigen um Beistand.

»Bei diesen Verrückten bleibe ich keine zehn Minuten«, sagt Phoebe, und Schirat HaYam ist gegessen.

Der Plan entsteht, ein Protestcamp zu errichten, außerhalb Gazas, mieser als in den Caravans können sie in Zelten auch nicht wohnen, solvente Abzugsgegner sichern Unterstützung zu. Schnell ist ein Platz gefunden, eine Straßenkreuzung in Sichtweite des Kibbuz Yad Mordechai, zehn Kilometer südlich von Aschkelon im Ländlichen. Zelte aller Größen und Fabrikate nehmen Gestalt an, während sich in Gaza die Räumung vollzieht. In Nezarim tragen Soldaten in Tränen schwimmende Protestler aus den Häusern, in Kfar Darom verschanzen sich die Gläubigen in der Synagoge, in Schirat HaYam hat sich die Gefolgschaft des Präsidenten der Unabhängigen Jüdischen Strandrepublik Gaza mit Eiern und Nutellagläsern munitioniert. Der Präsident selbst lässt vom Balkon seines Hauses per Megafon wissen, Blut werde fließen, sollte ein Soldat es wagen, seinen Grund und Boden zu betreten, und gibt schließlich auf.

Phoebe und Jehuda nächtigen auf Feldbetten in einem ausgemusterten Sanitätszelt.

Zwei Tage nach Gaza evakuiert Zahal vier Siedlungen im Westjordanland. Diesmal fliegen ihnen Flaschen, Glühbirnen, heißes Öl und Autolack um die Ohren.

Die 50 Familien in der Zeltstadt von Yad Mordechai verkünden, die Kreuzung nicht eher freizugeben, als bis die Regierung ihnen einen Streifen Land zur Verfügung gestellt habe.

Und zwar einen, von dem sie NICHT vertrieben werden.

NIE!

Die Zeltstadt erweitert sich zu einer Camping-Musterschau.

Phoebe glüht vor Stolz. Das hier ist weit eher nach ihrem Geschmack, als in einem abgewrackten Caravan zu vergammeln. Ihre Kämpfernatur hat die Oberhand zurückgewonnen, so kennt Jehuda sie, und er ist froh, sie so zu sehen. Er wäre noch froher, quengelte nicht der Realist in ihm, Camping sei der Gesundheit alter Menschen abträglich, wer wisse schon, wie lange sie hier bleiben müssten, es bedürfe *jetzt* einer Lösung.

Dieser Quälgeist macht ihm zu schaffen.

Ließe Phoebe bloß mit sich reden.

Dann bekommt er unerwartet Schützenhilfe von Yael.

»Ihr könnt hier nicht ewig bleiben«, sagt sie.

»Wir bleiben, bis die Regierung uns ein respektables Angebot macht«, befindet Phoebe.

»Es ist zu feucht.«

»Das war es in dem Caravan auch.«

»Aber mittlerweile bieten sie Hotelzimmer in Beer Scheva und Aschkelon an.«

Stimmt, aber davon will Phoebe nichts wissen.

»Wenn wir uns breitschlagen lassen, in ein Hotelzimmer zu ziehen, lassen sie uns da verrotten.«

»Du hast Fieber.«

»Merke ich nichts von.«

»Leichtes«, sagt Yael. »Du bist erkältet. Bitte zieht in ein Hotel.«

Inzwischen kommt sie, wann immer es ihre Zeit erlaubt, bringt Medikamente mit und hilft, die Siedler medizinisch zu versorgen. Der einzige Arzt hat mehr als alle Hände voll zu tun und ist für jede Unterstützung dankbar. Ein Drittel der Camper sind Kinder, ein weiteres Drittel Alte. In einem der größeren Zelte haben sie eine Art provisorische Praxis eingerichtet, gerade leuchtet Yael einer schluchzenden Zehnjährigen mit der Stablampe ins Ohr, streicht ihr über den Kopf und lächelt.

»Tut es doll weh?«

Das Mädchen nickt, ein Tropfen Rotz hängt ihr von der Nase.

»Das hört gleich auf. Leg doch mal den Kopf schräg.«

Nimmt eine Pipette zur Hand und träufelt Tropfen in den entzündeten Gehörgang.

»Sehr gut, und danach – 18, 19, 20 – gibt's ein Eis – 24, 25, so. Was magst du denn am liebsten?«

»Grenadine.«

Draußen am Zelt läuft Jehuda vorbei, erblickt sie und vollführt kryptische Zeichen.

»Grenadine, das ist – das ist gut, das bekommst du bestimmt – gleich. Von deiner Mama.«

Nickt der Mutter zu und eilt nach draußen.

»Was ist?«

»Phoebe hustet sich die Seele aus dem Leib.«

»Verdammt!«, schimpft sie. »Ihr könnt in meine Wohnung ziehen, wenn ihr nicht ins Hotel wollt, aber bring sie endlich dazu, dieses idiotische Experiment hier zu beenden.«

»Vergiss es. Sie will keine Übergangslösung.«

»He, ich bin *Familie*! Nicht die SELA.«

»Und wo schläfst *du*?«

»Lass das meine Sorge sein.«

Jehuda nagt an seiner Unterlippe. »Nein. Das wär nicht gut.«

»Oh Mann! Ihr und euer Altersstarrsinn.«

»Hör mal –«, sagt er gedehnt und stockt gleich wieder. Fährt sich gedankenverloren über das unrasierte Kinn, Pfeffer und Salz, geht es Yael durch den Kopf, schwarze und weiße Stoppeln.

»Was denn?« Yael tritt ungeduldig von einem Bein aufs andere. »Ich muss da wieder rein.«

»Schaust du später mal nach Phoebe?«

»Sobald ich kann.«

»Gut.«

Sie mustert ihn, zögert. Dieses Unschlüssige, das passt nicht zu ihm. Worauf kaut er bloß rum, was er nicht ausspucken will?

»Ich muss jetzt wirklich wieder rein«, sagt sie.

»Schon in Ordnung.«

»Alles okay?«

»Ich wollte nur – also, ich hab vielleicht eine Lösung.«

»Ist doch super. Und?«

Er schüttelt den Kopf. »Ich rede erst mal mit Phoebe.«

»Bist du sicher?«

»Ja.«

Mit irgendwas quält er sich, das sieht sie. Würde es allzu gerne loswerden. Traut er sich etwa nicht?

»Yael!«, ruft der Arzt von drinnen.

»Geh wieder rein.« Jehuda lächelt. »Ich erzähl's dir später.«

»Bestimmt?«

»Bestimmt. Kann sein, dass du mir beispringen musst.«

Sie schaut dem großen Mann in die Augen, ihrem Großvater, der eigentlich ihr Vater ist, oder auch umgekehrt. Was spielt es für eine Rolle? Schlingt in einem plötzlichen Impuls die Arme um ihn, genießt es, wie seine Pranke ihren Rücken streichelt.

»Ich hab euch so lieb«, flüstert sie. »Bitte passt auf euch auf.«

Er drückt sie an sich.

»Mach dir keine Sorgen.«

Sie atmet tief durch, ein Kloß sitzt ihr im Hals, was ist los? Eilt zurück ins Zelt, wo das Mädchen mit dem entzündeten Ohr wieder zu weinen begonnen hat.

Jehuda sucht Phoebe.

Weiß nicht recht, war das jetzt richtig? Hätte er vielleicht doch erst mit Yael reden sollen? Schwer einzuschätzen. Er kennt ihren Standpunkt, aber eigentlich ist es Phoebes Standpunkt, den sie sich zu eigen gemacht hat, andererseits –

Doch, er *muss* zuerst mit Phoebe reden.

Nein, falsch.

Du hättest *erst* Yael einweihen sollen.

Lieber Himmel!

Wie kann etwas so Einfaches so kompliziert sein?

Er findet Phoebe auf der kleinen Lichtung zwischen Oleanderbüschen, wo Tische zu einem Hufeisen gruppiert sind. Die Kochstation. Das Ritz, wie einige es nennen. In Gesellschaft anderer Frauen putzt sie Möhren, Staudensellerie und Auberginen. Kiloweise Gemüse stapelt sich in Plastikwannen, 200 Leute müssen sie hier täglich satt kriegen, Öl wird in großen Pfannen erhitzt.

Du Sonne brennt erbarmungslos auf die Gruppe herab.

»Hast du mal fünf Minuten?«

Phoebe hustet, legt das Schälmesser weg, wischt ihre feuchten Hände an den Hosenbeinen ab.

»Was gibt's?«

»Du bist krank. Du solltest dich schonen.«

»Blödsinn, bloß erkältet.« Sie schüttelt den Kopf, hebt eine Braue. »Und das bei der Hitze. Albern, was?«

»Gar nicht albern. Es wird nachts immer kühler.«

»Ja, ich weiß.«

»Das ist nicht gut für dich, Phoebe.«

»Ich geh später zu Yael.«

»Sie kommt zu dir.«

»Bestens.«

»Außerdem –« Er zieht sie ein Stück abseits, weg von den Frauen. Zwischen den Büschen stehen sie da wie Teenager, die einen Platz zum Knutschen suchen. »Wir werden nicht hierbleiben.«

»Und wohin sollen wir?«

»In eine große, komfortable Wohnung.«

»Noch mal, Jehuda, ich werde in kein Provisorium –«

»Niemand spricht von einem Provisorium.«

»Sondern?«

»Es steht Verschiedenes zur Auswahl. In Aschkelon, oder hier in Yad Mordechai. Eine andere Möglichkeit wäre Palmachim.« Ein Kibbuz, zwölf Kilometer südlich von Tel Aviv nahe einem Luftwaffenstützpunkt. »Dort können wir unter Umständen ein Haus beziehen, dafür müssten wir –«

»He, langsam.« Sie schaut ihn aus kugelrunden Augen an. »Ich komm nicht mehr mit.«

»Wir beziehen ein neues Zuhause.«

»Woher –« Sie lacht irritiert auf, Hoffnung und Unglaube wetteifern in ihrem Gesicht. »Ich verstehe nicht ganz. Warum sollte das plötzlich so einfach sein?«

»Weil ich – na ja, ich habe –«

Er hat.

Gestern.

Das Verbotene getan.

Was er Phoebe geschworen hatte, nie und unter keinen Umständen zu tun, und wenn sie auf Bäumen nächtigen müssten.

Er hat eine Geheimnummer gewählt und –

Arik angerufen.

Den er, um der Wahrheit die Ehre zu geben, schon seit einer Woche zu erreichen versucht. Vergebens, trotz Geheimnummer. Der Ministerpräsident, so muss man's sehen. Jugendfreundschaft schön und gut, den Premier bekommst du nicht einfach an die Strippe. Während der Räumung war er für niemanden zu sprechen, schon weil er zu viele Evakuierte persönlich kennt, mit wem redest du da, mit wem nicht? Zudem betreiben die Reaktionäre im Likud seinen Sturz, der Siedlerrat schäumt, auf dem Zionsplatz lamentieren die Religiösen, Benjamin droht offen mit Krieg:

»Scharon ein Visionär? Er mag die Welt täuschen, die ihm jetzt so heuchlerisch zu Füßen liegt, uns nicht! Diese schändliche Abkopplung ist bei Weitem nicht das Werk eines Visionärs, sie ist ein fadenscheiniges Manöver, um davon abzulenken, dass die Staatsanwaltschaft den Scharon-Klan an die Wand gedrückt hat. Jeder künftige Schritt in Richtung Abkopplung geht nur so weit wie die Ermittlungen.«

Nicht einfach also, Arik zu sprechen, aber gestern ist Jehuda doch zu ihm durchgedrungen, als der Premier zu Hause bei einem Glas Roten auf der Couch saß. Erst dachte Arik, sein alter Freund wolle sich für die Vermittlung des Appartements in Aschkelon bedanken.

Jehuda klärte ihn auf, und Arik explodierte.

»Was? Meine Anweisung an die SELA lautete, euch ohne Verzug den bestmöglichen Platz zu besorgen!«

»Haben sie ja auch. Bis der Finanzhof einschritt.«

»Davon hat mir keiner was erzählt. Ich dachte, das wäre geregelt –«

»Du kannst nichts dafür.«

»Verdammte Volltrottel! Scheißladen. Warum hast du nicht früher angerufen? Du hättest *sofort* anrufen sollen.«

»Hab's versucht.«

»Ja, ich musste mich eine Weile abschotten. Hatte aber auch nicht mehr mit deinem Anruf gerechnet.« Kurze Pause. »Ich meine, ich weiß ja, wie die Dinge liegen. Wollte euch einfach nur helfen. Hinter den Kulissen. Tut mir leid, alter Freund.«

Nein, mir tut's leid, dachte Jehuda. Weil du seit über einem Jahr nichts mehr von mir gehört hast. Im Gegensatz zu früher, als ich mich wenigstens alle paar Monate zum Frühstück rübergestohlen habe.

Ich bin jedenfalls *kein* guter Freund.

»Weißt du, es ist so, dass Phoebe –«

»Du brauchst mir nichts zu erklären – bleib in der Leitung.«

Fünf Minuten später: »Ich rufe dich zurück.«

Dreißig Minuten später: »Hast du morgen Nachmittag Zeit?« Zählte ihm eine Reihe von Möglichkeiten auf. »Wir schauen uns das gemeinsam auf der Karte an. Sei um Viertel nach drei im Regierungssitz, ich werde alles organisieren.«

»Danke, Arik.«

»Und, ähm – sag *ihr* nichts davon.«

Als er Phoebe jetzt dunkelrot anlaufen sieht, denkt er, es wäre vielleicht besser gewesen, Ariks Rat zu befolgen.

»*Was* hast du? *Wen* hast du angerufen?«

Aber es reicht mit der Geheimniskrämerei. Allein, glaubhaft zu erklären, woher die Angebote stammen. Sollen die aus dem Himmel gefallen sein?

»Wir *brauchen* eine Wohnung, Phoebe, und Arik ist der Einzige –«

»Nein. Nein!«

»Jetzt hör doch mal zu.«

»Ich kann's nicht glauben. *Ich kann's einfach nicht glauben.*«

»Ich –«

»Du hast ihn angerufen.«

»Nachdem er uns die Sache in Aschkelon vermittelt hatte und du einverstanden warst, dachte ich –«

»Moooment!« Sie hält ihm wutentbrannt den ausgestreckten Zeigefinger unter die Nase. »Da ist *er* auf *uns* zugekommen.«

»So groß ist der Unterschied nicht.«

»Doch! Wir hatten vereinbart, ihn *nie* um etwas zu bitten.«

»Aber –«

»Ihn *niemals* anzurufen!«

»Phoebe. Du bist krank.«

»Ach so. Jetzt ist es meinetwegen.«

»Mir war nur wichtig –«

»Was kann so wichtig sein, dass du dafür das Versprechen brichst, nie mit dem Mörder meines Sohnes –« Ihre Stimme bricht, Tränen schießen ihr aus den Augen. »Hatten wir uns nicht geschworen –«

Du starrköpfige alte Frau, denkt er verbittert.

Er war auch *mein* Sohn.

»Ja, es *ist* deinetwegen! Weil du hier draußen vor die Hunde gehst. Außerdem habe *ich nie* geschworen, ihn nicht anzurufen.« Seine Zunge, ein losgerissenes Pferd. »Und für mich ist er auch nicht Uris Mörder, er hat vielleicht Fehler gemacht, aber er ist immer noch mein –«

Sie starrt ihn aus rot unterlaufenen Augen an.

»Dein was?«

Jehuda atmet tief durch, zwingt sich zur Ruhe.

»Ich fahre jetzt nach Jerusalem«, sagt er. »Schaue mir dort die Unterlagen an. Danach werden wir zwei uns gemeinsam für eine Wohnung entscheiden, und dann –«

Phoebe summt etwas, blickt nacheinander in alle möglichen Richtungen.

»– versuchen wir, die Dinge ins Reine zu bringen.«

»Mmmmm mmm mmmmm –«

»Unser *Leben* ins Reine zu bringen.«

»Du willst unser Leben ins Reine bringen? Schaff Uri zurück.«

Verdammt noch mal!

»Er kommt nicht zurück.«

»Was willst du dann bitte ins Reine bringen?«

»Phoebe«, fleht er. »Wie sollen wir je unsere Trauer bewältigen, wenn wir uns weiter den Quatsch einreden, Arik hätte unseren Sohn auf dem Gewissen? Diese ganze verfluchte Situation hat ihn auf dem Gewissen. Alles hier. Wir können vor lauter Hass nicht trauern, das ist das Problem dieses ganzen Konflikts. Das muss doch mal enden, auf beiden Seiten, sonst werden nur weiterhin Menschen –«

Sie wendet sich ab, geht.

Hört ihm schon nicht mehr zu.

»Ich sehe jedenfalls nicht tatenlos zu, wie du vor lauter Stolz an einer Lungenentzündung krepierst«, ruft er ihr hinterher.

»Viel Spaß in Jerusalem, Jehuda.«

Der Wagen röchelt, als wolle auch er sein Missfallen bekunden.

(Jetzt spring schon an.)

(Los doch!)

Er liebt den alten Land Rover, jahrelang hat er gute Dienste geleistet, aber in letzter Zeit entwickelt er Macken.

So wie wir alle, denkt er. Altersmacken.

Widerlich.

Endlich ertönt das protestierende Knattern des Sechszylinders, er lenkt den Wagen auf die A4 Richtung Aschkelon, schaltet sich durch die Gänge, gibt Gas, zitternd liegt seine Rechte auf dem Hebel.

Er ist stocksauer.

Gerade könnte er Phoebe auf den Mond schießen, vornehmlich aber richtet sich seine Wut gegen sich selbst und seine elende Oberflächlichkeit. Ein bisschen Rebell, ein bisschen liberal, ein bisschen Siedler, ein bisschen einverstanden mit allem, solange man am Ende des Tages nur seine Ruhe hat. Ein Leben ohne verbindliche Standpunkte, da hat Yael den Finger in die Wunde gelegt.

Ohne Größe.

Größe des Denkens, des Handelns.

Die Größe zu sagen: Was Arik getan hat, geschah für Israel, selbst wenn es schiefging. Phoebe folgend, hätte er jeden erdenklichen Grund, Arik zu hassen, aber dazu muss man aus allen erdenklichen Ursache-Wirkungs-Verkettungen die eine herauslesen, die der persönlichen Legendenbildung am besten zupasskommt, und am Ende wie vieler Verkettungen steht –

Versöhnung.

Eine Chance.

Etwas ganz und gar anderes, als es sich auf den ersten Blick darstellt.

Arik hat uns zwei Mal unser Zuhause genommen. Und wenn es sich nun als historisch richtig erweist? Ebenso gut möglich, dass es historisch falsch war, aber wenigstens handelt er *überhaupt*. Wagt etwas so Ungeheures, dass heutige Generationen noch gar nicht absehen können, als was dieser Mann in die Geschichte eingehen wird.

Stell dir vor, er räumt die Westbank.

Beendet das Siedlungsabenteuer, das er selbst in Gang gesetzt hat.

Was kommt danach?

Noch mehr Krieg? Oder Frieden? Endlich, Seite an Seite mit einem palästinensischen Staat. Wäre es das nicht wert? Auch wenn es weitere Opfer erfordert? Menschen wollen immer, dass die Dinge geregelt werden, doch wehe, sie sind persönlich betroffen.

Arik hat uns Kummer bereitet, oh ja.

Aber sich selbst ganz bestimmt den größten.

Wie einsam muss er sein! Ich hingegen? Wann hätte ich je etwas getan, das sich nicht darin erschöpfte, meiner Familie das bestmögliche Leben zu bieten? Was ja auch einiges wert ist, eine Menge sogar, aber wann wäre ich je für etwas Größeres eingetreten?

Etwas, das größer ist als man selbst?

Und dann denkt er:

Wie kann ich Phoebe vorwerfen, sie biege sich die Realität zurecht, wo ich selbst nie etwas anderes getan habe?

Oh, Phoebe!

Meine große, unsterbliche Liebe Phoebe.

Wie pathetisch ihm plötzlich zumute ist.

Wenn das hier überstanden ist, denkt er, schaffen wir uns einen neuen Wagen an. Komisch, dass ihm das in den Sinn kommt. Andererseits, den Motor neu anwerfen, hübsch symbolisch. Wir werden alles neu ordnen. Uns von Ballast befreien. Klären, was längst hätte geklärt werden müssen. Uns streiten, versöhnen. Ein altes Liebespaar, das Opfer hat bringen müssen, endlich imstande, ihnen einen Wert zuzugestehen.

Das Leben ist schön.

So profan.

So unendlich simpel.

Ganz erstaunlich, aber mit einemmal fluten Friede und Freude sein Hirn. Die Vorstellung, wie großartig alles immer noch werden kann, zaubert ein Lächeln auf seine Züge, auch wenn die Friedensempfindung vornehmlich der Tatsache entspringt, dass sein Herzinfarkt schnell und schmerzlos erfolgt und in seinem Kopf chemische Reaktionen auslöst, die ihn binnen Sekunden mit sämtlichen Widrigkeiten des Daseins versöhnen.

Der Jeep rast weiter geradeaus, 180 km/h schnell.

Über den Mittelstreifen auf die Gegenfahrbahn.

Einem Sattelschlepper entgegen, dessen Fahrer wie verrückt hupt, auf die Bremse steigt – haarscharf daran vorbei, zwischen zwei Autos hindurch, die mitten im Überholprozess auseinanderstreben –

Blech schrammt auf Blech –

Kurve –

Hebt ab.

Kurz scheint es, als wolle der Wagen geradewegs zum wolkenlosen, strahlend blauen Himmel emporsteigen.

Dann siegt die Schwerkraft.

Als der Jeep in einen Acker kracht, sich mehrmals überschlägt und mit jedem Aufprall weiter entformt, bis die dahinschießende Masse Blech nichts Strukturiertem mehr gleicht, ist Jehuda schon tot.

2011

Nablus, 9. November

Wahr ist, auf Sesamsäcken lässt sich übernachten.
  Bloß alles andere als gut.
  (Bleib fair, Junge, in deiner Verfassung hättest du im Vier Jahreszei-
ten auch nicht besser geschlafen, nur weicher gealbträumt.)
  Außerdem wird es seine erste und letzte Nacht in einem Sesamlager
gewesen sein.
  »Probier das mal«, sagt Mansour.
  Reicht ihm eine schwarzweiße Kufiya, die traditionelle Kopfbede-
ckung der Palästinenser. Hagen drapiert sich das Tuch mit ungeschick-
ten Fingern um Kopf und Schultern, was bei den al-Sakakinis Erhei-
terung auslöst. Mansour legt Hand an und bringt Fasson in die textile
Verschlingung. Hagens Mund und Kinn verschwinden hinter Stoff.
  »Damit sehe ich aus wie der älteste Gemüseverkäufer von Nablus.«
  »Besser als ein toter Gemüseverkäufer.«
  Weiß Gott. Nicht nur Cox' Leute dürften immer noch nach ihm suchen.
  »Komm jetzt.«
  Halb zwölf, sie haben zusammen Tee getrunken, etwas Couscous
und Hühnchen zu sich genommen, Hagens und Yaels Sachen sind im
Auto, Mansour drängt zum Aufbruch.
  »Bis Bait Sahur brauchen wir eine Dreiviertelstunde, vielleicht län-
ger, je nach Verkehr. Um drei holt euch Davids Freund in Schima ab,
das heißt, Taxi um eins.«
  Der Wagen parkt direkt vor dem Lager.
  Hagen drückt Mansours Bruder kurz an sich.
  Er wird ihn in süßer Erinnerung behalten.
  Teesüß.

Bait Sahur

Yael – in einer arabischen Stadt im Haus eines Christen – steht am Fenster und schaut hinaus auf die kahl gefegte Mondlandschaft Südjudäas.
  Während der Intifadas hat Bait Sahur von sich reden gemacht.

Durch Gewaltfreiheit.

Versöhnungsinitiativen.

Brich Brot, nicht Knochen.

Palästinensische Familien haben am Sabbat ihre Häuser für die israelischen Nachbarn geöffnet, während anderswo Steine und Molotow-Cocktails flogen. Keine hundert Meter vom Gästehaus entfernt sollen jene Hirten zur Nacht gelagert haben, denen höhere Wesen die Geburt eines gesunden Gottessohnes verkündeten (warum immer sie sich dafür einen Haufen übernächtigter Viehtreiber aussuchten), Höhlen, Zisternen, eine Kapelle und der Marienbrunnen lassen einen für Westbank-Verhältnisse regen Tourismus erblühen.

Eine Atmosphäre relativer Friedfertigkeit liegt über Bait Sahur.

Nach dem Erschöpfungsschlaf der vergangenen Stunden fühlt sich Yael, als sei sie einem Kokon entschlüpft. Niedergeschlagen und voller Angst ist sie hier eingetroffen, herzliche Aufnahme. Der Besitzer stellte klar, sie ist ihm nichts schuldig – nicht die Freundin eines Freundes eines Cousins (in welcher Art Treibsand sie steckt, wollte er gar nicht erst wissen).

Brachte ihr Tee und Sandwiches, ließ sie allein.

Yael hockte, das Hirn verkleistert von einer plötzlichen, heftigen Depression, auf der Bettkante.

Verpuppte sich, unfähig zu fühlen.

Ergab sich der Ohnmacht.

Wie immer nach solchen Phasen der Zusammenziehung gleicht ihr Geist nun einem aufgeräumten Zimmer, hat ihr Denken etwas Kristallines, liegen Erinnerungen offen vor ihr, übersichtlich gereiht. Alles präsentiert sich in ungewohnter Farbigkeit und Tiefenschärfe. Wieder kauert sie mit Tom auf den Planken der Balustrade, während unter ihnen der Schnurrbärtige telefoniert, hört zu und erinnert sich an jedes Wort.

Absalon, Daniel, Start, Container, und das alles in –

Tel Tzafit.

Tel-Tzafit-Nationalpark, um genau zu sein, auf halber Strecke zwischen Aschkelon an der Küste und Jerusalem im Osten, nur was die fünf Samariter betrifft, ist sie sich plötzlich nicht mehr sicher.

Fünf, ja.

Aber Samariter?

Umso klarer fügen sich Daniel und Absalon in die Verzweigungen ihres Familienstammbaums ein, jener dicht geästelte Teil, der sie nie interessiert hat, sodass ihr auch jetzt nur die wenigsten Namen einfallen. Aber Absalon ist einer von vier Brüdern, das weiß sie, die ihrerseits jeder auf eine gottgefällige Anzahl Nachkommen verweisen können, unter denen wiederum ein Daniel aufscheint, Absalons Sohn, und Absalons Vater ist –

Westjordanland

»Ben. Benjamin.«
Mansours Wagen gleitet auf der hügeligen Umgehungsstraße dahin. Sie nehmen den kurvenreichen Weg über die Dörfer, um das Kontrollpunkt-Gewimmel entlang Jerusalems zu umfahren. Hier drängt schon mit Macht die Wüste herein. Ein paar Olivenbäume, den versandeten Böden abgetrotzt, Schafe, traditionelle arabische Ländlichkeit.
Yaels Anruf.
»Wer ist Benjamin?«, fragt Hagen.
»Mein Großonkel. Benjamin Kahn, Urgestein der Siedlerbewegung. Mit dem Teil meiner Familie konnte ich nie sonderlich viel anfangen, dieses ganze Eretz-Israel-Getue, aber man muss sagen, für das, was er repräsentiert, ist er auffallend gemäßigt. Was weniger für seine Söhne gilt.«
Die Radikalisierung der zweiten und dritten Generation.
Die Alten bemühen sich, ihre konservative Haltung zu überwinden, die Jungen kultivieren sie.
»Ruf diese Agentin an«, sagt Yael.
Hagen schnaubt. »Allmählich sollte sie uns mal was bieten für unsere Mitarbeit.«
»Darüber reden wir in Jordanien. Vorher keine Deals. Versprochen?«
»Hoch und heilig.«
»Braucht ihr noch lange?«
»Mansour sagt, zehn Minuten.«
Er wählt Cox' Nummer.

Tel Aviv

Zehn Minuten später eilt Perlman, ein angebissenes Käsebaguette zwischen den Fingern, zum Kontrollraum, wo schon Cox, Ben-Tov, Dreyfus, Techniker und Analysten versammelt stehen.
Aus Satellitenaugen starren sie auf den Tel-Tzafit-Nationalpark.
»Was hat Hagen sonst noch gesagt?«
»Kein Wort zu viel.« Cox zeigt hoch zu den Großbildschirmen. »Tel

Tzafit ist im Wesentlichen ein Hügel, knapp vier Quadratkilometer, ein Eldorado für Archäologen. Der Park als Ganzes umfasst die fünffache Fläche, also das komplette Areal zwischen der A6 und dem Moschaw Luzit im Osten. Nördlich grenzt der Park an Wälder und Farmland, im Süden dito.«

»Einsam, aber schön«, nickt Perlman.

»Sie kennen das Gebiet?«, fragt Ben-Tov.

»Kennen ist zu viel gesagt. Ich war da mal wandern.«

Räuspert sich. Irgendwie peinlich. Wandern im Naturschutzgebiet, als sprächen sie über die Vorzüge der Frührente.

»Signifikante Infrastruktur?«

»Nur das Kraftwerk.« Einer der Analysten richtet den Finger auf ein weißes Quadrat nordwestlich des Hügels.

»Sonst nichts?«

»Nichts von Bedeutung.«

Dreyfus tritt näher an die Bildschirme heran. Dreht sich zu den anderen um. »Welche Auswirkungen hätte ein Anschlag auf dieses Kraftwerk?«

Der Programmierer am Keyboard klickt das weiße Quadrat an. Ein Informationsfenster öffnet sich.

»Noch im Bau«, stellt Ben-Tov fest.

»Fertigstellung 2014.« Der Analyst, seinem Wesen nach begeistert von Details, geht die Fakten durch: erdgasbetrieben, Zielleistung 835 MW, kombinierte Gas- und Dampf-Technologie, hohe Effizienz bei gleichzeitiger Reduzierung der Stromkosten, verringerter Ausstoß von Treibhausgasen –

Ben-Tov hebt genervt die Hände.

»Verschonen Sie mich mit dem Schmonzes. Welche Bedeutung hat das Ding für Israel?«

»Äquivalent zur Gesamterzeugungsleistung des Landes – also, da reden wir von sieben Prozent. Das nationale Stromnetz würde in erheblicher Weise profitieren. Tzafit liegt im Nord-Süd-Schnittfeld.«

Einen Augenblick hängt jeder seinen Gedanken nach. Dass Israel unter chronischer Energieknappheit leidet, ist nicht neu. Spätestens seit Beginn der industriellen Blüte übertrifft die Nutzung das Angebot, als Folge zählen Anschläge auf Kraftwerke zu den Albtraumszenarien der Geheimdienste.

Aber Tzafit ist nicht mal am Netz.

»Ein privater Betreiber«, konstatiert Perlman.

»Dalia Power Energies.« Der Analyst nickt. »Tzafit wäre das größte

Kraftwerk des Landes in Privatbesitz. Die Regierung hat den Privaten 2009 Tür und Tor geöffnet, bis 2020 erwartet man, dass sie ein Fünftel des Gesamtbedarfs decken.«

»Gut«, sagt Ben-Tov. »Konzentrieren wir uns fürs Erste auf den Hügel und die Peripherie des Kraftwerks. Konnte jemand was über die fünf Samariter in Erfahrung bringen?«

»Wenig.« Ein anderer Analyst. »Die Fünf taucht eigentlich nur in einer britischen Erhebung von 1918 auf, wonach die damals in Palästina lebenden Samariter fünf Familien bildeten.«

»Das ist alles?«

»Das ist immerhin eine Fünf.«

»Das ist ein Scheiß. Reuben, was haben wir über Kahns Söhne?«

»Ben meint, die für Toleranz codierenden Abschnitte seiner Helix seien nicht auf sie übergegangen, aber wir hatten nie Ärger mit ihnen.«

»Würde er seine eigenen Söhne reinreißen?«

»Wenn sie ihrerseits das Land reinreißen –«

»Die Dossiers über die beiden sind in der Mache«, sagt Perlman. »Verbunden mit der Bitte um ein paar Minuten Geduld.«

»Die sollen hinmachen«, sagt Ben-Tov. »Shana, Sie schwingen sich auf den Bock. Ich will mehr Agenten in Tzafit als Eichhörnchen, aber so, dass sie *Samael* nicht gleich durch Kampfgesänge in die Flucht schlagen.«

Sie ist schon auf dem Weg nach draußen.

Bait Sahur

Mansour hält vor dem Gästehaus. Es liegt erhöht an der Hauptzufahrtsstraße, mit Blick auf die historischen Stätten. Gegenüber wartet das Taxi, von unterwegs dorthin bestellt.

Sie laden das Gepäck um. Der Fahrer deutet auf Hagens Rucksack.

»Nein, nein! Den nehm ich mit rein.«

Keinesfalls wird er sich von seinem Laptop trennen, ebenso wenig von der Waffe. Notfalls ist sie der Zeigefinger, der anderen die Richtung weist.

Er schickt eine Nachricht an Yael.

Sind unten.

Sekunden später kommt sie über die Straße gelaufen.

Ein Moment der Verlegenheit, dann fallen sie Mansour nacheinander um den Hals.

»Danke! Danke für alles.«

»Wir lassen von uns hören. Sobald wir in Akaba sind. Danke!«

»Werdet nicht seekrank.« Er grinst. »Hast du dein Geld, Yael?«

Sie klopft sich auf die Brust.

»Alle Details abgespeichert?«

»Klar.«

»Wenn was unklar ist, schiefgeht, ruft an. Oder fragt Davids Freund, er kennt alle Einzelheiten. Das Boot legt Punkt Mitternacht ab, bis dahin müsst ihr zwei euch«, zwinkert Hagen zu, »die Zeit vertreiben.«

Wenn du dich da mal nicht irrst, denkt Hagen.

Wir haben eine Nacht im selben Bett gelegen, ohne dass irgendwas vertrieben worden wäre.

»Passt auf euch auf.« Steigt in seinen Wagen, fährt davon und ist eine Erinnerung. Schon ertappt Hagen sich dabei, ihn zu vermissen. So ist das. Nicht das Gewohnte vermisst man, sondern was einen berührt.

Sie machen es sich auf der Rückbank bequem.

Das Taxi fährt los.

Es kommt genau bis zur nächsten Kreuzung.

Tel Aviv

Absalon Kahn, geboren 26.04.1954 – Abitur, Wehrdienst, drei Jahre Jeschiwa, Studium der Luft- und Raumfahrttechnologien in Tel Aviv – Werdegang in der Armee (siehe Anhang) – Status aktuell: Generalmajor, Luftstreitkräfte, Stützpunkt Palmachim, 30th Airbase & Spaceport, 200th Squadron (Heron 1) –

»Nicht gut«, sagt Perlman.

Es reicht, Absalon an den Schaltstellen der Luftverteidigung zu wissen, um Übles zu befürchten. Er ruft Dreyfus an.

»Ein braver Soldat, wie es scheint.«

»Wie es *scheint*.«

»Ich will das nicht runterspielen, Ric, aber Absalon Kahn wurde mehrfach ausgezeichnet. Wir haben nicht das Geringste über ihn. Seine Akte ist so weiß und rein, dass es beim Lesen blendet.«

»Schön ausgedrückt.« Perlman blättert weiter. »Hier steht, Daniel Kahn arbeitet als IT-Spezialist. Freiberuflich, aber die Armee scheint sein größter Arbeitgeber zu sein.«

»Machen wir uns nichts vor, er und sein Vater sind beinharte Nationalreligiöse«, sagt Dreyfus. »Allerdings ohne je mit dem Gesetz in Konflikt gekommen zu sein. Wenn Sie Daniels Klienten durchgehen, sehen Sie, dass er auch für Palästinenser arbeitet. Er pflegt gute Kontakte in die A-Gebiete.«

Klar, denkt Perlman. Gute Kontakte zu Palästinensern pflegte der Jüdische Untergrund auch, bevor er daranging, sie in die Luft zu sprengen. Der Ball liegt in seinem Spielfeld. Absalons Siedlungshintergrund ist Dreyfus' Sache, aber Palmachim fällt nicht ins Ressort der Jewish Division. Der Stützpunkt liegt unweit des gleichnamigen Kibbuz an der Küste, 20 Kilometer südlich von Tel Aviv. Israels Raumfahrtbehörde betreibt dort im Schulterschuss mit der Armee ein Raketenversuchsgelände, Aufklärungssatelliten werden von dort gestartet.

Und noch etwas –

Cox nimmt die A6 nach Süden.

Hier geht die Küstenebene ins Hügelland über, Kleinstädte und Moschawim sprenkeln die Gegend. Links liegt der Kibbuz Hulda, Palmach-Hauptquartier während des Unabhängigkeitskriegs, von wo Scharon zu seiner desaströsen Latrun-Expedition aufbrach, legendäres Terrain. Im Frühjahr leuchten hier Blumenfelder, jetzt herrschen Erdtöne vor, schmucke Tristesse unter tiefblauem Himmel. Dutzende Agenten und ebenso viele Polizisten folgen ihr, verteilt auf Zivilfahrzeuge, unauffällig, mit Abstand zueinander.

Kein Unbeteiligter würde da eine halbe Armada anrollen sehen.

Sie passieren Yesodot und Yad Binyamin, religiöse Gemeinden, stoßen vor ins dunkle Herz der Provinz. Ein lichter Wald, Pinien im Wechsel mit Eukalyptus und Zypressen. Kräuter und Farne wuchern am Rand schmaler werdender Straßen, wilde Schönheit. Über Schotterpisten fliegt sie dem mythenumrankten Hügel von Tel Tzafit entgegen, wie eine riesige Insel liegt er inmitten eines Ozeans aus Gras- und Ackerland, hell reflektieren die zerklüfteten Kreidefelsen der Westflanke das Sonnenlicht.

Ein Ort, an dem die Zeit zurückgedreht scheint.

Bait Sahur

»Ya Ahabal! Huzuk tizak!«

Vollbremsung. Unmittelbar vor dem Taxi ist ein Kleintransporter aus der Seitenstraße geschossen. Dem Fahrer entfährt ein vollsaftiger arabischer Fluch, er will zurücksetzen –

Ein zweiter Wagen schließt die Falle.

Männer springen aus dem vorderen Fahrzeug, reißen die Türen auf. Hagen hört Yaels Schrei, wird gepackt, wehrt sich mit aller Kraft, vergebens. Sie zerren ihn nach draußen, ein Schlag landet in seinem Gesicht. Er schlägt zurück, bleibt ihnen nichts schuldig. Einer dreht ihm den Arm auf den Rücken, bohrt die Knöchel in seine Nieren.

Hagen brüllt vor Schmerz.

Sie stoßen Yael ins Innere des Transporters, und anders als im Parkhaus muss er diesmal hilflos zusehen. Tritt hinter sich, trifft ein Schienbein, unterdrücktes Stöhnen. Es hagelt weitere Schläge. Hagen geht zu Boden, bekommt einen Stiefel in den Bauch, Gedärme samt Inhalt arbeiten sich hoch, seine Beine erschlaffen.

Sind das Cox' Männer?

Nicht ihr Stil.

So benehmen sich Leute, die Finger abknipsen.

Wie ein Sack wird er neben Yael in den Transporter geworfen, die Seitentür knallt ins Schloss, Läufe kurzer Maschinengewehre schwenken auf sie. Im nächsten Moment zerrt die Fliehkraft an ihnen, als der Fahrer aufs Gas geht, eine 180-Grad-Kurve fährt und davonschießt. Yael hyperventiliert vor Angst. Stößt sich mit den Füßen ab, rutscht von den Entführern weg und presst sich gegen die Wand des Laderaums.

Einer hält ihr seine Waffe direkt an die Stirn.

Tel Tzafit

David gegen Goliath.

Fragt sich, wer gerade wer ist.

Cox steht auf dem Gipfel des Tel Tzafit neben den verwitterten Überbleibseln der Kreuzfahrerburg Blanche Garde und schaut nach Westen. Um sie herum erstreckt sich das zerfurchte Relief des Höhenrückens, Fels und Wiesen, vom Wind gezauste, krumm gebogene Bäumchen. Zwischen Steinwällen, die vor drei oder auch 3000 Jahren aufgeschichtet worden sein könnten, rupfen Schafe bräunliches Gras aus dem Boden und glotzen von Zeit zu Zeit stoisch zu ihr herüber. Bemerkenswert zottige Schafe, stellt sie fest. Wie Erscheinungen aus einer Epoche weit vor der Ära der Kreuzritter. Die Spuren der Besiedlung reichen zurück bis in die Bronze- und Eisenzeit, das alttestamentarische Gath soll den Hügel gekrönt haben, jene Philisterstadt, aus der Goliath stammte.

Im Augenblick, denkt Cox, sind wir Goliath. Der ganze riesige, kraftstrotzende Apparat des Geheimdienstes –
Verwundbar und machtlos.
Deutlich sieht sie das Tzafit-Kraftwerk in der Ebene liegen. Rund um den Hügel und darüber hinweg wimmeln ihre Leute, na ja, wimmeln – selbst ein Ameisenvolk wäre, verteilt auf so viele Quadratkilometer, eine Ansammlung Einsamer.
Ihre innere Stimme meldet sich zu Wort.
Sagt ihr, dass es nicht um das Kraftwerk geht.
Worum dann? Von einem Start war die Rede, aber was bitte soll in dieser Einöde starten?
Und wer oder was sind die fünf Samariter?
Hoch am Himmel, geräuschlos und unsichtbar, ist die Luftaufklärung unterwegs, um in diesem nationalparkgroßen Heuhaufen die Stecknadel zu suchen. Cox geht ein Stück entlang des Rudiments von Blanche Garde und wendet den Blick nach Osten. Eine von Gräben durchzogene, prähistorisch wirkende Landschaft schließt sich an, eiszeitliche Ablagerungen überwuchert von ruppiger Vegetation, hier und da Waldflicken. Weiß wie bloß liegender Knochen schimmert der Fels durch. Bis in die Ebene soll Gath sich erstreckt haben, eine der fünf Philisterstädte, in welche die Bundeslade verschleppt wurde. Auch dort sind Sicherheitskräfte unterwegs, aber ihr Hauptaugenmerk richtet sich auf den Hügel.
Und gerade fragt sich Cox, warum eigentlich.
Warum sollte *Samael* einen von Archäologen und Wandergruppen heimgesuchten Hügel auswählen, wenn es nebenan hübsch einsam und unübersichtlich ist.
Fünf Minuten später ist sie unten.

Tel Aviv

Und Perlman sieht die Puzzlesteine ineinandergreifen.
Alles ergibt plötzlich Sinn, und es verschlägt ihm den Atem.
Der für heute angesetzte Start –
Palmachim!
Die Basis ist ein Luftwaffenstützpunkt: Helikopterstaffeln, Kampfjets – das meiste dessen, was fliegt, erfordert Piloten, die mitfliegen, andere Maschinen kannst du starten, selbst wenn dich die Höhenangst davon abhält, auf einen Stuhl zu steigen.
UAVs, unbemannte Fluggeräte.

Drohnen.

Da sitzt der Pilot nicht im Cockpit, er wärmt sich gemütlich den Hintern am Boden, und zwar in einem –

Tel Tzafit

»Container!«

Cox fährt am Grund einer kleinen Verwerfung hangaufwärts. Steine und Grün glänzen vor Feuchtigkeit, immer wieder rutscht die BMW weg. Selten hat sie Perlman so aufgeregt erlebt.

»Palmachim! Es geht um einen militärischen Start, Shana, irgendwo in Tel Tzafit muss das Ding stehen.«

»Ein Cockpit-Container?«

»Samt Antenne. Sie wissen ja, wie so was aussieht.«

Weiß sie. Mehr als einmal war sie im Drohneneinsatz dabei. UAVs, *Unmanned Aerial Vehicles*, starten und landen vollautomatisch, kommuniziert wird via Sichtverbindung oder Satellit. Oft hunderte Kilometer entfernt sitzt das Personal in einer Bodenstation, besagtem Container. Eine Kiste, vollgestopft mit Computern, Monitoren und Sitzen und gekoppelt an eine Antennenschüssel. Rechts der AVO, *Air Vehicle Operator*, dem weder Steuerknüppel noch Sidesticks zur Verfügung stehen, er gibt die Koordinaten per Mausklick ein. Der Monitor zeigt ihm das Operationsgebiet, klick, flieg hierhin, klick, dorthin, und die Drohne führt das Manöver selbstständig durch. Aus purem Interesse hat Cox das Bedienhandbuch gelesen, kinderleicht. Jedes Nintendo stellt dich vor größere Herausforderungen. Der in der Mitte überwacht den Luftraum per Radar, damit es nicht zu Kollisionen kommt. Dem PO, dem *Payload Operator*, ist die Sensorik anvertraut, Bordkameras, Zielerfassungssystem, der rote Knopf.

Der PO bringt den Tod.

Ein Container, kaum größer als eine Pkw-Garage.

Eine Antenne mit einem Durchmesser von wenigen Metern.

Inmitten wilder, unüberschaubarer Natur.

»Haben Sie schon mit Palmachim gesprochen?«

»Wir stellen den Kontakt her. Absalon ist mit erheblicher Befehlsgewalt ausgestattet, aber da sind andere auf Augenhöhe und über ihm. Er kann einen Start anberaumen, ganz sicher wird er nicht die komplette Crew manipulieren können. Es muss also einen Spiegelcontainer im Naturschutzgebiet geben, von dem aus sie sich reinhacken.«

»Sie meinen –«

Die BMW schießt aus der kleinen Kluft auf eine steinige Ebene, gesäumt von Pinienhainen.

»Ja«, stößt Perlman hervor. »Die wollen das Ding kapern. Das ist der Plan, Shana! Die wollen eine gottverdammte Drohne entführen!«

Kiryat Arba

15, 20 Minuten.

Länger kann die Fahrt kaum gedauert haben – eine Höllenfahrt, während derer die Entführer ihnen zwar nichts mehr getan haben (sieht man davon ab, dass es nicht *nichts* ist, wenn dir einer eine Maschinenpistole an den Kopf hält), nur dürfte die Hölle noch vor ihnen liegen.

Der Wagen rumpelt eine Schräge hinauf, auf ebenes Gelände.

Stoppt. Der Motor erstirbt.

Die Seitentür wird aufgerissen.

Noch mehr Männer, sehr junge darunter. Fast alle mit Vollbart und Kippa, ein bitteres Indiz, dass sie es nicht mit Cox' Leuten zu tun haben. Starke Arme zerren Hagen nach draußen. Eine überdachte Zufahrt. Daran entlang verlaufend die Straße, über die sie gekommen sind, ziegelrote Bürgersteige, geschwungene Anhöhen in der Ferne. Offenbar sind sie auf einem Hügel. Jenseits hoch stehenden Buschwerks ragt eine schneeweiße, terrassierte Wohnburg auf.

Er stöhnt. Nase, Kiefer, Wangenknochen, alles schmerzt von den Schlägen, ihm ist übel als Folge der Tritte.

Sie holen Yael aus dem Wagen.

»Lasst sie in Ruhe!«

Einer der Entführer verpasst ihm eine Backpfeife, die seinen Kopf herumreißt, sie packen ihn unter den Achseln.

»Ich kann alleine laufen!«

Zerren ihn einen Treppenschacht hinunter, er muss aufpassen, nicht ins Stolpern zu geraten, wenigstens behandeln sie Yael vergleichsweise rücksichtsvoll. Am Ende des Schachts ein Kellergewölbe, kahl, neonhell ausgeleuchtet. Spärlich möbliert, gegenüber eine Stahltür. Hagen wird auf einen Stuhl gezwungen, sie schauen in seinen Rucksack, nicken befriedigt. Fünf Männer zählt er, und jeder trägt eine Miene zur Schau, als wolle er im Alleingang eine Schulklasse zu Tode erschrecken. Ein sechster hält ihn von hinten umklammert, während ein anderer seine Unterarme mit Riemen an die Stuhllehnen fesselt und seine Beine fixiert.

»Hört auf mit dem Scheiß. Wir können auch so reden.«

Backpfeifen.

Als sich sein Blickfeld wieder klärt, sitzt ihm Yael gegenüber, festgezurrt wie er. In ihren Augen steht das blanke Entsetzen.

»Es freut mich, dass Sie reden wollen.«

Die Stimme kommt aus Richtung eines Tisches. Ein großer Kerl steht dort mit dem Rücken zu ihnen, nimmt etwas in die Hand, dreht es prüfend. Kurz gerät es in Sicht und reflektiert das Neonlicht, bevor er es zurücklegt.

Eine Säge.

»Machen wir's kurz«, sagt Hagen, um Festigkeit bemüht. »Ich hab alles erfunden, es war –«

»Ja, es gibt Leute, die das vermuten.« Der Große dreht sich um. Lächelt. Sein Bart lächelt. »So sieht man sich wieder. Erinnern Sie sich?«

Nein, denkt Hagen. Oh nein.

Bitte nicht du.

»Letztes Mal wurden wir etwas rüde getrennt, dabei war unser kleiner Gedankenaustausch gerade so richtig in Fahrt gekommen. Aber ich habe die Hoffnung nie aufgegeben, dass wir unser Gespräch irgendwann fortsetzen können.«

Er tritt zwischen ihn und Yael, schaut auf Hagen herab.

»Tut mir übrigens leid, das mit den Mädchen. Ich meine, sie waren Schlampen. Die Welt ist voller Schlampen, zwei weniger schlagen da nicht zu Buche, aber wären sie sitzen geblieben und hätten den Mund gehalten – wir sind ja keine Barbaren.« Geht in die Hocke. »Nun ja. Wie Sie das schon von mir kennen, brauche ich schnell ein paar Informationen.«

»Ich hab die Scharon-Geschichte *erfunden*, verdammt!«

»Das sagten Sie bereits.«

»Es war bloßer Zufall –«

»Ja, der Zufall.« Etwas blitzt zwischen seinen Finger. »Er schenkt uns Begebenheiten von solch abstruser Natur, dass man sie kaum glauben mag. Jedenfalls nicht ohne gründliche Überprüfung. Wussten Sie, dass man von der Hamas einiges lernen kann?«

Er präsentiert eine Nadel.

Eine profane Stecknadel.

»Gesprächsführung. Ihr Sicherheitsdienst hat in der Befragung von Kollaborateuren einigen Einfallsreichtum entwickelt. Während meiner Zeit in der Armee bin ich ein regelrechter Fan dieser Methoden geworden.«

Er packt Hagens Rechte.

»Weil sie so einfach sind.«

Zwingt den Mittelfinger in die Gerade.

»Nein.« Hagen versucht, gegen die Lederriemen anzukämpfen. »Nein.«

»Und so effektiv.«

Schiebt ihm die Nadel unter den Fingernagel.

Hagen windet sich. Seine Beine zucken, durch die Riemen am Ausschlagen gehindert.

»Hört auf!«, schreit Yael. »Er weiß doch nichts.«

Der Bärtige schaut ihm ruhig in die Augen.

»Am Telefon wusste er eine ganze Menge. Besten Dank übrigens für die CDs. Und dass Sie die Waffe zurückgebracht haben, sie fehlte uns schon. Woher stammen Ihre Informationen über Scharon, was genau wissen Sie über uns?«

»Nichts«, keucht Hagen. »Ich schwöre, ich weiß nichts.«

Der Bärtige umschließt seinen Ringfinger.

»Ich hab die Geschichte erfunden! Es gibt keine Daten! Überzeugen Sie sich, nichts ist auf den CDs, alles, was Sie auf meinem Computer finden werden, sind Fälschungen –«

»Natürlich ist nichts auf den CDs.«

»Es *gibt* keine Quelle!«

»Herr Hagen.« Sein Gegenüber seufzt. »Wir stehen unmittelbar vor der Verrichtung eines großen Werkes. Sie müssen uns schon verstehen. Ist Yael Ihre Quelle?«

»Nein«, fleht Yael. »Ich hab nichts –«

»Er kann für sich selbst antworten«, fährt ihr der Bärtige ins Wort. »Können Sie doch, oder?«

Hagen nickt.

»Wer ist Ihre Quelle? Was wissen Sie über uns? Was hat Cox Ihnen erzählt?«

»Nichts, wir –«

Die zweite Nadel bohrt sich unter den Fingernagel.

Auch diesmal beißt er die Zähne zusammen. Versucht, nicht zu schreien. So ein winziges Stück Metall. Solcher Schmerz.

Yael schluchzt auf. »Bitte –«

»Sie erinnern sich der Maniküre, die wir Ihrem Freund zuteilwerden ließen? Wenn wir mit Ihnen fertig sind, werden wir uns Ihre Freundin vornehmen. Yael hat Geschichten zu erzählen, Sie würden staunen.« Er fördert eine dritte Nadel zutage. »Auf ein Neues: Wer ist Ihr Informant, was wissen Sie über –«

Mit einem Knall fliegt die Stahltür auf.

»Waffen runter!«

Männer stürmen herein, eine Situation wie in der Shlomtsiyon HaMalka, nur dass nicht gleich alle übereinander herfallen. Überraschung und Unglaube mischen sich in den Gesichtszügen des Bärtigen. Er springt auf, fährt herum. Die Neuankömmlinge, ebenfalls bärtig und mit Kippas, halten Mini-Uzis im Anschlag.

»Ihr?«, stößt er hervor. »Seid ihr verrückt?«

»Bindet die beiden los.«

»Was soll das? Warum seid ihr nicht auf euren Posten?«

»Halt's Maul, Zvi«, sagt einer der Neuen. »Losbinden.«

Die Blicke des Bärtigen hetzen zwischen den Angreifern und seinen Leuten hin und her. Bewaffnet sind alle, aber auf der Gegenseite krümmen sich gerade mehr Finger um Abzüge.

Er nickt dem Mann neben sich zu.

Binnen Sekunden sind sie frei.

Hagen zieht keuchend vor Schmerz die Nadeln unter seinen Nägeln hervor. Schießt hoch, reißt den Bärtigen an der Schulter herum und verpasst ihm einen Faustschlag ins Gesicht.

»Das ist für Krister!«

Der Mann wankt. Hagen setzt nach, wirft ihn zu Boden und prügelt wie ein Besessener auf ihn ein: »Gesprächsführung? Scheint, als hättest du kein Glück mit Gesprächsführung!«, wird zurückgerissen, krümmt sich, tobt.

»Ruhig«, sagt einer der Männer.

»Du Schwein! Du dreckiges –«

»Sie sind frei. Hören Sie auf. Sie sind in Sicherheit.«

Die Entführer haben ihre Waffen sinken lassen, werfen einander ratlose Blicke zu. Zvi rappelt sich hoch, wischt das Blut aus seinem Bart. Unglaube, Hass und Begreifen mischen sich in seinen Augen.

»Was gibt das hier?«, zischt er. »Verrat?«

»Verrat? Oh nein! Wir haben euren Verrat *verhindert*!«

Eine neue Stimme, voller Kraft und zugleich aller Kraft beraubt, als spräche ein sterbender Herrscher.

Auf Zvi hat sie die Wirkung eines Stromschlags.

Sein Blick wandert zur Tür.

»Du?«, flüstert er fassungslos.

Ein Rollstuhl wird hereingeschoben, darin ein alter Mann mit sauber gestutztem, von Weiß durchzogenem Bart. Der Anzug umschlottert seinen ausgezehrten Körper, die Schultern fallen kraftlos nach vorn, dennoch umgibt ihn eine virile Aura der Macht. Kohlschwarze Augen funkeln unter tief hängenden Brauen. Die eingefallenen Züge, seine graue Gesichtsfarbe, alles kündet von der letzten, großen Krankheit, die in ihm wütet, doch noch ringt nicht er mit dem Tod, sondern der Tod mit ihm.

»Onkel Benjamin«, flüstert Yael.

Tel Aviv

»Jetzt sofort!«, bellt Perlman.

Es liegt im Wesen hierarchischer Strukturen, dass sich jegliche Kommunikation durch Vorzimmer und Instanzen fräsen muss, selbst der allgewaltige Schin Bet ist nicht vor Aussagen gefeit wie, der Major sei gerade in einer Besprechung, der Oberleutnant nicht da, der Feldwebel vorhin auf dem Gang gesehen worden.

Perlman duldet keine Sekunde Verzögerung.

»Falls es die Sache beschleunigt, ich bin autorisiert vom Premier.«

Im Krisenzentrum brodelt es, der Direktor ist eingetroffen. Inzwischen würde Perlman seine Rente verwetten, dass Absalon sämtliche Codes und Verschlüsselungen an *Samael* weitergegeben hat, über die man sich Zugang zu der Drohne verschaffen kann, und dass sein Sohn Daniel mit im Container sitzen wird.

Endlich ist der zuständige Oberstleutnant in der Leitung, hörbar missgelaunt.

Ja, es sei eine Ernstfallübung angesetzt.

Ein UAV, genau. Richtung Negev.

Nein, keine *Heron.*

Auch keine *Heron-TP.*

»Die Neuentwicklung. *Artemis.* Sie wird von Palmachim aus über den nördlichen –«

»Wann?«, unterbricht ihn Perlman. »Wann?«

Ebene um Tel Tzafit

Auf den Pinienhain folgt Mischwald.

Cox fährt schattige Wege entlang, unter Zypressen und Johannisbrotbäumen hindurch. Rehe nehmen bei ihrem Herannahen Reißaus, am Himmel eine Pfeilformation Gänse. Inzwischen sind auch Einheiten der Armee nach Tel Tzafit unterwegs, Israels Sicherheitsapparat lässt jede Tarnung fallen.

Wen gedenkt *Samael* anzugreifen, dass es dafür eines fliegenden Roboters bedarf? Allein die Mühe, den Container nachzubauen. Auf so was kann man nicht einfach zurückgreifen. Verschwände einer vom Stützpunkt, würden sofort alle Alarmglocken schrillen. Sie müssen die Komponenten über lange Zeit hinweg beschafft haben, ein enormer logistischer Aufwand, von den Kosten ganz zu schweigen.

Die Bäume lichten sich.

Das Erste, was Cox auffällt, ist die Felsformation.

Irgendwie merkwürdig.

Fünf Monolithen in Reihe, vor Urzeiten von wandernden Eismassen hier abgelagert. Ein Trampelpfad führt zwischen ihnen hindurch, schneidet die dahinterliegende Lichtung und verliert sich im Unterholz.

Am Fuß des vorderen Felsens steht etwas.

Eine Hinweistafel auf Stelen.

Cox fährt näher heran, liest:

Die fünf Philister

Philister –

Aber ja! Die Pentapolis, der philistische Fünf-Städte-Bund, Aschdod, Aschkelon, Ekron, Gaza und Gath.

Philister!

Und NICHT Samariter.

In Tel Tzafit, hinter den fünf Philistern –

Kahn hat sich falsch erinnert.

Sie biegt auf den Trampelpfad ein, drischt ins Gehölz, Zweige peitschen ihr um Schultern und Helm, erreicht offenen Wiesengrund. Reifenabdrücke im Erdreich. Nicht mehr ganz frisch, vielleicht von gestern, vorgestern. Tief, sehr tief. Etwas Großes und Schweres muss hier entlanggefahren sein, hat die Baumgruppe auf der Kuppe umrundet, ist dahinter verschwunden.

Sie parkt das Motorrad.

Nimmt den Helm ab, folgt der Spur zu Fuß.

Keine 100 Meter weiter öffnet sich das Wäldchen zu einer hoch gelegenen Lichtung.

Ein Tieflader steht dort, die Rampe heruntergelassen.

Neben dem Tieflader steht die Antenne.

Auf der Ladefläche der Container.

Kiryat Arba

»Es tut mir so leid, Kind.«

Yael treibt im Gefühlschaos. Kahns Leute haben die anderen abge-führt. Nur einer ist zurückgeblieben, der auch seinen Rollstuhl gescho-ben hat, hält mit der Maschinenpistole Wache.

»Wir konnten nicht früher zugreifen«, sagt Kahn. »Nicht, bevor wir Beweise gegen sie in der Hand hatten.«

Hagen zeigt mit schmerzendem, blutendem Finger zur Tür.

»Wer sind *sie*?«

Der alte Mann runzelt besorgt die Stirn.

»Das muss verbunden werden.«

»Später. Wer?«

»Ja, wer? Sie selbst halten sich für Patrioten. Gottesdiener. De facto sind sie Attentäter.«

»Und *Ihre* Leute?«

»Meine Leute –« Kahn räuspert sich. Ein Raspeln, als flögen in seiner Lunge Reißnägel umher. »Sagen wir, Menschen, die erkannt haben, auf welche Seite man vor Gott gehört. Zwei sind Agenten des Schin Bet.« Der Anflug eines Lächelns huscht über seine Züge. »So wie ich.«

Yael zögert. Umfasst seine Hände. Haut und Knochen, von violetten Adern durchzogen.

»Haben diese Leute – waren sie es, die Arik – die mich –«

»Ja. Ich fürchte, ja.«

»Warum?«

»Warum –« Er seufzt. »Weil sie einem Traum nachhängen.«

»Warum mich?«, weint sie.

»Du warst zur Stelle. Zur richtigen Zeit.« Seine dunklen Augen hef-ten sich auf Hagen. »Danach habe ich begonnen, mit dem Geheimdienst zu kooperieren. Mir war klar, dass Zvis Gruppe die treibende Kraft hin-ter dem Anschlag war, aber es gab keine Beweise. Wir beschlossen, sie zu beobachten. Leider war ich im vergangenen Jahr nicht ganz auf dem Posten, meine Frau Leah –« Seine Stimme kippt, fängt sich. »Sie verliert ihr Gedächtnis, und ich selbst – na, Sie sehen ja.«

Hagen geht zum Tisch. Schaut in seinen Rucksack.

Laptop, Waffe, CDs, alles noch drin.

»Hören Sie, Rabbi, wir sind Ihnen zu Dank verpflichtet, großem Dank. Aber wir müssen von hier verschwinden. Wenn wir in einer Stunde nicht an der Grenze sind –«

Kahn macht eine kraftlose Handbewegung zur Tür.

»Zvi brauchen Sie nicht mehr zu fürchten.«

»Nein, aber Ihre Freunde vom Schin Bet. Ich werde nicht zulassen, dass die Yael in die Mangel nehmen.«

Und außerdem, denkt er, will ich die Story.

Ich will und werde die ganze Geschichte aufschreiben, sie ist mein Comeback, und kein Geheimdienst, keine Shoshana Cox, kein Netanjahu oder sonst wer wird mich daran hindern.

»Mein Fahrer wird Sie hinbringen.« Kahn nickt. »Wenn ich zuvor eine Bitte äußern dürfte –«

»Natürlich.«

»Helfen *Sie mir.*«

»Gerne. Wie?«

»Die Sache ist noch nicht ausgestanden. Zvi hat seine Finger überall drin. Was wissen Sie über seine Gruppe?«

Hagen schüttelt den Kopf. »Gar nichts wusste ich über die. Ich habe etwas erfunden, das unglücklicherweise stimmt. Ende der Geschichte. Und im Geheimdienst saß ein Verräter, der mithörte, als sie mich anzapften.«

»Das ist alles?«

»Ja.«

»Und du, Kind? Hast du ihm von damals erzählt?«

Yael schnieft. »Nur von Yossi – Yossi Backenroth –«

»Ach ja. Der unglückliche Yossi.« Kahn beugt sich vor. »Hört zu. Zvis Gruppe plant etwas. Da sind noch mehr von denen draußen. Ich weiß nicht, was, uns fehlen die Anhaltspunkte, aber es scheint unmittelbar bevorzustehen. Die Zeit läuft uns davon, also was immer ihr wisst –«

»Die haben uns gejagt«, sagt Hagen. »Nicht Kriegsrat mit uns gehalten.«

»Denkt nach.«

Yael zögert. »In Nablus –«

Schickt Hagen eine stumme Frage, er nickt, und so erzählt sie dem alten Mann, was sie auf der Balustrade gehört hat.

Ein versonnener Ausdruck tritt in Kahns Augen.

»Und die Agentin weiß davon.«

»Ja. – Onkel Ben –«

»Was denn?«

»Ich habe nachgedacht, und –« Sie stockt. »Absalon und Daniel – einer deiner Söhne heißt doch Absalon –«

»Und *sein* ältester Sohn heißt Daniel. So ist es. Habt ihr der Agentin auch von ihnen erzählt?«

Hagen nickt.

Und mit einem Mal wird ihm heiß und kalt zugleich.

Die Agentin weiß davon.

(Warum weißt du es dann nicht, alter Mann, wenn du für den Schin Bet arbeitest?)

Ein Handy klingelt. Das des Türwächters. Er spricht kurz hinein, kommt herüber und gibt es an Kahn weiter. Der Rabbi lauscht, während ein Lächeln auf sein Gesicht tritt.

Plötzlich sieht er richtiggehend beglückt aus.

»Lassen Sie uns fort«, sagt Hagen, bemüht, das Beben in seiner Stimme zu unterdrücken.

Kahn lässt das Handy sinken.

»Ich fürchte, das geht nicht.«

Yael schüttelt verständnislos den Kopf. »Warum nicht?«

»Wie schon gesagt, es tut mir leid. Aufrichtig leid. Aber es ist richtig. Du wirst sehen, Kind. Es war zu jeder Zeit richtig.« Gibt dem Wächter einen Wink. »Hol sie rein. Wir wissen, was wir wissen wollten.«

Der Mann zieht die Tür auf.

Und alle kommen sie wieder in den Keller, einträchtig Schulter an Schulter.

Tel Aviv

»Jetzt gerade?« Perlman glaubt seinen Ohren nicht zu trauen.

»Ja«, sagt der Oberstleutnant in der Leitung. »Der Start ist eingeleitet.«

»Brechen Sie ab.«

»Sind Sie verrückt? Der Schin Bet kann doch nicht einfach –«

»Doch, ich kann! Terroristen werden versuchen, *Artemis* zu entführen. Haben Sie verstanden? Brechen Sie ab!«

Dem anderen verschlägt es die Sprache, dann:

»Ich schalte uns in die Bodenstation.«

Diesmal gibt es keine Verzögerungen mehr. Sekunden später meldet sich der AVO über Funk und sagt die drei Worte, die Perlman jetzt am wenigsten hören will.

»*Artemis* ist oben.«

»Holen Sie sie zurück«, bellt der Offizier.

Keine Antwort.

»Kontrollraum? Bestätigen Sie. Ich sagte, Abbruch! Holen Sie –«

849

»Entschuldigung, Oberstleutnant. Wir haben ein Problem.«

»Was für ein Problem?«

»*Data Interruption.* Beide Funkwege, Avionik und Payload.«

»Was heißt das?«, schnappt Perlman. »Sie haben das Ding nicht mehr unter Kontrolle?«

Erneute Stille.

»Doch. Sie ist wieder da.«

»Ich hab Cox in der Leitung«, ruft einer der Operator.

»Und wieder weg«, staunt der AVO. »Scheiße, was ist das denn? Wir bekommen hier ständig Fehlermeldungen rein. Sie taucht auf, verschwindet, taucht wieder auf.«

»Ist sie auf Kurs?«, fragt der Offizier.

»Alles korrekt. Wie programmiert. Da scheint einfach was in der Elektronik defekt zu sein. Warten Sie, ich ändere kurz die Koordinaten – wunderbar. Reagiert.«

»Trotzdem. *Artemis* soll umkehren.« Perlman schaltet auf Cox um. »Shana?«

»Ich hab den Container gefunden. Schicke euch die Position.«

Auf der Monitorkarte erscheint ein GPS-Marker. Mitten im Naturschutzgebiet, ein erhebliches Stück vom Hügel entfernt, und im selben Moment sagt der AVO:

»Wieder verloren!«

»Das reicht jetzt.« Der Offizier. »Jets hoch.«

»Mir reicht's auch.« Ben-Tov löst sich aus seiner Starre. »Ich schicke die Kavallerie nach Kiryat Arba.«

»Warum denn nach Kiryat Arba?«, fragt Dreyfus verblüfft.

»*Ihr* Benjamin Kahn soll mir Verschiedenes erklären«, schnauzt Ben-Tov. »Und dann werde *ich* ihm Verschiedenes erklären.«

Artemis

Cox schaut aus dem Schutz des Buschwerks auf die Lichtung. Ein Mann mit einer Mini-Uzi patrouilliert vor dem Tieflader.

»Shana.«

»Ja?«, flüstert sie.

»Versuchen Sie, in den Container zu kommen.«

»Ich hab Verstärkung angefordert. Die müssen jeden Moment –«

»Das dauert zu lange. Die haben *Artemis* schon in ihrer Gewalt.«

»Was?«

850

»Gerade starten in Palmachim zwei F-15. Eine wird Kurs auf Tel Tzafit nehmen und den Container bombardieren, aber bis dahin kann es zu spät sein. Ich glaube, ich weiß, was die vorhaben. Die wollen den Tempelberg angreifen.«

Der Tempelberg, denkt Cox. Großer Gott.

Ging es nicht eine Nummer kleiner?

»Legen Sie denen das Handwerk.«

Sie richtet sich im Unterholz auf. »Wie viel Zeit bleibt mir?«

»Vier, fünf Minuten.«

Um es mit Arnie zu sagen:

Hasta la vista, baby.

Cox verlässt ihre Deckung, geht mit langen Schritten auf den völlig perplexen Wachmann zu und schießt ihm eine Kugel in den Kopf.

Hoch am Himmel durchschneidet eine zwölf Meter lange, silbrig glänzende Pfeilspitze die Luft.

Artemis hat wenig mit Drohnen vom Typ *Heron* oder *Predator* gemein, die alle ein bisschen aussehen wie missgestaltete Segelflugzeuge und es gerade mal auf 220 km/h bringen. Sie ist ein einziger eleganter Flügel mit einer Ausbuchtung in der Mitte, um die Satellitenantenne zu verbergen. An ihrem Unterleib befinden sich Kameras, Radar, Sichtfunk und Raketenschächte.

Und sie verfügt über ein Düsentriebwerk.

Damit ist sie viermal so schnell wie propellergetriebene Drohnen. Ihre künstliche Intelligenz befähigt sie, selbsttätig Ausweichmanöver zu fliegen und sich nötigenfalls den Weg freizuschießen. Verliert sie den Kontakt, schraubt sie sich so lange in höhere Sphären, bis wieder Sichtverbindung besteht, oder greift auf Satellitenkommunikation zurück. Reißt auch die ab, kehrt sie um. Geht ihr der Sprit aus, hält sie nach einem Landeplatz Ausschau, findet sie keinen, leitet sie ihre Selbstzerstörung ein, um nicht in falsche Hände zu fallen.

Dass genau dies gerade geschieht, registriert *Artemis* nicht.

Ihr elektronisches Hirn stellt keinerlei Betrachtungen darüber an, ob jemand sie kapert, solange die Zugangscodes stimmen. Wer sie steuert, ist ihr egal. Dass die Hacker unmittelbar nach dem Start mehrfach die Kontrolle übernommen und wieder abgegeben haben, sollte Palmachim suggerieren, es handele sich um einen technischen Defekt, um den Start der Abfangjäger rauszuzögern.

Alles Dinge, die eine Drohne nicht interessieren.

Jemand, der autorisiert ist, sagt ihr, wo's langgeht. Er kennt die

Codes, ist ihr Herr, auch wenn er in einem Container in Tel Tzafit sitzt. Mittlerweile dürfte denen in Palmachim klar geworden sein, dass jemand ihren schönen Roboter gestohlen hat. Und so, während die Piloten zu ihren F-15 laufen, übernimmt der neue Herr *Artemis* ganz, und auf dem Luftwaffenstützpunkt erblinden sie.

Weder wissen sie jetzt, wo *Artemis* ist, noch was sie tut.

Ein neuer Befehl ergeht an die Drohne.

Kurswechsel.

Sie fliegt eine Linkskurve und hält auf Jerusalem zu.

Yael ist totenbleich auf einen Stuhl gesunken.

»*Du* bist der Kopf des Ganzen«, flüstert sie.

Kahn nickt. »Ich war es immer.«

»Du hast Schimon zu mir geschickt.«

»Ja.«

»Es war dein Plan, Arik zu töten.«

»Was leider nicht gelungen ist«, sagt Kahn im Tonfall ehrlicher Betrübnis. »Das Schicksal des Komas wollte ich ihm ersparen. Wir konnten ihn nicht so weitermachen lassen, aber – er war immerhin mal mein Freund.«

»Und ich?« Yael scheint wie aus einem Traum zu erwachen. »Wie weit gedachtest du bei mir zu gehen?«

»Niemand hat dich je angetastet.«

»Das sieht man.«

»Wir durften kein Risiko eingehen. Niemand konnte wissen, was dieser Mann«, wedelt in Hagens Richtung, »gegen uns in der Hand hatte. Kannte er Namen? Wusste er von dir? Über dich wäre man schnell auf mich gekommen, sie hätten mein Umfeld und das meiner Söhne unter die Lupe genommen. So kurz vor unserem großen Werk! All die Jahre habe ich Sorge getragen, dass wir nicht auffallen, keine Angriffsfläche bieten. Die Sicherheitsdienste sollten sich an Levinger und seinesgleichen abarbeiten –«

Sie springt auf.

»Ich bin deine Großnichte! Die Enkelin deines Bruders!«

»Ich weiß.«

»Ihr habt Yossi getötet.«

»Er war zum Risiko geworden.«

»So wie ich, meinst du?« Ihre Augen blitzen, ihre ganze Trauer ballt sich zu Wut.

»Dich wollte ich nie –«

»Doch! Du warst bereit, auch *meinen* Tod in Kauf zu nehmen. Was bist du für ein Ungeheuer, was –«

Hagen nimmt sie am Arm und zieht sie weg. Zvi funkelt ihn bedrohlich an, bleibt aber auf Distanz.

»Was haben Sie vor, Kahn?«

Der Rabbi lächelt. »Ich erwarte nicht, dass Sie es verstehen. Bis vorhin haben Sie uns große Schwierigkeiten gemacht, alleine, was Sie Cox erzählt haben, aber jetzt bin ich beruhigt. In diesen Minuten erfährt die Geschichte der Menschheit einen tiefen, unumkehrbaren Einschnitt. Alles wird sich verändern. Die Drohne ist unser Engel, und nichts kann den Engel jetzt noch aufhalten.«

Er hebt beide Hände, eine Geste zwischen Eitelkeit und Bescheidenheit, als wehre er den Applaus kommender Generationen ab. Die Gesichter der Umstehenden glühen vor gespannter Erwartung.

»Drohne?«, echot Hagen.

»Die Erlösung.« Kahn lacht, und es klingt wie der Jubel eines viel jüngeren Mannes. »Sie ist nahe. Die Erlösung ist nahe.«

Nahe war sie schon einmal.

1984.

Wieder einmal störten Tempelwächter der Waqf Unbekannte, die sich in bedenklicher Nähe der Moscheen herumtrieben. Beim Eintreffen der Polizei suchten sie das Weite, was sie zurücklassen mussten, sprach für sich: kiloweise Semtex, Dutzende Handgranaten, Bomben, deren Konstruktion von hoher Expertise zeugte. Gleichzeitig wurde publik, dass der Schin Bet schon früher Pläne vereitelt hatte, die drittheiligsten islamischen Stätten nach Mekka und Medina in Schutt und Asche zu legen. In einer Jeschiwa wurden Munition und Sprengstoff aus Armeebeständen sichergestellt, Soldaten mit Verbindung zu Gusch Emunim verhaftet, offenbar seit Jahren werkelten radikale Siedler und Offiziere an Plänen zur Zerstörung des Felsendoms und der al-Aqsa-Moschee.

Israel stand unter Schock.

Immerzu hatten die Siedlerführer Peace now bezichtigt, den Jüdischen Untergrund erfunden zu haben, um sie in Misskredit zu bringen (die konservativ-klerikale Regierungskoalition sah das genauso), jetzt drohte Gusch Emunim die Spaltung. Die Organisation mochte fanatisch und messianistisch sein, keineswegs war sie gleichzusetzen mit der Terrorzelle, die da in ihr wucherte und nun geschlossen vor Gericht wanderte.

Nicht, dass einer bereute.

Busse sprengen, Politiker verstümmeln, Heiligtümer in Trümmer legen, gern jederzeit wieder.

Die Richter verhängten höchstmögliche Freiheitsstrafen.

Dreimal lebenslänglich.

Das war der Tag, als sie uns feierten, denkt Perlman. Da waren wir die Helden. Israels Kronjuwel, wie Schamir unsere Einheit bezeichnete, doch nur wenige Jahre später setzte die Knesset den gesamten Jüdischen Untergrund auf freien Fuß. Der Premier selbst unterzeichnete das Amnestiegesetz. Weil sie doch »Fleisch von unserem Fleische sind«, wie es plötzlich hieß, auf dunklen Pfaden gewandelt, aber haben sie's auf ihre Art nicht gut gemeint, verirrte Seelen, die ihre Fehler erkennen?

Schwachsinn.

Deren Lobby war aktiv geworden.

Und der Schin Bet stand über Nacht in der Kritik.

Seitdem hat Perlman nicht einen Tag an das Ende des Jüdischen Untergrunds geglaubt. Die Zecke lauerte im Baum, ganz wie der Direktor gesagt hat.

Lauerte auf den richtigen Zeitpunkt.

Cox pirscht sich die Rampe hoch.

Reißt die Tür zum Container auf.

Der Raum ist noch kleiner und enger, als sie ihn aus Palmachim in Erinnerung hat, augenscheinlich aber voll ausgestattet. Zwei Männer, PO und AVO, sitzen vor übereinandergestaffelten Bildschirmen, zwischen sich das grüne Bild der Radarüberwachung.

Auch dort müsste jemand sitzen.

Doch der Sessel ist leer.

Sie schießt auf den PO, er sackt auf die Konsole. Schwenkt den Lauf der Waffe auf den AVO, als jemand ihren Arm zur Seite schlägt, und ihr wird klar, sie hat einen Fehler gemacht.

Der dritte Mann stand hinter der Tür.

»Wir *mussten* aktiv werden.« Kahn scheint den Vortrag nicht nur ihnen zu halten, er spricht zu einem unsichtbaren Auditorium. »Das Ende der Intifada. Abbas' UN-Initiative. Obama, der uns an den Verhandlungstisch nötigt, nicht lange, und selbst Netanjahu wird zu *jedem* Handel bereit sein. Die Erfolge von Jahrzehnten, zunichtegemacht, das Land verschachert, die Erlösung ferner denn je –«

Hagen starrt ihn an. »*Was* haben Sie vor?«

Kahn lächelt. »Der Engel wird sprechen.«

»Hören Sie auf mit Ihrem verdammten Engel, *wen* soll die Drohne angreifen?«

»Sie verstehen es tatsächlich nicht, oder?« Seine Augen glänzen fiebrig. »Das Allerheiligste greift sie an.«

»Das Allerheiligste?«

»Das der *anderen*.«

Hagen braucht einen Moment, bis ihm klar wird, wovon der Mann im Rollstuhl da redet.

Dann trifft ihn die Wucht der Erkenntnis.

»Der Tempelberg!«

»Wir hätten Sprengstoff bevorzugt«, sagt Zvi. »Doch es ist unmöglich geworden, in die Moscheen zu gelangen.«

»Also nähern wir uns aus der Richtung des Messias«, sagt Kahn. »Ein chirurgisch präziser Eingriff in die Geschichte –«

»Bist du von Sinnen?«, flüstert Yael. »Weißt du denn nicht, was du damit auslöst?«

Kahn sieht sie erstaunt an.

»Selbstverständlich. Darum tun wir es ja.«

Sie springt auf ihn zu, wird von seinen Männern zurückgehalten.

»Du fängst einen Weltkrieg an!«, schreit sie.

Nicht mal übertrieben, denkt Hagen. Israel läge sofort im totalen Krieg mit sämtlichen islamischen Staaten. Nicht nur Iran, die arabischen Nationen, auch Türken, Indonesier – überall auf der Welt würden sich die Muslime in blindem Hass erheben, kein Jude wäre noch sicher.

Kahn schüttelt nachsichtig den Kopf.

»Die arabischen Staaten zerfleischen sich. Ihr sogenannter Frühling! Sie wären nicht fähig, Krieg gegen uns zu führen, aber selbst wenn. Wir alle wissen, Armageddon muss kommen. Gott wird die Welt neu ordnen, der Hohe Rat wird wieder eingesetzt werden, und danach wird dieser Planet so friedlich sein wie nie zuvor.«

»Stoppen Sie den Wahnsinn«, keucht Hagen.

»Bedaure, aber –«

»Stoppen Sie es!«

»Selbst wenn ich wollte.« Kahns Hände öffnen sich zu einer Geste der Machtlosigkeit. »Es ist zu spät.«

Der dritte Mann ist groß und kräftig. Er hat Cox gegen die Containerwand geschleudert, ein paar Treffer gelandet. Sie schließt schützend die Unterarme vor Kopf und Brust, während er sie wie einen Sandsack bearbeitet. In dem engen Raum kann sie ihre Kraft nicht ausspielen, sie

muss den ältesten Trick bemühen, mit dem Frauen seit Menschenge-
denken derartige Situationen meistern –

Zieht das Knie hoch und bringt seine Eier in schmerzhafte, weil um-
gekehrte Reihenfolge.

Aufheulend knickt er ein. Zückt eine Pistole. Zu spät, Cox hat endlich wieder Luft. Tritt gegen seine Schulter, jetzt ist es seine Waffe, die
davonschlittert, zerrt ihn hoch und zu sich heran, bricht ihm mit einem
Kopfstoß das Nasenbein.

Er taumelt zurück, mit flackerndem Blick.

Ist *er* Daniel?

Ist es der AVO, der jetzt panisch zu ihnen rüberschaut, sich wieder
den Monitoren zuwendet, die Rechte um die Maus gekrampft?

Glühender Schmerz.

Ihr Bauch.

Der andere hält ein Messer umklammert, die Klinge rot von ihrem
Blut, holt aus zum nächsten Stich. Cox packt seinen Unterarm und
schlägt ihn gegen die Containerwand, bohrt die Faust in seinen Solarplexus. Er klappt zusammen, das Messer entgleitet seinen Fingern. Sie
greift in seine Haare und knallt seinen Kopf gegen die Wand, dreimal,
viermal, bis sich das Metall rot zu sprenkeln beginnt, sieht den AVO
den toten PO von der Konsole ziehen, seine Linke nach der Abschussmechanik strecken –

»Ich kann sie nirgendwo entdecken.«

Der F-15-Pilot sucht die Umgebung nach der Drohne ab, doch *Artemis* scheint wie von der blauen Himmelskuppel verschluckt.

»Kurs auf Jerusalem.« Die Bodenstation. »Die glauben, sie greift den
Tempelberg an.«

»*Was?*«

Um Gottes willen. Er denkt fieberhaft nach. Fliegt eine Kurve, im
Seitenfenster kippt ihm der Erdboden entgegen. »Habt ihr denn gar
keine Möglichkeit, das Ding zu orten?«

Aus dem Weltraum.

Aus einem der permanent kreisenden AWACS-Aufklärer.

Tja, wäre es eine *Heron, Hermes, Predator* –

Doch *Artemis* ist zu allem Überfluss eine Tarnkappendrohne.

Und damit so sichtbar wie Harvey der Hase.

Sie selbst sieht, was sie sehen soll, in aller Deutlichkeit.

Der Tempelberg.

Direkt unter ihr.

Ihre Kameraaugen schicken das Bild in den Container, ihr Zielsystem fokussiert auf die goldene Kuppel. Die Wirkung der Explosion ist exakt berechnet. Die Wucht der Druckwelle wird sich gegen die Säulen im Innern richten, sie zerschmettern und die Kuppel einstürzen lassen. Der Felsendom wird nicht auseinanderfliegen, sondern kollabieren. Natürlich wird es Trümmerteile regnen, Menschen werden sterben, ohne dass jedoch die Klagemauer den geringsten Kratzer davonträgt.

Nicht ein Sandkorn wird sich von ihr lösen.

Jeden Moment muss der Befehl erfolgen.

Dann die al-Aqsa-Moschee, gleiches Prozedere.

Artemis wartet.

Unten gehen die Bediensteten der Waqf ihrer Arbeit nach.

Gläubige sind ins Gebet versunken.

Eine Schulklasse besichtigt das Plateau, amerikanische Teenager. Von der al-Aqsa-Moschee gehen sie zum Nachbargebäude hinüber, dessen Kuppel verheißungsvoll leuchtet, ein Anblick von überirdischer Schönheit, so was kennen sie sonst nur von Disney und Pixar.

Ein Mädchen macht Fotos von ihren lachenden Freundinnen.

Ganz hoch oben ist ein Düsenjäger zu hören.

Oder so was.

Cox reißt den AVO an der Schulter herum und lässt die Faust zweimal hintereinander gegen seine Schläfe krachen.

Der Knochen knackt.

Sein Körper erschlafft.

Jeden Moment wird die F-15, die hierher unterwegs ist, am Himmel auftauchen und eine Luft-Boden-Rakete in den Container feuern, deren Sprengkraft reicht, das Ding mitsamt Antenne und Tieflader zu zerlegen.

Mitsamt Shoshana Cox.

Allerhöchste Zeit, dass sie hier rauskommt.

Neben ihr wirft sich der dritte Mann mit einem Satz auf die Konsole und greift nach der Abschussmechanik.

Cox ist schneller. Ihre Wunde schmerzt höllisch, der zusammengesackte AVO blockiert sie, keine Chance, den anderen am Abschuss zu hindern, aber die Handgriffe, die es braucht, um die Drohne zu steuern, sind ihr wie ein Lehrfilm ins Gedächtnis gebrannt.

Wie man neue Koordinaten eingibt.

Die Drohne umlenkt.

Sie packt die Maus des AVO und zieht sie über den Tisch.

Klickt aufs Geratewohl ein anderes Ziel an.

Artemis berechnet den neuen Kurs.

Mit 680 km/h geht sie in eine Kurve und verliert den Felsendom aus dem Fokus.

Fast gleichzeitig erfolgt der Befehl zum Abschuss.

Die Rakete löst sich aus ihrem Bauch und schießt, dem veränderten Abschusswinkel folgend, über das Plateau hinweg.

Ihr Gegner schreit auf vor Verzweiflung.

Seine Faust trifft Cox' Ohr, dumpf explodiert der Schlag in ihrem Kopf, gefolgt von einem hohen Pfeifen.

Benommen knickt sie ein.

Er langt zu ihr rüber.

Schließt die Hand um die Maus.

»Da ist sie. Ich sehe sie!«

Keine hundert Meter unter der F-15 beschreibt *Artemis* eine Drehung und blitzt grell im Sonnenlicht auf. Der Pilot lässt den Jet sacken und nimmt sie ins Visier.

Sie fliegt einen Dreiviertelkreis.

Plötzlich ist er Auge in Auge mit ihr.

»Was zum –«

Artemis hält auf ihn zu.

Er verfällt in Hektik, visiert erneut. Alles ist besser, als den verdammten Roboter mit seinen Bordraketen über dicht besiedeltem Gebiet abzuschießen, doch der Befehl lässt ihm keine Alternative. *Artemis* muss um jeden Preis daran gehindert werden, seinen Auftrag auszuführen.

Deutlich sieht er die offenen Raketenschächte.

Das Ding wird *ihn* abschießen.

Er will feuern. Die Drohne wirbelt um ihre Achse und fliegt ein blitzschnelles Ausweichmanöver.

Von einer Sekunde auf die andere ist der Himmel leer.

Wo steckt sie?

Cox kämpft mit dröhnendem Schädel um Kontrolle. Sie wälzen sich auf der Konsole, prügeln aufeinander ein, jeder versucht, das kleine Steuerinstrument in seine Finger zu bekommen.

Der AVO sackt schwer gegen sie.

Drückt Cox gegen die Wand.

Ihr Gegner ergreift die Gelegenheit, zieht die Maus zurück auf die ursprünglichen Zielkoordinaten.

Klickt.

Hinter ihm.

Oh nein!

Das Mistding ist hinter ihm.

Der Pilot zieht die F-15 nach oben in Erwartung, dass *Artemis* sich an ihn heftet, ihn vom Himmel holt, doch die Drohne rast unter ihm hinweg, wieder in Richtung Plateau.

Er begibt sich an die Verfolgung.

Artemis fokussiert die Kuppel.

Cox sieht dunkelrote Wirbel.

Sie ignoriert den Schmerz, nimmt die Position des unbeteiligten Beobachters ein, Blitzanalyse: Wie viel Kraft bleibt, was ist zu tun? Lange wird ihr Organismus nicht mehr mitspielen, letzte Chance, das Ruder rumzureißen.

Packt den AVO mit beiden Händen und schleudert ihn ihrem Feind entgegen.

Begräbt ihn unter dem toten Körper.

Er schreit, flucht und rast, während sie ein weiteres Mal die Koordinaten verschiebt und *Artemis* ins Irgendwo schickt. Dann reißt sie Maus und Tastatur heraus und schleudert sie dem Tobenden entgegen.

Weg hier! Nur weg!

Die Hand gegen die Seite gepresst, stolpert sie zur Tür –

Im Tiefflug rast die zweite F-15 über Tel Tzafit hinweg.

– taumelt nach draußen, auf die Rampe.

Schlägt lang hin.

Der andere hält ihren linken Fuß umklammert. Sein Gesicht ist eine blutrote Maske des Zorns, die Augen weit aufgerissen, fast kommen sie ihm raus vor Wut und Verzweiflung.

»Du bleibst hier!«, keucht er. »Hier!«

(Werde ich das?)

(Werde ich in dem Inferno sterben, das die F-15 in wenigen Sekunden anrichtet, da der Himmel schon von ihr dröhnt?)

Sie tritt zu, drischt ihm die Stiefelsohle ins Gesicht, treibt seine Augen tief in ihre Höhlen. Er lässt los, heult wie ein Wolf.

HOCH.

RENNEN.

Zu den Bäumen –

Zum Motorrad –

»Ziel erfasst.«

Springt auf den Sattel.

START –

»Feuer!«

– als die Lichtung hinter ihr in einer sich auftürmenden Feuerwolke verschwindet. Cox prescht los. Wie ein Tsunami folgt ihr die Druckwelle, knickt Bäume und Sträucher, packt sie und hebt sie mitsamt der Maschine an, lässt sie ein kurzes Stück fliegen.

Und fallen.

Die BMW kommt hart auf, gerät in heftiges Schlingern, rutscht weg.

Cox wird durch die Luft geschleudert.

Ins Gras.

Für einen Moment, während sich ihr Körper überschlägt, sieht sie so etwas wie ein Fernsehtestbild in ihrem Kopf aufleuchten, eigenartig, warum denn ein Testbild?

Dann: Sendeschluss.

Tel Aviv

»Wir haben *Artemis* wieder unter Kontrolle!«

»Ziel zerstört.«

Zwei Meldungen, dicht hintereinander. Perlman wechselt einen Blick mit Ben-Tov. Er kann nicht glauben, dass es vorbei sein soll. Seine Gedanken schwimmen in Adrenalin.

Jemand sagt: »Die Rakete der Drohne ist zweieinhalb Kilometer östlich von Jerusalem in freies Feld geschlagen.«

Während Helikopter auf dem Weg nach Kiryat Arba sind.

Dreyfus und Ben-Tov streiten sich.

»Benjamin Kahn hat nichts mit alldem zu tun!«

»Das ist ja schön«, poltert Ben-Tov. »Das kann er uns dann gleich selber sagen.«

»Ich *kenne* ihn.«

»Ich *nicht*. Aber vielleicht ist es an der Zeit, dass ich Ihren Topagenten mal kennenlerne. Sind Sie eigentlich blind, Reuben? Der Alte soll nicht gewusst haben, was seine Sippschaft da treibt?«

»Lassen Sie mich mit ihm reden.«

»Wozu? Sieht man ja, was rauskommt, wenn Sie mit ihm reden.«

»Jetzt reicht's aber. Das ist meine Division!«

»Nicht mehr lange, darauf können Sie wetten.« Ben-Tov ist außer sich. »Verdammt noch mal, *das* konnten Sie nicht vorhersehen? Wofür gibt es denn dann die ganze scheiß Jewish Division?«

Der Direktor greift schlichtend ein.

Shana!, denkt Perlman.

Ruft sie. Wieder und wieder.

Keine Antwort.

Kiryat Arba

Die Tür fliegt auf. Jemand in heller Aufregung.

»Sie sind auf dem Weg!«

Kommt hereingestürmt, sein Gesicht ein Ausdruck der Bestürzung.

Kahn blinzelt irritiert.

»Wer ist auf dem –«

»Verloren, gescheitert!« Der Mann hat Tränen in den Augen. »Alles ist schiefgegangen. Der Container wurde zerstört, Absalon ist verhaftet. Hubschrauber sind auf dem Weg hierher, in wenigen Minuten werden sie Kiryat Arba erreicht haben.«

Niemand bewegt sich. Ein Versteinerungsfluch scheint über den Raum ausgesprochen worden zu sein.

»Aber –« Kahns Unterkiefer klappt auf und nieder.

»Wir sind aufgeflogen! Es ist vorbei.«

Zvi löst sich aus seiner Starre. Brennt seinen Blick in Hagen.

»Du Ratte«, flüstert er.

Zieht die Pistole und marschiert auf ihn zu.

»Das haben wir dir zu verdanken. Ich werde –«

»Zvi! Nein.«

Benjamins Stimme durchschneidet den Raum. Seine wiedererlangte Autorität bannt den Bärtigen. Er wendet den Kopf, lässt Hagen den entscheidenden Moment lang aus den Augen, den dieser braucht, um den nächststehenden Stuhl zu packen.

Mit aller Macht schwingt er ihn gegen Zvi, als der sich wieder umdreht.

Eines der Beine bricht ab.

Zvi fällt auf die Knie, verwirrt und benommen.

Hagen lässt ihm keine Erholungspause, holt aus und tritt ihn unters Kinn. Zvi wird zurückgeschleudert, rudert mit beiden Armen. Hagen entreißt ihm die Pistole und hält sie ihm an die Schläfe. Mit solcher Schnelligkeit ist das Ganze gegangen, dass die anderen noch mit ihrer Verblüffung zu kämpfen haben, dann richten sich ein halbes Dutzend Maschinenpistolen auf ihn.

(Und wer gibt jetzt nach?)

»Yael, hol den Rucksack. Schnall ihn dir über.«

Einer der Läufe wandert in ihre Richtung. Hagen bohrt die Pistole in Zvis Hals, sieht mit wilder Befriedigung die Angst in den Augen des Mannes.

»Wenn einer sie anfasst, ist er tot.«

(Und danach bin ich tot.)

(Aber vorher stirbt Zvi.)

»Den Rucksack, Yael.«

Sie nimmt ihn vom Tisch und wirft sich die Gurte über die Schultern. Die Blicke der Männer wandern zu ihrem Anführer, die Situation wächst ihnen sichtlich über den Kopf. Erst der Sturz vom Zenit ihres Triumphes, dann die Gewissheit, dass es in wenigen Minuten von Sicherheitskräften hier wimmeln wird, jetzt das.

Kahn zögert.

Dann hebt er die Rechte zu einer kraftlosen Geste der Beschwichtigung.

»Lasst sie in Gottes Namen gehen.«

Protest: »Auf keinen Fall!« – »Wir können sie nicht gehen lassen!« – »Die haben uns gesehen.« – »Die werden –«

»Ich sagte, *lasst sie gehen*!«

Das Wort ihres Rabbis. Sie lassen die Maschinenpistolen sinken. Hagen zerrt Zvi hoch, ohne die Waffe von seinem Hals zu nehmen.

»Ich will den Schlüssel für den Wagen. Sofort.«

Einer der Männer langt widerwillig in seine Jackentasche, lässt den Schlüsselbund über den Boden schlittern.

»Yael.«

Sie nimmt ihn auf.

»Lauf nach oben. Lass den Motor an.«

Verschwindet im Treppenaufgang, ohne sich noch ein einziges Mal umzusehen. Kurz kommt ihm der ungute Gedanke, sie könne ihn erneut hängen lassen und ohne ihn losfahren. Er verwirft ihn. Wartet voller Ungeduld, seine Geisel im Griff. Sekunden dehnen sich zu Ewigkeiten, dann hört er oben den Motor anspringen.

»Ich sollte dich erschießen«, flüstert er Zvi ins Ohr.

»Nur zu«, zischt der zurück. »Wir sehen uns in der Hölle.«

»Tut mir leid, Arschloch. Da musst du dir die Zeit schon alleine vertreiben.«

Fängt den Blick des alten Mannes auf.

Kein Hass liegt darin, nur unendliche Traurigkeit.

Zieht Zvi die Waffe über den Hinterkopf. Läuft die Stufen hoch ins Licht, Beifahrertür offen, springt auf den Sitz. Yael setzt mit quietschenden Reifen zurück, tritt aufs Gas. Sie schießen die Straße hinunter, vorbei an rot gedeckten Häusern in Reihe, blauweißen Fahnen, Linkskurve, die alte Militärbasis, erreichen freies Feld. Hagen wirft einen Blick auf die Uhr. Seine Finger schmerzen und sind voller Blut, er achtet nicht weiter darauf.

»Weiß du, wo wir entlangmüssen?«

»Auf die 60«, sagt Yael wie in Trance. Hoch konzentriert kraft Verdrängung. »Ist ausgeschildert.«

»Das schaffen wir«, sagt er. »Das können wir immer noch schaffen.«

Da ist die T-Kreuzung.

Sie nehmen die Hauptstraße nach Süden, sehen Kiryat Arba zu ihrer Rechten liegen, keinen Kilometer entfernt.

Helikopter über den Dächern.

Um ihn herum wird geschrien und geklagt, totale Verwirrung hat sich über die Gruppe gelegt. Zvi hält sich den Kopf. Starrt vor sich hin. Jemand äußert wirre Ideen, das Haus im bewaffneten Kampf zu verteidigen, dumpfes Dröhnen mischt sich hinein.

»Nichts ist geschehen«, sagt Benjamin.

Sie plappern weiter.

»Nichts«, donnert er mit aller Kraft, die Lunge und Stimmbänder noch hergeben, was endlich den gewünschten Effekt erzielt.

Sie starren ihn an.

»Niemand hier weiß von irgendetwas«, sagt er. »Legt die Waffen weg. Verlasst das Haus, wir hatten eine Versammlung. Fragt sie, was sie wollen. Sie können keinem von euch etwas beweisen, und was mein Sohn tut, ist einzig und allein seine Sache.«

Niemand bewegt sich.

»Los jetzt.« Er wedelt mit seiner rechten Hand, wischt sie zum Keller hinaus. »Raus mit euch. Alle.«

Endlich gehen sie.

Lassen ihn allein.

Benjamin bleibt einen Moment zusammengesunken sitzen.

Dann stemmt er sich aus dem Rollstuhl.

Gott, es ist mühsam. So mühsam! Fast nicht zu schaffen. Wo ist bloß seine Kraft geblieben, von der er früher so unendlich viel hatte, aber der Krebs – der verdammte Krebs –

Sein verkrüppelter Fuß schmerzt, als er seinen hinfälligen Körper zum Fahrstuhl schleppt. Zu Tode erschöpft sinkt er gegen die Kabinenwand und drückt den Knopf. Der Lift trägt ihn nach oben, Türen gleiten auseinander. Seine Wohnung. Das Hämmern der Helikopter. Knickt ein, findet Halt an der Wand. Kämpft sich weiter, jeder Schritt eine Qual. Ins Wohnzimmer. Zu den Sesseln am Fenster, von denen aus man Kiryat Arba und die Dächer Hebrons sieht.

In einem der Sessel sitzt eine Frau.

Schaut blicklos hinaus.

Weder scheint sie seine Ankunft zu registrieren noch die lärmenden Maschinen am Himmel. Er lässt sich auf die Lehne neben sie sinken und bettet ihre Hand in seiner. Ihr Blick flackert. Ein verschütteter Rest ihres Bewusstseins sagt ihr, dass sie den Mann kennt, der dort sitzt, dann hat sie ihn schon wieder vergessen.

»Leah«, seufzt er. »Wir haben versagt.«

Aber was genau war unser Versagen?

Es nicht geschafft oder auf eine Weise versucht zu haben, der Gott seinen Beifall verweigert?

Weil zu viele leiden, zu viele sterben mussten –

Kannst Du deswegen zürnen?

Du weißt, jeder Tote hat mich tief geschmerzt, und am tiefsten schmerzte es, Yael opfern zu müssen.

Aber geschah nicht alles in deinem Sinne? Hast du nicht von Abraham verlangt, Isaak zu opfern, als Glaubensbeweis, auch wenn du im letzten Moment eingeschritten bist? Aber du hast es *verlangt*! Und er hätte es *getan*! Wie kannst du mir zürnen? Wie viele Leben sind geopfert worden für Israel? Jüdische. Arabische. Für die *Idee* eines Staates.

Und die Schlächter gelten als Helden.

Arik. König von Israel.

Du hast mich auf deinen Weg gerufen, damals im Tunnel. Ich war ein Nichts. Ein NIEMAND. Ich existierte nur, weil Geschichten in Büchern mich existieren ließen. Du gabst mir Bedeutung. Übertrugst mir Verantwortung. Bring der Welt Frieden, Benjamin! Sei mein Werkzeug. Lass das Reich Davids wieder entstehen. Erneuere mit mir den Bund, den ich und Abraham geschlossen haben: Eretz Israel, vollkommenes Glück, immerwährender Friede, um den Preis letzter Opfer, eines letzten Gefechts.

Armageddon.

Doch was ist Armageddon anderes als das Ende eines nicht enden wollenden Schreckens? Was war denn die Sintflut? Immer bedurfte es großer Zäsuren. Die Zerstörung der Moscheen hätte den Wandel eingeleitet, sie sollte Dir zeigen, dass wir stark im Glauben sind, reif und bereit für einen endgültigen, universellen Frieden der Gerechten, einen Frieden *aller* Menschen. Die Zweifler fragen, wie aus einem Meer von Blut eine bessere Welt entstehen soll. Ich frage, wie kann man *nicht* versuchen, aus einem Meer aus Blut eine bessere Welt zu erschaffen? Was hätten wir denn noch schlimmer machen können, da jeder mit jedem im Krieg liegt, Menschen einander die größten Grausamkeiten antun? Schimons planende Intelligenz, Tals Vernichtungswille, Zvis Rohheit, meine Hingabe und Liebe zu Dir – WERKZEUGE, Herr, Du wolltest Werkzeuge! Auch *wir* waren grausam, ja, aber IN DEINER HAND.

Haben wir Dir nicht den größten Glaubensbeweis geliefert, indem wir über alle Grenzen gingen, standhaft blieben um der Erlösung willen?

Schuldig wurden um der Errettung ALLER.

Was haben wir falsch gemacht?

Warum antwortest Du nicht?

Du lässt mich zurück mit meinen Zweifeln, WARUM ANTWORTEST DU NICHT?

Denn das wäre das Schlimmste. Zweifelnd sterben zu müssen. Zu der Erkenntnis zu gelangen, dass ich mich geirrt habe.

Was wäre ich dann?

Nur ein verabscheuungswürdiger Verbrecher?

»Leah –«

Sinkt vor ihr in die Knie, sucht Halt in ihrem Blick, Zuspruch und Kraft, die Kraft, mit der sie ihn so oft aufgerichtet hat in Stunden des Zweifels, doch er sieht nur die Abwesenheit von Geist.

Leah, meine geliebte, streitbare Leah –

Sie ist weg.

Er bettet den Kopf in ihrem Schoß. Stellt sich vor, der Himmel erzittere von höheren Wesen.

Schließt die Augen.

Er ist allein.

So wie er es immer war.

2005

Jerusalem

Arik ist verwirrt.

Seine Erinnerung gleicht einem Scherbenhaufen. Größere Bruchstücke lassen auf den zurückliegenden Tag schließen, fügen sich zu Sequenzen, Abläufen, fast einer Chronologie, wären da nicht die vielen vereinzelten Splitter, die ihn blenden und irritieren, Gesichter, Dokumente, Schreibtische, Türklinken, Lachen, Gesprächsfetzen.

Chaos.

Er durchquert einen Gang.

Nein, liegt auf einer Pritsche, angeschlossen an schnurrende, piepende Apparate. *Entsinnt* sich, einen Gang durchquert zu haben, den Korridor nämlich von seinem Büro zu –

– rüber zu –

Jemand fordert ihn auf, von eins bis zehn zu zählen.

»Eins –«

Wozu der Blödsinn, als gäbe es nichts Wichtigeres zu besprechen. Mit Ehud Olmert, seinem Finanzminister, Stanley Fisher, dem Präsidenten der Nationalbank. Die zwei sollen ihm schleunigst einen Maßnahmenkatalog zur Bekämpfung der Armut vorlegen, es kann doch nicht sein, dass Menschen in Israel Hunger leiden, er muss dringend mal mit den beiden reden.

Halt!

Er *hat* mit ihnen geredet.

Am Vormittag. Nein, am Nachmittag.

Nachmittag? Sicher?

»Vier –«

Falsch, nach eins kommt –

»Eiiiinns –«

Früh im Büro, knüppelvoller Terminkalender, wöchentliche Zusammenkunft des Kabinetts. Gehobene Stimmung. Sind alle gut drauf, seit er sich aus dem Likud verabschiedet hat. Kadima gedeiht, beispielloser Zulauf. Wurde viel gelacht, am Ende hat er diesen Witz erzählt, der ein bisschen auf Kosten des Abgeordneten –

– des Abgeordneten –

Wie heißt jetzt gleich dieser Abgeordnete?

»Achddd –«

Momentchen, nicht so flott, Arik, vor der Acht steht die Sechs – die Zehn – mit Schimon getroffen, Schimon Peres, und zwar *nach* dem Treffen mit Olmert und Fisher, sind das Wahlkampfkonzept durchgegangen, *können Sie mir schnell die paar Dokumente unterzeichnen?*, Marit Danon, seine Sekretärin, wo kommt die jetzt her, war Schimon da schon im Raum? – *Noch* im Raum?

Als blicke man in ein Kaleidoskop. Wann immer sich die Splitter zu einem Muster fügen, reicht eine winzige Drehung, um sie zu etwas völlig anderem durcheinanderzuwirbeln.

»Können Sie mir sagen, welcher Tag heute ist?«

Dämliche Frage, das ist nun wirklich die leichteste Übung, heute ist –

»Hauuunndaag.«

»Was bitte?«

»I hassagannn nich saan wa –«

Ist *er* das?

Offenbar. In ruhigem, geschäftsmäßigem Tonfall erörtern Männer und Frauen um ihn herum den Stand seiner Verwirrung. Er liegt wie ein seltener Käfer auf dem Rücken, sie schieben ihn in eine Röhre, führen eine MRT durch, das schnappt er gerade noch auf, was ist eine MRT?

Magnetresonanztomografie.

Hui, nicht schlecht! Sollte bloß nicht versuchen, *das* auszusprechen, hat es aber auch gleich wieder vergessen, weil ihn nämlich etwas ganz anderes beschäftigt. Weiß noch, sie sind nach Hause gefahren, vom Regierungssitz auf die Autobahn Richtung Schikmim-Farm, nur komisch, sind sie je dort angekommen?

Schlaglichter: der Konvoi. Sicherheitsleute, Chauffeur, Notarzt.

Wie immer.

Arik telefoniert.

»Auusnn Audddo«, erklärt er dem Inneren der Röhre.

Ganz genau, aus dem Auto, aber dann hat der komplette Tross einen U-Turn hingelegt, die Rede war vom Hadassah Hospital. Tempolimit? Nie gehört. Vorfahrt, Sanitäter, Ärzte, verfrachten ihn auf eine Liege, drücken ihm eine Sauerstoffmaske aufs Gesicht, tragen ihn ins Innere.

Piep, Rrrrrrr, Donggg!

Die Röhre wird durchscheinend, löst sich auf, gibt den Blick frei auf umhertanzende Gesichter.

Dr. Boleslaw Goldman, sein persönlicher Leibarzt seit 30 Jahren.

»– so schnell gekommen, wie ich konnte. Wie fühlst du dich, Arik, mein Alter?«

Arik lächelt. »Bo – Bolek.«

Omri, Gilad, seine Söhne. Na, so was. Alle sind hier.

»Wassssisssennn –«

Stop, gleich noch mal, das kannst du besser.

»Wasss – is denn – passierd?«

»Du hattest einen Schlaganfall, 'Aba«, sagt Gilad. »Einen leichten.«

»Nichts Schlimmes«, nickt Omri. »Du brauchst nur ein bisschen Ruhe.«

Schlaganfall.

Das passt aber jetzt gar nicht, denkt Arik und dämmert weg.

»Marit hat als Erste Verdacht geschöpft. Nach dem Treffen mit Peres ist sie noch mal in dein Büro, um dir Verschiedenes zur Unterschrift vorzulegen, und fand, dass du komisches Zeug erzählst.«

»Das tue ich doch seit Jahren«, grinst Arik. »Damit bin ich Premier geworden.«

Gilad lacht.

»Jedenfalls hat sie Lior gebeten, sich selbst ein Bild zu machen.« Lior Shilat, sein persönlicher Assistent. »Der fand auch, du seiest ein bisschen – na ja –« Gilad lässt den Finger an der Schläfe kreisen. »Sie verständigten mich, den Schin Bet, aber dann ging's wohl erst mal wieder. Bis du während der Fahrt immer unzusammenhängender redetest. Da hab ich dann Goldman angerufen, und der sagte sofort, Schlaganfall, Klinik.«

Seitdem steht das Führungspersonal des Hadassah Hospitals Kopf.

Das ganze Land ist in heller Aufregung. Sämtliche Fernsehsender haben ihr laufendes Programm unterbrochen und Live-Schaltungen zur Klinik eingerichtet, draußen drängt sich die Menge, ein Wunder, dass sie auf dem Vorplatz nicht zelten.

»Und was ist genau der Befund?«, will Arik wissen.

»Blutgerinnsel im Hirn«, sagt Tamir Ben-Hur, Leiter der Neurologie. »Möglicherweise eine Embolie vom Herzen, aber Sie hatten Glück. Seit Sie in der Röhre waren, machen Sie enorme Fortschritte.«

»Wie geht's jetzt weiter?«

»Auswertung der MRT, Aspirin. Ein, zwei Tage müssen wir Sie schon zur Beobachtung dabehalten.«

»Verstehe.«

Saublöde.

Gerade jetzt.

Vier Monate sind seit dem Abzug vergangen, Arik schwimmt auf einer beispiellosen Welle der Zustimmung. Dabei hatten ihn viele schon als gescheitert abgeschrieben. Ein ausgepowerter General, der den blutigen Terror der Intifada nur dank Arafats unverhofftem Ableben niederschlagen konnte, ein Roboter auf dem Leitstrahl der Macht.

Jetzt gilt er als Visionär.

Im September hat er vor der UN-Vollversammlung gesprochen und weitere Zugeständnisse angekündigt, nichts werde ihn davon abhalten, die Roadmap umzusetzen, alles in seinem monotonen, kantigen Englisch, gefolgt von frenetischem Applaus, und das Beste daran: Anders als sonst haben die Führer der arabischen Länder den Raum diesmal *nicht* verlassen. Später ließ er Bemerkungen fallen, selbst ein geräumtes Westjordanland sei denkbar, nie ist ein israelischer Führer so weit gegangen. Alle Welt feiert ihn, Abbas spricht von mutigen Schritten, in Israel reicht Ariks Lobby inzwischen bis tief ins linke Lager, und jetzt noch der Coup mit Kadima.

Weil es im Likud nicht mehr ging.

Vergiftetes Klima.

Arik hat die Nase voll von Bedenkenträgern, er will den Neubeginn, eine Kraft, ausschließlich getragen von seinen Ideen. Im Herbst hat er Omri vorfühlen lassen, wer in der Knesset sonst noch Lust auf frischen Wind verspürt, und das Bedürfnis war übermächtig. Wie ein Lauffeuer verbreitete sich die Nachricht, scharenweise liefen sie dem Likud und der Awoda davon und strömten ihm zu, vor vier Wochen dann große Pressekonferenz:

»Im Zentralkomitee ist das Leben unerträglich geworden. Ich habe mit endlosen Schwierigkeiten und Hindernissen zu kämpfen. Unter diesen Umständen kann ich das Land nicht führen, aber ich *will* und *werde* es führen!«

Verkündete den Namen der neuen Partei.

Kadima, *Vorwärts.* Das Ganze artete zum Happening aus, seine Anhänger falteten ihre alten Mitgliedskarten zu Papierfliegern, die Dinger zischten umher und verbreiteten gute Laune, minutenlanger Applaus, das Volk schier von der Rolle, und jetzt hat sich ihnen sogar noch Schimon Peres angeschlossen.

Tock, tock, tock –

Emsig sind Steinmetze damit befasst, Hieroglyphen in Friese zu hauen, wie ehedem zu Ramses' Zeiten.

Diesmal meißeln sie *Ariks* Namen.

Er steht *so nah* davor, Geschichte zu schreiben.

Und jetzt das.

Er kann sich vorstellen, wie seinen Gefolgsleuten der Schweiß von der Oberlippe perlt. Bislang ist Kadima ausschließlich auf ihn zugeschnitten, sein Führungspersonal nicht mal umfänglich über seine Pläne informiert.

»Wir müssen dringend eine Erklärung abgeben«, sagt er.

»Schon vorbereitet«, nickt Ben-Hur. »In zehn Minuten treten wir vor die Presse: Dass Sie einen leichten Schlaganfall erlitten hätten, Ihr Zustand sich aber deutlich verbessert habe. Keine invasiven Maßnahmen erforderlich, Entlassung in Kürze.«

»Gut. Schickt mir danach ein paar Journalisten aufs Zimmer.«

Der Arzt runzelt die Stirn. »Wozu denn das?«

»Wozu?« Arik breitet die Arme aus. »Um ihnen einen voll bekleideten, bestens gelaunten Ministerpräsidenten zu präsentieren.«

»Tut mir leid, aber –« Ben-Hur schüttelt den Kopf. »Das halte ich für keine besonders gute Idee.«

»Die Presse muss wissen, dass der Wahlkampf normal weiterläuft.«

»Dafür geben wir ja die Erklärung ab.«

»Nein, nein. Sie muss mich *sehen*.«

»Das wird sie.«

»Wann?«

»Morgen.«

»Zu spät. Niemand soll auch nur eine Nacht lang Zeit haben, über meinen Zustand zu spekulieren.«

»Ich rate Ihnen dringend zur Ruhe.«

»Und ich weiß Ihren Rat zu schätzen.«

Im Klartext: *Send in the Clowns.*

Folgenden Tags weiß jeder, der Zeitung liest und einen Fernseher besitzt, dass ein breit lachender Ariel Scharon gegen Mitternacht im Hadassah Hospital mit politischen Korrespondenten zusammengesessen und forsche Töne angeschlagen hat.

Titelzeile: *Anachnu holchim kadima! – Wir gehen vorwärts!*

Die Schwindelanfälle, die ihn noch während der Nacht plagten, sind verschwunden, sein Zimmer gleicht einem Taubenschlag. Omri, Gilad, Inbal, seine Enkel, Kadima-Führungspersonal und Vertraute des Ranchforums geben sich die Klinke in die Hand.

Bush ruft aus Washington an.

»Passen Sie auf sich auf, alter Freund. Wir müssen Schulter an Schulter den Terror besiegen, da darf der Ministerpräsident Israels nicht im Krankenhaus liegen.«

Rät ihm, abzunehmen.

Sport zu treiben.

Weniger Stress, weniger Junkfood.

Recht hat er – schon denkt Arik wieder an ein schönes Falafel mit Tahini-Sauce und ordentlich Knoblauch. Könnte Bäume ausreißen. Funktioniert sein Bett zum Regierungssitz um, lässt Stühle für sein Team bringen. Gegen Mittag hört er einen seiner Assistenten zu einem anderen sagen: »Wenn der weiter so powert, werden *wir* bald krankenhausreif sein«, und amüsiert sich königlich. Währenddessen füttert das Krankenhaus die Medien mit beruhigenden Statements. Ja, dem Ministerpräsidenten gehe es gut. Nein, seine Arbeit sei in keiner Weise beeinträchtigt. Ja, er werde sehr bald wiederhergestellt sein. Dabei fühlt Arik sich längst wiederhergestellt, weiß gar nicht, wozu sie ihn noch eine weitere Nacht dabehalten wollen, aber wenn sie es unbedingt für erforderlich halten –

»Wir wüssten gerne, wie der Blutpfropfen in Ihr Hirn gelangen konnte«, erklärt ihm Ben-Hur, und als Nächstes würden sie eine Schluckechountersuchung durchführen.

Schluckechountersuchung. Wenn es sie glücklich macht.

Tut es.

Denn diesmal finden sie etwas.

Ein Loch.

Ein winzig kleines, gleichwohl höchst verdächtiges –

»*Loch?*«

»Erst mal nichts Schlimmes«, beruhigt ihn Ben-Hur. »Ein offenes Foramen ovale. Etwa ein Viertel aller Menschen hat das, in der Scheidewand zwischen den Vorhöfen des Herzens, ohne je im Leben einen Schlag zu bekommen. Meist ein Geburtsfehler. Viele ahnen gar nichts davon.«

»Ich habe ein Loch im Herzen?«

»Exakt.«

»Und dieses Foramen ovale könnte – hm – eine Passierstelle für Blutgerinnsel sein?«

»Die dann ins Hirn gespült werden, ja.«

»Und daher kam –« Arik zeigt auf seinen Kopf.

»Eventuell.«

»Aber Sie wissen es nicht.«

»Wir haben es hin und her diskutiert, vorhin auf der Ärztekonferenz. Könnte sein, könnte nicht sein. Jedenfalls sind wir zu dem Schluss gelangt, das Foramen operativ zu verschließen.«

»Oh. Wann?«

»In zwei bis drei Wochen. Mit einem Schirmchen. Einem winzigen Metallgitter.«

Schirmchen? Klingt beinahe niedlich. Andere in seinem Alter laufen mit fünf Bypässen rum, er wird ein Schirmchen im Herzen haben.

»Muss das unbedingt sein?«

»Routineeingriff. Kein großes Drama.«

Was weißt denn du, denkt Arik. Klar ist es ein Drama, in der heißen Phase des Wahlkampfs ein paar Tage auszufallen.

»Und Sie halten das wirklich für notwenig?«

»Ich hielte es für ein Versäumnis, das Foramen *nicht* zu schließen. Man weiß nie, ob da nicht noch so ein Pfropfen rausschwemmt.«

Mist.

»Wie gesagt, kein Grund zur Beunruhigung. Bis dahin setzen wir Sie auf gerinnungshemmende Medikamente.«

»Gerinnungshemmend?«

»Blutverdünner. Clexane.«

»Und ich muss die ganze Zeit hier im Krankenhaus –«

»Nein.« Ben-Hur lächelt. »Morgen werden wir Sie entlassen. Nehmen Sie Ihre Regierungsgeschäfte auf, arbeiten Sie nicht zu viel. Am besten bleiben Sie bis zur OP in Jerusalem.«

Auf gar keinen Fall, denkt Arik. Ich schlafe schön auf der Farm. So wie immer. Alles wird weiterlaufen wie immer. Wenn ich 77 Jahre mit dem verdammten Loch gelebt habe, werde ich auch die nächsten zwei Wochen gut damit schlafen.

Doch er schläft kaum in der darauffolgenden Nacht.

Starrt in die Dunkelheit seines Zimmers, zutiefst beunruhigt.

Nicht jetzt, denkt er.

Du musst durchhalten. Ein paar Jahre noch. Zu Ende bringen, was du begonnen hast.

Später. Nicht JETZT.

2011

Eilat

Während der Zeit des britischen Mandats war Eilat ein Kaff elender Lehmhütten, gruppiert um eine Polizeistation. Was sich nach der Einnahme im Unabhängigkeitskrieg schlagartig änderte. Plötzlich verfügte Israel über den strategisch bedeutsamen Zugang zum Roten Meer, mit Anbindung an den Indischen Ozean. Zwölf Kilometer Küste, eingerahmt von Ägypten und Jordanien. Binnen eines Jahrzehnts wurde eine komplette Stadt aus dem Wüstenboden gestampft, mit Flugplatz, Marinebasis und Docks für Öltanker und Autofrachter. Wolkenloser Himmel, die imposante Gebirgskulisse und unbegrenzte Wassersportmöglichkeiten ließen Hotels aus dem Boden schießen, im Yachthafen liegen die Renditen des israelischen Mittelstands vertäut.

Und noch etwas liegt in Eilat.

Das Patrouillenbootgeschwader 915. Um aus Abertausenden Wassersportlern die illegalen Einwanderer, Schmuggler und Terroristen rauszufischen.

Mal mit Erfolg, mal fischen sie im Trüben.

Mansours Schleuser sind ihnen noch jedes Mal durch die Lappen gegangen.

»Weil sie direkt unter ihrer Nase operieren«, hat Mansour ihnen erklärt. »Das ist der Trick. Die drücken sich nicht in irgendeiner schmuddeligen Bucht rum. Alles, was nach Geheimnistuerei riecht, steigt den Patrouilleros todsicher in die Nase.«

Also prangt das Boot im Herzen der Marina.

In bester Lage.

»Gleich gegenüber dem King Solomon Hotel an der Lagoona Promenade. Mittlerer Pier, Liegeplatz 268. Bis zum Transfer werdet ihr im Amdar Village untergebracht, das ist ein Ferienhauskomplex anderthalb Kilometer weiter. Ihr müsst durch keine Lobby, kein eifriger Rezeptionist sieht im Computer euer Konterfei und schreit den Laden zusammen.«

»Und wie kommen wir zum Boot?«

»Zu Fuß.«

»Ist das nicht riskant?

»Im Dunkeln kein Problem. Zehn Minuten, außerdem liegen Perücken, Brillen und falsche Bärte bereit. Gegenüber dem Pier grenzen zwei Geschäfte aneinander, SLAM und Jeanergy Shop, ein Mann wartet dort. Er trägt ein T-Shirt mit dem Emblem des Eilat Delphinariums und eine rote Baseball-Kappe. Fragt ihn nach Abu.«

»Einfach Abu?«

»Ja. Wenn er sagt, ich *bin* Abu, habt ihr den Richtigen.«

»Wann sollen wir dort sein?«

»Spätestens Viertel vor zwölf. Falls sich was ändert, wird Abu euch anrufen oder abholen.«

Klang, als könne nichts schiefgehen, und wie um das leidvolle Intermezzo in Kiryat Arba wettzumachen, ging auch nichts mehr schief. Davids Freund war zur Stelle, sie verkrochen sich im Laderaum seines Lieferwagens und passierten unbehelligt den Checkpoint. Er fuhr sie die 250 Kilometer nach Eilat, ohne Zwischenstopp bis vor die Tür der Appartementunterkunft, während Yael versuchte, mit dem Geschehenen klarzukommen.

»Benjamin. Meine eigene Familie.«

Kümmerte sich um seine lädierten Finger.

Starrte vor sich hin.

Hämmerte vor Erbitterung gegen die Wand des Laderaums, dass Hagen fürchtete, sie werde sich die Knöchel blutig schlagen.

Er nahm ihre Handgelenke.

»Hör auf, Yael! Es ist vorbei.«

Im Autoradio Musik. Keine nationale Katastrophe beschäftigte das Land. Eine Explosion östlich Jerusalems. Erst hieß es, eine Düngemittelfabrik sei in die Luft geflogen, dann, eine Rakete habe ein Gehöft in Schutt und Asche gelegt. Dementis jagten einander.

»Es ist nicht vorbei.«

»Dein Onkel hat uns gehen lassen.«

»Mein *Onkel* sah mir nicht danach aus, als müsse er sich noch lange um irgendwas Gedanken machen, aber die anderen –«

Stimmt, dachte er. Die werden uns weiter jagen.

Wir können sie identifizieren.

Und der Schin Bet kann uns die Füße küssen, aber eher steht zu erwarten, dass sie Yael in die Mangel nehmen. Vertuschung einer Straftat. Sie hat Yossi gedeckt, und wenn hundertmal ihre Familie bedroht war. Dagegen steht ihre Mithilfe bei der Vereitelung des Tempelberganschlags, aber wie werden sich die Gewichte in den Waagschalen verteilen?

Was werden sie *mir* abverlangen?

Nichts hat sich geändert.

Wir müssen raus aus Israel.

Ihre Unterkunft entpuppt sich als Häuschen im französischen Land-
hausstil, so authentisch französisch, wie die Pyramide von Las Vegas
ägyptisch ist. Amdar Village, Segen der Anonymität. Vom Ziergitter-
balkon im ersten Stock kann man den Golf sehen, gefleckt mit Seglern
und Motorbooten, dahinter Akaba am Fuß zerklüfteter, in Gold geba-
deter Berge.

Sechs Kilometer.

Hagen streckt die Hand aus, kneift ein Auge zusammen und legt den
Finger auf den höchsten Gipfel.

Ruft Mansour an: Alles gut, nächstes Lebenszeichen aus Jordanien.

Yael tippt SMS.

Beruhigt David und Miriam.

Es dunkelt.

Sie legen sich nebeneinander aufs Bett, schalten den Fernseher ein.
Reporter vor einem Krater. Dramatische Verluste unter den ortsansässigen Hamstern und Erdhörnchen, Menschen sind offenbar nicht zu
Schaden gekommen. Ein aus dem Ruder gelaufenes Manöver der Luftstreitkräfte? Spekulationen.

»Dir ist schon klar, dass du die Welt gerettet hast?«

Er lacht bitter. »Mit einer Lüge.«

»Ohne dich würde sie brennen.«

»Ich bin aber nicht *angetreten*, um die Welt zu retten.«

»Du bist auch nicht angetreten, um sie zu zerstören.«

Er betrachtet seine geschundenen Finger.

»Ich hab Leben zerstört.«

»Du konntest nicht wissen, was du auslöst. Dein Freund, die Mädchen, ich selbst – ich meine, du hast nicht *wissentlich* jemanden in Gefahr gebracht.«

»Nicht *diesmal*.«

Sie betrachtet ihn. Versucht zu verstehen, was er meint, aber wie
kann sie das, ohne den Anfang der Geschichte zu kennen? Den verfluchten, unter einer afghanischen Bergflanke verschütteten Anfang.

Hagen starrt in den Fernseher.

Schaltet ihn aus und starrt weiter hinein. In der leeren, dunklen Fläche spiegelt sich die Vergangenheit.

»Du kennst mich nicht«, sagt er leise.

»Dann hilf mir, dich kennenzulernen.«

Er sucht nach einer schroffen Erwiderung, belagert von ihren Blicken. Öffnet den Mund, um ihr zu sagen, sie solle sich um ihren eigenen Kram kümmern –

Stattdessen erzählt er ihr alles.

Sie haben ja Zeit.

Drei lange Jahre, plus eine Nacht in Taloqan. Die Nacht, in der Inga, Max, Walid und Marianne sterben mussten, seinetwegen.

Erzählt, kämpft mit den Tränen.

Von dem Desaster, den Jahren danach, Rückschlägen und Abstürzen, von der alles erdrückenden Schuld.

Vom Verlust seiner Würde, auf der A1 nach Jerusalem.

Yael sagt kein Wort.

Greift in sein Haar und küsst ihn.

Hagen ist überrascht, vornehmlich von dem, was ihr Kuss ihm sagt: Ich erkenne mich in dir. Deine Tragödie schweißt uns zusammen. Dein Schmerz ist der Schlüssel zu meiner Seele, dein Vergehen die Eintrittskarte in mein Leben. Wir sind nicht länger nur eine Zweckgemeinschaft, wir sind geeint in Schuld, und jetzt tilgen wir unsere Schuld, indem wir unsere Ungeheuer aufeinander loslassen, damit sie sich in einem fulminanten Showdown gegenseitig vernichten.

Er ist perplex.

Regelrecht überfordert. Erwidert ihren Kuss, ohne einen Moment lang zu wissen, was er *dann* tun soll. Er WILL es, klar! Will es wie nichts auf der Welt, leuchtend, strahlend, sonnengleich steht es im Raum, von großer Schönheit und großem Wert, und genau das irritiert ihn. Sex, körperlich auspumpen – das ist ihm vertraut aus den dunklen Jahren. Tom Hagen, gut genug für einen Fick, aber nichts wert, der Mistkerl.

Benutz ihn. Wirf ihn weg.

Liebe verdient der nicht.

Die einzig plausible Sichtweise, die eine Frau auf ihn haben konnte, und der einzig plausible Schutz war, vorauseilend dicht zu machen. Den Zyniker zu geben. Offensiv zu verkünden, ein Arschloch zu sein, weil es einem erspart, es von anderen zu hören. Am Ende begann er die zu verachten, die seine Nähe suchten, weil man schon ganz schön erbärmlich sein musste, um sich mit *ihm* einzulassen – doch Yaels Kuss flutet die Festung, in der er sich eingemauert hat, drängt mit Macht gegen die verkrusteten Wälle –

(WARUM?)

(Was willst du dadrin, in diesem von Toten bevölkerten Loch? Da ist nichts, was du wollen kannst.)
Doch was soll sie noch finden, was er nicht offengelegt hätte?
Die Festung hat ihre Geheimnisse preisgegeben.
Yael geht in die Offensive.
Knöpft sein Hemd auf, reißt es herunter, öffnet seine Hose, zerrt daran. Streift ihr T-Shirt über den Kopf, ihr BH segelt davon –
Und alles fällt ihm wieder ein.
Alles, was den Unterschied ausmacht, wenn es um mehr geht.
Nähe, Vertrauen, Zärtlichkeit.
Liebe –
Er wirft sie auf den Rücken, streift ihr Jeans und Slip ab. Jetzt ist sie ganz nackt, und sein Herz setzt aus, stolpert und schaltet zwei Gänge hoch, so schön und verletzlich ist sie, während in seinem Hinterkopf die nörgelige Stimme der Selbstentwertung Protest einlegt, nein, Yael, lass die Finger von mir, ich bin ein Stück Scheiße, ich tu dir nur weh –
(LASS MICH IN RUHE!)
(HAU AB!)
Er küsst sie. Von unten nach oben. Nimmt sich Zeit, sie soll es genießen. *Er* will es, *darf* es genießen. Küsst ihre Füße, Waden, ihre Schenkel, die sie jetzt öffnet, küsst sie zwischen den Beinen, sanft, zurückhaltend, zieht das Tempo an, steigert es, erhöht den Druck, bringt sie bis nah an den Höhepunkt. Liebkost ihren Bauch, ihre Brüste, küsst sie so, wie sie ihn geküsst hat, saugt das alte Gift aus ihr heraus, nimmt ihren Schmerz in sich auf.
Stürzt in ein reinigendes Feuer.
Ist in ihr.
Sie kommen gleichzeitig.
Yael presst sich an ihn.
Er hält sie umschlungen, immer noch verwirrt und verunsichert, nur dass sich seit Jahren nichts mehr so gut und richtig angefühlt hat. Horcht in sich hinein, auf den inneren Richter, doch da ist niemand mehr.
Was geschieht mit uns?
Eine Liebesgeschichte?
Nein. Noch nicht. Vielleicht nie, und die kurze Zeit ihrer Bekanntschaft einen Flirt zu nennen, würde erfordern, Flirten völlig neu zu definieren, als Überlebenskampf, erschwert von gegenseitigem Misstrauen – aber vielleicht ist die Antwort viel einfacher: Im Moment, da er Afghanistan mit ihr geteilt, *wirklich* geteilt und sie an sich herange-

lassen hat, starb etwas in ihm. Über den Tod hinaus kann Leiden nicht existieren, also musste er dem Ungeheuer vergeben, sich von ihm abwenden –

Es sterben lassen.

Jetzt liegt es am Boden.

Es hat sein Gesicht, seine Gestalt, aber es ist nicht länger er.

Ungewohnt.

Er streichelt Yaels Rücken. Wie Glas erscheint sie ihm, kurz vor dem Zerspringen. Der Kampf ist noch lange nicht ausgestanden, ihr Ungeheuer randaliert weiter, tief in ihr drin. Mit seismografischem Gespür registriert er dieses Wüten, sagt leise:

»Raus damit.«

Sie hebt den Kopf, schaut ihn an.

Er nickt. »Erzähl es mir.«

»Das willst du nicht wissen.«

»Doch. Wie soll ich sonst auf dich aufpassen? Und ich kann mir gerade nichts Wichtigeres vorstellen, es –« Schmeckt die Worte ab, wie gut es tut, sie auszusprechen. »– ist das Wertvollste seit Langem.«

»Oh. War das ein Kompliment?«

»Klar.« Er grinst. »Komplimente sind die einzige Währung, in der ich noch bezahlen kann.«

Ein Lächeln tritt in ihre Augen.

Verschwindet wieder.

Und das Monster kommt aus seinem Versteck –

2005

Jerusalem

Yael schläft miserabel. Die Ereignisse der vergangenen Monate haben sie aufgewühlt, oft liegt sie stundenlang wach, und wenn sie Schlaf findet, plagen sie Albträume. Dabei müsste sie hundemüde sein. Die Arbeit im Krankenhaus geht ihr mächtig auf den Akku, außerdem verbringt sie viel Zeit in Efrat, um David und Miriam unter die Arme zu greifen, die Phoebe zu sich genommen haben.

Arme, unglückliche Phoebe.

In Selbstvorwürfen vergraben, kaum ansprechbar. Zerbrochen an der Unumkehrbarkeit der Zeit. Ihr letztes Gespräch mit Jehuda war ein hässlicher Streit, erst hat sie ihn angeschrien, dann wie einen Schurken stehen lassen.

Na ja, sie war stocksauer.

Etwa eine Viertelstunde lang.

Dann beschlichen sie Zweifel, auch wenn sie immer noch fand, Jehuda hätte nicht mit Arik reden dürfen, andererseits hatte sie wohl ein bisschen selbstherrlich reagiert.

Sehr selbstherrlich, um genau zu sein.

Und plötzlich tat ihr das Ganze furchtbar leid.

Sie versuchte es auf seinem Handy, doch die Durchsage war immer dieselbe: *Der von Ihnen gewählte Gesprächspartner ist zurzeit nicht erreichbar.*

Klar, dachte sie und wurde fast wieder ein bisschen sauer.

Hat ausgemacht, der sture Hammel.

Beleidigt.

Nur dass Jehuda nicht beleidigt war, sondern tot.

Wie soll sie je damit fertigwerden?

Yael schafft es ja kaum, und die hat ihn zum Abschied (wer konnte ahnen, dass es ein *Abschied* wird?) immerhin umarmt. Sie flüchtet sich in die Arbeit, ist meist vor 7:00 Uhr im Krankenhaus, nutzt die Viertelstunde allein im Arztzimmer, das sie sich mit einem Kollegen teilt, um E-Mails zu checken und ihren inneren Motivationstrainer zu aktivieren. Übergabe der Nachtschicht, Schwesternmeeting, Visite, Blutabnahme, Zugänge legen, Ultraschall, Pow-Wow mit Oberarzt und Chefarzt, Patienten Mut zusprechen oder ihnen die Realität ins Gesicht reiben, die Sorgen Angehöriger zerstreuen, ihre Befürchtungen nähren, je nachdem – wie eine Gewehrkugel wird sie durch den Vormittag geschossen.

Was gut ist.

Das hohe Tempo hält sie vom Grübeln ab, und es gibt einiges zu grübeln. Etwa, ob Jehuda noch leben würde, wenn die Dinge anders gelaufen wären an jenem Tag, als er vor dem Sanitätszelt stand und herumdruckste.

Was wollte er?

Sich ihrer Unterstützung versichern?

Weil er wusste, wie empfindlich Phoebe auf seinen Anruf bei Arik reagieren würde?

Hätte sie ihn bloß ermutigt zu reden.

Richtig ermutigt, statt es bei einem halbherzigen Versuch zu belassen. Vielleicht wäre er gar nicht gefahren. Die obduzierenden Ärzte können über die Todesursache wenig mehr als mutmaßen, sein Körper war zu stark verbrannt, fest steht eigentlich nur, dass er die Kontrolle über den Wagen verloren hat.

Aber was genau war der Grund?

Schwächeanfall? Herzinfarkt?

Abgelenkt?

Nie wird Yael wissen, ob sie Einfluss hätte nehmen können.

Und auch der Patient, der vorgestern Abend – welch bizarre Fügung – ins Hadassah eingeliefert wurde, dürfte wenig Aufschlussreiches beizutragen haben, sieht man davon ab, dass er die Ursache für Jehudas Fahrt war.

Und damit indirekt für seinen Tod.

Arik – mal wieder.

Yael versucht, seine Anwesenheit zu ignorieren. Yossi, ihr Kollege, erweist sich als Fan geregelter Mittagsmahlzeiten, wann immer es die Lage an der Patientenfront erlaubt, steht er mit Begeisterung, einem Tablett und umweht von Essensdünsten in der Schlange. Yael kommt das zupass, auf diese Weise hat sie das Büro eine weitere halbe Stunde für sich und muss sich nicht sein schwärmerisches Gefasel über den prominenten Neuzugang reinziehen. Ohnehin geht sie lieber abends essen. Mit Liz, Itzik und Schlomi, mit neuen Freunden. Die Gesellschaft lenkt sie ab. Sie sitzen zusammen und reden, nichts Wildes, keine Exzesse, oder sagen wir, selten. Mitunter muss sie schon Dampf ablassen, Kneipentour, Haoman 17 (neuerdings durch eine achtbare Dependance in Tel Aviv vertreten), Sex ohne lange Ansage. Die flutartige Freisetzung von Oxytocin und Prolaktin hat sich mithin noch als der beste Weg erwiesen, depressiven Schüben entgegenzuwirken, man kann sich ja nicht ständig einen halben Liter Roten auf die Lampe gießen oder MDMA einfahren, wenn der Blues kommt.

Nie würde sie es sich gestatten, verkatert zur Visite zu erscheinen.

Und der Blues kommt oft.

So wie heute, da sie weiß, dass Ariel Scharon gleich über ihr in einem abgeschirmten Trakt der Neurologie liegt. Am liebsten würde sie hochgehen und ihm sämtliche Kanülen rausziehen, unsinnige Idee natürlich, also bezwingt sie ihren Frust, indem sie einmal mehr die Mittagspause im Arztzimmer verbringt.

So vertieft ist sie in ihren Papierkram, dass ihr das leise Klopfen entgeht. Zögerlich wird die Tür geöffnet.

»Entschuldigung – Yael Kahn?«

Schaut auf. Ein Mann in Arztmontur steht etwas linkisch auf der Schwelle, einen Stapel Patientenakten unterm Arm. Anfang, Mitte 40, schätzt sie. Braunes Haar fällt ihm in die Stirn, über Ohren und Kittelkragen. Die Hornbrille ist zu wuchtig für seinen Typ, den Schnurrbart würde sie ihm raten abzurasieren.

»Ja?«

»Bug.«

Er kommt näher, macht Anstalten, die Rechte auszustrecken, was nicht geht wegen der Akten. Beginnt umständlich, sie unter dem linken Arm zu versammeln.

»Bug?«

»Schimon – äh –« Die Akten rutschen durcheinander, Blätter flattern heraus. »Mist!« Fingert danach. »Bug. Schimon Bug.«

Bug? Nie gesehen, nie gehört.

»Womit kann ich dienen, Dr. Bug?«

»Tut mir leid, wenn ich so reinplatze.« Er bückt sich, sammelt die Dokumente wieder ein. »Ich wollte nur – wissen Sie, ich bin den ersten Tag hier, und wie das so ist, wenn man irgendwo neu anfängt, ich kenne keinen Menschen –«

»Mhm.«

»– das dachte ich jedenfalls, bis ich plötzlich Ihren Namen auf dem Dienstplan las.«

Yael mustert ihn überrascht. »Wir kennen uns?«

»Kennen ist zu viel gesagt. Sie waren ungefähr so groß.« Er hebt die Hand auf Meterhöhe. »Falls Sie es überhaupt sind.«

»Wer sollte ich denn Ihrer Meinung nach sein?«

»Die Tochter von Jehuda Kahn?«

»Stimmt.«

»Freut mich.« Hält ihr in einem neuerlichen Versuch die Rechte hin. Yael ergreift sie. Angenehmer, fester Händedruck. »Wir wohnten ein paar Straßen weiter, aber Sie werden sich kaum erinnern. Jamit. Als der Sinai geräumt wurde, dürften Sie gerade mal – Gott, wie alt gewesen sein?«

»Baujahr '78«, sagt Yael.

»Sehen Sie. Aber wir haben noch was gemeinsam. Gaza.«

»Sie haben in Gaza gelebt?«

»Eine Weile. Nach der Räumung sind wir nach Dugit übersiedelt.«

Jetzt ist Yaels Interesse geweckt. Wenn dieser Bug in Dugit gelebt hat, waren sie praktisch Nachbarn. Sie hatte Freunde in Dugit, aber an einen Schimon Bug kann sie sich nicht erinnern.

»Eigenartig.« Sie lächelt. »Warum sind wir uns nie über den Weg gelaufen?«

»Muss am Altersunterschied gelegen haben.« Die Akten versuchen sich selbstständig zu machen. Er schiebt sie zusammen. »Ein Achtzehnjähriger hat andere Dinge im Kopf als Erstklässlerinnen. Außerdem bin ich Ende der Achtziger weggezogen. Hab in Tel Aviv studiert, Sie wahrscheinlich auch?«

»Klar. Wo haben Sie bis jetzt gearbeitet?«

»Sheba Medical Center. Neurochirurgie.«

»Da hab ich mein praktisches Jahr gemacht.«

»Guter Laden«, nickt Bug. »Nette Kollegen. Aber ich wohne in Jerusalem, für mich ist das Hadassah näher, und als die Stelle frei wurde – wie gesagt, mein erster Tag.«

»Na dann.« Sie breitet die Arme aus. »Willkommen.«

»Danke.« Bug lächelt scheu. »Ich muss allerdings gestehen, ich bin nicht ganz ohne Hintergedanken hier.«

»Oh.« Yael hebt die Brauen. »Wie aufregend.«

»Nun ja –« Er wird tatsächlich rot. Wie süß. »Es lässt sich nicht vermeiden, in das eine oder andere Messer zu laufen, und ich hab heute Abend noch ein Riesenmeeting mit der obersten Heeresleitung, und – also, ich hatte gehofft, sie würden mich ein bisschen dopen.«

»Dopen?«

»Auf was man hier so zu achten hat. In den heiligen Hallen. Auf *wen*, vor allem. So von Gaza-Veteranin zu Gaza-Veteran.«

Eigenartiger Vogel, denkt Yael. Irgendwie nerdig, dabei keineswegs unsympathisch. Würde man ihn der gestaltenden Kraft eines Typberaters anvertrauen, könnte unter der Zottelmähne sogar etwas Brauchbares zum Vorschein kommen.

»Warum nicht?«

»Wirklich? Oh, das – wäre ausgesprochen nett.«

»Nur gerade ungünstig. Ich hab jede Menge Neuaufnahmen, alle rotieren hier wie die Brathähnchen.«

»Wegen Scharon, nehme ich an.«

»Ja, Sie haben sich den Idealstart ausgesucht. Sagen wir, um fünf?«

Bug strahlt. Geht zur Tür.

»Falls Sie einen netten Laden kennen, der für Sie auf dem Weg liegt –«

Sie schlägt ein Café in Ein Kerem vor. Er kämpft mit seinen Akten, greift nach der Türklinke, verfehlt sie.

»– lade ich Sie auf einen Kaffee – also bis später dann.«

»Tee. Ausschließlich Tee.«

Bug lächelt. Er wirkt aufgeräumter als vorhin. Sie sitzen im hinteren Bereich, wo sie ungestört sind.

»Verstehe. Die andere Fraktion.«

»Katzen und Tee. Ich bin die Katzen-und-Tee-Fraktion. Und Sie?«

»Hunde und Kaffee. Wissen Sie, was die Japaner sagen, wenn sie einen charaktervollen Menschen beschreiben?«

»Was denn?« Yael träufelt Zitrone in ihren Darjeeling.

»Er hat Tee in sich.«

»Nicht schlecht. Wollen Sie wissen, was Churchill sagte, als man ihn fragte, wie er seinen Tee am liebsten mag?«

»Bin gespannt.«

»Kalt, gelb, zwölf Jahre gezogen.«

Bug überlegt eine Sekunde. »Oh.« Seine Miene hellt sich auf. »Er meinte Whisky?«

»Auf jeden Fall sind Sie nicht schwer von Kapee.«

Er lächelt versonnen. Gibt so viel Zucker in seinen Espresso, dass Yael vom Hinsehen schlecht wird.

»Okay. Wie kann ich helfen?«

»Ach ja. Unser Doping. – Nun, ich will offen sein, Yael – ich darf doch Yael sagen?«

»Klar.«

»Ich weiß, was Jehuda zugestoßen ist.«

Unerwartet wie ein Dolchstoß. Yael schweigt. Beobachtet interessiert, wie die Zitrone in ihrem Tee Schlieren zieht.

Lady sings the blues –

884

»Fühlen Sie sich bitte nicht bedrängt, ich –« Bug knetet seine Hände.

»– wollte Ihnen nur sagen, dass es mir leidtut. Sehr leid.«

»Wie haben Sie davon erfahren?«

»Aus der Zeitung. Sie wissen ja, wenn irgendwas diesen Sommer die Medien beherrscht hat –«

War es der Abzug, stimmt. Samt allen Folgeerscheinungen, nur dass Yael sich beim besten Willen nicht erinnern kann, auch nur eine einzige Zeile über Jehudas Unfall gelesen zu haben.

»Kannten Sie meinen Va – meinen Großvater gut?«

»Schon, ja.«

»Er hat nie Ihren Namen erwähnt.«

Bug nickt, als sei ihm das klar. »Wenn Sie mich fragen, hat Scharon in Gaza noch größere Scheiße gebaut als in Jamit.«

Wieder so eine aus der Hüfte geschossene Bemerkung. Yael zögert. Eigentlich verspürt sie keine Lust, über Gaza zu sprechen. Noch dazu mit einem praktisch Fremden. Außerdem irritiert es sie, dass Bug nicht endlich wegen seines Meetings zur Sache kommt.

Aber vielleicht geht es gar nicht um das Meeting.

Der da fühlt sich genauso hilflos wie du, denkt sie. Unaufgearbeitete Wut. Braucht einfach jemanden, mit dem er reden kann.

Na gut, ein paar Minuten.

»Wohnte Ihre Familie noch in Dugit, als Gaza geräumt wurde?«

»Ja«, sagt er. »Jetzt fristet sie ihr Dasein in einem Caravan. Ziemlich marodes Teil.«

»Mhm.« Sie nickt. »Das haben sie mit vielen versucht. Meine wollten sie auch in so einem Ding verschimmeln lassen.«

»Und?«

»Sie haben es vorgezogen, nach Yad Mordechai zu gehen.«

»In die Zeltstadt?«

»Ja.«

Bug streicht verlegen über seinen Schnurrbart. »Entschuldigung, Yael, ich weiß, ich sollte Ihre Zeit nicht über Gebühr beanspruchen, es ist nur – diese Räumung hat so viel Leid verursacht – persönliches Leid – und Scharon tut nichts. Versagt auf der ganzen Linie.«

Sie starrt in ihr Glas. Noch vor Kurzem hätte sie sich bereitwillig in dem Thema gesuhlt, doch ihr eigenes Gejammer ist ihr leid geworden. Regelrecht zuwider.

»Hören Sie, Schimon –«

»Auch strategisch Wahnsinn.« Bug nestelt an einem Zuckertütchen herum. »Abbas hat die Extremisten nicht im Griff. Seit der Räumung schießen sie noch mehr Raketen rüber, und wissen Sie, wer *genau das* vorausgesagt hat?«

Yael seufzt. »Arik, vermute ich.«

Das Tütchen reißt auf, braune Kristalle schießen wie eine Ladung Schrot über die Tischplatte.

»Da war er jung, sprach über die Westbank. Über die Gefahrenlage für Israel, wenn wir uns aus Judäa und Samaria zurückzögen. Weit ernstzunehmender als ein Abzug aus Gaza, und jetzt schauen Sie sich an, was passiert. Die funktionieren den Gazastreifen in eine Abschussbasis um.« Beginnt fahrig, die Kristalle zusammenzustreichen. »Ich meine, was soll das? Wir haben ihnen ihre Autonomie gegeben, und sie bekämpfen uns *trotzdem* weiter.«

»Es macht halt keinen Unterschied«, sagt Yael. »Ob wir ihr Land besetzen oder nicht.«

»Und nun stellen Sie sich vor, wir räumen die Westbank. Was blüht uns dann? Raketen auf Tel Aviv?«

Seine halb geöffnete Hand verharrt schwebend in der Luft. Als wisse er nicht, wohin jetzt mit dem Zucker.

»Schimon, ich möchte nicht unhöflich erscheinen, aber –«

»Und das wird er tun.«

»Vielleicht, ja.«

»Vielleicht? *Ich* weiß es.«

»Woher?«

»Ariel und Ma'ale Adumim, daran hält er fest. Den ganzen Rest wird er räumen. Wenn Kadima erst die Wahlen gewonnen hat –«

»Das ist bloße Spekulation.«

»– ist auch Efrat schnell Geschichte.«

Übergangslos scheint die Raumtemperatur um einige Grad gefallen zu sein. Yael spürt, wie es ihr die Luft abschnürt. Nicht, dass der Gedanke so neu für sie wäre, es ist die Art, *wie* er es sagt –

Sie starrt ihm in die Augen.

Doch Schimon Bug ist verschwunden. Der sympathisch verschusselte Mann, der noch vor wenigen Stunden in ihrem Büro mit einem Stapel Akten rang – fort, als habe eine unheimliche Macht ihn gegen etwas anderes ausgetauscht, wie in *Die Körperfresser kommen.*

Bug erwidert ihren Blick. Schaut sie unverwandt an, während er langsam die Handfläche dreht und den Zucker zu Boden rieseln lässt.

»Deine Tante Miriam, Yael. David, die Kinder. Sie müssen gehen. Phoebe, der *dritte* Rauswurf! Was meinst du, wird sie das überleben? Sie ist jetzt schon halb tot vor Kummer.«

»Wer sind Sie?«, flüstert Yael.

»Traurig, nicht wahr? Arik lockt deine Großeltern in den Sinai, nur um sie sechs Jahre später zu vernichten. Job weg, Land weg, Sohn weg. Sie brauchen Jahre, um die Schläge wegzustecken, die er ihnen verpasst hat, und was macht er? Ruiniert sie ein weiteres Mal. Dachte Jehuda ernsthaft, dieser Mann werde ihm helfen?«

Arik? Da würde Phoebe lachen, bitterlich lachen. Oh, sie wisse schon, wie das Telefonat verlaufen sei! Arik habe Jehuda wie einen Bittsteller behandelt. Er könne sich nicht um jeden Siedler einzeln kümmern, aber wenn er denn unbedingt den Weg auf sich nehmen wolle –

»Phoebe dürfte 78 sein, wenn Efrat fällt«, fährt Bug in bilanzierendem Tonfall fort. »Wer fängt sie auf? David und Miriam? Kaum. Hinreichend damit beschäftigt, sich selbst zu retten. Du? Was verdient eine Ärztin?«

»Zum Teufel noch mal, *wer sind Sie*?«

»Bleibt Benjamin, Person des öffentlichen Lebens, andererseits mehr Nachwuchs als ein Hund Läuse.«

Ihre Gedanken rasen. Woher weiß der Kerl all diese Dinge?

»Was wollen Sie?«

»Was ich will?« Bug verschränkt die Arme auf der Tischplatte, beugt sich vor. »Was willst *du*?«

Sie schweigt.

»Ist es nicht eigenartig, dass der Urheber des Ganzen jetzt zwei Tage in der Neurologie des Hadassah Hospitals lag? In Reichweite? Fast eine Fügung, findest du nicht auch?«

Sie starrt vor sich hin, fasziniert und angeekelt zugleich. Knallt ein paar Münzen auf den Tisch, steht auf.

»Leck mich doch.«

»In diesen Minuten wird Scharon entlassen. Yael. Denk nach. Darf dieser Mann Israel weiter regieren? Das Land einer Katastrophe aussetzen, vom Leid der Menschen ganz zu schweigen?«

»Schönen Tag noch.«

»Setz dich wieder hin.«

»Ich habe keine Lust auf Spielchen.«

»Schon okay. Kapiert.« Bug seufzt, hebt beide Hände. »Du willst nichts verändern. Du bist nur ein vor Selbstmitleid triefender Jammerlappen. Also bitte. Geh.«

Yael verharrt. Sie weiß, sie sollte schleunigst Distanz zwischen sich und diesen Mann legen, doch in ihr tobt eine Schlacht. Yael 1 will weg, Yael 2 hängt an Bugs Lippen.

»Wer – bist – du?«, zischt sie.

»Um das herauszufinden, musst du mir weiter zuhören.«

»Und wenn ich das nicht will?«

Bug schaut zu ihr auf. Die braunen Augen hinter der unvorteilhaften Brille mustern sie mit analytischer Intelligenz.

»Doch, du *willst*.«

»Woher weißt du so viel über meine Familie?«

»Es ist mein Job, Dinge zu wissen.«

»Was für ein Job?«

»Aufzupassen. Das Land vor Schaden zu bewahren.«

»Bist du –« Ach du lieber Himmel. In was ist sie da bloß reingeraten? »Vom Geheimdienst?«

»Setz dich.«

»*Error. No signal.*« Sie stochert mit dem Zeigefinger in ihrem Ohr herum. »Komisch. Auf Kommandos reagier ich einfach nicht.«

»Kommt es besser bei dir an, wenn ich dir verspreche, deine Familie zu retten? Sodass sich keiner je wieder Sorgen machen muss?«

»Wie soll das gehen?«

»Verlass dich drauf, es geht.«

Sie lässt angestaute Luft entweichen. Sinkt mit geballten Fäusten zurück auf ihren Platz.

»Du warst nie im Sinai. Oder?«

»Nein.«

»Auch nicht in Dugit.«

»Ich musste einen Weg finden, schnellstmöglich Kontakt zu dir aufzunehmen.«

»Also auch kein Arzt.«

»Natürlich nicht. Aber ich weiß, was die Ärzte wissen. Scharon hat ein Loch im Herzen. Am 5. Januar wollen sie ihn –«

»Höchst beeindruckend«, spottet sie. »Jedes Kind weiß das. Ein Foramen ovale, darüber hat die Klinik offen kommuniziert. Sie werden es mit einem Schirmchen verschließen, auch wenn das Blödsinn ist. Meiner unmaßgeblichen Meinung nach. In Ariks Alter sind ganz andere Faktoren für Hirnschläge ausschlaggebend, Übergewicht, Blutdruck. Normalerweise würde ich bei einem 77-Jährigen gar nicht erst nach einem Foramen suchen.«

Bug nickt ihr aufmunternd zu. »Sprich weiter.«

»Dieses ganze Verschlusstherapie-Gedöns.« Sie schnaubt verächtlich. »Schirmchen-Wahn, keine einzige Studie belegt die Effizienz. Aspirin reicht völlig zur Verringerung des Rezidivrisikos.« Sie spreizt die Finger. »Aber bitte, sollen sie ihn operieren.«

Er scheint ihre Worte zu verarbeiten. Dann sagt er: »Was die Klinik nicht kommuniziert, ist, dass Scharon an CAA leidet.«

Yael runzelt verblüfft die Brauen.

Cerebrale Amyloidangiopathie?

Befall der Blutgefäßwände im Hirn. Ablagerungen, die das Risiko einer Blutung deutlich steigern.

»Und dennoch wird er bis zur Operation mit Clexane therapiert.«

Blutverdünner. Niedermolekulares Heparin.

Erhöht die Risiken um ein weiteres.

Da trauen sie sich einiges, denkt Yael. Aber gut, als Vorbereitung auf die Operation – offenbar wird Arik Opfer des VIP-Syndroms. Bete, dass du als Prominenter nie in die Hände von Medizinern fällst. Jeder will glänzen, keiner sich sagen lassen, er hätte irgendeine Therapie nicht angewandt. Sie therapieren dich im Kreis herum.

Woher kennt Bug bloß alle diese Einzelheiten?

Wenn die Klinik mit dem CAA-Befund hinterm Berg hält, heißt das, die Daten unterliegen strengster Geheimhaltung. Aus gutem Grund, wie ihr im selben Moment klar wird. Kein potenzieller Kadima-Wähler soll zu dem Schluss gelangen, der Spitzenkandidat befinde sich in akuter Gefahr einer Hirnblutung. Die Opposition würde das Thema ausschlachten wie Hannibal Lecter einen unvorsichtigen Bewacher.

»Der Punkt ist, Scharon will bis zur OP nicht in Jerusalem bleiben«, sagt Bug. »Er will partout auf seine Farm.«

»Sein Problem.«

»Also fährt jetzt zweimal täglich eine Oberschwester in den Negev und verabreicht ihm dort seine Medikamente. Morgens und abends Clexane 0,4, außerdem verschiedene Blutdrucksenker.«

»Die nimmt er doch sowieso.«

»Ja, aber sie haben alles neu aufeinander abgestimmt. Die Schwester überwacht die Medikation.«

»Wird schon gut gehen«, sagt Yael lustlos. »In der Dosierung bleibt das Blutungsrisiko überschaubar.«

Bug schaut auf die Uhr.

»Etwa jetzt dürfte die Schwester rausgefahren sein. In einer Stunde kehrt sie zurück. Morgen früh dann wieder –«

»Jaaa, und morgen Nachmittag –«

»Nein, da kommt ihr was dazwischen. Jemand springt ein.«

»Woher willst du das so genau –«

Dumme Frage, Yael.

Er *weiß* es.

»Diese andere Person wird Scharon bis zur Operation übernehmen«, sagt Bug. »Ganz regulär die Medikamente an der Ausgabe abholen und sie jedes Mal vor Fahrtbeginn gegen andere austauschen. Unbemerkt, versteht sich. Subkutane Clexane, allerdings 0,8 statt 0,4. Damit wäre das Eiweißsystem der Gerinnung außer Kraft gesetzt, sowie ein Prasugrel-Präparat, um die Thrombozyten anzugreifen –«

Yaels Mund öffnet sich und bleibt offen.

Wie bitte? Clexane 0,8 *plus* Thrombozyten-Hemmer?

Damit verdünnen sie sein Blut zu einer Wassersuppe.

»Außerdem stoppen wir die Blutdrucksenkung«, fährt Bug in aller Seelenruhe fort. »Er bekommt weiterhin seine vier Medikamente, nur werden es Placebos sein. Das zusammen sollte reichen –«

Für eine Hirnblutung, denkt Yael.

Und eine Hirnblutung würde mit definitiver Sicherheit das Ende der Ära Scharon zur Folge haben.

Koma, Schwerstbehinderung, Tod.

Ihre Finger schließen sich um das Teeglas. Sie spürt die Wärme ihre Handfläche durchdringen, trinkt in kleinen Schlucken, zögert die unvermeidliche Frage hinaus.

»Und wer – ist diese andere Person?«

Bug lächelt.

»Du.«

Rivka Abramovitch trinkt ihren Kaffee dünn wie Abwaschwasser.

Dafür in verlässlichen Mengen.

So weit also kein Problem, ihr unbemerkt was beizumischen, nur durchschmecken darf es nicht.

Erste Anforderung.

Die zweite liegt darin, Uhrzeit und Dosierung so zu wählen, dass der Effekt verzögert, dann aber innerhalb eines eng gefassten Zeitfensters eintritt.

Idealerweise zwischen 15:30 und 16:30 Uhr.

Zur Not früher.

Aber keinesfalls später.

Das alles schränkt die Zahl der Möglichkeiten erheblich ein, doch bislang hat sich im Weltarzneischrank noch für jeden Zweck das passende Mittel aufstöbern lassen. Yael ist schnell fündig geworden. Das Präparat, Dambowyn, ist geschmacksneutral und entfaltet seine Wirkung mit einer Latenz von acht bis neun Stunden, knifflig nur, dass die Fixierung auf den Wirkeintritt die Zeitspanne einengt, in der sie Abramovitch das Zeug in den Kaffee schütten kann. Gegen sieben wird die Schwester auf der Station erscheinen, den ersten Becher runterkippen, zur Medikamentenausgabe marschieren, sich für ihre Vormittagsmission eindecken, Empfang quittieren, zweite Ladung Koffein auf die Schnelle, alles zusammenpacken, dann auch schon runter, wo der Wagen auf sie wartet.

Abfahrt 7:30.

Rückkehr nicht vor 10:30, 11:00.

Zu spät, ihr das Zeug danach zu verabreichen.

Also bleiben Yael genau zwei Chancen, und gleich die erste hat sie sich vorgenommen zu nutzen. Wartet im Arztzimmer, die Tür geöffnet. Abramovitch, weiß sie, muss auf alle Fälle an ihr vorbei, ganz gleich, ob ihre Plattfüße sie erst zum Schwesternzimmer, in die Kaffeeküche oder zur Medikamentenausgabe tragen. Nun, für Kaffee ist gesorgt. Yael hat welchen aufgebrüht und im Schwesternzimmer bereitgestellt. Schön dünn, wie Abramovitch ihn mag.

6:55.

Schlapp, schlapp –

Unverkennbar die flossenbreiten Gesundheitsschuhe Rivka Abramovitchs.

Im selben Moment stürmt Yossi Backenroth herein, schält sich aus seinem Mantel und winkt mit einer Papiertüte.

»Croissant?«

»Danke.« Was macht der denn schon hier? »Das ist lieb von dir.«

»Weiß doch, wie ich dich rumkriege.« Er zwinkert ihr zu. »Und sei es nur, dass du mit mir den Dienstplan tauschst.«

»Wann?«

»Kommende Woche. Wegen Ephraim.«

Seinem Sohn. Dem er wahrscheinlich versprochen hat, mit ihm zu irgendeiner Sportveranstaltung zu gehen.

Draußen spurtet Abramovitch vorbei, das Kinn vorgereckt.

Yael steht auf.

»Dürfte klappen.«

»Augenblick, ich muss dich was fragen.« Backenroth fischt eine Patientenkurve aus seiner Schreibtischschublade. »Der Patient von 518 –«

»Kann das warten, Yossi?«

»Nicht wirklich. Gleich nach der Visite soll ich zum Boss, und ich bin unschlüssig, was die Therapierung mit Clopidogrel betrifft. Meines Erachtens ist das vor einem so relativ kleinen invasiven Eingriff nicht –«

»In zehn Minuten, ja?«

»Yael. Bitte.«

Abramovitchs Schritte verklingen im Korridor.

Nur die Ruhe.

»Okay, lass sehen.« Beugt sich über den Anordnungsbogen, überfliegt die gekrakelten Eintragungen – laufende Kontrollen, ärztliche Anordnungen, Bedarfsmedikation, den Therapieplan. Backenroths Schulter reibt sich an ihrer, das sind die kleinen Vergnügungen, die er sich gönnt. Braver Ehemann, Vater zweier pubertierender Kinder, mit sich übereingekommen, die Flinte im Schrank zu lassen, *solange das Wild nicht Ladehilfe leistet, ha ha!*, dabei gleichzeitig bemüht, nicht so schrecklich verheiratet auszusehen. Yael findet ihn eigentlich ganz in Ordnung. Freundlich, hilfsbereit, harmlos. Sie weiß, dass er gewaltig auf sie steht, aber nie würde Yossi sich hinreißen lassen, ihr auf den Hintern zu hauen oder ähnliche Späße. Er ist mit wenig zufrieden, eingerastet im untersten Flirtmodus. Etwas Körperkontakt hier, ein verzeihlicher Spruch da.

Damit fast schon wieder eine Herausforderung. Wenn sie nämlich nur wollte, könnte sie den armen Yossi in arge Bedrängnis bringen, und leider tendiert ein Teil von ihr genau dazu. Nicht zum ersten Mal spürt sie das dunkel lockende Verlangen, ihre Macht über Männer, die sie zweifellos hat, auszuspielen, in ihre kleine heile Welt einzudringen, darin herumzuberserkern und ordentlich Porzellan zu zerschlagen.

Diese dunkle Yael macht der anderen Kopfzerbrechen. Auch, weil sie noch andere, viel schlimmere Dinge zu tun bereit ist, mit weitreichenderen Konsequenzen.

»Ich würde in dem Fall auf Clopidogrel verzichten«, sagt sie.

Backenroth nickt. »Ja, zu dem Schluss war ich auch gekommen. Wenn man andererseits berücksichtigt –«

»Halt es fest, Yossi.« Sie läuft nach draußen, dreht sich noch einmal zu ihm um. »Nicht runterschlucken, was du sagen wolltest. Bin gleich wieder da.«

Mann, denkt sie. MANN!

Konntest du nicht die üblichen 15 Minuten zu spät eintrudeln, wie sonst auch?

Auf dem Gang herrscht reger Betrieb, vorwiegend Pflegepersonal und erste Angehörige. In großen Schritten steuert Yael das Schwesternzimmer an und stößt in der Tür fast mit Abramovitch zusammen, die einen dampfenden Becher vor sich herbalanciert und mit abenteuerlichem Hüftschwung versucht, den Kaffee vor dem Überschwappen zu bewahren.

»Ups!«

Yael tritt zur Seite. »Tut mir leid.«

»Macht nichts, macht nichts.« Abramovitch trinkt ab. »Bin nur in Eile, du weißt ja –«

»Klar«, grinst Yael. »Engste Vertraute des Premiers.«

»Stell dir vor, mein Mann wollte es gar nicht glauben. Du doch nicht!, sagt er. Und ich: Hör mal, was ist denn daran Besonderes, warum nicht ich? Und er: Na ja, warum *gerade* du? Und ich: Vielleicht, weil jemand der Meinung ist, dass ich das am besten *kann*, und er –«

Redeschwall.

Yael läuft neben ihr her und hört zu, bis sie gemeinsam vor der Medikamentenausgabe landen.

»Natürlich geh ich schwer davon aus, dass die mich auf Herz und Nieren überprüft haben«, erklärt Abramovitch vertraulich gedämpft, während sie auf die Plastikschachtel mit den Tabletten und Spritzen wartet. »Die wissen jetzt alles über mich. Meine Güte.«

»Der Schin Bet?«

»Na sicher. Mein Mann: Jetzt graben sie alle deine Jugendsünden aus. Ich: Was denn für Sünden? Wenn sie bei dir graben würden, sähen sie bald kein Sonnenlicht mehr, aber ich –« Lässt den Rest Kaffee die Kehle hinuntergurgeln. »Ich –«

Yael zeigt auf den leeren Becher.

»Soll ich dir schnell noch einen bringen?«

»Ach, ich könnt schon noch einen vertragen, Gott, das wird aber knapp. Warte, ich komme mit.«

Die diensthabende Schwester reicht die Arzneien herüber. »Autogramm, Rivka.«

Abramovitch beginnt, umständlich Schnörkel an Schnörkel zu setzen. Yael schnappt sich den Becher und läuft los.

»Ich geh schon mal auffüllen.«

Wenige Meter Vorsprung. Zehn, zwölf Sekunden gewonnen, und keiner darf in der Küche sein, sonst kannst du es vergessen.

Es ist niemand in der Küche.

Der kurze Moment, den Yael außer Sichtweite gerät, reicht. Sie fördert die kleine Flasche zutage, entleert den wasserklaren Inhalt in Abramovitchs Becher, verstaut sie wieder in ihrem Kittel und lässt den Kaffee aus der Thermoskanne in den Becher schießen.

»Halb voll, nur halb!« Abramovitch erscheint in der Tür.

»Wann geht's denn los?«, stellt Yael sich dumm.

»In fünf Minuten.« Die Schwester nimmt ein paar Schlucke. »Danke, mein Schatz. Wir sehen uns später.« Stellt den Becher ab. »Dann will ich mal meinen neuen besten Freund besuchen fahren.«

Geht hinaus.

Yael wirft einen Blick in den Becher.

Die blöde Kuh hat allenfalls die Hälfte getrunken. Wird das reichen? Kaum. Yossi, der Idiot. Hätte sie ihn doch stehen lassen mit seiner Patientenkurve.

Abramovitch kehrt zurück, nunmehr im Mantel, die Plastikbox fest an sich gedrückt.

»So, jetzt aber wirklich.«

Leert den Becher, macht kehrt und ist verschwunden.

Misstraue jedem, der dir was vom perfekten Plan erzählen will, hat Schimon Yael erklärt. Es gibt ihn nicht. Pläne sind Konstrukte voller Löcher und Unwägbarkeiten, von Menschen für Menschen entwickelt. Gleichungen voller Unbekannter, noch wackliger als eine Klima-Langzeitprognose. Wenn dir die Umstände einen Strich durch die Rechnung machen, kannst du dir mit dem schönsten Plan den Hintern abwischen.

Aber bis dahin liegt es bei dir.

Sei perfekt vorbereitet.

Stell sicher, dass du mindestens eine zweite Chance hast.

Lerne zu improvisieren, und vor allem: Stell nie infrage, was du da tust. Hinterher kannst du gern damit hadern.

Aber *nie* währenddessen.

Schon gegen halb elf ist Abramovitch zurück, und Yael fragt sich, wie der Patient im Negev ihr Gequatsche ertragen hat, aber wahrscheinlich schlägt sie dort dezentere Töne an.

Sie versucht sich an Ariel Scharon zu erinnern.

Nicht an den Mann aus den Medien, den man jeden Tag zu sehen bekommt, sondern an die Zeit, als er im Hause Kahn noch als Freund galt und ein gern gesehener Gast war.

Sieht sich auf einem dicken Bauch herumturnen.

Kann das sein?

Erinnert sie sich wirklich daran, oder haben andere Menschen ihr die Erinnerung durch Erzählungen implantiert? Verwaschene Bilder tauchen auf, eine traumhafte Sequenz, schneeweiße Zähne, ein großes Gesicht (gut, aus der Sicht einer Vierjährigen ist jedes Gesicht groß), aber es könnte durchaus Ariks freundlich lachende Visage sein.

Doch – das kommt direkt aus ihrem Kopf.

Die Sequenz setzt positive Empfindungen frei, und Phoebe wusste nie etwas Positives über Arik zu sagen. Jehuda schon. Tatsächlich hat er immer wieder versucht, das verabscheuenswürdige Bild, das Phoebe von Arik zeichnete, zu korrigieren, was jedes Mal darin gipfelte, dass Phoebe abgrundschwarze Traurigkeit überkam und dann eine derartige Wut, dass Yael nichts mehr fürchtete als diese Anfälle.

Phoebe hat ihre Sicht geprägt.

»Du bist jemand, der Arik ausreichend hasst, um ihn der Welt und sich vom Hals zu schaffen.«

So hat Schimon Yael am gestrigen Abend charakterisiert.

Oder wie immer sein Name lautet.

Genauso gut könnte sie ihn Schneewittchen oder Rocky Rocket oder sonst wie nennen, er dürfte ebenso wenig Schimon Bug heißen wie sie Zarah Leander.

Stell nie infrage, was du da tust. – Nicht währenddessen.

Sie versucht es.

Zwischen Blutabnahmen und Endoskopien nimmt sie sich Zeit für Rivka Abramovitch, die Yael davon vorschwärmt, wie NETT der sei, heute noch netter als gestern, und sie freue sich schon auf den Ausflug in wenigen Stunden.

Die Mittagspause verbringt Yossi Backenroth wie gewohnt in der Kantine. Yael nicht, die Abramovitch im Auge behält. Bedingt durch ihren zerfledderten Tagesplan, fehlt es der Schwester vorne und hinten an Zeit, unermüdlich klappert sie die Krankenzimmer ab und gibt ihre strahlende Laune an die Patienten weiter. Redselig hin oder her, auf der Station wird sie geschätzt, zu Recht, zweifellos ist sie für die Aufgabe prädestiniert, die man ihr zugedacht hat.

Und hungrig.

Yael überredet sie zu einem Thunfischsandwich.

»Ich will sowieso runter, soll ich dir eines mitbringen?«

Da sagt Abramovitch nicht Nein, und das ist schon mal gut, denn einem Thunfischsandwich kann man so ziemlich an allem die Schuld geben.

Doch erst mal geschieht nichts.

Es wird Nachmittag.

15:00. 15:30.

Allmählich müssten sich erste Symptome einstellen, doch Abramovitch watschelt die Korridore rauf und runter wie ein kerngesunder Pinguin.

16:00, 16:15.

Yael beginnt sich Sorgen zu machen. Inzwischen weicht sie der

Schwester nicht mehr von der Seite, lässt es wie Zufall aussehen, dass sie ständig in der Nähe ist, kommt sich schon wie eine halbe Geheimagentin vor. Irgendwie ist alles bedrohlich real und zugleich unwirklich wie in einem Kinofilm.

Yael, Klappe, die Vierte.

Abramovitch strebt zur Medikamentenausgabe und pfeift ein Lied. Nimmt Tabletten und Spritzen in Empfang, eilt zu den Fahrstühlen. In wenigen Minuten wird sie ein weiteres Mal in den Wagen steigen, der sie zur Schikmim-Farm bringt.

Was ist los? Die Wirkung müsste längst eingesetzt haben.

Yael flutscht zwischen den sich schließenden Türen hindurch.

»Geht's wieder auf Tour?«

»Ja, ja.« Abramovitch streichelt fast liebevoll ihre Medikamentenbox. »Geheimauftrag Negev.« Kichert. »Roger Moore wartet schon im Wagen.«

»Pierce Brosnan«, sagt Yael.

»Ich meine James Bond, Kindchen.«

»Ich auch. Den spielt inzwischen Pierce Brosnan.«

»So?« Abramovitch zieht die Brauen hoch. »Kenne ich nicht. Sieht er so gut aus wie Roger Moore?«

»Mindestens.«

»Schön. Dann wäre ich auch damit einverstanden.«

Was hat die Frau bloß für eine Konstitution? Gedärm und Magenwände mit Edelstahl ausgekleidet?

»Du begleitest mich?«, stellt Abramovitch freudig erstaunt fest, als sie gemeinsam aus dem Hauptportal der Klinik nach draußen spazieren.

»Nein, muss nur was aus meinem Wagen holen. Wo steht denn dein tolles gepanzertes Dienstfahrzeug?«

»Meinst du wirklich, der ist gepanzert?«

»Klar.«

»Da.« Weist mit dem Kinn auf eine dunkle Limousine. Ein Mann im Anzug lehnt an der Fahrertür.

Was hat sie verkehrt gemacht? Hätte sie mehr von dem Dambowyn in den Kaffee geben sollen? War der Zeitpunkt falsch gewählt?

»Da bin ich wieder«, kräht Abramovitch frohgemut.

Der Fahrer lächelt und öffnet den hinteren Schlag für sie.

Verpatzt.

»Also, bis morgen, Yael, ich –«

Eine plötzliche Veränderung geht im Gesicht der Schwester vor. Sie wechselt die Farbe, krümmt sich.

»Alles klar?«, fragt Yael in gespielter Besorgnis.

Abramovitch verharrt gebeugt, den Mund halb geöffnet, die Augen glasig und starr.

»Ich glaub nicht«, murmelt sie.

Jetzt wird auch der Fahrer nervös.

»Oh«, stöhnt Abramovitch. »Ooooooh –«

Schnell fassen sie die nach Luft schnappende Frau unter den Armen und bringen sie zurück ins Innere, wo sie auf der nächsten Toilette verloren geht. Yael instruiert eine vorbeieilende Schwester, sich um die Leidende zu kümmern.

»Ich fürchte, das wird nichts mehr«, sagt sie mit sorgenschwerer Stimme.

»Was fehlt ihr denn?«, will der Fahrer wissen.

»Keine Ahnung.« Yael tut, als müsse sie nachdenken. »Heute Mittag hatte sie ein Thunfischsandwich.«

»Na, ausgerechnet Thunfisch.«

»Hm.« Sie schaut dem Mann fest in die Augen. »Ich bin Assistenzärztin in der Neurologie und mit dem Fall vertraut. Auch mit der Medikation. Ich könnte einspringen.«

»Sofort?«

»Wann Sie wollen.«

»Und Ihr Name?«

Yael füttert ihn mit den Eckdaten ihrer Person.

»Möglich, dass sich der Ministerpräsident sogar an mich erinnert«, fügt sie hinzu. »Mein Vater und er waren enge Freunde. Jehuda Kahn. Ich bin Jehudas Enkelin. Ich habe –« sie lächelt, »– auf Ariks Bauch gespielt. Als er noch *kein* Ministerpräsident war.«

Jetzt werden sie also den Blitzcheck vornehmen, von dem Schimon erzählt hat, direkte Anfrage im Schin-Bet-Hauptquartier, Datenbankabfrage, das übliche Prozedere.

Lange werden sie nicht brauchen.

»Ich tausche vorsorglich schon mal die Medikamente aus«, lässt sie den Fahrer wissen. »Die Kollegin hat die Box angefasst. Muss nichts heißen, aber wir sollten kein Risiko eingehen.«

Der Umtausch ist eine Sache weniger Minuten.

Der zweite vollzieht sich noch rascher. Sie hat Glück, Backenroth ist auf der Station unterwegs, sodass sie unbemerkt ihren persönlichen Schrank aufschließen und die Pillen und Spritzen in der Schachtel durch die anderen, schon bereitliegenden ersetzen kann.

Vielleicht nicht ganz perfekt organisiert, aber nah dran.

20 Minuten später sitzt sie im Wagen.

Noch mal 20 Minuten später ist sie so weit, dem Fahrer zu sagen, er solle auf der Stelle umdrehen und sie zurückbringen.

Was steht sie da im Begriff *zu tun*?

Wie konnte sie sich bloß auf Schimon einlassen, sie weiß nicht das Geringste über den Kerl.

Nur, dass er virtuos argumentiert:

»Die Amerikaner träumen davon, dem Nahen Osten die Demokratie zu bringen, soll heißen, freie Wahlen in Gaza! Solange Scharon der Schwanz ist, mit dem Bush wedelt, müssen wir zulassen, dass auch die Hamas kandidiert, und ein Sieg der Hamas wäre ein Desaster. Jemand muss das verhindern. Jemand, der sich nicht an Scharons Versprechungen gegenüber Bush gebunden fühlt.«

Oder so:

»Schau dir die Westbank an, Yael. Von überall dort können sie Israel unter Feuer nehmen. Uns ausspähen. Kinderspiel, eine 40 Kilometer breite Küstenzone vom Gebirge aus zu überblicken. Ein Abzug aus der Westbank würde Jahrzehnte der Sicherheitspolitik schlagartig zunichtemachen, das israelische Kernland wäre gefährdet wie seit '67 nicht mehr.«

Klingt schlüssig.

Aber bringt man dafür den Premierminister um? Zumal, wenn dich kaum etwas in deinem Leben nachhaltiger verstört und angewidert hat als *genau das.*

November '95.

Jitzchak Rabin, Yaels ewiges Idol. Und was glaubt sie wohl, hätte das Idol als Nächstes getan? Den Siedlungswahn weiter vorangetrieben? Nicht im Mindesten, er hätte das Westjordanland und den Gazastreifen geräumt, die Zwei-Staaten-Lösung herbeigeführt.

Und Yael hätte es *richtig* gefunden.

Wie kein anderer stand Rabin für Völkerfrieden, Gleichstellung und Zusammengehörigkeit. Er hatte den Mut, die Umstände zu verändern, bevor sie die Menschen veränderten. Nichts hat Yael mehr gequält, als mit ansehen zu müssen, wie der Mord nachträglich banalisiert wurde, indem Linke und Rechte ihn zum traurigen Tiefpunkt ihrer Rivalität erklärten. Als habe nicht eine grundlegendere Katastrophe das Land erschüttert, ein Anschlag von innen gegen die Demokratie, auf den Staat selbst.

Damals haben wir unser Urvertrauen verloren, denkt Yael. Die Gewissheit, die Kinder ruhig schlafen lässt, dass es jenseits aller Angst eine Instanz gibt, die das Böse von dir fernhält.

Mit der Bedrohung von außen kannst du leben.

Wenn dein ärgster Feind aus den eigenen Reihen kommt, gibt es keine Geborgenheit mehr.

Keine verlässliche Größe.

Keinen geschützten Raum.

Und du sagst dir: Rette sich, wer kann.

Jeder für sich.

Etwas Gespenstisches geht mit dir vor, das, was du am meisten verabscheust, in den Stand einer Option rückt. Dir wurde ja eindrucksvoll vor Augen geführt, wie man Meinungsverschiedenheiten in diesem Land regelt. Sosehr du den Mord also verurteilst, hat Jigal Amir mit seiner Beretta zugleich den Startschuss für eine neue Egozentrik gegeben. Es existiert keine verbindende Vision mehr, kein Konsens, nur noch die Räson des Einzelnen. Der Staat ist ein sinkendes Schiff, die Mannschaft selbst hat das Leck in den Rumpf geschossen, deine Feinde sehen dich untergehen und fallen über dich her, wen also rettest du?

Dich und die Menschen, die du liebst.

Nichts anderes zählt mehr.

Und jedes Mittel ist recht.

»Rabin?« Jetzt noch kann sie Schimons nachsichtiges Lachen hören. »Ja, damals schienen die Palästinenser ein Partner zu sein, sie erkannten uns an, die Hamas war entmachtet, aber heute? Sie sind auf dem Vormarsch, die Fanatiker, die Israel das Existenzrecht absprechen, und Abbas wird sie nicht bändigen können. Heute zu tun, was Rabin vielleicht getan hätte, wäre nicht mutig, sondern Selbstmord.«

Legitim klingende Gründe, Ariks Rückkehr an die Macht zu verhindern. Bloß, Schimon kann ihr das Hirn vollpumpen mit Gründen, es geht um etwas ganz und gar anderes.

»Morgen früh wird deine Familie in Efrat feststellen, dass die SELA eine Online-Überweisung getätigt hat. Die Hälfte der Summe, die Phoebe zusteht und eigentlich über einen Zeitraum von drei Jahren ausgezahlt werden soll. Nur damit du siehst, zu was wir in der Lage sind. Wir können lahmende Gäule in strammen Galopp versetzen, und glaub mir, die SELA lahmt auf allen vieren. Aber wenn du uns hilfst, Yael, werden auch wir euch helfen. Ihr werdet in Sicherheit sein.«

Als sie heute Vormittag in Efrat anrief, musste sie gar nicht von selbst zum Thema kommen. Die Einzahlung war schon per E-Mail bestätigt worden.

»Stell dir das vor, Yael!« Miriam im Taumel zwischen Unglaube und Begeisterung. »Das hilft uns ungemein!«

»Bloß nicht hinterfragen! Nachher war's ein Versehen.«

»Bist du verrückt? Wir stellen uns tot.«

Nein, Schimon ist kein durchgeknallter kleiner Attentäter. Kein Jigal Amir. Es würde Yael nicht im Geringsten wundern, wenn hier irgendwelche Geheimdienstler den Sturz der Regierung betrieben. Schimon war über Ariks Zustand früher und besser im Bilde als die Medien, wusste im Detail, welche Therapie die Ärzte planten, hat es geschafft, den Anschlag auf das Leben eines Mannes als politische Rettung zu verkaufen.

Doch das hat nicht den Ausschlag gegeben.

Yael ist auf einem persönlichen Feldzug unterwegs, so sieht's aus, und was immer Schimon an politischen Argumenten liefert, dient ihr nur dazu, sich einzureden, sie wäre es nicht.

Sie wird Miriam, David und die Kinder retten.

Phoebe, Jehuda und ihren Vater rächen.

Das ist *ihre* Legitimation.

Schikmim-Farm

Als der Wagen auf die schmale Zufahrtsstraße zur Farm einbiegt, hat sie sich innerlich anästhetisiert.

Die Schikmim-Farm ist groß, wie sie feststellt, vor allem sieht sie weit mehr nach Bauernhof aus, als sie erwartet hätte. Yael erinnert sich, Arik in Interviews oft über seine Liebe zur Natur sprechen gehört zu haben. Dass er aus Kfar Malal stamme, Sohn eines Agrarökonomen, und unter anderen Umständen ganz sicher Bauer geworden wäre.

Sie erblickt Koppeln, Ställe, landwirtschaftliches Gerät.

Sanft geschwungene Wiesen, Ackerland.

Eine Rinderherde in der Ferne.

Das Farmhaus selbst ist ein schlichter weißer Bau mit Vordach, umstanden von Bäumen und Palmgewächsen. Limousinen und ein SUV parken in der Auffahrt. Den Mann, der sie einlässt, würde man nicht mal einen Wimpernschlag lang für ein Familienmitglied halten, so sehr steht ihm Personenschützer auf die Stirn geschrieben. Keine Fragen, warum anstelle der resoluten Nurse aus dem Bilderbuch eine junge Assistenzärztin kommt, hier sind sie schon über alles informiert. Yael wird einen Flur hinuntergeführt, es riecht nach Gebratenem, erhascht einen Blick in die Küche. Gemütlich. Eine Frau, Ariks Schwiegertochter vielleicht, im Gespräch mit einem stämmigen Mann, den Vollglatze und

Augenbrauen als Ariks ältesten Sohn Omri ausweisen. Ein Klavierkonzert durchweht das Haus.

Stimmt. Arik liebt Musik.

Überhaupt, während sie das Allerheiligste durchschreitet, fällt Yael auf, dass sie überraschend viel Privates über den Ministerpräsidenten weiß. Kunst interessiert ihn, Picasso und der französische Impressionismus. Falafel ist seine Leibspeise, und er würde gerne mal in die Mongolei reisen.

Hat er das alles im Fernsehen erzählt?

Oder weiß sie es von Jehuda? Ganz sicher nicht von Phoebe, die würde sich eher die Zunge abbeißen, aber möglicherweise hat ihr Großvater öfter über Arik gesprochen, als Yael es in Erinnerung hat.

Klavier und Orchester führen einen luftigen Dialog.

Sie betritt das Wohnzimmer.

Sieht ihn ausgestreckt auf dem Sofa liegen. Arik, König von Israel. Ariel Scharon. Antagonist ihrer Familie, auf den sich ihr ganzer Hass fokussiert, der Mann, den sie im Verlauf der nächsten zwei Wochen versuchen wird, regierungsunfähig zu machen.

Oder zu töten.

Bei ihrem Anblick schwingt er sich auf. Lächelt mit einem Ausdruck gelinder Überraschung.

»Oh. Guten Abend. Ich hoffe, Frau Abramovitch ist nichts passiert.«

Kommt ihr entgegen, schüttelt Yael die Hand.

Ihr Herzschlag setzt aus.

Eine Welle aus Eindrücken überspült sie, übermächtig, reißt sie fast von den Füßen, sie kann nichts dagegen machen, das Lächeln des Alten gewinnend zu finden, und auch nichts gegen den Frosch, der sich in ihrer Kehle häuslich einrichtet und quakt:

»Nein, nichts Ernstes, Herr Ministerpräsident. Ein Magenproblem. Vielleicht ein Virus.«

Ausgelöst durch Dambowyn, ist sie versucht hinzuzufügen, davon bekommt man verlässlich für die Dauer einiger Stunden die Scheißerei, morgen früh wird sie noch unpässlich sein und morgen Nachmittag aus dem Rennen, weil du mich dann so lieb gewonnen hast, dass du Frau Abramovitch gar nicht mehr sehen willst.

Plötzlicher Beichtzwang versetzt ihre Zunge in Zuckungen.

Oh Gott, was tue ich hier?

Zittern ihre Hände?

Warum bloß hat er nicht gesagt, was soll der Scheiß, neues Gesicht? Ich fand die Abramovitch aber Hammer, megageil, Spitzenklasse, ich will meine Abramovitch zurück! Warum hat er nicht irgendwas in der Art gefragt wie, wer zum Teufel sind Sie denn?

Nein, er hat sich den Namen der guten Rivka gemerkt.

Macht sich Gedanken um ihr Wohlergehen.

Und *du* hörst jetzt mal auf, *dir* Gedanken zu machen.

Arik betrachtet sie. Große, braune Augen, die etwas nach außen zu schielen scheinen, was daher rührt, dass seine Lider an den Seiten erschlafft sind, überschüssige Haut, die das Weiße verdeckt. Ein bisschen verleiht ihm das die gutmütige Ausstrahlung eines Labradors.

Falsch! Dieser Mann *ist nicht gutmütig!*

»Ein Virus? Ich schwöre, ich bin unschuldig. Ich hab zwar ein Problem im Kopf, aber –« Er tätschelt seinen Bauch. »– die Schlacht gegen meinen Magen hat bislang noch jedes Virus verloren.«

Sie erwidert das Lächeln. Würgt den Frosch runter. Ihr Herz hat wieder die Arbeit aufgenommen, schnelles Stakkato, als wolle es die versäumten Schläge nachholen.

»Kahn«, sagt sie. »Yael Kahn. Vielleicht erinnern Sie sich?«

In Ariks Gesicht arbeitet es. Sein Lächeln bekommt etwas Sinnendes, die Mundwinkel zucken.

»Ein Freund von mir hieß Kahn. Ein sehr guter –« Schüttelt ungläubig den Kopf. »Yael? Jehudas Enkelin?«

»Genau die«, strahlt sie.

»Das ist nicht zu fassen.« Jetzt lacht er. »Was für eine wunderschöne Überraschung.«

Er freut sich wirklich.

Oh ja, denkt sie, es ist eine Überraschung. Nur von wunderschön kann keine Rede sein.

»Ich konnte es kaum erwarten«, sagt sie mit aller Herzlichkeit, die sie aufzubringen in der Lage ist.

Und auch das stimmt in gewissem Sinne.

»Jehuda.« Ariks Blick bekommt etwas Wehmütiges. »Es hat mich so sehr geschmerzt, als ich von seinem Tod erfuhr. Sehr hart getroffen, Yael. Weißt du eigentlich, dass er auf dem Weg zu mir – entschuldige, ich darf dich doch Yael nennen, oder?«

Schon der Zweite, der sie das innerhalb von 24 Stunden fragt.

»Natürlich.«

»Auf dem Weg zu meinem Büro. Wie tragisch. Ich war so froh, ihn wiederzusehen. Wir hatten leider nicht viel Kontakt in den letzten Jahren. Ich hatte ein paar Vorschläge für ihn und Phoebe, wo sie hinziehen könnten – ein paar wirklich schöne Plätze –«

»Phoebe lebt jetzt in Efrat. Bei meiner Tante.«

»Bei Miriam?«

»Ja.«

»Die kleine Miriam.« Er nickt versonnen. Schaut Yael wieder an.
»Du siehst gut aus. Du erinnerst mich an Rachel. Deine Urgroßmutter.«

»Sie haben auch Rachel gekannt?«

»Gut sogar. Sehr gut. Vera, meine Mutter, und Rachel waren befreundet, die Freundschaft unserer Familien reicht lange zurück.«

In seinen Augen schimmert das pure Glück.

Das Glück der Erinnerung.

»Na ja.« Breitet die Arme aus. »Wie schön. Jetzt liegt meine Gesundheit also in deinen Händen.«

Worauf du dich verlassen kannst.

»Also tun wir mal was dafür.« Lächelnd öffnet sie ihren Rucksack, holt die Spritzen und die Box mit den Tabletten heraus. »Wenn Sie bereit sind, Herr Ministerpräsident.«

»Arik. Sag Arik.«

Sie zögert. »Ich kann doch den Ministerpräsidenten Israels nicht einfach duzen.« Hört ihr Herz klopfen.

Er macht eine wegwerfende Handbewegung.

»Als liefe ich von morgens bis abends durch die Gegend und sagte, ich bin Ministerpräsident. Das ist mein Privathaus. Ich war damals Arik für dich und bin es auch heute.«

»Also – gerne.« Yael lächelt. »Wollen wir, Arik?«

Und sie gibt ihm ein Bluthochdruckmedikament, das in Wirklichkeit seine Thrombozyten angreift, drei weitere Bluthochdruckmedikamente, die in Wirklichkeit Placebos sind, und spritzt ihm Clexane in viel zu hoher Dosierung.

Ihr Herz dröhnt in ihren Ohren.

Stell nie infrage, was du da tust – nie währenddessen!

Leider hat Yael in den beiden darauffolgenden Tagen kaum Zeit, weil sie ja immer sofort zurück ins Hospital muss. Wie erwartet will Arik jetzt nur noch sie sehen, mit ihr über die Vergangenheit sprechen, über Jehuda und Phoebe (nach deren Befinden er sich pausenlos erkundigt), begierig lauscht er ihren Schilderungen, freut sich wie ein Kind über kleinste Details, die Yael ihm aus ihrem Leben zuteilwerden lässt. Sosehr sie versucht, jedes Mal schnell wieder von der Farm zu verschwinden, müssen sie ja über irgendwas miteinander reden in den paar Minuten, die sie seinen Körper zerstört, also redet sie über sich.

Belangloses Zeug.

Über die Zeit ihres Studiums, die Aufgaben einer Assistenzärztin, Bücher und Filme, die sie mag.

Dabei wäre es kein Problem, länger zu bleiben. Wer sollte sie hindern? Er ist der verdammte Ministerpräsident, wenn er sie hier haben will, können sie sich im Hadassah auf den Kopf stellen.

Aber dann müsste sie noch mehr mit ihm reden.

Und Yael will Arik nicht nett und sympathisch finden. Buchhalterisch rechnet sie jedes Lächeln, jede freundliche Geste ihres Patienten gegen seine Missetaten auf, um ihn weiter hassen zu können. Der Schock des persönlichen Kontakts ist überwunden, die Welle der Skrupel durchgerollt, auch wenn es sie gewaltige Kraft gekostet hat, sich ihr entgegenzustemmen.

Jetzt denkt sie nur noch an die Zukunft.

Daran, dass es RICHTIG ist.

Das Gift, das Phoebe ihr von Kindesbeinen an injiziert hat, soll endlich abfließen, zurück in die Blutbahn des Urhebers allen Kummers.

Zwischen den Behandlungen lässt sich Arik in den Regierungssitz fahren, trifft sich mit Vertretern der Medien, demonstriert Stärke und Unverwüstlichkeit. Vier Stunden täglich, die ihm seine Ärzte und Berater nach langen Diskussionen zugestanden haben. Die nutzt er, in drei Monaten ist Wahl, Kadima der Rennwagen, der gerade an allen vorbeizieht, er selbst am Steuer.

Wie, bitte, soll er da aussteigen? Doch nicht *jetzt*. Er ist der amtierende und aller Voraussicht nach nächste Premier Israels, nie haben ihn so viele Leute so dringend gebraucht. Trotz Erkrankung platzt sein Terminkalender aus allen Nähten, was es Yael ermöglicht, ihre Besuche kurz zu halten, doch am Nachmittag des vierten Tages erwartet er sie im Wohnzimmer mit einem Stapel Fotos.

»Was meinst du dazu?«

Sie schaut sich die Bilder an, Aufnahmen hübscher, frei stehender Häuser im Ländlichen. Durchweg Plätze von der Art, an denen man sich vorstellen könnte, alt zu werden.

»Willst du umziehen?«, fragt sie.

»Ich? Nein.« Er schüttelt mit traurigem Lächeln den Kopf. »Das waren die Vorschläge, die ich Jehuda machen wollte. Ihm und Phoebe. Wenn er an dem Tag nicht verunglückt wäre, würden sie jetzt in einem dieser Häuser leben.«

Yael beißt sich auf die Unterlippe.

»Das glaube ich kaum«, sagt sie leise.

»Warum nicht?«

»Du weißt doch, wie Phoebe über dich denkt.«

Schon steht sie inmitten verminten Terrains, und dabei hat sie sich so fest vorgenommen, jede Konfrontation zu vermeiden. Nicht, dass es sie nicht drängen würde, ihm die Meinung zu sagen, aber was soll das bringen, außer dass er sich brüskiert fühlt. Freundlicher, oberflächlicher Small Talk ist ihre Eintrittskarte in dieses Haus, und sie will noch eine Weile hier ein- und ausgehen.

So lange, bis die Arbeit erledigt ist.

Arik nickt. »Ich habe Jehuda gewarnt: Halte Phoebe da raus. Wir lassen es so aussehen, als habe die SELA auf mein Geheiß nachgelegt, dafür müssen wir keinen persönlichen Kontakt gehabt haben. Sag ihr nicht, dass wir uns treffen – lass es uns so halten, wie wir es die ganzen Jahre über gehalten haben.«

Yaels Blick springt zwischen den Fotos hin und her.

Wirklich schön.

Dann wird ihr bewusst, was Arik gerade gesagt hat.

»Hab ich das richtig verstanden? Ihr habt euch heimlich getroffen?«

»Stell dir vor, ja.« Er lacht. »Wie Schuljungen, die was Verbotenes tun.«

Komisch. Davon hat Jehuda nie etwas erzählt.

Warum nicht?, denkt sie. Wir waren Vertraute. Dachte er, ich sei zu sehr auf Phoebes Seite, um seine Treffen mit Arik zu billigen? Fürchtete er, ich könnte sein Geheimnis nicht für mich behalten?

»Und wann habt ihr euch zuletzt gesehen?«

»Über ein Jahr her. Davor alle paar Monate. Nachdem *Haaretz* schrieb, ich wolle Gaza räumen, rief er mich noch einmal an. Danach – Funkstille. Und ich sagte mir, das war's. Jetzt will er nichts mehr mit dir zu tun haben. Also hab ich versucht, über Umwege was für die beiden zu regeln, in Aschkelon.«

»Ging leider schief.«

»Tja. Verfluchte Bürokratenbande. Doch dann rief er an. Völlig unvermutet. Ich hatte schon nicht mehr damit gerechnet.«

»Und was hast du ihm gesagt?«

»Komm vorbei, natürlich! Bis morgen Mittag hab ich den Idioten Feuer unterm Arsch gemacht. Ihr kriegt die beste Wohnung, das schönste Haus. Ihr müsst nur wählen.«

Phoebe stellt es anders dar, aber was kann sie über das Telefonat schon wissen? Hätte Jehuda überhaupt davon erzählt, wenn es nicht positiv verlaufen wäre?

»Du wolltest ihnen wirklich helfen?«, fragt sie.

»Das will ich immer noch.« Er zeigt auf die Fotos. »Ich dachte, Phoebe könnte an einem dieser Plätze Interesse haben. Oder? Sie wird nicht ewig bei deiner Tante wohnen wollen.«

»Sie wird nichts von dir annehmen.«

»Sie muss ja nicht wissen, dass es von mir kommt.«

Yael lässt noch einmal die Fotos durch die Hand gleiten, versucht sich Phoebe in einem der Häuser vorzustellen. Allein, ohne Jehuda. Beziehungsweise in Gesellschaft seines Gespensts.

Und dem Uris.

Nette WG, was?

Ihre Großmutter braucht keinen Reparateur, sondern einen Exorzisten.

Und ich auch, denkt Yael. So wie wir beide von Dämonen befallen sind, würden wir stundenlang Galle kotzend unter der Zimmerdecke hängen.

»Ich muss darüber nachdenken«, murmelt sie.

Ariks Lippen zucken, spitzen sich, dann sagt er: »Weißt du, Yael – ich lebe damit, für das gehasst zu werden, was ich tue. Manche werden für das geliebt, was sie *nicht* tun. Sie handeln nicht, entscheiden nichts, finden nur für alles schöne Worte, jedermann applaudiert. Ist das besser? Auf alle Fälle einfacher. Mein Weg war das nie. Du kannst es den einen nur recht machen, wenn du die anderen vor den Kopf stößt, und das ist entsetzlich. Es bringt dich an den Rand deiner Kraft, weil du Menschen wehtust, die du liebst. Gaza zu räumen – das war, als hätte ich mir die rechte Hand abgehackt. Ohne Betäubung.«

»Warum hast du es dann gemacht?«

Er sieht sie an. »Weil es richtig war. Unausweichlich.«

»Wer entscheidet, was richtig ist?«

»Der Blick zurück in die Geschichte, und den werfen andere. Man kann nur handeln aus innerer Überzeugung.«

»Klingt einsam.«

»Es ist einsam«, nickt er. »Wenn du ein Land führst, bist du der einsamste Mensch der Welt. Es gibt keine Instanz mehr über dir. Niemand, zu dem du hochblicken kannst, der dir die letzte Verantwortung abnimmt. Nur noch dich. Das musst du aushalten können.« Er macht eine Pause. »Ich ging in Gaza zu einer Familie, fünf Tage vor der Räumung, und die Frau sagte: Kommen Sie, ich zeige Ihnen etwas. Und sie zeigte mir ein Symbol über dem Hauseingang, eines, das den Todesengel fernhält. Sie persönlich haben das über unserem Haus angebracht, sagte sie.

Vor vielen Jahren. Sie persönlich erklärten uns, es sei gut für Israel, dass wir hier siedeln. Und jetzt erklären Sie uns, dass wir zum Wohle Israels gehen müssen. Das traf mich bis ins Mark. In der Nacht darauf träumte ich, ich hinge in einem Brunnen an einem Seil. Ein Schacht ohne Boden. – Und das Seil riss.«

Einen Moment lang, wie das Aufleuchten einer Kerzenflamme, rührt sie an, was er sagt. Einsame Menschen, die glauben, das Richtige zu tun.

Nein, denkt sie zornig.

Du hast getan, was du getan hast, Arik. Du tust, was du tust. Lebe damit. Ich lebe auch damit.

»Zeit für deine Medikamente«, lächelt sie.

Jerusalem

Am Morgen darauf lässt ihre Konzentration zu wünschen übrig.

Mit Folgen.

Schlaflos ist sie in ihrer Wohnung herumgegeistert, hat gelesen, ferngesehen und versucht, sich von ihren Gedanken abzulenken, mit dem Ergebnis, dass sie sich zu einer Art Belagerungsring um ihr verängstigtes Ego geschart haben, eine diffuse Bedrohung im Dunkeln. Inzwischen machen ihr die Nächte mehr zu schaffen als die Tage. Alles scheint aus den Fugen geraten. Fürchtet sie, nicht einschlafen zu können, wälzt sie sich Minuten später in albtraumdurchfurchtem Schlummer, sind ihr Kopf und Glieder schwer von Müdigkeit, liegt sie stundenlang wach und erblickt mit geschlossenen Augen schlimmere Dinge, als sie mit offenen zu sehen bekommt.

Der Stress macht sich bemerkbar. Ständiger Kopfschmerz sitzt wie eine geballte Faust hinter ihren Augen, die ersten Handlungen des Tages verrichtet sie wie somnambul, mehr und mehr kommt es ihr vor, als träume sie ihr Leben.

Um 7:10 Uhr quittiert sie die Medikamente.

Huscht ins Arztzimmer, niemand da, schließt ihren Schrank auf und lässt die Tabletten aus der Plastikbox in den Karton kullern, in dem sie Ariks reguläre Medikamente sammelt. Sie weiß, sie sollte das Zeug zwischendurch entsorgen, andererseits, wer wird schon in ihren Schrank gucken? Nachdem sie die Box mit Placebos und Thrombozyten-Hemmern aufgefüllt hat, tauscht sie die Spritzen aus, dreht sich um –

Yossi Backenroth steht hinter seinem Schreibtisch, wie aus dem Nichts in den Raum gezaubert.

»Wo kommst du denn her?« Ihre Stimme flattert, archaische Flucht-
impulse durchfahren sie. »Ich hab dich gar nicht –«

Er sagt nichts, starrt sie nur an.

Yaels Gedanken überschlagen sich. Wie viel kann er gesehen haben?
Vornehmlich ihren Rücken, schätzt sie, aber nein, sie hat sich seitwärts
gedreht, ihre Hände –

Doch, er kann sogar *eine Menge* gesehen haben.

»He. Yossi. Alles klar?«

Er räuspert sich, blickt verlegen zu Boden.

»Der Schreibtisch hat gewackelt«, sagt er, als würde das die letzten
offenen Fragen der Menschheit beantworten.

Jetzt starrt *sie ihn* an.

»Ja, und?«

»Der hintere Fuß, ich war – ich hab was druntergeschoben, als du
reinkamst. Tut mir leid, wenn ich dich –«

Darum. Aha. Yossi war abgetaucht.

Dämliches Schaf, schimpft sie sich, du hättest dich vergewissern
müssen, dass wirklich niemand im Raum ist. Du hättest doch hören
müssen, dass er da hinterm Schreibtisch herumwerkelt.

»Sag mal –« Yossi zeigt auf die Box in ihren Händen. »Sind das die
Medikamente für Scharon?«

Was tust du jetzt? Was sagst du?

Nein?

Das wäre die Kinderlösung. Erst mal alles leugnen. Trotz der müden
Gewissheit, dass Mutti noch immer alles rausgefunden hat.

»Ja«, sagt sie.

Er kommt hinter dem Schreibtisch hervor, die Backen prall von Fragen, aber er fragt nicht. Nickt nur und beginnt, etwas in eine Patientenkurve einzutragen.

»Okay – ich –« Yael verstaut die Box in ihrem Rucksack, und als
er nicht hinsieht, auch den Karton mit den entsorgten Medikamenten.
»Bis heute Mittag dann.«

»Ja.« Er schaut kaum auf. »Bis dann.«

Fünf Minuten bleiben ihr für das Telefonat

Abseits des Parkplatzes im Schutz einer Baumgruppe.

Schimon hat ihr ein Prepaid-Handy gegeben, einmal abendlich er-
stattet Yael ihm Bericht. So haben sie es vereinbart, immer um acht, darüber hinaus kein Kontakt, es sei denn, die Ereignisse laufen aus dem
Ruder. Er weiß also, bevor sie zur Sache kommt, dass etwas Außer-

gewöhnliches vorgefallen sein muss. Hört zu, lässt keine klugen Belehrungen vom Stapel, verschwendet keine Zeit mit Missfallensbekundungen.

»Es wird sich nicht vermeiden lassen, etwas zu unternehmen«, sagt er.

»Tut ihm bloß nichts an!«

Schimon schweigt.

»Wehe, ihr krümmt ihm ein Haar«, stößt sie hervor, obwohl nicht viel fehlt, und sie tut ihm selber was an, die Konsequenzen vor Augen, sollte sie auffliegen.

»Wir tun ihm nichts«, beruhigt sie Schimon. »Wir sind nicht die Mafia.«

»Bietet ihm Geld.«

»Du überschätzt die Wirkung von Geld.«

»Okay, ich – ich kann ihm erzählen, wir würden eine Spezialtherapie ausprobieren. Illegal. Mit nicht zugelassenen Medikamenten, irgendein amerikanisches Superzeugs, dass wir Arik offiziell nicht verabreichen dürfen, darum die Geheimniskrämerei. Vielleicht, wenn –«

»Gib mir mal ein paar Eckdaten über diesen Backenroth.«

Sie skizziert Yossi in groben Zügen.

»Gut. Wie steht ihr zueinander?«

»Kollegial.«

»Ist er scharf auf dich?«

»Ich –« Sie zögert. »Er hat so seine Fantasien.«

»Wird er warten, bis du wieder da bist, oder gleich losmarschieren und seine Beobachtungen an den Mann bringen?«

Sie bemüht sich um eine unsentimentale Einschätzung. Yossi sucht ihre Nähe. Was nicht heißen muss, dass er mit ihr ins Bett will, aber er wäre schon gern intimer mit ihr.

»Er wird versuchen, die Sache unter vier Augen zu klären.«

»Bist du sicher?«

»Mann«, faucht sie ins Telefon. »Ich kann nicht im Kaffeesatz lesen!«

»Beruhige dich«, sagt Schimon mit sanftem Nachdruck. »Solche Dinge geschehen. Wir werden ein bisschen improvisieren. Mach dir keine Sorgen. Fahr jetzt da raus, und sobald du wieder sprechen kannst, rufst du mich an.«

Sie ist erleichtert, dass Arik diesmal überhaupt keine Zeit hat, zumal sie gestern eine Grenze überschritten hat, die sie gehofft hatte, unberührt zu lassen. Gibt ihm seine Tabletten und Spritzen, misst seinen Blutdruck, trägt falsche Werte ein, denn sein Blutdruck steigt inzwischen rapide. Macht ihn krank, während es um sie herum nur so wimmelt von aufmerksamen jungen Personenschützern. Dow Weissglass ist zu Besuch, Ariks engster Berater, Ehud Olmert schaut vorbei, zwischendurch ruft Justizministerin Tzipi Livni an, die sich ebenfalls Kadima angeschlossen hat.

In der neuen Partei sind sie nervös.

Es herrscht Konsens, dass die übrigen Führungsmitglieder mehr öffentliche Präsenz zeigen müssen, der Sorge geschuldet, dass Ariks Zustand sich wieder verschlechtern könnte. Die Opposition insistiert auf die Herausgabe der Krankenakte, sein Mitarbeiterstab verweigert jede Einsicht, Spekulationen erblühen, die Öffentlichkeit sei über wesentliche Details der Erkrankung nicht informiert worden.

Was heißt hier Spekulationen, denkt Yael.

Ich *weiß*, dass es so ist.

Nur weiß keiner, dass *ich* es weiß.

Eigenartig, mit einem derartigen Wissensvorsprung herumzulaufen, es verleiht einem das Gefühl, Macht zu haben, ob man will oder nicht. Yael hatte nie Macht, bis vor wenigen Tagen, jetzt wird ihr bewusst, dass sie die Wirkung einer Droge entfalten und dich in einen Junkie verwandeln kann. Wie MDMA. Nur dass, wenn du Macht hast, Tausende und Abertausende mit dir zusammen high werden.

Oder abstürzen, je nachdem.

Sie hört Arik zu Weissglass sagen: »Lass uns für morgen eine Pressekonferenz anberaumen, Dow. Ich bin das Gerede leid, geben wir ihnen doch die Akte.«

Weissglass rät, lieber nur Teile der Akte zu veröffentlichen.

Natürlich, denkt sie, wegen CAA. Bloß nichts über CAA.

Yael, die Allwissende.

Ausgestattet mit Macht, balancierend auf einem Drahtseil.

»Was jetzt?«, flüstert sie in ihr Handy, als sie um kurz nach halb elf wieder auf den Klinikeingang zugeht.

»Wir versuchen etwas«, sagt Schimon, »womit wir Backenroth in Schach halten können.«

»Okay.«

»Eine weitere Person mit reinzuziehen, steht nicht zur Debatte.«

»Und das heißt?«, fragt Yael unsicher.

»Du wirst Körpereinsatz zeigen müssen.«

Augenblicklich ist ihr klar, was er damit meint.

»Auf keinen Fall!«

»Willst du auffliegen? Das Schlimmste, was *mir* passieren kann, ist, dass ich mir für Scharon was Neues ausdenken muss. Du hingegen wirst in Erklärungsnot kommen.«

»Oh, ich hätte eine Erklärung abzugeben«, faucht sie. »Du kämst auch darin vor.«

»Ach, Yael.« Schimon lacht leise. »Du kannst Erklärungen abgeben, bis dir die Zunge schwillt. Glaubst du, ich hätte so was nicht einkalkuliert? Ich bin gar nicht existent. Nur ein Phantom.«

Yael steht jetzt unmittelbar vor dem Hauptportal.

»Nehmt eine verdammte Nutte.«

»Zu riskant. Ich sagte ja, keine weitere Person.«

»Und wenn er nicht darauf anspringt?«

»Er wird.«

Und Schimon erklärt ihr den Plan.

»Sag mal, Yossi –« Yael nimmt ihn am Ärmel, als sie von der Chefarzt-Besprechung kommen (während der er sie angesehen hat, als bilde sie die Vorhut einer außerirdischen Invasionsmacht). »Du hast dich heute Morgen wahrscheinlich ein bisschen gewundert.«

»Hm.« Backenroth geht neben ihr her und reibt sich das Kinn.

»Komm schon, was denkst du?«

»Offen gestanden, ich weiß nicht, was ich denken soll, Yael.«

»Hast du mit jemandem darüber gesprochen?«

»Nein.« Er bleibt stehen, sieht sie an. »Sollte ich?«

Ein Mann im Pyjama humpelt an ihnen vorbei, auf einen Stock gestützt. Yael muss daran denken, was sie zu einem der Bodyguards gesagt hat, die während Ariks Aufenthalt die Flure bevölkerten und bemüht waren, sich als Patienten zu tarnen.

»Wenn Sie den Stock so halten wie gerade, müssen Sie auf dem anderen Bein humpeln.«

»Oh.« Der Mann hat sie angesehen, den Stock gewechselt, ihr zugezwinkert und den Finger an die Lippen gelegt. »Verraten Sie's nicht meinem Boss.«

Jetzt stellt sie sich vor, sie hätte zu ihm gesagt: »Keine Bange. Sie können auf allen vieren durch die Gänge schleichen, Sie werden nicht verhindern können, dass den Premier in absehbarer Zeit das Zeitliche segnet, Sie Vollidiot.«

Zwei Pfleger kommen ihnen entgegen.

»Gehen wir kurz ins Arztzimmer?«

Nachdem sie die Tür hinter sich geschlossen haben, wird Yossi gesprächiger. »Ich kann ja nur spekulieren, aber du kamst mit Medikamenten ins Zimmer, die, würde ich mal sagen, für Scharon bestimmt waren. Richtig?«

»Richtig.«

»Und dann hast du sie gegen andere ausgetauscht.«

»Auch richtig.«

Er öffnet den Mund, lässt ihn wieder zuklappen. Dass sie es freimütig zugibt, hat er offenbar nicht erwartet.

»Tatsache ist, es gibt einen offiziellen und einen inoffiziellen Therapieplan«, sagt Yael.

»Und was ist der inoffizielle?«

Sie seufzt. Tritt einen Schritt an ihn heran. Kommt ihm nahe.

»Hör zu, Yossi, ein paar Leute haben mich mit etwas beauftragt, worum ich mich nicht gerade gerissen habe.« Sie lässt die Namen der behandelnden Professoren fallen, registriert befriedigt die Mischung aus Skepsis, Staunen und Neugierde in seinem Blick. »Und sie haben mir eingeschärft, mit niemandem darüber zu reden. Verstehst du? Mit *niemandem.*«

»Tust du aber gerade«, sagt er dümmlich.

»Ja. Weil du nicht wie jeder zivilisierte Mensch hinter dem Schreibtisch hervorkommen und *Guten Morgen, Yael* sagen konntest, sondern glotzen musstest.«

Eine Injektion schlechten Gewissens. Backenroth schluckt.

»Tut mir leid, ich wollte nicht –«

»Schon okay. Wir arbeiten lange genug zusammen, also hab ich beschlossen, dir zu vertrauen.« Sie sieht ihm fest in die Augen. »In der Hoffnung, dass du mich nicht ins Messer laufen lässt.«

»Natürlich nicht.«

»Wenn du auch nur ein Sterbenswort über die Sache verlierst, bekomme ich derartige Schwierigkeiten –«

»Yael.« Er schüttelt den Kopf, ergreift ihre Hand. »Ich werd dir nicht in den Rücken fallen. Ich will doch nur wissen, was da läuft.«

»Ariks Gegner sind auf den Barrikaden.« Sie senkt die Stimme. »Weil sie die Krankenakte nicht zu sehen bekommen. Sie wollen im Einzelnen wissen, wie er therapiert wird, wie seine Chancen sind. Wenn bekannt würde, dass wir etwas – ausprobieren, wäre der Teufel los. Da könnten wir tausend Mal ins Feld führen, dass alle Tests fantastische Ergebnisse erbracht haben, sie würden uns kreuzigen.«

Der Druck seiner Hand verstärkt sich.

»Ich verstehe«, sagt er leise. Seine Augen glänzen, eigentlich zum Wegschmeißen komisch, das Ganze. Er würde ebenso dreinblicken, wenn sie verkündigt hätte, ihm die Hintergründe des Kennedy-Attentats auseinanderzulegen.

»Das alles ist zu kompliziert, um es hier –« Yael löst ihre Finger aus seinen und tritt einen Schritt zurück. Gibt sich den Anschein, als ringe sie mit sich. »Also schön. Was machst du heute Abend?«

»Heute – Abend?«

»Wir wollten doch sowieso mal was trinken gehen.«

Jetzt lächelt sie.

»Heute Abend.« Wieder reibt er sich das Kinn, plötzlich in Nöten. »Eigentlich hatte ich ja versprochen – ach, wie dumm.«

In der Tat.

»Hör mal«, sagt Yael. »Ich will das nicht zwischen uns stehen haben.«

»Nein, natürlich nicht.«

Sie sieht ihm an, wie gerne er den Abend mit ihr verbringen würde, Himmel aber auch, was für eine unverhoffte Chance, und *sie* hat *ihn* gefragt, er musste sich gar nicht bemühen, und dann noch die Aussicht, in den Genuss brisanten Wissens zu gelangen.

»Ariana neigt ein wenig zur Eifersucht, weißt du. Nicht, dass ich irgendwelche Ambitionen hätte, aber wenn ich ihr sage, dass wir beide –«

»Kenne ich. So was wird schnell falsch aufgefasst.«

»Auch wenn es total harmlos ist.«

»Sag doch einfach, du hättest Bereitschaft. Das versteht jeder.«

»Hm. Hm.«

Noch ein paar Hms später gelangt Backenroth zu dem Schluss, einen außerplanmäßigen Spätdienst einlegen zu müssen, was so viel heißt wie, kann den Abend kosten, kann die ganze Nacht dauern.

Er telefoniert.

Ariana versteht es.

Tut mir leid, denkt Yael und wartet darauf, sich klein und schäbig vorzukommen, aber das Gefühl bleibt aus. Stattdessen spürt sie Erregung. Nicht körperlich, Yossi gehört nicht zu der Sorte Mann, die sie erregen, obwohl man mit schlimmeren Typen in der Kiste landen könnte, es ist wieder diese Empfindung von –

Macht.

Schimon hat für sie im Mona reserviert, einem verschwiegen gelegenen Restaurant in Jerusalems Shmu'el HaNagid Street. Kleine Tische, altmodische Lampen, offener Kamin, unaufgeregtes Künstlerflair. In den frühen Abendstunden werden hier gesetzte Dinners serviert, später verlagert sich das Treiben an die Bar, ein kosmopolitisches Sehen und Gesehenwerden. Die prachtvolle Stadtvilla aus dem späten 19. Jahrhundert diente einst den Schönen und Reichen als Quartier, bis die Bezalel School of Art and Design einzog, jetzt tummeln sich Touristen wie Einheimische hier, genießen Bio-Steaks, fangfrischen Fisch vom Mahane-Yehuda-Markt und hausgemachte Pasta.

Genau der richtige Rahmen, um Intimität herzustellen, auch, weil Yossi hier nicht befürchten muss, unvermittelt in vertraute Gesichter zu blicken. Die Backenroths leben in einem anderen Teil Jerusalems. Planet Wohngegend *(wir sind wegen der Kinder hergezogen, die liiieeeben es!)*, viel Grün, tote Hose. Luftlinie keine drei Kilometer. Trotzdem wahrscheinlicher, heute noch einer Abordnung stepptanzender Zwerge zu begegnen als Yossis tuschelnden Nachbarn.

Klar, dass er sich wohlfühlt.

Auch klar, dass er sich dennoch alle paar Minuten nervös umschaut.

Die Backenroths dieser Welt sind so konstruiert.

Beim Aperitif plaudern sie, entlassen dahintrudelnde Sprechblasen in die Kneipenluft – *weswegen* waren wir noch mal hier? Yael sieht zwei Seelen in Backenroths Brust kämpfen, einerseits drängt es ihn nach konspirativer Erkenntnis, andererseits will er nicht die Gelegenheit in den Sand setzen, mit ihr ein paar nette, ungezwungene Stunden zu verbringen, überdies ist er nicht blöde. Er kann sich an seinen zehn Fingern abzählen, dass sie nicht traulich hier säßen, wäre er am Morgen nicht mit kugelrunden Augen hinter dem Schreibtisch hervorgekrabbelt, wie also macht er das Beste aus der Situation?

Sie trinken ein Glas Weißen.

Noch eines.

Bestellen getrüffeltes Rindercarpaccio, Calamaretti mit Chorizo und Schmorzwiebeln.

Yael flirtet ihn an. Nicht zu sehr, eben so, dass er an Sicherheit gewinnt, macht ihn zum Komplizen, bevor sie überhaupt ein Wort über *die Sache* verloren haben.

Linguine mit Scampis und Babyspinat werden aufgetischt, Papardelle mit Pilzragout und pochiertem Ei.

Chianti Classico.

Der Rotwein bewirkt, dass seine im Schwinden begriffenen Hemmungen sich vollends verflüchtigen. Irgendwas muss jetzt passieren, das erwartet er, also senkt sie vertraulich die Stimme und tischt ihm ihrerseits was auf über ein Präparat, mit dem die Amerikaner herumexperimentieren (Amerikaner, immer gut, hübsch weit weg), ein völlig neuartiger Gerinnungshemmer praktisch ohne Blutungsrisiko, und das kann er kaum glauben, so abgefahren klingt es.

Aber irgendwie auch plausibel.

Bis an die äußersten Grenzen hat sie ihr pharmazeutisches Wissen strapaziert, um dieses Fantasiepräparat zu ersinnen. Eine fachmännische Prüfung würde es wohl nicht überstehen, aber der Glaube muss ja nur noch ein Stündchen vorhalten.

Maximal.

»Und das darf eben auf keinen Fall nach außen dringen«, schließt sie. »Jeder soll sehen, dass wir ein Routineproblem mit einer Routinetherapie mühelos in den Griff bekommen.«

»Aber das ist unverantwortlich«, sagt er zu ihrer Überraschung. »Was immer dieses Zeug in den USA für Ergebnisse geliefert hat, Scharon ist kein Versuchskaninchen.«

Yael beugt sich vor. »Wenn es riskant wäre, hätten sie in der Ärztekonferenz kaum beschlossen, es anzuwenden, oder?«

»Wenn es risikolos wäre, würden sie mit offenen Karten spielen.«

»Besser, als verabreichten wir ihm gewöhnliche Hemmer«, sagt sie. »Clopidogrel, Clexane, Marcumar. Das Übelste wäre doch, wenn er einen weiteren Schlaganfall –«

»Nein, Yael, das ist nicht richtig.« Etwas kippt, plötzlich ist Backenroth in einem ganz anderen Film unterwegs. »Das klingt mir schwer danach, als ob ihr ihn übertherapiert, ich meine, ihr pumpt ihn voll mit etwas, das noch nicht mal die Zulassungskriterien erfüllt.«

»Weil es risikoärmer ist als Clexane.«

»Das weiß doch kein Mensch. Gibt es eine einzige Langzeitstudie?«

»Mann, Yossi! Was soll ich denn machen? Ich bin Assistenzärztin. Soll ich die Entscheidung der Götter infrage stellen?«

»Ja.«

»Na toll.«

»Dieser Mann ist dabei, Israel, nein, die Welt zu verändern«, sagt er eindringlich, fast flehend. »Sein Tod wäre für alle eine Katastrophe. Yael, ihr *dürft* nicht mit seiner Gesundheit herumspielen!«

Allerhand. Er vergisst tatsächlich, sie weiter anzuflirten. Yael ist baff. Mit einer gewissen Skepsis hat sie gerechnet, eher aber mit Kleinjungenstolz, in die Geheimnisse Erwachsener eingeweiht worden zu sein.

Verschätzt, Lady.

Schluss jetzt, denkt sie, erspar mir deine Lobeshymnen auf Arik. Sie will das nicht hören, es wird Zeit, die Dinge ins Laufen zu bringen. Yossi redet und redet, schichtet Bedenken auf Bedenken, dann endlich drängen Wasser und Wein zurück ins Freie, und er verschwindet auf der Toilette. Als er zurückkommt, hat sie die Gläser ein letztes Mal aufgefüllt.

»Weißt du was?« Sie ergreift seine Hände. »Ich hab nachgedacht. Ich glaube, du hast recht.«

»Oh.« Er scheint ehrlich verblüfft.

»Ich rede mit denen.«

»Brauchst du Unterstützung?«

»Bist du verrückt? Wenn rauskommt, dass ich dich eingeweiht habe, bin ich einen Kopf kürzer.« Sie hebt ihr Glas. »Auf Arik.«

»Auf Arik.«

Nötigt ihn in schneller Folge zu mehrmaligem Zuprosten, bis seine Mimik eine wundersame Veränderung durchläuft. Schlagartig wird er jünger. Ein Grinsen klafft ihr entgegen wie von einem glücklich besoffenen AC/DC-Fan, er beugt sich über den Tisch in der eindeutigen Absicht, sie zu küssen, verharrt auf halber Strecke, sackt zurück und scheint grundsätzlichere Betrachtungen anzustellen, etwa, wie er hierhergelangt ist.

Yael tippt unter dem Tisch eine Nachricht in ihr Handy.

Winkt die Bedienung heran.

Währenddessen spiegeln Yossis Augen die Leere des interstellaren Raums. Wortlos schaut er zu, wie sie die Rechnung begleicht, murmelt etwas von leichter Übelkeit und Lichtstreifen. Yael schlägt ihm vor, an die frische Luft zu gehen, hakt sich unter und führt ihn aus dem Mona, an dessen Tresen die spätabendliche Belagerung eingesetzt hat, hinaus auf die nächtliche Shmu'el HaNagid Street.

Schimon folgt ihnen im Abstand weniger Meter.

Schikmim-Farm

Bis Dienstantritt gelingt es ihr, jedes Schuldgefühl zu unterdrücken. Noch als sie um 7:15 Uhr Ariks Medikamente quittiert und im Arztzimmer austauscht, erscheinen ihr die Vorgänge von vergangener Nacht im Licht einer zwar bitteren, aber unabweislichen Konsequenz.

Außerdem war es weniger schlimm, als sie gedacht hatte.

Für *sie*.

Die Fahrt in den Negev erfolgt im strömenden Regen, und endlich beginnt sie sich richtig mies zu fühlen, wie in den Morgen gespuckt. Der Himmel weint sich an ihrer statt aus und trieft in ihre Seele. Arik hängt am Telefon, Inbal winkt sie in die Küche, stellt ihr eine dampfende Tasse Tee hin und daneben ein Kännchen Zitronensaft.

»Earl Grey«, lächelt sie. »Magst du doch, oder?«

Yael schnuppert.

Nimmt einen Schluck.

Köstlich. Natürliches Bergamotte-Öl, kein naturidentisches Imitat, wie es fast nur noch zum Einsatz gelangt. Ein perfektes, dreieinhalb Minuten lang gezogenes Quantum Trost.

»Mhm. Gut.«

»Arik hat gesagt, du magst ihn so. Britisch, mit Zitrone.«

Arik? Stimmt, hat sie ihm erzählt, beim täglichen Schmalspur-Talk, auf den sie sich nach Möglichkeit beschränkt.

Haben sie etwa *ihretwegen* diesen Tee gekauft?

Vorstellbar wäre es. Inzwischen hat sie fast alle Familienmitglieder kennengelernt. Ein Bienenschwarm, würde Phoebe sagen, geschäftig umeinander her summend und alle zusammen um Arik, der ihr so sehr einer kolossalen Bienenkönigin zu gleichen scheint – umsorgt, gefüttert –, dass es sie wundert, ihn nicht alle paar Sekunden ein Ei legen zu sehen.

Liebevolle Menschen.

Sie trinkt ihren Tee, während der Regen in dicken, zuckenden Strängen die Fensterscheiben herunterläuft und die Außenwelt in das Werk eines schwermütigen Impressionisten verwandelt. Zählt Töpfe, Tiegel und Pfannen, die im Kochbereich von der Decke herabhängen, versucht, den Inhalt der unbeschrifteten Gewürzgläser auf dem Bord zu bestimmen – weiß, Salz, könnte aber auch Natron sein, orange, Curry, gelb – was ist gelb? Fährt mit dem Zeigefinger die Fugen zwischen den Keramikkacheln der Tischplatte nach. Stellt sich vor, wie ein sehr alter Mann (vielleicht auch eine sehr alte Frau, auf jeden Fall *sehr* alt und bebrillt) mit ruhiger Hand die blauen Blüten und Ranken auf ihre weiße Porzellantasse gemalt hat, vor unbestimmter Zeit, und in einem Hinterstübchen ihres Bewusstseins reift der Wunsch, Teil dieser Familie zu sein.

(WAS? Hallo, geht's noch?)

(Aber –)

(NEIN!)

Delete, delete. Zu verführerisch, zu erschreckend, als dass man sich weiter damit befassen sollte.

Überhaupt, Bienen –

Wie kommt sie auf Bienen? Summ, summ. Wahrscheinlich, weil sie auf der Schikmim-Farm Bienenstöcke haben, das weiß sie von Arik, was hat er eigentlich noch alles erzählt?

Arik, der telefoniert und telefoniert.

Lacht.

Yaels Hand beginnt zu zittern. Sie hat einen derartigen Bammel, zurück ins Hospital zu fahren. Gott, hat sie eine Scheißangst! Die Angst zieht ihre Nerven stramm, der Regen unterspült jeden inneren Halt, sie fühlt sich in einen Sog gerissen, dem alles verschlingenden Loch in der Mitte zugetrieben, verschwindet darin, gerade als Arik die Küche betritt und ihr einen guten Morgen wünscht.

»Inbal, gibst du mir auch eine Tasse von dem Tee?« Setzt sich ihr gegenüber. »Alles klar?«

»Könnte nicht besser sein –«

(Mayday, SOS und der ganze Mist, sieht mich denn keiner absaufen?)

»– viel wichtiger ist, wie es dir geht.«

»Gut. Bisschen schwindelig.« Er betrachtet sie prüfend. »Ist wirklich alles in Ordnung?«

(Klar, Weltuntergang, danke der Nachfrage, sonst alles tipptopp, kann einer bitte im Hospital anrufen und sagen, dass ich die nächsten 200 Jahre nicht komme?)

»Ach, nur das Wetter.«

»Das Wetter?« Arik lacht. »Du magst keinen Regen?«

»Du etwa?«

(Blöde Kuh, jede Rückfrage zieht neues Geseier nach sich, LASS ES DOCH BLEIBEN!)

Arik entnimmt einer silbernen Zuckerdose mit einem winzigen Löffel zwei Süßstoffdragees und rührt sie in seinen Earl Grey.

»Ich liebe Regentage. Als Kind, wenn es in Kfar Malal so aus Eimern schüttete wie heute, bin ich gern in den Kuhstall gegangen. Die Tröge entlang. Hab den Tieren noch ein bisschen Futter gegeben, obwohl sie ja eigentlich schon gefüttert waren, und mich auf die Türschwelle gesetzt. In der Futterkiste lagen immer Früchte vom Johannisbrotbaum, die Tiere und ich knabberten einträchtig daran herum, im warmen Stall – ja, ich erinnere mich – ich empfinde diese Sehnsucht, weißt du, nur so ein Gefühl – eine Sehnsucht, die ich im Winter habe –«

Ein Fesselballon löst sich vor der Zeit –

Die Vertäuung reißt, noch niemand im Korb, einer läuft hinterher, bekommt das Tau zu fassen, aber natürlich hat er dem Auftrieb des Ballons wenig entgegenzusetzen, es zieht ihn hoch, einen, zwei Meter schwebt er über dem Erdboden. Sollte loslassen, aber vielleicht reicht sein Gewicht, doch der Ballon steigt weiter, jetzt sind es schon fünf Meter, er müsste dringend abspringen, nur dass er Angst hat, er könnte sich die Beine brechen, zehn Meter jetzt, das würde er vielleicht überleben, doch dieses Vielleicht lässt ihn das Seil festhalten, bis alle Chancen vertan sind. Der Ballon steigt und steigt, nun kann er nicht mehr loslassen, es wäre sein sicherer Tod, und er denkt: Wie konnte ich bloß aus einer harmlosen in eine so ausweglose Situation geraten? Jetzt ist es zu spät, es gibt kein Zurück.

Genau so fühlt sich Yael.

Jerusalem

Da ist sie beinahe schon froh, als sie zurück in die Klinik darf, auch wenn dort ein leichenblasser Yossi Backenroth über seinen Schreibtisch gebeugt auf sie wartet.

Yael zögert, berührt seine Schulter.

Er zuckt zurück, als hätte sie Giftzähne gebleckt.

»Ich hab dir einen Zettel geschrieben«, sagt sie.

Bin im Hadassah und dann unterwegs, schlaf dich aus, und wenn du in den Umschlag auf dem Kopfkissen neben dir schaust, versuch, nicht gleich auszuflippen, werde dir alles erklären. Yael.

Er starrt sie an. Seine Kinnmuskeln mahlen.

»Du wirst mir alles erklären? Das ist ja schön.«

Sie setzt sich ihm gegenüber.

»Such's dir aus. Soll ich anfangen, oder willst du fragen?«

»Fragen?« Er lässt ein wutschnaubendes Lachen hören. »Wie kommst du darauf, dass ich *Fragen* habe? Obwohl, na ja, wenn ich so überlege – die eine oder andere hätte ich schon. Zum Beispiel, warum ich in einem Zimmer im King David Hotel aufgewacht bin.«

»Weil wir da zusammen hingefahren sind. Nach dem Mona.«

»Und dann?«

Yael weist mit der Kinnspitze auf den Umschlag vor ihm. Die Lasche ist aufgerissen. Er hat alles mindestens schon hundertmal angesehen. Sie stellt sich vor, wie er auf der Bettkante gesessen und seine Augen davor zu bewahren versucht hat, aus ihren Höhlen zu kullern. Schimon hat die Ausdrucke der Fotos noch im Wagen gefertigt.

»Und was machen wir da?«

»Wonach sieht's denn aus?«

»Genau! Wonach *sieht's aus?* Warum kann ich mich verdammt noch mal an nichts –« er lässt die Faust auf die Tischplatte donnern. »– aber auch gar nichts erinnern?«

»Weil du Familie hast.«

»Wie bitte?«

»Männer erinnern sich dann nicht so gerne.«

»Erzähl mir doch keinen Scheiß.«

»Tu ich nicht.«

Ich vergesse nur zu erwähnen, dass ich dein letztes Glas Wein mit K.-o.-Tropfen versetzt habe. Woraufhin du wie ein Zombie mit uns zum Wagen getaumelt bist. Schimon hat dir reingeholfen. Auf der Fahrt zum King David Hotel hat dein Kopf an meiner Schulter gelegen, ist hin und her gerollt, aber du warst noch halbwegs bei Sinnen. Konntest sogar die Lobby durchqueren, mit etwas Unterstützung.

»Und wer hat die Fotos gemacht?«

»Jemand.«

»Was für ein Jemand?«

Yael seufzt, schaut auf ihre verschränkten Finger, dann wieder Yossi in die Augen. So viel Verletztheit liegt in seinem Blick, dass sie sich auf Mikrobengröße schrumpfen fühlt.

»Es tut mir leid«, sagt sie leise.

»*Was* tut dir leid?« Er beugt sich vor, seine Lippen beben vor Zorn. »Wir haben *nicht* miteinander geschlafen! Für wie beschränkt hältst du mich eigentlich? Du hast mir was in den Wein getan, du –«

»Mach eine Blutuntersuchung.«

»Hab ich.«

»Und?«

»Schränkt die infrage kommenden Substanzen ein. Nur ein paar bauen sich in so kurzer Zeit rückstandslos ab.«

»Also nichts.«

Er knurrt wie ein in die Enge getriebener Hund.

»Hör zu, Yossi, ich stehe genauso unter Druck wie du. Was du da gestern zu sehen glaubtest, dass ich irgendwelche Medikamente ausgetauscht hätte, das –« sie macht eine vage Handbewegung, »– entspringt deiner Fantasie. Also vergiss es einfach. Rede mit keinem Menschen darüber. Kein Wort.«

»Ich fass es nicht.«

»Mit niemandem.« Sie schluckt einen Kloß herunter. »Ich hänge genauso am Fliegenfänger wie du. Vergiss alles, und deine Frau bekommt die Fotos nie zu Gesicht.«

Er reibt sich über die Augen.

»Wir haben tatsächlich miteinander geschlafen?«

»Ja, und es war –«

Eine Simulation.

Du hast unter Drogen gestanden, dich bewegt, Augen offen, auch wenn du rein gar nichts mehr gepeilt hast, aber darum sieht es so echt aus. Und ich hab ziemliches Theater gemacht, weil ich mich nicht ausziehen wollte vor Schimon, und hab's dann doch getan, komplett, wozu hätten wir sonst den ganzen Aufwand betreiben sollen? Schimon war nach zehn Minuten fertig, noch mal zehn Minuten später brachte er den Umschlag aufs Zimmer.

Und verschwand.

Der Plan sah vor, dass ich mit ihm verschwinde.

Aber ich bin geblieben.

Ich konnte dich nicht einfach alleine da liegen lassen, irgendwann muss ich eingeschlafen sein, kam zu mir, weil du dich ranrobbtest, anfingst, mich zu streicheln, total weggetreten, die ganze Zeit über wurdest du nicht richtig wach, aber ein Teil von dir dafür umso mehr – also hab ich dich bestiegen und in langsamem Lambada für all den Ärger entschädigt, wenigstens für den Moment.

Und jetzt hast du einen Filmriss, mein Junge.

Ich hätte auch gern einen Filmriss.

»Wir hatten Spaß«, sagt sie. »Und alles andere muss nicht passiert sein. Kein Jemand, keine Fotos.«

»Keine vertauschten Medikamente«, sagt er matt.

»Du wirst schweigen?«

»Solange die Fotos unter Verschluss bleiben.« Er schüttelt den Kopf. »Großer Gott, Yael, in was bist du da bloß reingeraten? Was – bist du bloß für ein Mensch?«

Sie schaut aus dem Fenster hinaus ins triefende Grau.

»Weiß ich nicht«, flüstert sie.

Efrat

Am Nachmittag hat Arik eine Sitzung mit Kadima-Vertretern, sie resümieren die Pressekonferenz, auf der seine Ärzte (fast) die gesamte Krankenakte offengelegt haben: Man werde dem Premier am 5. Januar einen Herzkatheter legen und ihn bis dahin mit niedrig dosiertem Clexane therapieren, um weitere Embolien auszuschließen.

Wieder kein Wort über CAA.

Ihr lügt, lügt, lügt, denkt Yael. Ich lüge, lüge, lüge.

Einer schlimmer als der andere.

Sie hat sich endlich aus dem Sog der Depression gestemmt, das gelingt ihr mittlerweile nur noch, indem sie ihren Hass heraufbeschwört (Hass *on demand,* hahaha), der sich allerdings wie ein träge gewordener Dämon immer mehr Zeit mit seinem Erscheinen lässt (worum ging's noch gleich?), außerdem fürchtet sie, wahnsinnig zu werden.

Dumm dideldum – ich bringe Arik um –

(*Onkel Arik ist ein schlechter Mensch, kleine Yael.* Phoebes Stimme, die sich wie ein Tinnitus durch ihr Leben zieht.)

Na, dann.

Sagen wir doch einfach, Arik ist schuld an

ALLEM.

Verschmäht den Tee, den Inbal ihr anbietet, stakst grimmig ins Wohnzimmer, verabreicht Arik mit festgewachsener Zunge, was ihm Schimons Meinung nach, Phoebes Meinung nach, IHRER IHRER IHRER Meinung nach zusteht –

(*Schimons, Phoebes*)

Fährt raus nach Efrat.

Miriam und David mit ihren beiden Kindern, die sind so eine richtige Vorzeigefamilie. Bescheidenes Einkommen, machen das Beste daraus. Frohgemut im Glauben und dabei *sooo* liberal, Miriam hat an warmen Tagen überhaupt kein Problem damit, im Tanktop durch den Ort zu laufen, und mit David kann man großartig rumblödeln, der lustigste und weltoffenste Rabbi weit und breit, der die allzu Gläubigen gern zur Weißglut treibt, indem er ihnen die sattsam bekannte Paradoxie von Gott und dem Felsbrocken unter die Nase reibt:

»Ist Gott allmächtig?«

Und wie er das ist.

»Also kann er einen Felsbrocken von der Größe der Erde auf der Spitze seines Zeigefingers balancieren?«

Wenn er Lust dazu hat.

»Auch einen Felsbrocken von der Größe des gesamten Universums?«

Hey, er ist Gott!

»Kann er also auch einen Felsbrocken von solcher Größe und Schwere erschaffen, dass er ihn selbst nicht zu heben vermag?«

Öhm – nein, äh – doch! Kann er. Er muss *alles* erschaffen können, sonst wäre er nicht allmächtig.

»Also *kann* er auch diesen Felsbrocken erschaffen?«

Jawollja!

»Aber wenn er ihn nicht zu heben vermag, ist er nicht allmächtig.«

Dann – kann er ihn eben *doch* heben.

»Das heißt, er ist *nicht* in der Lage, einen Felsbrocken zu erschaffen, den er nicht heben kann?«

David ist der natürliche Feind aller Dogmen, wäre Yael nicht so konsequent atheistisch, könnte es seinetwegen fast Spaß machen, gläubig zu werden.

»Man muss mit dem Herzen glauben«, sagt David. »Nicht mit dem Verstand.«

»Weil Gott nicht mit dem Verstand zu fassen ist?«

»Nein, das hat überhaupt nichts damit zu tun. Ob Gott allmächtig ist, spielt tatsächlich keine Rolle. Wenn es ihn gibt, flitzt er jedenfalls nicht von morgens bis abends durchs All und ruft, *wow*, ich bin allmächtig, und wehe, einer behauptet was anderes! Die Dogmatiker sind dermaßen versessen auf seine Allmächtigkeit, dass sie vollkommen übersehen, wofür er tatsächlich steht.«

»Was da wäre?«

»Friede. Versöhnung. Liebe.«

»Klingt nicht gerade originell.«

»Klingt angesichts der Gemütslage unter Strenggläubigen vor allem zynisch, weil der Weg dahin gepflastert ist mit den absonderlichsten Ritualen, Geboten, Verboten, Intoleranz, Frauenverachtung, Brutalität und geistiger Mikroskopierung. Jede Regel, jede Einschränkung in *Seinem* Namen erhöht Gott nicht, sondern verkleinert ihn. Wenn du jemandem *wirklich* vergibst, aus tiefster Überzeugung des Herzens, Yael, bist du schon allmächtig. Vergeben ist Allmacht. Liebe ist Allmacht. Dafür musst du keine bescheuerten Felsbrocken tragen können, ebenso wenig wie eine endzeitliche Rettergestalt auf einem weißen Esel in Jerusalem einzureiten braucht, allein schon die Vorstellung, bei dem Verkehr! Wenn wir lieben, vergeben und Frieden schaffen, ist das umfassend göttlich, und es beginnt im Kleinen. Der Messias kommt in jeder Sekunde, seine Ankunft ist unspektakulär.«

An diesem Abend ist die Stimmung gelöst. Selbst Phoebe sitzt zur Abwechslung mal nicht mit der Präsenz einer Regenwolke am Tisch, die Überweisung der SELA

(BLUTGELD!)

entfaltet ihre stabilisierende Wirkung, die Not ist gelindert. Zumal sie immer noch kategorisch behauptet, ohne Jehuda nie wieder dies oder das oder jenes tun zu wollen, was man halt so zusammen getan hat. Kein schönes Zuhause zu brauchen, eine Grube zum Darinhocken tät's auch, ihretwegen müsste kein Geld zum Fenster rausgeworfen werden. So tut, als wäre sie schon mit vorgeatmeter Luft zufrieden, das Leben genießen? – *nie wieder* wird sie etwas genießen!

Dafür haut sie bei Miriams Lammbraten rein wie drei.

»'*ima,* du kannst so lange bei uns wohnen bleiben, wie du willst«, sagt Miriam wohl zum hunderttausendsten Mal.

»Nein, ich falle euch schon viel zu lange auf den Wecker.«

»Tust du nicht.«

Yael zögert. »Vielleicht hab ich – über einen Bekannten – ein hübsches Haus, in das du ziehen könntest. Auf dem Land.«

Phoebe mag betäubt sein vor Kummer, verblödet ist sie nicht.

Obwohl sie nicht weiß, wohin ihre Enkelin zweimal am Tag fährt. Keiner im Haus weiß es.

»Untersteh dich, mir irgendwas unterzujubeln, was von *ihm* kommt.«

»Ich schwöre, es hat nichts mit Arik zu tun.«

Noch eine Lüge obendrauf, wen schert es. Sie setzt Lügen in die Welt wie Kaninchen Karnickel.

Phoebe schüttelt den Kopf. »Ich nehme mir irgendwo ein möbliertes Zimmer. Für euch allerdings –« Schaut Miriam unter gesenkten Brauen an. »Ihr solltet euch was überlegen. Wenn der Schweinehund die OP übersteht und weiterregiert, seid ihr die Nächsten.«

»Keine Sorge«, sagt David.

»Das dachten wir auch mal.«

»Oh, ich bin sicher, er wird Siedlungen räumen.« Lädt sich einen Berg Couscous auf. »Ich werd ihn auch nicht wählen. Aber er hat klargestellt, an den drei großen Blöcken festhalten zu wollen, Gusch Etzion, Ariel, Ma'ale Adumim. Und wir gehören zu Gusch Etzion.«

Yael nuckelt an ihrem Wein.

Gusch Etzion? Hat sie was nicht mitgekriegt? Schimon sagte, nur Ariel und Ma'ale Adumim. Hat ihre Politikverdrossenheit sie davon abgehalten, richtig hinzuhören?

»Arik und seine Versprechen.« Phoebe verfällt wieder in ihr gewohntes Brüten. »Als Jehuda seinen Ekel bezwungen und ihn nach so vielen Jahren angerufen hat, weil er sah, dass ich krank war, unendliche Überwindung muss ihn dieser Anruf gekostet haben, glaubt ihr, es hätte Arik in irgendeiner Weise interessiert? Der hat doch nur gelacht.«

(Wenn du wüsstest!)

»Tja.« Phoebe wischt sich den Mund sauber und steht auf. »Ich hoffe bloß, dass er krepiert.«

Yael fährt nach Hause, holt die Kiste mit den alten Fotos hervor und verteilt sie auf dem Fußboden. Bilder aus Jamit. Jehuda und Phoebe. Eine Phoebe, die breit in die Kamera lacht. Elei Sinai. Bilder, auf denen ihr Vater zu sehen ist, ihre schöne, herzlose Mutter, das Rabenaas, noch ein Bild von Uri zusammen mit drei ausgelassenen Kerlen auf dem Rohr eines Merkavas, Arme weit von sich gestreckt, die Welt gehört uns.

Uris gutmütiges Gesicht verschwimmt.

Yael heult, während der Regen draußen die Stadt auslöscht. Sie hat so viel verloren, zuletzt sich selbst. Sie weiß nicht mehr, wer sie ist.

Beschwört ihre Dämonen.

Und die Dämonen kommen.

Während der nächsten drei Tage hat sie sich unter kalter Kontrolle. Schimon erklärt ihr mit Nachdruck, Ariks Verlautbarungen seien es nicht wert, ein Mikrofon dafür aufzudrehen. Ein alter Mann, der die langfristigen Konsequenzen seines Handels nicht mehr ausbaden müsse und darum in blinder Experimentierwut die Sicherheit Israels gefährde, ein Rattenfänger, dem die Mehrheit nur hinterherlaufe, weil er sie nach Strich und Faden verarsche.

»Seine Kehrtwende ist die eines Panzers, der überrollt, was sich ihm in den Weg stellt. Jetzt fährt er in die andere Richtung, aber er bleibt ein Panzer. Wir sind zu diesem furchtbaren Schritt gezwungen, weil sein Weg nicht zum Frieden, sondern geradewegs in die Katastrophe führt.«

Yossi redet nur noch das Nötigste mit ihr.

C'est la vie.

Sie redet ihrerseits nur noch das Nötigste mit Arik. Der daran keinen Anstoß nimmt, weil er sich auf der Schikmim-Farm das Arbeitspensum aufhalst, das ihm seine Ärzte für sein Büro in Jerusalem verboten haben, ständig Leute bei ihm ein und aus gehen und der Bienenstock summt und brummt.

»Ich bewundere dich«, sagt Schimon am Abend des 31. Dezember am Telefon. »Du bist unglaublich tapfer. Glaub mir, ich weiß sehr genau, welche Kraft dich das alles kostet.«

»Ach ja?«, sagt sie trocken. »Auch schon jemanden um die Ecke gebracht?«

Er schweigt einen Moment. »Es war nicht zu vermeiden.«

»Und was war *dein* Preis?«

»Der Preis ist das Land. Er ist immer das Land. *Unser* Land. Die Juden müssen nicht länger umherziehen, wir retten einen Traum.«

Bevor sie einschläft, gehen ihr seine Worte im Kopf herum, und etwas daran macht sie stutzig.

Etwas, das darin mitschwang, anders als sonst.

Wir retten einen Traum –

Schikmim-Farm

Der erste Januar ist klar, sonnig und frostig. Während der Nacht ist Schnee gefallen, eben so viel, als habe jemand eine feine Schicht Puderzucker über das Land gesiebt. In Tel Aviv und Jerusalem überdauert der Zauber gerade mal die frühen Morgenstunden, und Yael kommt eine TV-Dokumentation in den Sinn: *Zukunft ohne Menschen*, ausgehend von der Annahme, mit einem Fingerschnippen verschwänden alle Menschen. Ohne Grund. Einfach als Gedankenexperiment. Schnipp, weg. Alles Übrige bliebe, flimmernde Fernseher, fliegende Flugzeuge, laufende Atomkraftwerke. Was würde geschehen, wie lange bräuchte es, bis die Städte zerfielen, sich die Natur regenerierte?

Eines hat sie überrascht.

Schon nach wenigen Tagen fiele die Temperatur in den Städten um drei bis vier Grad, mit einer ganz simplen Erklärung:

Menschen sondern Wärme ab.

Alle Menschen.

Körperwärme.

Sie weiß nicht, warum, aber aus irgendeinem Grund erscheint ihr der Nahostkonflikt vor dem Hintergrund dieser Vision noch idiotischer. Eine Welt ohne Menschen wäre eine kältere Welt, aber der frühe Schnee würde wahrscheinlich liegen bleiben.

Auf den Hügeln der Schikmim-Farm hält er sich. Noch am Nachmittag liegen Haupthaus und Stallungen unter dieser dünnen weißen Schicht wie das Innere einer Schneekugel. Ein aus der Zeit gefallenes Bild, das den Eispanzer, den Yael um sich gelagert hat, anschmilzt, paradox, oder?

Schnee schmilzt Eis, aber so ist es.

Arik erwartet sie in der Küche.

»Und?« Yael wuchtet ihren Rucksack auf die Arbeitsfläche, zum zweiten Mal an diesem Tag. »Wie geht's dir seit heute Morgen?«

»Eigentlich ganz gut.« Er lächelt. »Mit Abstrichen. Immer mal wieder dieser Schwindel.«

Klar, denkt sie. Blutdruck 220. Du müsstest noch ganz andere Symptome aufweisen, Kurzatmigkeit, Nervosität, Müdigkeit, Kopfweh. Für das, was ich mit dir anstelle, hältst du dich wie ein Fels.

Noch.

»An deinem Blutdruck kann's nicht liegen«, sagt sie.

»Nein.« Er zuckt die Achseln. »Vielleicht mach ich mir ja auch einfach zu viele Sorgen.«

»Um was?«

»Um Israel. Wenn sie mich in vier Tagen operieren, werde ich eine ganze Weile in Narkose liegen.«

Yael packt die Medikamentenbox und die Spritzen aus.

»Wär's dir lieber, sie pflanzen dir das Ding ohne Betäubung ein?«

»Manchmal denke ich fast, ja. – Na, nicht wirklich. Aber in der Zeit bin ich handlungsunfähig. Ich kann das Land nicht regieren.«

»Ich dachte, Olmert springt für dich ein.«

Ehud Olmert, sein Vize. Arik winkt ab.

»Ehud hat mein ganzes Vertrauen. Das ist es nicht. Einfach der Gedanke, das Land im Stich zu lassen –«

»Tust du nicht. Sind nur 24 Stunden.«

»In 24 Stunden kann eine Menge passieren.«

Sie schaut sich um. Im Bienenstock herrscht auffallend wenig Gesumm, lediglich die Bodyguards drücken sich in der näheren Umgebung herum.

»Wo sind eigentlich alle?«

»Unterwegs in Jerusalem. Auch der Hofstaat hat seine Bedürfnisse.« Er lacht. »So viel Stille bin ich gar nicht gewohnt.«

»Sollen wir rüber ins Wohnzimmer gehen oder gleich hier –«

»Später. Lass uns ein paar Schritte spazieren gehen.«

Spazieren?

Geht nicht! Vergiss es! Keine Zeit!, will sie sagen –

Will sie *nicht* sagen.

Tatsächlich scheinen sich die Spritzen und die Medikamentenbox vor ihren Augen in widerwärtige Insekten zu verwandeln, während Ariks Vorschlag einen kumpanischen Reiz entfaltet, komm, lass uns zusammen türmen, uns ins Abenteuer stürzen, Spaß haben, vergiss das Zeug da, ich nehme dir die Bürde jetzt von den Schultern, einfach indem ich dein Konzept umschmeiße.

»Ja – gut.« Sie lächelt schwach. »Wenn du meinst.«

»Es ist so schön draußen«, sagt er. »Wer weiß, wann es wieder so schön sein wird.«

Die Personenschützer halten Abstand, meist sieht man sie nicht mal. Nur hier und da einen Landarbeiter, und natürlich Tiere.

Sie sind praktisch allein.

Yael trottet schweigsam an Ariks Seite dahin, sein Schäferhund läuft ihnen voraus. Ein Pfad führt vom Haus weg abwärts, hindurch unter licht gepflanzten Bäumen, deren herabgefallene Blätter sich zu einem bräunlichen, weiß getupften Teppich geschlossen haben. Es knirscht, als sie darüber hinweggehen, gefrorener Atem steht vor ihren Gesichtern. Die Sonne hat sich hinter Schleiern verzogen, wodurch die Szenerie noch friedvoller wirkt. Ein Ort, der einem das Gefühl vermittelt, angekommen zu sein.

So friedlich, dass es schmerzt.

»In wenigen Monaten blüht hier alles rot«, sagt Arik vergnügt. »Anemonen.« Formt mit Daumen und Zeigefinger einen Kreis. »So große. Da! Schau mal.«

Yael bleibt stehen.

Sieht eine kleine Rinderherde, vielleicht 100 Meter entfernt, auf einer Hügelkuppe auftauchen und westwärts ziehen –

(*Westwärts, yeah, gewaltige Bisonherden, sag ich Ihnen, hab's mit eigenen Augen gesehen, der Teufel soll mich holen!*)

– einen Bullen mit mächtigem Brustkorb, halbwüchsige Kälber im Schutz größerer Leiber, die sie abschirmen.

»Wie viele sind das?«

»Drei, vier Dutzend. Sie gehen zur Tränke.«

Eine Weile schauen sie den Tieren zu, schlendern weiter.

»Manchmal in Kabinettssitzungen –« Arik grinst. »Immer mal wieder kommt jemand und steckt mir einen Zettel zu. Seit Jahren geht das schon so. Mitten in der Debatte. Ich werfe dann einen Blick auf diesen Zettel, und egal, wie die Stimmung bis dahin war, plötzlich sehen mich alle zutiefst befriedigt. Und jedes Mal denken sie, warum, verdammt? Was hat er jetzt wieder für einen Trumpf im Ärmel, welche Nachricht haben sie ihm da überbracht, was hat er vor?« Seine Worte sind zerhackt von Gelächter. »Ich sage dir, das ist psychologisch von großem Nutzen.«

»Und was steht auf diesen Zetteln?«

»Eigentlich immer dasselbe. Geburt eines gesunden Kälbchens.«

Jetzt muss auch Yael lachen, gegen ihren Willen.

»Im Ernst?«

»Keine Nachricht kann schöner sein! Der innigste Moment auf einer Farm ist, wenn eine Kuh kalbt.« Er breitet die Arme aus. »Was soll ich sagen, ich bin ein Landei, Yael! Meine Familie, Eltern, Großeltern – alles Bauern. Das geht Generationen zurück.«

»Warum bist du nicht auch Bauer geworden?«

»Wär ich ja fast. Mein Vater wollte, dass ich den Hof übernehme.«

»Was kam dazwischen?«

»Israel.« Er schaut über die Kuppen der Hügel hinweg, als sei dahinter seine gesamte Vergangenheit zu besichtigen, als könne man sie durchstreifen wie einen Erlebnispark. »Aufbruch, Krieg, Lust, diesen Staat zu gestalten, als General, Landwirtschaftsminister, Verteidigungsminister, Premierminister – tja. Ein paar Jahre noch, dann schließt sich der Kreis.«

»Zu was?«

»Dann werde ich wieder Farmer sein. Und reisen. Warst du mal in der Mongolei? In China?«

»In den Anden.«

»Muss fantastisch sein.«

Sie nickt. Erinnert sich, wie sie gleich nach dem Studium mit Liz, Itzik und Schlomi durch Peru gefahren ist, von Cuzco nach Chivay durchs Colcatal. Grandios. Nur Berge und *was für ein* Himmel! Da waren Itzik und Liz gerade ein Paar geworden, Schlomi und Yael übereingekommen, besser befreundet zu bleiben, und Moria nicht mit von der Partie, weil bei ihr Multiple Sklerose diagnostiziert worden war und alles danach aussah, als würde ihr Traum von vier Kindern (und wovon sie sonst noch geträumt hatte) auf ewig ein Traum bleiben. Eine seltsame, melancholische und zugleich unbeschwerte Zeit, wie aus einem anderen Leben.

»Wie wart ihr unterwegs?«, fragt Arik. »Geländewagen?«

»Mhm.«

»Ich träume dauernd von Motorradtouren.«

»Ich hab nie ein Bild von dir auf einem Motorrad gesehen.«

»Ja, weil die Idioten meinen Motorradführerschein nach dem Militär nicht verlängert haben. Egal. Raus in die Welt!«

»Du reist doch ständig.«

»Staatsbesuche sind keine Reisen, man wechselt nur auf strapaziöse Weise den Konferenzraum.« Er schüttelt den Kopf. »Das Problem ist, ich kann einfach nicht weg. Nicht mal zu einem Konzert, einer Kunstausstellung. Man braucht Muße, um diese Dinge zu genießen, jemanden, mit dem man seine Gefühle teilen kann.« Ariks Blick bekommt etwas Sehnsüchtiges. »Jetzt habe ich weder das eine noch das andere. Keine Zeit, und Lily –« Er seufzt, lächelt wieder. »Aber in ein paar Jahren wird das anders! Ich will zu Plätzen, an denen ich nie war. Mehr Landschaften und Tiere sehen als Leute. Gerne auch Leute, aber wirklich nur ein paar, die daran Freude haben wie ich.«

»Wenn man den Umfragen glauben darf, wirst du die nächsten vier Jahre nicht dazu kommen. Oder?«

»Nein.« Er sieht sie an. »Aber das ist es wert.«

»Für was?«, fragt sie bitter.

»Für den Frieden. Hoffentlich.«

»Glaubst du wirklich daran?«

»Wenn ich *daran* nicht glauben würde, woran denn sonst?«

Und es passiert, bricht sich Bahn.

»Du meinst, indem du Gaza, die Westbank, indem du alles aufgibst, einfach so, all diesen Leuten ihr Zuhause nimmst, Menschen wie Phoebe und Jehuda, die nicht das Geringste mit dem religiösen Quatsch zu tun haben, die einfach nur eine Existenz *dort* aufgebaut hatten, wo *du* sie hingelockt hast –«

Stockt, schaut zur Seite.

Sieht ihren Atemwolken beim Werden und Vergehen zu.

»Sprich weiter.«

Sie schüttelt den Kopf.

»Du bist traurig, nicht wahr? Ich spüre das schon die ganze Zeit über.«

Nicht weinen. NICHT weinen. Doch sie fühlt ihren Eispanzer schmelzen, kann nichts dagegen tun, Fluchtgedanken durchrasen sie, wohin? Bleiben. Für immer bleiben. Zu Hause sein. Flucht. Bleiben.

Spürt seine Hand auf ihrer Schulter.

»Komm mit«, sagt er.

Folgt ihm, die Sonne ist wieder zum Vorschein gekommen, ihre meterlangen Schatten spazieren ihnen voraus, der Weg steigt an. Der Hund schaut sich nach ihnen um, bellt. Wahrscheinlich sind sie ihm nicht schnell genug, vielleicht will er sich aber auch nur vergewissern, dass es ihnen gut geht, da sie ihm schließlich anbefohlen sind.

An einem Grab macht Arik halt.

Gräber, auf denen Schnee liegt, sind stets ein besonderer Anblick. Eigenartigerweise kommt es einem so vor, als fänden die Toten erst unter der weißen Decke richtig zur Ruhe.

Blumen schützen die Lebenden.

Schnee schützt die Toten.

»Die Zeit arbeitet gegen uns«, sagt Arik leise.

Yael liest die Inschrift.

Lily

»Du versuchst sie aufzuhalten, auszutricksen. Wie von Sinnen bekämpfst du sie, ringst ihr Verlängerungen ab. Vergebens. Eine Weile ist sie dein Verbündeter, am Ende immer dein Gegner.« Er sieht sie an. »Deine und meine Toten, Yael – wir konnten es nicht verhindern. Sosehr wir uns bemüht haben. Die Zeit arbeitet gegen uns, und sie entschuldigt nichts. Keinen Moment der Unaufmerksamkeit, keine verpasste Gelegenheit. Alles, was uns bleibt in der wenigen Zeit, ist, das meiste richtig zu machen statt das wenigste verkehrt.«

Yael schaut auf das Grab, in den Himmel, der sich langsam verdunkelt, über die schneebedeckten Felder.

»Jehuda war mein Freund«, sagt Arik. »Wir haben unsere Kindheit zusammen verbracht. Unsere Familien waren befreundet. Phoebe war meine Freundin, Ben mein Freund – beide sind es nicht mehr. Wäre ich Farmer geworden, nichts hätte mich interessiert, außer wie ich meine Familie und meine Freunde schütze, aber ich wurde Politiker. Meine Familie und mein Freundeskreis erweiterten sich auf acht Millionen Menschen, die jeder etwas anderes von mir erwarteten. Jede Entscheidung, die ich zu treffen hatte, musste ich im Hinblick darauf treffen, ob sie gut für Israel ist. Ich hielt es für richtig, Siedlungen zu bauen, war es das? Vielleicht eine Weile. Ich hielt es für richtig, Arafat im Libanon in die Knie zu zwingen, weil die PLO das Land mit Terror überzog. Ich habe Menschen gegen mich aufgebracht, weil ich Krieg führte, und andere, weil ich keinen Krieg führte, als die Zweite Intifada über uns hereinbrach. Warst du mal in Karnei Schomron?«

Yael schüttelt den Kopf. Eine Siedlung im Norden der Westbank. Irgendwas Schlimmes ist da passiert –

»Im Februar 2002 sprengte sich dort ein Selbstmordattentäter in die Luft. In einer Pizzeria im Einkaufscenter. Drei Teenager starben, 30 Menschen wurden verwundet. Ich flog zu einem Beileidsbesuch, die Familien der Getöteten saßen zusammen, darunter Freunde von mir. Das war, als ich beschlossen hatte, dem Terror mit Mäßigung zu begegnen. Ihn auszuhalten. Ich kann nicht vergessen, wie ich im Kreis dieser trauernden Menschen saß und eine Mutter –« Er stockt. »Ich weiß noch, sie sagte: Wo warst du, Arik? Acht Monate lang haben sie unsere Häuser beschossen, wo bist du gewesen? Du vertrittst uns, also mach deine Arbeit. Sperr sie ein, fang einen Krieg an! Du kennst dich aus mit

Kriegen, hattest nie Angst, nicht bei Sabra und Schatila, als sie dich diffamierten, du bliebst ruhig. Wir haben dich eingesetzt, weil Arik Scharon Kriege zu führen weiß, damit wuchs ich auf, seit ich das Alphabet lernte, das stimmt doch, oder? Stimmt das? – Absolut, sagte ich. – Gut, schrie sie, dann wollen wir, dass du einen Krieg anfängst!«

Er macht eine Pause.

»Ich habe keinen Krieg angefangen. Auch da verlor ich Freunde. Du hast mich gefragt, ob ich einsam bin. Ja. Weil nichts von dem, was du versuchst, richtig zu machen, richtig für alle ist. Du wirst das selbst erlebt haben, was kannst du tun? Nur deiner Überzeugung folgen, und nirgendwo arbeitet die Zeit mehr gegen dich als im Nahen Osten. Schließlich gelangst du an einen Scheideweg, wo du einsehen musst, dass es in eine Katastrophe mündet, wenn du deiner bisherigen Haltung treu bleibst. Siedlungen oder Frieden? Du lernst, beides geht nicht. Auch wenn du es noch sehr wünschst, es geht nicht. Und wieder verletzt du Menschen.«

Yael fröstelt. Die Sonne zieht ein rotes Band über den Horizont, gleich wird sie verschwunden sein.

»Kfar Malal, wo Jehuda und ich groß geworden sind, war ein Nest«, sagt Arik. »Du hättest es sehen sollen, Ende der Zwanziger! Bruchbuden auf Sumpfland!« Er lacht. »Allen Staatsoberhäuptern, die ich getroffen habe, erzählte ich davon. Voller Stolz. Meine Generation hat den Staat gesehen, als er jung war, die Kämpfe erlebt, die Unruhen, den Terrorismus, die Kriege – ich denke, meine Generation sollte auch zu einer Lösung gelangen. *Darum* habe ich beschlossen, Grundlegendes zu verändern. Es schmerzt mich im Innersten, dass ich euch so viel Kummer bereiten musste. Verzeih mir, Yael. Ich kann dir nicht garantieren, ob das, was ich tat und noch tun werde, zu einem umfassenden Frieden führen wird. Doch wir können nicht untätig bleiben. Zumindest wissen wir dann, unsere und die nächsten Generationen, dass wir uns wirklich bemüht haben.«

Langsam wendet Yael den Kopf.

Schaut ihm in die Augen.

Der Eispanzer zerspringt.

Sie kann ihn nicht länger hassen.

Und im selben Moment, da ihr Hass erlischt, stürzt Schimons ganze großartige Argumentation sang- und klanglos in sich zusammen. Macht nicht mal ein ordentliches Getöse, klappt einfach zusammen wie eine Bierdeckelpyramide, und sie sieht, dass es immer nur um Persönliches ging.

Die ganze Zeit über hat sie es gewusst, ohne es zu verstehen.

Bis gestern.

Der Preis ist das Land. Er ist immer das Land. Unser Land. Die Juden müssen nicht länger umherziehen, wir retten einen Traum.

Sie hat sich von den Messianisten einspannen lassen.

Von den nationalreligiösen Hardlinern, den schlimmsten, die auch Rabin auf dem Gewissen haben. Schimon kannte jeden einzelnen ihrer wunden Punkte, er wusste genau, wie er sie manipulieren konnte.

Sie hat einen entsetzlichen Fehler begangen.

Im verlöschenden Abendlicht, auf diesem Hügel an Lilys Grab, kommt Yael zu sich.

Sieht, was sie getan hat.

Und *warum.*

Die Beine drohen ihr wegzusacken, sie ergreift Ariks Hand.

Wie konnte sie nur – wie war es nur möglich –

»Yael«, sagt Arik mit besorgter Stimme. »Du bist ja eiskalt.«

Oh ja. Da sagst du was!

»Mist! So ein Mist! Die haben die falschen Spritzen eingepackt, die falschen Medikamente. Und ich hab nicht richtig hingesehen. Oh, Scheiße, Arik, dein Fahrer muss mich sofort zurückbringen, sofort.«

Im Affenzahn ins Hadassah.

Rennt ins Arztzimmer, kein Yossi, gut so, der hätte ihr noch gefehlt mit seiner Vorwurfsmiene, die regulären Medikamente, ein Glück, dass sie die heute noch nicht entsorgt hat, die Spritze –

Nein, sie kann ihm unmöglich weiter Verdünner –

Kochsalzlösung, genau, er darf überhaupt keine Verdünner mehr bekommen, spritz ihm Kochsalzlösung.

In den Rucksack, wieder nach unten.

Autobahn.

»Können Sie schneller fahren?«

Halb so wild, Yael, das ist doch nicht schlimm, ob ich das Zeug nun zwei Stunden später kriege –

»Fahren Sie schneller. Bitte.«

He, nicht weinen, das bleibt unter uns.

Durch die Nacht.

Landstraße.

Farm.

Arik mit großen Augen, nur eine Stunde haben sie für beide Strecken gebraucht, jetzt nicht zittern, ruhig –

Setzt ihm die harmloseste Spritze, die sie je gesetzt hat, gibt ihm seine blutdrucksenkenden Mittel, misst – 220. Oh Gott, noch drei Tage bis zur Operation, sie MUSS seinen Blutdruck runterfahren, drei verdammte Tage.

Was hat sie bereits angerichtet?

Was ist noch zu retten?

2. Januar.

Arik perlender Laune, aber sein Blutdruck –

3. Januar.

Marginal besser. 200. Geht ihm gut, telefoniert mit Olmert, sie besprechen Eventualitäten, was in den 24 Stunden alles so passieren kann, während deren er –

(Alle? Ihr kennt gar nicht ALLE Eventualitäten!)

– in Narkose liegen wird, Yael hat die Dosis der Blutdrucksenker erhöht, kein Clexane mehr, Kochsalzlösung –

4. Januar.

Blutdruck gefallen. Morgen setzen sie ihm das Ding ein, offenbar erholt er sich von ihrem mörderischen Wirken, vormittags ist er guter Dinge, nachmittags auch, hat um halb fünf sein Büro in Jerusalem verlassen, 18:00, Medikation –

»Halt mir die Daumen für morgen.«

(Glaub mir, ich hab noch NIE jemandem, den ich so sehr gehasst habe, SO SEHR die Daumen gehalten!)

»Klar.« Umarmt ihn.

Rückfahrt, Tel Aviv, abendlicher Rapport an Schimon, jetzt ist *Schimon* es, den sie belügt, die Drecksau –

»Deine Aufgabe ist erledigt, Yael.«

»Ja.«

»Ich hätte nicht gedacht, dass er so lange durchhält.«

»Hör auf, den Doktor zu spielen. Die Wirkung wird schon eintreten bei allem, was ich ihm verpasst habe.«

»Du bist eine Heldin, Yael.«

(FICK – DICH – INS – KNIE!)

Das Ende

20:45. Ihr Handy.

Hockt in Tel Aviv vor dem Fernseher, als es klingelt, stopft Schokolade in sich hinein. In den Nachrichten sagen sie, für die Dauer der nächsten ein, zwei Tage lägen die Regierungsgeschäfte in den Händen Ehud Olmerts. Arik wird mit einem weisen Stammesführer verglichen, bemerkenswert, dass dieser Mann, der zeitweise den Abscheu der ganzen Welt auf sich vereint habe, nun von so vielen Menschen geliebt werde, vom Hardliner zum Friedensaktivisten, ganz sicher werde morgen alles gut gehen.

Das Land hofft.

Die Welt hofft.

Yael geht ran.

Es ist Inbal, Ariks Schwiegertochter.

Auf der rasenden Fahrt zur Ranch versucht sie fieberhaft, aus Inbals Wortschwall Rückschlüsse auf Ariks Zustand zu ziehen. Beim Telefonieren mit seinem Jerusalemer Büro sei denen dort aufgefallen, dass Arik mit merkwürdig schwacher Stimme spreche, jetzt liege er auf dem Sofa und sei kaum noch zu verstehen –

Embolie oder Blutung, denkt Yael. Betet um eine Embolie. Was schlimm genug wäre, aber mit einem Blutgerinnsel ist er schon einmal fertiggeworden.

Eine Blutung hingegen –

Vor ihr bahnt sich mit flackerndem Blaulicht der Ambulanzwagen seinen Weg durch den Verkehr.

Sie kommen schnell voran.

21:15.

Laufen ins Wohnzimmer, Ariks linke Körperhälfte gehorcht ihm nicht mehr, als Yael seinen Blutdruck misst, glaubt sie ihren Augen nicht zu trauen.

Wieder 220.

»Er hat einen Schlaganfall«, erklärt sie Gilad. »Er muss ins Krankenhaus. Sofort!«

Gilad schlägt das Soroka-Medizinzentrum in Beer Scheva vor, nächstliegende Adresse. Alle sind überfordert, also ruft Yael Schlomo Segew an, Ariks Leibarzt, der sie zum Nichtstun verdonnert.

Er sei auf dem Weg.

Arik rappelt sich hoch, will ins Bad.

Yael stützt ihn.

»Geht schon«, sagt er und bricht zusammen.

»Wir warten nicht.« Scheucht seine Sicherheitsleute, sie sollen die Trage holen, die immer bereitsteht, mit vereinten Kräften wuchten sie ihn darauf, und DANN DAS: Die Scheißtrage passt nicht in das Ambulanzfahrzeug. 20 Minuten fuhrwerken sie mit ihm herum, Menschen rennen derweil atemlos durcheinander, der Bienenstock ist in heller Aufregung, als sie ihn endlich drinhaben, trifft Segew ein, gemeinsam springen sie zu Arik in den Wagen, Segew, Gilad und Yael, in Beer Scheva, heißt es, seien sie für so was nicht ausgestattet, also die lange Fahrt ins Hadassah –

Lass es eine Embolie sein, eine Embolie, eine Embolie –

Arik spricht wieder. Nicht gut, aber er spricht.

»Kobbf-weh«, sagt er.

Lächelt.

Ein Offizier des Schin Bet ruft an, warum kein Helikopter?

Nicht nötig, sagt Segew.

Wieso eigentlich nicht, fragt sich Yael. Hätten wir bloß den Scheißheli gerufen, dann wären wir jetzt schon dort!

Ariks Sprache bessert sich. Er ist wach, wedelt mit der rechten Hand, was wohl als beruhigende Geste gemeint ist, damit sich alle hier nicht so schrecklich aufregen.

»Wirdd schon. Machdeuch ma keine Sorgen, das gehd –«

(ICH soll mir keine Sorgen machen, ich bin schuld daran, dass das passiert, hörst du!)

»– ggleich wwieder.«

»In zehn Minuten sind wir da«, sagt sie.

»Ja. Gud. Glaube, ddas Schlimmsde is überstanden.« Jetzt klingt er schon wieder kräftiger, klarer. »Is wahrscheinlich wie ledztes Mal, in zwei Stunden sind wir wieder dzu Hause.«

Die Seifenblase einer Hoffnung wabert im Raum.

Zerplatzt.

Plötzlich und heftig gibt Arik seinen Mageninhalt von sich, stiert ins Nichts, stammelt Unverständliches.

»Arik!«

Keine Reaktion, er verfällt in Apathie, scheint aufzugeben. Im Wagen macht sich Panik breit, Segew ruft den Chefkardiologen des Hadassah an, sie sollen eine Notoperation vorbereiten, Yaels Augen füllen sich mit Tränen, weil sie an ihren Traum denken muss, wie sie bei Rabin im Cadillac sitzt, das kann doch nicht sein, denkt sie, was ist das denn für ein perfider Film, was geschieht hier?, während der Wagen bis vors Hauptportal rast, Ärzte und Pfleger eilen herbei, schaffen ihn in die Notaufnahme, geben ihm Beruhigungsmittel, Arik verliert das Bewusstsein, künstliche Beatmung, Kernspin.

Alle sind da.

Staatssekretäre, Sicherheitsleute, sein Beraterstab.

Yael hockt auf dem Flur zwischen ihnen.

Kamerateams treffen ein, wie eine Schockwelle hat sich die Nachricht fortgepflanzt, Menschen strömen auf den Vorplatz der Klinik, Olmert regiert jetzt das Land, vorübergehend, heißt es.

(Vorübergehend? Haha. Gebt euch keinen Hoffnungen hin.)

Als der Direktor des Hadassah um kurz nach elf vor die Presse tritt und erklärt, Premierminister Scharon habe eine massive Hirnblutung erlitten, ist sie nicht überrascht.

Sie fühlt ohnehin nicht mehr viel.

Stundenlang sitzt sie auf dem Gang, während die Ärzte im OP um Ariks Leben kämpfen. Sitzt immer noch da, als sie ihn nach Stunden in die neurochirurgische Intensivstation im siebten Stock rollen, in einen Raum, der Schlomo Argov gewidmet ist, Israels Botschafter, den die ANO vor dem Londoner Dorchester Hotel ins Koma schoss.

Der Anschlag, der Ariks Libanonfeldzug auslöste.

Geschichte ist ein Spinnennetz.

Sitzt da, als Yossi Backenroth an ihr vorbeigeht, wortlos auf sie herabschaut, weitergeht.

Hört kaum das Piepen der SMS, die auf ihrem Prepaid-Handy eintrifft. Erst nach geraumer Weile zieht sie es hervor und schaut auf das Display, liest Schimons knappe Nachricht:

GLÜCKWUNSCH

Geht auf die Toilette und erbricht sich.

2011

Nablus

Hanaan schaut hoch zum vierten Stock, während sie auf das Haus zugehen. Alles dunkel hinter den Fenstern.

»Ob sie brav sind und schlafen?«

»*Die?*« Mansour grinst. »Die haben bis eben noch ferngesehen.«

Zehn Uhr durch. Sie waren Freunde besuchen. Ein unkompliziertes, kleines Abendessen, morgen müssen alle früh raus.

»Knallwach«, sagt Mansour vor der Wohnungstür. »Wetten?«

»Sei trotzdem leise.«

»Ich bin die Lautlosigkeit selbst.« Er dreht den Schlüssel im Schloss, macht Licht in der Diele, geht weiter ins Wohnzimmer. Spürt, noch bevor er den Schalter betätigt, dass irgendetwas nicht so ist, wie es sein sollte, und dann sieht er es.

Die Jungs sitzen auf dem Sofa.

Mit angstgeweiteten Augen

Zwei Pistolen sind auf ihren Kopf gerichtet.

Eilat

Yael weint. Um die verlorenen Jahre, und weil man die Zeit nicht zurückdrehen kann. Ihre Tränen tropfen auf ihn herab, fangen sich wie Tau in seinen Brusthaaren. Sie will sich wegdrehen, er hält sie zurück. Zieht sie an sich, streichelt sie weiter und lässt sie weinen.

»Glaubst du, man kann wieder unschuldig werden?«

Die Frage klingt kindlich, tatsächlich bedeutet sie alles. Seit Anbeginn der Menschheit.

(Hättest du mich noch vor einer Stunde gefragt –)

»Man kann auch wieder gesund werden«, sagt er.

»Schuld ist keine Krankheit.«

»Doch. Die schlimmste.«

»Und wenn du andere krank machst?« Sie schnieft. »Umbringst?« Stützt sich auf die Ellbogen. »Wir können niemanden wieder lebendig machen, Tom. Keinen unserer Toten.«

»Niemand kann ändern, was er getan hat.«

»Ihr Christen habt wenigstens die Beichte –«

Er hebt die Brauen. »Du meinst, da kommt so ein Kerl in Soutane und murmelt, *Ego te absolvo*, und du kannst losziehen und den nächsten Mist bauen?«

»Spielt eh keine Rolle«, flüstert sie. »Ich kann mir nicht verzeihen.«

»Nein.« Er schüttelt den Kopf. »Ich mir auch nicht.«

Eine Weile liegen sie einfach so da.

»Du wolltest Inga nicht schaden«, sagt sie. »Oder Krister. Du warst fahrlässig. Aber du hast nie eine Entscheidung getroffen, wie ich sie getroffen habe. Du wolltest die Geiseln *retten* –«

»Toller Versuch.«

»Mich *hast* du gerettet.«

»Ja, nachdem ich dich überhaupt erst –«

»Nein, Tom.« Sie schüttelt den Kopf. »Ich war schon ganz unten. Es wurde allerhöchste Zeit, mich mit meinen Taten zu konfrontieren. Andernfalls wäre ich früher oder später wahnsinnig geworden. Dein Problem ist, dass alle dich schuldig gesprochen haben, meines, dass mich *nie* jemand schuldig gesprochen hat. Verstehst du? *Das* ist mein Problem. Mir konnte nie jemand vergeben.«

Er lässt die Worte einsinken.

»Ich glaube, es gibt da ein Missverständnis mit der Vergebung.«

»Welches?«

»Ein Verbrecher, der vorzeitig entlassen wird, ist darum nicht frei.«

»Und wer entscheidet, wann er frei ist?«

»Nur er kann das.«

Wenn er es kann.

Kaum etwas ist schlimmer, als sein eigener Schuldner zu sein. Tausendmal magst du dir einreden, Schuld abgetragen zu haben, aber durch nichts machst du die Dinge ungeschehen. Vergebung tilgt Vergangenes nicht, doch sie gibt dir die Zukunft zurück.

»Vielleicht läuft ja alles auf einen Handel hinaus«, sagt er.

»Du meinst, wenn wir etwas so Wertvolles tun, dass es *lohnt*, uns selbst zu verzeihen –«

»Etwas Ausgleichendes. Ja.«

»Funktioniert das so?«

»Keine Ahnung. Wir sollten es rausfinden.«

Sie seufzt. Schaut auf die Uhr.

»Wir sollten vor allen Dingen unsere Klamotten zusammensuchen.«

939

23:00 Uhr.

Der Bell H-13 sinkt dem Landefeld entgegen. Zehn Minuten, nachdem der Anruf aus Nablus erfolgte, saß er schon im Cockpit. Flog selbst, Pilot und einziger Passagier.

Diese Mission verträgt keine Zeugen.

Der Hubschrauber setzt auf.

Er geht zu dem unterwegs georderten Mietwagen und bilanziert. Die Soll-Spalte kann man zum Buch binden, ans Haben muss man mit der Lupe ran. Der Anschlag gescheitert. Daniel tot. Benjamin, Absalon und ein Dutzend Männer verhaftet, auch wenn bald alle wieder auf freiem Fuß sein dürften, da sich keinem das Geringste beweisen lässt, falsch, *ließe!* – hätte Benjamin seine Gefangenen nicht in einem unverständlichen Anfall von Sentimentalität laufen lassen.

Jetzt können die zwei den halben Untergrund identifizieren.

Einen ganzen Keller voll.

Er nimmt den Zubringer zur Innenstadt. Über dem Golf von Akaba steht ein Perlmuttmond und setzt den Wellen Lichtspitzen auf. Eine dieser prachtvollen Eilat-Nächte, deretwegen die Hotels auch um diese Jahreszeit gut besucht sind.

Haben wir überreagiert?

Als Hagen in die Offensive ging, verloren wir stetig an Boden, aber wir *mussten* alles daransetzen, ihn vor Ben-Tov in die Hände zu bekommen! Man stelle sich vor: ein Coup, gegen den die Geschichte des politischen Mordes verblasst. Es so aussehen zu lassen, dass kein Mensch überhaupt je auf die *Idee* kommen würde, Scharon sei einem Anschlag zum Opfer gefallen – und sechs Jahre später kreuzt dieser Journalist auf und erzählt seiner Redaktion am Telefon GENAU DAS!

Mit Verweis auf Schin-Bet-Daten.

Wie konnte er von uns wissen? Reichte sein Material, das Netz zu zerreißen? *Nie* hatten sie über interne Kanäle kommuniziert, doch Hagen behauptete, sein Wissen stamme von den CDs. Entweder also hatte einer von ihnen einen Fehler begangen, mit dem Resultat, dass *doch* etwas in die Datenbanken gesickert war –

Oder Hagen stützte sich auf einen Informanten.

Und nur zwei kamen dafür infrage.

Yael.

Yossi.

Beide gehörten nicht wirklich zu ihnen. Yael hatten sie über ihre wahren Motive getäuscht, Yossi war der sprichwörtliche Mann, der zu viel wusste. Um Yael nicht zu demotivieren, mussten sie Yossi am Leben lassen. Sich beider nach Ariks Kaltstellung zu entledigen, scheute Ben, erst jetzt, mit Hagens Auftauchen, fügte er sich ins Unvermeidliche. Der Schin Bet würde Scharons Krankengeschichte neu aufrollen, das Personal aus der fraglichen Zeit unter die Lupe nehmen, und von Yael gelangte man blitzschnell zu Benjamin –

Yael war verreist.

Also schnappten sie sich Yossi. Er schwor unter Tränen, keinen Tom Hagen zu kennen.

Sie sorgten dafür, dass er ihn nie kennenlernen würde.

Passten Yael ab, mit Benjamins Segen. Zu lange hatten sie für das letzte, große Projekt gearbeitet. All die Jahre, seit der Untergrund neu erblüht war, unter besseren Vorzeichen denn je. Ben entwarf brillante Szenarien, sein Sohn Absalon machte Karriere bei Zahal. Ihre Bewegung war im Hightech-Zeitalter angekommen. Helfer fanden sich in den Einheiten der Schutztruppe, unter thoratreuen Polizisten, sie gründeten Tarnunternehmen, Zvi, ein ehemaliger Hebron-Kommandeur, erwies sich als Glücksfall für die Drecksarbeit –

An Geld herrschte kein Mangel.

Sie infiltrierten den Geheimdienst.

Schleusten *ihn* ein, ihr Meisterstück: Exoffizier, hoch dekoriert und gesegnet mit schauspielerischem Talent. Er holte Adler. Gemeinsam bauten sie die fünfte Kolonne auf, infiltrierten das Zentralkommando, die Jewish Division. Waren über alles im Bilde, wodurch die ZPS Ben-Tovs Radar unterfliegen konnte und sie Hagen als Ersten in die Finger bekamen.

Dann funkten Gussinskis Knochenbrecher dazwischen.

Und alles lief aus dem Ruder.

Cox traf zu schnell im American Colony ein, als dass sie vor ihr die Zimmer hätten durchsuchen können. Weder in Aschdod noch Efrat konnten sie etwas ausrichten. Stattdessen hängte sich Cox wie eine Schmeißfliege an Adler. Sie warnten ihn, als er nach Nablus fuhr, »Du wirst observiert, dir bleiben allenfalls Minuten. Erledige die beiden und tauch unter!« – vergebens.

Ein Trost, dass ich wenigstens Benjamin warnen konnte.

Vor Ben-Tovs himmlischen Heerscharen.

Und dann lässt dieser Idiot die beiden

LAUFEN!

Nun, der Rabbi ist der Rabbi. Sein Wort ist Gesetz, aber das war weiß Gott keine Glanzleistung.

Denn noch ist die fünfte Kolonne nicht enttarnt.

Noch ist *meine* Tarnung wasserdicht.

Schmerzhaft, aber unumgänglich, Adler zu opfern, er war nicht länger zu halten. Die Verhörspezialisten hätten ihm nichts erspart. Jeder erreicht einen Punkt, an dem er sich arrangiert. Adler zu erschießen hat uns alle aus der Schusslinie genommen, auch mich.

Ich könnte also aufatmen, hätte mich nicht *möglicherweise* jemand in Nablus gesehen.

Möglicherweise wiedererkannt.

So viel Soll.

Und ein winziges bisschen Haben: Auf dem Flug nach Nablus saßen Agenten der fünften Kolonne mit in den Helikoptern. Und als der gute Ric vorschlug, jemanden vor Ort zu lassen, um diesen al-Sakakini zu observieren, richtete ich es so ein, dass die Wahl auf zwei *meiner* Leute fiel. Fortan behielten sie den Araber im Auge, und – Überraschung!

Hagen tauchte wieder auf.

Die Chancen standen nicht schlecht, dass er sie zu Yael führen würde, ihre Gebete fanden Gehör, in Bait Sahur übernahm Zvi –

Cox verdarb die Party.

Nicht mehr zu ändern, denkt Dreyfus.

Jetzt verderbe ich *euch* die Party.

Auf dem Tisch liegen die beiden Waffen. Zvis Pistole und die des Polizisten aus Mea Schearim.

Hagen schiebt die kleinere zu ihr rüber.

»Ich will so was nicht.«

»Nimm sie.«

»Nein.«

Er legt sie oben auf ihre geöffnete Reisetasche.

»Na schön.« Sie fischt eine blonde Kurzhaarperücke aus dem Fundus im Schrank und betrachtet sie wie ein absonderliches Tier. »Sollen wir so was wirklich anziehen?«

»Komm schon. Mut zur Hässlichkeit.«

Sie verzieht das Gesicht. Wurschtelt ihr Haar unter die Perücke, schiebt und zupft sie zurecht.

»Wie die hinterletzte Promenadenmischung.«

Kläfft in ihr Spiegelbild und muss lachen.

Es klingelt.

Sie starren sich an.

»Sollten wir abgeholt werden?«

»Nein. Das heißt –«

Wenn sich was ändert, wird Abu euch anrufen oder abholen.

Hagen geht zur Tür, betätigt die Gegensprechanlage. Im Fenster der Überwachungskamera wird ein Mann sichtbar. Der ausladende Schirm einer Baseballkappe verdeckt sein Gesicht.

»Ja?«

»Abu. Tom Hagen?«

»Ja.« Atmet auf.

»Es sind Schwierigkeiten aufgetreten. Nichts Ernstes. Das Boot legt wie vorgesehen ab, aber wir müssen kurz reden.«

»Okay.« Will den Türöffner drücken, fängt Yaels Blick auf. Drückt ihn nicht.

Es sind die Begleitumstände, die unsere Erinnerung konservieren. Der Mann vor dem Haus könnte Französisch sprechen, Bantu, Altgriechisch, sein einschmeichelnder Bariton wird für alle Zeit in ihr nachschwingen – Und plötzlich enthüllt sich ihr Déjà-vu, und sie weiß, wen sie in Nablus gesehen hat. Im Atrium, aus einem der Rundbögen heraus. Radikal verändert, Vollglatze, kein Schnurrbart mehr und keine Brille, aber eine Verwechslung ist unmöglich.

Was ihre Augen nicht zuordnen konnten, besorgt seine Stimme.

Sie schüttelt den Kopf, wedelt mit den Händen.

»Nicht aufmachen.«

Hagens Finger schwebt über dem Türöffner.

»Das ist nicht Abu«, flüstert sie. »Das ist Schimon.«

Ein Sekundenbruchteil des Schocks. Dann setzt sein Verstand die Information in Handlung um.

»Abu? Eine Minute. Wir sind noch – äh – unbekleidet.«

»Beeilen Sie sich«, sagt der Mann vor der Tür. »Ich hab nicht viel Zeit.«

»Natürlich.«

Drückt Yael den Rucksack in beide Hände, geht an ihr vorbei zur Balkontür. Schiebt sie auf und wirft einen Blick nach unten. Der Eingang liegt um die Ecke. Die Straße ist leer.

»Was hast du vor?«

»Zieh ihn über.«

Yael schlüpft in die Gurte, zurrt sie fest. Er nimmt die Waffe aus ihrer Tasche und hält sie ihr hin.

»Nein, ich –«

»Keine Diskussion.« Und weil sie immer noch nicht reagiert, steckt

943

er ihr das Ding kurzerhand in den Rucksack. »Sobald ich aufgedrückt habe, springst du. Zweieinhalb Meter, locker zu schaffen. Wir haben schon andere Kunststücke hingelegt. Lauf zur Marina.«

Ihre Augen weiten sich in plötzlichem Begreifen.

»Nein, Tom. Ich werde nicht ohne dich –«

»Yael!« Fasst sie bei den Schultern. »Er wusste, dass wir hier sind. Er weiß garantiert auch, wo das Boot liegt. Wir können nicht riskieren, dass er uns zur Marina folgt.«

»Aber –«

»Ich *muss* ihn aufhalten. Verschwinde.«

»Nein. Nein!« Sie klammert sich an ihn. »Bitte –«

Er löst sich von ihr. Es fällt unendlich schwer.

»In dem Rucksack ist deine Lebensversicherung. Mit den CDs kannst du den Schin Bet weichkochen.«

Yaels Augen füllen sich mit Tränen.

»Tom –«

»Ich komme nach.«

Schiebt sie hinaus auf den Balkon, läuft zurück zur Tür.

»Abu? Alles klar. Wollen Sie raufkommen?«

»Ja.«

»Okay. Ich lasse Sie rein.«

Yael schaut ihn an. Ihr Blick sagt alles, was bis jetzt ungesagt geblieben ist. Unten springt die Tür auf, er sieht den Mann aus dem Bild der Überwachungskamera verschwinden, hört seine Schritte im Flur.

Als er wieder zum Balkon blickt, ist Yael verschwunden.

Ohne Eile steigt Dreyfus die Stufen hinauf. Schon einmal hat er Yael aufgespürt, als er ihr die Stille E-Mail schickte und sie naiv genug war, sie zu öffnen. Dann funkte Cox dazwischen, aber Cox kann bis auf Weiteres niemandem mehr helfen.

Krankenhaus. Künstliches Koma.

Diesmal wird er es zu Ende bringen. Persönlich.

Die Treppe macht einen Knick, erster Stock, Türe steht offen.

Im Rahmen lehnt Hagen.

Dreyfus hält den Kopf gesenkt. Die Waffe steckt im Halfter unter der Jacke. Er will nicht riskieren, dass der Deutsche ihn zu genau ansieht und misstrauisch wird. Erst in die Wohnung gelangen.

Dann Tabula rasa.

»Kommen Sie rein, Abu.«

Hagen macht Platz.

»Tut mir leid wegen der Unannehmlichkeiten.« Dreyfus geht an ihm vorbei in den Wohnraum und schaut sich um. Sitzecke, Küchenzeile. Ein offener Durchgang führt ins Schlafzimmer.

Keine Yael.

Als Nächstes sieht er die offene Schiebetür zum Balkon.

Ein dunkler Verdacht steigt in ihm auf.

»Sie sind allein?«

Dreht sich um, die Hand schon auf dem Weg zum Pistolenhalfter, lässt sie verblüfft sinken.

Hagen hält eine Waffe auf ihn gerichtet.

»Sind Sie verrückt geworden?«, schnappt er. »Was soll das?«

»Ich denke, das werden *Sie* mir verraten – Schimon.«

Der andere versteinert.

Dann lacht er. Resignation und Anerkennung mischen sich darin, und noch etwas, eine unausgesprochene Bedrohung –

Unterschätz mich nicht!

»Die Dame ist über alle Berge, vermute ich.«

»Sie war nicht daran interessiert, alte Bekanntschaften aufzufrischen.«

»Was hat Sie Ihnen erzählt?«

»Alles.«

»Und Sie glauben Ihr natürlich.« Wieder lacht er. »Kommen Sie zur Vernunft, Hagen! Yael ist eine notorische Lüg –«

»Sparen Sie sich den Atem.«

Schimon, oder wie immer er heißt, breitet in einer fatalistischen Geste die Arme aus.

»Schön. Sie ist keine Lügnerin. Wie geht's jetzt weiter?«

»Woher wussten Sie, dass wir hier sind?«

»Ihr Freund Mansour –«

»Niemals!«, entfährt es Hagen.

»Seien Sie nicht zu streng mit ihm«, sagt Schimon sanft. »Leute werden gesprächig, wenn man ihren Kindern eine Waffe an die Stirn hält.«

Hagen durchläuft es eiskalt.

»Sie Dreckskerl. Was haben Sie mit seiner Familie –«

»Nichts.« Hebt beruhigend die Hände. »Sie sind in der Gewalt meiner Männer. Bis ich das Zeichen zum Abbruch gebe.«

»Dann *geben* Sie es!«

»Erst lassen Sie mich mit Yael –«

Hagen feuert dicht vor ihn in den Boden. Schimon springt zurück, starrt verdattert auf das Loch im Teppich. Als er wieder aufschaut, hat seine Selbstsicherheit deutliche Risse bekommen.

»Pfeifen Sie Ihre Leute zurück, Schimon. Sagen Sie ihnen, in spätestens zwei Minuten erwarte ich Mansours Anruf auf meinem Handy. Ich will ihn sagen hören, ja, sie sind weg, sie sind am anderen Ende der Stadt, alles gut bei uns, alles wohlauf.«

Wo liegt überhaupt sein Handy?

Auf dem Küchenblock. In Griffweite.

»Verstreicht die Zeit, ohne dass er anruft, erschieße ich Sie.«

»Sie sind kein Mörder, Tom.«

»Doch. Und ich werd immer besser darin, also los.«

Hört seine Stimme. Kalt, ruhig.

Genauso fühlt er sich.

Kalt, ruhig.

»Sehe ich was anderes als ein Telefon, sind Sie sofort tot.«

Schimon funkelt ihn unter gesenkten Brauen an. Betont langsam, mit spitzen Fingern, holt er ein Handy hervor.

»Mit Ihrer Genehmigung –«

»Bitte.«

Telefoniert.

Sagt, was er sagen soll.

Lässt das Telefon sinken.

»Sie erbärmlicher Wicht. Sie werden niemals begreifen, um welch einmalige Chance Sie die Menschheit gebracht haben. Sie in ihrer beschissenen kleinen Welt.«

Hagen antwortet nicht. Behält ihn im Auge. Zählt innerlich, während er zum Küchenblock geht. Wagt nicht, auf die Armbanduhr zu sehen.

– 57 – 58 – 59 – 60 –

Eine Minute rum. Zählt weiter.

– 17 – 18 – 19 –

Das Handy vibriert auf dem Tresen.

Nimmt es mit der Linken, drückt auf Empfang.

»Mansour?«

»Tom!« Die Stimme des Arabers, in heller Aufregung. »Sie sind weg. Sie sind weg! Oh Gott, es tut mir so leid, aber wie hätte ich –«

»Alles okay, Mansour, Alles in Ord –«

Ist es nicht.

Schimon hat unversehens ausgeholt, schleudert ihm sein Mobiltelefon entgegen. Noch während Hagen sich wegduckt, sieht er den anderen in einer blitzschnellen Drehung die Waffe aus dem Halfter reißen und auf ihn anlegen, zieht reflexartig den Abzug durch –

Es knallt einmal.

High Noon, denkt er. Das war ja wie im Western.

Fragt sich, warum Schimon keinen zweiten Versuch unternimmt, ihn zu töten. Mit gesenkter Pistole steht er da, während ein Lächeln auf seine Züge tritt und sich langsam verbreitert.

Mit ihm verbreitert sich der rote Fleck auf seiner Brust.

Dann fällt er.

Fällt wie ein Stock, den man losgelassen hat, schlägt auf und ist Geschichte.

»Tom?«, quäkt Mansours Stimme.

Hagen glotzt auf die Leiche herab, Leere im Kopf.

»Tom, was war das? Um Himmels willen! Tom –«

Das Handy. Er hält es immer noch fest umfasst, er muss Mansour sagen –

Macht einen Schritt nach vorn.

Sitzt.

Schaut verdattert an sich herab. Warum sitzt er? Was ist los?

Sein Bauch ist voller Blut.

(Na, so was.)

(Würde der Dreckskerl noch leben, wir könnten die Weltmeisterschaft im Synchronschießen ins Leben rufen.)

»Tom! Tom!«

Sein Bewusstsein schwindet. Er kippt auf die Seite.

Epilog

Tel Aviv, 11. November

Zwei Komapatienten kennt Ricardo Perlman persönlich. Mit dem einen hat er zuletzt vor sechs Jahren gesprochen, während einer Sicherheitskonferenz.

Seitdem schläft Scharon offenen Auges.

Mit der anderen hofft er bald wieder sprechen zu können.

»Wie sieht's aus?«, fragt er den Chefarzt.

»Im Moment ist sie stabil.«

Kommt es ihm nur so vor, oder legt der Mann eine Zuversicht in seine Stimme, die seine Augen nicht ausstrahlen?

»Und wann wird sie aus dem Koma –«

»Es ist ja kein richtiges Koma.«

»Ja, natürlich.« Wie dumm. Haben sie ihm schon zweimal erklärt. Der Begriff Koma ist inkorrekt, sie liegt in künstlichem Tiefschlaf.

»Wir haben das Aufwachen eingeleitet. Die nächsten Stunden werden entscheiden.«

»Worüber?«

Der Arzt zögert. »Wenn sie aufwacht, ist alles in Ordnung.«

»Kann ich zu ihr?«

»Sicher.«

Das Zimmer hat ein großes Fenster, man sieht einen Streifen Himmel, Baumwipfel und die Dächer der benachbarten Klinikgebäude. Ein schönes Zimmer. So schön Krankenzimmer halt sein können. Um das Bett herum stapeln sich Apparate und Monitore, es summt und piept, Schläuche winden sich aus Messgeräten zu dem großen, reglosen Körper. Eine Schwester blickt auf, lächelt und geht hinaus.

Perlman zieht einen Stuhl heran und setzt sich.

Stichwunde im Unterleib.

Schädelfraktur.

Der Handgelenksbruch fällt da kaum noch ins Gewicht.

Immerhin keine Verbrennungen. Der Feuerwalze ist Cox um Haaresbreite entronnen.

Er blickt in ihr schlafendes Gesicht.

Vielleicht liegt es an den Bandagen, die den martialischen Kurzhaarschnitt verdecken, aber die Frau dort sieht jünger und weicher aus, als er sie in Erinnerung hat, obwohl er sie schon so lange kennt. Hätte man ihn vor einer Stunde gebeten, sie zu beschreiben, es wäre ihm leichtgefallen.

Er hätte eine Agentin beschrieben.

Jetzt sieht er jemand ganz anderen.

Unschuldig.

Schutzbedürftig.

Er sieht wieder das Mädchen, dem er vor elf Jahren eine Familie versprochen hat.

Habe ich mein Versprechen gehalten, Shana?

Wir sind eine Familie, ja. Um den Preis, dass wir uns außerhalb der Gesellschaft stellen, der wir dienen. Weil wir eine gefährliche Macht in Händen halten. Die Macht, Menschen per Knopfdruck zu töten. Recht und Gesetz durchzusetzen, indem wir es brechen. Jeder von uns blickt auf eine Karriere des Tötens zurück, und mancher legt Wert darauf, sich seiner Toten zu erinnern. Er kann sie aufzählen, in der Reihenfolge ihres Ablebens, jedem Einzelnen seine Geschichte zuordnen. Es ist der Versuch, nicht die Kontrolle zu verlieren, da du auf einen Schlag Dutzenden das Leben nehmen kannst, ein Sichanstemmen gegen die Banalisierung des Mordens, gegen die pauschale Rechtfertigung.

Dagegen, dass es zum Selbstläufer wird.

Ist das nicht eigenartig?

Früher dachte ich, es müsse schier unmenschliche Überwindung kosten, jemanden zu töten.

Doch es ist gar nicht so schwer, damit anzufangen.

Es ist schwer, aufzuhören.

Und selbst dann bleibst du für den Rest deines Lebens ein Killer.

Es gibt eine Zeit vor dem Töten. Keine danach.

Meine Toten, Shana? Ich sehe nur Schemen. Gesichtslos. Vielleicht besser, sie herbeizitieren zu können, ich will darüber nicht urteilen. Ich wollte nur nie der Versuchung anheimfallen, eine Rechnung aufzumachen: Wie viele Tote – aufgerechnet gegen das Gute, das ich bewirke oder zu bewirken glaube – sind vertretbar? Denn die Wahrheit ist: kein einziger. So gesehen spielt die Anzahl schon fast keine Rolle. Was unsere Psyche deformiert, ist, dass wir uns von Mal zu Mal weniger fragen, wo das alles hinläuft. Was wir damit erreichen. Stünde am Ende all der Entgrenzungen Frieden, echter, dauerhafter Frieden, ich würde keine Sekunde mit meinen Toten hadern. Die Zeit wird über mich hinweggehen, ich werde meine Zähne verlieren, meine Haare, meine Sehkraft – wenigstens meine Überzeugung möchte ich behalten, dass man Menschen wie uns eines Tages nicht mehr braucht, dass es das alles *wert* war.

Dass wir den Krieg gewinnen.

Und tatsächlich gewinnen wir jede Schlacht.

Aber den Krieg verlieren wir.

Die Apparate sondern ihr gleichmäßiges Piepen ab.

Perlman seufzt.

Eine eigenartige Atmosphäre herrscht in dem Zimmer, wie der Zeit enthoben, und er denkt an vergangenes Jahr. An eine Geschichte, die ihm Awi Ajalon erzählt hat, Exdirektor des Schin Bet, als während der Zweiten Intifada ein palästinensischer Freund zu ihm kam, ein studierter Psychologe:

»Siehst du, Awi, nun haben wir euch endlich besiegt.«

»Besiegt? Spinnst du? Ihr habt Hunderte Tote zu beklagen. Und es werden Tausende, wenn ihr so weitermacht! Ihr zerstört euren Traum vom eigenen Staat.«

»Nein, Awi. Ihr versteht uns immer noch nicht. Über 50 Jahre nach Ausrufung eurer Unabhängigkeit haben wir nun ein Gleichgewicht der Kräfte erreicht. Eure F-16 gegen unsere Selbstmordattentäter. Ein Sieg ist für uns zu sehen, dass ihr leidet. Mehr wollen wir gar nicht. Wenn *wir* leiden – dann leidet auch *ihr*.«

Und das war es. Das war schon die ganze Wahrheit. Längst ging es nicht mehr um Sieg oder Niederlage, nur um Schmerz und Vergeltung. Wie oft haben wir zugeschlagen, weil man uns wehgetan hat, weil wir Rache wollten?

Und auf Rache folgt Rache.

Mission impossible.

Wir haben zugelassen, dass sich die Gewaltspirale schneller und schneller drehte im Glauben, sie dadurch anhalten zu können. Dass sie uns in Ruhe lassen würden, sobald ein gewisser Punkt der Abschreckung erreicht wäre, und vielleicht, bei aller Paradoxie, funktioniert das ja sogar –

Aber um welchen Preis?

Wofür kämpfen wir, Shana? Dafür, auf ewig im Zustand der Abschreckung zu verharren, derart geängstigt von Verrat, Vertrauensbruch, einer weiteren Shoa, dass wir den Frieden nicht *wagen*? Was haben wir denn erreicht für Israels Sicherheit? Wurde die Hamas gemäßigter, nachdem wir ihre Köpfe getötet hatten? Schwor die Hisbollah dem Terror ab nach der Eliminierung ihrer Anführer? Im Iran haben wir einen neuen Erzfeind ausgemacht, Wahlpropaganda für die Hardliner. Bravo! Keinen Millimeter zu weichen, lautet jetzt die Prämisse, keine Zugeständnisse. Und dabei haben wir völlig den Anfang allen Leidens verdrängt – als aus einer Volksarmee, um Menschen zu schützen, eine Besatzungsarmee wurde, grausam, verroht und abgestumpft. Haben vor lauter Kraftproben verlernt, miteinander zu reden. Stattdessen lassen sich unsere Politiker zum willfährigen Instrument religiöser Fanatiker machen, die in *ihrer* Angst vor dem Frieden noch die letzte Grenze überschreiten.

Wir sehen unsere Gesellschaft zerbrechen.

Nicht an der Bedrohung von außen.

Wir sind grausam gegen uns selbst geworden, Shana. Wir nehmen Schaden an unserer Seele.

Der Tempelberganschlag ist gescheitert. Doch selbst wenn es gelingt, die Anstifter dingfest zu machen – was spielt es für eine Rolle, solange wir nicht den Geist von '67 zurück in die Flasche zwingen? Seit wir beschlossen haben, über andere zu herrschen, wuchert ein Krebsgeschwür in uns, und was immer wir dagegen unternehmen, führt lediglich dazu, dass es überall Metastasen bildet. Wir sind Weltmeister in der Bekämpfung von Symptomen, aber wir versagen an den Ursachen.

Willkommen in der Paranoia.

Ein Volk, das sich im Bemühen, jeden potenziellen Feind zu überwachen, selbst überwacht, so wie es Jeschajahu Leibowitz, einer unserer großen Philosophen, vorausgesagt hat:

Ein Staat, der über eine feindliche Bevölkerung mit Millionen Fremden herrscht, wird notgedrungen zu einem Geheimdienststaat. Mit allen Folgen für die Erziehung, die Rede- und Meinungsfreiheit und die Demokratie. Die für jedes Kolonialsystem typische Korruption wird auch Israel erreichen. Die Verwaltung wird arabische Aufstandsbewegungen unterdrücken und sich arabische Günstlinge und Verräter heranziehen.

Und zuletzt wird der Staat die Gewalt gegen sich selbst lenken.

Wird es wieder ein Attentat geben?

Wenn wir beschließen, die Westbank zu räumen? Wird nach Rabin, nach Scharon wieder eine Hoffnung zerstört?

Cox atmet ruhig und gleichmäßig.

Du hast uns vor der Katastrophe gerettet, denkt Perlman.

Für den Moment.

Er nimmt ihre unbandagierte Hand in seine, behutsam, als könne sie zerbrechen. Hält sie eine Weile.

Steht auf. Zögert.

Beugt sich vor und küsst sie sacht auf die Stirn.

»Bis morgen, Shana.«

Geht.

Als er die Hand schon auf der Türklinke hat, hört er hinter sich ein leises *»Fuck«*.

Und seine Trübsal zersetzt sich wie Nebel im Sonnenlicht. Er dreht sich um, geht zurück an ihr Bett.

Fast tanzt er.

Fährt zurück ins Büro und hört sich beim Singen zu.

Was für ein schrecklicher Sänger er ist!

Er singt noch viel schrecklicher, als er pfeift, aber in seinem Wagen, solange niemand Maßstäbe anlegt, ist er der gottverdammte

PAVAROTTI!

Im Konferenzraum warten die Analysten mit neuesten Fakten zum Tempelberganschlag.

Ernüchternd wäre geschmeichelt.

Absalon Kahn behauptet, zu keiner Zeit Codes weitergegeben zu haben, und beschäftigt drei Anwälte. Deren Wirken zielt darauf ab, weder ihn noch seinen Vater in den Schatten eines Verdachts zu stellen. Und tatsächlich haben sie gegen den alten Rabbi nicht das Mindeste in der Hand. Gegen niemanden, um genau zu sein. Absalons Sohn und zwei nicht identifizierte Männer, die Einzigen, die Aufschluss über die Drahtzieher hätten geben können, sind im Inferno von Tel Tzafid umgekommen. Ein trauernder Absalon will nicht ausschließen, Daniel sei in falsche Kreise geraten, eine Farce, das Ganze.

Und Dreyfus ist tot.

Rätselhaft.

Hat am Abend der Drohnenjagd einen Hubschrauber geordert, ist nach Eilat geflogen, in einen Mietwagen gestiegen und verloren gegangen. Zwei Tage kostete es, das Fahrzeug ausfindig zu machen, in einer Ferienhaussiedlung namens Amdar Village.

Dort stand es verlassen vor einem ziselierten Häuschen.

Im Haus fanden sie alles Übrige.

Die Mieter? Lauf ins Leere. Verschlungene Wege, an deren Ende niemand in Erscheinung tritt.

Perlman lässt sich nicht entmutigen.

Kaum dass er hinterm Schreibtisch sitzt, wird ein Gespräch zu ihm durchgestellt.

»Eigentlich für Shana«, sagt die Zentrale.

Eigentlich für Shana heißt, für ihn. So haben sie es vereinbart, bis Cox wieder persönlich ins Telefon fluchen kann.

»Wer ist dran?«

»Sie hat ihren Namen nicht genannt.«

»Fragen tut Wunder.«

»Toller Beitrag, Ric. Sie meinte, Sie würden auf alle Fälle mit ihr sprechen wollen. – *Jeder* beim Schin Bet würde mit ihr sprechen wollen.«

Aha, denkt er.

Dann ist es entweder Bar Refaeli, oder –

Es ist Oder.

»Das ist ja eine Überraschung.« Beinahe verschlägt es ihm die Sprache. »Was kann ich für Sie tun? Oder wollen wir darüber reden, was Sie für uns tun können?«

Schickt einen Kurzbefehl an die Zentrale, die Anruferin zu orten.

»Sie können zuhören.«

Ihre Stimme klingt, als säße sie im Nebenraum, aber er weiß, das täuscht. Sie kann ebenso gut in Timbuktu sein.

»Freut mich, dass Sie leben, Yael.«

»Mich auch. Vor mir liegen zwei CDs. Was drauf ist, muss ich Ihnen nicht auseinanderlegen.«

»Und was haben Sie damit vor?«

»Was sind sie Ihnen denn wert?«

Die Zentrale schickt eine Kurznachricht zurück: *Nicht zu orten.*

Hätte mich auch gewundert, denkt er.

»Gegenfrage, was ist Ihnen die Sicherheit Ihres Landes wert?«

»Wie wär's mit Sicherheit gegen Sicherheit?«

»Genauer, bitte.«

»Möglichkeit eins: Die Daten erblicken das Licht der Welt. Jedes einzelne Bit und Byte.«

»So weit würden Sie gehen?«

»So weit würde es kommen, sollten Sie falschspielen.«

»Weiter.«

»Möglichkeit zwei ist eine Kronzeugenregelung, an deren Ende ein halbes Dutzend Drecksäcke bekommen, was sie verdienen. Und dafür alle Ermittlungen gegen eine andere Person eingestellt werden.«

»Die andere Person sind Sie?«

»Ich sehe, wir verstehen einander.« Kahn macht eine Pause. »Außerdem erhalten Sie Aufschluss, welche Rolle Schimon Bug beim Anschlag auf Scharon gespielt hat.«

Perlman runzelt die Brauen. »Schimon Bug?«

»Verstorben in Eilat.«

»Was? Moment!« Perlman springt auf. »Der Tote im Ferienhaus von Amdar Village?«

»Ah. Sie waren dort.«

»Was wissen Sie über –«

»Schön die Reihenfolge einhalten. Ich will mein Leben zurück, klar? Mit allem Drum und Dran.«

»Yael –«

»*Danach* reden wir weiter.«

Er fährt sich durchs Haar. Lehnt sich gegen die Schreibtischkante, stößt sich wieder ab.

»Erlauben Sie *eine* Frage.«

»Sofern ich sie beantworten kann.«

»Haben Sie Scharon krank gemacht?«

Sie schweigt eine Weile. Dann sagt sie:

»Es gibt dazu eine Geschichte, Ricardo. Am Ende werden Sie wissen, was damals geschah. Innerhalb der Geschichte müssen Sie Unschärfen in Kauf nehmen. Multiple Entwicklungen. Kennt man aus der Physik. Demnach könnte ich ihm falsche Medikamente verabreicht haben. Ebenso könnte ich die Leute, die mich instrumentalisieren wollten, getäuscht und es nicht getan haben. In einer dritten Variante habe ich zuerst versucht, ihn zu töten, dann, ihn zu retten.«

»Und was trifft zu?«

»Was Ihnen am sympathischsten ist.«

Klar, denkt er. Niemand außer dir kennt die Wahrheit. Und nichts von alledem wird je überprüfbar sein.

»Straffreiheit, sagten Sie?«

»Schönes Wort.«

»Und dafür bekommen wir die CDs zurück.«

»Dafür bekommen Sie die Zusage, dass keine Daten eins zu eins *veröffentlicht* werden.«

»Ich kann das nicht alleine entscheiden, Yael. Aber sagen wir so – ich sehe gewisse Möglichkeiten.«

»Gut. Machen Sie mir ein Angebot.«

»Wie kann ich Sie erreichen?«

»Ich erreiche *Sie*. Womit wir bei Punkt zwei wären –«

»Ach, wir sind noch nicht fertig?«

»Nein. Über die ganze Geschichte wird ein Buch erscheinen. Tempelberganschlag, Doppelagenten im Schin Bet, mit einem Extrakapitel über Scharon –«

Perlman reibt sich die Augen. »Muss das sein?«

»Nicht meine Entscheidung.«

»Kommen Sie, Yael! Vorhin haben Sie mir eine Alternative angeboten, es gibt doch auch jetzt eine. Oder?«

»Natürlich.«

»Und die wäre.«

»Tja.« Sie lässt eine Pause verstreichen. »Machen Sie *ihm* ein Angebot.«

Irgendwo auf der Welt

reicht sie das Telefon an ihn weiter.

»Für dich.«

Hagen beugt sich vor. Verzieht das Gesicht. Sein Bauch schmerzt. Erstaunlicherweise jetzt mehr als vor drei Tagen, aber Yael sagt, so ist das mit Heilungsprozessen.

Nichts heilt ohne Schmerzen.

Mansours Stimme hat ihn in die Wirklichkeit zurückgeholt, als er in Amdar Village ohnmächtig am Boden lag. Unermüdlich sonderte das Handy sein aufgeregtes »Tom, Tom!« ab, bis er es schaffte, danach zu greifen und hineinzuflüstern.

Mansour alarmierte Abu.

Abu und Yael kamen mit dem Wagen und holten ihn. Als das Boot ablegte, leistete sie schon Erste Hilfe.

Bauchschuss. Knapp an allen Organen vorbei.

Immer gut, mit einer Ärztin zu reisen.

Sie setzt sich ihm gegenüber.

Lächelt, und ein angenehmeres Gefühl durchzieht seinen Bauch und nimmt dem Schmerz seine Schärfe.

Glossar

ANO
Abu Nidal Organization. Terrororganisation unter Führung Abu Nidals, die sich Mitte der Siebziger von der PLO abspaltete.

AVO
Air Vehicle Operator, Luftfahrzeugführer. Mitglied der Besatzung unbemannter Luftfahrzeuge (UAVs, Drohnen), operiert vom Boden aus. Der AVO steuert die Drohne, sozusagen der Pilot.

Clexane
Mittel zur Blutverdünnung.

Eretz Israel
Verheißenes Land Israel, bezogen auf die Landversprechungen Gottes an Abraham im 1. Buch Mose. Nationalreligiöse Siedler streben ein Großisrael in diesen (biblischen) Grenzen an.

Falangisten
Auch Falange (nicht zu verwechseln mit der Falange Española), auch *Forces Libanaises* (FL). Christliche Miliz im Libanon unter Führung Bachir Gemayels. 1982 verbündeten sich die Falangisten mit Israel, um muslimische Widerstandsgruppen im Libanon zu bekämpfen.

Fatah
Palästinensische Partei, bis 2004 unter Vorsitz von Jassir Arafat, jetzt unter Mahmud Abbas (Abu Mazen). Stärkste Fraktion der PLO. Ursprünglich der »kompletten Befreiung Palästinas« verpflichtet, erkannte die Fatah (und damit die PLO) 1993 das Existenzrecht Israels an.

Gadna
Militärisches Programm, um Jugendliche auf ihren Dienst in Zahal (früher, vor der Staatsgründung, in der Hagana) vorzubereiten.

Grüne Linie
Israels Grenzen nach dem Unabhängigkeitskrieg, 1949 mit grüner Tinte auf eine Landkarte gemalt. Heute markiert die Grüne Linie den Grenzverlauf zwischen dem israelischen Kernland und den im Sechstagekrieg besetzten Gebieten.

Gusch Emunim
»Block der Getreuen«, nach 1967 entstandene, außerparlamentarische Vereinigung nationalreligiöser Siedler. Ziel Gusch Emunims ist die Besiedlung Eretz Israels als Teil eines Erlösungsprozesses, an dessen Ende der Messias erscheinen, die Welt neu ordnen und das biblische Israel wiedererrichten wird. Gusch Eminum propagiert die Heiligkeit des Landes, was die Rückgabe besetzter Gebiete kategorisch ausschließt. Ende der Siebziger formierten sich einzelne Mitglieder von Gusch Emunim zu einer Terrororganisation, die als Jüdischer Untergrund bekannt wurde. Die große Mehrheit Gusch Emunims ist zwar ideologisch motiviert, verfolgt ihre Ziele jedoch mit friedlichen Mitteln.

Haaretz
Große israelische Tageszeitung. Liberal mit linken Tendenzen. Inhaltlich auf höchstem journalistischen Niveau.

Hagana
Jüdische Untergrundarmee im Palästina der britischen Mandatszeit. Die Hagana und andere paramilitärische Gruppierungen wurden bei Gründung des Staates Israel in die Zahal, die israelischen Streitkräfte, überführt.

Hamas
Palästinensische Partei, sunnitisch-islamistisch, 1987 aus der Muslimbruderschaft hervorgegangen. Im Gegensatz zur Fatah (PLO) erkennt die Hamas Israels Existenzrecht nicht an und bekämpft Israel auch unter Einsatz terroristischer Mittel. Seit 2006 herrscht die Hamas alleinig über den Gazastreifen.

Hisbollah
Schiitische Partei unter geistlicher Führung mit enger Verbindung zum Iran. Teil der libanesischen Regierung. Entstanden 1982 als Reaktion auf den israelischen Einmarsch im Libanon. Generalsekretär und Kommandeur des militärischen Arms der Hisbollah ist Hassan Nasrallah. Hisbollah lehnt das Existenzrecht Israels ab.

IED
Improvised Explosive Device. Sprengfalle. Von Experten oder Laien hergestellte Sprengvorrichtungen, sowohl ferngesteuert als auch für Selbstmordanschläge.

Irgun
(auch Etzel), nationalistische jüdische Terrororganisation im Palästina der britischen Mandatszeit, Abspaltung von der Hagana. Irgun verübte sowohl Anschläge auf Araber als auch auf Einrichtungen der britischen Mandatsmacht.

ISAF
International Security Assistance Force. Internationale Schutz- und Aufbautruppe für Afghanistan unter Führung der NATO. Die ISAF trat ihre Mission nach dem Afghanistankrieg 2001 an und gab ihr Mandat im Sommer 2013 zurück.

Jischuw
Gesamtheit der jüdischen Bevölkerung Palästinas vor Gründung des Staates Israels.

Lechi
Terroristische jüdische Untergrundorganisation während der Zeit des britischen Mandats in Palästina, Abspaltung von Irgun. Nach ihrem Gründer Avraham Stern auch als Stern-Gang bezeichnet. Lechi verübte Anschläge gegen die britische Mandatsregierung, auch gegen Araber.

Mossad
Israelischer Auslandsgeheimdienst.

NGO
Non-Governmental Organization, Nichtregierungsorganisation. Zivil geführter Interessenverband, national und/oder international. Beispiele: WWF, Amnesty international, Brot für die Welt, Greenpeace.

PA
Palästinensische Autonomiebehörde. Entstanden im Zuge der Oslo-Friedensverträge. Die PA fungiert als Quasiregierung in sogenannten A-Gebieten (Territorien unter palästinensischer Autonomie). Dazu gehören Teile des Westjordanlands sowie der Gazastreifen.

Palmach
Eliteeinrichtung der Hagana zur Ausbildung von Jugendlichen und militärischen Führungskräften.

PLO
Palestine Liberation Organization, Palästinensische Befreiungsorganisation. Dachorganisation verschiedener palästinensisch-nationalistischer Fraktionen, gegründet 1964 auf Betreiben des damaligen ägyptischen Staatspräsidenten Gamal Abdel Nasser. Den Vorsitz leitete Jassir Arafat bis zu seinem Tod 2004, seitdem Mahmud Abbas (Abu Mazen). Stärkste Fraktion der PLO ist die Fatah.

PO
Payload Operator, Nutzlastbediener. Mitglied der Besatzung unbemannter Luftfahrzeuge (UAVs, Drohnen), operiert vom Boden aus. Der PO bedient Kameras und Waffensysteme der Drohne.

Quetta Shura
Militante Organisation afghanischer Taliban mit Hauptsitz im pakistanischen Quetta. Die Quetta Shura formierte sich aus ehemaligen Mitgliedern der 2001 gestürzten afghanischen Taliban-Regierung.

Rakas
w. Rakeset, *pl.* Rakasim, Führungsoffizier(in) im Schin Bet. Rakasim bilden die Schnittstelle zwischen den im Feld agierenden Agenten und der obersten Administration.

RPG
Rutschnoi Protiwotankowy Granatomjot. Tragbarer, von Hand bedienbarer Granatwerfer aus russischer Produktion.

Samael
Erzengel im Juden- und Christentum, Initiator des Aufstands der Engel gegen Gott, Dämonenführer, Anführer der Teufel und Todesengel. Im Buch nennen Mitarbeiter des Schin Bet den neu gruppierten Jüdischen Untergrund gelegentlich Samael.

Schin Bet
Auch Schabak, israelischer Inlandsgeheimdienst.

SELA
Im Rahmen des israelischen Rückzugs aus Gaza und Teilen Nordsamarias eingerichtete Behörde, um Siedler zu entschädigen und ihnen neuen Wohnraum zu verschaffen.

Thora
Erster Teil der hebräischen Bibel, des Tanach. Auch Pentateuch oder Die fünf Bücher Mose genannt.

UAV
Unmanned Aerial Vehicle, unbemanntes Luftfahrzeug, meist zum Zweck militärischer Operationen. Im Deutschen wird der Begriff Drohne verwendet. Die Steuerung erfolgt von einem Kontrollraum am Boden aus.

Zahal
Israelische Streitkräfte (engl. IDF, *Israel Defense Forces*). 1948, bei Gründung

des Staates Israel, wurden alle bis dahin existierenden, teils rivalisierenden jüdischen paramilitärischen Organisationen (Hagana, Palmach, Irgun, Lechi) in die Zahal überführt.

ZPS
Zionist Protection Services, fiktives Personenschutzunternehmen mit Sitz in Jerusalem.

Dank

Breaking News, Eil-, Sonder- und Topmeldungen, Nachrichten also von höchster Aktualität und Dringlichkeit, wären ohne Experten, Szenekenner und Rechercheure vor Ort undenkbar. Im Buch nehmen es die Protagonisten mit der Wahrheit nicht so genau. Oder sagen wir, ihre verschiedenen Auslegungen der Wahrheit erschaffen eine immer neue Wirklichkeit, die durchweg in verfahrene Situationen mündet. Idealer Thriller-Stoff, nur dass man als Autor enorm sattelfest sein muss, um nicht selbst in eine verfahrene Situation zu geraten – die Gemengelage im Nahen Osten ist so ziemlich das Komplizierteste, über das ich je geschrieben habe! Entsprechend intensiv habe ich mich mit der Region auseinandergesetzt, dankbar um jeden Experten und Szenekenner. Bücher, Artikel, Essays, Dokumentationen und Filme waren eine große Hilfe, doch wirklich möglich wurde *Breaking News* erst durch jenen unschätzbaren Input, den einer der besten Popsongs zu Recht in höchsten Tönen preist.

With a little help from my friends:

Helge Malchow
Verleger, Kiepenheuer & Witsch, Köln, hat mich in den vergangenen zwei Jahren als Sparringspartner und Mitreisender in den Nahen Osten begleitet und *kein* Abenteuer gescheut. Ich sag' nur: Sesam öffne dich …

Julian Reichelt
Buchautor und BILD-Chefreporter, Hamburg, einer der jüngsten und versiertesten Kriegs- und Krisenberichterstatter Deutschlands, hat Tom Hagen das journalistische Rüstzeug verpasst.

Robbi Waks
Historiker, Tel Aviv, ist nicht nur der profundeste Israel-Kenner, den man sich wünschen kann, sondern zugleich der amüsanteste, herzlichste und hilfsbereiteste Guide, der mir je ein Land nahegebracht hat.

Dror Moreh
Regisseur und Filmproduzent, Tel Aviv, war 2013 mit seiner Dokumentation *Töte zuerst* über den israelischen Inlandsgeheimdienst Schin Bet für den Oscar nominiert und sozusagen mein 007 vor Ort.

Abe Reichmann
Rabbi, Efrat im Westjordanland, und seine Frau Libby haben mir als wunderbare Gastgeber das Leben in einer Siedlung nahegebracht und außerdem – danke, Abe! – die köstliche Erfahrung traditionellen jüdischen Gebäcks.

Ghazi Abu Charma
Sesam-Importeur, Nablus im Westjordanland, verdanke ich spannende Eindrücke aus Nablus und Ramallah und Wissenswertes über deutschen Fußball, Ghazis Frau Docha das beste Hähnchen des ganzen Nahen Ostens.

Peter Nasse
Geschäftsführender Gesellschafter Security Management Services SMS, Köln, beschützt Menschen auf vielerlei Weise. Mich hat er davor geschützt, dummes Zeug über Waffen und Geiselbefreiungen zu schreiben.

Professor Dr. med. Dr. h. c. Dipl.-Psych. Werner Hacke
Leiter der Neurologischen Klinik der Universität Heidelberg, verdanke ich mein Wissen über Komapatienten, und warum es nicht immer von Vorteil ist, als VIP auf einem OP-Tisch zu landen.

Prof. Dr. Dirk Kügler
Leiter des DLR-Instituts für Flugführung, Braunschweig, und
Dr. Dirk-Roger Schmitt
Business Manager, DLR-Institut für Flugführung, Braunschweig, haben mein Szenario eines Drohnenangriffs kritisch unter die Lupe genommen – und flugtauglich gemacht.

Dr. Akram Daoud
Dekan für Rechtswissenschaften der An-Najah-Nationaluniversität, Nablus im Westjordanland, und
Ayman An-Nimer
Direktor des Media Centers der An-Najah-Nationaluniversität, Nablus im Westjordanland,
nahmen sich Zeit, mich durch eine der interessantesten Bildungseinrichtungen des Nahen Ostens zu führen.

Rolf Tophoven
Terrorismusexperte und Leiter des Instituts für Krisenprävention, Essen, weiß so manches über Geheimdienste – und hat freundlicherweise kein Geheimnis daraus gemacht.

Jochen Haas
Computerexperte, Simply Net, Köln, hat einmal mehr mein Wissen über Netztechnologie erweitert – wie immer simply nett!

Dr. med. Claudia Dambowy
Fachärztin für Allgemein- und Sportmedizin, Köln, hat als helfender Engel
die finstersten Übeltaten ermöglicht – natürlich nur im Buch.

Uwe Steen
Polizei Köln, Öffentlichkeitsarbeit, hat meine Guten und Bösen in die Lage
versetzt, einander abzuhören – und das ganz ohne NSA.

Wahida Hammond
Skywalker, Köln, weiß auf die Frage *Why* immer eine Antwort. Kuss!

Nadja Maher
Gastronomin, WIPPN'BK, Köln, hat mit Rat und Tat und unübertroffener
Liebenswürdigkeit mein Afghanistankapitel bereichert.

Jürgen Muthmann
Lebenskünstler, wie er im Buche steht, ist immer ein Garant für nützliche
Tipps, weshalb er im Buche steht.

Paul Schmitz
Fotograf, Köln, hat einer Geschichte voller Licht und Schatten das kongeniale
Autorenfoto entgegengesetzt. Quak.

Und dann wäre da noch:
Mein extrem charismatischer konspirativer Informant,
der diese Worte zu lesen weiß.

Persönliche Kontakte waren bei der Recherche zu *Breaking News* das A und
O. Darum ein besonderer Dank an die Kontaktvermittler Reinhold Beck-
mann (mit dem ich wie mit keinem Zweiten über Musik fachsimpeln kann)
und Olaf Köhne (den wir damit schon mal in den Wahnsinn getrieben haben),
an Andreas Schütz vom DLR für den Kontakt nach Hannover, an Peter Arens
für Journalistenkontakte und an Bodo Hombach.

Dem Team vom WIPPN'BK in der Kölner Südstadt danke ich fürs Verwöh-
nen, Jürgen Kramp für Gelassenheit, allen, die mich 2013 zeitweise verschollen wähnten, für Nachsicht und Geduld, und der Supertruppe von Kiepenheuer & Witsch für ihren unermüdlichen Einsatz.

Auch diesmal würde die Auflistung aller Bücher, Artikel und Filme, die ich
während der Recherche zu *Breaking News* gelesen und gesehen habe, den
Rahmen sprengen. Umso herzlicher danke ich den Autoren, Journalisten und
Regisseuren. Nicht zu vergessen Galina Dursthoff, dank derer ich jetzt auf
Russisch sagen kann: »Komm bloß nicht näher!«

Ein Extradank gebührt Maren Steingroß für ihre große Tatkraft und ihr großes Herz.

Manche sehen die Welt den Bach runtergehen. Ich bin da weit optimistischer. Vielleicht aber auch, weil meine persönliche, nicht zu toppende Topmeldung des Tages – *Best Breaking News ever!* – seit Mai 1998 immer dieselbe ist:
+++ *SABINA* +++ *SABINA* +++ *SABINA* +++

Danke dir so sehr! Du bist die gute Nachricht meines Lebens.

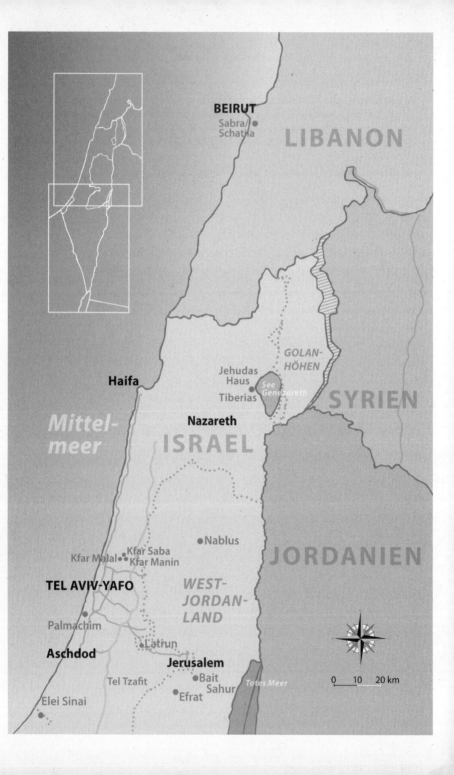

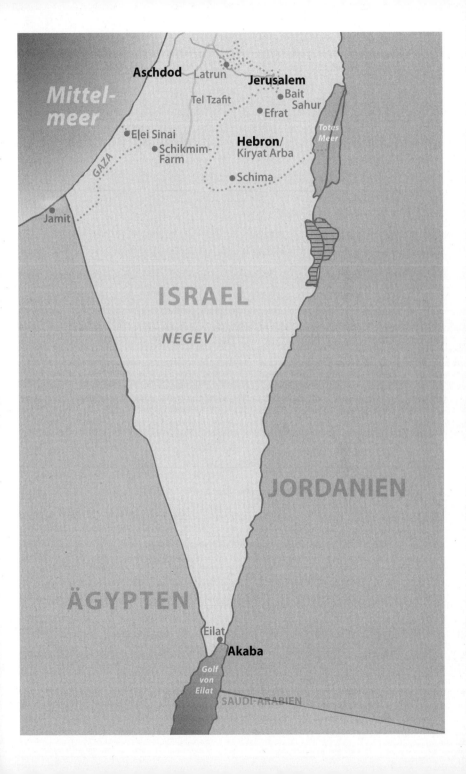

Frank Schätzing
Der Schwarm
Roman
Band 16453

Vor Peru verschwindet ein Fischer. Spurlos. Norwegische
Ölbohrexperten stoßen auf merkwürdige Organismen, die
Hunderte Quadratkilometer Meeresboden in Besitz genom-
men haben. Währenddessen geht mit den Walen entlang der
Küste British Columbias eine unheimliche Veränderung vor.
Nichts von alledem scheint miteinander in Zusammenhang
zu stehen. Doch Sigur Johanson, Biologe und Schöngeist,
glaubt nicht an Zufälle. Auch der indianische Walforscher
Leon Anawak gelangt zu beunruhigenden Schlüssen: Eine
Katastrophe kündigt sich an. Die Suche nach dem Urheber
konfrontiert die Forscher mit ihren schlimmsten Albträumen. Frank Schätzing inszeniert den Feldzug der Natur gegen den Menschen als atemberaubendes Schreckensszenario
mit Tempo und Tiefgang.

»Ein wild schäumender Abenteuer-Cocktail.«
Der Spiegel

Fischer Taschenbuch Verlag

fi 16453 / 1

Frank Schätzing
Limit
Roman
Band 18488

»Mehr als ein Thriller.«
dpa

2025: Bahnbrechende Technologien haben die Raumfahrt
revolutioniert. In einem atemlosen Wettlauf fördern Amerikaner und Chinesen auf dem Mond Helium-3, ein Element,
das sämtliche Energieprobleme der Welt zu lösen verspricht.
Zur selben Zeit soll Detektiv Owen Jericho in Shanghai die
untergetauchte Dissidentin Yoyo ausfindig machen. Was
nach Routine klingt, entwickelt sich zu einer albtraumhaften
Jagd, denn die ebenso schöne wie anstrengende Chinesin ist
im Besitz streng gehüteter Geheimnisse und ihres Lebens
nicht mehr sicher. Die Spur führt rund um den Erdball – und
schließlich zum Mond, wo eine Gruppe Weltraumtouristen
eine bedrohliche Entdeckung macht.

»Ideenreich und intelligent konzipiert,
süffig geschrieben.«
Denis Scheck, Der Tagesspiegel

»Fesselnd. Frank Schätzings Bücher sind eine Mischung
aus Thriller und Wissenschaftsreportage.«
Bunte

Fischer Taschenbuch Verlag

fi 18488 / 1

Frank Schätzing
Die Tyrannei des Schmetterlings

Kalifornien, Sierra Nevada. Luther Opoku, Sheriff der ver-
schlafenen Goldgräberregion Sierra in Kaliforniens Berg-
welt, hat mit Kleindelikten, illegalem Drogenanbau und steter Personalknappheit zu kämpfen. Doch der Einsatz an
diesem Morgen ändert alles. Eine Frau ist unter rätselhaften
Umständen in eine Schlucht gestürzt. Die Ermittlungen führen Luther zu einer Forschungsanlage im Hochgebirge, betrieben von einem Hightech-Konzern des zweihundert Mei-
len entfernten Silicon Valley. Das Geheimnis im Berg führt
den Sheriff an die Grenzen des Vorstellbaren - und darüber
hinaus.

736 Seiten, broschiert

Weitere Informationen finden Sie auf
www.fischerverlage.de

AZ 596-70403/1

Agustín Martínez
Das Dorf der toten Herzen
Thriller

Staubig und unwirtlich ist es in Portocarrero, dem Dorf in der südspanischen Wüstengegend. Spröde und verschlagen sind seine Bewohner. Doch Jacobo und Irene müssen mit ihrer vierzehnjährigen Tochter Miriam hierherziehen, als Jacobo seinen Job verliert. Da geschieht in einer stockdunklen Nacht der Überfall: Zwei Männer dringen in ihr abgelegenes Landhaus ein und töten Irene. Als Jacobo im Krankenhaus aus dem Koma erwacht, fragt er verzweifelt nach seiner Tochter. Aber man lässt sie nicht zu ihm – und ein furchtbarer Verdacht keimt auf: Hat Miriam den Mord an ihren Eltern in Auftrag gegeben? Und was verbergen die Bewohner von Portocarrero?

Aus dem Spanischen
von Lisa Grüneisen
400 Seiten, Klappenbroschur

Weitere Informationen finden Sie auf
www.fischerverlage.de

AZ 596-70228/1